Scott Foresman - Addison Wesley
MATEMÁTICAS
INTERMEDIAS
Curso 1

Randall I. Charles   John A. Dossey   Steven J. Leinwand
Cathy L. Seeley   Charles B. Vonder Embse

L. Carey Bolster • Janet H. Caldwell • Dwight A. Cooley • Warren D. Crown
Linda Proudfit • Alma B. Ramírez • Jeanne F. Ramos • Freddie Lee Renfro
David F. Robitaille • Jane Swafford

Edición para el maestro
Volumen 1
Capítulos 1–6

Scott Foresman
Addison Wesley

Editorial Offices: Menlo Park, California • Glenview, Illinois
Sales Offices: Reading, Massachusetts • Atlanta, Georgia • Glenview, Illinois
Carrollton, Texas • Menlo Park, California

http://www.sf.aw.com

Math

that Makes Sense...

"I learn best when math is interesting to me."

The Student's Perspective

"If we are to reach all students, we must strive for meaningful, challenging, and relevant learning in the classroom."

The Research Perspective

Printed in the United States of America

ISBN 0-201-36463-8

2 3 4 5 6 7 8 9 10 – VH – 02 01 00 99 98

The Teacher's Perspective

*"My primary concern in teaching is to help **all** my students succeed."*

from **EVERY** *Perspective*

What kind of a math program are you looking for? What about your students? And how about mathematics education research? Can one program really satisfy *all* points of view? Through its content, features, and format, *Scott Foresman - Addison Wesley Middle School MATH* recognizes the real-life needs and concerns specific to middle school—supported by research but grounded in real classroom experience.

Welcome to a math program that excels from every perspective—especially yours!

Math that Connects to the Student's World

Middle school students have a perspective all their own. We've tapped into their world with experiences and information that grab their attention and don't let go.

Relevance

"*I want to know when I'll use this.*"

Real, age-appropriate data
Data based on what middle school students buy, eat, study in school, and enjoy permeate every lesson.

Cool themes like *Spiders, Disasters, Food,* and *Whales*
Student-friendly topics blend learning with what kids love.

MathSURF Internet Site
MathSURF's up and so is student interest! Kids can go online to explore text content of every chapter in safe and exciting destinations around the world.

Interactive CD-ROM
Interactive lessons for every chapter provide an exciting environment for learning.

Math that Promotes High School Success

Teachers in today's middle schools need a program that prepares their students for high school math. That means rigorous content, including preparation for algebra and geometry, NTCM content and process standards—PLUS practical strategies for taking tests and problem solving.

> *"My students need to be prepared for high school math. And let's face it, how they perform is a reflection of how **I** perform!"*

Performance

The building blocks of algebra

Prepare students for success in high school math with instruction in mathematical reasoning.

Course 1—focuses on numerical reasoning.

Course 2—focuses on proportional reasoning.

Course 3—focuses on algebraic reasoning.

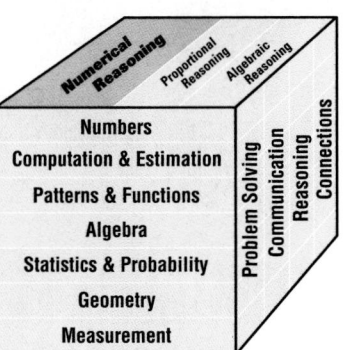

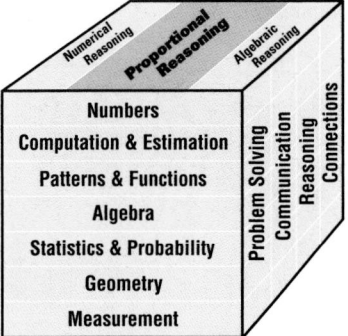

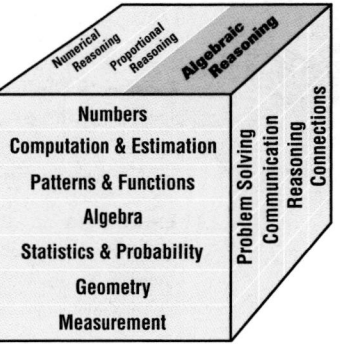

Test prep strategies

The next step in strategies! Helping students be smart about how they take standardized tests builds confidence and leads to success.

Problem solving that's no problem

Sharpen students' problem-solving skills with numerous opportunities to analyze and use the problem-solving process.

A Program that Supports Teaching Success

Teachers in today's middle schools face unique challenges—from improving student performance to adapting to each student's unique learning needs. This program is designed to help you meet those challenges. You'll find help for every teaching need— including *block scheduling* and *interdisciplinary team teaching,* PLUS *outstanding technology,* and more!

Student Edition
Colorful lessons, filled with student-oriented data, have a unique "middle school" look.

Teacher's Edition

(with Teacher's Resource Planner CD-ROM)
Two hardbound volumes, packaged with a CD-ROM Planner, provide complete lesson plans plus practical help to meet your every challenge—block scheduling, team teaching, and more.

Teacher's Resource Package

Practice Masters
Exercises reinforce content of every lesson. Also available as a workbook.

Alternative Lessons (Reteaching Masters)
Masters for every lesson offer another look at skills and concepts.

Práctica adicional
Masters for every lesson offer another look at skills and concepts.

Actividades de enriquecimiento
Masters enhance thinking skills and creativity in every lesson.

Resolución de problemas (para Resolución guiada de problemas)
Masters guide students step-by-step through one problem from every Student Edition exercise set. Also available as a workbook.

Cuaderno de evaluación
Options to help profile students as learners. Includes multiple-choice, short-response, performance, and mixed-format chapter tests, as well as section quizzes and record forms.

Home and Community Connections
Make math a family affair! Booklet with letters in English and Spanish, also provides classroom tips, community projects, and more.

Teacher's Toolkit
Saves time with a variety of Management Resources, plus Teaching Tool Transparencies.

Tecnología
Computer and calculator activities energize lessons with the power of technology.

Chapter Project Masters
Masters support the on-going project in each Student Edition chapter.

Enseñanza interdisciplinaria
Math across the curriculum! Masters provide an engaging 2-page interdisciplinary lesson for each section.

Resources to Customize Instruction

Print Resources

Block Scheduling Handbook
Practical suggestions let you tailor the program to various block scheduling formats.

Overhead Transparency Package
Daily Transparencies (for Problem of the Day, Review, and Quick Quiz) and Lesson Enhancement Transparencies help enliven class presentations.

Multilingual Handbook
Enhanced math glossary with examples in multiple languages provides a valuable resource for teaching. Especially useful with ESL students.

Mathematics Dictionary
Handy reference tool of middle school math terms.

Solutions Manual
Manual includes convenient solutions to Student Edition exercises.

Technology

 Teacher's Resource Planner CD-ROM
The entire Teacher's Resource Package on CD-ROM! Includes an electronic planning guide which allows you to set criteria when planning lessons, customize worksheets, correlate your curriculum to specific objectives, and more!

 Interactive CD-ROM
Interactive, multimedia lessons with built-in math tools help students explore concepts in enjoyable and involving ways.

MathSURF Internet Site (for Students)
Math on the Web! Provides links to other sites, project ideas, interactive surveys and more.

MathSURF Internet Site (for Teachers)
Offers exciting opportunities for in-service ideas and sharing.

MathSURF Internet Site (for Parents)
This Web site offers a variety of practical tips to parents.

TestWorks: Test and Practice CD-ROM
CD-ROM saves hours of test-prep time by generating and customizing tests and worksheets.

Manipulative Kits

Student Manipulative Kit
Quantities of angle rulers, Power Polygons, and other items help students grasp mathematics concepts on a concrete level.

Teacher's Overhead Manipulative Kit
Kit makes demonstrating concepts from an overhead projector easy and convenient.

Authors with Middle School Expertise!

Math that makes sense from every perspective—it's a commitment we've kept in all aspects of this program, including our outstanding team of authors. Their expertise in mathematics education brings to the program extensive knowledge of how middle school students learn math and how best to teach them.

Expertise

"Students learn and perform better when they are taught in ways that match their own strengths."

Charles B. Vonder Embse

Professor of Mathematics Education and Mathematics

Central Michigan University
Mt. Pleasant, Michigan

Member of NCTM Instructional Issues Advisory Committee

Member of the Advisory Board of Teachers Teaching with Technology (T³)

Jane Swafford

Professor of Mathematics

Illinois State University
Normal, Illinois

Randall I. Charles

Professor, Department of Mathematics and Computer Science

San Jose State University
San Jose, California

Past Vice-President, National Council of Supervisors of Mathematics

Co-author of two NCTM publications on teaching and evaluating progress in problem solving

Dwight A. Cooley

Assistant Principal

Mary Louise Phillips
Elementary School
Fort Worth, Texas

*Member, NCTM Board
of Directors*

John A. Dossey

Distinguished University
Professor of Mathematics

Illinois State University
Normal, Illinois

Past President, NCTM

*Guided development
of NCTM Standards*

*Recipient, NCTM Lifetime
Achievement Award*

*Chairman, Conference Board
of the Mathematical Sciences*

*"A program that asks real-life questions
provides rich possibilities for students."*

Cathy L. Seeley

Director of Policy and Professional
Development for Texas SSI

University of Texas
Austin, Texas

Texas State Mathematics Supervisor

Writer, Curriculum and
Evaluation Standards for School
Mathematics

Member, NCTM Board of Directors

Steven J. Leinwand

Mathematics Consultant

Connecticut Department
of Education
Hartford, Connecticut

*Member, NCTM Board
of Directors*

*Past President, National
Council of Supervisors
of Mathematics*

Turn the page, for more authors! ⟶

More Authors with Middle School Expertise!

Freddie Lee Renfro

Coordinator of Mathematics

Fort Bend Independent
School District
Sugarland, Texas

L. Carey Bolster

Director, K–12 Math Projects

Public Broadcasting Service
MATHLINE
Alexandria, Virginia

*"Students construct new learning from a basis
of prior knowledge and experience."*

Linda Proudfit

University Professor of
Mathematics and Computer
Education

Governors State University
University Park, Illinois

Janet H. Caldwell

Professor of Mathematics

Rowan University
Glassboro, New Jersey

David F. Robitaille

Professor of Mathematics Education

University of British Columbia
Vancouver, British Columbia,
Canada

Alma Ramírez

Bilingual Mathematics and
Science Teacher

Oakland Charter Academy
Oakland, California

"To be successful in high school, students need a solid foundation in mathematical reasoning."

Jeanne F. Ramos

Assistant Principal

Nobel Middle School
Los Angeles, California

Warren D. Crown

Professor of Mathematics Education

Rutgers, The State University
of New Jersey
New Brunswick, New Jersey

Expertise

Contributors from Across the Country!

A Nationwide Perspective

Educators from across the country helped shape this program with valuable input about local needs and concerns.

Contributing Writers

Phillip E. Duren
California State University
Hayward, CA

Kathy A. Ross
Loyola University (LaSIP)
New Orleans, LA

Sheryl M. Yamada
Beverly Hills High School
Beverly Hills, CA

Content Reviewers

Ann Boltz
Coldwater, MI

John David Bridges
Greenville, SC

Glenn Bruckhart
Fort Collins, CO

Sharon Bourgeois Butler
Spring, TX

Carol Cameron
Seattle, WA

Steven T. Cottrell
Farmington, UT

Patricia Creel
Lawrenceville, GA

Wendi M. Cyford
New Market, MD

Scott Firkins
Owensboro, KY

Madelaine Gallin
New York, NY

Roy E. Griggs
Boise, ID

Lucy Hahn
Boise, ID

Allison Harris
Seattle, WA

Clay Hutson
Kingsport, TN

Beryl W. Jackson
Alexandria, VA

Janet Jomp
Wilson, NC

Ann P. Lawrence
Marietta, GA

Cheryl McCormack
Indianapolis, IN

Gary McCracken
Tuscaloosa, AL

Allison McNaughton
Marstons Mills, MA

Sandra A. Nagy
Mesa, AZ

Kent Novak
Greene, RI

Jeff C. Nusbaum
Rock Island, IL

Vince O'Connor
Milwaukee, WI

Mary Lynn Raith
Pittsburgh, PA

Kathleen Rieke
Zionsville, IN

Ellen G. Robertson
Norwich, NY

Nancy Rolsen
Worthington, OH

Edith Roos
Helena, MT

Lynn A. Sandro
Cedar Springs, MI

Carol Sims
Arcadia, CA

Paul E. Smith
Newburgh, IN

Donald M. Smyton
Kenmore, NY

Stella M. Turner
Indianapolis, IN

Tommie Walsh
Lubbock, TX

Terri Weaver
Houston, TX

Jacqueline Weilmuenster
Colleyville, TX

Multicultural Reviewers

Mary Margaret Capraro
Hialeah, FL

Robert Capraro
Miami, FL

Bettye Forte
Fort Worth, TX

Hector Hirigoyen
Miami, FL

James E. Hopkins
Auburn, WA

Patricia Locke
Mobridge, SD

Jimmie Rios
Fort Worth, TX

Linda Skinner
Edmond, OK

Spanish Reviewers

Richard Dierkes
El Paso, TX

Rosa G. Gallegos
Fort Worth, TX

Olga Leonard
Katy, TX

Mercy Gilliard
Brandon, FL

Sylvia Holub
Bellair, TX

Joseph A. Murphy
Teaneck, NJ

Suzanna Pozo
Phoenix, AZ

Eva Ramírez
McAllen, TX

Corrine S. Silguero
Mesquite, TX

ESL Reviewers

Anna Uhl Chamot
Washington, DC

Jimmie Rios
Fort Worth, TX

Inclusion Reviewers

Lucy Blood
Amesbury, MA

Janett Borg
Monroe, UT

John David Bridges
Greenville, SC

Edith Roos
Helena, MT

Cross-Curricular Reviewers

Janett Borg
Monroe, UT

Kurt Brorson
Bethesda, MD

Geoffrey Chester
Washington, DC

Trudi Hammel Garland
Orinda, CA

M. Frank Watt Ireton
Washington, DC

Donna Krasnow
Carmel, CA

Chelcie Liu
San Francisco, CA

Edith Roos
Helena, MT

Technology Reviewers

Kurt Brorson
Bethesda, MD

Beverly W. Nichols
Overland Park, KS

Susan Rhodes
Springfield, IL

David L. Stout
Pensacola, FL

TABLE OF CONTENTS

Teacher's Edition

VOLUME 1: CHAPTERS 1–6

VOLUME 2: CHAPTERS 7–12

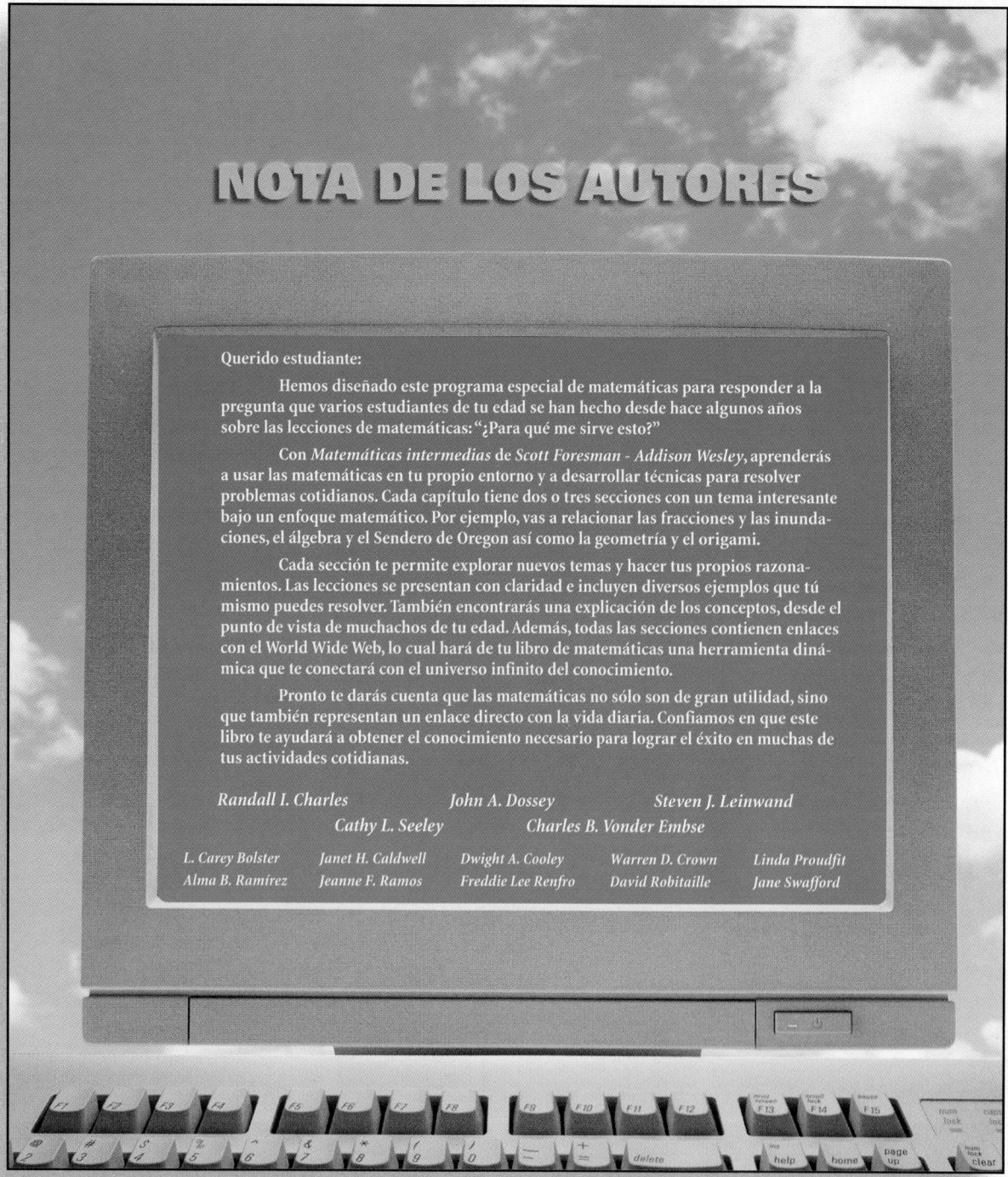

NOTA DE LOS AUTORES

Querido estudiante:

Hemos diseñado este programa especial de matemáticas para responder a la pregunta que varios estudiantes de tu edad se han hecho desde hace algunos años sobre las lecciones de matemáticas: "¿Para qué me sirve esto?"

Con *Matemáticas intermedias* de Scott Foresman - Addison Wesley, aprenderás a usar las matemáticas en tu propio entorno y a desarrollar técnicas para resolver problemas cotidianos. Cada capítulo tiene dos o tres secciones con un tema interesante bajo un enfoque matemático. Por ejemplo, vas a relacionar las fracciones y las inundaciones, el álgebra y el Sendero de Oregon así como la geometría y el origami.

Cada sección te permite explorar nuevos temas y hacer tus propios razonamientos. Las lecciones se presentan con claridad e incluyen diversos ejemplos que tú mismo puedes resolver. También encontrarás una explicación de los conceptos, desde el punto de vista de muchachos de tu edad. Además, todas las secciones contienen enlaces con el World Wide Web, lo cual hará de tu libro de matemáticas una herramienta dinámica que te conectará con el universo infinito del conocimiento.

Pronto te darás cuenta que las matemáticas no sólo son de gran utilidad, sino que también representan un enlace directo con la vida diaria. Confiamos en que este libro te ayudará a obtener el conocimiento necesario para lograr el éxito en muchas de tus actividades cotidianas.

Randall I. Charles   *John A. Dossey*   *Steven J. Leinwand*

Cathy L. Seeley   *Charles B. Vonder Embse*

L. Carey Bolster   *Janet H. Caldwell*   *Dwight A. Cooley*   *Warren D. Crown*   *Linda Proudfit*
Alma B. Ramírez   *Jeanne F. Ramos*   *Freddie Lee Renfro*   *David Robitaille*   *Jane Swafford*

CHAPTER 1

Statistics—Real World Use of Whole Numbers

2A Overview
2B Meeting NCTM Standards/Technology
2C Standardized-Test Correlation/Assessment Program
2D Middle School Pacing Chart/Interdisciplinary Bulletin Board

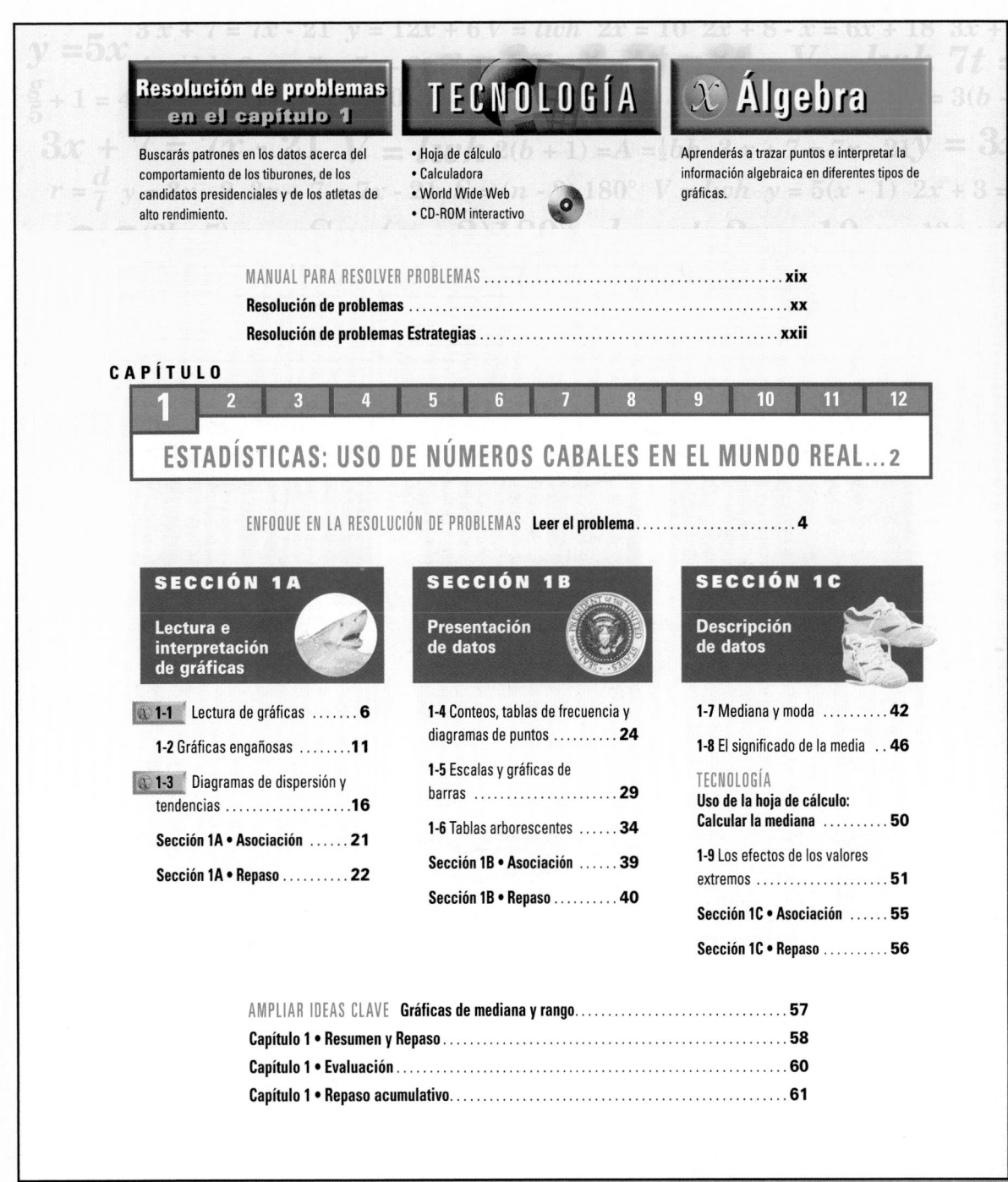

Resolución de problemas en el capítulo 1

Buscarás patrones en los los datos acerca del comportamiento de los tiburones, de los candidatos presidenciales y de los atletas de alto rendimiento.

TECNOLOGÍA

• Hoja de cálculo
• Calculadora
• World Wide Web
• CD-ROM interactivo

Álgebra

Aprenderás a trazar puntos e interpretar la información algebraica en diferentes tipos de gráficas.

CHAPTER 2

Connecting Arithmetic to Algebra

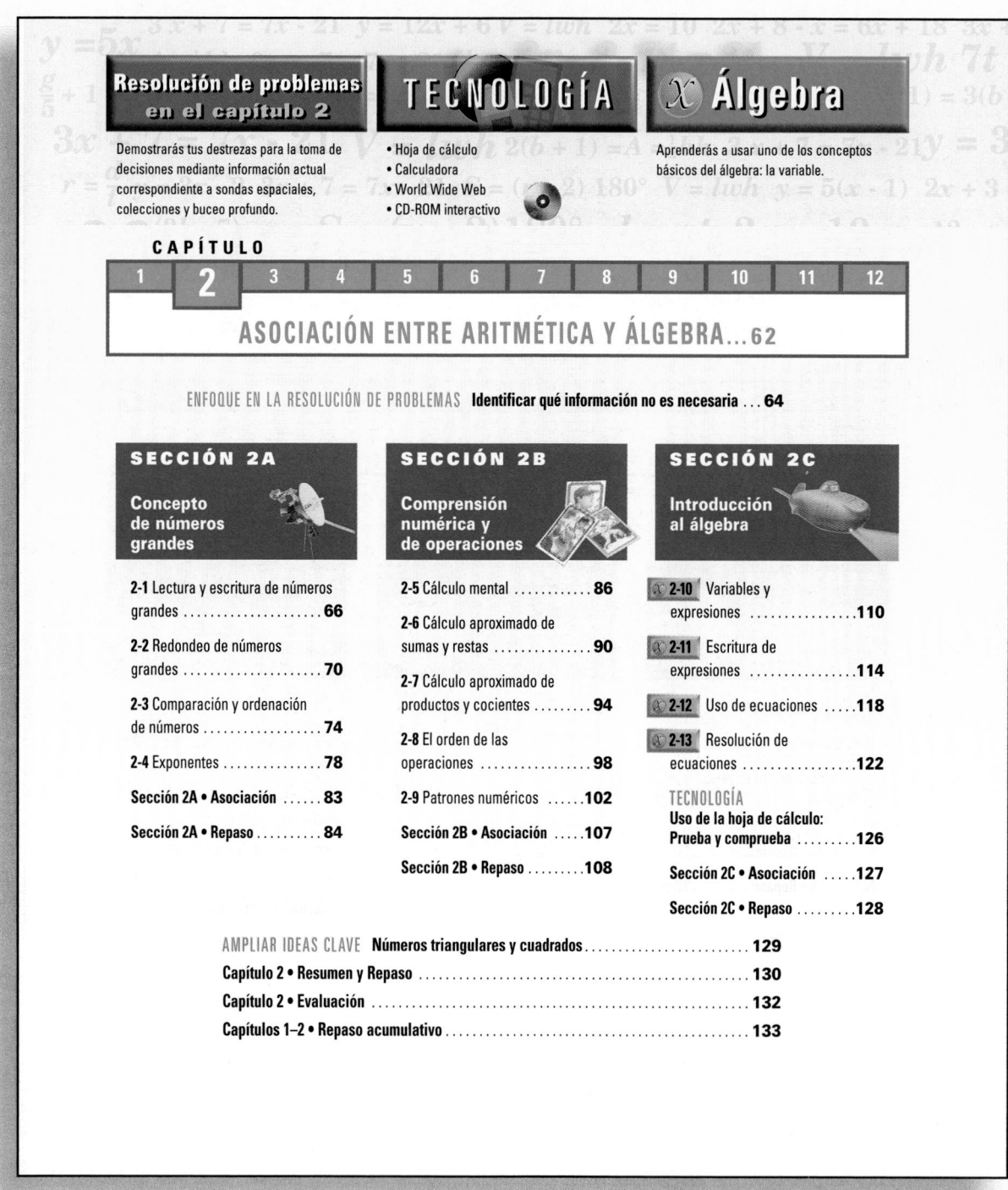

CHAPTER 3

Decimals

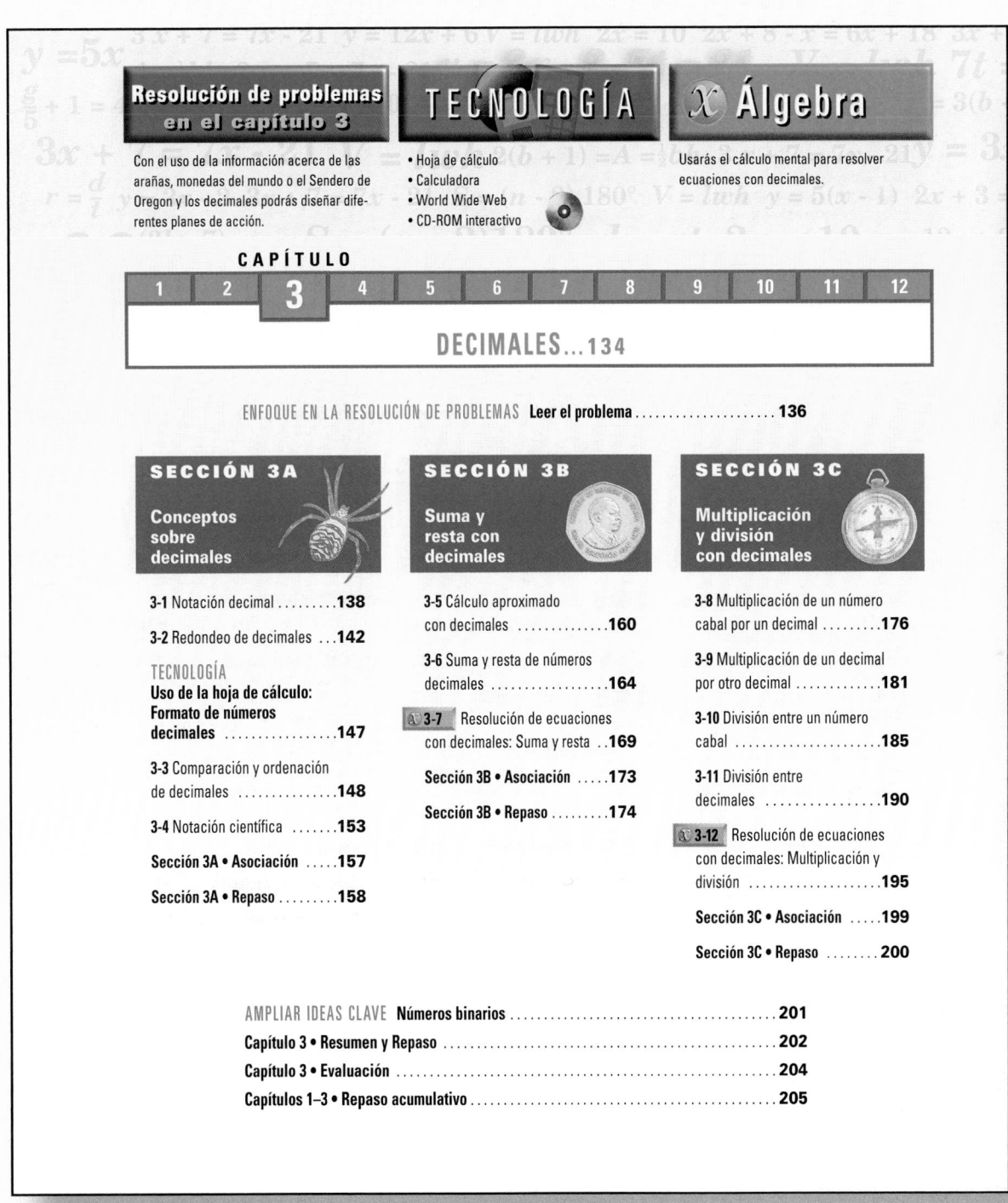

Resolución de problemas en el capítulo 3

Con el uso de la información acerca de las arañas, monedas del mundo o el Sendero de Oregon y los decimales podrás diseñar diferentes planes de acción.

TECNOLOGÍA

• Hoja de cálculo
• Calculadora
• World Wide Web
• CD-ROM interactivo

x **Álgebra**

Usarás el cálculo mental para resolver ecuaciones con decimales.

CAPÍTULO

| 1 | 2 | 3 | 4 | 5 | 6 | 7 | 8 | 9 | 10 | 11 | 12 |

CHAPTER 4

Measurement

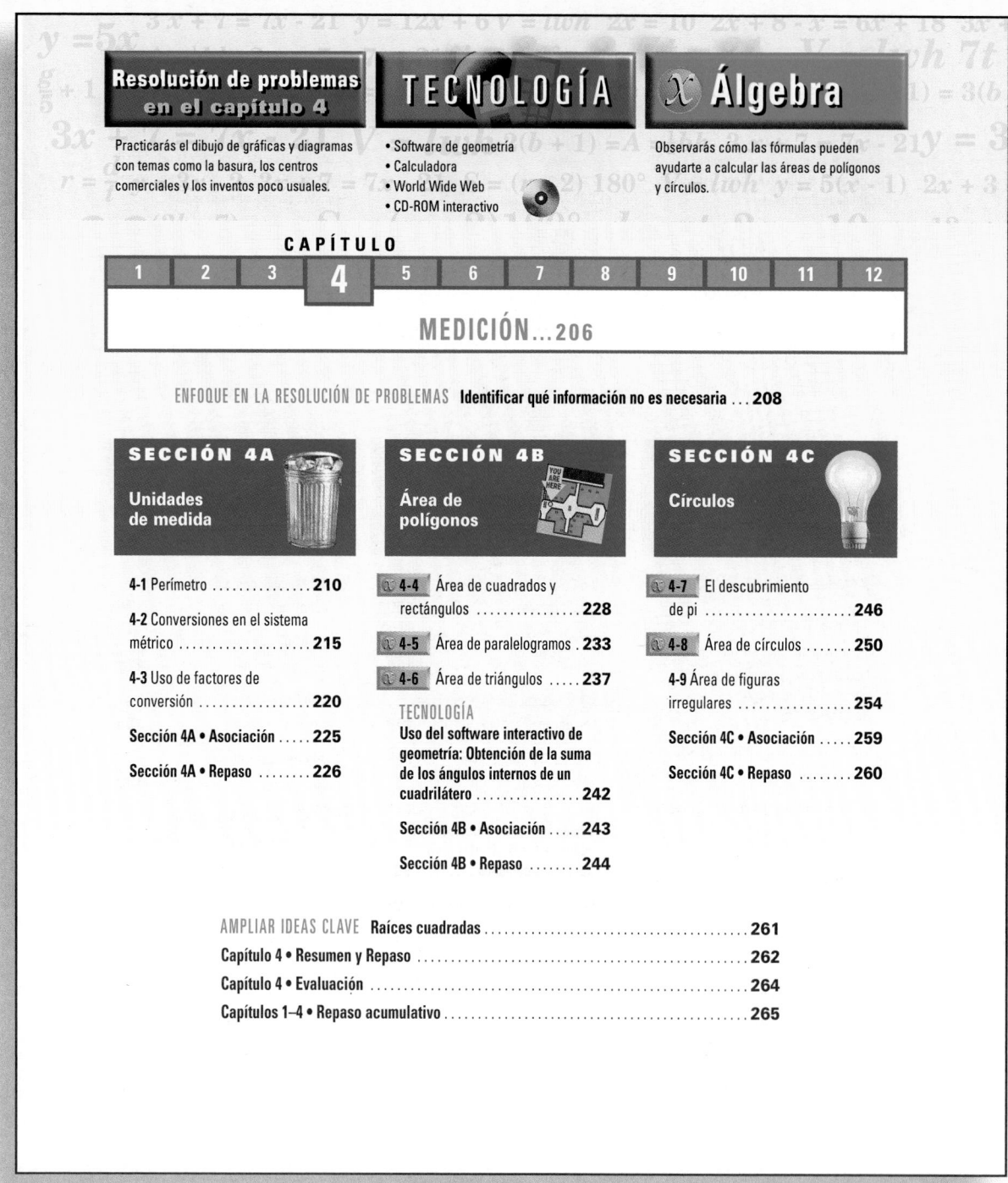

Resolución de problemas en el capítulo 4

Practicarás el dibujo de gráficas y diagramas con temas como la basura, los centros comerciales y los inventos poco usuales.

TECNOLOGÍA

- Software de geometría
- Calculadora
- World Wide Web
- CD-ROM interactivo

Álgebra

Observarás cómo las fórmulas pueden ayudarte a calcular las áreas de polígonos y círculos.

CAPÍTULO

| 1 | 2 | 3 | **4** | 5 | 6 | 7 | 8 | 9 | 10 | 11 | 12 |

CHAPTER 5

Patterns and Number Theory

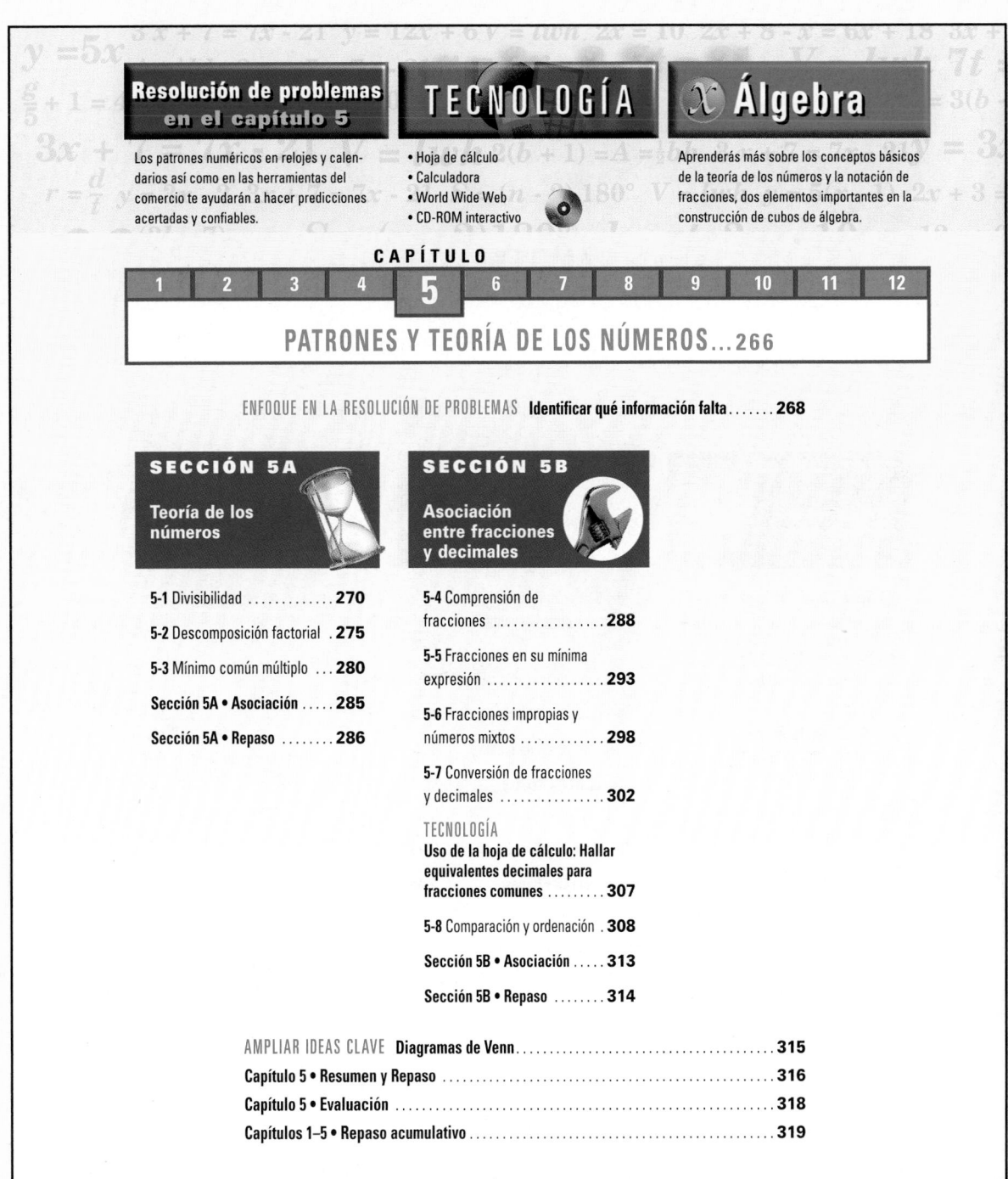

Resolución de problemas en el capítulo 5

Los patrones numéricos en relojes y calendarios así como en las herramientas del comercio te ayudarán a hacer predicciones acertadas y confiables.

TECNOLOGÍA

• Hoja de cálculo
• Calculadora
• World Wide Web
• CD-ROM interactivo

Álgebra

Aprenderás más sobre los conceptos básicos de la teoría de los números y la notación de fracciones, dos elementos importantes en la construcción de cubos de álgebra.

CAPÍTULO

| 1 | 2 | 3 | 4 | **5** | 6 | 7 | 8 | 9 | 10 | 11 | 12 |

CHAPTER 6

Adding and Subtracting Fractions

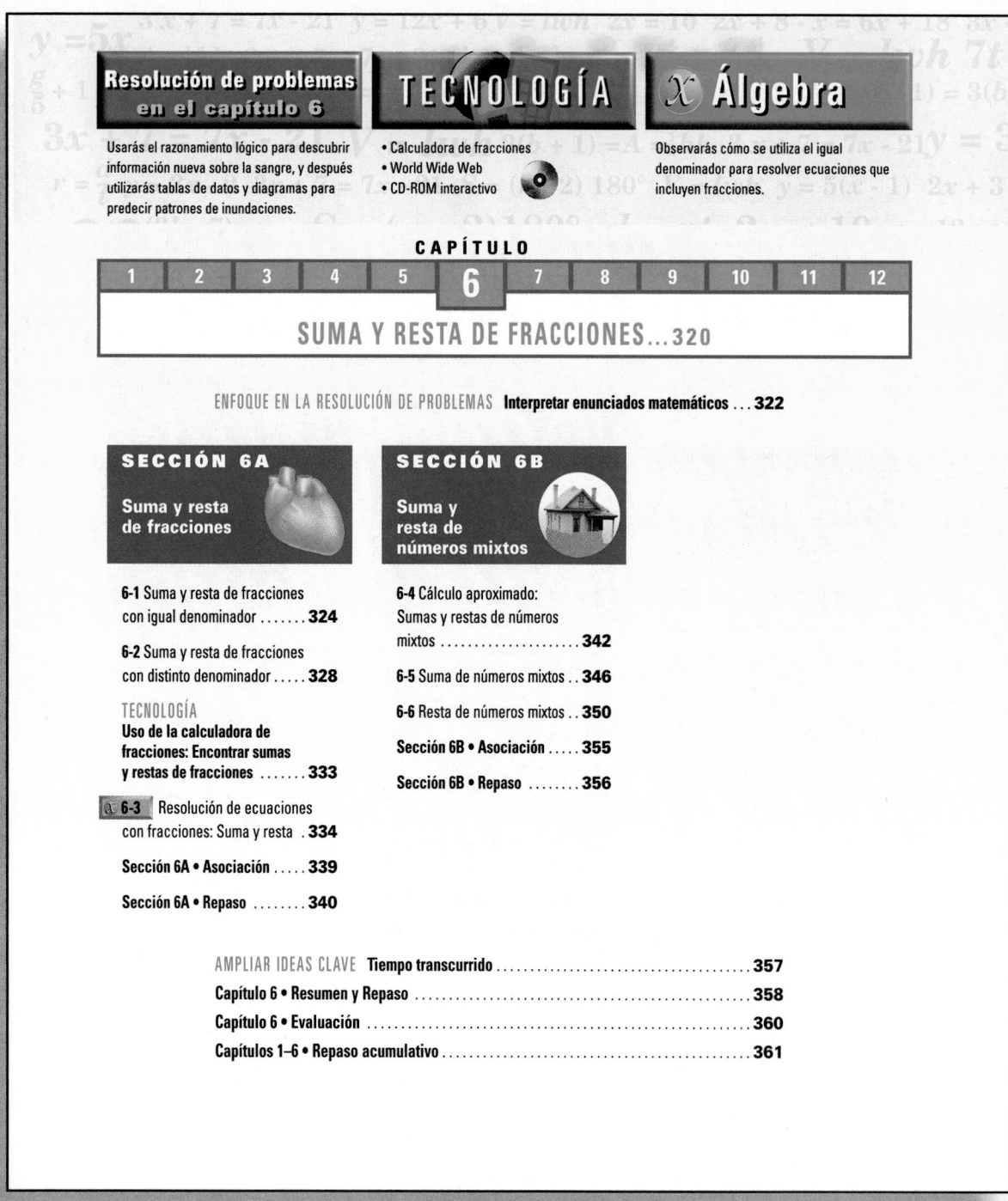

Resolución de problemas en el capítulo 6

Usarás el razonamiento lógico para descubrir información nueva sobre la sangre, y después utilizarás tablas de datos y diagramas para predecir patrones de inundaciones.

TECNOLOGÍA

• Calculadora de fracciones
• World Wide Web
• CD-ROM interactivo

Álgebra

Observarás cómo se utiliza el igual denominador para resolver ecuaciones que incluyen fracciones.

CAPÍTULO

| 1 | 2 | 3 | 4 | 5 | **6** | 7 | 8 | 9 | 10 | 11 | 12 |

CHAPTER 7

Multiplying and Dividing Fractions

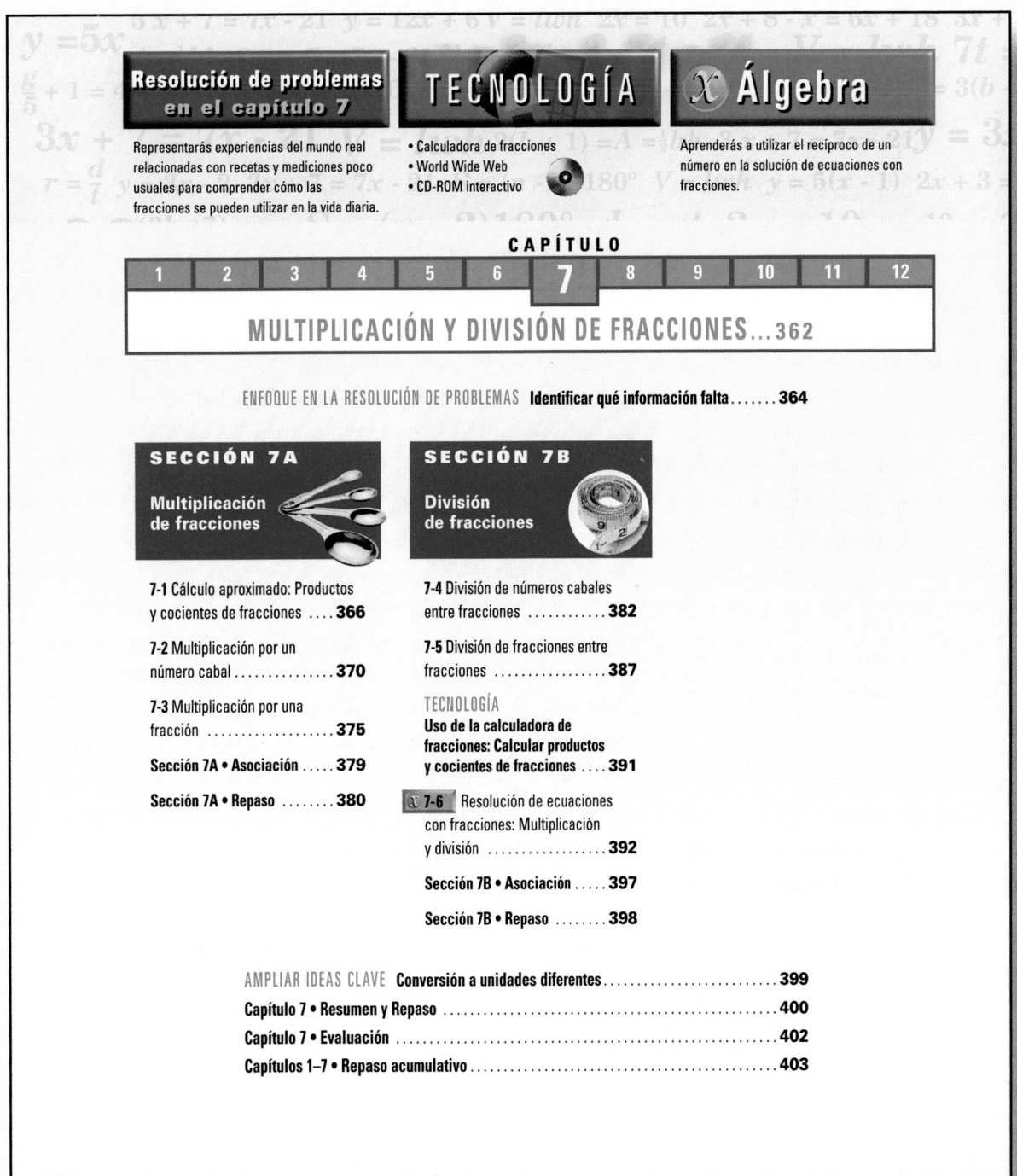

Resolución de problemas en el capítulo 7

Representarás experiencias del mundo real relacionadas con recetas y mediciones poco usuales para comprender cómo las fracciones se pueden utilizar en la vida diaria.

TECNOLOGÍA

• Calculadora de fracciones
• World Wide Web
• CD-ROM interactivo

𝒳 Álgebra

Aprenderás a utilizar el recíproco de un número en la solución de ecuaciones con fracciones.

CAPÍTULO

| 1 | 2 | 3 | 4 | 5 | 6 | **7** | 8 | 9 | 10 | 11 | 12 |

CHAPTER 8

The Geometry of Polygons

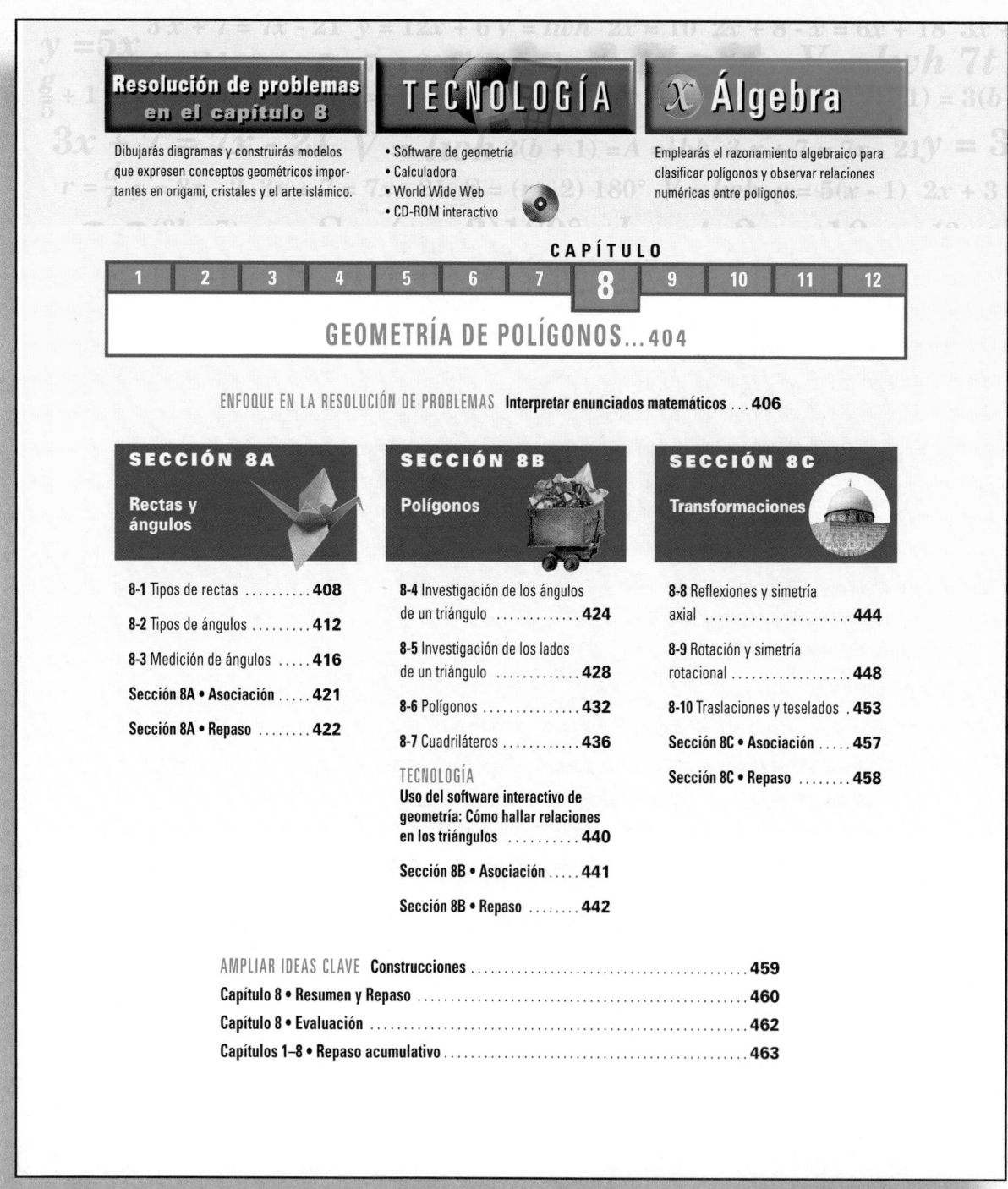

Resolución de problemas en el capítulo 8

Dibujarás diagramas y construirás modelos que expresen conceptos geométricos importantes en origami, cristales y el arte islámico.

TECNOLOGÍA

• Software de geometría
• Calculadora
• World Wide Web
• CD-ROM interactivo

Álgebra

Emplearás el razonamiento algebraico para clasificar polígonos y observar relaciones numéricas entre polígonos.

CAPÍTULO

| 1 | 2 | 3 | 4 | 5 | 6 | 7 | **8** | 9 | 10 | 11 | 12 |

GEOMETRÍA DE POLÍGONOS...404

ENFOQUE EN LA RESOLUCIÓN DE PROBLEMAS Interpretar enunciados matemáticos . . . 406

CHAPTER 9

Integers and the Coordinate Plane

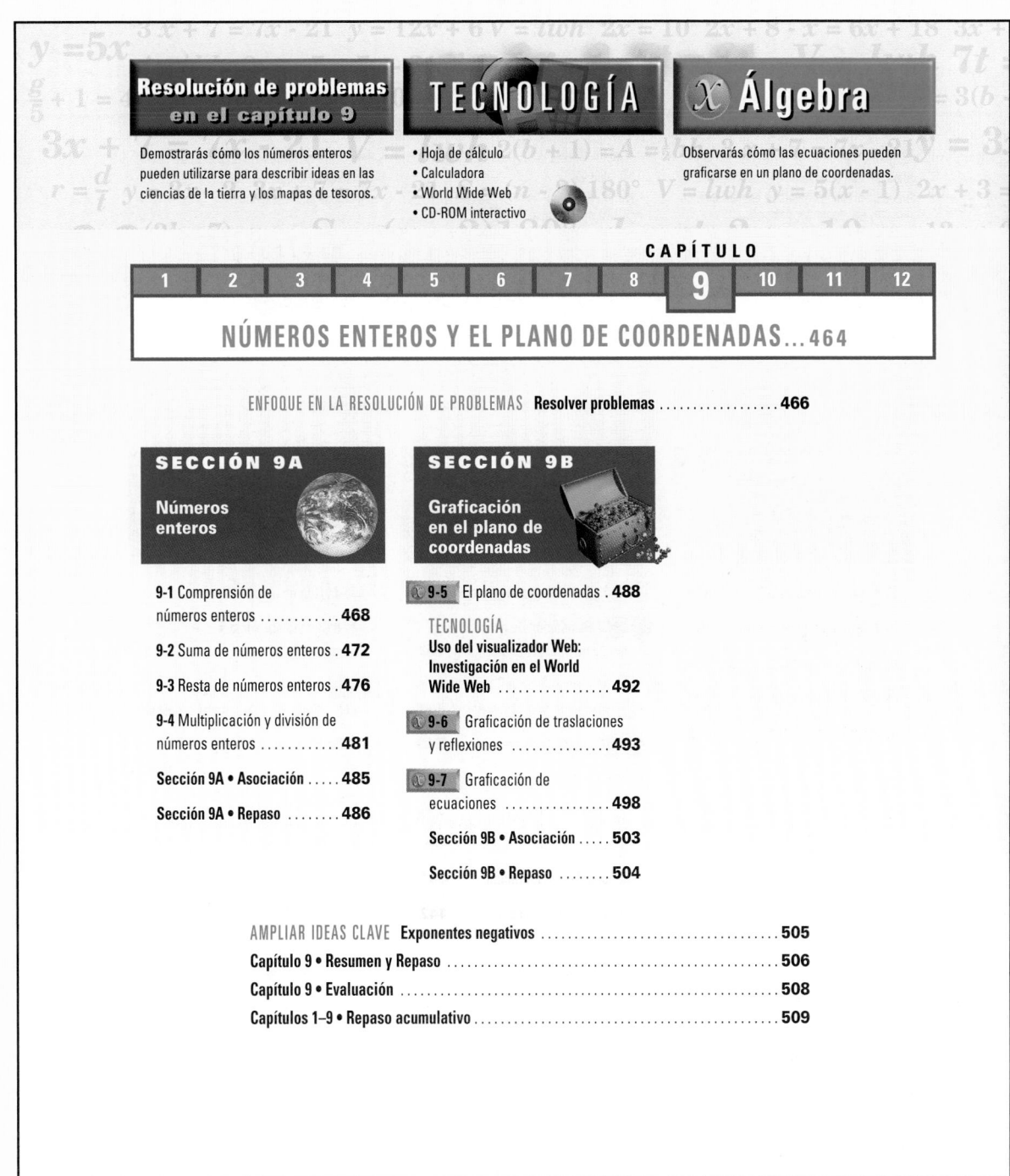

Resolución de problemas en el capítulo 9

Demostrarás cómo los números enteros pueden utilizarse para describir ideas en las ciencias de la tierra y los mapas de tesoros.

TECNOLOGÍA

• Hoja de cálculo
• Calculadora
• World Wide Web
• CD-ROM interactivo

𝑥 Álgebra

Observarás cómo las ecuaciones pueden graficarse en un plano de coordenadas.

CAPÍTULO

| 1 | 2 | 3 | 4 | 5 | 6 | 7 | 8 | **9** | 10 | 11 | 12 |

CHAPTER 10

Ratio, Proportion, and Percent

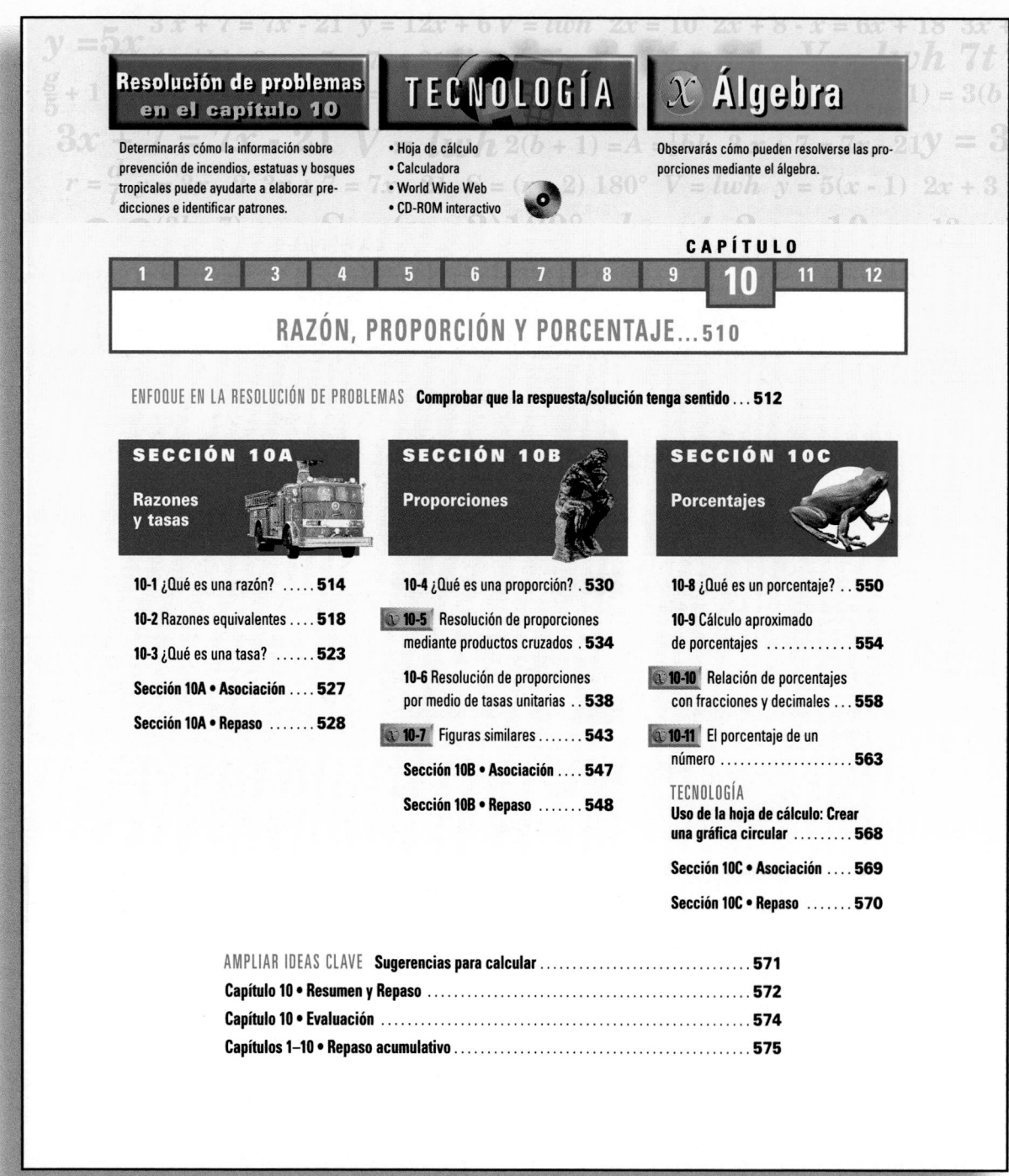

Resolución de problemas en el capítulo 10

Determinarás cómo la información sobre prevención de incendios, estatuas y bosques tropicales puede ayudarte a elaborar predicciones e identificar patrones.

TECNOLOGÍA

• Hoja de cálculo
• Calculadora
• World Wide Web
• CD-ROM interactivo

X Álgebra

Observarás cómo pueden resolverse las proporciones mediante el álgebra.

CAPÍTULO

| 1 | 2 | 3 | 4 | 5 | 6 | 7 | 8 | 9 | **10** | 11 | 12 |

CHAPTER 11

Solids and Measurment

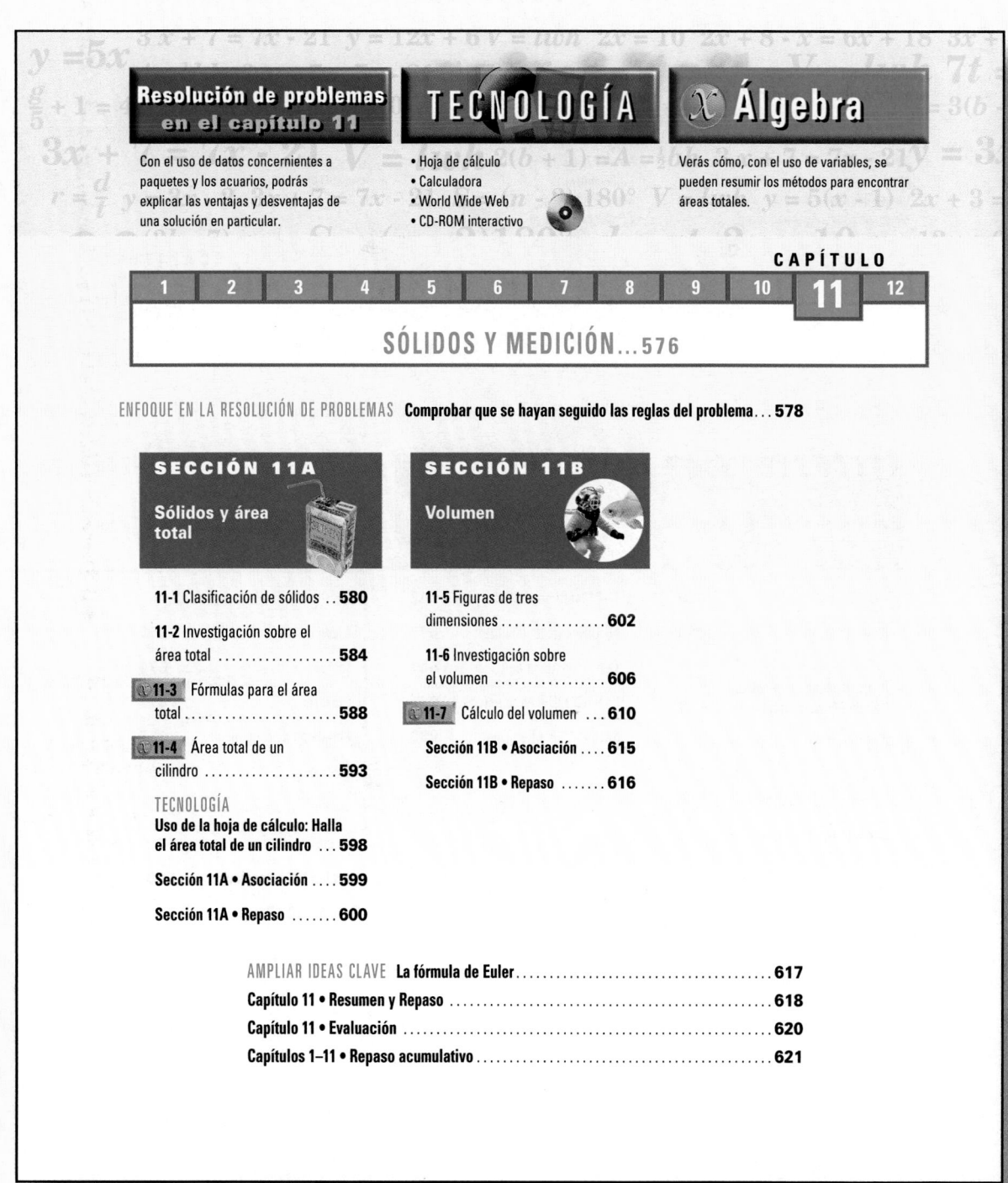

Resolución de problemas en el capítulo 11

Con el uso de datos concernientes a paquetes y los acuarios, podrás explicar las ventajas y desventajas de una solución en particular.

TECNOLOGÍA

• Hoja de cálculo
• Calculadora
• World Wide Web
• CD-ROM interactivo

Álgebra

Verás cómo, con el uso de variables, se pueden resumir los métodos para encontrar áreas totales.

| 1 | 2 | 3 | 4 | 5 | 6 | 7 | 8 | 9 | 10 | **11** | 12 |

CAPÍTULO

SÓLIDOS Y MEDICIÓN...576

CHAPTER 12

Probability

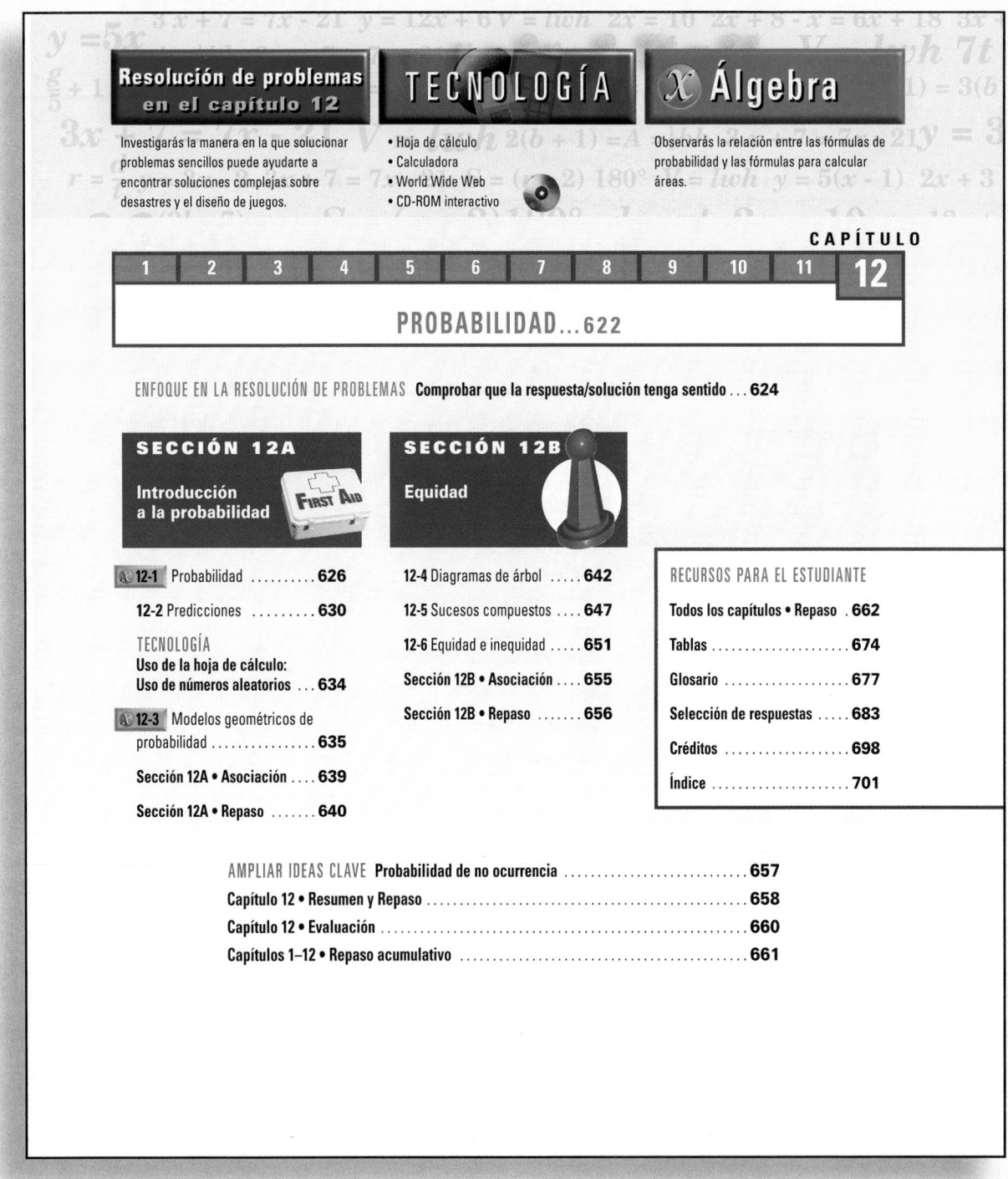

Resolución de problemas en el capítulo 12

Investigarás la manera en la que solucionar problemas sencillos puede ayudarte a encontrar soluciones complejas sobre desastres y el diseño de juegos.

TECNOLOGÍA

- Hoja de cálculo
- Calculadora
- World Wide Web
- CD-ROM interactivo

X Álgebra

Observarás la relación entre las fórmulas de probabilidad y las fórmulas para calcular áreas.

CAPÍTULO

1	2	3	4	5	6	7	8	9	10	11	**12**

PROBABILIDAD...622

ENFOQUE EN LA RESOLUCIÓN DE PROBLEMAS Comprobar que la respuesta/solución tenga sentido ... **624**

Pacing Guide

The pacing suggested in the chart at the right assumes one day for most lessons, one day for end-of-section Connect and Review, and two days for end-of-chapter Summary, Review, and Assessment. The same number of days per chapter is used for the block scheduling options. For example, see page 2D.

You may need to adjust pacing to meet the needs of your students and your district curriculum.

	CHAPTER	PAGES	NUMBER OF DAYS
1	Statistics—Real World Use of Whole Numbers	2–61	15
2	Connecting Arithmetic to Algebra	62–133	19
3	Decimals	134–205	18
4	Measurement	206–265	15
5	Patterns and Number Theory	266–319	13
6	Adding and Subtracting Fractions	320–361	11
7	Multiplying and Dividing Fractions	362–403	11
8	The Geometry of Polygons	404–463	16
9	Integers and the Coordinate Plane	464–509	12
10	Ratio, Proportion, and Percent	510–575	17
11	Solids and Measurement	576–621	12
12	Probability	622–661	11
	Total Days		**170**

Materials List

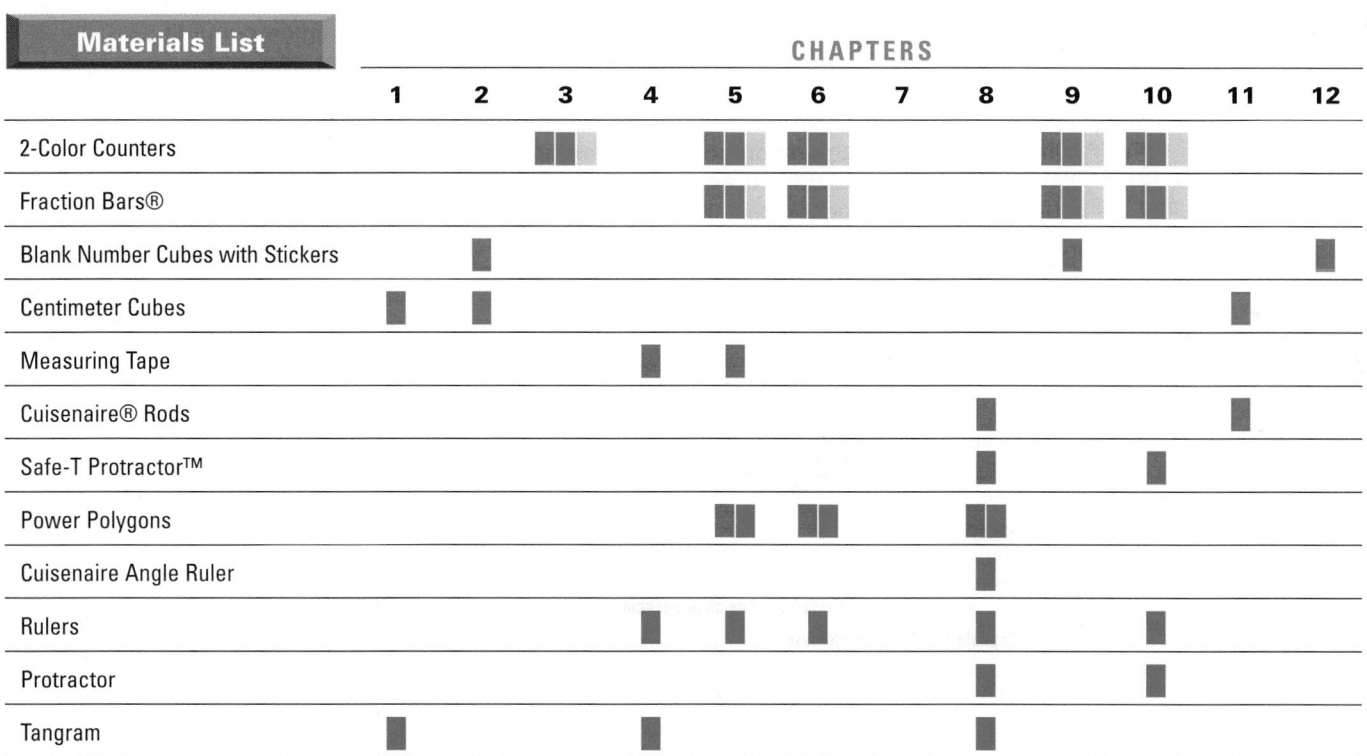

CHAPTERS

	1	2	3	4	5	6	7	8	9	10	11	12
2-Color Counters			■■▨		■■▨	■■▨			■■▨	■■▨		
Fraction Bars®					■■▨	■■▨			■■▨	■■▨		
Blank Number Cubes with Stickers		■							■			■
Centimeter Cubes	■	■									■	
Measuring Tape				■	■							
Cuisenaire® Rods									■		■	
Safe-T Protractor™									■	■		
Power Polygons					■■	■■		■■				
Cuisenaire Angle Ruler									■			
Rulers				■	■	■			■	■		
Protractor									■	■		
Tangram	■			■					■			

■ **Student Manipulative Kit**   ▨ **Teacher's Overhead Manipulative Kit**   ■ **Transparencies in Teacher's Toolkit**

TECHNOLOGY FOR STUDENTS

Technology Used in Lessons

Students should have access to scientific calculators for appropriate use as needed. In lessons, calculators are used to develop concepts involving exponents, order of operations, algebraic relationships, scientific notation, pi, and divisibility. Calculators are also used to solve problems involving large numbers or real-world data requiring tedious computation. Emphasize that it is not appropriate to use calculators instead of mental computation or simple paper-pencil computation. Emphasize the importance of estimating to check if answers are reasonable. Options for using spreadsheets appear at times in the Explore part of lesson development.

Calculator Hint and Technology Link

These features appear in lesson development to offer tips about calculator key sequences and displays.

Technology Pages

Feature pages called "Technology" provide activities using fraction calculators, spreadsheets, geometry software, and Web browsers.

Technology Masters

Technology Masters offer activities with scientific and fraction calculators, spreadsheets, graphers, and geometry software.

Interactive CD-ROM

An interactive lesson is provided for each chapter to enhance understanding and use of lesson concepts. The following built-in math tools are used with the interactive lessons and can also be used with other lessons when helpful.

- Spreadsheet/Grapher Tool for exploring mathematical relationships
- Line Plot Tool for making line plots
- Place Value Blocks Tool for concept development involving whole numbers, decimals, and integers.
- Fraction Tool for fraction models used to learn concepts and computation
- Geometry Tool for work with two-dimensional figures
- 3D Blocks Tool for work with solids
- Probability Tool for doing simulations
- Journal for student writing and for preparing written presentations that can include graphics

Mathsurf Internet Site

Students go to the Scott Foresman - Addison Wesley Web site www.mathsurf.com using references given in the Student Book on chapter and section openers. Once at the site, students are given data and questions, or sent to other sites worldwide to gather and share data, or directed to use a search engine to research a specific term.

Wide World of Mathematics for Middle School on CD-ROM, Videodisc, or Videotape

Wide World of Mathematics presents reports and video footage from ABC News and ABC Sports broadcasts to demonstrate how math is used in the real world. The videotape version includes an investigation for each video segment. The videodisc version also includes on-screen questions and data. The CD-ROM version also provides interactive math games. Segments on the video are referenced in the Teacher's Edition.

The New Adventures of Jasper Woodbury Videodisc

This is a set of videodiscs that challenge students to work together to solve problems presented in engaging stories. Problem solutions encourage logical thinking and deductive reasoning. Episodes on the videodiscs are referenced in the Teacher's Edition.

TECHNOLOGY FOR TEACHERS

Teacher's Resource Planner CD-ROM

The planner lets you preview and customize blackline masters in the program. It also offers an interactive planner that lets you map out a plan for the year or month as well as generate either default or customized daily lesson plans. Lesson plans include resources, correlations, assignment guides, space to write notes, and more.

TestWorks: Test and Practice Software

This software lets you generate default as well as customized tests and worksheets in free response, multiple choice, or mixed formats. The software is packaged on a CD-ROM.

Internet Site for Teachers

Go online at www.teacher.mathsurf.com to hear new ideas, get information about program components, and link to other Internet sites.

TECHNOLOGY FOR PARENTS

Internet Site for Parents

Parents can go online at www.parent.mathsurf.com to get information about the program along with ideas for helping their children with math at home.

Conexiones con la Internet

El mundo de las matemáticas está conectado a tu entorno de múltiples e interesantes maneras. Te invitamos a explorar dichas conexiones en el World Wide Web.

Para empezar tu recorrido, necesitarás un visualizador Web. Activa tu visualizador a fin de visitar la página base de *Mathsurf,* la cual se despliega después de escribir *http://www.mathsurf.com.*

Encontrarás más direcciones Internet en la parte inicial de cada capítulo y sección, las cuales te enviarán directo a las páginas relacionadas con el tema en cuestión.

Si la escuela o los estudiantes tienen acceso al World Wide Web, anímelos a consultar el sitio Web cuya dirección se muestra al inicio de cada capítulo y en la introducción de cada sección. Una vez conectados, enséñeles a usar las direcciones Web incluidas para hallar los enlaces interdisciplinarios con los temas examinados en los capítulos. Invítelos a trabajar en equipo para navegar en el Web; pídales que localicen información relevante para compartirla con el resto de la clase.

Tal vez desee analizar con ellos las ventajas de buscar información en la Internet.

- En general, la información de la red presenta detalles más completos sobre hechos recientes que los diarios, revistas o libros de referencia.

- Con frecuencia, la red permite hallar información sobre temas que de otra forma sería difícil investigar.

- Es fácil interactuar con la persona que ha creado el sitio Web activado.

Pero también existen algunas desventajas.

- La información de los sitios Web sólo permanece ahí poco tiempo.

- Existe poca o ninguna reglamentación sobre el contenido de la información que aparece en la Internet.

- Puesto que la Internet no requiere la verificación de los datos, parte de la información obtenida puede ser incorrecta.

Si lo desea, consulte las notas presentadas en la introducción de cada sección y capítulo de la Edición del maestro. Dichas notas ofrecen una actividad para cada enlace, sin necesidad de conectarse con el World Wide Web.

INTERNET CONNECTIONS

If your school or students have access to the World Wide Web point out the Web site addresses across the top of the chapter and section openers. Then show students how they can use the Web site addresses given to find interdisciplinary links for the topics discussed in the chapter. Let students work in small groups to browse the Web; tell them to note interesting information that they find and share it with the class.

You might want to discuss with students some advantages of researching on the Internet.

- Information may provide more complete details on recently recorded facts than newspapers, magazines, or reference books.

- It is often possible to find information about obscure topics that might be difficult to find elswhere.

- It is easy to interact with the person who created a Web site.

You might also note some of the disadvantages.

- Information might remain at a Web site for only a short period of time.

- There is little or no regulation of what information does or does not appear on the Internet.

- Fact-checking is not required for information on the Internet; facts may be incorrect.

You may want to use the Teacher's Edition notes found on the chapter and section openers. These notes provide an activity for each link which does not require access to the World Wide Web.

PROBLEM SOLVING AND APPLICATIONS

PROBLEM SOLVING AND APPLICATIONS

"Problem solving is the process by which students experience the power and usefulness of mathematics in the world around them."

from The NCTM Standards

Scott Foresman-Addison Wesley Middle School Math is a problem solving based program that provides students with a wide range of problem-solving tools. When you teach mathematics from a problem-solving viewpoint, you provide students with the key skills and attitudes needed to be successful in mathematics.

Point out the logos at the top of this page. These logos are used throughout the book help students analyze the problem-solving process.

• The Problem Solving Guidelines logo lists the four steps students should consider when solving a problem: understand, plan, solve, and look back.

• The Problem Solving Strategies logo reminds students of strategies they can use in problem solving.

• Problem Solving Tips provide helpful hints for specific problems students are asked to solve.

• In What Do You Think? students see two ways to solve a problem. Then they discuss how they might solve the problem.

Students will encounter a diverse selection of problem-solving applications in the program. Discuss the six examples given on this page. Ask students if they can think of other uses of mathematics.

Throughout the book students will see connections to different disciplines, as well as to business, industry, career, and consumer topics. You might have groups of students page through their books to find references to connections other than those named at the bottom of this page.

RESOLUCIÓN DE PROBLEMAS Y APLICACIONES

"Con la resolución de problemas los estudiantes experimentan el alcance y la utilidad de las matemáticas en el mundo que los rodea."

Tomado de las normas NCTM

Matemáticas para escuelas intermedias de Scott Foresman-Addison Wesley es un programa basado en la resolución de problemas que ofrece a los estudiantes un amplio rango de herramientas de resolución. Cuando las matemáticas se enseñan desde el punto de vista de la resolución de problemas, se brindan las destrezas y actitudes clave para lograr el éxito en el uso de las matemáticas.

Muestre a los estudiantes los logotipos que se observan al principio de esta página. Estos logotipos se usan en todo el libro para ayudar a los estudiantes a analizar el proceso de resolución de problemas.

• El logotipo de la Guía para resolver problemas muestra los cuatro pasos que los estudiantes deben considerar al resolver un problema: comprende, plan, resuelve y revisa.

• El logotipo de Resolución de problemas Estrategias recuerda a los estudiantes las estrategias que pueden usar para resolver los problemas.

• El logotipo Resolución de problemas Ten en cuenta ofrece útiles consejos para que los estudiantes resuelvan problemas específicos.

• En la sección **¿Qué crees tú?**, los estudiantes verán dos maneras de resolver un problema. En seguida analizarán la mejor forma de resolverlo.

En este programa los estudiantes encontrarán una amplia variedad de aplicaciones para resolver problemas. Analice con ellos los seis ejemplos de esta página y pregúnteles si conocen otros usos similares de las metamáticas.

A lo largo del libro los estudiantes hallarán también diversas asociaciones de las matemáticas con otras materias, los negocios, la industria, las profesiones y temas relacionados con el consumo. Si lo desea, forme grupos de estudiantes y pídales que hallen en sus libros todas las asociaciones que puedan, además de las que se mencionan al final de esta página.

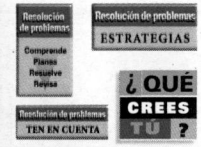

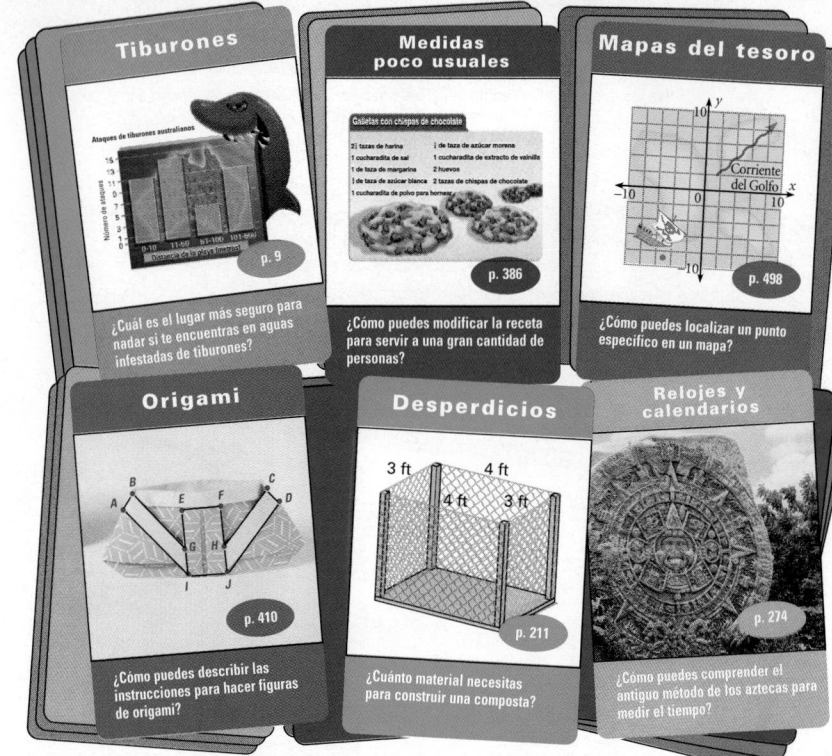

Resolución de problemas y aplicaciones

Las matemáticas están en todas partes. La destreza matemática te ayuda a resolver problemas cotidianos. ¿Qué problemas puedes resolver con las matemáticas?

Tiburones — p. 9
¿Cuál es el lugar más seguro para nadar si te encuentras en aguas infestadas de tiburones?

Medidas poco usuales — p. 386
¿Cómo puedes modificar la receta para servir a una gran cantidad de personas?

Mapas del tesoro — p. 498
¿Cómo puedes localizar un punto específico en un mapa?

Origami — p. 410
¿Cómo puedes describir las instrucciones para hacer figuras de origami?

Desperdicios — p. 211
¿Cuánto material necesitas para construir una composta?

Relojes y calendarios — p. 274
¿Cómo puedes comprender el antiguo método de los aztecas para medir el tiempo?

Las matemáticas también se relacionan con otras materias que estás estudiando. Aquí encontrarás algunos ejemplos de la relación de las matemáticas con:

Ciencias				Historia				Geografía			
p. 14	p. 116	p. 331	p. 522	p. 27	p. 180	p. 297	p. 430	p. 33	p. 128	p. 240	p. 548
p. 72	p. 145	p. 385	p. 541	p. 37	p. 223	p. 368	p. 438	p. 76	p. 179	p. 258	p. 557
p. 88	p. 155	p. 455	p. 628	p. 113	p. 244	p. 374	p. 536	p. 92	p. 183	p. 439	p. 567
p.113	p. 253	p. 480	p. 649	p. 140	p. 274	p. 395	p. 629	p. 120	p. 235	p. 541	p. 613

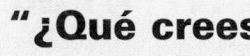

Todos los días resuelves algún tipo de problema, por ejemplo, qué ropa llevar a la escuela o a qué hora debes salir para llegar a tiempo al colegio. Resuelves estos problemas tan seguido que ni siquiera te das cuenta de que tienes que darles solución.

Otros problemas son más difíciles de resolver. ¿Cómo llegar a casa si perdiste el autobús? ¿Cómo puedes ganar el suficiente dinero para comprar una bicicleta nueva? Encontrar las soluciones para resolver estos problemas requiere de destreza para resolver problemas.

Aprender matemáticas es una excelente manera de practicar y mejorar tu destreza para resolver problemas. Las matemáticas te brindan la oportunidad de resolver problemas solo o en grupo. Te pueden ayudar a saber cómo utilizar los datos o la tecnología. También te ayudan a razonar, paso por paso, de una manera lógica.

Ten en cuenta que algunos problemas matemáticos tienen una respuesta "correcta", pero muchos tienen más de una solución. La gente puede no estar de acuerdo en cuál es la mejor respuesta, y puede preguntarte: "¿Qué crees TÚ?" Contestar esta pregunta te ayuda a desarrollar un rango muy amplio de estrategias que puedes usar cuando te enfrentes a problemas que impliquen un reto.

Los estudiantes que ves aquí compartirán su forma de pensar a través de este libro. Pero la pregunta clave será siempre

"¿Qué crees tú?"

1. ¿Qué tipo de problemas resuelves casi todos los días?
2. ¿Para qué tipo de problemas necesitas comprender y utilizar las matemáticas?
3. ¿Cómo puede un problema tener más de una respuesta?

RESOLUCIÓN DE PROBLEMAS Y APLICACIONES

"La Resolución de problemas es un proceso mediante el cual los estudiantes experimentan el poder y la gran utilidad de las matemáticas en el mundo que los rodea."

De las Normas del NCTM

Matemáticas intermedias de Scott Foresman-Addison-Wesley es un programa basado en la resolución de problemas que ofrece a los estudiantes una amplia gama de herramientas para resolver problemas. A lo largo del libro, los estudiantes encontrarán conexiones con diversas disciplinas, negocios, industrias, profesiones y temas relacionados con el consumidor.

Los logotipos de la derecha se usan en todo el libro para ayudar a los estudiantes a analizar el proceso de resolución de problemas.

PROBLEM SOLVING AND APPLICATIONS

"Problem solving is the process by which students experience the power and usefulness of mathematics in the world around them."

from The NCTM Standards

Scott Foresman-Addison Wesley Middle School Math is a problem solving program that provides students with a wide range of problem-solving tools. Throughout the book students will see connections to different disciplines, as well as to business, industry, career, and consumer topics.

These logos are used throughout the book help students analyze the problem-solving process.

MANUAL PARA RESOLVER PROBLEMAS

Este manual para resolver problemas ofrece a los estudiantes la oportunidad de centrar su atención en el proceso de resolución de problemas y dar un vistazo a las estrategias de resolución aplicadas a lo largo del libro. Dichas estrategias incluyen:

- Busca un patrón
- Organiza la información en una lista
- Haz una tabla
- Prueba y comprueba
- Empieza por el final
- Usa el razonamiento lógico
- Haz un diagrama
- Simplifica el problema

Acerca de

Es importante que los estudiantes comprendan que no hay una manera correcta de resolver un problema. **¿Qué crees tú?** permite que los estudiantes observen cómo resuelven el problema otros estudiantes. Eso los anima a comentar las estrategias existentes con sus compañeros y a explicar su razonamiento.

Pregunte...

- ¿Por qué es útil trabajar en equipos para resolver un problema?
- ¿Alguna vez supiste la respuesta de un problema pero no la mencionaste porque temías que tu respuesta no fuera correcta o que no pudieras explicar cómo la obtuviste?
- ¿Sabías que muchos problemas se han resuelto después de muchas pruebas fallidas, en ocasiones después de años de intentos?

Respuestas de ¿Qué crees tú?

1–3. Las respuestas pueden variar.

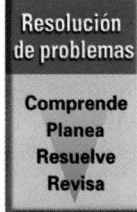 Este logotipo lista los cuatro pasos que deben considerarse en la resolución de un problema: Comprende, Planea, Resuelve y Revisa.

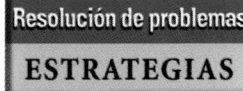 Este logotipo recuerda a los estudiantes las estrategias que pueden usar durante la resolución de problemas.

 Este logotipo ofrece útiles consejos para resolver problemas específicos.

PROBLEM SOLVING HANDBOOK

This Problem Solving Handbook provides students with an opportunity to focus on the problem-solving process and to preview the problem-solving strategies used throughout this book. The strategies include:

- Look for a Pattern
- Make an Organized List
- Make a Table
- Guess and Check
- Work Backward
- Use Logical Reasoning
- Draw a Diagram
- Solve a Simpler Problem

About WHAT DO YOU THINK?

It is important for students to understand that there is no single right way to solve a problem. **What Do You Think?** gives students the opportunity to see how other students solve a problem. This feature encourages students to discuss strategies with classmates and explain their thinking.

Ask ...

- Why would working in groups be helpful when solving a problem?
- Have you ever known the answer to a problem but did not give it because you were afraid you might be wrong or could not explain how you arrived at the answer?
- Do you know that many problems have been solved only after people have pursued false leads—sometimes for many years?

Answers for What Do You Think?

1–3. Answers may vary.

 The Problem Solving Guidelines logo lists the four steps students should consider when solving a problem: understand, plan, solve, and look back.

 The Problem Solving Strategies logo reminds students of strategies they can use in problem solving.

Problem Solving TIP Problem Solving Tips provide helpful hints for specific problems students are asked to solve.

ABOUT PROBLEM SOLVING

Throughout this book, students will use the following four steps to guide them through solving a problem:

- Understand
- Plan
- Solve
- Look Back

These Problem-Solving Guidelines appear on both Teaching Tool Transparencies 2 and 3: Guided Problem Solving, and on Teaching Tool Transparency 18: Problem-Solving Guidelines.

- On Transparencies 2 and 3, each guideline is followed by questions and space to write the solution to the problem. You may want to use these transparencies when you discuss a strategy; they are referenced in the Teacher's Edition with *Choose a Strategy* problems.

- Transparency 18 is similar to Transparencies 2 and 3. It presents the Problem-Solving Guidelines in a one-page format that can be used at any time.

You may wish to use these transparencies as you discuss the strategies on the following pages.

Acerca de Resolución de problemas

En todo el libro los estudiantes deberán seguir estos cuatro pasos para la resolución de problemas:

- Comprende
- Planea
- Resuelve
- Revisa

Resolución de problemas

▶ **Enlace con la lección**   Si bien has resuelto muchos problemas en tus clases de matemáticas, ahora verás con más detenimiento algunos métodos que te pueden ayudar a resolver problemas. ◀

Resolución de problemas   Para empezar

La resolución de problemas puede ser complicada. Algunos problemas incluyen muchos datos y a veces falta información. Puede haber varias maneras de resolver un problema. Quizá tu primera respuesta no sea razonable o ni siquiera responda la pregunta.

Una buena comprensión de las matemáticas puede ayudarte a resolver ciertos problemas. Sin embargo, no sólo necesitas saber matemáticas; también requieres saber qué matemáticas emplear. ¿Debes sumar los números o restarlos? ¿Sería más sencillo el problema si se usaran decimales o fracciones? Las matemáticas son una herramienta para la resolución de problemas y, como con cualquier herramienta, necesitas hacer elecciones correctas acerca de cómo usarla.

Necesitas un plan o una estrategia para resolver cualquier problema. Un plan o estrategia te ayudarán a comprender el problema, a decidir un buen planteamiento, a diseñar una solución creativa y a ver si tu solución tiene sentido.

Resolución de problemas

Comprende
Planea
Resuelve
Revisa

GUÍA PARA RESOLVER PROBLEMAS

❶ COMPRENDE el problema
- ¿Qué sabes?
- ¿Qué necesitas para hallar la respuesta?

❷ PLANEA
- ¿Alguna vez has resuelto un problema similar?
- ¿Qué estrategias aplicarías?
- Da una respuesta aproximada.

❸ RESUELVE el problema
- ¿Necesitas probar otra estrategia?
- ¿Cuál es la solución?

❹ REVISA
- ¿Contestaste la pregunta correcta?
- ¿Tiene sentido tu respuesta?

Ejemplo

¿De cuántas maneras puedes tener 25¢ si sólo se usan monedas de 1¢, 5¢ y 10¢?

❶ COMPRENDE el problema

Ya *sabes* que en el problema sólo debes utilizar monedas de 1, 5 y 10 centavos. *Necesitas hallar* el número de maneras en que puedes tener 25¢ con estas monedas.

❷ PLANEA

Con seguridad ya has *resuelto problemas similares* en los que debes completar cierta cantidad de dinero. Una *estrategia* es hacer una lista de las combinaciones posibles conforme te vienen a la mente.

❸ RESUELVE el problema

#1: 2 monedas de 10¢, 5 de 1¢   #2: 2 monedas de 10¢, 1 de 5¢

#3: 5 monedas de 1¢, 2 de 5¢, 1 de 10¢   #4: 5 monedas de 1¢, 2 de 10¢

Observa que la lista no está organizada. Algunas posibilidades (por ejemplo, 25 monedas de 1¢) faltan. Las combinaciones #1 y #4 son la misma.

Así pues, *prueba otra estrategia*. El número de monedas de 1¢ tiene que ser siempre un múltiplo de 5. Por tanto, haz una lista de todas las combinaciones posibles con 0, 5, 10, 15, 20 y 25 centavos.

(0 de 1¢)   #1: 2 de 10¢, 1 de 5¢   #2: 1 de 10¢, 3 de 5¢   #3: 5 de 5¢

(5 de 1¢)   #4: 2 de 10¢, 5 de 1¢   #5: 1 de 10¢, 2 de 5¢, 5 de 1¢
             #6: 4 de 5¢, 5 de 1¢

(10 de 1¢)   #7: 1 de 10¢, 1 de 5¢, 10 de 1¢   #8: 3 de 5¢, 10 de 1¢

(15 de 1¢)   #9: 1 de 10¢, 15 de 1¢   #10: 2 de 5¢, 15 de 1¢

(20 de 1¢)   #11: 1 de 5¢, 20 de 1¢ (25 de 1¢)   #12: 25 de 1¢

La solución es que hay 12 combinaciones.

❹ REVISA

Se resolvió la pregunta correcta. La lista está organizada y no tiene ninguna combinación repetida, así que *la respuesta tiene sentido.*

Comprobar | Tu comprensión

1. ¿El problema sería más fácil o más difícil si no se permitiera usar monedas de 1¢? Explica.

2. Describe otro tipo de problema que podrías resolver mediante un método semejante.

3. ¿Por qué es importante tener un plan antes de comenzar a resolver el problema?

Manual para resolver problemas **xxi**

Acerca de Ejemplo

Este ejemplo muestra a los estudiantes cómo usar la guía para resolver problemas.

Pregunte...

- En este ejemplo, ¿qué significa comprender el problema? Respuesta posible: Definir qué es lo que pregunta el problema y determinar qué información se proporciona para resolverlo.

- ¿Cómo puedes desarrollar un plan? Respuesta posible: Se analizan los elementos implicados en la resolución del problema. Este problema dice "cuántas maneras", lo cual sugiere que se haga una lista y se cuenten.

- ¿Cuál es la diferencia entre la primera y la segunda estrategias sugeridas en Resuelve? Respuesta posible: Hacer una segunda lista de forma organizada, de manera que se consideren todas las posibilidades.

- ¿Por qué Revisa es importante? Respuesta posible: Es una comprobación para ver si la pregunta del problema se ha resuelto.

Acerca de Comprobar tu comprensión

Después de los ejemplos de cada lección, se encuentran las preguntas de la sección **Comprobar tu comprensión**. Éstas permiten analizar los temas presentados en la clase, además de que ofrecen la oportunidad de aclarar los ejemplos y las áreas que requieren mayor explicación.

Respuestas de Comprobar tu comprensión

1. El problema se simplificaría porque habría menos número de monedas que observar.

2. Las respuestas pueden variar.

3. Las respuestas pueden variar.

About the Example

The example shows students how to use the Problem-Solving Guidelines.

Ask ...

- In the Example, what does it mean to understand the problem? Possible answer: To decide what question the problem is asking and to determine what information is given to solve the problem.

- How do you develop a plan? Possible answer: Think about what is involved in solving the problem. This problem says "How many ways" which suggests making a list and counting.

- What is the difference between the first and second strategy suggested in Solve? Possible answer: Making the second list is done in an organized way so that all of the possibilities are considered.

- Why is Look Back important? Possible answer: It is a check to see if the question in the problem has been answered.

About Check Your Understanding

Following the examples, in each lesson you will find **Check Your Understanding** questions. These questions may be used for class discussion; they provide an opportunity to clarify the examples and to pinpoint areas that need more explanation.

Answers for Check Your Understanding

1. The problem would be easier because there would be fewer kinds of coins to look at.

2. Answers may vary.

3. Answers may vary.

xxi

Problem-Solving Strategy: Look for a Pattern

Many problems that can be solved by looking for a pattern involve interpreting numerical or geometric relationships. Finding patterns allows students to find solutions to otherwise difficult or tedious problems.

- This strategy is often used in conjunction with Make a Table.
- Using concrete materials or drawing pictures can help students identify patterns.
- In real life, finding trends often involves looking for patterns in data.

About the Page

Students find a pattern that relates salary increases, and then use the pattern to solve the problem.

Ask …

- What pattern is shown in the example? How is the pattern found? Marsha's wage increase forms a pattern; It is found by subtracting her first-year wage from her second-year wage.
- How do you know that this pattern holds for subsequent years after the first year? The problem states that Marsha's hourly wage increases by a fixed amount each year.
- Do you think that Marsha's wages will continue to increase in this way indefinitely? Possible answer: No, there may be a point when she reaches a maximum salary.

Try It

Ask students to state the rule they used to continue the patterns in these problems. Possible answers: Part a: Add 14; Part b: Subtract $1.46.

Answers for Try It

a. 84 ounce

b. $11.03

Resolución de problemas Estrategias: Busca un patrón

Muchos problemas que pueden resolverse mediante la búsqueda de un patrón requieren el análisis de relaciones numéricas o geométricas. La búsqueda de patrones permite a los estudiantes resolver problemas cuya solución con otro método sería complicada o tediosa.

- Esta estrategia suele emplearse junto con la de Haz una tabla.
- El uso de materiales o dibujos permite a los estudiantes identificar los patrones con mayor facilidad.
- En la vida real, la identificación de una tendencia suele implicar la búsqueda de un patrón en los datos.

Acerca de página

Los estudiantes deberán hallar un patrón que relacione los incrementos de salario para utilizarlo en la resolución del problema.

Pregunte…

- ¿Qué patrón se muestra en el ejemplo? ¿Cómo se halla el patrón? El incremento en el salario de Marsha forma un patrón; El patrón se encuentra de este modo: se resta el salario del primer año del salario del segundo año.
- ¿Cómo sabes que este patrón continúa en los años subsecuentes después del primer año? El problema establece que el salario por hora de Marsha se incrementa en una cantidad fija cada año.
- ¿Crees que el salario de Marsha continuará incrementándose de esta forma por tiempo indefinido? Respuesta posible: No, llegará a un límite, es decir, a un salario máximo.

Haz la prueba

Pida a los estudiantes que especifiquen qué regla usaron para continuar los patrones en estos problemas. Respuestas posibles: Parte a: Sumar 14; Parte b: Restar $1.46.

Respuestas de Haz la prueba

a. 84 onzas

b. $11.03

Resolución de problemas
ESTRATEGIAS

- Busca un patrón
- Organiza la información en una lista
- Haz una tabla
- Prueba y comprueba
- Empieza por el final
- Usa el razonamiento lógico
- Haz un diagrama
- Simplifica el problema

Busca un patrón

En ocasiones, los números incluidos en un problema forman un patrón. Para resolver el problema, puedes hallar la regla que crea el patrón y luego utilizarla para encontrar la respuesta. ◄

Ejemplo

El salario por hora de Marsha en una estética canina se incrementa en cierta cantidad cada año. Ganó $4.75 por hora el primer año y $5.60 el segundo. Encuentra su ingreso por hora para el quinto año de trabajo.

Ingreso del segundo año:	$5.60
Ingreso del primer año:	− 4.75
Incremento del ingreso:	$0.85

La regla es que el ingreso de Marsha se incrementa cada año en $0.85.

Utiliza esta regla para continuar el patrón:

Ingreso del tercer año:	$5.60 + $0.85 = $6.45
Ingreso del cuarto año:	$6.45 + $0.85 = $7.30
Ingreso del quinto año:	$7.30 + $0.85 = $8.15

Durante el quinto año ganó $8.15 por hora.

Haz la prueba

a. Durante el primer año de vida, el pez espada incrementa su peso a una tasa regular. Un pez espada pesó 14 onzas a la edad de 1 mes y 28 onzas a los 2 meses. ¿Cuánto pesó a los 6 meses?

b. Este año el precio promedio de los CD de Concert File pasó de $13.95 a $12.49. Si el precio continúa cambiando a la misma tasa, ¿cuánto costará el próximo año?

Organiza la información en una lista

Resolución de problemas

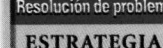

ESTRATEGIAS

- Busca un patrón
- Organiza la información en una lista
- Haz una tabla
- Prueba y comprueba
- Empieza por el final
- Usa el razonamiento lógico
- Haz un diagrama
- Simplifica el problema

En ocasiones el problema te pide determinar de cuántas maneras se puede hacer algo. Para resolver el problema, puedes hacer una lista y contar todas las posibilidades. La clave para llegar a una solución correcta consiste en organizar tu lista con cuidado para no omitir otras posibilidades o duplicar alguna de ellas. ◄

Ejemplo

En el restaurante Healthy Bowl puedes ordenar una ensalada jardinera con aderezo o sin él, con pan tostado o sin él, y con o sin trozos de tocino. Si el gerente quisiera hacer una lista de todas las combinaciones posibles en el menú, ¿cuántas combinaciones estarían en la lista?

Una manera sería elegir un artículo y hacer una lista de todas las combinaciones que incluyen este artículo. Después escoger un segundo artículo y presentar todas las combinaciones que incluyen este segundo artículo pero no el primero.

Primero elige las opciones de aderezo:

         A

         AP   AT

         APT

Ahora haz una lista de las opciones de pan tostado sin aderezo:

         P

         PT

Luego indica las opciones de trozos de tocino sin aderezo ni pan tostado:

         T

Por último, haz una lista de cualquier otra opción sin aderezo, pan tostado o trozos de tocino:

         sin aderezos

Hay 8 combinaciones.

Haz la prueba

a. Hay 5 pitchers y 3 catchers en el equipo de béisbol de la escuela intermedia. ¿Cuántas parejas de pitcher y catcher puede elegir el entrenador?

b. Flavor-Filled Ice Cream tiene cuatro sabores de helado. ¿De cuántas maneras puedes elegir un helado con dos sabores diferentes?

Resolución de problemas Estrategias: Organiza la información en una lista

En muchos problemas es necesario hallar todas las posibilidades o combinaciones de elementos que puedan resolverse mediante una lista organizada.

- Esta estrategia suele usarse junto con Haz una tabla o Busca un patrón.
- Con frecuencia, un mismo conjunto de datos puede organizarse de diferentes maneras.
- En la vida real, los datos deben organizarse para poder interpretarlos.

Acerca de esta página

Se dan varias opciones a los estudiantes para que puedan encontrar las diferentes combinaciones de ensaladas que pueden hacer.

Pregunte...

- ¿Obtendrías el mismo resultado si comenzaras con una lista de las opciones de pan tostado en lugar de empezar con las opciones de aderezos? Sí: P, PT, PA, PAT, A, AT, T, ningún ingrediente.

- Supónte que una vez que se sirve la ensalada, se ofrece una ensalada con pimienta. ¿Cuántas combinaciones son posibles cuando se añade o no la pimienta a la lista de alternativas? 16 alternativas: A, AP, AT, AP, APT, APP, ATP, APTP, P, PT, PP, PTP, T, TP, P, ningún ingrediente.

Haz la prueba

Anime a los estudiantes para que indiquen el nombre de los pitchers y catchers y que escojan cuatro sabores de helado. Si los nombres y los sabores comienzan con letras diferentes, se pueden usar las iniciales en la lista.

Respuestas de Haz la prueba

a. 15

b. 6

Problem-Solving Strategy: Make an Organized List

Many problems that require finding all possibilities or finding the number of combinations of things can be solved by making an organized list.

- This strategy is often used in conjunction with Make a Table or Find a Pattern.
- Often the same data can be organized in different ways.
- In real life, data or information must be organized before it can be interpreted.

About the Page

Given various choices, students find the number of different combinations of salads that can be made.

Ask ...

- Would you get the same result if you started with listing crouton choices rather than dressing choices? Yes: C, CB, CD, CDB, D, DB, B, no toppings

- Suppose that once a salad is served, a diner is offered fresh ground pepper. How many combinations are possible when pepper or no pepper are added to the list of choices? 16 choices: D, DC, DB, DP, DCB, DCP, DBP, DCBP, C, CB, CP, CBP, B, BP, P, no toppings

Try It

You might suggest that students give the names of the pitchers and catchers and choose four ice cream flavors. If the names and flavors start with different letters, only the first letters need to be used in the list.

Answers for Try It

a. 15

b. 6

Problem-Solving Strategy
Make a Table

By making a table, students can organize information in a way that may help them recognize patterns that lead to generalizations.

- This strategy is often used in conjunction with Make an Organized List and Look for a Pattern.

- Students need to decide column and row headings before making a table.

- Students will encounter tables in many places, such as newspapers, magazines, textbooks, almanacs, and the Internet.

About the Page

Students organize data in a table to help them see a relationship between numbers.

Ask …

- If this pattern continues, how many ads would go out on the tenth mailing? 59,049

- Do you think that after six mailings 729 different people would get the ad? Explain. Possible answer: No; The same person might get more than one ad and some people may not send the ad to three friends.

Try It

- If students are having difficulty with Part a, you might suggest that they consider themselves Generation 0, their parents Generation 1, their grandparents Generation 2, and so on.

- You might ask students to describe the patterns they used to complete their tables for these problems. Possible answers: Part a: Multiply 2 by itself the number of times given by the generation number; Part b: Multiply the number of bald eagles by $\frac{7}{2}$ or divide the number of golden eagles by $\frac{7}{2}$.

Resolución de problemas Estrategias:
Haz una tabla

Mediante las tablas, los estudiantes pueden organizar la información de tal forma que los ayude a reconocer los patrones a partir de los cuales puedan establecer generalizaciones.

- A menudo esta estrategia se usa junto con Organiza la información en una lista y Busca un patrón.

- Los estudiantes deben definir los encabezados de las hileras y columnas antes de hacer una tabla.

- Las tablas pueden encontrarse en muchos lugares por ejemplo, en las páginas de los diarios, revistas, libros de texto, almanaques y la Internet.

Acerca de esta página

Los estudiantes organizan los datos en una tabla para observar la relación entre los números.

Pregunte…

- De continuar este patrón, ¿cuántos anuncios saldrán en el décimo envío? 59,049

- ¿Crees que después de seis envíos, 729 personas recibirán el anuncio? Explica tu respuesta. Respuesta posible: No. La misma persona puede recibir más de un anuncio y algunas otras pueden no enviar el anuncio a tres amigos.

Haz la prueba

- Si los estudiantes tienen dificultades para resolver el inciso a, sugiérales que se consideren a sí mismos la generación 0, a sus padres la generación 1, a sus abuelos la generación 2, etcétera.

- Puede pedir a los estudiantes que describan los patrones que usaron para completar las tablas de estos problemas. Respuestas posibles: Inciso a: Multiplicar 2 por sí mismo el número de veces que indica el número de la generación; Inciso b: Multiplicar el número de águilas calvas por $\frac{7}{2}$ ó dividir el número de águilas doradas entre $\frac{7}{2}$.

Resolución de problemas
ESTRATEGIAS

- Busca un patrón
- Organiza la información en una lista
- Haz una tabla
- Prueba y comprueba
- Empieza por el final
- Usa el razonamiento lógico
- Haz un diagrama
- Simplifica el problema

Haz una tabla

Con frecuencia un problema que relaciona dos conjuntos de números puede resolverse con una tabla. Una tabla te ayuda a organizar los datos para que puedas ver la relación numérica y hallar la respuesta. ◄

Ejemplo

Carl envió a tres de sus amigos un anuncio de su nuevo negocio. Además les pidió que enviaran tres copias a otros amigos. Cada persona debe enviar tres anuncios más a *otros* amigos y así sucesivamente. ¿Cuántos anuncios habrá en seis envíos?

Haz una tabla para organizar los datos sobre los envíos.

Envíos	1	2	3
Número enviado	3	$3 \times 3 = 9$	$3 \times 3 \times 3 = 27$

La tabla te ayuda a ver la relación entre el número de envíos y el número de publicidad enviada. En el envío **1**, el 3 se multiplica por sí mismo **una vez**. En el envío **2**, el 3 se multiplica por sí mismo **dos veces**. En el envío **3**, el 3 se multiplica por sí mismo **tres veces**.

Así, para encontrar el número de publicidad en el envío 6 multiplica el 3 por sí mismo **seis veces**.

$3 \times 3 \times 3 \times 3 \times 3 \times 3 = 729$

En el envío 6 se mandaron 729 folletos publicitarios.

Haz la prueba

a. Cada persona tiene 2 padres, 4 abuelos, 8 bisabuelos y así sucesivamente. Registra esta información en una tabla. Luego encuentra cuántos antepasados tiene cada quien hasta la séptima generación de abuelos.

b. Por cada 2 águilas calvas que ven los visitantes del Santuario de las Águilas de Audubon, se ven 7 águilas doradas. Haz una tabla que muestre el número de águilas doradas observadas cuando se ven 2, 4 y 6 águilas calvas. Después halla el número de águilas calvas vistas si se han observado 56 águilas doradas.

xxiv *Manual para resolver problemas*

Answers for Try It

a. 256

b. 16 bald eagles

Bald Eagles	Golden Eagles
2	7
4	14
6	21
8	28
10	35
12	42
14	49
16	56

Respuestas de Haz la prueba

a. 256

b. 16 águilas calvas

Águilas calvas	Águilas doradas
2	7
4	14
6	21
8	28
10	35
12	42
14	49
16	56

Prueba y comprueba

← Resolución de problemas **ESTRATEGIAS**

- Busca un patrón
- Organiza la información en una lista
- Haz una tabla
- Prueba y comprueba
- Empieza por el final
- Usa el razonamiento lógico
- Haz un diagrama
- Simplifica el problema

Si no estás seguro de cómo resolver un problema, prueba la respuesta de manera lógica y luego compruébala. Si es incorrecta, revísala de arriba abajo. Repite el modelo prueba-comprueba-revisa hasta que encuentres la respuesta correcta, o bien busca la que más se aproxime al resultado esperado. ◄

Ejemplo

Veinticinco delfines y orcas actúan en el Circo Marino. Hay 13 delfines más que orcas. ¿Cuántos animales hay de cada especie?

	Delfines	Orcas
Prueba: Haz un cálculo aproximado: 15 + 10 = 25	15	10
Comprueba: Debe haber 13 delfines más.	15 − 10 = 5	
Razona: La diferencia no es la correcta. Necesito más delfines.		
Revisa: 20 + 5 = 25	20	5
Comprueba:	20 − 5 = 15	
Razona: Estoy más cerca, pero ahora tengo demasiados delfines.		
Revisa: 19 + 6 = 25	19	6
Comprueba:	19 − 6 = 13 ✔	

Hay 19 delfines y 6 orcas.

Haz la prueba

a. Antes de salir de vacaciones, Vanessa compró 21 rollos de película. Compró el doble de rollos para impresión que de diapositivas. ¿Cuántos rollos compró de cada tipo?

b. En un fin de semana Allan trabajó un total de 17 horas ayudando a su tío a pintar su cabaña. Trabajaron 3 horas más el sábado que las que trabajaron el domingo. ¿Cuántas horas trabajaron cada día?

Resolución de problemas Estrategias: Prueba y comprueba

Esta estrategia implica un proceso sistemático para crear conjeturas razonables y representa una herramienta de gran utilidad cuando el número de soluciones posibles es reducido y es relativamente fácil determinar si una conjetura es razonable. Muchos problemas que pueden resolverse mediante la estrategia de Prueba y comprueba también pueden solucionarse con ayuda del álgebra.

- Esta estrategia suele usarse junto con Busca un patrón y Usa el razonamiento lógico.
- Para obtene conjeturas razonables, es importante que los estudiantes comprendan el problema de antemano.
- En la vida real, muchos descubrimientos importantes han sido posibles gracias a la estrategia de Prueba y comprueba, también conocida como Ensayo y error.

Acerca de página

Los estudiantes usan una relación dada entre dos números y elaboran conjeturas razonables hasta encontrar la respuesta correcta del problema.

Pregunte…

- Después de hacer la primera prueba con 15 delfines, ¿cómo sabes que en la siguiente prueba el número debe ser mayor que 15? Esta conjetura muestra una diferencia de sólo 5 delfines mientras que el problema dice que hay una diferencia de 13.
- ¿Crees que 15 fue una adecuada primera elección? Las respuestas pueden variar.

Haz la prueba

Cuando los estudiantes terminen los problemas, invite a diferentes voluntarios a compartir sus resultados con la clase.

Respuestas de Haz la prueba

a. 7 rollos de película para diapositivas; 14 rollos de película para impresión

b. Sábado: 10 horas; Domingo: 7 horas

Problem-Solving Strategy: Guess and Check

The Guess-and-Check Strategy is a systematic process of making reasonable guesses. It is an especially useful tool when the number of possible solutions is small and when it is relatively easy to determine if a guess is rea sonable. Many of the problems that students solve now using Guess and Check will be solved later using algebra.

- This strategy is often used in conjunction with Look for a Pattern and Use Logical Reasoning.
- To be able to make good guesses, students must understand the problem.
- In real life, many important discoveries have been made using Guess and Check, which is also called Trial and Error.

About the Page

Students use a given relationship between two numbers and make educated guesses until they find the answer to the problem.

Ask …

- After making the first guess of 15 dolphins, how do you know that the next guess must be greater than 15? This guess only gives a difference of 5 dolphins while the problem says there is a difference of 13.
- Do you think 15 was a good first choice? Answers may vary.

Try It

After students complete the problems, you might invite several students to share their series of guesses with the class.

Answers for Try It

a. 7 rolls of slide film; 14 rolls of print film

b. Saturday: 10 hours; Sunday: 7 hours

Problem-Solving Strategy: Work Backward

The Work Backward Strategy involves beginning with a final result and examining, in reverse order, the steps leading to this result; thus discovering the initial conditions of the problem.

- Students may use this strategy in conjunction with other strategies such as Make an Organized List, Make a Table, and Look for a Pattern.
- Students can use inverse operations when they work backward.
- In real life, this strategy is used to solve puzzles and develop ways to win games.

About the Page

Students are given an ending time and they work backward to find a starting time.

Ask …

- Why do you think the solution shown demonstrates working backward? The answer is found by starting with the end result and working back to the beginning.
- How might you check the answer? Possible answer: Begin at 7:00. Add 45 min (7:45), 25 min (8:05), and 20 min (8:30). The answer checks.

Try It

If students are having trouble with a problem, suggest they follow the example. For each step, have them tell what happened and what they can conclude from this step.

Answers for Try It

a. 25° F

b. 116 miles wide

Resolución de problemas Estrategias: Empieza por el final

Para usar esta estrategia es necesario iniciar el trabajo con un resultado final y examinarlo en orden inverso para conocer los pasos que permitieron obtenerlo; esto conducirá a descubrir las condiciones iniciales del problema.

- Los estudiantes pueden usar esta estrategia junto con Organiza la información en una lista, Haz una tabla y Busca un patrón.
- Los estudiantes pueden usar operaciones inversas cuando empiecen por el final.
- En la vida real, esta estrategia suele usarse para resolver acertijos y desarrollar métodos para ganar diferentes juegos.

Acerca de esta página

Los estudiantes cuentan con el tiempo final de una serie de pasos. Empiezan por el final para hallar el tiempo de inicio.

Pregunte…

- ¿Por qué crees que es posible mostrar la solución empezando por el final? Se usó el resultado final para hallar el valor inicial y así encontrar la respuesta correcta.
- ¿Cómo podrías comprobar esta respuesta? Respuesta posible: Se empieza a las 7:00. Luego se suma 45 min (7:45), 25 min (8:05) y 20 min (8:30). La respuesta coincide.

Haz la prueba

Si los estudiantes tienen dificultades para resolver un problema, sugiérales que sigan el ejemplo. Pregúnteles qué sucede en cada etapa y qué conclusiones pueden deducirse.

Respuestas de Haz la prueba

a. 25° F

b. 116 millas de ancho

Resolución de problemas

ESTRATEGIAS

- Busca un patrón
- Organiza la información en una lista
- Haz una tabla
- Prueba y comprueba
- Empieza por el final
- Usa el razonamiento lógico
- Haz un diagrama
- Simplifica el problema

Empieza por el final

Puede haber problemas donde se te proporcione el resultado de una serie de pasos y tú deberás buscar el valor inicial. Para resolver este tipo de problemas, empieza por el final, paso por paso, hasta llegar al principio. ◄

Ejemplo

Ed estaba pensando a qué hora debía levantarse al día siguiente. Tarda 45 minutos en prepararse para ir a la escuela. El autobús hace su recorrido en 25 minutos. Además, quería llegar a la escuela 20 minutos antes para consultar algo en la biblioteca. Si las clases comienzan a las 8:30, ¿a qué hora necesita levantarse?

El problema describe los tres pasos que ocurren en orden (alistarse, recorrido del autobús, consulta en la biblioteca). También te dice el resultado final (las clases comienzan a las 8:30).

Paso	Qué sucedió	Conclusión
3	Ed investigó 20 minutos. Terminó a las 8:30.	Antes de esto, faltaban 20 minutos para las 8:30, o sea, eran las 8:10.
2	El recorrido del autobús duró 25 minutos. Y en ese momento eran las 8:10.	Antes de esto, eran 25 minutos antes de las 8:10, o sea las 7:45.
1	Se tardó 45 minutos en alistarse. Eran entonces las 7:45.	Antes de esto, eran 45 minutos antes de las 7:45, o sea las 7:00.

Ed necesita levantarse a las 7:00.

Haz la prueba

a. Una noche de invierno la temperatura descendió 14 grados entre la medianoche y las 6 a.m. Entre las 6 a.m. y las 10 a.m. la temperatura se duplicó. Para mediodía se había elevado otros 11 grados, hasta 33°F. Halla la temperatura que se registró a la medianoche.

b. El lago Erie es la mitad de ancho que el lago Michigan. El Erie es 5 millas más ancho que el lago Ontario. El lago Superior es 3 veces el ancho del lago Ontario. El lago Superior mide 159 millas de ancho. ¿Qué tan ancho es el lago Michigan?

Usa el razonamiento lógico

Resolución de problemas
ESTRATEGIAS

• Busca un patrón
• Organiza la información en una lista
• Haz una tabla
• Prueba y comprueba
• Empieza por el final
• Usa el razonamiento lógico
• Haz un diagrama
• Simplifica el problema

Para resolver un problema mediante el razonamiento lógico, determina los datos que están relacionados. Luego, haz tu trabajo paso por paso desde los datos con los que cuentas hasta encontrar la solución. Mientras trabajas, ten cuidado de no hacer falsas suposiciones o de obtener conclusiones que no estén basadas en los datos proporcionados. ◄

Ejemplo

Arnie, Becca y Chad coleccionan timbres postales, monedas y rocas, aunque no en ese orden. Becca es hermana del coleccionista de rocas. Chad una vez comió con el coleccionista de rocas y con el de timbres. Relaciona las personas con su pasatiempo.

Toma una pista a la vez. Usa una cuadrícula para registrar tus conclusiones.

1. Becca es hermana del coleccionista de rocas, así que ella no colecciona rocas.

	Timbres postales	Monedas	Rocas
Arnie			
Becca			no
Chad			

2. Chad comió una vez con el coleccionista de rocas y con el de timbres postales.

	Timbres postales	Monedas	Rocas
Arnie			
Becca			no
Chad	no		no

Chad colecciona monedas.

Becca colecciona timbres postales.

Eso significa que Arnie colecciona rocas.

	Timbres postales	Monedas	Rocas
Arnie	no	no	sí
Becca	sí	no	no
Chad	no	sí	no

Haz la prueba

a. Tim, Mei y Jamal están en sexto, séptimo y octavo grados, aunque no necesariamente en ese orden. Mei no está en octavo grado. El sexto grado está en el coro con Tim y en la banda con Mei. Relaciona a los estudiantes con su grado.

b. Sid, Todd y María juegan fútbol, béisbol y tenis, aunque no en ese orden. María no juega tenis. Sid viaja con los jugadores de béisbol y tenis. Relaciónalos con sus deportes.

Manual para resolver problemas **xxvii**

Resolución de problemas Estrategias: Usa el razonamiento lógico

Muchos problemas que pueden resolverse mediante el razonamiento lógico implican más que el uso de operaciones matemáticas básicas. Para resolverlos es necesario razonar con claridad, organizar la información y obtener algunas conclusiones.

• Con frecuencia esta estrategia se usa junto con Haz una tabla o Haz un diagrama.

• En una tabla lógica, los estudiantes deberán incluir todas la posibilidades y eliminar aquellas que no concuerden con el problema.

• En la vida real, el razonamiento lógico suele usarse para resolver muchos acertijos.

Acerca de esta página

Los estudiantes trabajan paso por paso para resolver un acertijo de lógica.

Pregunte…

• ¿Cómo sabes que Becca no colecciona rocas? La coleccionista de rocas es su hermana.

• ¿Cómo sabes que Chad no colecciona rocas o estampillas? Porque comió con estas personas.

• ¿Cómo sabes que Chad colecciona monedas? La tabla muestra que no colecciona estampillas ni rocas, así que las monedas es la única opción restante.

• ¿De qué te serviría saber que Chad colecciona monedas para completar la tabla? Se puede escribir "no" en las columnas de monedas para Arnie y Becca.

Haz la prueba

Si es necesario, ayude a los estudiantes a terminar sus tablas.

Respuestas de Haz la prueba

a. 6.°: Jamal; 7.°: Mei; 8.°: Tim

b. Sid: Fútbol; Todd: Tenis; María: Béisbol

Problem-Solving Strategy: Use Logical Reasoning

Many problems that can be solved with logical reasoning involve more than simply using basic mathematical operations. They involve thinking clearly, organizing information, and drawing conclusions.

• This strategy is often used in conjunction with Make a Table or Draw a Diagram.

• In a logic table, students list all possibilities and eliminate those that do not fit the problem.

• In real life, many puzzle problems involve logical thinking.

About the Page

Students work their way step-by-step through a logic puzzle.

Ask …

• How do you know that Becca is not the rock collector? The rock collector is her sister.

• How do you know that Chad is not the rock collector or stamp collector? He had lunch with these people.

• How can you tell that Chad collects coins? The chart shows that he does not collect stamps or rocks. The only choice left is coins.

• How does knowing that Chad collects coins help you fill in the chart? You can write "no" in the coins column for Arnie and Becca.

Try It

You might want to help students set up their tables.

Answers for Try It

a. 6th: Jamal; 7th: Mei; 8th: Tim

b. Sid: soccer; Todd: tennis; Maria: baseball

xxvii

Problem-Solving Strategy
Draw a Diagram

Representing the information in a problem in the form of a picture or diagram may help students see the conditions of the problem more clearly.

- Sometimes a diagram is more appropriate than a table when information overlaps.
- Sometimes diagrams can be sketches. Other times a more accurate drawing is necessary.
- In real life, instructions are often given with diagrams to clarify a procedure.

About the Page

Students are given travel directions from a starting point. They draw a diagram to determine how far the end point is from the starting point.

Ask …

- Could you solve this problem without drawing a picture? Does drawing a diagram make it easier? Answers may vary.
- Suppose that after Geena finishes her route she goes 4 blocks north and 7 blocks east to visit a friend. Then how far is she from her starting point? 4 blocks north

Try It

Students may not make the same diagrams to solve a problem. Invite students to share their work with classmates.

Answers for Try It

a. 15 miles

b. 22 feet

Resolución de problemas Estrategias:
Haz un diagrama

Representar la información de un problema mediante un dibujo o un diagrama puede ayudar a los estudiantes a observar con mayor claridad las condiciones del caso.

- A veces un diagrama es de mayor utilidad que una tabla cuando la información se traslapa.
- En ocasiones los diagramas pueden ser simples bosquejos. En otros casos es necesario hacer un dibujo con más precisión.
- En la vida real, muchas instrucciones suelen acompañarse de diagramas para facilitar el procedimiento.

Acerca de esta página

Dadas las instrucciones para viajar desde un punto incial, los estudiantes dibujan un diagrama para determinar la distancia hasta el punto final.

Pregunte…

- ¿Podrías resolver este problema sin hacer un diagrama? ¿Crees que el diagrama facilita el proceso? Las respuestas pueden variar.
- Supónte que después de que Geena termina su ruta se dirige 4 cuadras al norte y 7 cuadras al este para visitar a un amigo. ¿Qué tan lejos se encuentra del punto inicial? 4 cuadras al norte

Haz la prueba

Los diagramas que usan los estudiantes para resolver el problema pueden ser diferentes. Anímelos a compartir su trabajo con la clase.

Respuestas de Haz la prueba

a. 15 millas

b. 22 pies

Resolución de problemas
ESTRATEGIAS
- Busca un patrón
- Organiza la información en una lista
- Haz una tabla
- Prueba y comprueba
- Empieza por el final
- Usa el razonamiento lógico
- Haz un diagrama
- Simplifica el problema

Haz un diagrama

Algunos problemas son visuales. Pueden implicar objetos, lugares o situaciones físicas. Para resolver estos problemas, haz un diagrama para que puedas ver las relaciones entre los datos. Después utiliza las relaciones para encontrar la respuesta. ◄

Ejemplo

Todas las cuadras de la ciudad de Sunnyville son del mismo tamaño. Geena comienza el trazo de su ruta en el papel en la esquina de dos calles. Camina 8 cuadras hacia el sur, 13 cuadras al norte, 8 cuadras al norte y 6 cuadras al este. ¿Qué tan alejada está del punto de salida cuando termina el recorrido?

Para tener una imagen más clara de lo que sucede, haz un diagrama de la ruta de Geena.

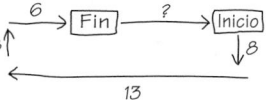

El diagrama muestra que al final de su recorrido, Geena está a 13 − 6 cuadras del punto de partida.

$13 - 6 = 7$

Cuando Geena termina está a 7 cuadras de donde inició.

Haz la prueba

a. Después de salir del almacén, un camionero manejó 28 millas hacia el sur para hacer una entrega. Después hizo tres entregas más: manejó 13 millas al oeste, 43 millas al norte y 13 millas al este. ¿Qué tan lejos está el camionero del almacén?

b. Las raíces de un encino alcanzan 17 pies de profundidad. Un nido de petirrojo está 13 pies más abajo de la copa del árbol. Desde la copa del árbol a la punta de la raíz, el árbol mide 52 pies. ¿Qué tan lejos del suelo está el nido?

Simplifica el problema ←

Resolución de problemas
ESTRATEGIAS

- Busca un patrón
- Organiza la información en una lista
- Haz una tabla
- Prueba y comprueba
- Empieza por el final
- Usa el razonamiento lógico
- Haz un diagrama
- Simplifica el problema

Un problema puede parecer muy complejo. Puede contener números muy grandes o necesitar, en apariencia, de muchos pasos para resolverlo. En lugar de resolver el problema dado, resuelve uno similar pero más sencillo. Busca atajos, patrones y relaciones. Luego aplica tus conocimientos para resolver el problema original. ◄

Ejemplo

La diagonal es una línea que une dos puntos en una figura; estos puntos no están unidos por un lado. Por ejemplo, puedes dibujar nueve diagonales dentro de una figura de 6 lados. ¿Cuántas diagonales puedes dibujar en una figura de 8 lados?

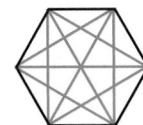

Podrías dibujar una figura de 8 lados, trazar las diagonales y contarlas. Pero podría resultar muy complicado.

En lugar de eso, observa algunas figuras más sencillas.

Figura de 3 lados: Figura de 4 lados: Figura de 5 lados:
0 diagonales   2 diagonales   5 diagonales

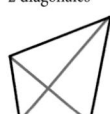 

Advierte que de una figura de 3 lados a una de 4, se agregan 2 diagonales. De una figura de 4 lados a una de 5, se añaden 3 diagonales. De una figura de 5 lados a una de 6, se agregan 4 diagonales.

Una figura de 7 lados debe tener 14 diagonales (9 + 5); una figura de 8 lados debe tener 20 diagonales (14 + 6); y una figura de 9 lados debe tener 27 diagonales (20 + 7).

Haz la prueba

a. Cada lado de un triángulo mide 1 pulgada de longitud. Si hubiera 42 triángulos en una hilera, ¿cuál sería la longitud combinada de todos sus lados?

b. Una campana tocó 22 veces. Cada toque duró 4 segundos y pasaron 2 segundos entre cada llamada. ¿Por cuánto tiempo estuvo tocando?

Manual para resolver problemas **xxix**

Resolución de problemas Estrategias: Simplifica el problema

Usar números más pequeños o ignorar ciertas condiciones en forma temporal puede ayudar a los estudiantes a desarrollar un método para resolver problemas por partes. Esta estrategia también ha probado su efectividad con algunos problemas complejos.

- La estrategia Simplifica el problema puede usarse junto con las demás técnicas analizadas en el Manual para resolver problemas.
- Es posible que los estudiantes necesiten su ayuda para simplificar el problema en sus primeros intentos.
- Simplificar el problema es una estrategia de gran utilidad, sobre todo en la búsqueda de patrones geométricos.

Acerca de esta página

Los estudiantes simplifican un problema para hallar el número de diagonales en un octágono.

Pregunte…

- ¿Todas las figuras de 3 lados tienen 0 diagonales? ¿Todas las figuras de 4 lados tienen sólo 2 diagonales? Dibuja diferentes figuras para responder estas preguntas. Sí; Sí
- ¿Crees que dibujar las diagonales de una figura de 8 lados y contarlas es un proceso complicado? Tal vez quieras intentarlo. Respuesta posible: Sí; Es difícil determinar si se han dibujado todas las diagonales y es difícil contarlas.
- ¿Cuántas diagonales habrá en una figura de 12 lados? 60 diagonales

Haz la prueba

- Describe el patrón que hallaste en el inciso a. Respuesta posible: Longitud (in.) = número de triángulos + 2.
- Describe el patrón que hallaste en el inciso b. Respuesta posible: Tiempo del toque (s) = 6 × número de toques −2.

Respuestas de Haz la prueba

a. 44 pulgadas
b. 130 segundos

Problem-Solving Strategy: Solve a Simpler Problem

Using smaller numbers or temporarily ignoring some conditions often helps students develop a method they can use to solve a multiple-step problem. This strategy often proves useful with more complex problems.

- Solve a Simpler Problem can be used with one or more of the other strategies discussed in this Problem Solving Handbook.
- Initially, students may need help determining an appropriate simpler problem.
- Solve a Simpler Problem is especially helpful in finding geometric patterns.

About the Page

Students solve simpler problems to help them find the number of diagonals in an octagon.

Ask …

- Does every 3-sided figure have 0 diagonals? Does every 4-sided figure have only 2 diagonals? Draw different figures to find out. Yes; Yes
- Do you think drawing the diagonals in an 8-sided figure and counting them is complicated? You might want to try it. Possible answer: Yes; It is hard to determine if all diagonals have all been drawn and it is hard to count them.
- How many diagonals would there be in a 12-sided figure? 60 diagonals

Try It

- Describe the pattern you found for Part a. Possible answer: Length (in.) 5 number of triangles + 2.
- Describe the pattern you found for Part b. Possible answer: Ringing time (sec.) = 6 × number of rings − 2.

Answers for Try It

a. 44 inches
b. 130 seconds

xxix

Chapter 1

Estadísticas:
Statistics—

▶ OVERVIEW

Uso de números cabales en el mundo real
Real-World Use of Whole Numbers

Section 1A

Reading and Interpreting Graphs: Students read and interpret bar graphs, pictographs, and line graphs. They also identify trends suggested by scatterplots.

Section 1B

Displaying Data: Students organize data and determine its shape. Students construct bar graphs and stem-and-leaf diagrams to display information.

Section 1C

Describing Data: Students determine the mean, median, and mode to describe a set of data. They also determine if outliers affect the analysis of the data set.

1-1
Lectura
de gráficas

1-1
Reading
Graphs

1-2
Gráficas
engañosas

1-2
Misleading
Graphs

1-3
Diagramas de
dispersión
y tendencias

1-3
Scatterplots
and
Trends

1-4
Conteos, tablas
de frecuencia
y diagramas
de puntos

1-4
Tallies,
Frequency
Charts, and
Line Plots

1-5
Escalas
y gráficas
de barras

1-5
Scales and
Bar Graphs

1-6
Tablas
arborescentes

1-6
Stem-and-
Leaf
Diagrams

1-7
Mediana
y moda

1-7
Median
and
Mode

1-8
El significado
de la media

1-8
The
Meaning
of Mean

1-9
Los efectos
de los valores
extremos

1-9
The Effects
of Outliers

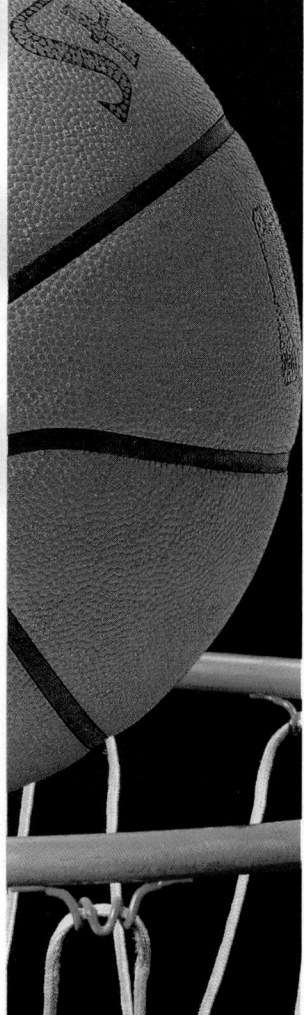

▶ Curriculum Standards

STANDARD

			pages
1	**Problem Solving**	Skills and Strategies	4, 25, 26, 35, 49
		Applications	9–10, 14–15, 19–20, 21, 27–28, 32–33, 37–38, 39, 44–45, 48–49, 53–54, 55
		Exploration	6, 11, 15, 16, 24, 28, 29, 34, 42, 46, 51, 54
2	**Communication**	Oral	5, 8, *10*, 13, 14, 18, 23, 26, 31, 33, 36, 41, 43, *45*, 47, 52, 56
		Written	*4*, 10, 14, *15*, 20, 22, 28, 33, 38, 45, *54*, 56
		Cooperative Learning	*6, 11, 13, 16, 24, 29, 31, 34, 36, 42, 46, 51, 57*
3	**Reasoning**	Critical Thinking	10, 15, 20, 28, 33, 38, 45, 49, 54
4	**Connections**	Mathematical	See Standards 5, 7, 8, 10, 13 below.
		Interdisciplinary	Science 2, *5*, 8, 12, *13, 14,* 17, *18,* 21, 37; Consumer 11, 48; Language 12; Medicine 16; Industry 22; Career 23; History *23,* 26, 27, 28, *31,* 35, *36,* 37; Geography 5, 27, 33, 44, 61; Social Studies 3, *26,* 31, 32; Civics 23; Health *41,* 48; Literature 3, *23*; Sports 54
		Technology	8, 29, 50
		Cultural	2, *18*
5	**Number and Number Relationships**		10, 34
7	**Computation and Estimation**		7, 19, *20, 25*, 30, *35, 47*
8	**Patterns and Functions**		16–20, 24
10	**Statistics**		6–60
13	**Measurement**		46

Italic type indicates Teacher Edition reference.

TECHNOLOGY

▶ For the Teacher

- **Teacher Resource Planner CD-ROM**
Use the teacher planning CD-ROM to view resources available for Chapter 1. You can prepare custom lesson plans or use the default lesson plans provided.

- **World Wide Web**
Visit **www.teacher.mathsurf.com** for links to lesson plans from teachers and other professionals, NCTM information, and other sites.

- **TestWorks**
TestWorks provides ready-made tests and can create custom tests and practice worksheets.

▶ For the Parent

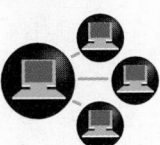

- **World Wide Web**
Parents can use the Web site at **www.parent.mathsurf.com**.

▶ For the Student

- **Interactive CD-ROM**
Lesson 1-7 has an *Interactive CD-ROM Lesson*. The *Interactive CD-ROM Journal* and *Interactive CD-ROM Spreadsheet/Grapher Tool* are also used in Chapter 1.

- **Wide World of Mathematics™**
Lesson 1-5 Middle School: Graphs in the News

- **World Wide Web**
Use with Chapter and Section Openers; Students can go online to the Scott Foresman-Addison Wesley Web site at **www.mathsurf.com/6/ch1** to collect information about chapter themes.

- **Jasper Woodbury Videodisc**
Lesson 1-8: A Capital Idea

SECTION 1A

LESSON	OBJECTIVE	ITBS Form M	CTBS 4th Ed.	CAT 5th Ed.	SAT 9th Ed.	MAT 7th Ed.	Your Form
1-1	• Read numbers from different types of graphs.	✗	✗	✗	✗	✗	
	• Compare numbers within the same graph.	✗	✗	✗		✗	
1-2	• Identify common ways that a graph can suggest misleading relationships.						
1-3	• Identify the two pieces of data represented by points in a scatterplot.						
	• Determine if a scatterplot suggests a trend.	✗					

SECTION 1B

LESSON	OBJECTIVE	ITBS Form M	CTBS 4th Ed.	CAT 5th Ed.	SAT 9th Ed.	MAT 7th Ed.	Your Form
1-4	• Organize data using tallies and frequency charts.		✗		✗	✗	
	• Use a line plot to show the shape of a data set.						
1-5	• Make a bar graph.						
1-6	• Organize large sets of data into stem-and-leaf diagrams.						

SECTION 1C

LESSON	OBJECTIVE	ITBS Form M	CTBS 4th Ed.	CAT 5th Ed.	SAT 9th Ed.	MAT 7th Ed.	Your Form
1-7	• Calculate the median and the mode for a set of data.				✗	✗	
1-8	• Calculate the mean for a set of data.			✗	✗	✗	
1-9	• Determine if an outlier affects the analysis of a data set.				✗		

Key: ITBS - Iowa Test of Basic Skills; CTBS - Comprehensive Test of Basic Skills; CAT - California Achievement Test; SAT - Stanford Achievement Test; MAT - Metropolitan Achievement Test

ASSESSMENT PROGRAM

▶ **Traditional Assessment**

QUICK QUIZZES	SECTION REVIEW	CHAPTER REVIEW	CHAPTER ASSESSMENT FREE RESPONSE	CHAPTER ASSESSMENT MULTIPLE CHOICE	CUMULATIVE REVIEW
TE: pp. 10, 15, 20, 28, 33, 38, 45, 49, 54	SE: pp. 22, 40, 56 *Quiz 1A, 1B, 1C	SE: 58–59	SE: p. 60 *Ch. 1 Tests Forms A, B, E	*Ch. 1 Tests Forms C, E	SE: p. 61 *Ch. 1 Test Form F

▶ **Alternate Assessment**

INTERVIEW	JOURNAL	ONGOING	PERFORMANCE	PORTFOLIO	PROJECT	SELF
TE: pp. 10, 45	SE: pp. 20, 22, 28, 38, 45 TE: pp. 4, 15, 38, 54	TE: pp. 6, 11, 16, 24, 29, 34, 42, 46, 51	SE: pp. 60, 61 TE: pp. 20, 49 *Ch. 1 Tests Forms D, E	TE: p. 28	SE: pp. 15, 28, 54 TE: p. 3	TE: p. 33

*Tests and quizzes are in *Assessment Sourcebook*. Test Form E is a mixed response test. Forms for Alternate Assessment are also available in *Assessment Sourcebook*.

 TestWorks: Test and Practice Software

MIDDLE SCHOOL PACING CHART

▶ **REGULAR PACING**

Day	5 classes per week
1	Chapter 1 Opener; Problem Solving Focus
2	Section **1A** Opener; Lesson **1-1**
3	Lesson **1-2**
4	Lesson **1-3**
5	**1A** Connect; **1A** Review
6	Section **1B** Opener; Lesson **1-4**
7	Lesson **1-5**
8	Lesson **1-6**
9	**1B** Connect; **1B** Review
10	Section **1C** Opener; Lesson **1-7**
11	Lesson **1-8**; Technology
12	Lesson **1-9**
13	**1C** Connect; **1C** Review; Extend Key Ideas
14	Chapter 1 Summary and Review
15	Chapter 1 Assessment Cumulative Review, Chapter 1

▶ **BLOCK SCHEDULING OPTIONS**

Block Scheduling for Complete Course

Chapter 1 may be presented in
- nine 90-minute blocks
- twelve 75-minute blocks

Each block consists of a combination of
- Chapter and Section Openers
- Explores
- Lesson Development
- Problem Solving Focus
- Technology
- Extend Key Ideas
- Connect
- Review
- Assessment

For details, see *Block Scheduling Handbook.*

Block Scheduling for Lab-Based Course

In each block, 30–40 minutes is devoted to lab activities including
- Explores in the Student Edition
- Connect pages in the Student Edition
- Technology options in the Student Edition
- Reteaching Activities in the Teacher Edition

For details, see *Block Scheduling Handbook.*

Block Scheduling for Interdisciplinary Course

Each block integrates math with another subject area.

In Chapter 1, interdisciplinary topics include
- Sharks
- Presidents
- Sports

Themes for Interdisciplinary Team Teaching 1A, 1B, and 1C are
- Marine Life
- Voting
- Deserts

For details, see *Block Scheduling Handbook.*

Block Scheduling for Course with *Connected Mathematics*

In each block, investigations from **Connected Mathematics** replace or enhance the lessons in Chapter 1.

Connected Mathematics topics for Chapter 1 can be found in
- *Data About Us*

For details, see *Block Scheduling Handbook.*

BOLETÍN INTERDISCIPLINARIO

INTERDISCIPLINARY BULLETIN BOARD

Preparación

Trace en un cartel los ejes de una gráfica de barras. El eje de las *y* deberá mostrar los nombres de diferentes tipos de ballenas (jorobada, de aleta dorsal, azul y gris, por ejemplo). El eje de las *x* debe mostrar una escala, en metros, de 0 a 30.

Procedimiento

- Trabaja en equipo para elegir un tipo de ballena a fin de investigar su apariencia y el tamaño máximo que puede alcanzar.
- Debes dibujar las ballenas de tal manera que cada ilustración muestre la longitud real, en metros, de cada ballena.

Set Up

Prepare a bulletin board with axes for a bar graph. The *y*-axis has a list of names of different kinds of whales, such as humpback, finback, blue, and gray. The *x*-axis indicates the number of meters from 0 to 30.

Procedure

- In groups, choose a kind of whale, research its appearance, and the greatest length it is known to attain.
- You should draw the whales on the graph so that their lengths indicate the actual length of the whale in meters.

Longitud de ballenas

The information on these pages shows how statistics are used in real-life situations.

World Wide Web

If your class has access to the World Wide Web, you might want to use the information found at the Web site addresses given.

Extensions

The following activities do not require access to the World Wide Web.

People of the World

Have students find a chart or graph that displays information about another country. Ask students to summarize the information for the class.

Science

Ask students to investigate the temperatures on various planets. Ask how a planet's distance from the sun affects its temperature. The closer a planet is to the sun, the warmer its temperature.

Entertainment

Suggest that students investigate the impact cable TV networks and satellite dishes have on a viewer's choices.

Arts & Literature

Have students write a sentence that contains no *e*'s. To make the task more interesting, suggest that they try to use every other letter except *e*.

Social Studies

Ask students to locate Norilsk, Russia, on a map and to investigate housing, type of heat, and other living conditions in that city.

La información de estas páginas muestra cómo se utilizan las estadísticas en situaciones de la vida real.

World Wide Web

Si su clase tiene acceso al World Wide Web, tal vez usted quiera usar la información que se encuentra en las direcciones Web indicadas.

Ampliación

Las siguientes actividades no requieren de acceso al Web.

Alrededor del mundo

Pida a los estudiantes que encuentren una tabla o gráfica que muestre información sobre otro país. Indíqueles que resuman esta información para exponerla ante la clase.

Ciencias

Pida a los estudiantes que investiguen las temperaturas de varios planetas. Pregúnteles de qué manera la distancia al Sol afecta la temperatura de los planetas. Mientras más cerca esté del Sol, más caliente será la temperatura del planeta.

Entretenimiento

Sugiera que los estudiantes investiguen el efecto que tienen las cadenas de televisión por cable y las antenas parabólicas en las elecciones de los televidentes.

Arte y Literatura

Pida a los estudiantes que escriban un enunciado que no contenga ninguna e. Para que el trabajo sea más interesante, sugiérales que traten de usar todas las otras letras menos la e.

Ciencias sociales

Pida a los estudiantes que localicen en un mapa la ciudad de Norilsk, ex Unión Soviética, y que investiguen cómo es la vivienda, el clima y otras condiciones de vida de ese sitio.

1 Estadísticas: Uso de números cabales

Enlace con Ciencias
www.mathsurf.com/6/ch1/science

Entretenimiento

En cuanto a casas con televisores, China es un valor extremo: 227,500,000 hogares chinos tienen televisores. El país que le sigue con el mayor número de aparatos es Estados Unidos, con sólo 94,200,000.

Alrededor del mundo

Todos los días, más de 12,500,000 personas ven los cuadros y gráficas del periódico *Asahi Shimbun*, de Japón. Lo cual equivale a cerca de cuatro veces la población de Oklahoma.

Ciencias

Si una gráfica de barras mostrara la distancia de los planetas al Sol y la barra que representa la distancia de Mercurio fuera de una pulgada de alto, entonces la barra de la distancia a Plutón sería de 9 pies de alto.

2

TEACHER TALK

Meet Ann Boltz

Legg Middle School
Coldwater, Michigan

Early in the school year, I have students start a folder in which they record the results of their quizzes and tests. This record allows them to evaluate their weekly progress and to apply the mathematics they are learning in this chapter.

At the end of each month, I have them display their data using line plots, bar graphs, and stem-and-leaf diagrams. They find their average scores and look for patterns and trends in their data. Students become aware of the impact missed quizzes or tests have on their grade.

I require that students show their folders to their parents. I find parents enjoy seeing the student's data presented in a variety of visual ways.

Enlace con Ciencias sociales
www.mathsurf.com/6/ch1/social

Arte y Literatura

La letra que aparece con más frecuencia en los textos en inglés es la "e". Le siguen la "t", "a", "i" y la "n".

IDEAS CLAVE DE MATEMÁTICAS

Las gráficas pueden utilizarse para comparar números entre sí, para comparar números en un período y para comparar números como parte de un todo.

Un diagrama de dispersión es una gráfica que puede ayudar a determinar si hay alguna relación entre dos conjuntos de datos.

Puedes utilizar una tabla arborescente para representar los datos en intervalos.

Tanto el valor que queda exactamente a la mitad de los datos, como el que aparece con más frecuencia, pueden describir un conjunto de datos.

La media, o promedio, de un conjunto de datos también puede describir los datos.

Ciencias sociales

La temperatura media en Norilsk, Rusia, es de 12.4 °F. El agua se congela a temperaturas menores a los 32 °F.

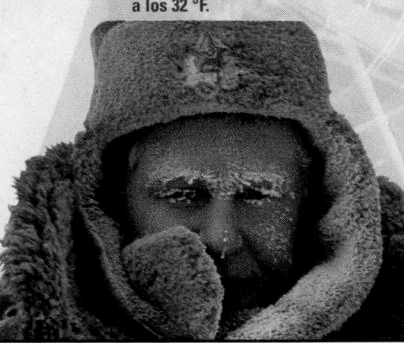

PROYECTO DEL CAPÍTULO

Resolución de problemas

Comprende
Planea
Resuelve
Revisa

En este proyecto recopilarás datos sobre algún lugar interesante del mundo. Con base en tus datos, otros estudiantes tendrán que averiguar el lugar que elegiste. Primero, busca algún sitio del planeta que te parezca interesante y del cual quieras aprender más.

3

Proyecto del capítulo

Los estudiantes recaban información acerca de un lugar interesante del mundo. Con base en estos datos, otros estudiantes tratarán de adivinar de qué lugar se trata.

Introducción del proyecto

• Comente con los estudiantes qué tipo de información puede ayudar a identificar un lugar, por ejemplo: el clima, sitios memorables, atractivos turísticos, etcétera.

• Indíqueles dónde pueden hallar información acerca de los lugares seleccionados, como enciclopedias, guías turísticas y la Internet.

El proyecto en marcha

Sección A, página 15 Los estudiantes pueden leer e interpretar varios tipos de gráficas para analizar los datos y las estadísticas, o para identificar una tendencia acerca de un lugar específico.

Sección B, página 28 Los estudiantes pueden usar esquemas y tablas para organizar la información que recabaron y después mostrarla en una gráfica apropiada.

Sección C, página 54 Los estudiantes calculan la media, mediana y moda de los datos recopilados con la finalidad de obtener una pista que pueda usarse para identificar el lugar escogido.

Chapter Project

Students collect data about an interesting location somewhere in the world. Based on their data, other students will try to guess the location chosen.

Resources

Chapter 1 Project Master

Introduce the Project

• Discuss types of information about a location that might help someone identify the location, such as climate, landmarks, tourist attractions, and so on.

• Talk about where students might find information about selected locations, such as encyclopedias, travel magazines and guides, and the Internet.

Project Progress

Section A, page 15 Students may read and interpret various types of graphs to analyze data and statistics or to identify a trend about a specific location.

Section B, page 28 Students may use charts and tables to organize information they gathered, and then display this information in an appropriate graph.

Section C, page 54 Students calculate the mean, median, and mode of collected data to provide a hint that may be used to identify their chosen location.

Community Project

A community project for Chapter 1 is available in *Home and Community Connections*.

Cooperative Learning

You may want to use Teaching Tool Transparency 1: Cooperative Learning Checklist with **Explore** and other group activities in this chapter.

PROJECT ASSESSMENT

You may choose to use this project as a performance assessment for the chapter.

Performance Assessment Key

Level 4 Full Accomplishment

Level 3 Substantial Accomplishment

Level 2 Partial Accomplishment

Level 1 Little Accomplishment

Suggested Scoring Rubric

4
• Collected data is detailed, organized, and clearly presented in displays.
• Statistics are accurate and correctly calculated.

3
• Collected data is informative, organized, and presented in displays.
• Included statistics are accurate.

2
• Collected data provides little information and few displays are included.
• Few statistics are included.

1
• Collected data provides little information and no displays are included.
• Few statistics are included.

Problem Solving Focus

Reading the Problem

The Point
Students focus on reading and understanding a problem.

Resources
Teaching Tool Transparency 18: Problem-Solving Guidelines

Interactive CD-ROM Journal

About the Page

Using the Problem-Solving Process
Discuss these three suggestions for reading a problem:

- Read the problem several times before beginning.
- Determine what the problem is about.
- Determine what the problem is asking.

Ask …
- How would you organize the information in the problem?
- If you made a time line for Question 1, what would be the order of the eruptions? Explain.
  Mount Etna, Kratatoa, Nevado del Ruiz; Mount Etna erupted 316 years before Nevado del Ruiz and Kratatoa erupted 102 years before Nevado del Ruiz.

Answers for Problems
1. Krakatoa erupted in 1883.
   a. When the volcanoes erupted.
   b. In what year was Krakatoa's loud eruption.
   c. 1669
   d. Mount Etna
   e. Possible answers:
      Question: When did Nevado del Ruiz erupt? Answer: 1985.
2. Kilauea: 4,000 ft; Canlaon: 8,000 ft; On-Take: 10,000 ft.
   a. The height of volcanoes.
   b. How tall are Kilauea, Canlaon, and On-Take.
   c. Half
   d. On-Take
   e. Possible answer:
      Question: How much taller is On-Take than Canlaon? Answer: 2,000 ft.

Journal
Write about a problem that requires solving. Formulate questions to help solve the problem.

Leer el problema

Objetivo
Los estudiantes se concentran en la lectura y comprensión de un problema.

Recursos
 Diario interactivo CD-ROM

Acerca de esta página

Uso del proceso de resolución de problemas
Comente con los estudiantes estas tres sugerencias para leer un problema:

- Lee el problema varias veces antes de comenzar.
- Determina de qué se trata el problema.
- Determina qué es lo que pide el problema.

Pregunte…
- ¿Cómo organizarías los datos del problema?
- Si trazaras una línea cronológica para la pregunta 1, ¿cuál sería el orden de las erupciones? Explica tu respuesta.
  Monte Etna, Krakatoa, Nevado del Ruiz; El monte Etna hizo erupción 316 años antes que el Nevado del Ruiz, y el Krakatoa hizo erupción 102 años antes que el Nevado del Ruiz.

Respuestas de Problemas
1. El Krakatoa hizo erupción en 1883.
   a. De cuándo hicieron erupción los volcanes.
   b. En qué año hizo erupción el Krakatoa.
   c. En 1669.
   d. El monte Etna.
   e. Respuesta posible:
      Pregunta: ¿Cuándo hizo erupción el Nevado del Ruiz? Respuesta: En 1985.
2. Kilauea: 4,000 ft; Canlaon: 8,000 ft; On-Take: 10,000 ft.
   a. De la altura de los volcanes.
   b. Cuáles son las alturas de los volcanes Kilauea, Canlaon y On Take.
   c. La mitad.
   d. On-Take.
   e. Respuesta posible:
      Pregunta: ¿Cuánto más alto es el On-Take que el Canlaon? Respuesta: 2,000 ft.

En tu diario
Redacta un problema que precise una respuesta. Formula preguntas que ayuden a resolver el problema.

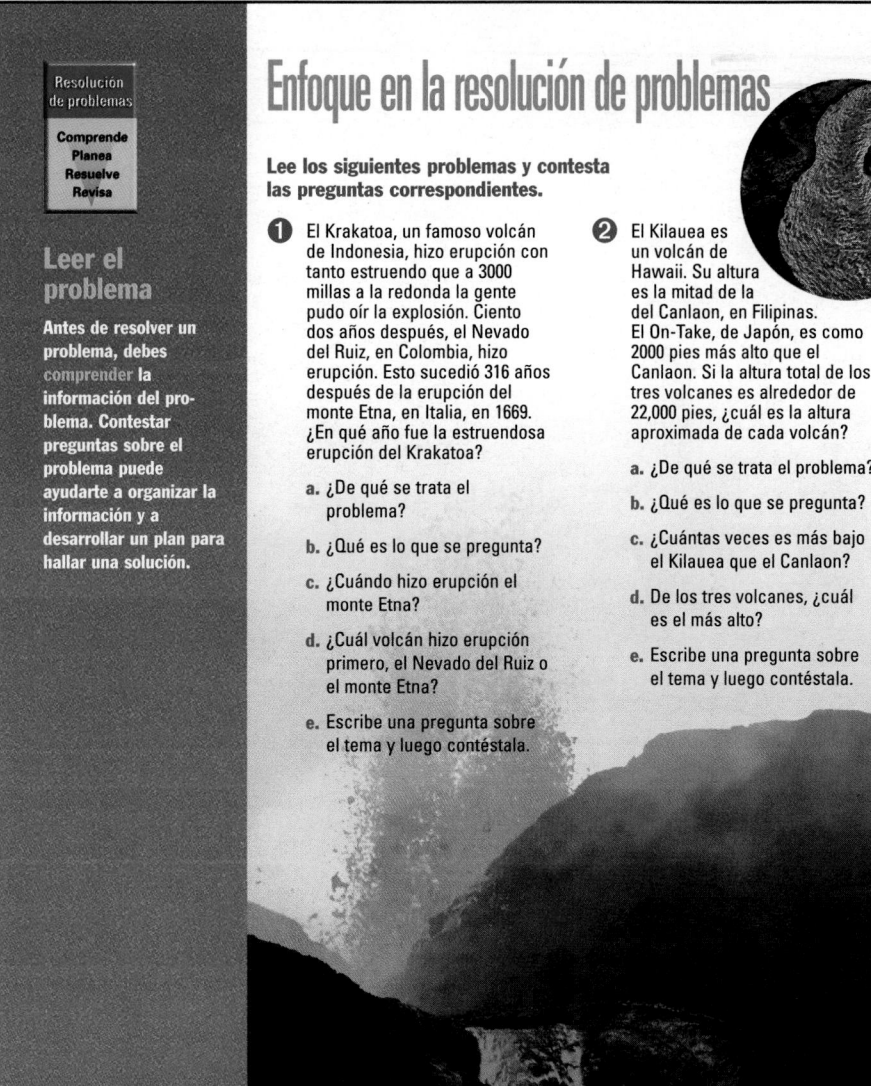

Resolución de problemas
Comprende
Planea
Resuelve
Revisa

Leer el problema
Antes de resolver un problema, debes **comprender** la información del problema. Contestar preguntas sobre el problema puede ayudarte a organizar la información y a desarrollar un plan para hallar una solución.

Enfoque en la resolución de problemas

Lee los siguientes problemas y contesta las preguntas correspondientes.

1 El Krakatoa, un famoso volcán de Indonesia, hizo erupción con tanto estruendo que a 3000 millas a la redonda la gente pudo oír la explosión. Ciento dos años después, el Nevado del Ruiz, en Colombia, hizo erupción. Esto sucedió 316 años después de la erupción del monte Etna, en Italia, en 1669. ¿En qué año fue la estruendosa erupción del Krakatoa?

  a. ¿De qué se trata el problema?
  b. ¿Qué es lo que se pregunta?
  c. ¿Cuándo hizo erupción el monte Etna?
  d. ¿Cuál volcán hizo erupción primero, el Nevado del Ruiz o el monte Etna?
  e. Escribe una pregunta sobre el tema y luego contéstala.

2 El Kilauea es un volcán de Hawaii. Su altura es la mitad de la del Canlaon, en Filipinas. El On-Take, de Japón, es como 2000 pies más alto que el Canlaon. Si la altura total de los tres volcanes es alrededor de 22,000 pies, ¿cuál es la altura aproximada de cada volcán?

  a. ¿De qué se trata el problema?
  b. ¿Qué es lo que se pregunta?
  c. ¿Cuántas veces es más bajo el Kilauea que el Canlaon?
  d. De los tres volcanes, ¿cuál es el más alto?
  e. Escribe una pregunta sobre el tema y luego contéstala.

4

Additional Problem

Maryanne collected $350 in pledges for the walkathon at her school. Robert collected $100 less in pledges than Maryanne, and Rachel collected half as much in pledges as Maryanne. Altogether, the students raised $8450 for playground equipment. They walked 65 miles in all. How much in pledges did Rachel raise? $175

1. What is the problem about? The amount of money raised in pledges for a walkathon.
2. What is the problem asking? The amount of pledges Rachel raised.
3. Who raised more in pledges, Robert or Rachel? Robert

Problema adicional

Maryanne reunió $350 en prendas para el maratón de caminata de su escuela. Robert reunió $100 menos que Maryanne. Rachel, por su parte, reunió la mitad de lo que juntó Maryanne. Entre todos los estudiantes juntaron $8450 para equipo para el patio de recreo. Caminaron 65 millas en total. ¿Cuánto dinero en prendas reunió Rachel? $175

1. ¿De qué se trata el problema? De la cantidad de dinero que se obtuvo en prendas para el maratón de caminata.
2. ¿Qué es lo que se pregunta? La cantidad en prendas que reunió Rachel.
3. ¿Quién reunió más dinero en prendas: Robert o Rachel? Robert.

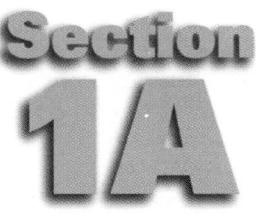

Section 1A

Reading and Interpreting Graphs

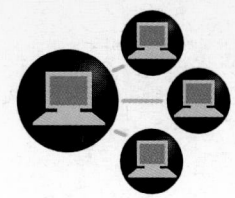

Visit **www.teacher.mathsurf.com** for links to lesson plans from teachers and other professionals, NCTM information, and other sites.

LESSON PLANNING GUIDE

▶ **Student Edition**

▶ **Ancillaries***

LESSON		MATERIALS	VOCABULARY	DAILY	OTHER
	Chapter 1 Opener				Teaching Tool Trans. 1 Ch. 1 Project Master Ch. 1 Community Project
	Problem Solving Focus				Teaching Tool Trans. 18 *Interactive CD-ROM Journal*
	Section 1A Opener				
1-1	Reading Graphs		bar graph, pictograph, line graph, circle graph	1-1	Lesson Enhancement Trans. 1
1-2	Misleading Graphs			1-2	Lesson Enhancement Trans. 2 Technology Master 1 Ch. 1 Project Master
1-3	Scatterplots and Trends		scatterplot, trend	1-3	Technology Master 2
	Connect				Lesson Enhancement Trans. 3 Interdisc. Team Teaching 1A
	Review				Practice 1A; Quiz 1A; *TestWorks*

* Daily Ancillaries include Practice, Reteaching, Problem Solving, Enrichment, and Daily Transparency. Teaching Tool Transparencies are in *Teacher's Toolkits*. Lesson Enhancement Transparencies are in *Overhead Transparency Package*.

SKILLS TRACE

LESSON	SKILL	FIRST INTRODUCED			DEVELOP	PRACTICE/ APPLY	REVIEW
		GR. 4	GR. 5	GR. 6			
1-1	Reading graphs.	✗			pp. 6–8	pp. 9–10	pp. 45, 58, 198, 214, 241, 297
1-2	Identifying misleading relationships on graphs.			✗ p. 11	pp. 11–13	pp. 14–15	pp. 49, 58
1-3	Identifying trends on a scatterplot.			✗ p. 16	pp. 16–18	pp. 19–20	pp. 54, 58, 224, 253, 297

CONNECTED MATHEMATICS

The unit *Data About Us (Statistics)*, from the **Connected Mathematics** series, can be used with Section 1A.

Math and Science/Technology
(Worksheet pages 01–02: Teacher pages T1–T2)

In this lesson, students read and interpret graphs.

Nombre _____   *Ciencia y tecnología*

Monstruos marinos

Lectura e interpretación de gráficas.

Imagina que te encuentras en alta mar buscando peces azulados. Tus amigos y tú jalan de uno que ha picado el anzuelo. Cada pez mide cerca de 3 pies de largo y pesa como 10 libras. De pronto, alguien grita: "¡Miren! ¡Allá! ¡Creo que es un tiburón ballena!" Todos voltean hacia donde un enorme pez acaba de asomarse a la superficie. ¡Es enorme! Calculas que ha de medir alrededor de 40 pies, como el tamaño de un autobús escolar. En segundos, el tiburón desaparece y tú regresas a seguir pescando con una nueva apreciación del tamaño de los animales que viven en el mar.

A menudo los animales más grandes y temibles del mar son los que rara vez se ven. Algunos de los más impresionantes son los siguientes:

Tiburón ballena: Este animal es tan grande como algunas ballenas, de ahí su nombre. Es tan grande que se ha ganado el título del pez más grande del mar. El tiburón ballena pesa alrededor de 40,000 libras. A pesar de su tamaño, no es una amenaza para el hombre porque tiene dientes muy pequeños. Se alimenta de peces pequeños y de microorganismos que flotan en el mar.

Calamar gigante: Pesa más de 4000 libras; el calamar gigante es el más grande de todos y vive en las profundidades de todos los océanos.

Medusa de melena de león del Ártico: Esta criatura, que vive en los mares del norte, es la medusa más grande del mundo. Tiene alrededor de 1200 tentáculos que cuelgan de su cuerpo en forma de campánula, y mide 120 pies de longitud; llega a tener un diámetro de más de 7 pies. Cada tentáculo tiene células venenosas.

Cangrejo araña gigante: Se encuentra en las aguas que circundan Japón; sus patas miden como 5 pies de largo. Cada pata tiene tenazas de cinco pulgadas que usa para capturar a sus presas, para luchar y excavar.

Ballena azul: Se encuentra en todos los mares; este mamífero es el más pesado que ha vivido sobre la Tierra. Un neonato pesa más de 6000 libras y un adulto puede llegar a pesar la asombrosa cantidad de 500,000 libras.

Con frecuencia no es el peso del animal lo que más nos asombra, sino su increíble longitud. Estudia la siguiente gráfica para comparar las longitudes de los animales mencionados.

El tiburón ballena no es un mamífero como la ballena sino un pez.

Nombre _____   *Ciencia y tecnología*

1. Cuando la medusa de melena de león del Ártico extiende sus largos tentáculos, cubre un área de más de 45,000 pies cuadrados. ¿De qué manera esto puede ayudarle a satisfacer su necesidad de grandes cantidades de alimento?

Mientras más grande sea el

área que cubren los tentáculos

de la medusa, mayor es el área

en la cual puede capturar animales

que se encuentran en el mar.

2. Clasifica los animales marinos gigantes en orden ascendente de acuerdo con su longitud.

Cangrejo araña gigante,

tiburón ballena, calamar

gigante, ballena azul, medusa

melena de león del Ártico.

3. ¿Alrededor de cuántas veces más grande es la ballena azul que el calamar gigante?

Dos veces más grande.

4. Un pez azulado mide como 3 pies de largo. ¿Aproximadamente cuántas veces más grandes son los animales de la gráfica comparados con el pez azulado?

Cangrejo: como 4 veces más largo;

tiburón: 13 veces más largo;

calamar: 18 veces más largo;

ballena: 37 veces más largo;

medusa: 40 veces más largo.

5. En ocasiones es difícil apreciar el tamaño de los objetos sólo por la observación de los números. Puedes tener una idea más cercana de los tamaños de las criaturas marinas descritas en la página anterior si haces dibujos de ellas tomando en cuenta su tamaño real. Busca fotografías de ellos y dibújalos con una tiza en el patio de la escuela o en un espacio abierto. También puedes usar un hilo para delinearlos en un campo de juego. ¿Cuántas veces más largo que tú es cada uno de los animales?

Las respuestas variarán

de acuerdo con la estatura

de los estudiantes.

6. A pesar de su enorme tamaño, la ballena azul se alimenta de criaturas muy pequeñas. Estas criaturas diminutas se alimentan a su vez de seres vivos verdes aún más pequeños. Estos microorganismos verdes liberan oxígeno en el aire, que todos los animales —incluidos los seres humanos— respiran. Identifica los seres vivos en la cadena alimenticia de la ballena azul y e indica qué crees que pasaría en el mundo si se extinguieran estas ballenas.

Krill; fitoplancton; la población

de krill puede crecer

desmesuradamente, la población

del fitoplancton puede

disminuir y la concentración de

oxígeno en el aire puede bajar.

BIBLIOGRAPHY

FOR TEACHERS

Haven, Kendall. *Marvels of Science*. Englewood, CO: Libraries Unlimited, 1994.

Spangler, David. *Math for Real Kids*. Glenview, IL: Good Year Books, 1997.

Welton, Ann. *Explorers and Exploration*. Phoenix, AZ: Oryx Press, 1993.

The World Almanac and Book of Facts. Mahwah, NJ: Funk & Wagnalls, 1996.

FOR STUDENTS

Bramwell, Martyn. *Volcanoes and Earthquakes*. Chicago, IL: Watts, 1994.

Macquitty, Miranda. *Shark*. New York, NY: Knopf, 1992.

Ridpath, Ian. *The Facts on File Atlas of Stars and Planets*. New York, NY: Facts on File, 1993.

SECCIÓN
1A
Lectura e interpretación de gráficas
▷ Enlace con Ciencias   ▷ Enlace con Geografía   ▷ www.mathsurf.com/6/ch1/sharks

Section 1A

¡PELIGRO! ¡TIBURONES AL ATAQUE!

Caminas solo por la playa, el agua te salpica los pies. De pronto sientes una presencia; es un animal solitario que amenaza tu vida. Mientras se aproxima, te das la vuelta y gritas cuando ves... ¡un perro!

Tal vez parezca ridículo, pero estadísticamente es cierto. Cerca de 18 personas mueren cada año en Estados Unidos por ataques de perros. En todo el mundo, sólo 59 personas han muerto por ataque de tiburones en los últimos 100 años. De las 350 especies de tiburones, sólo 30 han atacado a seres humanos.

Los tiburones son fascinantes y con frecuencia mal comprendidos. Imagina que fueras un biólogo marino que quisiera estudiar los tiburones para comprenderlos mejor. ¿Cómo elegirías los mejores lugares y los mejores tiburones? Puedes consultar gráficas con datos sobre ataques de tiburones. Las gráficas te permiten comparar datos numéricos, desplegarlos en forma visual y buscar patrones y tendencias.

1 ¿Por qué piensas que mueren más personas a causa de ataques de los perros que de tiburones?

2 ¿Por qué puede ser mejor una gráfica de datos que una lista de datos?

Where are we now?

In Grade 5, students explored the use of graphs to describe data.

They learned how to

• read bar and line graphs.

• make bar and line graphs.

• determine range, median, and mode.

• use information on graphs to make decisions.

Where are we going?

In Grade 6, Section 1A, students will

• use graphs to organize and display information.

• identify graphs that display misleading information.

• compare values in two sets of data using scatterplots.

Tema: Tiburones

World Wide Web

Si su clase tiene acceso al World Wide Web, tal vez usted quiera usar la información que se encuentra en las direcciones Web indicadas. Los enlaces interdisciplinarios relacionan los temas examinados en esta sección.

Acerca de esta página

Esta página introduce el tema de la sección (los tiburones) y habla del número de personas que han muerto a causa de ataques de tiburones.

Pregunte…

• ¿Alguna vez han visto un tiburón? ¿Dónde? ¿Cuándo?

• ¿Pueden sugerir algunos métodos por medio de los cuales los científicos podrían determinar el número y las variedades de tiburones que existen? ¿Cómo se obtiene la información acerca de los animales marinos?

Ampliación

Las siguientes actividades no requieren de acceso al Web.

Ciencias

Los tiburones son peces muy grandes y algunas personas los confunden con las ballenas. Haz una lista de las diferencias entre los tiburones y las ballenas.

Geografía

Muchos países capturan tiburones, incluido Estados Unidos. Los tiburones son la base de varias industrias en Noruega. Los chinos consideran que las aletas de tiburón secas son un exquisito platillo. Investiga sobre los productos derivados del tiburón. Fertilizantes, productos alimenticios, aceite de hígado, cuero, goma.

Respuestas de Preguntas

1. Más personas se encuentran con perros que con tiburones, por tanto, la probabilidad de que alguien sea mordido por un perro rabioso es mayor que la probabilidad de que alguien sea devorado por un tiburón.

2. Con las gráficas es más fácil comparar la información y de esta forma hallar posibles patrones.

Asociación

En la página 21 los estudiantes analizarán los datos de las gráficas con relación a los ataques de tiburón.

Theme: Sharks

World Wide Web

If your class has access to the World Wide Web, you might want to use the information found at the Web site address given. The interdisciplinary links relate to topics discussed in this section.

About the Page

This page introduces the theme of the section, sharks, and discusses the number of people killed by sharks.

Ask …

• Have you ever seen a shark? Where? When?

• Can you suggest ways in which scientists determine the number and variety of sharks that exist? How is data gathered about animals that live in the ocean?

Extensions

The following activities do not require access to the World Wide Web.

Science

Sharks are large fish that some people confuse with whales. List ways in which sharks and whales differ.

Geography

Many countries fish for sharks, including the U.S. Sharks form the basis of several industries in Norway. The Chinese consider dried shark fins a delicacy. Research the products made from shark. Fertilizer, food products, cod-liver oil, leather, glue.

Answers for Questions

1. More people encounter dogs than encounter sharks, so the chance that someone would get bitten by a rabid dog is greater than the chance that someone would get eaten by a shark.

2. Referring to graphs makes it easier to compare data and find possible patterns.

Connect

On page 21, students will analyze data given in graphs about shark attacks.

Objectives

- Read numbers from different types of graphs.
- Compare numbers within the same graph.

Vocabulary

- Bar graph, pictograph, line graph, circle graph

NCTM Standards

- 1–5, 7, 10

Review	▶ Repaso
Perform each operation.	Realiza cada operación.
1. 56 + 49 105	1. 56 + 49 105
2. 4.5 × 50 225	2. 4.5 × 50 225
3. 88 × 50 4400	3. 88 × 50 4400
4. 107 − 39 68	4. 107 − 39 68
5. 7 × 50 350	5. 7 × 50 350

Available on Daily Transparency 1-1

▶ **Lesson Link**

Discuss the four types of graphs with the class. Ask students to describe graphs they have seen in magazines, newspapers, and textbooks.

▶ **Enlace con la lección**

Comente con los estudiantes los cuatro tipos de gráficas. Pídales que describan las gráficas que han visto en revistas, periódicos y libros de texto.

Introduce

Explore

You may wish to use Lesson Enhancement Transparency 1 with **Explore**.

The Point

Students make decisions about which graphs contain data they need.

Ongoing Assessment

Check that students are able to translate symbols to numbers in the pictograph and that they can relate points on the graphs to the scales.

1 Introducción

Investigar

Objetivo

Los estudiantes toman decisiones acerca de qué gráficas contienen la información que necesitan.

Evaluación continua

Compruebe que los estudiantes sean capaces de traducir símbolos a números en la pictografía y que puedan relacionar los puntos de las gráficas con las escalas.

1-1 Lectura de gráficas

Vas a aprender…

- a leer números de diferentes tipos de gráficas.
- a comparar números de la misma gráfica.

…cómo se usa

Cuando trabajan en proyectos de investigación, los biólogos marinos utilizan las gráficas para hallar relaciones entre la vida marina y los factores de su entorno.

Vocabulario

gráfica de barras

pictografía

gráfica de línea quebrada

gráfica circular

▶ **Enlace con la lección**   En cursos anteriores, aprendiste la importancia de utilizar información para tomar decisiones. Las gráficas son una manera útil de organizar dicha información. ◀

Investigar   Gráficas de datos

Ataque a los datos

Usa las gráficas para contestar las preguntas.

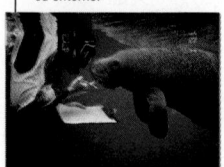
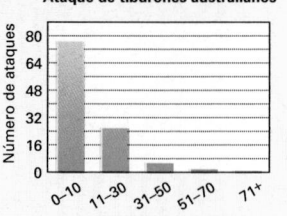
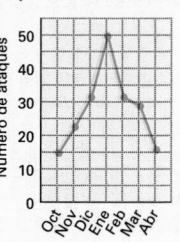

Ataque de tiburones australianos

Ataque de tiburones australianos

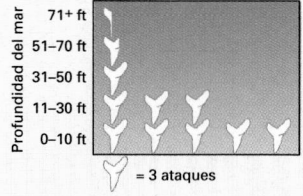
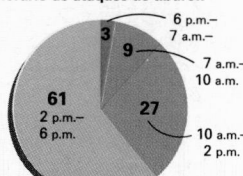

Ataque de tiburones australianos

Horario de ataques de tiburón

= 3 ataques

1. ¿A qué profundidad ocurre la mayoría de los ataques de tiburón? Menciona la o las gráficas que puedes usar para determinar este dato.

2. ¿En qué mes ocurren menos ataques? ¿En cuál hay más ataques?

3. ¿A qué hora del día se presentan más ataques de tiburón?

4. ¿Cuántos ataques se estudiaron para realizar cada gráfica? Explica cómo encontraste tus respuestas.

6   Capítulo 1 • Estadísticas: Uso de números cabales en el mundo real

---

MEETING INDIVIDUAL NEEDS

Resources

1-1 Practice
1-1 Reteaching
1-1 Problem Solving
1-1 Enrichment
1-1 Daily Transparency
    Problem of the Day
    Review
    Quick Quiz
Lesson Enhancement Transparency 1

Recursos

1-1 Práctica
1-1 Práctica adicional
1-1 Resolución de problemas
1-1 Actividad de enriquecimiento

Learning Modalities

Visual When discussing the pictographs, you could use two pennies to represent each shark's-tooth symbol or two quarters to represent each animal species.

Kinesthetic If students experience difficulty reading the values in the bar graphs or line graphs, encourage them to use a ruler or the edge of an index card to align the top of the bar or the point with the appropriate axis.

Social Students could work in pairs to answer the questions in **Explore**.

Modos de aprendizaje

Visual Al analizar las pictografías, represente los dientes de los tiburones con dos monedas de un centavo y las especies con dos monedas de veinticinco centavos.

Cinestésico Si los estudiantes tienen dificultades al leer los valores en las gráficas de barras o de línea quebrada, pídales que se guíen con una regla o el borde de una tarjeta para alinear la parte superior de las barras o relacionar los puntos con el eje correspondiente.

Social Anime a los estudiantes a trabajar por parejas para responder las preguntas de la sección **Investigar**.

Inclusion

Graphs presented to students should be clear and simple. Do not overwhelm the student by presenting too much information in one graph. Be certain that the legends are clearly labeled.

Students could make a math vocabulary reference notebook for learning new words.

Inclusión

Muestre a los estudiantes gráficas claras y sencillas. No los agobie con demasiada información en una sola gráfica. Asegúrese de que las leyendas sean fáciles de entender.

Sugiera a los estudiantes que elaboren una guía de referencia para anotar el vocabulario nuevo.

Aprender — Obtener información de las gráficas

Una **gráfica de barras** usa barras verticales u horizontales para presentar información numérica. La longitud de la barra te dice el número que representa.

Ejemplo 1

¿Cuánto más profundo puede sumergirse un buzo con escafandra que uno sin ella?

Observa la barra del buzo sin escafandra. Representa una profundidad aproximada de 15 metros. La barra del buzo con escafandra representa como 50 metros. Puesto que $50 - 15 = 35$, el buzo con escafandra puede sumergirse como 35 metros más profundo.

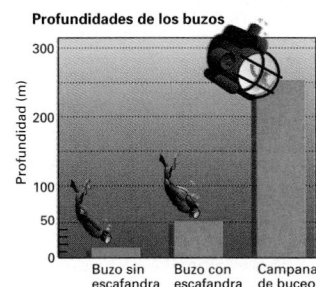

Profundidades de los buzos

Profundidad (m): 300, 200, 100, 50, 0

Buzo sin escafandra — Buzo con escafandra — Campana de buceo

¿LO SABÍAS?

En inglés, la palabra scuba (escafandra en español) es un acrónimo. Quiere decir "self-contained underwater breathing apparatus" ("aparato para respirar bajo el agua").

Una **pictografía** emplea símbolos para representar datos y todos los símbolos tienen el mismo valor. Para determinar la medida de un elemento en una pictografía, cuenta el número de símbolos y multiplícalo por el valor del símbolo.

Ejemplo 2

¿Como cuántas especies de animales hay en el zoológico de San Antonio?

En la pictografía, las especies de animales en el zoológico de San Antonio están representadas por 7 símbolos; cada uno equivale a 100 especies.

$7 \times 100 = 700$

Hay como 700 especies.

Zoológicos con el mayor número de especies de animales

San Diego
Cincinnati
San Antonio
Bronx

Clave 🐘 = 100 especies

CÁLCULO MENTAL

Una forma sencilla de calcular 7×100 es multiplicar 7×1 y agregarle dos ceros al final de la respuesta.

Haz la prueba

Usa la gráfica de barras o la pictografía para contestar cada pregunta.

a. ¿Cuánto más profundo puede sumergirse un buzo en una campana de buceo que un buzo con escafandra? 200 m

b. ¿Cuántas especies de animales hay aproximadamente en el zoológico de San Diego? 800

1-1 • Lectura de gráficas **7**

MATH EVERY DAY

▶ Problema del día

Dos vértices de un cuadrado ocupan las coordenadas (8, 16) y (16, 8). Define la posición de los otros vértices. Los tres pares posibles son: (16, 16) y (8, 8); (0, 8) y (8, 0); (16, 24) y (24, 16).

Problem of the Day

Two corners of a square are at (8, 16) and (16, 8). Name some other possible corners. Three possible pairs are (16, 16) and (8, 8); (0, 8) and (8, 0); (16, 24) and (24, 16).

Available on Daily Transparency 1-1

An Extension is provided in the transparency package.

Dato del día

Los tiburones no tienen huesos. Sus esqueletos están formados de cartílago, el mismo material que forma tus orejas y nariz.

Fact of the Day

Sharks have no bones. Their skeletons are cartilage, the same material that is in your ears and nose.

Mental Math

Find each product mentally.

1. 5×50 250
2. 8×50 400
3. 11×50 550
4. 14×50 700

Cálculo mental

Halla cada producto en forma mental.

1. 5×50 250
2. 8×50 400
3. 11×50 550
4. 14×50 700

Para los grupos que terminen antes

¿Cuál de las gráficas que muestran ataques de tiburón en Australia se les hizo más fácil de interpretar? ¿Por qué? Las respuestas pueden variar.

Respuestas de Investigar

1. De 0 a 10 ft con la gráfica de barras o 71 ft con la pictografía.
2. Octubre; Enero.
3. 2 p.m.-6 p.m.
4. Gráfica de barras: III (total de barras); Pictografía: 30 (total de símbolos × 3); Gráfica de línea quebrada: 197 (total del número de ataques por cada punto); Gráfica circular: 100 (total de los números en los sectores).

2 Enseñanza

Aprender

Ejemplos adicionales

1. ¿Cuánto más profundo puede sumergirse un buzo en una campana que uno sin ella?

   La barra del buzo en la campana representa 250 metros y la del buzo sin ella indica 15 metros. Como $250 - 15 = 235$, el buzo en la campana puede sumergirse 235 metros más que el buzo sin ella.

2. ¿Cuántas especies de animales hay en el zoológico de Cincinnati?

   Hay $7\frac{1}{2}$ símbolos de animales en la pictografía del zoológico de Cincinnati. Cada símbolo representa 100 especies.
   $7\frac{1}{2} \times 100 = 750$

   Hay 750 especies de animales en el zoológico de Cincinnati.

For Groups That Finish Early

Which of the graphs showing shark attacks in Australia was easier for you to interpret? Why? Answers may vary.

Answers for Explore

1. 0-10 ft using the bar graph or 71 ft using the pictograph.
2. Oct; Jan.
3. 2 p.m.–6 p.m.
4. Bar graph: III (total of bars); Pictograph: 30 (total of symbols × 3); Line graph: 197 (total of number of attacks for each point); Circle graph: 100 (total of numbers in the wedges).

Teach

Learn

Alternate Examples

1. How much deeper than a free diver can a diving bell dive?

   The bar for the diving bell represents 250 meters and the bar for the free diver represents 15 meters. Since $250 - 15 = 235$, the diving bell can dive 235 meters deeper.

2. How many species of animals are in the Cincinnati Zoo?

   There are $7\frac{1}{2}$ animal symbols in the pictograph for the Cincinnati Zoo. Each symbol represents 100 species.
   $7\frac{1}{2} \times 100 = 750$

   There are 750 species of animals in the Cincinnati Zoo.

3. Find the value of a Rickey Henderson baseball card in 1993.

Find the dot for 1993 on the year line. The dot is to the right of the value 100.

The card was worth $100 in 1993.

4. Which technology was second in popularity for advertising purposes?

The second-largest wedge, not including "undecided," represents PC/Online Service, so it is second in popularity.

Practice and Assess

Check

Be sure that students understand how to read the values from the axes in both the bar and line graphs. They must translate numbers of symbols into actual numbers in the pictograph, while the actual percent values are given in the circle graph.

Answers for Check Your Understanding

1. A bar graph shows the value by the height (or length) of the bar. A pictograph shows it by the number of symbols. A circle graph shows it by the width of the wedge. A line graph shows it by the distance of the point from the horizontal axis.

2. Bar graph: Highest bar, lowest bar; Pictograph: Most symbols, least symbols; Circle graph: Widest wedge, narrowest wedge; Line graph: Highest point, lowest point.

Ejemplos adicionales

3. Calcula el valor en 1993 de una tarjeta de béisbol de Rickey Henderson.

Halla el punto para 1993 en la línea de los años. El punto está a la derecha del valor 100.

La tarjeta valía $100 en 1993.

4. ¿Qué tecnología publicitaria fue la segunda en popularidad?

El segundo sector más grande (que no incluye a los "indecisos") es el de PC/Servicio en línea, por tanto, es el segundo en popularidad.

3 Práctica y evaluación

Comprobar

Asegúrese de que los estudiantes comprendan cómo leer los valores de los ejes tanto en la gráfica de barras como en la de línea quebrada. Deben convertir los números de los símbolos a números reales en la pictografía, pues los valores porcentuales reales están dados en la gráfica circular.

Respuestas de Comprobar tu comprensión

1. Una gráfica de barras muestra el valor por medio de la altura (o longitud) de la barra. Una pictografía exhibe este valor por medio del número de símbolos. En una gráfica circular estos valores se relacionan con la anchura de cada sector. Una gráfica de línea quebrada muestra estos valores por medio de la distancia del eje horizontal al punto.

2. Gráfica de barras: La barra más alta, la barra más baja; Pictografía: Mayor cantidad de símbolos, menor cantidad de símbolos; Gráfica circular: El sector más ancho, el sector más delgado; Gráfica de línea quebrada: El punto más alto, el punto más bajo.

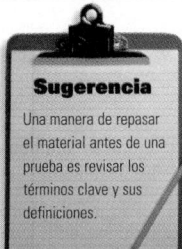

Sugerencia

Una manera de repasar el material antes de una prueba es revisar los términos clave y sus definiciones.

Una **gráfica de línea quebrada** a menudo muestra cómo cambian los datos con el tiempo. Cada punto representa un elemento de los datos; la altura del punto señala el valor de los datos y qué tan lejos se halla el punto a la derecha indica el valor del tiempo.

Ejemplo 3

Calcula el valor en 1992 de una tarjeta de béisbol de Rickey Henderson de 1980.

Encuentra el punto sobre 1992 en la línea de los años. El punto está a la derecha del valor 150.

El valor de la tarjeta en 1992 era de $150.

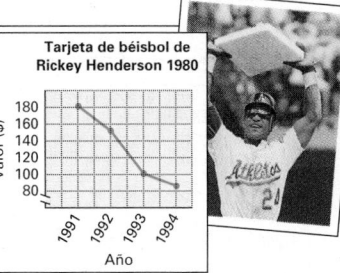

Tarjeta de béisbol de Rickey Henderson 1980

Una **gráfica circular** muestra cómo las porciones de un conjunto de datos se comparan con el conjunto completo. Mientras más grande es el valor del dato, más grande es la rebanada que representa el valor.

Ejemplo 4

▶ **Enlace con Ciencias**

Muchos comerciantes al detalle se anuncian en el espacio de Internet conocido como World Wide Web. Aquí, los comerciantes pueden usar audio, video y animación para la publicidad de sus productos.

Se pidió a los comerciantes al detalle que mencionaran la tecnología que preferirían para anunciarse. ¿Cuál fue la tecnología por la que se inclinaron?

La rebanada más grande de la gráfica es la que representa a Internet y fue la tecnología preferida.

Haz la prueba

Usa la gráfica de línea quebrada o la gráfica circular para contestar cada pregunta.

Tecnologías de ventas al detalle

CD ROM 8%
Teléfono interactivo 12%
Compras en casa por TV 7%
PC/Servicios en línea 15%
TV interactiva 4%
Internet 29%
Indecisos 25%

a. ¿En qué año costaba la tarjeta de Rickey Henderson aproximadamente $100? **1993**

b. ¿Qué tecnología fue la menos preferida para anunciarse? **TV interactiva**

Comprobar | Tu comprensión

1. ¿Cómo te muestra cada tipo de gráfica el valor de los datos?

2. Para cada gráfica, ¿cómo puedes decir qué valor es el número más grande? ¿Y el número menor?

8 Capítulo 1 • Estadísticas: Uso de números cabales en el mundo real

---

MEETING MIDDLE SCHOOL CLASSROOM NEEDS

Tips from Middle School Teachers

At the beginning of a chapter dealing with statistics, I have students begin to collect and record weather data for our area. They are responsible for weekends as well as school days. We culminate the chapter by representing the collected data in all the formats studied in the chapter.

Sugerencias de los maestros

Al inicio de los capítulos relacionados con estadísticas, suelo pedir a los estudiantes que recaben información sobre el clima de la localidad. Los datos deben incluir los días hábiles y los fines de semana. Al término del capítulo les pido que presenten los datos con los formatos que aprendieron.

Team Teaching

Have the other teachers on your team point out examples of various types of graphs in their texts and reference books.

Enseñanza en equipo

Anime a los demás maestros de la clase a presentar los ejemplos de gráficas que encuentren en sus libros de texto y material de referencia.

Science Connection

A shark's teeth are larger, sharper versions of the hook-like scales that cover its body. In most kinds of sharks, the mouth is lined with five or six rows of teeth that curve inward. This makes escape harder for the shark's prey.

Asociación con Ciencias

Los dientes de los tiburones son muy parecidos a las escamas en forma de gancho que cubren su cuerpo, pero en una versión más larga y aguda. Casi todas las especies de tiburones tienen cinco o seis hileras de dientes curvados hacia adentro de su hocico. Esto dificulta el escape de sus presas.

1-1 Ejercicios y aplicaciones

Práctica y aplicación

Para empezar Llena el espacio en blanco con el nombre de la gráfica que se describe.

1. Una _____ utiliza símbolos para representar datos y una clave para mostrar el valor de cada símbolo. **Pictografía**

2. Una _____ muestra los datos como un conjunto de puntos conectados. **Gráfica de línea quebrada**

3. En una _____, los datos se dividen como parte de un todo. **Gráfica circular**

Ciencias Usa la gráfica de ataques de tiburón para responder cada pregunta.

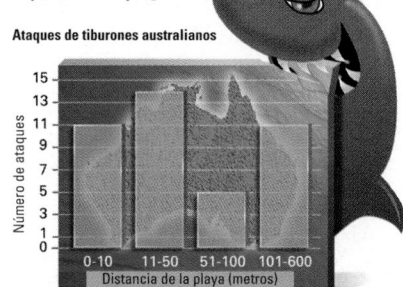

Ataques de tiburones australianos

4. ¿Cuál es el número total de ataques de tiburón que muestran los datos? **41**

5. ¿Cuál barra representa la mayoría de los ataques de tiburón? ¿Y cuál la minoría? **11–50 m; 51–100 m**

6. ¿La mayoría de los ataques de tiburón se da antes de 50 m de la playa o entre 51 y 600 m? **Entre 0 y 50 m**

7. ¿Cuántas barras representan un número de ataques mayor de 10? **3**

Utiliza la gráfica del costo de crianza de un niño para resolver los ejercicios 8–11.

8. ¿Cuál es el costo de transporte? **$15**

9. Por cada $100 que un padre gasta en criar a un niño hasta los 18 años, ¿cuánto más se gasta en renta y ropa que en educación? **$37**

10. **Para la prueba** Por cada $300 gastados, calcula cuánto se gasta aproximadamente en alimentos y ropa. **B**
    - Ⓐ $329
    - Ⓑ $90
    - Ⓒ $29
    - Ⓓ $130

11. ¿Cuáles costos son alrededor del doble del costo de la educación? ¿Cuáles representan cinco veces ese costo? ¿Y cuáles lo representan once veces? **Gastos médicos y ropa; otros y transporte; renta**

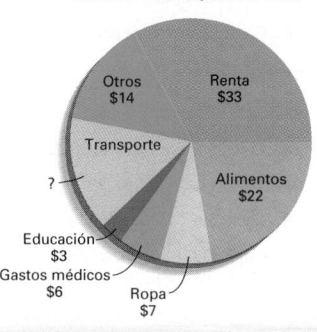

Costo de crianza de un niño hasta los 18 años (por cada $100)

Otros $14 · Renta $33 · Transporte · Alimentos $22 · ? · Educación $3 · Gastos médicos $6 · Ropa $7

1-1 • Lectura de gráficas **9**

Assignment Guide

■ Basic 1–18, 20–42 evens

■ Average 1–19, 21–43 odds

■ Enriched 1–19, 22–42 evens

Notas sobre los ejercicios

■ **Ejercicio 9**

Prevención de errores Vigile a los estudiantes que se niegan a considerar los factores de habitación y vestido. Recuérdeles que lean con cuidado los problemas antes de resolverlos.

Exercise Notes

■ **Exercise 9**

Error Prevention Watch for students who neglect to consider both housing and clothes. Remind them to read each problem carefully before they solve it.

PRACTICE

Nombre _____

Práctica 1-1

Lectura de gráficas

Usa la pictografía que muestra la asistencia a los parques de Disney para responder los ejercicios 1–5.

Asistencia a los parques de Disney, 1993

1. ¿Cuál parque tuvo el menor número de visitantes? **Disney-MGM Studios**

2. ¿Cuál parque tuvo el mayor número de visitantes? **Magic Kingdom en Disneyworld**

3. ¿Cuántos visitantes tuvo EPCOT? **10,000,000**

4. ¿Cuál parque tuvo mayor número de visitantes: Disneyland o EPCOT? **Disneyland**

5. ¿Cuál es el número total de visitantes de los cuatro parques? **41,000,000**

Usa la gráfica que muestra el número de hijos por familias en Estados Unidos para responder los ejercicios 6 y 7.

Número de hijos por familia en EE UU

6. ¿Qué porcentaje de familias tienen sólo 2 hijos? **19%**

7. De las categorías que se muestran, ¿cuál es la mayor? **Ningún hijo**

Usa la gráfica que muestra las cinco marcas más vendidas de motocicletas para responder los ejercicios 8–11.

Las cinco marcas de motocicletas más vendidas, 1993

8. ¿Cuál marca tuvo el mayor número de motocicletas? **Harley-Davidson**

9. ¿Cuál marca vendió el menor número? **Yamaha**

10. ¿Como cuántas motocicletas Honda se vendieron? **44,000**

11. ¿Cuál marca vendió más motocicletas: Suzuki o Kawasaki? **Suzuki**

RETEACHING

Nombre _____

Práctica adicional 1-1

Lectura de gráficas

Una **pictografía** se vale de símbolos para representar datos. Una **gráfica de barras** usa barras verticales u horizontales para representar la información numérica. Las siguientes dos gráficas muestran los mismos datos.

Ataques de tiburones australianos | Ataques de tiburones australianos

Clave: △ = 2 ataques

Ejemplo 1

Usa la pictografía para determinar cuántos ataques de tiburón ocurren a una profundidad entre 61 y 90 cm.

Paso 1: Cuenta el número de símbolos junto al intervalo de 61–90 cm. Hay 3 símbolos.

Paso 2: Multiplica el número de símbolos por el número que representa cada símbolo. La clave muestra que cada símbolo es igual a 2 ataques de tiburón, por tanto, calcula 3 × 2 = 6.

Se presentan seis ataques de tiburón a una profundidad entre 61 y 90 cm.

Ejemplo 2

Usa la gráfica de barras para determinar cuántos ataques de tiburón ocurren a una profundidad entre 61 y 90 cm.

Paso 1: Halla la barra marcada con 61–90 cm en la escala horizontal, que muestra las profundidades del agua.

Paso 2: Halla el número en la escala vertical que relaciona la parte superior de la barra: 6.

Ocurren seis ataques de tiburón a una profundidad entre 61 y 90 cm.

Haz la prueba Usa la pictografía para responder las preguntas. Después utiliza la gráfica de barras para verificar cada respuesta.

a. ¿Cuántos ataques de tiburón ocurren a una profundidad de 0–60 cm? **4 ataques.**

b. ¿Cuántos ataques de tiburón suceden a una profundidad de 151–600 cm? **5 ataques.**

c. ¿A qué profundidad ocurre el menor número de ataques? **121–150 cm**

d. ¿Cuál es la diferencia entre los ataques de tiburón que ocurren a una profundidad de 61–90 cm y los que se presentan a una profundidad de 0–60 cm? **2 ataques.**

e. ¿Cuál gráfica fue más fácil de usar? ¿Por qué? Respuesta posible: La pictografía, porque se pueden contar de dos en dos.

Práctica adicional

Actividad

Clase de animales

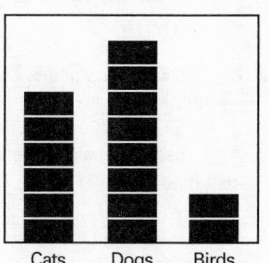

Gatos · Perros · Aves

- Usa la gráfica anterior y piensa que es una gráfica de barras en donde cada rectángulo representa un animal. ¿Cuántos gatos hay? **6 gatos** ¿Cuántos perros? **8 perros** ¿Cuántas aves? **2 aves**

- Ahora piensa que la gráfica es una pictografía donde cada símbolo representa dos animales. ¿Cuántos gatos hay? **12 gatos** ¿Cuántos perros? **16 perros** ¿Cuántas aves? **4 aves**

- Si conectas las partes superiores de las barras, ¿qué clase de gráfica representan los segmentos de recta? **Una gráfica de línea quebrada**

Reteaching

Activity

Class Animals

Cats · Dogs · Birds

- Use the graph above and think of it as a bar graph where each rectangle represents one animal How many cats are there? **6 cats** Dogs? **8 dogs** Birds? **2 birds**

- Now think of the graph as a pictograph where each symbol represents two animals. How many cats are there? **12 cats** Dogs? **16 dogs** Birds? **4 birds**

- If you connect the tops of the bars, what kind of graph is represented by your line segments? **Line graph**

Lección 1-1 9

Exercise Notes

■ Exercises 12–14

Error Prevention Watch for students who merely count the symbols and do not multiply by 4,000,000. Suggest that students write the pictograph key on their papers to help them remember.

Exercise Answers

15. A steady increase: 4 million for 1991–1992, 12 million for 1992–1993, 6 million for 1993–1994.

19. Answers may vary.

Alternate Assessment

Interview Explain which type of graph would be best suited to display the set of data.

1. Numbers of students participating in various school sports. Possible answer: Bar graph or pictograph.

2. Amounts of allowance spent by a student for entertainment, food, clothes, and so on. Possible answer: Circle graph.

3. Monthly sales figures for a bakery. Possible answer: Line graph.

Quick Quiz

Complete each sentence with *bar graph, circle graph, line graph,* or *pictograph.*

1. A ___ compares parts of a data set with the whole set. circle graph

2. A ___ shows data points connected. line graph

3. A ___ uses symbols to represent data. pictograph

4. A ___ is useful in showing comparisons. bar graph

Available on Daily Transparency 1-1

Notas sobre los ejercicios

■ Ejercicios 12–14

Prevención de errores Vigile a los estudiantes que no cuentan los símbolos y que no multiplican por 4,000,000. Sugiérales que escriban la clave pictográfica en sus apuntes para que les ayude a recordar.

Respuestas de Ejercicios

15. Un incremento gradual: 4 millones para 1991–1992, 12 millones para 1992–1993, 6 millones para 1993–1994.

19. Las respuestas pueden variar.

Evaluación adicional

Entrevista Explica qué tipo de gráfica sería la mejor para representar el conjunto de datos.

1. Número de estudiantes que participan en varios deportes en la escuela. Respuesta posible: Gráfica de barras o pictografía.

2. Cantidad de dinero gastada por un estudiante en entretenimiento, comida, ropa, etcétera. Respuesta posible: Gráfica circular.

3. Las cantidades que representan las ventas mensuales de una panadería. Respuesta posible: Gráfica de línea quebrada.

► Prueba rápida

Completa cada oración con los conceptos *gráfica de barras, gráfica circular, gráfica de línea quebrada* o *pictografía.*

1. Una ___ compara partes del conjunto de datos con el total de la información. gráfica circular

2. Una ___ muestra los puntos relacionados de la información. gráfica de línea quebrada.

3. Una ___ usa símbolos para representar los datos. pictografía

4. Una ___ es útil para mostrar comparaciones. gráfica de barras

---

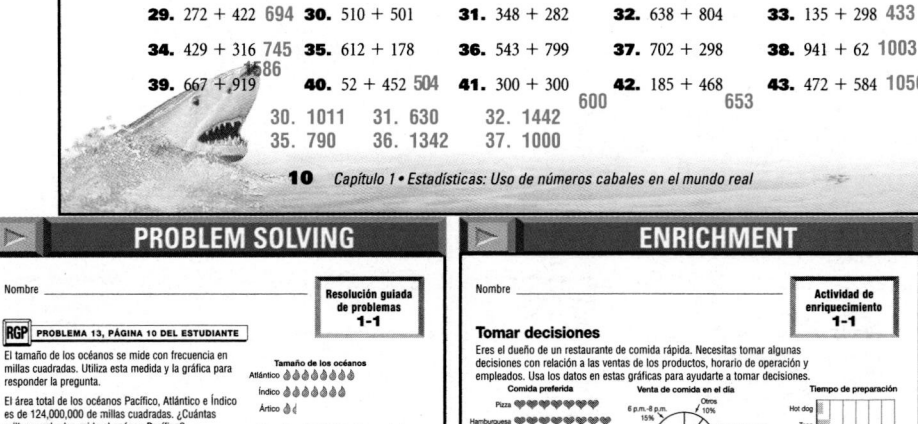

Resolución de problemas y razonamiento

RESOLVER PROBLEMAS 1-1

El tamaño de los océanos se mide con frecuencia en millas cuadradas. Utiliza esta medida y la gráfica para responder cada pregunta.

12. **Comprensión numérica** ¿De qué tamaño es el océano Ártico? 6,000,000 mi²

13. **Comprensión de operaciones** El área total de los océanos Pacífico, Atlántico e Índico es de 124,000,000 de millas cuadradas. ¿Cuántas millas cuadradas mide el océano Pacífico? 64,000,000 mi²

14. **Razonamiento crítico** ¿Cuál es la diferencia en millas cuadradas entre los océanos Índico y Atlántico?

Tamaño de los océanos

Clave 🜄 = 4,000,000 mi²

Usa la gráfica de ventas de CD-ROM para contestar cada pregunta.

15. **Comunicación** Describe la evolución de los datos en conjunto y la que se dio anualmente.

16. ¿Cuántos CD-ROM se vendieron en 1992? 5 millones

17. ¿Cuál es la diferencia entre el número de los CD-ROM vendidos en 1993 y los vendidos en 1994? 6 millones

18. ¿Qué año mostró el mayor incremento en ventas de CD-ROM? 1993

19. **Razonamiento crítico** ¿Cuántas ventas de CD-ROM esperarías en el año 2000?

Repaso mixto

Escribe cada cantidad en forma numérica. *[Curso anterior]*

20. Cuatrocientos treinta y siete 437
21. Cinco mil ciento seis 5106
22. Dos mil seiscientos once 2611
23. Ocho mil veintidós 8022

Realiza las siguientes sumas. *[Curso anterior]*

24. 23 + 35 58
25. 61 + 29 90
26. 456 + 43 499
27. 712 + 94 806
28. 888 + 612 1500
29. 272 + 422 694
30. 510 + 501
31. 348 + 282
32. 638 + 804
33. 135 + 298 433
34. 429 + 316 745
35. 612 + 178
36. 543 + 799
37. 702 + 298
38. 941 + 62 1003
39. 667 + 919 1586
40. 52 + 452 504
41. 300 + 300 600
42. 185 + 468 653
43. 472 + 584 1056

30. 1011 31. 630 32. 1442
35. 790 36. 1342 37. 1000

10 Capítulo 1 • Estadísticas: Uso de números cabales en el mundo real

---

▷ PROBLEM SOLVING

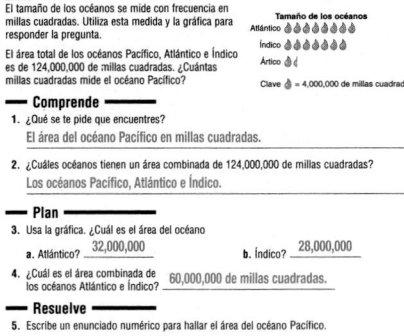

Nombre _____

Resolución guiada de problemas 1-1

RGP **PROBLEMA 13, PÁGINA 10 DEL ESTUDIANTE**

El tamaño de los océanos se mide con frecuencia en millas cuadradas. Utiliza esta medida y la gráfica para responder la pregunta.

El área total de los océanos Pacífico, Atlántico e Índico es de 124,000,000 de millas cuadradas. ¿Cuántas millas cuadradas mide el océano Pacífico?

Tamaño de los océanos
Atlántico 🜄🜄🜄🜄🜄🜄🜄🜄
Índico 🜄🜄🜄🜄🜄🜄
Ártico 🜄🜄

Clave 🜄 = 4,000,000 de millas cuadradas

— Comprende

1. ¿Qué se te pide que encuentres?
   El área del océano Pacífico en millas cuadradas.

2. ¿Cuáles océanos tienen un área combinada de 124,000,000 de millas cuadradas?
   Los océanos Pacífico, Atlántico e Índico.

— Plan

3. Usa la gráfica. ¿Cuál es el área del océano
   a. Atlántico? 32,000,000   b. Índico? 28,000,000

4. ¿Cuál es el área combinada de los océanos Atlántico e Índico? 60,000,000 de millas cuadradas.

— Resuelve

5. Escribe un enunciado numérico para hallar el área del océano Pacífico.
   Respuesta posible: 124,000,000 − 60,000,000 = x

6. ¿Cuál es el área del océano Pacífico? 64,000,000 de millas cuadradas.

— Revisa

7. ¿Cómo puedes usar la suma para comprobar tu respuesta?
   Al sumar las millas cuadradas de los océanos Pacífico, Atlántico e Índico y compararlas. La suma debe ser 124,000,000 de millas cuadradas.

RESUELVE OTRO PROBLEMA

El área total de los océanos Ártico e Índico y el mar Chino Meridional es de 35,000,000 de millas cuadradas.

¿Cuántas millas cuadradas tiene el mar Chino Meridional? 1,000,000 de millas cuadradas.

▷ ENRICHMENT

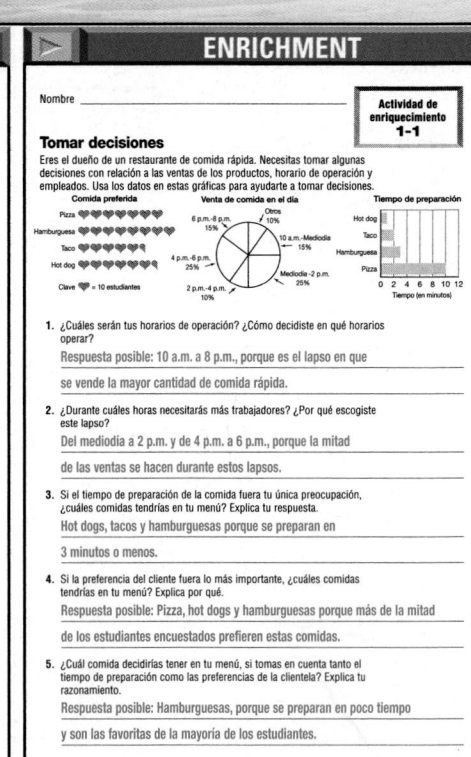

Nombre _____

Actividad de enriquecimiento 1-1

Tomar decisiones

Eres el dueño de un restaurante de comida rápida. Necesitas tomar algunas decisiones con relación a las ventas de tus productos, horario de operación y empleados. Usa los datos en estas gráficas para ayudarte a tomar decisiones.

1. ¿Cuáles serán tus horarios de operación? ¿Cómo decidirás en qué horarios operar?
   Respuesta posible: 10 a.m. a 8 p.m., porque es el lapso en que se vende la mayor cantidad de comida rápida.

2. ¿Durante cuáles horas necesitarás más trabajadores? ¿Por qué escogiste este lapso?
   Del mediodía a 2 p.m. y de 4 p.m. a 6 p.m., porque la mitad de las ventas se hacen durante estos lapsos.

3. Si el tiempo de preparación de la comida fuera tu única preocupación, ¿cuáles comidas tendrías en tu menú? Explica tu respuesta.
   Hot dogs, tacos y hamburguesas porque se preparan en 3 minutos o menos.

4. Si la preferencia del cliente fuera lo más importante, ¿cuáles comidas tendrías en tu menú? Explica por qué.
   Respuesta posible: Pizza, hot dogs y hamburguesas porque más de la mitad de los estudiantes encuestados prefieren estas comidas.

5. ¿Cuál comida decidirías tener en tu menú, si tomas en cuenta tanto el tiempo de preparación como las preferencias de la clientela? Explica tu razonamiento.
   Respuesta posible: Hamburguesas, porque se preparan en poco tiempo y son las favoritas de la mayoría de los estudiantes.

Gráficas engañosas

► **Enlace con la lección** En la lección anterior aprendiste algunas maneras como una gráfica te ayuda a comprender mejor los datos. Sin embargo, ahora verás que una gráfica puede *engañarte*. ◄

Vas a aprender...

■ a identificar las formas más comunes como una gráfica puede sugerir relaciones erróneas.

...cómo se usa

Los consumidores deben revisar las gráficas para ver si son engañosas, antes de decidir cuál producto comprar o usar o qué servicio utilizar.

Investigar **Gráficas engañosas**

Monstro y Mighty

Monstro es el nombre de un tiburón azul que vive en el acuario Oceanside. Mighty es el nombre de otro tiburón azul que vive en el acuario Deep Sea. Cada acuario hizo una gráfica que indica el peso de los dos tiburones y un biólogo marino dibujó por su cuenta otra gráfica. Las tres gráficas se muestran a continuación.

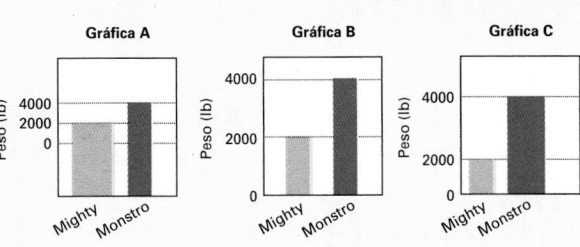

1. ¿Cuál gráfica crees que elaboraron los dueños de Monstro en el acuario Oceanside? ¿Por qué?

2. ¿Cuál gráfica elaboraron los dueños de Mighty en el acuario Deep Sea? ¿Por qué?

3. ¿Cuál gráfica muestra que Monstro pesa 4000 libras y que Mighty pesa 2000 libras?

4. Si escribieras un artículo para el periódico sobre Monstro y Mighty, ¿cuál gráfica crees que sería mejor utilizar? ¿Por qué?

MEETING INDIVIDUAL NEEDS

Recursos

1-2 Práctica
1-2 Práctica adicional
1-2 Resolución de problemas
1-2 Actividad de enriquecimiento
Tecnología 1

Resources

1-2 Practice
1-2 Reteaching
1-2 Problem Solving
1-2 Enrichment
1-2 Daily Transparency
    Problem of the Day
    Review
    Quick Quiz
Lesson Enhancement Transparency 2
Technology Master 1
Chapter 1 Project Master

Modos de aprendizaje

Verbal Anime a los estudiantes a analizar por qué la gente usa gráficas engañosas.

Social Los estudiantes pueden trabajar en grupos de cuatro para responder las preguntas de **Investigar**.

Learning Modalities

Verbal Encourage students to discuss the reasons people use misleading graphs.

Social Students can work in groups of four to answer the questions in **Explore**.

Desafío

Estas fueron las ventas del periódico *Daily Bugle* en los primeros seis meses del año: Ene: 100,000; Feb: 100,100; Mar: 100,200; Abr: 100,250; May: 100,350; Jun: 100,500. Haz una gráfica para convencer al público de las enormes ventas del *Daily Bugle*. Después haz una gráfica que podría usar la competencia para hacer creer que las ventas del *Daily Bugle* no son buenas. Respuesta posible: En la gráfica del éxito de ventas, los valores podrían iniciar en un número diferente de cero sin dar indicios de la omisión de valores. En la gráfica para la competencia, los valores podrían mostrar intervalos irregulares.

Challenge

The *Daily Bugle* sales of daily newspapers for the first six months of the year were as follows: Jan., 100,000; Feb., 100,100; Mar., 100,200; Apr., 100,250; May, 100,350; June, 100,500. Describe a graph that would convince people that *Bugle* sales are booming. Then describe a graph that a competitor might use to convince people that *Bugle* sales are not doing all that well. Possible answer: The graph showing booming sales could be labeled starting at a number other than zero, but not indicate any skipped numbers. The graph showing poor sales could be labeled using unequal number intervals.

Objective

■ Identify common ways that a graph can suggest misleading relationships.

NCTM Standards

■ 1–4, 10

► **Repaso**

Halla cada cociente.

1. $56 \div 14$ 4

2. $84 \div 6$ 14

3. $72 \div 4$ 18

4. $96 \div 16$ 6

5. $85 \div 5$ 17

Review

Find each quotient.

1. $56 \div 14$ 4

2. $84 \div 6$ 14

3. $72 \div 4$ 18

4. $96 \div 16$ 6

5. $85 \div 5$ 17

Available on Daily Transparency 1-2

---

1 Introducción

Investigar

Objetivo

Los estudiantes investigan de qué manera las gráficas pueden mostrar la misma información numérica pero sugerir diferentes relaciones.

Evaluación continua

Revise que los estudiantes no basen sus juicios en la anchura de las barras de las gráficas engañosas. También asegúrese de que los estudiantes perciban los errores en las escalas verticales de las gráficas engañosas.

Para los grupos que terminen antes

¿Qué otro tipo de gráficas se pueden usar para comparar correctamente los pesos de Monstro y Mighty? Respuesta posible: Las pictografías.

Respuestas de Investigar

1. La gráfica C; Porque muestra que la barra de Monstro es mayor.

2. La gráfica A; Porque muestra que la barra de Mighty está cerca de la barra de Monstro.

3. A, B y C.

4. La gráfica B; Porque ofrece una imagen fiel de los datos.

Introduce

Explore

The Point

Students investigate how graphs can show the same numerical information but suggest different relationships.

Ongoing Assessment

Check that students are not basing their judgments on the widths of the bars in the misleading graphs. Also be sure that students perceive the errors in the vertical scales of the misleading graphs.

For Groups That Finish Early

Which other type of graph(s) could be used to correctly compare the weights of Monstro and Mighty? Possible answer: Pictographs.

Answers for Explore

1. Graph C; Because it shows the Monstro bar to be bigger.

2. Graph A; Because it shows the Mighty bar to be close to the Monstro bar.

3. A, B, and C.

4. Graph B; Because it gives an accurate picture of the data.

Teach

Learn

You may wish to use Lesson Enhancement Transparency 2 with **Try It.**

Students should become accustomed to seeing both horizontal and vertical bar graphs.

Alternate Examples

1. The great white shark is about how many times as long as the mako shark?

   Divide the length of the great white shark by the length of the mako shark: 16 ÷ 13 ≈ 1.2. The great white shark is about 1.2 times as long as the mako shark.

2. How could you correct the Breath-Holding Ability graph?

   Make all the time intervals equal. Change 15 to 10, and 25 to 15. Extend bar for Hippo accordingly.

---

2 Enseñanza

Aprender

Los estudiantes deben acostumbrarse a interpretar gráficas de barras tanto horizontales como verticales.

Ejemplos adicionales

1. Con relación al tiburón mako, ¿aproximadamente cuántas veces más grande es el gran tiburón blanco?

   Se divide la longitud del gran tiburón blanco entre la longitud del tiburón mako: 16 ÷ 13 ≈ 1.2. El gran tiburón blanco es alrededor de 1.2 veces más grande que el tiburón mako.

2. ¿Cómo corregirías la gráfica de Capacidad de retención de respiración?

   Se igualan todos los intervalos de tiempo. Se cambia el 15 por 10 y el 25 por 15. Se alarga la barra del hipopótamo de manera adecuada.

Aprender — Gráficas engañosas

Hay muchas maneras de elaborar una gráfica que pueda confundir a un lector poco cuidadoso. Una forma es comenzar a rotular la gráfica en un número diferente de cero, sin indicar que algunos números se han omitido.

► Enlace con Ciencias

Los grandes tiburones blancos son conocidos por atacar a los seres humanos, pero casi nunca se los comen. Sus presas más bien son las focas, los leones marinos, las ballenas y otros tiburones.

Ejemplo 1

¿Es el gran tiburón blanco el doble de largo que el tiburón mako?

En la gráfica Ⓐ, la barra superior es el doble de largo que la barra inferior. Pero el valor para el gran tiburón blanco, 16, no es el doble del valor del tiburón mako, 13.

En la gráfica Ⓑ, se aprecia con claridad que el gran tiburón blanco no es del doble de largo. Cuando la gráfica de barras comienza en el 0, la gráfica no se interpreta de manera errónea.

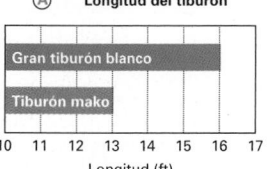

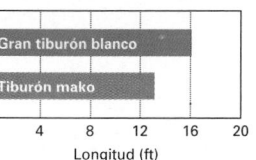

► Enlace con el Lenguaje

La ictiología es el estudio de la estructura y clasificación de los peces.

Ejemplo 2

¿Puede el hipopótamo retener la respiración el doble de tiempo que la nutria marina?

Ambas barras comienzan en cero y la barra del hipopótamo es el doble de alta que la de la nutria. Sin embargo, los valores de los datos muestran que la nutria marina puede contener la respiración por 5 minutos mientras que el hipopótamo por 15 minutos; tres veces más que la nutria marina.

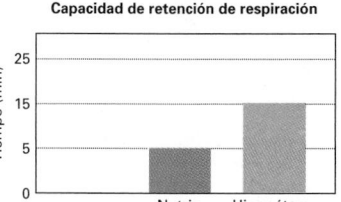

Se crea una impresión engañosa porque los espacios de 5 a 15 cubren más valores que los de 0 a 5, pero ambos espacios tienen la misma altura.

12 Capítulo 1 • Estadísticas: Uso de números cabales en el mundo real

---

MATH EVERY DAY

► Problema del día

Traza estas figuras sin levantar el lápiz de la hoja o repetir trazos.

Respuesta posible:

Inicio

Inicio

Problem of the Day

Draw the figures without taking your pencil off the paper or retracing.

Possible answer:

Available on Daily Transparency 1-2

An Extension is provided in the transparency package.

Dato del día

La especie de tiburones más pequeña se conoce como cigarro y mide sólo algunos centímetros de largo.

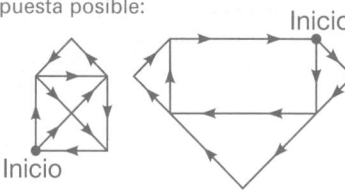

Fact of the Day

The smallest shark, the cigar shark, is only a few centimeters long.

Mental Math

Find each quotient mentally.

1. 180 ÷ 9 20
2. 120 ÷ 12 10
3. 360 ÷ 3 120
4. 600 ÷ 5 120

Cálculo mental

Halla cada cociente en forma mental.

1. 180 ÷ 9 20
2. 120 ÷ 12 10
3. 360 ÷ 3 120
4. 600 ÷ 5 120

Una gráfica puede resultar engañosa si se alargan o acortan los espacios entre los valores de los datos, para provocar una percepción determinada.

Ejemplo 3

¿Cuál precio de entrada se incrementó más rápido?

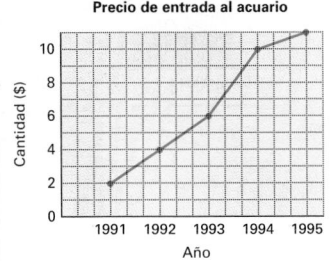

Precio de entrada al acuario

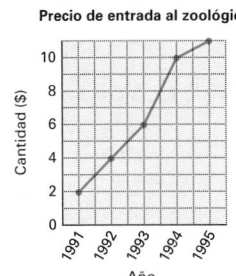

Precio de entrada al zoológico

En la gráfica de la derecha, los años están mucho más cerca unos de otros, de manera que parece que la línea sube más rápido. Pero ambas gráficas muestran exactamente los mismos datos. Ningún precio de entrada se incrementó con mayor rapidez.

Haz la prueba

Explica cómo cada gráfica puede crear una impresión engañosa.

a.

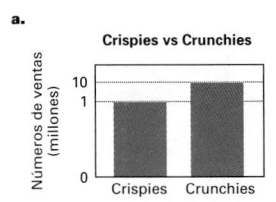

Crispies vs Crunchies

b.

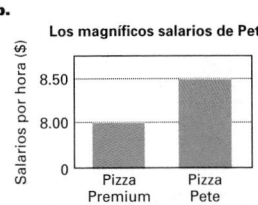

Los magníficos salarios de Pete

> **Para la prueba**
>
> Muchas gráficas pueden ser engañosas porque la escala vertical se ha dibujado incorrectamente. Cuando evalúes una gráfica para saber si es engañosa, verifica primero la escala vertical.

Comprobar | Tu comprensión

1. ¿Qué debes observar para determinar si una gráfica es engañosa?

2. ¿Por qué querría alguien elaborar una gráfica engañosa? Da ejemplos de la vida diaria.

MEETING MIDDLE SCHOOL CLASSROOM NEEDS

Tips from Middle School Teachers

I have students find examples of misleading graphs and display them on the classroom bulletin board. Students should include short descriptions of the graphs and explain what is misleading.

Sugerencias de los maestros

A menudo pido a los estudiantes que hallen ejemplos de gráficas engañosas para desplegarlas en el tablero de anuncios. En los ejemplos deben describir la gráfica y explicar por qué es engañosa.

Cooperative Learning

Each student should locate a misleading graph in a newspaper or magazine. Then have the students work in groups of three or four and analyze the graphs. Their discussion should include identifying the audience to whom the graph is directed, as well as how the graph is misleading.

Aprendizaje en equipo

Cada estudiante debe buscar una gráfica engañosa en un diario o revista. Después analizarán las gráficas en equipos de tres o cuatro. Su trabajo consistirá en decir a qué público se dirige la gráfica y determinar por qué es engañosa.

Science Connection

The largest shark, the whale shark, can grow to more than 45 feet long. Its kite-shaped relative, the manta ray, can measure nearly 20 feet across. Neither of these fishes has teeth. The organisms they eat are so small you can hardly see them. A bony mesh inside the mouth filters the organisms out of the water.

Asociación con Ciencias

Los tiburones más grandes que existen son los tiburones ballena y estos pueden llegar a medir más de 45 pies. Sus parientes cercanos, las rayas, pueden medir hasta 20 pies de anchura. Sin embargo, ninguna de estas especies tiene dientes. Su alimento consiste en organismos tan pequeños que apenas pueden distinguirse a simple vista. Una membrana cartilaginosa en su hocico filtra los organismos cuando los ingieren.

Ejemplos adicionales

3. Halla el incremento total en el precio de entrada al acuario y al zoológico entre 1991 y 1994.

Los precios de entrada al acuario y al zoológico fueron de $2 en 1991 y de $10 en 1994. Por tanto, el aumento fue de $8, aun cuando pareciera que el precio de entrada al acuario tuvo un incremento mayor.

Respuestas de Haz la prueba

a. Respuesta posible: La gráfica minimiza la diferencia aparente en las ventas al hacer el intervalo entre 0 y 1 más alto que el intervalo entre 1 y 10.

b. Respuesta posible: La gráfica exagera la diferencia de salario al dar alturas iguales a los intervalos 0-8.00 y 8.00-8.50.

3 Práctica y evaluación

Comprobar

Asegúrese de que los estudiantes revisen que las escalas de las gráficas comiencen en cero y que los números en los ejes estén espaciados para dar los intervalos correctos.

Respuestas de Comprobar tu comprensión

1. Respuestas posibles: La altura de las barras y los números correspondientes; El espacio entre los valores de los datos en la gráfica.

2. Respuesta posible: Para llevarlo a cierta conclusión que la información por sí misma no sugiere. Por ejemplo, un anunciador de cereal podría sugerir que la gente prefiere un determinado cereal aunque no sea así. Una gráfica engañosa podría usarse para dar esta impresión.

Alternate Examples

3. Find the total increase in the admission price to the aquarium and the zoo between the years 1991 and 1994.

The admission price for the aquarium and the zoo in 1991 was $2 and in 1994 each was $10. So, the increase was $8, even though it appears that the aquarium admission price had a greater increase.

Answers for Try It

a. Possible answer: The graph minimizes the apparent difference in sales by making the 0–1 space taller than the 1–10 space.

b. Possible answer: The graph exaggerates the wage difference by giving the 0–8.00 and 8.00–8.50 spaces equal heights.

Practice and Assess

Check

Be sure that students check that the scales for the graphs begin at zero and that the numbers along the axes are spaced to give the correct intervals.

Answers for Check Your Understanding

1. Possible answers: The height of the bars and the corresponding numbers; The space between data values on the graph.

2. Possible answer: To lead you toward a certain conclusion that the pure data doesn't suggest. For example, a cereal advertiser might want to suggest that people prefer the cereal, even when they don't. A misleading graph could be used to give this impression.

Assignment Guide

■ Basic 1–9, 11, 16–19, 22–25

■ Average 1–13, 18–29

■ Enriched 1–13, 20–25

Exercise Notes

■ **Exercise 2**

Science Manatees are large water mammals that can eat as much as 100 pounds of water plants a day. Estimate how many tons of water plants a manatee can eat in one year if 2,000 pounds equals one ton. About 18 tons.

Exercise Answers

1. Life span of bottlenose dolphins and American manatees.

4. Yes; The vertical scale should start at zero.

6. 10; 20

7. 2 for the left graph, $1\frac{1}{2}$ for the right graph.

8. Yes; The right graph minimizes the difference in calorie needs by making the 0–10 space taller than the 10–20 space.

9. Mouse: 300; Robin: 600.

10. 37.

Reteaching

Activity

Materials: Pennies, centimeter cubes

• Suppose a tuna is 8 feet long and a shark is 16 feet long. Use pennies and centimeter cubes to create a misleading "graph" for these data.

• Stack 8 pennies to represent the tuna's length and 16 cubes to represent the shark's length. From your graph, how many times as long as the tuna does the shark appear to be? About 12 times as long.

• Actually how many times as long as the tuna is the shark? 2 times as long.

Notas sobre los ejercicios

■ **Ejercicio 2**

Ciencias Los manatíes son grandes mamíferos acuáticos que pueden consumir al día hasta 100 libras de plantas acuáticas. Calcula cuántas toneladas de plantas acuáticas puede consumir un manatí por año, si una tonelada equivale a 2,000 libras. Aproximadamente 18 toneladas.

Respuestas de Ejercicios

1. La duración de la vida de los delfines nariz de botella y los manatíes americanos.

4. Sí; La escala vertical debe empezar desde cero.

6. 10; 20.

7. 2 para la gráfica de la izquierda, $1\frac{1}{2}$ para la de la derecha.

8. Sí; La gráfica de la derecha minimiza la diferencia en requerimientos calóricos al hacer que el intervalo de 0 a 10 sea más alto que el de 10 a 20.

9. Ratón: 300; Petirrojo: 600.

10. 37.

Práctica adicional

Actividad

Materiales: Monedas de un centavo, cubos de un centímetro

• Supónte que un atún mide 8 pies de largo y un tiburón mide 16 pies. Usa monedas de un centavo y cubos de un centímetro para crear una "gráfica" engañosa que represente esta información.

• Haz una pila con 8 monedas de un centavo para representar la longitud de un atún y 16 cubos para representar la longitud de un tiburón. A partir de tu gráfica, ¿cuántas veces más largo parece ser el tiburón que el atún? Como 12 veces más largo.

• ¿En realidad cuántas veces más largo es el tiburón que el atún? 2 veces más largo.

1-2 Ejercicios y aplicaciones

Práctica y aplicación

Para empezar Usa la gráfica de duración de la vida para los ejercicios 1–5.

1. ¿Sobre qué trata la información de la gráfica?

2. De acuerdo con la barra, ¿cuántas veces más larga parece ser la duración de la vida del manatí que la del delfín? 5

3. Lee la gráfica. ¿Cuál es aproximadamente la duración de la vida del delfín? ¿Y cuál es la del manatí? 30 años; 70 años

4. **Comunicación** ¿Podría ser engañosa la gráfica de barras? De ser así, ¿cómo puedes corregirla?

5. **Para la prueba** ¿Cuál es la diferencia entre la duración de la vida del manatí y la del delfín? B

Ⓐ como 4 años   Ⓑ como 40 años

Ⓒ como 50 años   Ⓓ como 100 años

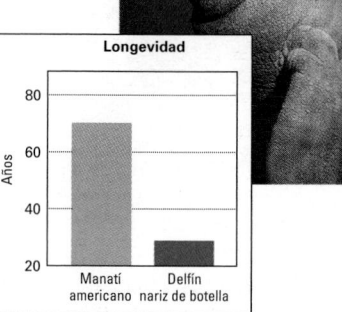

Gráfica: **Longevidad** — Años (20, 40, 60, 80); Manatí americano, Delfín nariz de botella

Utiliza las gráficas de requerimientos calóricos diarios para los ejercicios 6–10.

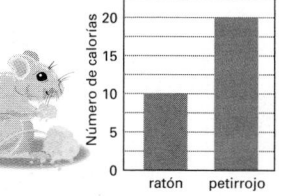
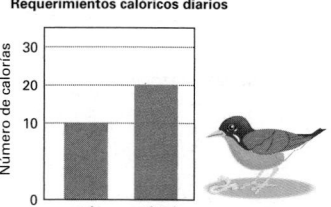

Gráficas: **Requerimientos calóricos diarios** — Número de calorías; ratón, petirrojo

6. **Ciencias** ¿Cuántas calorías al día necesita un ratón? ¿Y cuántas un petirrojo?

7. ¿Cuántas veces más grande parece ser la barra de calorías del petirrojo que la barra de calorías del ratón?

8. **Comunicación** ¿Crees que alguna de las gráficas sea engañosa? ¿Por qué?

9. ¿Cuántas calorías más necesita cada animal en un mes con 30 días?

10. **Ciencias** Si un gato necesita 370 calorías al día, ¿cuántos días le tomaría a un ratón consumir el mismo número de calorías que necesita un gato diariamente?

14 Capítulo 1 • Estadísticas: Uso de números cabales en el mundo real

---

PRACTICE

Nombre _____

Práctica **1-2**

Gráficas engañosas

Usa la gráfica que muestra el número de empleos en Estados Unidos para resolver los ejercicios 1–4.

Número de empleos en EE UU 1990–1992

1. ¿Aproximadamente cuántas veces más alta parece la barra de julio de 1990 que la barra de julio de 1991?

Como el doble de alta

2. Lee la gráfica. ¿Cuántos empleos hubo

en julio de 1990? Alrededor de 110.3 millones

en julio de 1991? Como 108.2 millones

3. Compara tus respuestas de los ejercicios 1 y 2. ¿Podría ser engañosa la gráfica de barras? Si es así, ¿cómo podrías corregirla?

Sí. Se debe usar una escala que empiece en 0 ó que muestre

una interrupción para indicar los números que faltan.

4. ¿Cuántos empleos más había en julio de 1990 que en julio de 1992?

Alrededor de 1.7 millones

Usa la gráfica que muestra las aves en peligro de extinción para resolver los ejercicios 5–8.

Aves en peligro de extinción

5. ¿Cuántas veces mayor parece ser el número de especies de aves en peligro de extinción en Hawaii que en Texas?

Como 2 veces

6. ¿Cuántas especies de aves en peligro de extinción tiene Texas?

10

7. ¿Cuántas especies de aves en peligro de extinción tiene Hawaii?

Alrededor de 29

8. ¿Podría la gráfica de barras ser engañosa? Si es así, ¿cómo la corregirías?

Sí. Los números en el eje vertical deben tener el mismo espacio

y comenzar en cero.

RETEACHING

Nombre _____

Práctica adicional **1-2**

Gráficas engañosas

Hay muchas formas de hacer que una gráfica engañe a un lector poco atento. Una manera es empezar la gráfica con un número diferente de cero sin indicar que se han saltado algunos números. Una gráfica puede engañar al ampliar o reducir el espacio en los valores de los datos para dar cierta impresión.

— Ejemplo —

¿Cuesta *Sports Action* 4 veces más que *In Fashion*? Explica por qué.

La barra que muestra el costo de *Sports Action* es como 4 veces la longitud de la barra que muestra el costo de *In Fashion*. Observa con cuidado la escala del eje vertical de la gráfica. Advierte que la escala empieza en $50, por lo que los primeros $50 de cada suscripción a las revistas se han omitido. La gráfica es engañosa.

La suscripción a *Sports Action* cuesta $90 por año. *In Fashion* cuesta $60 por año. Por tanto, 90 no es cuatro veces 60 o, dicho de otra manera, *Sports Action* no cuesta 4 veces más que *In Fashion*.

Costo anual de suscripciones a revistas

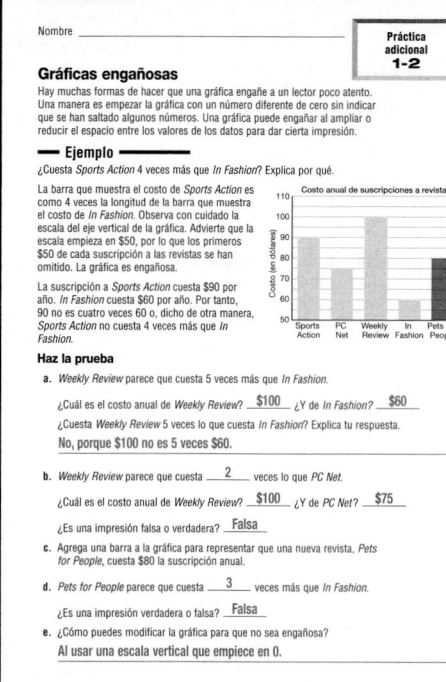

Haz la prueba

a. *Weekly Review* parece que cuesta 5 veces más que *In Fashion*.

¿Cuál es el costo anual de *Weekly Review*? $100 ¿Y el de *In Fashion*? $60

¿Cuesta *Weekly Review* 5 veces lo que cuesta *In Fashion*? Explica tu respuesta.

No, porque $100 no es 5 veces $60.

b. *Weekly Review* parece que cuesta 2 veces lo que *PC Net*.

¿Cuál es el costo anual de *Weekly Review*? $100 ¿Y de *PC Net*? $75

¿Es una impresión falsa o verdadera? Falsa

c. Agrega una barra a la gráfica para representar que una nueva revista, *Pets for People*, cuesta $80 la suscripción anual.

d. *Pets for People* parece que cuesta 3 veces más que *In Fashion*.

¿Es una impresión verdadera o falsa? Falsa

e. ¿Cómo puedes modificar la gráfica para que no sea engañosa?

Al usar una escala vertical que empiece en 0.

Resolución de problemas y razonamiento

Usa las gráficas de población para contestar los ejercicios 11–13.

Población de Estados Unidos entre 5 y 13 años

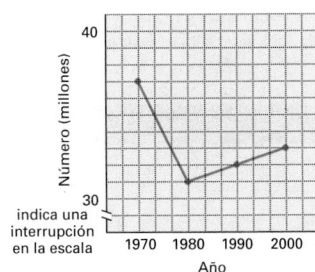

Número (millones)

40

30

indica una
interrupción
en la escala

1970 1980 1990 2000
Año

Población de Estados Unidos entre 5 y 13 años

Número (millones)

40

30

indica una
interrupción
en la escala

1970 1980 1990 2000
Año

11. Razonamiento crítico ¿Cuántas personas más entre 5 y 13 años habrá en el año 2000 que las que había en el año cuando su población era la más pequeña?

12. Razonamiento crítico ¿Cuál crees que será la población de entre 5 y 13 años en el año 2010?

13. Comunicación ¿Por qué querría alguien representar esta información con la segunda gráfica?

Repaso mixto

Escribe cada cifra en forma verbal. *[Curso anterior]*

14. 639 **15.** 204 **16.** 883 **17.** 913

18. 6728 **19.** 8912 **20.** 2856 **21.** 1045

Haz las siguientes restas. *[Curso anterior]*

22. 239 − 51 **188** **23.** 681 − 67 **614** **24.** 714 − 80 **634** **25.** 809 − 37 **772**

26. 489 − 211 **278** **27.** 503 − 432 **71** **28.** 932 − 601 **331** **29.** 883 − 577 **306**

El proyecto en marcha

Comienza a recopilar datos sobre el lugar que elegiste; intenta buscar información que contenga muchos números. Tal vez encuentres datos en la biblioteca de tu escuela, en una biblioteca pública, una agencia de viajes y en el periódico.

Resolución de problemas

Comprende
Planea
Resuelve
Revisa

1-2 • Gráficas engañosas **15**

Notas sobre los ejercicios

■ **Ejercicios 11–13**

Prevención de errores Observe a los estudiantes que no se dan cuenta de que la escala vertical representa *millones* de niños. Del mismo modo, pida a los estudiantes que se percaten de que las marcas en el eje vertical indican que no todos los números del 0 al 30 están incluidos en la escala.

Respuestas de Ejercicios

11. 2 millones

12. 34 millones

13. Para minimizar los cambios aparentes en el tamaño de la población.

14. Seiscientos treinta y nueve

15. Doscientos cuatro

16. Ochocientos ochenta y tres

17. Novecientos trece

18. Seis mil setecientos veintiocho

19. Ocho mil novecientos doce

20. Dos mil ochocientos cincuenta y seis

21. Mil cuarenta y cinco

Evaluación adicional

 Tal vez quiera usar el *Diario interactivo CD-ROM* con esta evaluación.

En tu diario Escribe una lista de las formas en que una gráfica puede ser engañosa.

Exercise Notes

■ **Exercises 11–13**

Error Prevention Watch for students who do not notice that the vertical scale represents *millions* of children. Also, make students aware that the tick marks on the vertical axis indicate that not all the numbers from 0–30 are included on the scale.

Project Progress

You may want to have students use Chapter 1 Project Master.

Exercise Answers

11. 2 million

12. 34 million

13. To minimize the apparent changes in population size.

14. Six hundred thirty-nine

15. Two hundred four

16. Eight hundred eighty-three

17. Nine hundred thirteen

18. Six thousand seven hundred twenty-eight

19. Eight thousand nine hundred twelve

20. Two thousand eight hundred fifty-six

21. One thousand forty-five

Alternate Assessment

You may want to use the *Interactive CD-ROM Journal* with this assessment.

Journal Write a list of the ways that you can tell if a graph is misleading.

PROBLEM SOLVING

Nombre _____

Resolución guiada de problemas 1-2

RGP **PROBLEMA 11, PÁGINA 15 DEL ESTUDIANTE**

Usa la gráfica de población adjunta.
¿Cuántas personas más entre 5 y 13 años habrá en el año 2000 de las que había en el año cuando su población era la más pequeña?

Población de EE UU entre 5 y 13 años

Número (millones)

40

30

1970 1980 1990 2000
Año

— Comprende —

1. Rodea la pregunta con un círculo.

2. ¿Cómo hallarías el número de 5 a 13 años de edad para 1970?
Se localiza el punto sobre 1970. Después se halla el número en la escala vertical que está directamente a la izquierda del punto.

3. ¿Qué representa la línea dentada en la escala vertical?
La línea dentada representa una interrupción en la escala vertical.

— Plan —

4. ¿En qué año fue menor la población de 5 a 13 años de edad? **1980**

5. ¿Cuántas personas entre 5 y 13 años había en el año en que esta población alcanzó su punto más bajo? **31 millones**

6. ¿Cuántas personas entre 5 y 13 años habrá para el año 2000? **33 millones**

— Resuelve —

7. Escoge el enunciado numérico que usarías para resolver el problema. **b**

a. 33 + 31 = 64 **b.** 33 − 31 = 2 **c.** 37 − 31 = 6

8. Escribe tu respuesta en una oración completa.
Habrá 2 millones más de personas de 5 a 13 años en el año 2000.

— Revisa —

9. ¿De qué otra forma podrías haber resuelto el problema?
Respuesta posible: Se halla el número en millones para ambos puntos y se cuenta cuántos espacios hay entre los números.

RESUELVE OTRO PROBLEMA

¿Cuántas personas más entre 5 y 13 años había en 1990 que en 1980? **1 millón**

ENRICHMENT

Nombre _____

Actividad de enriquecimiento 1-2

Aprendizaje visual

Sin dibujar un camino en el laberinto, escribe la letra de la salida. Después dibuja el camino.

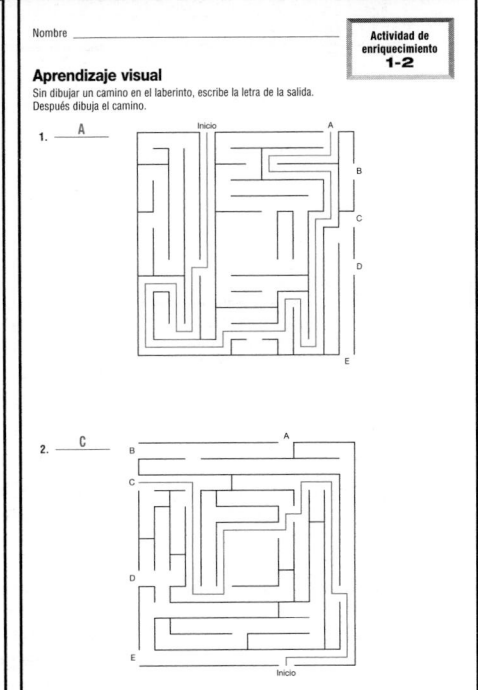

1. **A**

2. **C**

▶ Prueba rápida

Consulta las gráficas de Crispies vs. Crunchies y Los magníficos salarios de Pete en tu libro.

1. ¿Cuántas veces son mayores las ventas de crunchies que de crispies? **10 veces**

2. ¿Cuánto paga más por hora Pizza Pete que Pizza Premium? **$0.50**

Quick Quiz

Refer to Crispies vs. Crunchies and Pete's Pays Princely Wages graphs in your book.

1. Sales of Crunchies are how many times greater than the sales of Crispies? **10 times**

2. How much more per hour does Pete's Pizza pay than Prize Pizza? **$0.50**

Available on Daily Transparency 1-2

Objectives

- Identify the two pieces of data represented by points in a scatterplot.
- Determine if a scatterplot suggests a trend.

Vocabulary

- Scatterplot, trend

NCTM Standards

- 1–4, 7, 8, 10

Review

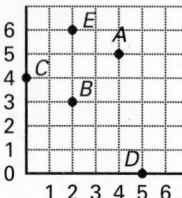

For each point in the graph, tell how many units it is to the right of the left edge and up from the bottom edge.

1. *A* 4 to the right, 5 up.
2. *B* 2 to the right, 3 up.
3. *C* 0 to the right, 4 up.
4. *D* 5 to the right, 0 up.
5. *E* 2 to the right, 6 up.

Available on Daily Transparency 1-3

▶ Repaso

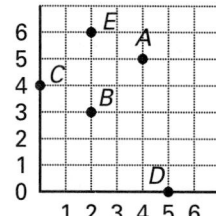

Para cada punto de la gráfica, indica a cuántas unidades se halla hacia la derecha del borde izquierdo y hacia arriba del borde inferior.

1. *A* 4 a la derecha, 5 hacia arriba.
2. *B* 2 a la derecha, 3 hacia arriba.
3. *C* 0 a la derecha, 4 hacia arriba.
4. *D* 5 a la derecha, 0 hacia arriba.
5. *E* 2 a la derecha, 6 hacia arriba.

Introduce

Explore

The Point

Students develop an intuitive understanding of how to describe locations of scatterplot points.

Ongoing Assessment

Check that all students are able to read the positions of the points in relation to the scales on the axes.

1 Introducción

Investigar

Objetivo

Los estudiantes desarrollan una comprensión intuitiva sobre cómo describir la posición de los puntos en un diagrama de dispersión.

Evaluación continua

Asegúrese de que los estudiantes sean capaces de leer las posiciones de los puntos con relación a las escalas de los ejes.

Vas a aprender...

- a identificar los dos conjuntos de datos representados por puntos en un diagrama de dispersión.
- a determinar si un diagrama de dispersión sugiere una tendencia.

...cómo se usa

Quienes hacen investigación médica utilizan los diagramas de dispersión para hallar relaciones entre los datos de los exámenes médicos y la salud de los pacientes.

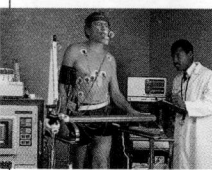

Vocabulario

diagrama de dispersión

tendencia

▶ **Enlace con la lección** Las gráficas que has visto hasta ahora te permiten comparar valores en un solo conjunto de datos numéricos. Esta lección se enfoca a las gráficas que te permiten comparar dos conjuntos de datos a la vez. ◀

Investigar   Graficación de puntos

¡Me han enmarcado!

1. En la gráfica se han rotulado nueve puntos, desde el *A* hasta el *I*. Cada marco muestra, de manera aislada, uno de estos nueve puntos. Para cada marco determina cuál de los nueve puntos es el que se muestra.

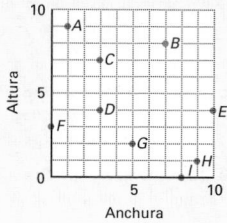

Marco 1   Marco 2   Marco 3

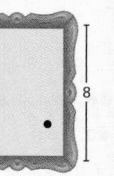 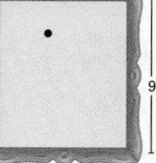 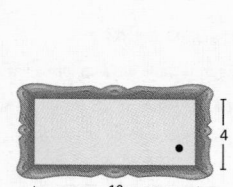

2. ¿Cómo decidiste cuál punto aparecía en cada marco?

3. Elige un punto que no haya aparecido en alguno de los tres marcos y dibuja un marco para él. Pide a otro estudiante que determine cuál punto enmarcaste.

4. Da instrucciones para llegar desde la esquina inferior izquierda de la gráfica hasta alguno de los puntos en la gráfica. Usa expresiones como "ve hacia la derecha tantos cuadros" y "sube tantos cuadros".

16   *Capítulo 1 • Estadísticas: Uso de números cabales en el mundo real*

▶ MEETING INDIVIDUAL NEEDS

Resources

1-3 Practice
1-3 Reteaching
1-3 Problem Solving
1-3 Enrichment
1-3 Daily Transparency
     Problem of the Day
     Review
     Quick Quiz
Technology Master 2

Recursos

1-3 Práctica
1-3 Práctica adicional
1-3 Resolución de problemas
1-3 Actividad de enriquecimiento
Tecnología 2

Learning Modalities

Kinesthetic If your classroom desks are arranged in rows and columns, position yourself at the left corner of the last row of students. Give positions relative to yours, such as "4 right, 5 up," and have the student in that position stand up.

Social Students should work with a partner and exchange points and frames in Step 3 of **Explore**.

English Language Development

To help students understand the term "scatterplot," use a grid labeled like the one on this page and "scatter" a dozen or so grains of rice, dried peas, or beans over it. This scatterplot can be likened to that in the text, and students can identify positions of individual grains of rice, peas, or beans.

The *Multilingual Handbook* with its glossary of math terms, illustrations, and worked-out examples, can help you with students who have limited English language skill. The glossary is provided in multiple languages.

Modos de aprendizaje

Cinestésico Si los escritorios están ordenados en hileras, colóquese junto al último escritorio de la izquierda. Mencione posiciones relativas a la suya como "4 a la derecha, 5 arriba" para que el estudiante que ocupa ese lugar se ponga de pie.

Social Los estudiantes deben trabajar por parejas en el inciso 3 de la sección **Investigar** e intercambiar puntos y marcos.

Desarrollo del lenguaje

Para facilitar la comprensión del término "diagrama de dispersión", use una cuadrícula similar a la de esta página y "disperse" una docena de granos de arroz, semillas o frijoles. Use posiciones parecidas a las del ejercicio para que los estudiantes identifiquen la ubicación de los objetos.

El *manual multilenguas* incluye un glosario de términos matemáticos, ilustraciones y ejemplos para ayudar a quienes tienen limitaciones en el uso del lenguaje. El glosario se muestra en varios idiomas.

Las gráficas que has estudiado hasta ahora muestran detalles particulares de los datos. Por ejemplo, en una gráfica de barras cada barra representa un número. A veces los datos se presentan como pares de números. Una gráfica que muestra información de este modo se conoce como **diagrama de dispersión**.

Cada punto de un diagrama de dispersión representa *dos* valores. Para encontrarlos, comienza a partir de la esquina inferior izquierda. Para localizar el primer valor cuenta qué tan lejos debes moverte a la *derecha* hasta llegar debajo del punto señalado. Para hallar el segundo valor cuenta qué tan lejos debes desplazarte hacia *arriba* para localizar el punto indicado.

Diagrama de dispersión

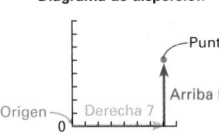

Ejemplo 1

Este diagrama de dispersión compara las velocidades de un tiburón mako (M) y de dos tiburones azules (A1 y A2) con respecto a su longitud. Encuentra la longitud y velocidad de cada tiburón.

Tres tiburones

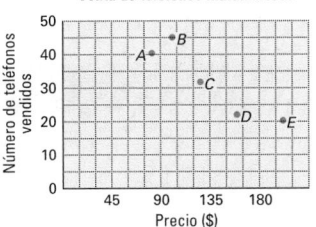

Para hallar los datos del punto A1, muévete 2 pies a la derecha y luego hacia arriba hasta cerca de 43 millas por hora. Esto significa que el primer tiburón azul tenía 2 pies de longitud y se desplazaba a 43 millas por hora.

Segundo tiburón azul: Longitud: $6\frac{1}{2}$ pies   Velocidad: 39 mi/h

Tiburón mako: Longitud: 12 pies   Velocidad: 31 mi/h

▶ **Enlace con Ciencias**

El tiburón macho mako alcanza por lo general una talla de $6\frac{1}{2}$ pies de longitud, mientras que la hembra mide 9 pies; sin embargo, algunos pueden llegar a medir hasta 13 pies.

Haz la prueba

Encuentra las coordenadas de cada punto de la gráfica.

Venta de teléfonos inalámbricos

a. A (80, 40)
b. B (100, 45)
c. C (125, 32)
d. D (160, 22)
e. E (200, 20)

MATH EVERY DAY

▶ **Problema del día**

Shania tiene 4 CD más que Carlos. Neka tiene dos CD más que Shania. En total, los tres tienen 100 CD. ¿Cuántos CD tiene cada quien? Shania: 34; Carlos: 30; Neka: 36

Problem of the Day

Shania has 4 more CDs than Carlos has. Neka has two more CDs than Shania has. They have 100 CDs in all. How many CDs does each person have? Shania, 34 CDs; Carlos, 30 CDs; Neka, 36 CDs

Available on Daily Transparency 1-3

An Extension is provided in the transparency package.

Dato del día

La piel de los tiburones es similar a una lija. Las pequeñas escamas en forma de gancho de su piel forman una cubierta protectora.

Fact of the Day

A shark's skin is like sandpaper. Small, tooth-like scales in the skin form a tough protective covering.

Mental Math

1. Multiply 12 by 1, 2, 3, 4, 6, and 12. What happens to the product? 12, 24, 36, 48, 72, 144; It increases.
2. Divide 12 by 1, 2, 3, 4, 6, and 12. What happens to the quotient? 12, 6, 4, 3, 2, and 1; It decreases.

Cálculo mental

1. Multiplica 12 por 1, 2, 3, 4, 6 y 12. ¿Qué sucede con el producto? 12, 24, 36, 48, 72, 144; Aumenta.
2. Divide 12 entre 1, 2, 3, 4, 6 y 12. ¿Qué sucede con el cociente? 12, 6, 4, 3, 2 y 1; Disminuye.

Para los grupos que terminen antes

¿El punto que se encuentra 5 cuadros a la derecha y 4 cuadros hacia arriba es igual al que se encuentra 5 cuadros hacia arriba y 4 cuadros a la derecha? ¿Por qué? Los estudiantes deben ser capaces de localizar ambos puntos para verificar que no son iguales.

Seguimiento

Antes de continuar, asegúrese de que todos los estudiantes son capaces de dar instrucciones para localizar puntos.

Respuestas de Investigar

1. 1 es el punto *G*; 2 es el punto *C*; 3 es el punto *H*.
2. Al comparar aproximadamente qué tan lejos sobre y qué tan lejos hacia arriba se necesita ir desde la esquina inferior izquierda de la gráfica para llegar al punto en cuestión.
3. Las respuestas pueden variar.
4. Respuesta posible: Para el punto *A*: "Ve a la derecha 1 cuadro y después ve hacia arriba 9 cuadros."

2 Enseñanza

Aprender

Relacione los puntos de un diagrama de dispersión con los puntos de una gráfica de línea quebrada. En cada tipo de gráfica, deben considerarse las posiciones a lo largo de las escalas vertical y horizontal.

Ejemplos adicionales

1. El diagrama de dispersión compara la longitud en el momento de nacer con la longitud máxima para los tiburones nodriza *N*, ballena *W* y tigre *S*. Indica la longitud al momento de nacer y la longitud máxima de cada tiburón.

Tres tiburones

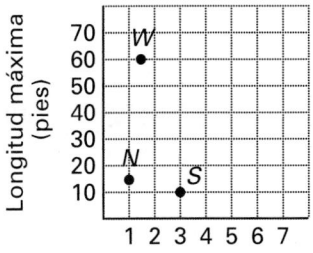

Tiburón nodriza: longitud al nacer, 1 ft; longitud máxima, 15 ft; Tiburón ballena: longitud al nacer, 1.5 ft; longitud máxima: 60 ft; Tiburón tigre: longitud al nacer, 3 ft; longitud máxima: 10 ft.

For Groups That Finish Early

Is the point 5 squares to the right and 4 squares up the same as the point 5 squares up and 4 squares to the right? Why or why not? Students should be able to locate both points to verify that they are not the same.

Follow Up

Before continuing, be sure that all students are able to give directions for locating points.

Answers for Explore

1. 1 is point *G*; 2 is point *C*; 3 is point *H*.
2. By comparing about how far over and how far up you need to go from the lower left corner of the graph to get to the point in question.
3. Answers may vary.
4. Possible answer: For Point *A*, "Go to the right 1 square and then go up 9 squares."

Teach

Learn

Relate the points in a scatterplot to the points in a line graph. In each type of graph, positions along both the vertical and horizontal scales must be considered.

Alternate Examples

1. The scatterplot compares the length at birth to the maximum length of the nurse shark *N*, the whale shark *W*, and the sand tiger shark *S*. Give the length at birth and the maximum length of each shark.

Three Sharks

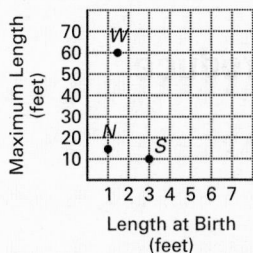

Nurse shark: length at birth, 1 ft; maximum length, 15 ft; Whale shark: length at birth, 1.5 ft; maximum length, 60 ft; Sand tiger shark: length at birth, 3 ft; maximum length, 10 ft.

2. Does the Cordless Phone Sales scatterplot on page 17 show a trend between the cost of the phones and the number sold?

   Yes, the farther to the right a point is, the lower it is. This suggests that as the price of the phones increases, there are fewer sales.

3. Refer to the scatterplot on page 16. Do the nine data points show a trend?

   No, the points are scattered at random over the graph.

Practice and Assess

Check

Students should recognize that bar graphs, pictographs, and line graphs relate two items, while circle graphs relate parts of something to the whole.

Answers for Check Your Understanding

1. Possible answers: Similarities: Both are graphs of numerical data, both use points, points in both signify two numbers; Differences: A line graph shows points connected, but a scatterplot does not.

2. Possible answers: Height and shoe size; Number of hours you're awake and number of hours you're asleep in a 24-hour period.

Ejemplos adicionales

2. ¿Muestra el diagrama de dispersión de Venta de teléfonos inalámbricos de la página 17 una tendencia entre el costo de los teléfonos y el número de aparatos vendidos?

   Sí, mientras más a la derecha esté el punto, más abajo está. Esto sugiere que conforme el precio de los teléfonos aumenta, las ventas disminuyen.

3. Consulta el diagrama de dispersión de la página 16. ¿Muestran los nueve puntos de los datos una tendencia?

   No, los puntos están dispersos al azar en la gráfica.

3 Práctica y evaluación

Comprobar

Los estudiantes deben aprender que las gráficas de barras, las pictografías y las gráficas de línea quebrada relacionan dos elementos, mientras que las gráficas circulares relacionan las partes de un todo.

Respuestas de Comprobar tu comprensión

1. Respuestas posibles: Semejanzas: Ambas son gráficas de datos numéricos, las dos usan puntos y cada punto se asocia con dos números; Diferencias: Una gráfica de línea quebrada muestra puntos que se unen, pero un diagrama de dispersión no.

2. Respuestas posibles: La altura de una persona y el tamaño de sus zapatos; El número de horas que una persona se encuentra despierta con relación al número de horas que duerme en un período de 24 horas.

En ocasiones los puntos de un diagrama de dispersión sugieren una relación entre las dos medidas. Revisa de nuevo el diagrama de dispersión del ejemplo 1. Advierte que mientras más a la derecha esté el punto, está también más hacia abajo, lo cual significa (para el tiburón del experimento) que mientras más grande sea el tiburón, más lento nada. Una relación entre dos conjuntos de datos que muestran un patrón como éste se llama **tendencia** .

Ejemplos

Sugerencia

Cuando la tarea te parezca difícil, revisa los ejemplos. Con frecuencia muestran, paso por paso, cómo debe resolverse la tarea.

Determina, para cada gráfica, si existe alguna tendencia.

2 Terremotos y casas dañadas

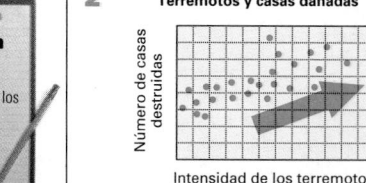

Número de casas destruidas / Intensidad de los terremotos

Mientras más a la derecha está el punto, tanto más hacia arriba se encuentra. Lo cual indica que mientras más grande es la intensidad del terremoto, más grande es también el número de casas destruidas.

3 Terremotos y casas rojas

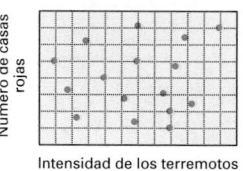

Número de casas rojas / Intensidad de los terremotos

Los puntos no caen dentro de ningún patrón particular. Esto sugiere que no existe dependencia entre la intensidad de un terremoto y el número de casas rojas.

Comprobar Tu comprensión

1. ¿En qué se asemejan una gráfica de línea quebrada y un diagrama de dispersión? ¿En qué son diferentes?

2. Busca un ejemplo de dos conjuntos de datos relacionados que aumenten en forma simultánea. Da un ejemplo en donde uno aumente y el otro disminuya.

18 Capítulo 1 • Estadísticas: Uso de números cabales en el mundo real

---

MEETING MIDDLE SCHOOL CLASSROOM NEEDS

Tips from Middle School Teachers

Have students try to find examples of scatterplots and display them on your classroom bulletin board. Have them write brief descriptions of the graphs, including whether or not the graphs display trends.

Sugerencias de los maestros

Anime a los estudiantes a hallar ejemplos de diagramas de dispersión y desplegarlos en el tablero de anuncios. Pídales que incluyan breves descripciones de las gráficas y digan si presentan alguna tendencia.

Cultural Connection

Shark meat is used for food in many countries throughout the world. Shark-fin soup, which is considered a delicacy, is made in China. Fish 'n' chips served in England is often made with shark meat.

Asociación con Cultura

La carne de tiburón es apreciada en muchos países. En China, la sopa de aleta de tiburón se considera todo un manjar. Los famosos Fish 'n' chips (pescado frito con papas fritas) servidos en Inglaterra suelen hacerse con carne de tiburón.

Science Connection

The power of an earthquake is usually measured on the Richter scale. An earthquake of 6 is ten times as strong as an earthquake of 5. The Mercalli scale classifies earthquakes by the damage they do at particular places. A quake may have an intensity of IX in one place and only II in another.

Asociación con Ciencias

Por lo general, la intensidad de los terremotos se mide con la escala de Richter. Un terremoto de magnitud 6 es diez veces más fuerte que uno de magnitud 5. La escala de Mercalli clasifica los terremotos según los daños que ocasionan. Un mismo terremoto puede tener magnitud IX en un sitio y II en otro.

1-3 Ejercicios y aplicaciones

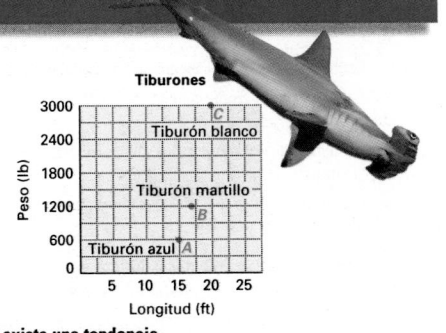

Práctica y aplicación

Para empezar Para cada punto de la gráfica, señala:

a. A qué distancia a la derecha y hacia arriba se encuentra.

b. El peso y la longitud representados por el punto.

1. *A* **2.** *B* **3.** *C*

Tiburones

Para cada diagrama de dispersión determina si existe una tendencia. Si es así, indica cuál es.

4. Edad y estatura
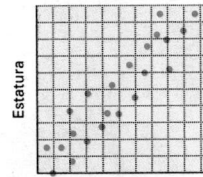
Estatura / Edad

5. Ejercicio y estatura
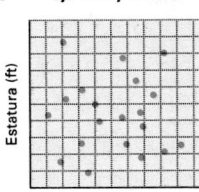
Estatura (ft) / Ejercicio (h/trabajo)

6. Sueño y calificaciones
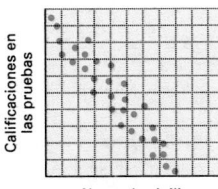
Calificaciones en las pruebas / Horas de vigilia

Utiliza la gráfica de los Juegos Olímpicos para contestar los ejercicios 7 y 8.

7. **Para la prueba** ¿Cuáles son los dos puntos que representan el mismo valor para el número de estampillas postales? A

Ⓐ *A* y *C*   Ⓑ *C* y *E*
Ⓒ *B* y *D*   Ⓓ *A* y *D*

8. **Cálculo aproximado** ¿Cuál punto representa un número de eventos que es casi cuatro veces más grande que el número de timbres? ¿Alrededor de cuántos eventos y cuántos timbres representa este punto?

Juegos Olímpicos
Número de estampillas de eventos / Número de eventos

1-3 • Diagramas de dispersión y tendencias **19**

Assignment Guide

■ Basic 1–5, 7, 9–11, 13–15, 18–19

■ Average 1, 4–9, 11–13, 16–19

■ Enriched 1, 5–13, 16–17, 20–21

Notas sobre los ejercicios

■ Ejercicio 4

Ampliación ¿La tendencia en los datos continuará de manera indefinida? Los estudiantes deben darse cuenta de que la mayoría de las personas alcanzan una altura máxima en la última etapa de la adolescencia y que los puntos de los datos estarán colocados en un patrón horizontal después de esos años.

Respuestas de Ejercicios

1. a. 15 a la derecha, 600 hacia arriba; b. 600 lb, 15 ft.

2. a. 17 a la derecha, 1200 hacia arriba; b. 1200 lb, 17 ft.

3. a 20 a la derecha, 3000 hacia arriba; b. 3000 lb, 20 ft.

4. Sí; Mientras más edad, mayor altura.

5. No hay tendencia.

6. Sí; A más horas sin dormir, menor es la calificación en la prueba.

8. Respuestas posibles: D, 38 eventos y 8 timbres; C, 19 eventos y 6 timbres.

Exercise Notes

■ Exercise 4

Extension Will the trend in the data continue indefinitely? Students should realize that most people reach maximum height in their late teens and that the data points will be positioned in a horizontal pattern after those years.

Exercise Answers

1. a. 15 right, 600 up; b. 600 lb, 15 ft.

2. a. 17 right, 1200 up; b. 1200.lb, 17 ft.

3. a. 20 right, 3000 up; b. 3000 lb, 20 ft.

4. Yes; The greater the age, the greater the height.

5. No trend.

6. Yes; The greater the hours without sleep, the lower the test score.

8. Possible answers: D, 38 events and 8 stamps; C, 19 events and 6 stamps.

Nombre _____

Práctica 1-3

Diagramas de dispersión y tendencias

Para cada diagrama de dispersión, determina si hay una tendencia. Si es así, describe cuál es el patrón que siguen los datos.

1. Sí. Conforme el precio aumenta las ventas tienden a bajar.

2. No

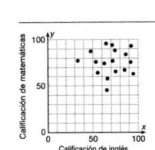
Número vendido / Precio ($)

Calificación de matemáticas / Calificación de inglés

Usa el diagrama de dispersión para resolver los ejercicios 3–8.

3. ¿Hay una tendencia? Si es así, describe cuál es el patrón que siguen los datos.
   Sí. Conforme se incrementa la edad, la estatura tiene una tendencia positiva.

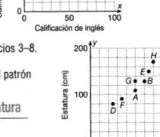
Estatura (cm) / Edad

4. Señala dos puntos que representen a personas de la misma edad. *A* y *G* ¿De qué edad son? 10 años

5. ¿Cuál punto representa a la persona más joven? *D* ¿Y a la de mayor edad? *C*

6. ¿Cuál punto representa a la persona más baja? *D* ¿Y a la más alta? *H*

7. a. Señala dos puntos que representen a personas que tengan la misma estatura. *B* y *G*
   b. ¿Qué estatura tienen? Como 130 cm

8. Indica la edad y estatura aproximadas que representa cada punto.
   a. *A* edad 10 años estatura 110 cm
   b. *B* edad 12 años estatura 130 cm
   c. *C* edad 16 años estatura 160 cm
   d. *D* edad 5 años estatura 80 cm

Nombre _____

Práctica adicional 1-3

Diagramas de dispersión y tendencias

Un **diagrama de dispersión** muestra pares de datos. Cada punto de un diagrama de dispersión representa *dos* valores de datos. A veces un diagrama de dispersión sugiere una relación entre dos conjuntos de datos que muestran un patrón. Esta relación se llama **tendencia**.

— **Ejemplo** —

¿Cuánto tiempo tarda el producto A en cocinarse en el horno de microondas? ¿Cuánto tiempo tarda en cocinarse en el horno normal?

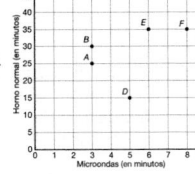
Tiempo de cocción
Horno normal (en minutos) / Microondas (en minutos)

Paso 1: Halla *A*. Ve a la derecha hasta 3 minutos. Este es el punto en el eje horizontal que está debajo del punto *A*.

Paso 2: Halla *A*. Ve hacia arriba 25 minutos. Este es el punto en el eje vertical que está a la izquierda del punto *A*.

El producto *A* se cocina en 3 minutos en el horno de microondas y en 25 minutos en el horno normal.

Haz la prueba

Usa el diagrama de dispersión para hallar la siguiente información.

a. El tiempo que tarda en cocinarse el producto B en un horno de microondas ___3 minutos.___

b. El tiempo que tarda en cocinarse el producto B en un horno normal ___30 minutos.___

c. El producto que se cocina en 15 minutos en un horno normal ___Producto D.___

d. El tiempo que tarda en cocinarse el producto C en un horno de microondas ___4 minutos.___

e. El tiempo que tarda en cocinarse el producto E en un horno normal ___35 minutos.___

f. El producto que se cocina en 45 minutos en un horno normal ___Producto C.___

g. ¿Cuánto tiempo más le toma el producto G que al D cocinarse en un horno normal? ___15 minutos.___

h. Un producto tarda 40 minutos en cocinarse en un horno normal. ¿Crees que le tomará más o menos tiempo cocinarse en un horno de microondas? Justifica tu respuesta.
   Respuesta posible: Menos, porque todos los productos de la gráfica requieren menos tiempo para cocinarse en el horno de microondas que en uno normal.

Práctica adicional

Actividad

- Si los escritorios del salón están acomodados en hileras y columnas, piense en esta disposición como si fuera una cuadrícula.

- Use como punto de origen el escritorio de la última hilera de la izquierda, respecto de su posición al frente al salón. Indique a cuántos lugares a la derecha y hacia arriba se localiza su escritorio con relación al punto de origen.

- Escoja a varios estudiantes y pregúnteles cuál es la posición de sus escritorios con relación al punto de origen. Los estudiantes deben ser capaces de identificar las posiciones.

Reteaching

Activity

- If the desks in your classroom are arranged in rows and columns, think of this arrangement as a grid.

- Use the desk in the last row farthest to your left as you face the front of the room as the starting point. Tell how many places right and up from the back your desk is located in relation to this point.

- Choose several students and tell where their desks are located in relation to this point. Students should be able to identify the positions.

Exercise Notes

■ Exercise 9a

Extension If students have indicated that there is a trend that the more hours worked, the greater the salary, discuss persons receiving monthly or annual salaries.

■ Exercises 18–21

Estimation Estimate the products to check if your answers are reasonable.

Exercise Answers

9. Possible answers are given:
   a. Points forming an upward trend; As hours worked per week increases, so does salary.
   b. Points forming a downward trend; The younger the person, the more sleep needed.
   c. Answers may vary. d. Points forming an upward trend. As the number of people in a family increases, so does amount spent on groceries.

10. 30–50; 14

11. 24; 14; Possible answer: Look at the vertical distance between the points for males and females at a given age.

12. For both genders, there is a leveling off at age 30, then a steep drop after age 50.

13. Answers may vary.

Alternate Assessment

Performance Work in groups of four and produce examples of scatterplots that show a trend and those that do not. Students should be able to sketch the graph, label it correctly, and share their information with the class.

Quick Quiz

Describe the scatterplot of data related to each situation.

1. **Length of hair compared to height.** Points will be scattered randomly, indicating no trend.

2. **Shoe size compared to height.** Points will show a trend that as height increases, shoe size increases.

3. **Shoe size compared to age.** Points will show a trend that as age increases, shoe size increases until shoe size reaches a maximum even though age continues to increase.

Available on Daily Transparency 1-3

Notas sobre los ejercicios

■ Ejercicio 9a

Ampliación Si los estudiantes indican que existe una tendencia (mientras más horas trabajadas, mayor es el salario), comente con ellos la situación de quienes reciben salarios mensuales o anuales.

■ Ejercicios 18-21

Aproximación Haz un cálculo aproximado de los productos para revisar si tus respuestas son razonables.

Respuestas de Ejercicios

9. Se dan respuestas posibles:
   a. Los puntos que tienen una tendencia ascendente; Como las horas trabajadas por semana aumentan, también se incrementa el salario.
   b. Los puntos que tienen una tendencia descendente; Mientras más joven es una persona, más horas de sueño necesita.
   c. Las respuestas pueden variar.
   d. Los puntos que tienen una tendencia ascendente. Conforme el número de personas en una familia aumenta, aumenta también la cantidad gastada en víveres.

10. 30-50; 14

11. 24; 14; Respuesta posible: Se observa la distancia vertical entre los puntos de hombres y mujeres a cierta edad.

12. Para ambos sexos hay una elevación hasta los 30 años; le sigue una caída abrupta después de los 50 años.

13. Las respuestas pueden variar.

Evaluación adicional

Progreso Trabaja en grupos de cuatro y busca ejemplos de diagramas de dispersión que muestren una tendencia y otros que no. Los estudiantes deben ser capaces de trazar la gráfica, marcarla correctamente y compartir su información con la clase.

► Prueba rápida

Describe el diagrama de dispersión relacionado con cada situación.

1. **Longitud del cabello comparada con la estatura.** Los puntos estarían dispersos al azar, e indicarían que no hay tendencia.

2. **El tamaño del zapato comparado con la estatura.** Los puntos mostrarían una tendencia: cuando la estatura aumenta, el tamaño del zapato también aumenta.

3. **El tamaño del zapato comparado con la edad.** Los puntos mostrarían una tendencia: mientras la edad aumenta, el tamaño del zapato aumenta hasta alcanzar su tamaño máximo aunque la edad continúe en aumento.

RESOLVER PROBLEMAS 1-3

Resolución de problemas y razonamiento

9. **Razonamiento crítico** Para cada situación, describe cómo sería un diagrama de dispersión.

   a. Las horas que trabajas a la semana comparadas con tu salario semanal.

   b. La edad de una persona comparada con la cantidad de horas de sueño que necesita.

   c. Los libros que lees comparados con las calificaciones en tus pruebas de matemáticas.

   d. El número de integrantes de una familia comparado con la cantidad que gastan en alimentos cada semana.

Utiliza la gráfica de requerimientos calóricos para resolver los ejercicios 10–12.

Requerimientos calóricos por edades

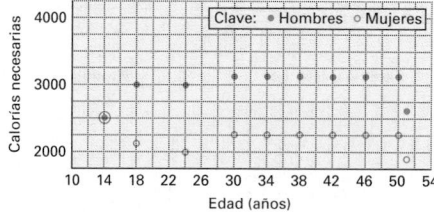

10. **Razonamiento crítico** ¿A qué edad los hombres necesitan la mayor cantidad de calorías? ¿Y las mujeres?

11. **Comunicación** ¿A qué edad es mayor la diferencia en requerimientos calóricos entre hombres y mujeres? ¿A qué edad es menor? ¿Cómo puedes saberlo?

12. **Razonamiento crítico** ¿Cuál es el patrón de los datos para los hombres?, ¿cuál para las mujeres? y ¿cuál para hombres y mujeres?

13.  En tus propios términos, describe y dibuja todos los patrones que te has encontrado en los diagramas de dispersión.

Repaso mixto

Escribe cada cantidad en forma numérica. *[Curso anterior]*

14. novecientos veintinueve **929**

15. seis mil seiscientos seis **6606**

16. cuatro mil noventa y ocho **4098**

17. ocho mil novecientos **8900**

Haz las siguientes multiplicaciones. *[Curso anterior]*

18. 6×425 **2550** 19. 9×481 **4329** 20. 2×804 **1608** 21. 8×236 **1888**

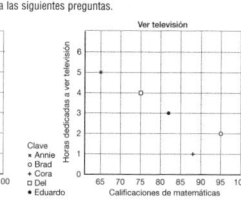

20 *Capítulo 1 • Estadísticas: Uso de números cabales en el mundo real*

► PROBLEM SOLVING

Nombre _____

Resolución guiada de problemas 1-3

RGP PROBLEMA 11, PÁGINA 20 DEL ESTUDIANTE

Utiliza la gráfica de requerimientos calóricos.
¿A qué edad es mayor la diferencia en requerimientos calóricos entre hombres y mujeres? ¿A qué edad es menor? ¿Cómo puedes saberlo?

Requerimientos calóricos por edades

— **Comprende** —

1. ¿Qué representan los puntos?
   a. llenos **Calorías de los hombres.**
   b. vacíos **Calorías de las mujeres.**

2. ¿Qué representa la distancia entre dos puntos a cualquier edad?
   La diferencia en el requerimiento calórico entre hombres y mujeres.

— **Plan** —

3. La distancia mayor entre dos puntos es a la edad de ___24___

4. La distancia menor entre dos puntos es a la edad de ___51___

— **Resuelve** —

5. ¿A qué edad es mayor la diferencia en requerimientos calóricos entre hombres y mujeres? ¿Cómo lo sabes? **24, porque la distancia mayor entre** dos puntos ocurre a esta edad.

6. ¿A qué edad es menor la diferencia en requerimientos calóricos entre hombres y mujeres? ¿Cómo lo sabes? **51, porque la menor distancia entre** dos puntos ocurre a esta edad.

— **Revisa** —

7. ¿Cómo puedes usar la resta para comprobar tu respuesta? **Al calcular la diferencia** en requerimientos calóricos entre hombres y mujeres, y después al comparar las diferencias para hallar el número menor y el mayor.

[RESUELVE OTRO PROBLEMA]

¿A qué edades la diferencia en requerimientos calóricos es aproximadamente la misma?
18, 30, 34, 38, 42, 46, 50

► ENRICHMENT

Nombre _____

Actividad de enriquecimiento 1-3

Patrones de datos

Los diagramas de dispersión muestran cuántas horas al día dedican algunos estudiantes a ver televisión y cuántas horas dedican a hacer la tarea. También se registran sus calificaciones de matemáticas. Usa la información de los diagramas de dispersión para responder a las siguientes preguntas.

1. ¿Observas alguna relación (tendencia) entre las horas dedicadas a ver televisión y las calificaciones de matemáticas?
   Respuesta posible: **Las calificaciones de matemáticas aumentan** cuando se dedican menos horas a ver la televisión.

2. ¿Cuál es la relación entre las horas dedicadas a hacer la tarea y las calificaciones de matemáticas?
   Respuesta posible: **Las calificaciones de matemáticas aumentan** cuando se dedican más horas a hacer la tarea.

3. ¿Cuál actividad parece afectar más las calificaciones de matemáticas?
   Respuesta posible: **Aunque ambas actividades tienen algún efecto en las** calificaciones de matemáticas, dedicarle más tiempo a la tarea es una manera razonable de asegurar mejores calificaciones de matemáticas.

4. Si quisieras decirle a Annie cómo mejorar sus calificaciones de matemáticas, ¿qué consejo le darías?
   Respuesta posible: **Dedicar más tiempo a hacer la tarea** y ver menos televisión.

Al principio de esta sección, aprendiste cómo la información de las gráficas puede ayudar a tomar decisiones correctas. Ahora tendrás la oportunidad de utilizar las gráficas para tomar algunas decisiones por ti mismo.

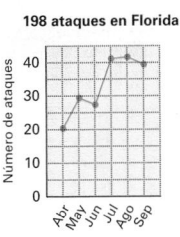 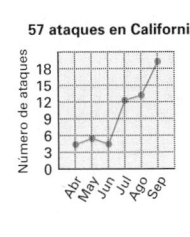

¡Peligro! ¡Tiburones al ataque!

Los ataques de tiburón son en extremo excepcionales. Estas gráficas ofrecen información de algunos de los muy pocos ataques sin provocación que en verdad han ocurrido en los últimos 100 años.

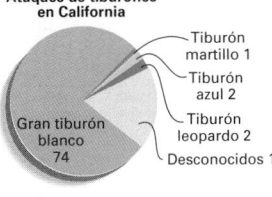

Ataques de tiburones en Estados Unidos

198 ataques en Florida

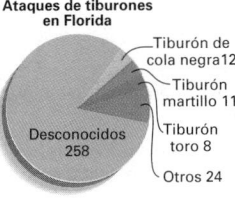

57 ataques en California

Ataques de tiburones en California

Ataques de tiburones en Florida

- Gran tiburón blanco 74
- Tiburón martillo 1
- Tiburón azul 2
- Tiburón leopardo 2
- Desconocidos 17

- Desconocidos 258
- Tiburón de cola negra 12
- Tiburón martillo 11
- Tiburón toro 8
- Otros 24

Eres un científico que debe estudiar los ataques de tiburón durante junio.

1. ¿Cuáles especies parecen atacar más a los seres humanos?

2. ¿Cuál estado tiene más ataques? ¿Qué tanto más? ¿Cómo puede saberse?

3. En mayo, ¿cuál estado tiene más ataques de tiburón? ¿Cómo lo sabes?

4. Si en junio sólo puedes estudiar una especie, ¿a cuál estado irías? Explica por qué tomaste esta decisión.

21

¡Peligro! ¡Tiburones al ataque!

Objetivo

En *¡Peligro¡ ¡Tiburones al ataque!*, de la página 5, los estudiantes aprendieron los peligros que representan los tiburones y los perros. Ahora deberán interpretar la información de varios tipos de gráficas para decidir cómo estudiar los ataques de tiburón.

Acerca de esta página

- Repase las gráficas para asegurarse de que los estudiantes comprenden la información mostrada en cada una.

- Comente con los estudiantes los datos que necesitarán conocer antes de decidir si es o no seguro nadar en el mar.

Evaluación continua

Para determinar si los estudiantes están interpretando correctamente las gráficas, revise sus respuestas a la pregunta 2.

Ampliación

Indique a los estudiantes que usen la información de las gráficas para determinar cuáles son los tiburones más peligrosos y cuáles los menos peligrosos en California. El gran tiburón blanco; Martillo. Pídales también que determinen cuáles son los tiburones más peligrosos y cuáles los menos peligrosos en Florida. Tiburón de cola negra; Tiburón toro.

Respuestas de Asociación

1. El gran tiburón blanco.

2. Florida; 217 más; La gráfica de barras muestra que en Florida se registraron 313 ataques, mientras que en California se registraron 96.

3. Florida; La gráfica de línea quebrada muestra que en Florida se registraron 29 ataques y en California se registraron 50.

4. Respuesta posible: Florida; Hay más ataques en Florida durante junio.

Danger! Shark Attack!

The Point

In *Danger! Shark Attack!* on page 5, students learned about dangers posed by sharks and dogs. Now they will interpret information from various types of graphs in order to decide how to study shark attacks.

Resources

Lesson Enhancement Transparency 3

About the Page

- Review the graphs to be sure students understand the information each graph is displaying.

- Discuss with students the facts they would need to know before they decided whether or not it was safe to swim in the ocean.

Ongoing Assessment

To determine whether students are correctly interpreting the graphs, check their answers for Question 2.

Extension

Using the information in the graphs, have students determine which sharks appear to be the most dangerous and the least dangerous in California. Great white; Hammerhead. Have them also determine which sharks appear to be the most dangerous and the least dangerous in Florida. Blacktip; Bull.

Answers for Connect

1. The great white shark.

2. Florida; 217 more; The bar graph shows Florida had 313 attacks and California had 96.

3. Florida; The line graphs show Florida had 29 attacks, and California had 50.

4. Possible answer: Florida; There are more attacks in Florida in June.

Review Correlation

Item(s)	Lesson(s)
1–4	1-1
5	1-2
6–8	1-1
9	1-3
10	1-1

Test Prep

Test-Taking Tip

Tell students that sometimes information given in a test problem is unnecessary. In this case, you do not need to know the number of green apples to answer the question.

Answers for Review

1. All the symbols have the same value, so count the number of symbols and multiply by the value in the key.

2. *The Sharks*

3. 3 million

4. *Great Moments*

5. Yes; The data values do not start at 0.

6. 3.6 lb; 14.4 lb.

7. The daily garbage per person increases.

8. Possible answers: Similarities: Both are line graphs, both show same data, both use same data values and spaces between data values; Difference: Spaces between years are wider in the second graph.

9. Possible answers should be a scatterplot showing a trend and a description of the trend.

10. C

Correlación de repaso

Punto(s)	Lección(es)
1–4	1-1
5	1-2
6–8	1-1
9	1-3
10	1-1

Para la prueba

Sugerencia para la prueba

Explique a los estudiantes que a veces cierta información proporcionada en un problema de una prueba es superflua. En este caso, no se necesita conocer el número de manzanas verdes para responder la pregunta.

Respuestas de Repaso

1. Todos los símbolos tienen el mismo valor, por tanto, se cuenta el número de símbolos y se multiplican por el valor de la clave.

2. *Los tiburones*

3. 3 millones

4. *Grandes sucesos*

5. Sí; Los valores de los datos no comienzan en 0.

6. 3.6 lb; 14.4 lb.

7. Aumenta la basura diaria generada por persona.

8. Respuestas posibles: Semejanzas: Ambas son gráficas de línea quebrada, las dos muestran la misma información y usan los mismos datos y los mismos intervalos en el eje vertical; Diferencia: Los intervalos entre los años son más anchos en la segunda gráfica.

9. Respuestas posibles: Debe ser un diagrama de dispersión que muestre una tendencia y la descripción de dicha tendencia.

10. C

REPASO 1A

1. **Comunicación** Explica cómo es posible leer los símbolos en una pictografía y determinar sus valores numéricos.

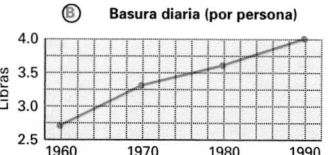

Documentales de TV de mayor audiencia

Usa la gráfica de barras para resolver los ejercicios 2–5.

2. ¿Cuál documental tuvo más televidentes?

3. ¿Cuántos televidentes más vieron *Los tiburones* que *Los grandes sucesos*?

4. ¿Cuál fue el programa con menor audiencia?

5. ¿Podría interpretarse en forma errónea la gráfica? Justifica tu respuesta.

Industria Utiliza las gráficas de línea quebrada para resolver los ejercicios 6–8.

6. En 1980, ¿cuánta basura generó diariamente cada persona? y ¿una familia de cuatro miembros en un día?

7. Explica el cambio de los datos a través del tiempo.

8. ¿En qué se parecen las dos gráficas? ¿En qué difieren?

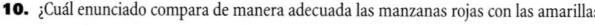

(A) Basura diaria (por persona) — Libras — 1960 1970 1980 1990

(B) Basura diaria (por persona) — Libras — 1960 1970 1980 1990

9. Dibuja un ejemplo de un diagrama de dispersión que exhiba una tendencia y explica en qué consiste dicha tendencia.

Para la prueba

Para comparar dos tipos de datos en una gráfica circular, encuentra las diferencias entre ellos o establece cuántas veces más grande es una parte que la otra.

Manzanas vendidas

10. ¿Cuál enunciado compara de manera adecuada las manzanas rojas con las amarillas?
   (A) Por cada manzana amarilla hay cuatro rojas.
   (B) Las manzanas rojas son casi la mitad de las amarillas.
   (C) Las manzanas rojas son 38 más que las amarillas.
   (D) Las manzanas amarillas son 48 menos que las rojas.

22 Capítulo 1 • Estadísticas: Uso de números cabales en el mundo real

---

Resources

Practice Masters
   Section 1A Review

Assessment Sourcebook
   Quiz 1A

   TestWorks
   Test and Practice Software

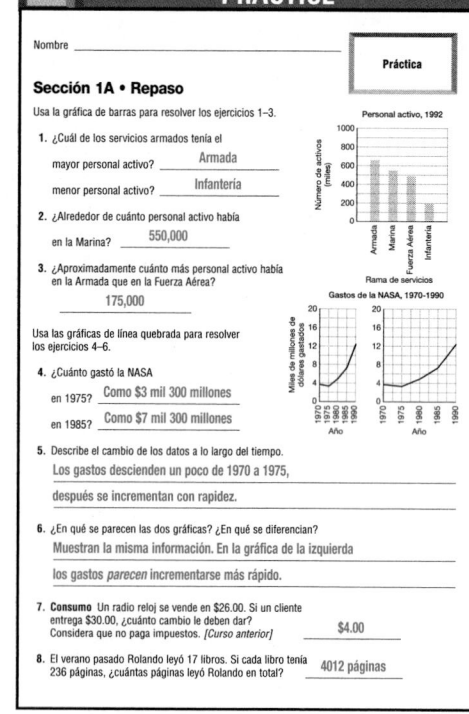

> **PRACTICE**

Nombre _____

Práctica

Sección 1A • Repaso

Usa la gráfica de barras para resolver los ejercicios 1–3.

Personal activo, 1992

1. ¿Cuál de los servicios armados tenía el mayor personal activo? __Armada__
   menor personal activo? __Infantería__

2. ¿Alrededor de cuánto personal activo había en la Marina? __550,000__

3. ¿Aproximadamente cuánto más personal activo había en la Armada que en la Fuerza Aérea? __175,000__

Usa las gráficas de línea quebrada para resolver los ejercicios 4–6.

Gastos de la NASA, 1970-1990

4. ¿Cuánto gastó la NASA
   en 1975? __Como $3 mil 300 millones__
   en 1985? __Como $7 mil 300 millones__

5. Describe el cambio de los datos a lo largo del tiempo.
   Los gastos descienden un poco de 1970 a 1975, después se incrementan con rapidez.

6. ¿En qué se parecen las dos gráficas? ¿En qué se diferencian?
   Muestran la misma información. En la gráfica de la izquierda los gastos *parecen* incrementarse más rápido.

7. **Consumo** Un radio reloj se vende en $26.00. Si un cliente entrega $30.00, ¿cuánto cambio le deben dar? Considera que no paga impuestos. *[Curso anterior]* __$4.00__

8. El verano pasado Rolando leyó 17 libros. Si cada libro tenía 236 páginas, ¿cuántas páginas leyó Rolando en total? __4012 páginas__

Section 1B

Displaying Data

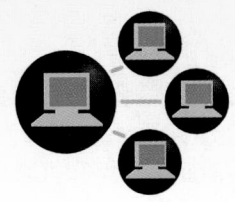

Visit www.teacher.mathsurf.com for links to lesson plans from teachers and other professionals, NCTM information, and other sites.

LESSON PLANNING GUIDE

▶ **Student Edition**

▶ **Ancillaries***

LESSON	MATERIALS	VOCABULARY	DAILY	OTHER
Section 1B Opener				
1-4 Tallies, Frequency Charts, and Line Plots		tally, frequency chart, line plot	1-4	Teaching Tool Trans. 22 Lesson Enhancement Trans. 4 Ch. 1 Project Master
1-5 Scales and Bar Graphs	spreadsheet software for making bar graphs	scale, interval, horizontal axis, vertical axis, range	1-5	Technology Master 3 Interactive CD-ROM Spreadsheet/Grapher Tool WW Math–Middle School
1-6 Stem-and-Leaf-Diagrams		stem-and-leaf-diagram	1-6	
Connect				Interdisc. Team Teaching 1B
Review				Practice 1B; Quiz 1B; TestWorks

* Daily Ancillaries include Practice, Reteaching, Problem Solving, Enrichment, and Daily Transparency. Teaching Tool Transparencies are in *Teacher's Toolkits*. Lesson Enhancement Transparencies are in *Overhead Transparency Package*.

SKILLS TRACE

LESSON	SKILL	FIRST INTRODUCED			DEVELOP	PRACTICE/ APPLY	REVIEW
		GR. 4	GR. 5	GR. 6			
1-4	Organizing data using tallies, frequency charts, line plots.		✗		pp. 24–26	pp. 27–28	pp. 59, 73, 141
1-5	Making bar graphs.		✗		pp. 29–31	pp. 32–33	pp. 59, 146, 306
1-6	Making stem-and-leaf diagrams.		✗		pp. 34–36	pp. 37–38	pp. 59, 69, 152, 232, 312

CONNECTED MATHEMATICS

The unit *Data About Us (Statistics)*, from the **Connected Mathematics** series, can be used with Section 1B.

Math and Social Studies
(Worksheet pages 03–04: Teacher pages T3–T4)

In this lesson, students display data to represent voter activity.

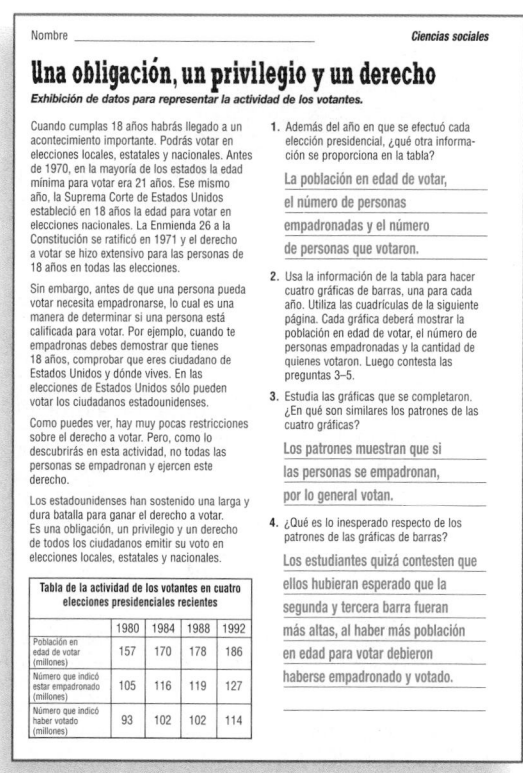

Nombre _____   *Ciencias sociales*

Una obligación, un privilegio y un derecho
Exhibición de datos para representar la actividad de los votantes.

Cuando cumplas 18 años habrás llegado a un acontecimiento importante. Podrás votar en elecciones locales, estatales y nacionales. Antes de 1970, en la mayoría de los estados la edad mínima para votar era 21 años. Ese mismo año, la Suprema Corte de Estados Unidos estableció en 18 años la edad para votar en elecciones nacionales. La Enmienda 26 a la Constitución se ratificó en 1971 y el derecho a votar se hizo extensivo para las personas de 18 años en todas las elecciones.

Sin embargo, antes de que una persona pueda votar necesita empadronarse, lo cual es una manera de determinar si una persona está calificada para votar. Por ejemplo, cuando te empadronas debes demostrar que tienes 18 años, comprobar que eres ciudadano de Estados Unidos y dónde vives. En las elecciones de Estados Unidos sólo pueden votar los ciudadanos estadounidenses.

Como puedes ver, hay muy pocas restricciones sobre el derecho a votar. Pero, como lo descubrirás en esta actividad, no todas las personas se empadronan y ejercen este derecho.

Los estadounidenses han sostenido una larga y dura batalla para ganar el derecho a votar. Es una obligación, un privilegio y un derecho de todos los ciudadanos emitir su voto en elecciones locales, estatales y nacionales.

1. Además del año en que se efectuó cada elección presidencial, ¿qué otra información se proporciona en la tabla?

   La población en edad de votar,

   el número de personas

   empadronadas y el número

   de personas que votaron.

2. Usa la información de la tabla para hacer cuatro gráficas de barras, una para cada año. Utiliza las cuadrículas de la siguiente página. Cada gráfica deberá mostrar la población en edad de votar, el número de personas empadronadas y la cantidad de quienes votaron. Luego contesta las preguntas 3–5.

3. Estudia las gráficas que se completaron. ¿En qué son similares los patrones de las cuatro gráficas?

   Los patrones muestran que si

   las personas se empadronan,

   por lo general votan.

4. ¿Qué es lo inesperado respecto de los patrones de las gráficas de barras?

   Los estudiantes quizá contesten que ellos hubieran esperado que la segunda y tercera barra fueran más altas, al haber más población en edad para votar debieron haberse empadronado y votado.

Tabla de la actividad de los votantes en cuatro elecciones presidenciales recientes

	1980	1984	1988	1992
Población en edad de votar (millones)	157	170	178	186
Número que indicó estar empadronado (millones)	105	116	119	127
Número que indicó haber votado (millones)	93	102	102	114

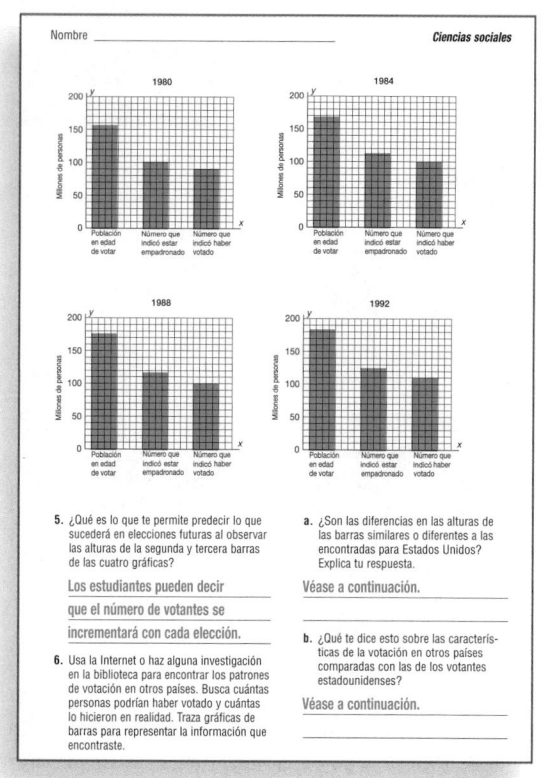

Nombre _____   *Ciencias sociales*

5. ¿Qué es lo que te permite predecir lo que sucederá en elecciones futuras al observar las alturas de la segunda y tercera barras de las cuatro gráficas?

   Los estudiantes pueden decir

   que el número de votantes se

   incrementará con cada elección.

6. Usa la Internet o haz alguna investigación en la biblioteca para encontrar los patrones de votación en otros países. Busca cuántas personas podrían haber votado y cuántas lo hicieron en realidad. Traza gráficas de barras para representar la información que encontraste.

a. ¿Son las diferencias en las alturas de las barras similares o diferentes a las encontradas para Estados Unidos? Explica tu respuesta.

   Véase a continuación.

b. ¿Qué te dice esto sobre las características de la votación en otros países comparadas con las de los votantes estadounidenses?

   Véase a continuación.

Respuestas adicionales

6. a. Quizá diferentes y más cercanas en altura.

   b. En otros países, los electores empadronados ejercen más su derecho al voto que en Estados Unidos.

BIBLIOGRAPHY

FOR TEACHERS

Haven, Kendall. *Marvels of Science*. Englewood, CO: Libraries Unlimited, 1994.

Spangler, David. *Math for Real Kids*. Glenview, IL: Good Year Books, 1997.

Welton, Ann. *Explorers and Exploration*. Phoenix, AZ: Oryx Press, 1993.

The World Almanac and Book of Facts. Mahwah, NJ: Funk & Wagnalls, 1996.

FOR STUDENTS

Career Discovery Encyclopedia. Chicago, IL: J. G. Ferguson Publishing Company, 1993, Vol. 5.

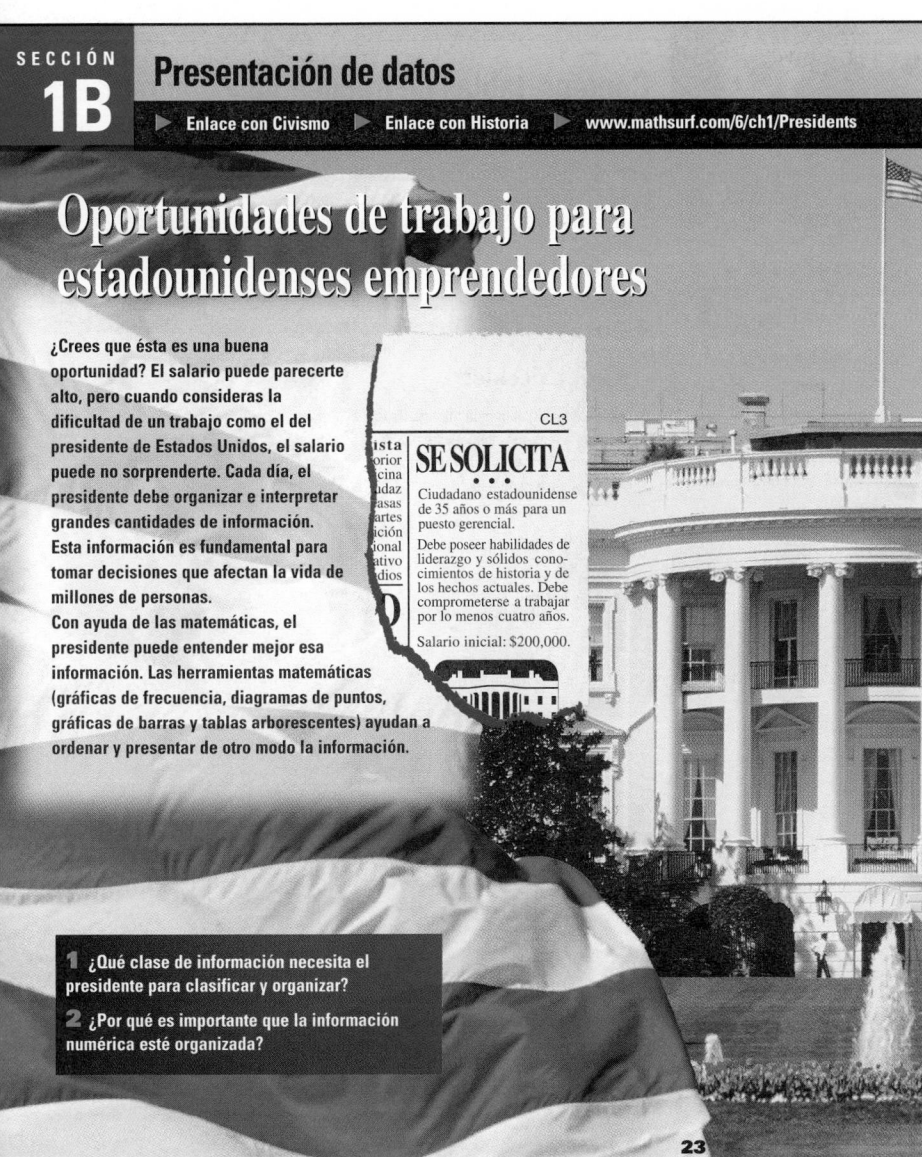

SECCIÓN
1B
Presentación de datos
▶ Enlace con Civismo ▶ Enlace con Historia ▶ www.mathsurf.com/6/ch1/Presidents

Oportunidades de trabajo para estadounidenses emprendedores

¿Crees que ésta es una buena oportunidad? El salario puede parecerte alto, pero cuando consideras la dificultad de un trabajo como el del presidente de Estados Unidos, el salario puede no sorprenderte. Cada día, el presidente debe organizar e interpretar grandes cantidades de información. Esta información es fundamental para tomar decisiones que afectan la vida de millones de personas.

Con ayuda de las matemáticas, el presidente puede entender mejor esa información. Las herramientas matemáticas (gráficas de frecuencia, diagramas de puntos, gráficas de barras y tablas arborescentes) ayudan a ordenar y presentar de otro modo la información.

CL3

SE SOLICITA

Ciudadano estadounidense de 35 años o más para un puesto gerencial.

Debe poseer habilidades de liderazgo y sólidos conocimientos de historia y de los hechos actuales. Debe comprometerse a trabajar por lo menos cuatro años.

Salario inicial: $200,000.

1 ¿Qué clase de información necesita el presidente para clasificar y organizar?

2 ¿Por qué es importante que la información numérica esté organizada?

Where are we now?

In Section 1A, students used graphs to compare values.

They learned how to

- use graphs to organize and display information.
- identify graphs that display misleading information.
- compare values in two sets of data using scatterplots.

Where are we going?

In Section 1B, students will

- organize data using frequency charts.
- determine the shape of a set of data.
- construct bar graphs.
- determine the range of the data.
- organize data into stem-and-leaf diagrams.

Tema: Presidentes

World Wide Web

Si su clase tiene acceso al World Wide Web, tal vez quiera usar la información que se encuentra en las direcciones Web indicadas. Los enlaces interdisciplinarios relacionan los temas examinados en esta sección.

Acerca de esta página

Esta página introduce el tema de la sección, Los presidentes, y comenta la gran cantidad de información que un presidente debe leer e interpretar en el desempeño de su trabajo.

Pregunte…

- ¿Te gustaría ser presidente? ¿Por qué?
- ¿Qué información crees que recibe a diario el presidente? ¿Cómo obtiene esta información?

Ampliación

Las siguientes actividades no requieren de acceso al Web.

Civismo

Se han escrito libros sobre los presidentes y algunos presidentes han escrito libros. Lee un libro escrito por o acerca de algún presidente. Haz una lista de las acciones más notables que hizo ese presidente.

Historia

Las elecciones presidenciales se realizan cada cuatro años. Investiga sobre la última elección. Determina quiénes fueron los candidatos, qué partido representaban, cuáles fueron sus propuestas y el número de votos electorales y populares que obtuvieron. Comparte tus resultados con los demás compañeros.

Respuestas de Preguntas

1. Respuestas posibles: El presidente debe organizar estadísticas de criminalidad, desempleo, impuestos, etcétera.

2. La información numérica necesita organizarse para que sea clara.

Asociación

En la página 39, los estudiantes graficarán los datos de los presidentes que se muestran en la tabla.

Theme: Presidents

World Wide Web

If your class has access to the World Wide Web, you might want to use the information found at the Web site address given. The interdisciplinary links relate to topics discussed in this section.

About the Page

This page introduces the theme of the section, Presidents, and discusses the vast amount of information the President must read and interpret to do his job.

Ask …

- Would you like to be President? Why?
- What information do you think the President receives each day? How does he get this information?

Extensions

The following activities do not require access to the World Wide Web.

Civics

Books have been written about our Presidents and some of our Presidents have written books. Read a book by or about one of the Presidents. List the important accomplishments of that President.

History

Presidential elections are held every four years. Research the last election. Determine who the candidates were, what party they represented, what the issues were, and the number of popular and electoral votes. Report your findings to the class.

Answers for Questions

1. Possible answers: The President must organize statistics on crime, unemployment, taxes, and so on.

2. Numerical information needs to be organized so that it is clear what the information is about.

Connect

On page 39, students will graph data about the Presidents that is shown in a table.

Lesson Organizer

Objectives
- Organize data using tallies and frequency charts.
- Use a line plot to show the shape of a data set.

Vocabulary
- Tally marks, frequency chart, line plot

NCTM Standards
- 1–4, 7, 8, 10

Review
Order the numbers from least to greatest.
1. 18, 30, 23, 12, 16, 25
   12, 16 18, 23, 25, 30

2. 34, 6, 22, 10, 63, 48, 9
   6, 9, 10, 22, 34, 48, 63

3. 178, 134, 189, 200, 106, 145
   106, 134, 145, 178, 189, 200

Available on Daily Transparency 1-4

► Repaso
Ordena los números de menor a mayor.
1. 18, 30, 23, 12, 16, 25
   12, 16 18, 23, 25, 30

2. 34, 6, 22, 10, 63, 48, 9
   6, 9, 10, 22, 34, 48, 63

3. 178, 134, 189, 200, 106, 145
   106, 134, 145, 178, 189, 200

Introduce

Explore
You may wish to use Teaching Tool Transparency 22: Map of the United States and Lesson Enhancement Transparency 4 with **Explore**.

The Point
Students construct their own method for organizing data to explore the value of having data organized.

Ongoing Assessment
You may want to involve the students in listing the information on an overhead projector to facilitate discussion of the questions. It would be helpful to cross off the states as students list them.

For Groups That Finish Early
Which state has the greatest number of electors? California The least number of electors? Alaska, Delaware, Montana, North Dakota, South Dakota, Vermont, Washington, D.C., Wyoming.

1 Introducción

Investigar

Objetivo
Los estudiantes construyen su propio método para organizar la información a fin de investigar el valor que representa la información organizada.

Evaluación continua
Tal vez podría pedir a los estudiantes que hicieran una lista con la información para proyectarla en transparencias y facilitar el análisis de las preguntas. Sería útil tachar los estados conforme aparecen en la lista.

Para los grupos que terminen antes
¿Qué estado tiene el mayor número de electores? California ¿Qué estados tienen el menor número de electores? Alaska, Delaware, Montana, North Dakota, South Dakota, Vermont, Washington, D.C., Wyoming.

1-4 Conteos, tablas de frecuencia y diagramas de puntos

Vas a aprender...
- a organizar datos mediante conteos y tablas de frecuencia.
- a utilizar un diagrama de puntos para ilustrar un conjunto de datos.

...cómo se usa
Los publicistas utilizan las tablas de frecuencia y los diagramas de puntos para organizar y comunicar los datos acerca de la opinión pública.

Vocabulario
marcas de conteo
tabla de frecuencia
diagrama de puntos

► **Enlace con la lección** En la sección anterior, estudiaste varios modos de presentar los datos en gráficas. Sin embargo, antes de que los datos se puedan desplegar, deben organizarse. ◄

Investigar Organización de datos

¿Quién decide?
Los votantes no eligen de manera directa al presidente de Estados Unidos. En realidad, escogen a personas llamadas *electores*. Los electores se reúnen después de las votaciones para elegir al presidente. En la siguiente gráfica se observa el número de electores para cada estado.

Número de electores para cada estado

1. Organiza los datos para que puedas decir de manera rápida cuántos estados tienen 3 votos electorales, cuántos 4, cuántos 5 y así sucesivamente.

2. ¿Cuál es el número más frecuente de electores? ¿Y cuál el segundo?

3. ¿Por qué crees que cada estado tiene un número diferente de electores?

4. ¿Qué patrones observas en la información organizada que no puedas ver con facilidad en la tabla?

24 Capítulo 1 • Estadísticas: Uso de números cabales en el mundo real

---

► **MEETING INDIVIDUAL NEEDS**

Resources
- **1-4** Practice
- **1-4** Reteaching
- **1-4** Problem Solving
- **1-4** Enrichment
- **1-4** Daily Transparency
  - Problem of the Day
  - Review
  - Quick Quiz
- Teaching Tool Transparency 22
- Lesson Enhancement Transparency 4
- Chapter 1 Project Master

Recursos
- **1-4** Práctica
- **1-4** Práctica adicional
- **1-4** Resolución de problemas
- **1-4** Actividad de enriquecimiento

Learning Modalities
Visual Create a line plot of the students' favorite colors. Write the names of six or seven colors in a row across the chalkboard. Have each student come to the board and mark an x above his or her favorite color, keeping the x's for each color in a column.

Social When doing **Explore**, students can work with a partner to prepare the list, with one student finding the numbers and the other recording the names and numbers.

English Language Development
Pair limited English speakers with those proficient in the language and have them work together to construct a frequency chart and a line plot for some data, such as the numbers of cousins or pets in his or her family.

Modos de aprendizaje
Visual Haga un diagrama de puntos con los colores favoritos de los estudiantes. Escriba los nombres de seis o siete colores en forma horizontal sobre la pizarra. Los estudiantes deberán escribir una X en la columna de su color favorito.

Social En la sección **Investigar**, los estudiantes deben crear la lista por parejas. Mientras un estudiante halla los números, su compañero registrará los nombres y los números.

Desarrollo del lenguaje
Los estudiantes con limitaciones en el uso del lenguaje deberán apoyarse en los estudiantes avanzados para construir por parejas tablas de frecuencias y diagramas de puntos con datos específicos como el número de primos o mascotas que tienen.

Las **marcas de conteo** se utilizan para organizar un conjunto grande de datos. Cada marca de conteo representa una aparición del valor en los datos.

Una **tabla de frecuencia** sirve para listar los datos de manera rápida. A cada valor le sigue el número de veces que aparece.

Ejemplo 1

Utiliza los datos para hacer una tabla de frecuencia. Para cada edad, ¿cuántos estados la especifican en sus leyes?

Edades en las que, según las leyes estatales, los niños deben asistir a la escuela

Estado	Edad	Estado	Edad	Estado	Edad	Estado	Edad	Estado	Edad
CA	6	KS	7	MO	7	NH	6	UT	6
DE	5	MA	6	MT	7	OH	6	VA	5
FL	6	MD	5	NC	7	PA	8	WA	8
ID	7	ME	7	ND	7	TN	7	WI	6
IN	7	MN	7	NE	7	TX	6	WY	7

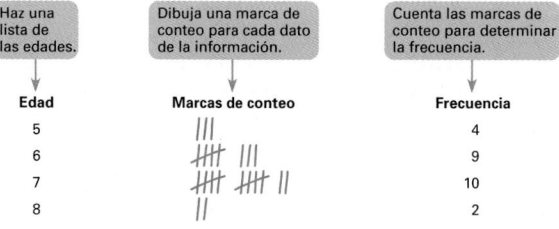

Haz una lista de las edades.

Dibuja una marca de conteo para cada dato de la información.

Cuenta las marcas de conteo para determinar la frecuencia.

Edad	Marcas de conteo	Frecuencia
5					4
6	||||‖ |||	9
7	||||‖ ||||‖	10
8				2

Tres estados establecen que los niños deben asistir a la escuela a los 5 años, ocho a los 6, doce a los 7 y dos a los 8.

Haz la prueba

a. Haz una tabla de frecuencia de las calificaciones. Utiliza estos intervalos: menos de 60; 60–69; 70–79; 80–89; 90–100.

b. ¿Cuántos estudiantes obtuvieron calificaciones entre 80 y 89? ¿Y menos de 70?

Calificaciones de la prueba de historia

81	95	77	64	85
62	79	92	100	61
83	55	84	83	91
75	83	72	84	95

Resolución de problemas
TEN EN CUENTA

Algunos datos pueden organizarse con mayor facilidad si los ordenas en grupos. De esta manera tienes menos intervalos y más datos por intervalo.

1-4 • Conteos, tablas de frecuencia y diagramas de puntos **25**

MATH EVERY DAY

▶ Problema del día

¿Cuáles crees que son las cinco letras menos usadas en inglés? Escoge varios párrafos de un libro para comparar tu respuesta. Haz una tabla de frecuencia con marcas de conteo para registrar los resultados.

Respuesta:

Las respuestas y las marcas de conteo pueden variar. Si se analizan las letras en varios miles de enunciados, puede llegarse a la conclusión de que las letras menos usadas son: K, X, J, Q y Z.

Problem of the Day

Which five letters do you think are used least often in written English? Check your predictions by picking several paragraphs at random in a book. Make a frequency chart to tally the results.

Answer:

Student predictions and tallies may vary. Based on counting the letters in thousands of sentences, the following five letters are used least often: K, X, J, Q, Z.

An Extension is provided in the transparency package.

Available on Daily Transparency 1-4

Dato del día

En las elecciones de 1789 y 1792, todos los electores sin excepción alguna votaron por George Washington.

Fact of the Day

In the elections of 1789 and 1792, all the electors voted for George Washington.

Estimation

Estimate.
1. 68 + 34 100
2. 173 + 89 300
3. 420 + 398 800

Cálculo aproximado

Haz un cálculo aproximado.
1. 68 + 34 100
2. 173 + 89 300
3. 420 + 398 800

Respuestas de Investigar

1.

Número de votos electorales	Número de estados con estos votos
3	6
4	6
5	5
6	2
7	3
8	6
9	2
10	2
11	4
12	2
13	2
14	1
15	1
18	1
21	1
22	1
23	1
25	1
32	1
33	1
54	1

2. 3, 4 y 8 son los números de electores más comunes; 5 es el segundo más común.

3. Porque los estados tienen diferente número de habitantes.

4. Respuestas posibles: Como la mitad de los estados tiene 8 o menos votos y aproximadamente la mitad tiene 8 o más. Hay muy pocos con más de 20 votos y sólo uno con más de 50.

Answers for Explore

1.

Number of Electoral Votes	Number of States with That Many Votes
3	6
4	6
5	5
6	2
7	3
8	6
9	2
10	2
11	4
12	2
13	2
14	1
15	1
18	1
21	1
22	1
23	1
25	1
32	1
33	1
54	1

2. 3, 4, and 8 are the most common numbers of electors; 5 is the second most common.

3. Different states have different numbers of people.

4. Possible answers: About half of the states have 8 or fewer votes, and about half have 8 or more. There are very few states with more than 20 votes, and only one in the 50s.

2 Enseñanza

Aprender

Ejemplos adicionales

1. Usa las respuestas del inciso 1 en **Investigar** para elaborar una tabla de frecuencia de los estados que tienen 7 o menos electores.

Número de electores	Marcas de conteo	Frecuencia
3	||||‖		6
4	||||‖		6
5	||||‖	5
6				2
7					3

Respuestas de Haz la prueba

a.

Historia	Frecuencia
Calificaciones de las pruebas	
Menos de 60	1
60–69	3
70–79	4
80–89	7
90–100	5

b. 7; 4

Teach

Learn

Alternate Examples

1. Use your answer to **Explore** Step 1 to construct a frequency chart of states with 7 or fewer electors.

Number of Electors	Tally Marks	Frequency Chart
3	||||‖		6
4	||||‖		6
5	||||‖	5
6				2
7					3

Answers for Try It

a.

History Test Scores	Frequency
Under 60	1
60–69	3
70–79	4
80–89	7
90–100	5

b. 7; 4

Alternate Examples

2. Use your answer to **Explore** Step 1 to construct a line plot of states with 10 or fewer electors. What picture of the data does the line plot show?

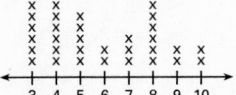

The line plot shows that 3, 4, and 8 are the most common number of electors, that 5 states have 5 electors, and that 3 states have 7 electors.

Answers for Try It

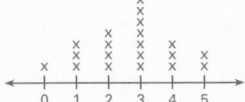

The line plot shows that 3 is the most common number of phone calls, 0 is the least common, and 1 and 4 appear with the same frequency.

Practice and Assess

Check

Be sure that students understand that each x in a line plot represents a single tally mark in the corresponding frequency chart.

Answers for Check Your Understanding

1. Possible answers: Similarities: Both give you an idea of how often each value occurred in the data; Differences: A frequency chart is easier to write but it doesn't give the data any shape, whereas a line plot gives shape to the data but it takes longer to write.

2. Yes; They both show the same information, they just show it in different ways. A frequency chart uses tally marks while a line plot uses an x for each mark.

Ejemplos adicionales

2. Usa la respuesta del inciso 1 en **Investigar** para hacer un diagrama de puntos de los estados que tienen 10 o menos electores. ¿Qué es lo que muestra el diagrama de puntos?

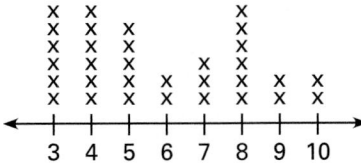

El diagrama de puntos muestra que 3, 4 y 8 son los números de electores más comunes, que 5 estados tienen 5 electores, y que 3 estados tienen 7 electores.

Respuestas de Haz la prueba

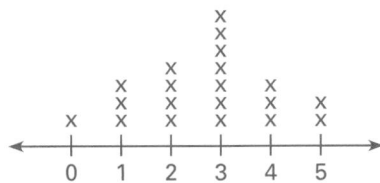

El diagrama de puntos muestra que 3 es el número más común de llamadas telefónicas, 0 es el menos común, y 1 y 4 aparecen con la misma frecuencia.

3 Práctica y evaluación

Comprobar

Asegúrese de que los estudiantes comprendan que cada x en un diagrama de puntos representa una marca de conteo en la tabla de frecuencia correspondiente.

Respuestas de Comprobar tu comprensión

1. Respuestas posibles: Semejanzas: Ambos dan una idea de qué tan seguido aparece cada valor en los datos; Diferencias: Una tabla de frecuencia es más fácil de escribir pero en ella no se aprecia cuál es la disposición de los datos, mientras que un diagrama de puntos presenta la forma de los datos pero toma más tiempo hacerlo.

2. Sí; Ambos muestran la misma información, sólo que la muestran de forma diferente. Una tabla de frecuencia usa marcas de conteo mientras que un diagrama de puntos utiliza una x para cada marca.

Un **diagrama de puntos** muestra la apariencia de un conjunto de datos. Se asemeja a un conjunto de marcas de conteo girado sobre uno de sus lados. En lugar de marcas de conteo, un diagrama de puntos utiliza equis (×).

Ejemplo 2

Traza un diagrama de puntos con los datos. ¿Qué es lo que muestra?

Número de hijos de los matrimonios presidenciales en el siglo XX

2	5	3	3	0	2
2	5	1	1	2	2
2	4	4	2	6	1

El diagrama de puntos indica que el número más frecuente de hijos es 2; 0 y 6 son los menos frecuentes; 3, 4 y 5 aparecen con la misma frecuencia.

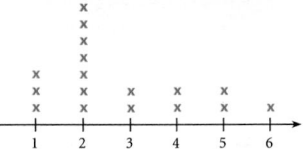

Haz la prueba

La tabla muestra los resultados de una encuesta hecha a 20 estudiantes de escuela intermedia. Haz un diagrama de puntos con los datos. ¿Cómo es el diagrama?

Llamadas telefónicas (diarias)

2	3	5	2	3
1	0	3	4	2
1	5	3	4	3
2	3	1	4	3

Comprobar Tu comprensión

1. ¿En qué se parecen y diferencian las tablas de frecuencia y los diagramas de puntos?

2. ¿Puede mostrarse la misma información tanto en una tabla de frecuencia como en un diagrama de puntos? Justifica tu respuesta.

26 Capítulo 1 • Estadísticas: Uso de números cabales en el mundo real

Enlace con Historia

James Buchanan (1791–1868) fue el único presidente de Estados Unidos que nunca se casó.

Resolución de problemas TEN EN CUENTA

Antes de empezar con las marcas de conteo, conviene examinar los datos; así, puedes tener una idea del rango en el que oscilan.

MEETING MIDDLE SCHOOL CLASSROOM NEEDS

Tips from Middle School Teachers

When working with frequency tables, I have students describe games they have played in which they have kept score using a tally system.

Team Teaching

Have the other teachers on your team describe any situations when information might be recorded using a frequency chart.

Social Studies Connection

In addresses, state names are shortened to two capital letters. These abbreviations were authorized by the United States Postal Service. Have students use the map on page 24 to identify as many states as they can and write their abbreviations. Students should use an almanac to help them.

Sugerencias de los maestros

Cuando los estudiantes trabajan con tablas de frecuencia, siempre les pido que describan los juegos en los cuales han usado marcas de conteo para registrar la puntuación de los jugadores.

Enseñanza en equipo

Anime a los demás maestros de la clase a describir situaciones cuya información pueda registrarse con una tabla de frecuencia.

Asociación con Ciencias sociales

En las direcciones de Estados Unidos, los nombres de los estados se abrevian con dos letras mayúsculas. Estas abreviaturas fueron autorizadas por el servicio postal estadounidense. Anime a los estudiantes a identificar todos los estados que puedan en el mapa de la página 24 y escribir las abreviaturas correctas. Sugiéreles que usen un almanaque como material de apoyo.

26   Capítulo 1

1-4 Ejercicios y aplicaciones

Práctica y aplicación

1. [Para empezar] Registra cada conjunto de datos en una tabla de conteo.

a. 5, 4, 1, 3, 3, 6, 10, 4, 7, 3, 1, 1, 2, 1, 4

b. 23, 21, 18, 20, 19, 22, 17, 22, 21, 20, 19, 20, 13, 20

c. 2000, 4000, 5000, 2500, 2000, 1500, 6500, 6000, 4000, 3500

Haz una tabla de frecuencia para cada conjunto de marcas de conteo.

2. Horas destinadas a realizar la tarea cada semana

Horas	Marcas de conteo
4	IIII
5	HHT II
6	HHT HHT III
7	HHT IIII
8	HHT HHT HHT I
9	HHT HHT I
10	HHT II

3. Zapatos en tu clóset

Zapatos	Marcas de conteo
2	HHT
4	HHT I
6	HHT IIII
8	HHT HHT III
10	HHT HHT HHT I
12	HHT HHT HHT III

4. Largo del cabello

Largo (in.)	Marcas de conteo
1	I
2	HHT III
3	HHT HHT
4	HHT
5	III
6	II
7	I

5. Historia Dibuja un diagrama de puntos de las edades de los primeros diez presidentes cuando asumieron el cargo.

Edad de los primeros diez presidentes

Edad	Frecuencia
51	1
54	1
57	4
58	1
61	2
68	1

6. Geografía Dibuja un diagrama de puntos del número de estados limítrofes de cada entidad de Estados Unidos.

Estados limítrofes	Frecuencia
0	2
1	2
2	4
3	8
4	12
5	11
6	8
7	1
8	2

Assignment Guide

■ Basic 1–5, 7–8, 11–31 odds

■ Average 1–5, 7–10, 12–32 evens

■ Enriched 1, 3–10, 12–32 evens

Respuestas de Ejercicios

1.

a.	1	IIII	b.	13	I	c.	1500	I
	2	I		17	I		2000	II
	3	III		18	I		2500	II
	4	III		19	II		3500	I
	5	I		20	IIII		4000	II
	6	I		21	II		5000	I
	7	I		22	II		6000	I
	10	I		23	I		6500	I

2. No. de horas invertidas en hacer la tarea

No. de horas invertidas en hacer la tarea	Frecuencia
4	4
5	7
6	13
7	9
8	16
9	11
10	7

3–6. Véase la página C1.

Exercise Answers

1.

a.	1	IIII	b.	13	I	c.	1500	I
	2	I		17	I		2000	II
	3	III		18	I		2500	II
	4	III		19	II		3500	I
	5	I		20	IIII		4000	II
	6	I		21	II		5000	I
	7	I		22	II		6000	I
	10	I		23	I		6500	I

2. No. Hours Doing

Homework	Frequency
4	4
5	7
6	13
7	9
8	16
9	11
10	7

3–6. See page C1.

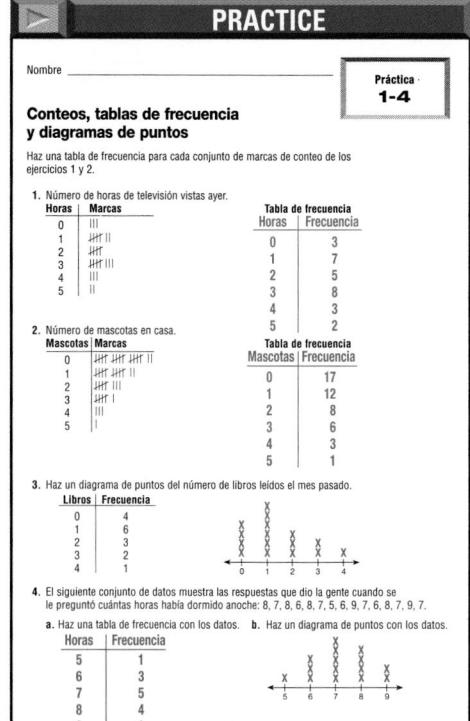

Práctica adicional

Actividad

Con los compañeros de tu clase, elabora una tabla de frecuencia del largo del cabello.

• Usa estas longitudes: muy corto, corto, mediano, largo.

• Las columnas deben marcarse con "Longitud del cabello", "Marca de conteo" y "Frecuencia".

• Debajo de Largo del cabello hagan una lista de las longitudes. En la siguiente columna haz una marca de conteo para cada compañero con esa longitud de cabello. Cada vez que llegues a 5, pon una marca de conteo que cruce las otras 4.

• Cuenta las marcas de conteo de cada longitud y anota el número en la última columna.

Reteaching

Activity

Make a frequency chart of the hair length represented by the students in your class.

• Use these lengths: very short, short, medium, long.

• The columns should be labeled "Hair Length," "Tally," and "Frequency."

• Under Hair Length list the lengths. Then in the next column make a tally mark for each student with that length hair. Each time you get to 5, make that tally mark across the preceding 4.

• Count the tally marks for each length and record that number in the last column.

Project Progress

You may want to have students use Chapter 1 Project Master.

Exercise Answers

7. a.

No. of Vetoes	Frequency
0	5
1	2
2	1
3	1
7	1
10	1
12	1

b.

```
x
x
x
x  x
x  x  x        x      x   x
+--+--+--+--+--+--+--+--+--+--+--+--+--+
0     2     4     6     8    10    12
```

8. Odd numbers; There are 8 odd numbers and 5 even numbers.

9. Possible answer: The number that occurs most frequently has the tallest stack of x's.

10. Possible answers: To summarize a data set in a chart; To summarize a data set in a graph.

11. Two hundred seventeen

12. Three hundred fifty-six

13. Six hundred sixteen

14. Four hundred ninety-one

15. Six hundred nine

16. Seven hundred seventy-three

17–22. See page C1.

Alternate Assessment

Portfolio Select one frequency chart and one line plot that you made as an exercise answer and add these samples to your portfolio.

Quick Quiz

1. Use a tally chart to record the number of siblings each student in your class has in his or her family. *Answers may vary.*

2. Draw a line plot of the tally chart from Question 1. *Answers may vary.*

Available on Daily Transparency 1-4

Respuestas de Ejercicios

7. a.

Núm. de vetos	Frecuencia
0	5
1	2
2	1
3	1
7	1
10	1
12	1

b.

```
x
x
x
x  x
x  x  x        x      x   x
+--+--+--+--+--+--+--+--+--+--+--+--+--+
0     2     4     6     8    10    12
```

8. Números impares; Hay 8 números impares y 5 números pares.

9. Respuesta posible: El número que se repite con más frecuencia tiene la mayor cantidad de equis.

10. Respuestas posibles: Resumir un conjunto de datos en una tabla; Resumir un conjunto de datos en una gráfica.

11. Doscientos diecisiete

12. Trescientos cincuenta y seis

13. Seiscientos dieciséis

14. Cuatrocientos noventa y uno

15. Seiscientos nueve

16. Setecientos setenta y tres

17–22. Véase la página C1.

Evaluación adicional

Portafolio Elige una tabla de frecuencia y un diagrama de puntos que hayas hecho como respuesta a un ejercicio y agrega ambos ejemplos a tu portafolio.

► Prueba rápida

1. Usa una tabla de marcas para anotar el número de hermanos que tiene cada uno de tus compañeros. *Las respuestas pueden variar.*

2. Dibuja un diagrama de puntos con la tabla de marcas de la pregunta 1. *Las respuestas pueden variar.*

RESOLVER PROBLEMAS 1-4

7. **Historia** Si el presidente ratifica una iniciativa de ley del Congreso, dicha iniciativa se convierte en ley. Si, por el contrario, el presidente cree que no debe promoverse tal o cual iniciativa, puede vetarla.

   a. Haz una tabla de frecuencia para los datos de la tabla.

   b. Traza un diagrama de puntos para estos mismos datos.

Presidente	Número de vetos	Presidente	Número de vetos
Washington	2	Jackson	12
J. Adams	0	Van Buren	1
Jefferson	0	W. Harrison	0
Madison	7	Tyler	10
Monroe	1	Polk	3
J. Q. Adams	0	Taylor	0

"They can't say I'm not doing anything"

"No podrán decir que no hago nada"

Tomado de HERBLOCK: A CARTOONIST'S LIFE (Macmillan Publishing, 1993)

Resolución de problemas y razonamiento

8. **Razonamiento crítico** ¿La tabla de frecuencia muestra más números pares o impares? Explica tu respuesta.

Edad	Frecuencia
5	2
6	5
7	6

9. **Comunicación** ¿Cómo muestra un diagrama de puntos la apariencia de un conjunto de datos?

10. **En tu diario** ¿Cuál es el objetivo de una tabla de frecuencia? ¿Y cuál el de un diagrama de puntos?

Repaso mixto

Escribe cada número en forma verbal. *[Curso anterior]*

11. 217 **12.** 356 **13.** 616 **14.** 491 **15.** 609 **16.** 773

17. 2143 **18.** 3781 **19.** 9611 **20.** 5505 **21.** 4302 **22.** 9933

Haz las siguientes divisiones. *[Curso anterior]*

23. 50 ÷ 2 25   **24.** 66 ÷ 3 22   **25.** 84 ÷ 4 21   **26.** 96 ÷ 6 16   **27.** 88 ÷ 8 11

28. 98 ÷ 7 14   **29.** 95 ÷ 5 19   **30.** 87 ÷ 2 43 R 1 ó 43.5   **31.** 74 ÷ 3 24 R 2 ó 24.7   **32.** 57 ÷ 1 57

El proyecto en marcha

Después de haber reunido suficientes datos numéricos acerca de tu localidad, imagina cuál sería la mejor manera de presentar esta información. Podrías usar tablas de frecuencia, diagramas de puntos o gráficas de barras.

Resolución de problemas
Comprende
Planea
Resuelve
Revisa

28 Capítulo 1 • Estadísticas: Uso de números cabales en el mundo real

---

► PROBLEM SOLVING

Nombre _____

Resolución guiada de problemas 1-4

RGP PROBLEMA 5, PÁGINA 27 DEL ESTUDIANTE

Dibuja un diagrama de puntos de las edades de los primeros diez presidentes cuando asumieron el cargo.

Edad de los primeros 10 presidentes

Edad	Frecuencia
49	1
54	1
57	4
58	1
61	2
68	1

— Comprende —

1. ¿Qué se te pide que hagas? Dibujar un diagrama de puntos de las edades de los primeros diez presidentes cuando asumieron el cargo.

2. ¿Qué marca usarías para registrar un dato en un diagrama de puntos? X

— Plan —

3. Haz una lista de las edades de los presidentes. 49, 54, 57, 58, 61, 68

4. El número menor que registraste es 49

5. El número mayor que registraste es 68

6. ¿Cuántas marcas vas a escribir para la edad de un presidente? Una marca.

— Resuelve —

7. Escribe las edades en orden ascendente en el diagrama de puntos. Incluye todas las edades entre la menor y la mayor.

8. Registra tus datos.

```
                     x
                     x        x
+--+--+--+--+--+--+--+--+--+--+--+
46 48  50  52  54  56  58  60  62  64  66  68
```

— Revisa —

9. ¿Cómo puedes estar seguro de que has registrado cada dato en el diagrama de puntos? Respuesta posible: Al contar el número de marcas y revisar para ver si hay el mismo número de datos.

RESUELVE OTRO PROBLEMA

Haz un diagrama de puntos para representar el valor de las monedas en este conjunto de datos: de diez, de cinco, de diez, de uno, de cinco, de uno, de diez, de diez, de uno, de cinco, de cinco, de uno, de diez, de diez, de cinco, de uno, de cinco, de diez, de diez centavos.

Un centavo   Cinco centavos   Diez centavos

► ENRICHMENT

Nombre _____

Actividad de enriquecimiento 1-4

Patrones de datos

La compañía Business Inc. abrió su negocio en 1990. Sus ventas se muestran en la gráfica de barras de la derecha. Los ejecutivos hicieron también la gráfica de ventas mensuales de dos años. Esta gráfica se muestra a continuación.

Ventas anuales

Ventas mensuales

1. ¿Qué patrón, o tendencia, observas en la gráfica de ventas anuales? ¿Qué significa esta tendencia?
   Respuesta posible: Las barras se vuelven más altas cada año, lo cual significa que las ventas aumentan.

2. Si el patrón continuara, ¿cómo crees que serían las ventas para el año 2000? Explica tu razonamiento.
   Respuesta posible: Puesto que el crecimiento de las ventas cada año es como de $50,000, las ventas en el año 2000 serán como de $550,000.

3. Si los ejecutivos quisieran que las ventas se mantuvieran constantes a lo largo del tiempo, ¿cómo modificarían la gráfica?
   Respuesta posible: Podrían usar intervalos mayores.

4. ¿Qué patrón observas en la gráfica de ventas mensuales? ¿Qué significa esto?
   Respuesta posible: Los mismos meses durante los dos años muestran la misma cantidad de ventas. En ambos años, las ventas se incrementan en mayo, junio, octubre, noviembre y diciembre.

5. ¿Por qué crees que tiene esta forma el patrón de ventas mensuales?
   Respuesta posible: Las ventas aumentan en mayo y junio por los regalos que se compran para el día de las madres y el día del padre. Las ventas aumentan en octubre, noviembre y diciembre por los regalos navideños.

---

28 Capítulo 1

Escalas y gráficas de barras

▶ **Enlace con la lección** Con tus conocimientos de lectura e interpretación de gráfica de barras, construirás una gráfica de este tipo. ◀

Una gráfica de barras es una manera de presentar y comparar visualmente los datos numéricos. La **escala** de una gráfica de barras es la "regla" que mide la altura de las barras. El **intervalo** es el espacio que hay entre los valores de una escala. Las líneas sobre las cuales se construye la gráfica de barras son los ejes **horizontal** y **vertical**.

Vas a aprender...

■ a hacer gráficas de barras.

...cómo se usa

Los analistas políticos utilizan las gráficas de barras para expresar, por ejemplo, la popularidad de los candidatos presidenciales.

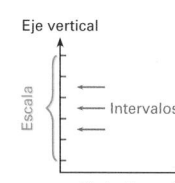

Investigar   Escalas y gráficas de barras

¡La balanza se inclina hacia la victoria!

Materiales: Software de hoja de cálculo

El mapa muestra cinco regiones del país y el número de votos electorales que cada una emite en los comicios presidenciales. Los candidatos a la presidencia a menudo tratan de atraer votantes de forma regional y no nacional. Un candidato que logre gran popularidad en tres regiones es probable que gane las elecciones.

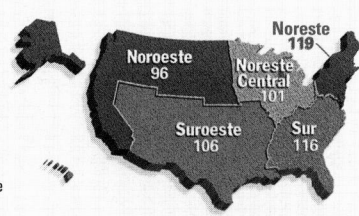

Noreste 119
Noroeste 96
Noreste Central 101
Suroeste 106
Sur 116

Vocabulario

escala
intervalo
eje horizontal
eje vertical
rango

1. En una hoja de cálculo, introduce en la columna A los nombres de cada región y en la columna B el total de los votos electorales.

2. Con la información introducida en la hoja de cálculo, dibuja una gráfica de barras.

3. Dibuja una segunda gráfica de barras con los mismos datos, pero esta vez elige un número pequeño para la escala.

4. Mediante la información introducida en la hoja de cálculo, dibuja una tercera gráfica de barras, pero ahora escoge números grandes para la escala.

5. Explica de qué manera la elección de escalas afecta la apariencia de una gráfica de barras.

MEETING INDIVIDUAL NEEDS

Recursos

1-5 Práctica
1-5 Práctica adicional
1-5 Resolución de problemas
1-5 Actividad de enriquecimiento
Tecnología 3

 CD-ROM interactivo
Hoja de cálculo/
Herramienta para graficar

 Wide World of Mathematics
Middle School: Graphs in the News

Resources

1-5 Practice
1-5 Reteaching
1-5 Problem Solving
1-5 Enrichment
1-5 Daily Transparency
      Problem of the Day
      Review
      Quick Quiz
Technology Master 3
      Interactive CD-ROM
      Spreadsheet/Grapher Tool
      Wide World of Mathematics
      Middle School: Graphs in the News

Modos de aprendizaje

Visual Es posible que las gráficas sean más precisas si los estudiantes usan cuadrículas más grandes. Si la anchura de las barras y la separación entre ellas es igual, los valores podrían identificarse con mayor facilidad.

Social En la sección **Investigar**, los estudiantes deberán construir por parejas una gráfica de barras.

Learning Modalities

Visual Students may find it easier to make more accurate graphs if they use grid paper with rather large squares, as they can make the bars the same width and the same distance apart, and the heights of the bars are easy to determine.

Social Students can work with a partner to construct the bar graphs in **Explore**.

Inclusión

Ayude a los estudiantes de lento aprendizaje que se confunden al observar escalas diferentes en las gráficas. Use cubos apilables para representar las barras de las gráficas.

Inclusion

Be aware that learning-disabled students may be confused by data displayed on graphs with different scales. Use stacking cubes to help these students work with bar graphs.

Lesson Organizer

Objective
■ **Make a bar graph.**

Vocabulary
■ **Scale, interval, horizontal axis, vertical axis, range**

Materials
■ **Explore: Spreadsheet software**

NCTM Standards
■ **1–4, 10**

▶ **Repaso**

Halla cada diferencia.

1. 33 − 15 18
2. 68 − 39 29
3. 80 − 27 53
4. 104 − 28 76

Review

Find each difference.

1. 33 − 15 18
2. 68 − 39 29
3. 80 − 27 53
4. 104 − 28 76

Available on Daily Transparency 1-5

---

1 Introducción

Introduce

Investigar

Objetivo
Los estudiantes investigan cómo el cambio de la escala en una gráfica de barras puede modificar la percepción de las diferencias entre los valores de la gráfica.

Evaluación continua
Cerciórese de que los estudiantes comprendan cómo introducir los datos en el programa de la hoja de cálculo y sepan cómo modificar los intervalos de la escala.

Para los grupos que terminen antes
Un presidente debe obtener 270 votos electorales para ser electo. Calcula los totales para todas las combinaciones de tres regiones, a fin de verificar que al ganar tres regiones, la victoria está prácticamente asegurada.

Respuestas de Investigar en la siguiente página.

Explore

The Point
Students investigate how changing the scale of a bar graph can change the perception of the differences between the values in the graph.

Ongoing Assessment
Check that students understand how to enter data into the spreadsheet program and that they can vary the scale intervals.

For Groups That Finish Early
A President must have 270 electoral votes to be elected. Calculate the totals for all combinations of three regions to verify that winning three regions basically guarantees victory.

Answers for Explore on next page.

Answers for Explore

1. Northwest 96; Southwest 106; North Central 101; South 116; Northeast 119.

2. Possible answer:

Presidential votes

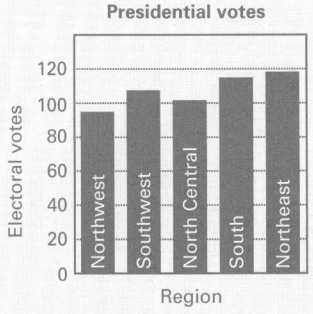

3. Possible answer: Bar graph with smaller scales than student's graph in Step 2.

4. Possible answer: Bar graph with larger scales than student's graph in Step 2.

5. The choice of the scale can make the information look closer together or farther apart..

Teach

Learn

Alternate Examples

1. Use the data in Example 1 to make a bar graph with intervals of 2. Label the graph and give the graph a title.

Political Parties of the Presidents

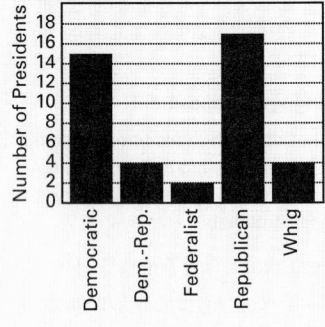

Respuestas de Investigar

1. Noroeste 96; Suroeste 106; Norte Central 101; Sur 116; Noreste 119.

2. Respuesta posible:

Votos presidenciales

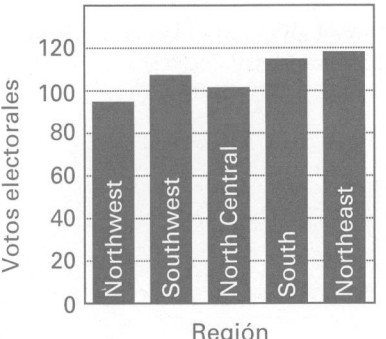

3. Respuesta posible: Una gráfica de barras con escalas más pequeñas que la gráfica de los estudiantes en el inciso 2.

4. Respuesta posible: Una gráfica de barras con escalas más grandes que la gráfica de los estudiantes en el inciso 2.

5. La elección de la escala puede hacer que la información se vea muy junta o muy separada.

2 Enseñanza

Aprender

Ejemplos adicionales

1. Usa los datos del ejemplo 1 para hacer una gráfica de barras con intervalos de 2. Rotula la gráfica y asígnale un título.

Partidos políticos de los presidentes

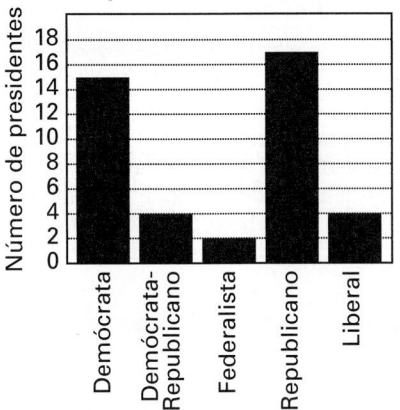

¿LO SABÍAS?

A menudo el rango se conoce como "del (número más bajo) al (más alto)". Podría decirse que este conjunto de datos tiene un rango "del 28 al 31".

CÁLCULO MENTAL

Cada número que termina en 0 ó 5 se puede dividir en grupos de 5.

Aprender Escalas y gráficas de barras

El **rango** de un conjunto de datos se refiere a la diferencia entre el valor más alto y el valor más bajo. Para este conjunto, el valor más alto es 31 y el más bajo 28. La diferencia, $31 - 28$, es 3; por tanto el rango es 3.

Cuando los datos de un conjunto se presentan en orden ascendente, es más conveniente empezar desde 0 la escala de una gráfica de barras.

Número de días en un mes			
31	28	31	30
31	30	31	31
30	31	30	31

Ejemplo 1

Un partido político se conforma de un grupo de ciudadanos cuyo propósito es influir en la política gubernamental colocando a sus miembros en puestos de gobierno. Los primeros 42 presidentes de Estados Unidos provenían de cinco partidos políticos. Utiliza los datos para elaborar una gráfica de barras.

Partido	Número de presidentes
Demócrata	15
Demócrata-Republicano	4
Federalista	2
Republicano	17
Liberal	4

El valor más alto de la escala debe ser mayor que 17. Los números que terminan en cero son fáciles de entender y de dividir en intervalos. Por tanto, 20 es una buena elección para el valor máximo de la escala.

El número más bajo es 2. Los datos están ordenados en un rango de 2 a 17, por tanto, cero es una elección conveniente para el punto más bajo de la escala.

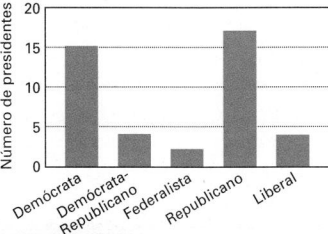
← Es fácil dividir 20 en intervalos de 5, pero también podrías utilizar intervalos de 2, 4 ó 10.

Representa cada partido con barras verticales del mismo ancho. Rotula las barras y asigna un título a la gráfica.

Partidos políticos de los presidentes

30   Capítulo 1 • Estadísticas: Uso de números cabales en el mundo real

---

MATH EVERY DAY

Problema del día

Copia el problema y escribe los números que faltan.

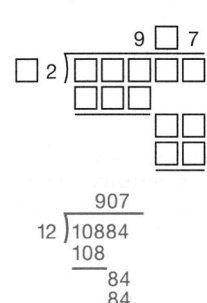

$$12 \overline{)10884}$$
907
108
84
84

Problem of the Day

Copy the problem and fill in the missing digits.

Available on Daily Transparency 1-5

An Extension is provided in the transparency package.

Dato del día

Tres presidentes de Estados Unidos han muerto el 4 de julio: John Adams, Thomas Jefferson y James Monroe.

Fact of the Day

Three Presidents died on July 4th: John Adams, Thomas Jefferson, and James Monroe.

Mental Math

Find each difference mentally.

1. $350 - 250$ 100
2. $87 - 47$ 40
3. $57 - 23$ 34
4. $225 - 25$ 200
5. $809 - 502$ 307

Cálculo mental

Halla cada resta en forma mental.

1. $350 - 250$ 100
2. $87 - 47$ 40
3. $57 - 23$ 34
4. $225 - 25$ 200
5. $809 - 502$ 307

En ocasiones todos los datos están concentrados en la parte más alta del rango, o bien, una gran parte del rango no tiene datos, por lo que es necesario "interrumpir" la escala.

Ejemplo 2

Haz una gráfica de barras con los datos.

Longitud de los Grandes Lagos (en su parte máxima)					
Lago	Erie	Huron	Michigan	Ontario	Superior
Longitud (mi)	241	206	307	193	350

Puesto que todos los datos son mayores de 193, conviene omitir los valores entre 0 y 193 (al interrumpir la escala). Pero, si quieres mostrar la altura real de todas las barras, deberás utilizar la escala completa empezando desde el 0, como se observa en la gráfica de la derecha.

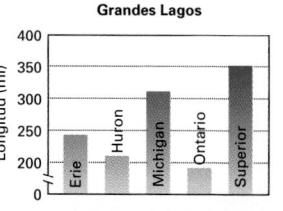

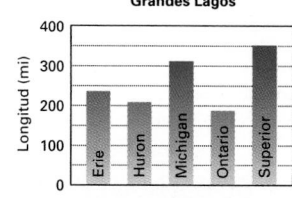

Haz la prueba

Traza una gráfica de barras de los años en el cargo de las primeras ministras.

Meir (Israel)	Gandhi (India)	Thatcher (GB)	Brundtland (Noruega)
Años en el cargo 5	18	11	13

Comprobar | Tu comprensión

1. ¿De qué manera el rango afecta la escala y los intervalos en una gráfica de barras?

2. ¿Cuándo debe utilizarse una escala interrumpida en una gráfica de barras? Da un ejemplo.

3. ¿Existe sólo una escala posible para una gráfica de barras? Justifica tu respuesta.

1-5 • Escalas y gráficas de barras **31**

Ejemplos adicionales

2. Traza una gráfica de barras con la anchura de los Grandes Lagos: Erie: 57 mi; Huron: 183 mi; Michigan: 118 mi; Ontario: 53 mi; Superior: 160 mi.

No tomes en cuenta los valores entre 0 y 50. Usa intervalos de 10 ó 20; el valor máximo es 190.

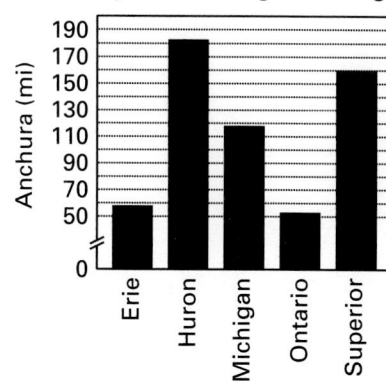

Respuestas de Haz la prueba

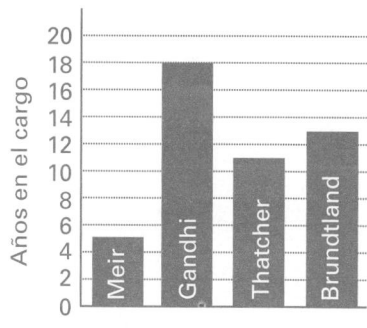

Alternate Examples

2. Make a bar graph of the widths of the Great Lakes: Erie: 57 mi; Huron: 183 mi; Michigan: 118 mi; Ontario: 53 mi; Superior: 160 mi.

Skip the values between 0 and 50. Use intervals of 10 or 20, and 190 as the greatest value

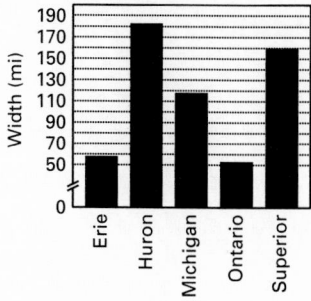

Answers for Try It

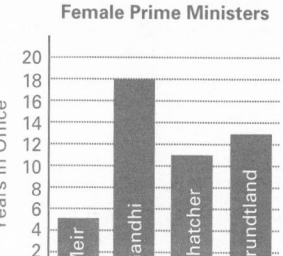

---

3 Práctica y evaluación

Comprobar

Respuestas de Comprobar tu comprensión

1. En general, los datos con un rango muy grande también tienen intervalos grandes para ajustarse a la escala. Los datos con rangos pequeños normalmente tienen intervalos pequeños dentro de la escala del rango.

2. Una escala interrumpida se usa cuando todos los datos se agrupan en un rango pequeño pero el rango no está cerca del cero. Por ejemplo, la altura en pulgadas de los jugadores de baloncesto serán números que estén muy cerca uno del otro, pero ninguno está cerca del cero.

3. No; Hay varias escalas posibles para una gráfica. Eso depende de cuánto espacio requiera la gráfica.

Practice and Assess

Check

Answers for Check Your Understanding

1. Data with a large range usually has large intervals to fit the scale. Data with a small range usually has small intervals within the scale for the range.

2. A broken scale is used when all of the data clusters are in a small range but the range is not near zero. For example, height in inches of basketball players would be numbers that are somewhat close together, but none of them would be close to zero.

3. No; There are several different possible scales for a graph. It depends on how much space you want the graph to take.

Assignment Guide

- Basic 1–5, 7–17 odds
- Average 1–6, 8–18 evens
- Enriched 1–6, 10–18 evens

Exercise Answers

1. a. Range 13, interval 2.
   b. Range 90, interval 25.

2. a. 4; b.

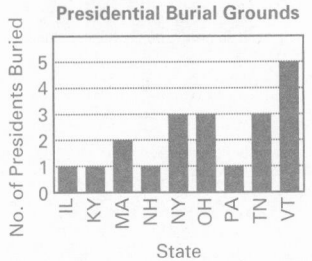

Presidential Burial Grounds

3.

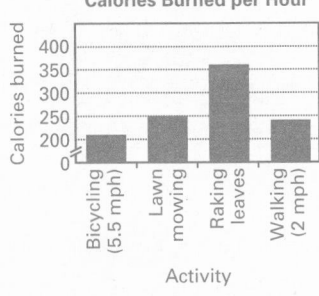

Calories Burned per Hour

Respuestas de Ejercicios

1. a. Rango 13, intervalo 2.
   b. Rango 90, intervalo 25.

2. a. 4; b.

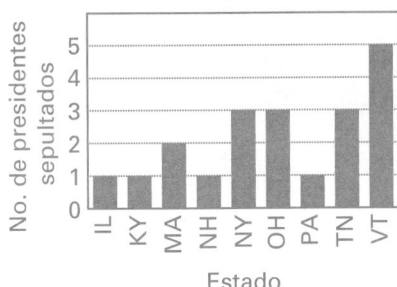

Mausoleos presidenciales

3.

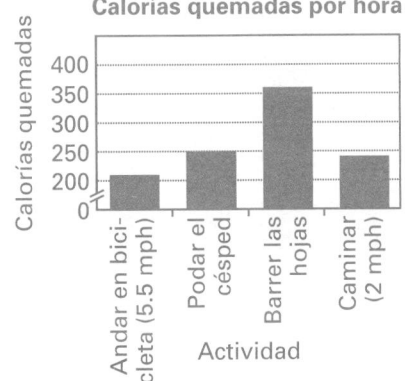

Calorías quemadas por hora

Reteaching

Activity

- Make a bar graph using the data for electoral votes given on page 29.
- Choose a convenient scale. Use equal intervals of 5 along the vertical scale.
- Place region names at the bottom.

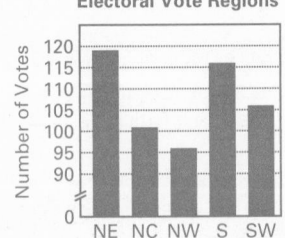

Electoral Vote Regions

Práctica adicional

Actividad

- Construye una gráfica de barras con la información de los votos electorales que se proporciona en la página 29.
- Escoge una escala conveniente. Usa intervalos de 5 unidades en la escala vertical.
- Coloca los nombres de las regiones en la parte inferior.

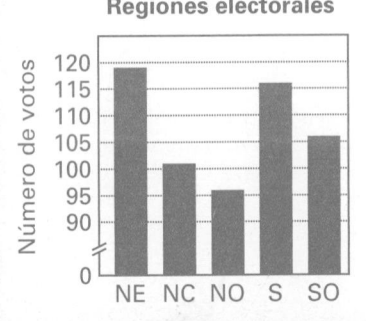

Regiones electorales

1-5 Ejercicios y aplicaciones

PRACTICAR 1-5

Práctica y aplicación

1. **Para empezar** Para cada conjunto de datos, señala el rango y escoge el mejor intervalo para una gráfica de barras.

   a. Datos: 3, 6, 9, 12, 15, 16; ¿intervalo de 2 ó 10?

   b. Datos: 55, 101, 120, 145; ¿intervalo de 10 ó 25?

2. **Ciencias sociales** Muchas personas creen que los lugares donde se entierra a los presidentes tienen un valor histórico importante. Los primeros 20 presidentes fueron sepultados en los siguientes estados: Illinois (1), Kentucky (1), Massachusetts (2), New Hampshire (1), New York (3), Ohio (3), Pennsylvania (1), Tennessee (3), Vermont (5).

   a. ¿Cuál es el rango de los valores en este conjunto de datos?

   b. Haz una gráfica de barras con los datos.

Mausoleo de Lincoln

3. **Ciencias** Haz una gráfica de barras que muestre las calorías quemadas cada hora por una persona de 150 libras mientras realiza alguna actividad. Si lo crees apropiado, utiliza una escala interrumpida.

Andar en bicicleta	Podar el césped	Barrer las hojas	Caminar
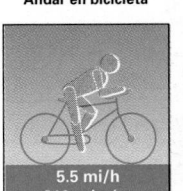			
5.5 mi/h 210 calorías	250 calorías	360 calorías	2 mi/h 240 calorías

4. **Para la prueba** ¿Cuál es el intervalo que se utiliza en la escala de esta gráfica de barras? **A**

   (A) 5   (B) 0

   (C) 10   (D) 15

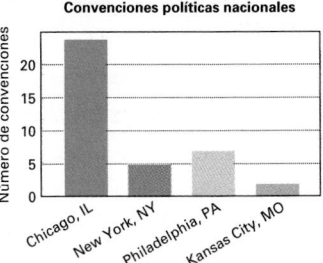

Convenciones políticas nacionales

▷ **PRACTICE**

Nombre _____

Práctica 1-5

Escalas y gráficas de barras

1. Haz una gráfica de barras con los datos que muestran el número de contestadoras automáticas vendidas de 1989 a 1993.

Año	Millones de contestadoras
1989	3.7
1990	5.6
1991	8.0
1992	11.1
1993	13.6

Contestadoras automáticas vendidas

2. **Ciencias sociales** Los datos muestran el promedio del tamaño de las familias en Estados Unidos de 1960 a 1990. Haz una gráfica de barras con los datos.

Año	Promedio del tamaño de las familias
1960	3.33
1970	3.14
1980	2.76
1990	2.63

Promedio del tamaño de las familias

3. ¿Cuál es el rango de los datos para el promedio del tamaño de las familias en el ejercicio 2?

   0.70

4. **Profesiones** Los datos muestran el promedio de ingresos semanales de los trabajadores de varias industrias en 1990. Haz una gráfica con estos datos. Usa una escala interrumpida, si lo crees apropiado.

Industria	Ingresos
Fundidoras de hierro y acero	484.99
Equipo eléctrico	420.65
Maquinaria no eléctrica	494.34
Ferretería, cuchillería, herramientas	440.08
Metalurgia	447.28

Ingresos semanales

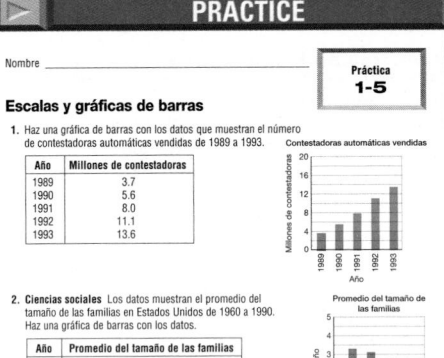

▷ **RETEACHING**

Nombre _____

Práctica adicional 1-5

Escalas y gráficas de barras

Una gráfica de barras es una forma de presentar de manera visual datos numéricos y compararlos. La **escala** de una gráfica de barras es la "regla" que mide la altura de las barras. Los **intervalos** son las divisiones iguales marcadas en la escala, que la hacen más fácil de leer. Las rectas sobre las que se construye una gráfica son los **ejes horizontal** y **vertical**. El **rango** del conjunto de datos se refiere a la diferencia entre el valor más alto y el más bajo.

— Ejemplo

Sam siguió estos pasos para construir una gráfica de barras con los datos de la altura de las montañas.

Paso 1: Usó una escala de 0 a 30,000 pues la montaña más alta es de 29,000 pies. El rango de los datos es de 15,000. Usó intervalos de 5,000 porque 30,000 es divisible entre 5,000.

Paso 2: Dibujó barras para representar los datos y rotuló las barras.

Paso 3: Asignó un título a la gráfica.

Altura de las montañas

Haz la prueba Usa los datos para completar la gráfica.

Profundidad (al millar de metros más cercano)

Océano	Profundidad (m)
Ártico	6,000
Índico	7,000
Atlántico	9,000
Pacífico	11,000

a. ¿Cuál es el rango de los datos? _5000 metros._

b. ¿Qué intervalo se usó en la escala vertical? _2000_

c. ¿Sería razonable usar un intervalo de 20,000? Explica por qué.

   No. Puesto que todos los datos se graficarán en un intervalo, sería difícil leer e interpretar la gráfica.

d. Dibuja las barras que representan las profundidades de los océanos Índico, Pacífico y Atlántico.

e. Rotula y sombrea las barras. Luego asigna un título a la gráfica.

f. Redacta un problema que pueda resolverse con los datos de esta gráfica.

   Respuesta posible: ¿Cuánto más profundo es el océano Pacífico que el Atlántico?

Profundidad de los océanos

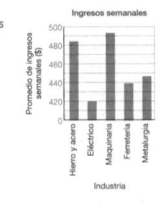

Resolución de problemas y razonamiento

5. Geografía Las gráficas muestran el promedio de temperaturas de dos de las más frías y dos de las más calurosas ciudades de Estados Unidos.

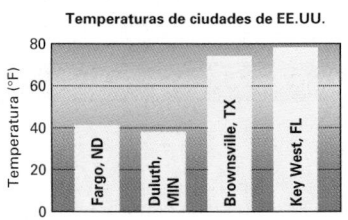

Temperaturas de ciudades de EE.UU.

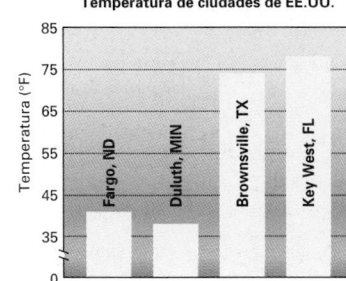

Temperatura de ciudades de EE.UU.

a. Para cada gráfica, señala el rango de valores y el intervalo utilizado en la escala.

b. Razonamiento crítico Compara ambas gráficas. ¿Podrían interpretarse de manera errónea? Explica por qué.

c. Comunicación Describe la apariencia de los datos mostrados en las gráficas de barras.

6. Razonamiento crítico La gráfica de barras se realizó a partir de los siguientes datos.

a. Dos barras se dibujaron en forma errónea. ¿Cuáles son? ¿Qué es lo incorrecto en estas barras?

b. La escala utilizada en la gráfica no es conveniente. ¿Cuál sería mejor para estos datos?

Precios de sandalias

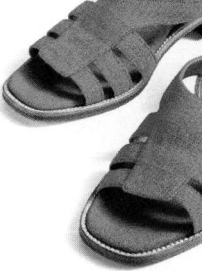

Precio de un par de sandalias	
Compra y gasta	$10
Sandalandia	$12
El tacón de Max	$23
La costura	$15

Repaso mixto

Realiza la operación apropiada. *[Curso anterior]*

7. 4678 + 3909	**8.** 12,439 + 58,002	**9.** 536,092 + 182,438
10. 9,346 + 16,724	**11.** 25,392 + 7,325	**12.** 36,382 + 945,217
13. 6329 − 2735	**14.** 51,027 − 38,021	**15.** 837,327 − 683,442
16. 7003 − 628	**17.** 23,422 − 9,431	**18.** 603,288 − 37,294

1-5 • Escalas y gráficas de barras **33**

Notas sobre los ejercicios

■ **Ejercicio 5**

Geografía Una de las temperaturas más bajas que se han registrado en North Dakota fue −60°F, y una de las más altas temperaturas que se han registrado en Texas fue 120°F.

Respuestas de Ejercicios

5. a. La primera gráfica tiene un rango de 40 y un intervalo de 20. La segunda gráfica tiene un rango de 40 y un intervalo de 10.

   b. Respuesta posible: Sí; La segunda gráfica puede ser engañosa porque el eje vertical no comienza en 0.

   c. Respuesta posible: La altura de las barras de las dos ciudades más frías es aproximadamente igual; la altura de las barras de las dos ciudades más calientes es casi la misma. La temperatura de las dos ciudades más calientes es casi el doble de la temperatura de las dos ciudades más frías.

6. a. La barra de Compra y gasta debería tener una altura de $10. La barra de El tacón de Max debería tener una altura de $23.

   b. 5

Evaluación adicional

Autoevaluación Describe la utilidad de hacer una gráfica de barras y también lo que te parece más difícil de su elaboración.

Exercise Notes

■ **Exercise 5**

Geography One of the lowest temperatures ever recorded in North Dakota was −60°F and one of the highest temperatures ever recorded in Texas was 120°F.

Exercise Answers

5. a. The first graph has range 40, interval 20. The second graph has range 40, interval 10.

   b. Possible answer: Yes; The second graph could be misleading because the vertical axis does not begin at 0.

   c. Possible answer: The bars of the two cold cities are approximately the same height and the bars of the two warm cities are approximately the same height. The two warm cities have temperatures approximately double the temperatures of the cold cities.

6. a. The bar for Shop 'n' Spend should have a height of $10. The bar for Max's Fine Footwear should have a height of $23.

   b. 5

Alternate Assessment

Self Assessment Describe why it is useful to make a bar graph and also what you find most difficult about making a bar graph.

➤ Prueba rápida

Halla el rango y escoge el intervalo más adecuado para hacer una gráfica de barras con los datos que se proporcionan.

1. 5, 8, 12, 16, 20; intervalo de 2 ó 5. Rango, 15; Intervalo, 2.

2. 25, 75, 125, 150, 200; intervalo de 10 ó 25. Rango, 175; Intervalo, 25.

Quick Quiz

Find the range and choose the better interval for a bar graph of the given data.

1. 5, 8, 12, 16, 20; interval of 2 or 5. Range, 15; Interval, 2.

2. 25, 75, 125, 150, 200; interval of 10 or 25. Range, 175; Interval, 25.

Available on Daily Transparency 1-5

Lesson Organizer

- **Organize large sets of data into stem-and-leaf diagrams.**

Vocabulary

- **Stem-and-leaf diagram**

NCTM Standards

- **1–5, 7, 10**

Review

Order from least to greatest.

1. 352, 389, 362, 304, 321
   304, 321, 352, 362, 389

2. 1923, 1920, 1900, 1953
   1900, 1920, 1923, 1953

3. 56, 52, 54, 56, 59, 57
   52, 54, 56, 56, 57, 59

Available on Daily Transparency 1-6

► Repaso

Ordena de menor a mayor.

1. 352, 389, 362, 304, 321
   304, 321, 352, 362, 389

2. 1923, 1920, 1900, 1953
   1900, 1920, 1923, 1953

3. 56, 52, 54, 56, 59, 57
   52, 54, 56, 56, 57, 59

Introduce

Explore

The Point

Students explore how a set of data can have a shape.

Ongoing Assessment

Check that students are able to order the numbers within each thousands interval. Remind them to order by the hundreds digits, and if those are the same to order by the tens digits, and so on.

For Groups That Finish Early

In how many cities did Bill Clinton lead both George Bush and Ross Perot? 15 cities

Follow Up

After interpreting the numbers in the three lists, students should welcome strategies for making the work easier.

1 Introducción

Investigar

Objetivo

Los estudiantes investigan cómo un conjunto de datos puede tomar cierta forma.

Evaluación continua

Cerciórese de que los estudiantes sean capaces de ordenar los números dentro de cada intervalo de millares. Recuérdeles que deben ordenarlos por centenas, y si éstas son iguales, por decenas, etcétera.

Para los grupos que terminen antes

¿En cuántas ciudades triunfó Bill Clinton sobre George Bush y Ross Perot? En 15 ciudades

Seguimiento

Después de interpretar los números de las tres listas, los estudiantes deben tomar en cuenta las estrategias que les faciliten el trabajo.

1-6   Tablas arborescentes

Vas a aprender...

- a organizar grandes conjuntos de datos en tablas arborescentes.

...cómo se usa

Los paleontólogos emplean tablas arborescentes para estudiar el tamaño de grupos de dinosaurios.

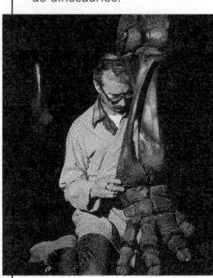

Vocabulario

- tabla arborescente

► Enlace con la lección   Has visto cómo un diagrama de puntos sirve para organizar partes individuales de los datos; aunque a veces necesitas organizar los datos en intervalos. ◄

Investigar   Ordenación de datos

El debate de Maine

La elección presidencial de 1992, en Maine, fue una cerrada carrera entre tres candidatos: Bill Clinton, George Bush y Ross Perot. La tabla muestra los votos totales para cada candidato en las 16 ciudades más grandes de Maine.

Resultados de las elecciones de Maine en 1992							
Ciudad	Clinton	Bush	Perot	Ciudad	Clinton	Bush	Perot
Auburn	5,025	3,653	3,964	Old Town	2,272	1,173	1,302
Augusta	4,657	3,003	3,002	Portland	19,510	8,660	6,910
Bangor	6,826	5,185	4,689	Rockland	1,192	1,081	1,059
Bath	1,988	1,630	1,458	Saco	4,000	2,769	2,303
Biddeford	4,945	2,533	2,717	Sanford	3,854	3,030	3,215
Brewer	1,788	1,907	1,625	So. Portland	5,933	3,999	2,734
Gardiner	1,391	1,054	1,115	Waterville	3,868	1,832	2,257
Lewiston	9,265	4,372	6,180	Westbrook	3,665	2,904	2,512

1. Ordena los 16 totales de cada candidato en orden decreciente.

2. Determina para cada candidato, la ciudad más fuerte y la más débil.

3. Describe cualquier patrón de votación que encuentres en la tabla.

George Bush (izquierda), Ross Perot (centro) y Bill Clinton (derecha)

► MEETING INDIVIDUAL NEEDS

Resources

- **1-6** Practice
- **1-6** Reteaching
- **1-6** Problem Solving
- **1-6** Enrichment
- **1-6** Daily Transparency
  - Problem of the Day
  - Review
  - Quick Quiz

Recursos

- **1-6** Práctica
- **1-6** Práctica adicional
- **1-6** Resolución de problemas
- **1-6** Actividad de enriquecimiento

Learning Modalities

Logical Have students round each total in **Explore** lists to the nearest thousand and find the totals for the 16 cities. Ask: "According to the data for these 16 cities, was the race really close?" No; Bush's and Perot's totals were relatively close, at 50,000 and 47,000, but Clinton's total was much greater, 81,000.

Social Have students work in groups of three or four to organize **Explore** lists. In groups of three, each student can organize one candidate's totals. In groups of four, each student can be assigned a different interval for all three lists.

Modos de aprendizaje

Lógico Anime a los estudiantes a redondear al millar más cercano los totales de las listas en **Investigar** y hallar los resultados de las 16 ciudades. Pregúnteles: "Con base en los datos, ¿crees que las votaciones fueron cerradas?" No; Los resultados de Bush y Perot son similares (50,000 y 47,000), pero la votación para Clinton fue mucho mayor (81,000).

Social Anime a los estudiantes a organizar las listas de la sección **Investigar** en equipos de tres o cuatro. En equipos de tres, cada quien debe organizar los resultados de un candidato. En equipos de cuatro, cada estudiante debe organizar una parte de las tres listas.

English Language Development

Write the numbers 10, 12, 13, 14, 14, 16, and 18 on the chalkboard. Then draw a diagram of a stem with seven leaves. Label the stem "1" and write the ones digits of the seven numbers on the leaves, one to each leaf. It might be helpful to bring in a real stem with leaves and label them with masking-tape numbers.

Desarrollo del lenguaje

Escriba en la pizarra los números 10, 12, 13, 14, 14, 16 y 18. Luego trace un diagrama con un tallo y siete hojas. Ponga el título "1" al tallo y escriba los dígitos de los siete números, uno en cada hoja. Si lo desea, consiga una planta artificial y etiquete el tallo y las hojas.

Aprender | Tablas arborescentes

Una **tabla arborescente** es una gráfica que muestra la apariencia de los datos de acuerdo con los valores posicionales de los datos. La "hoja" de un número es por lo general el dígito de la derecha. El "tallo" es la parte del número a la izquierda de la hoja.

Número		Tallo	Hoja
47	→	4	7
710	→	71	0
8802	→	880	2
6	→	0	6

¿LO SABÍAS?

A veces los números de un conjunto de datos son tan grandes que los dos últimos dígitos se usan como hoja.

Ejemplo 1

Mediante una tabla arborescente analiza la forma de los datos de la tabla.

Dibuja dos columnas y coloca los tallos del lado izquierdo. Puesto que se trata de edades de 40, 50 y 60 años, sólo necesitas tres tallos: 4, 5 y 6. Para cada número, escribe el último dígito (la hoja) en la columna de la derecha, en la hilera del tallo correspondiente.

Edades de los presidentes de este siglo el día que tomaron posesión

42	51	56	55
51	54	51	60
62	43	55	56
61	52	69	64
46			

Tallo	Hoja
4	2 3 6
5	1 6 5 1 4 1 5 6 2
6	0 2 1 9 4

Ahora dibuja de nuevo la tabla y coloca las hojas en orden ascendente.

Tallo	Hoja
4	2 3 6
5	1 1 1 2 4 5 5 6 6
6	0 1 2 4 9

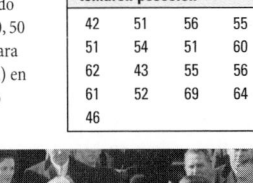

Kennedy asumió el poder a los 43 años

▶ **Enlace con Historia**

Se ha elegido a tres presidentes aunque no hayan recibido el número más alto de votos: John Quincy Adams en 1824, Rutherford Hayes en 1876 y Benjamin Harrison en 1888.

Tallo	Hoja
9	0 3 3 5 7
10	0 1 5 8 8
11	3 4 5 8
12	4 6 8 8
13	0 0 3 3 6
14	1 1 2 3 4 6 8

La tabla arborescente muestra que los datos oscilan entre 42 y 69, que la edad más frecuente es 51 y que la mayoría de los presidentes estaban en la quinta década de vida cuando asumieron el cargo. Advierte que, al contrario de la mayoría de las gráficas de barras y tablas de conteo, una tabla arborescente agrupa información en intervalos.

Resolución de problemas
TEN EN CUENTA

Puede ser útil escribir todos los tallos antes de empezar a escribir las hojas.

Haz la prueba

Haz una tabla arborescente de los resultados del juego de boliche.

130	90	141	128	133	142	113	148	105	93
118	130	133	100	124	146	97	108	126	115
136	144	114	101	93	108	95	143	128	141

1-6 • Tablas arborescentes **35**

MATH EVERY DAY

▶ **Problema del día**

Mueve tres de los popotes para formar cinco cuadrados del mismo tamaño.

Problem of the Day

Move three straws to make 5 squares that are the same size.

Available on Daily Transparency 1-6

An Extension is provided in the transparency package.

Dato del día

Ronald Reagan, el presidente de mayor edad en Estados Unidos, tenía 69 años al iniciar sus funciones en 1981.

Fact of the Day

Ronald Reagan, the oldest President, was 69 when he was inaugurated in 1981.

Estimation

Estimate.

1. 3 × 21 60
2. 24 × 6 150
3. 12 × 45 450
4. 710 × 8 5600
5. 5 × 8400 40,000

Cálculo aproximado

Haz un cálculo aproximado.

1. 3 × 21 60
2. 24 × 6 150
3. 12 × 45 450
4. 710 × 8 5600
5. 5 × 8400 40,000

Respuestas de Investigar

1. Clinton: 19,510; 9265; 6826; 5933; 5025; 4945; 4657; 4000; 3868; 3854; 3665; 2272; 1988; 1788; 1391; 1192
   Bush: 8660; 5185; 4372; 3999; 3653; 3030; 3003; 2904; 2769; 2533; 1907; 1832; 1630; 1173; 1081; 1054
   Perot: 6910; 6180; 4689; 3964; 3215; 3002; 2734; 2717; 2512; 2303; 2257; 1625; 1458; 1302; 1115; 1059

2. Clinton: La más fuerte, Portland; La más débil, Rockland.
   Bush: La más fuerte, Portland; La más débil, Gardiner.
   Perot: La más fuerte, Portland; La más débil, Rockland.

3. Respuestas posibles: Alrededor de la mitad de los datos estaban por abajo de 3000. Clinton tiene un número que es mayor de 10,000.

2 Enseñanza

Aprender

Ejemplos adicionales

En seguida se muestran las edades de los presidentes de Estados Unidos —en los siglos XVIII y XIX— cuando asumieron el cargo. Usa una tabla arborescente para analizar los datos.

57, 57, 49, 52, 51, 61, 61, 64, 56, 47, 57, 54, 50, 46, 55, 57, 68, 48, 54, 55, 58, 51, 65, 49, 54

Tallo	Hoja
4	6 7 8 9 9
5	0 1 1 2 4 4 4 5 5 6 7 7 7 7 8
6	1 1 4 5 8

La tabla muestra que el rango de los datos está entre 46 y 68, que la edad más frecuente es 57 y que la mayoría de los presidentes estaba en la quinta década de su vida cuando asumieron el cargo.

Answers for Explore

1. Clinton: 19,510; 9265; 6826; 5933; 5025; 4945; 4657; 4000; 3868; 3854; 3665; 2272; 1988; 1788; 1391; 1192
   Bush: 8660; 5185; 4372; 3999; 3653; 3030; 3003; 2904; 2769; 2533; 1907; 1832; 1630; 1173; 1081; 1054
   Perot: 6910; 6180; 4689; 3964; 3215; 3002; 2734; 2717; 2512; 2303; 2257; 1625; 1458; 1302; 1115; 1059

2. Clinton: Strongest, Portland; Weakest, Rockland.
   Bush: Strongest, Portland; Weakest, Gardiner.
   Perot: Strongest, Portland; Weakest, Rockland.

3. Possible answers: About half of the data were below 3000. Clinton has the one data number bigger than 10,000.

Teach

Learn

Alternate Examples

The ages of the 18th- and 19th-century United States Presidents at their inaugurations are given below. Analyze the data by making a stem-and-leaf diagram.

57, 57, 49, 52, 51, 61, 61, 64, 56, 47, 57, 54, 50, 46, 55, 57, 68, 48, 54, 55, 58, 51, 65, 49, 54

Stem	Leaf
4	6 7 8 9 9
5	0 1 1 2 4 4 4 5 5 6 7 7 7 7 8
6	1 1 4 5 8

The diagram shows that the data range from 46 to 68, that the most frequent age is 57, and that most Presidents were in their 50s when they took office.

What Do You Think?

Students see a frequency chart and a stem-and-leaf diagram for the same data. They are asked to describe advantages and disadvantages for both representations.

Answers for What Do You Think?

1. Possible answers: Catherine: Most members have ages from 11 to 30 Jamar: Most members are in their twenties; the youngest member is 9; the oldest is 59; the middle age is 22.5; the most common age is 21; the range is 50.

2. Possible answers: Both displays show the interval from 11 to 30 is most common; Jamar's shows the exact range of the ages; Catherine's graph is good if you don't need to know exact ages.

Practice and Assess

Check

Ask students how many different numbers would be needed for the scale of a line plot for the information in **What Do You Think?** 20 They should recognize that a line plot of a large set of data is cumbersome and inefficient.

Answers for Check Your Understanding

1. Similarities: Both diagrams show the shape of the data. Differences: A line plot shows a picture of the data for each value, whereas a stem-and-leaf diagram shows a picture of the data by intervals.

2. A stem-and-leaf diagram is helpful because you can store a large amount of data in a smaller space. Also, sometimes a stem-and-leaf diagram can be drawn and filled in more quickly than a line plot.

Los estudiantes observan una tabla de frecuencia y una tabla arborescente con los mismos datos. Aquí se les pide que describan las ventajas y desventajas de ambas representaciones.

Respuestas de ¿Qué crees tú?

1. Respuestas posibles: Catherine: La mayoría de los miembros tiene edades de 11 a 30. Jamar: La mayoría de los integrantes está en los veinte; el miembro más joven tiene 9; el más viejo 59; la edad promedio es 22.5; la edad más común es 21; el rango es 50.

2. Respuestas posibles: Ambas tablas muestran que el intervalo de 11 a 30 es el más común; El de Jamar muestra el rango exacto de estas edades; El de Catherine es bueno si no necesitas saber las edades exactas.

3 Práctica y evaluación

Comprobar

Pregunte a los estudiantes cuántos números diferentes se necesitarán para crear la escala de un diagrama de puntos con la información de **¿Qué crees tú?** 20 Deben reconocer que un diagrama de puntos de un conjunto grande de datos es difícil de manejar y poco eficiente.

Respuestas de Comprobar tu comprensión

1. Semejanzas: Ambos diagramas muestran la forma de los datos. Diferencias: Un diagrama de puntos muestra cada valor de los datos, mientras que una tabla arborescente muestra los datos por intervalos.

2. Una tabla arborescente es muy útil porque en ella pueden caber muchos datos en un espacio pequeño. Algunas veces una tabla arborescente puede trazarse y llenarse más rápido que un diagrama de puntos.

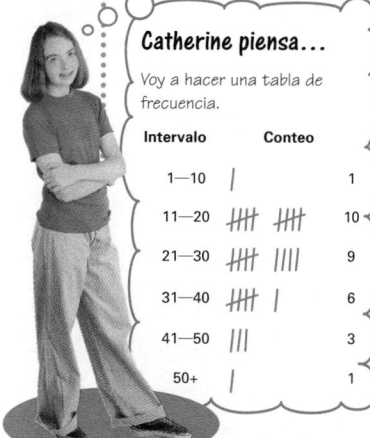

Catherine y Jamar necesitan organizar una fiesta para la banda de su comunidad. Antes de decidir qué clase de fiesta van a tener, quieren ver cómo están distribuidas las edades de los miembros de la banda.

Edades de los miembros de la banda de la comunidad									
21	34	16	26	41	21	9	34	19	11
20	39	24	18	21	59	32	14	32	41
14	21	36	43	27	26	16	28	13	20

Catherine piensa...

Voy a hacer una tabla de frecuencia.

Intervalo	Conteo	
1—10	|	1
11—20	ЖЖ ЖЖ	10
21—30	ЖЖ ||||	9
31—40	ЖЖ |	6
41—50	|||	3
50+	|	1

Jamar piensa...

Voy a hacer una tabla arborescente.

Tallo	Hoja
0	9
1	1 3 4 4 6 6 8 9
2	0 0 1 1 1 1 4 6 6 7 8
3	2 2 4 4 6 9
4	1 1 3
5	9

¿Qué crees  ?

1. ¿Qué conclusiones pueden obtener Catherine y Jamar de la forma en que presentaron los datos?

2. ¿Con qué propósito podría utilizarse en forma correcta cualquiera de estos desplegados? ¿En qué circunstancias puede tener más ventajas el desplegado de Jamar sobre el de Catherine y viceversa?

Comprobar Tu comprensión

1. ¿En qué se parecen y difieren una tabla arborescente y un diagrama de puntos?

2. ¿Por qué es útil una tabla arborescente cuando se trata de organizar un conjunto grande de datos?

36 Capítulo 1 • Estadísticas: Uso de números cabales en el mundo real

---

MEETING MIDDLE SCHOOL CLASSROOM NEEDS

Tips from Middle School Teachers

I find that it helps students to be able to read and interpret graphs before they try to construct them. So I provide many opportunities for them to study and talk about a great variety of graphical representations.

Sugerencias de los maestros

He notado que los estudiantes mejoran su comprensión si intentan leer e interpretar las gráficas antes de trazarlas. Por eso trato de darles todas las oportunidades de práctica posibles y ofrecerles una gran variedad de representaciones gráficas.

Cooperative Learning

• Students should work in groups of three or four and write down fifteen two-digit numbers.
• Each group should sort the numbers and create a stem-and-leaf diagram.
• Have the groups exchange their set of numbers with other groups and then create a stem-and-leaf diagram for the new set of numbers.
• Finally, select one student from each group to write the group's stem-and-leaf diagram on the chalkboard so that all groups can check their work.

Aprendizaje en equipo

• Los estudiantes deben formar equipos de tres o cuatro y escribir quince números de dos dígitos.
• Después deberán clasificar los números y crear una tabla arborescente.
• Pídales que intercambien su trabajo con otros equipos y elaboren una nueva tabla arborescente con los datos que recibieron.
• Escoja un miembro de cada equipo y pídale que trace su tabla en la pizarra para que los demás grupos la analicen.

History Connection

Eight Presidents died in office. Four were assassinated: Abraham Lincoln, James Garfield, William McKinley, and John F. Kennedy. Four died of natural causes: William Henry Harrison, Zachary Taylor, Warren G. Harding, and Franklin D. Roosevelt.

Asociación con Historia

Ocho presidentes de Estados Unidos murieron durante su mandato. Cuatro de ellos fueron asesinados: Abraham Lincoln, James Garfield, William McKinley y John F. Kennedy. Los otros cuatro fallecieron de muerte natural: William Henry Harrison, Zachary Taylor, Warren G. Harding y Franklin D. Roosevelt.

1-6 Ejercicios y aplicaciones

Práctica y aplicación

1. [Para empezar] Sigue los pasos para hacer una tabla arborescente con los siguientes datos.

27, 38, 42, 18, 29, 40, 19, 10, 32, 47, 19, 36, 42

a. Utiliza dos columnas. Escribe los tallos de menor a mayor y anota cada hoja a la derecha del tallo.

b. Dibuja de nuevo la tabla arborescente y coloca las hojas en orden ascendente.

Tallo	Hoja
1	
2	
?	
?	

Tallo	Hoja
1	
2	
?	
?	

2. Ciencias Construye una tabla arborescente con los siguientes datos.

Los diez peces más rápidos del mundo (en millas por hora) son: pez vela, 68; tiburón azul, 43; pez espada, 40; merlo, 50; atún azulado, 46; peto, 41; tarpón, 35; macabí, 40; atún de aleta amarilla, 44; tiburón tigre, 33.

3. Historia Haz una tabla arborescente con las edades de los primeros 20 presidentes en el momento de morir.

Presidentes	Edad	Presidentes	Edad	Presidentes	Edad
Washington	67	Van Buren	79	Buchanan	77
J. Adams	90	W. Harrison	68	Lincoln	56
Jefferson	83	Tyler	71	A. Johnson	66
Madison	85	Polk	53	Grant	63
Monroe	73	Taylor	65	Hayes	70
J. Q. Adams	80	Fillmore	74	Garfield	49
Jackson	78	Pierce	64		

Utiliza la tabla arborescente para resolver los ejercicios 4–7.

4. ¿Cuál es el rango de los valores? **32**

5. ¿Cuál es el valor más frecuente? **52**

6. De los números menores de 50, ¿cuál es el más grande? **38**

7. [Para la prueba] ¿Cuántas veces aparece el 53? **A**

Ⓐ dos   Ⓑ tres   Ⓒ cinco   Ⓓ treinta y tres

Tallo	Hoja
2	1
3	0 0 4 4 7 8
5	0 2 2 2 2 3 3

1-6 • Tablas arborescentes **37**

PRACTICE

Nombre _____

Práctica 1-6

Tablas arborescentes

Usa las tablas arborescentes para resolver los ejercicios 1–4.

tallo	hoja
6	7 8 8
7	0 1 2 3 4 9 9
8	1 3 3 3 4 7
9	0 2 5

1. ¿Cuál es el rango de los valores? **28**

2. ¿Qué valor aparece más seguido? **83**

3. ¿Cuántas veces aparece el valor 79? **2 veces**

4. ¿Cuál es el número mayor de los números es menor que 90? **87**

5. Haz una tabla arborescente con los datos que muestre las calificaciones en una prueba de historia.

84, 93, 72, 87, 75, 86, 97, 68, 74, 86, 91, 64, 83, 79, 80, 72, 83, 76, 90, 77

tallo	hoja
6	4 8
7	2 2 4 5 6 7 9
8	0 3 3 4 6 6 7
9	0 1 3 7

6. Haz una tabla arborescente con los datos que muestre el número de condecoraciones ganadas por los boy scouts de la localidad.

7, 18, 12, 9, 2, 17, 24, 0, 3, 10, 20, 12, 3, 6, 4, 9, 15

tallo	hoja
0	0 2 3 3 4 6 7 9 9
1	0 2 2 5 7
2	0 4

7. Haz una tabla arborescente con los datos que muestre el número de discos compactos de algunos estudiantes.

17, 36, 0, 64, 5, 0, 39, 12, 7, 19, 67, 42, 0, 3, 12, 4, 9, 13, 17, 31, 0

tallo	hoja
0	0 0 0 3 4 5 7 9
1	2 2 3 7 7 9
3	1 6 9
4	2
6	4 7

8. Historia La información muestra el número de individuos que pertenecieron al gabinete durante el gobierno de cada uno de los primeros 21 presidentes. Haz una tabla arborescente con los datos.

Washington: 11   J. Adams: 8   Jefferson: 10
Madison: 16   Monroe: 8   J.Q. Adams: 6
Jackson: 19   Van Buren: 10   W. Harrison: 6
Tyler: 21   Polk: 9   Taylor: 7
Fillmore: 11   Pierce: 7   Buchanan: 14
Lincoln: 13   A. Johnson: 13   Grant: 23
Hayes: 10   Garfield: 7   Arthur: 17

tallo	hoja
0	6 6 7 7 7 8 8 9
1	0 0 0 1 1 3 3 4 6 7 9
2	1 3

RETEACHING

Nombre _____

Práctica adicional 1-6

Tablas arborescentes

Una **tabla arborescente** es una tabla que muestra la forma de los datos de acuerdo con su valor posicional. La "**hoja**" de un número es con frecuencia el dígito de la derecha. La hoja consta de un dígito. El "**tallo**" es la parte del número a la izquierda de la hoja. El tallo puede ser de uno o más dígitos.

■ Ejemplo

Haz una tabla arborescente con los datos que muestran los minutos empleados en comer.

Minutos empleados en comer
46, 35, 12, 37, 28, 10, 22, 54, 19, 13, 45, 51

Paso 1: Decide lo que representará el tallo en la tabla. Como estos datos son números de dos dígitos, el tallo estarán los dígitos de las decenas y las hojas serán los dígitos de las unidades.

Paso 2		Paso 3	
Tallo	Hoja	Tallo	Hoja
1	2 0 9 3	1	0 2 3 9
2	8 2	2	2 8
3	5 7	3	5 7
4	6 6	4	6 6
5	4 1	5	1 4

Paso 2: Escribe los dígitos de las decenas en orden en la columna de la izquierda de la tabla. Después escribe cada hoja a la derecha de su tallo según aparezcan en el problema.

Paso 3: Completa la segunda tabla arborescente, con las hojas ordenadas de manera ascendente.

Haz la prueba

a. Construye una tabla arborescente con los datos que se muestran de la asistencia al club de adolescentes.

Asistencia al club de adolescentes
489, 527, 479, 519, 514, 480, 493, 523, 508, 504

1. Escribe los tallos en la columna de la izquierda. Como todos los datos están en los dígitos de las unidades 47, 48, 49, 50, 51 y 52, necesitas seis tallos.

2. Haz una tabla arborescente. Para cada número, escribe el último dígito (la hoja) en la columna de la derecha en la misma línea que el tallo con el que se relaciona.

Paso 2		Paso 3	
Tallo	Hoja	Tallo	Hoja
47	9	47	9
48	9 0	48	0 9
49	3	49	3
50	8 4	50	4 8
51	9 4	51	4 9
52	7 3	52	3 7

b. Haz una tabla arborescente que muestre los datos de esta tabla. Recuerda poner las hojas en orden.

Sentadillas en un minuto
35, 28, 52, 58, 12, 29, 41, 37, 19, 23, 26, 45

Paso 2		Paso 3	
Tallo	Hoja	Tallo	Hoja
1	2 9	1	2 9
2	8 9 3 6	2	3 6 8 9
3	5 7	3	5 7
4	1 5	4	1 5
5	2 8	5	2 8

Assignment Guide

■ Basic 1–2, 4–8, 10–11, 14–20 evens

■ Average 1–10, 13–19 odds

■ Enriched 2–4, 7–12, 14–20 evens

Notas sobre los ejercicios

■ Ejercicios 2–3

Para cada tallo, los datos de las hojas pueden ordenarse en una lista ascendente o descendente.

Respuestas de Ejercicios

1. a.

Tallo	Hoja
1	8 9 0 9
2	7 9
3	8 2 6
4	2 0 7 2

b.

Tallo	Hoja
1	0 8 9 9
2	7 9
3	2 6 8
4	0 2 2 7

2.

Tallo	Hoja
3	3 5
4	0 0 1 3 4 6
5	0
6	8

3.

Tallo	Hoja
4	9
5	3 6
6	3 4 5 6 7 8
7	0 1 3 4 7 8 9
8	0 3 5
9	0

Exercise Notes

■ Exercises 2–3

The data leaves for each stem can be listed either from least to greatest or vice versa.

Exercise Answers

1. a.

Stem	Leaf
1	8 9 0 9
2	7 9
3	8 2 6
4	2 0 7 2

b.

Stem	Leaf
1	0 8 9 9
2	7 9
3	2 6 8
4	0 2 2 7

2.

Stem	Leaf
3	3 5
4	0 0 1 3 4 6
5	0
6	8

3.

Stem	Leaf
4	9
5	3 6
6	3 4 5 6 7 8
7	0 1 3 4 7 8 9
8	0 3 5
9	0

Práctica adicional

Actividad

Materiales: Cartas con los números 15, 17, 19, 22, 22, 27, 28, 30, 33, 35; tijeras.

• Forma 3 pilas de cartas de acuerdo con el dígito de las decenas.

• Reúne las cartas en grupos y córtalas en dos: de un lado los dígitos de las decenas y del otro los de las unidades. Coloca los dígitos de las decenas a la izquierda y los de las unidades a la derecha.

• En la pila de las decenas, coloca los números 1, 2 y 3 en montones separados. Luego, para cada grupo de decenas, ordena los dígitos de las unidades de menor a mayor; colócalos a la derecha del 1, 2 ó 3.

• Indica cuáles son los tallos. 1, 2 y 3 Indica cuáles son las hojas. 5, 7, 9, 2, 2, 7, 8, 0, 3 y 5

Reteaching

Activity

Materials: Cards with the numbers 15, 17, 19, 22, 22, 27, 28, 30, 33, 35; scissors.

• Place the cards in 3 piles, using their tens digits.

• Keep the cards in groups, and cut them apart between the tens and ones digits. Put the tens digits to the left and the ones to the right.

• In the tens pile, stack the 1's, 2's, and 3's into separate piles. Then, for each tens group, arrange the ones digits from least to greatest, placing them to the right of the 1, 2, or 3.

• Name the stems. 1, 2, and 3 Name the leaves. 5, 7, 9, 2, 2, 7, 8, 0, 3, and 5

Exercise Notes

■ Exercise 8

Extension How many numbers appear only once in the data? 6
What numbers are they? 7, 17, 69, 82, 91, and 92

■ Exercises 13–20

Estimation Estimate your answers before computing as a check for reasonableness.

Exercise Answers

8. Three; 8, 20, 96; Possible answer: Look at how many times a number appears on a row.

9. There are no data values in the 70s.

10. Possible answer: Most of the values are in the teens, the second most in the 90s, 13 is the most common value. The data can help give consumers an idea of how many cars have a certain amount of room.

11. There will be more leaves with the 5 stem because there are more ages in the 50s than in the 40s.

12. Frances Cleveland was only 21 when she became First Lady, 10 years younger than the next youngest First Lady.

Alternate Assessment

You may want to use the *Interactive CD-ROM Journal* with this assessment.

Journal Give examples of information that is suitable for a stem-and-leaf diagram, and examples of information that is not.

Quick Quiz

Make a stem-and-leaf diagram of the data.

1. 42, 57, 56, 48, 42, 33

Stem	Leaf
3	3
4	2 2 8
5	6 7

2. 28, 19, 15, 23, 15, 16, 15

Stem	Leaf
1	5 5 5 6 9
2	3 8

Available on Daily Transparency 1-6

Notas sobre los ejercicios

■ Ejercicio 8

Ampliación ¿Cuántos números aparecen una sola vez en los datos? 6
¿Cuáles son? 7, 17, 69, 82, 91 y 92

■ Ejercicios 13–20

Cálculo aproximado Haz un cálculo aproximado antes de realizar las operaciones para ver si tu respuesta es razonable.

Respuestas de Ejercicios

8. Tres; 8, 20, 96; Respuesta posible: Es necesario ver cuántas veces aparecen los números en cada fila.

9. Porque no hay valores para la decena de los setenta.

10. Respuesta posible: La mayoría de los valores está comprendida en las decenas, después siguen los que están en el rango de los 90. 13 es el valor más común. Los datos pueden ayudar a los consumidores a tener una idea más exacta de cuántos autos tienen cierta cantidad de espacio.

11. Habrá más hojas en el tallo 5 porque hay más edades en los cincuenta que en los cuarenta.

12. Cuando se convirtió en primera dama, Frances Cleveland tenía sólo 21 años, 10 menos que la siguiente primera dama en la lista.

Evaluación adicional

 Tal vez quiera usar el *Diario interactivo CD-ROM* en esta evaluación.

En tu diario Proporciona varios ejemplos de información con la que pueda hacerse una tabla arborescente. Después da ejemplos de información con la que no sea posible hacer esto.

► Prueba rápida

Haz una tabla arborescente con los datos.

1. 42, 57, 56, 48, 42, 33

Tallo	Hoja
3	3
4	2 2 8
5	6 7

2. 28, 19, 15, 23, 15, 16, 15

Tallo	Hoja
1	5 5 5 6 9
2	3 8

Resolución de problemas y razonamiento

Utiliza la tabla arborescente para resolver los ejercicios 8–10.

Esta tabla arborescente se basa en el espacio disponible, en pies cúbicos, para los modelos de automóviles de un fabricante.

Tallo	Hoja
0	7 8 8 8
1	3 3 3 3 3 3 3 3 3 6 6 7
2	0 0 0
3	3 3 3 3
6	9
8	2
9	1 2 6 6 6 8 8 9 9

1 pie cúbico

8. **Comunicación** ¿Cuántos números aparecen tres veces en los datos? ¿Cómo lo sabes?

9. **Razonamiento crítico** ¿Por qué no aparece el 7 en la columna del tallo?

10.  Describe la apariencia de los datos. De qué modo esta gráfica ayuda a los consumidores a buscar el mejor automóvil.

La siguiente es una lista de las primeras damas y sus edades cuando sus esposos asumieron la presidencia. Utiliza esta lista para los ejercicios 11–12.

Primeras damas	Edad	Primeras damas	Edad
Grace Coolidge	44	Lady Bird Johnson	50
Lou Hoover	53	Patricia Nixon	56
Eleanor Roosevelt	48	Betty Ford	53
Bess Truman	60	Rosalynn Carter	49
Frances Cleveland	21	Nancy Reagan	59
Mamie Eisenhower	56	Barbara Bush	64
Jacqueline Kennedy	31	Hillary Clinton	46

Frances Cleveland

11. **Razonamiento crítico** Si construyes una tabla arborescente, ¿cuál tallo tendrá más hojas: el 4 o el 5? Explica tu respuesta.

12. **Comunicación** ¿Por qué es tan curioso el dato de Frances Cleveland?

Repaso mixto

Realiza la operación apropiada. *[Curso anterior]*

13. 16×72 **1152** 14. 35×28 **980** 15. 68×20 **1360** 16. 44×91 **4004**

17. $386 \div 2$ **193** 18. $483 \div 3$ **161** 19. $790 \div 5$ **158** 20. $987 \div 7$ **141**

38 *Capítulo 1 • Estadísticas: Uso de números cabales en el mundo real*

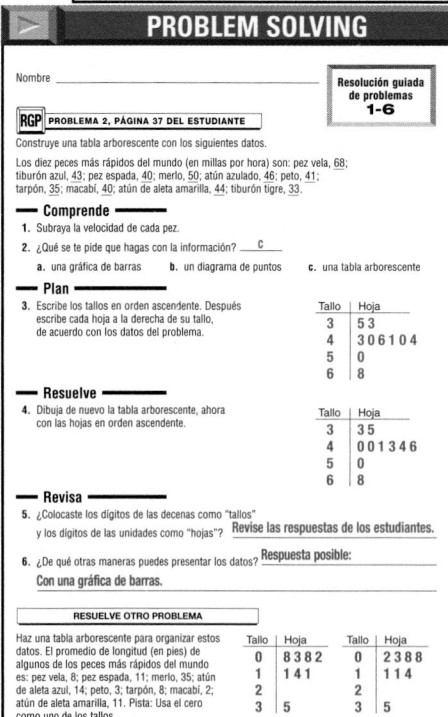

PROBLEM SOLVING

Nombre _____

Resolución guiada de problemas
1-6

RGP **PROBLEMA 2, PÁGINA 37 DEL ESTUDIANTE**

Construye una tabla arborescente con los siguientes datos.

Los diez peces más rápidos del mundo (en millas por hora) son: pez vela, 68; tiburón azul, 43; pez espada, 40; merlo, 50; atún azulado, 46; peto, 41; tarpón, 35; macabí, 40; atún de aleta amarilla, 44; tiburón tigre, 33.

— **Comprende**

1. Subraya la velocidad de cada pez.

2. ¿Qué se te pide que hagas con la información? _c_

   a. una gráfica de barras b. un diagrama de puntos c. una tabla arborescente

— **Plan**

3. Escribe los tallos en orden ascendente. Después escribe cada hoja a la derecha de su tallo, de acuerdo con los datos del problema.

Tallo	Hoja
3	5 3
4	3 0 6 1 0 4
5	0
6	8

— **Resuelve**

4. Dibuja de nuevo la tabla arborescente, ahora con las hojas en orden ascendente.

Tallo	Hoja
3	3 5
4	0 0 1 3 4 6
5	0
6	8

— **Revisa**

5. ¿Colocaste los dígitos de las decenas como "tallos" y los dígitos de las unidades como "hojas"? Revise las respuestas de los estudiantes.

6. ¿De qué otras maneras puedes presentar los datos? Respuesta posible: Con una gráfica de barras.

RESUELVE OTRO PROBLEMA

Haz una tabla arborescente para organizar estos datos. El promedio de longitud (en pies) de algunos de los peces más rápidos del mundo es: pez vela, 8; pez espada, 11; merlo, 35; atún de aleta azul, 14; peto, 3; tarpón, 8; macabí, 2; atún de aleta amarilla, 11. Pista: Usa el cero como uno de los tallos.

Tallo	Hoja	Tallo	Hoja
0	8 3 8 2	0	2 3 8 8
1	1 4 1	1	1 1 4
2		2	
3	5	3	5

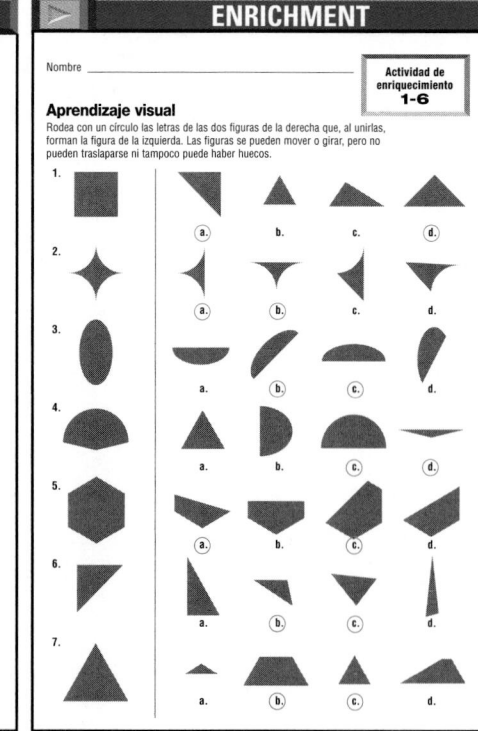

ENRICHMENT

Nombre _____

Actividad de enriquecimiento
1-6

Aprendizaje visual

Rodea con un círculo las letras de las dos figuras de la derecha que, al unirlas, forman la figura de la izquierda. Las figuras se pueden mover o girar, pero no pueden trasladarse ni tampoco puede haber huecos.

Al principio de esta sección viste algunas características comunes de los presidentes de Estados Unidos. Con base en los siguientes datos, debes tomar decisiones respecto de cómo presentar la información de dichas características.

¡Oportunidades de trabajo para estadounidenses emprendedores!

La tabla proporciona información de los ganadores de las elecciones presidenciales desde 1900 hasta 1992 (Rep = Republicano, Dem = Demócrata).

Presidente	Edad	Partido	Mes de nacimiento	Edad del vice presidente	Años en el puesto	Estado natal
McKinley	54	Rep	Enero	43	4	OH
T. Roosevelt	42	Rep	Octubre	53	7	NY
Taft	51	Rep	Septiembre	54	4	OH
Wilson	56	Dem	Diciembre	59	8	VA
Harding	55	Rep	Noviembre	49	2	OH
Coolidge	51	Rep	Julio	60	6	VT
Hoover	54	Rep	Agosto	69	4	IA
F. Roosevelt	51	Dem	Enero	65	12	NY
Truman	60	Dem	Mayo	72	8	MO
Eisenhower	62	Rep	Octubre	40	8	TX
Kennedy	43	Dem	Mayo	53	3	MA
Johnson	55	Dem	Agosto	54	5	TX
Nixon	56	Rep	Enero	51	6	CA
Ford	61	Rep	Julio	66	2	NE
Carter	52	Dem	Octubre	49	4	GA
Reagan	69	Rep	Febrero	57	8	IL
Bush	64	Rep	Junio	42	4	MA
Clinton	46	Dem	Agosto	45	4	AR

1. Además de los apellidos de los presidentes, hay seis conjuntos de datos. Escoge tres de estos seis. Para cada conjunto, haz una tabla de frecuencia o una tabla arborescente. Explica por qué escogiste ese tipo de tabla.

2. Elige una de tus tablas de frecuencia o una tabla arborescente. Si dibujaras una gráfica de barras con estos datos, ¿comenzaría tu escala en 0? ¿Mostraría alguna interrupción? ¿De qué tamaño sería cada intervalo?

3. Haz la gráfica de barras que describiste en la pregunta anterior.

39

¡Oportunidades de trabajo para estadounidenses emprendedores!

Objetivo
En ¡Oportunidades de trabajo para estadounidenses emprendedores!, de la página 23, los estudiantes escogieron el tipo de gráfica más adecuada para presentar un conjunto de datos. Ahora tomarán decisiones sobre cómo presentar algunos datos de los presidentes.

Acerca de esta página
- Examine con los estudiantes la frecuencia con que aparece cada uno de los datos en la información.
- Antes de hacer su gráfica o diagrama, sugiérales que marquen en una tabla la información proporcionada.
- Comente las diferentes formas en que los estudiantes pueden agrupar los datos.
- Pregúnteles por qué la escala no comenzaría en cero si estuvieran graficando la edad de los presidentes.

Evaluación continua
Asegúrese de que los estudiantes hayan hecho las tablas de frecuencia o las tablas arborescentes antes de continuar con las preguntas 2 y 3.

Ampliación
Con los datos ofrecidos, pida a los estudiantes que determinen qué estados y qué meses produjeron el mayor número de presidentes en el siglo XX. Ohio; Enero, agosto, octubre.

Job Opportunity for Ambitious American!

The Point
In *Job Opportunity for Ambitious American!* on page 23, students choose which type of graph is the best graph for displaying a set of data. Now they will make decisions about how to display data about presidential characteristics.

About the Page
- Discuss the frequency with which each of the items in the sets of data appears.
- Suggest that students tally the information given in the table before they make their graph or diagram.
- Discuss ways in which students might group the data.
- Ask students why the scale would not start at zero if they were graphing the age of the Presidents.

Ongoing Assessment
Check that students have made the frequency charts or stem-and-leaf diagrams correctly before they continue with Questions 2 and 3.

Extension
Using the data presented, have students determine which state(s) and which birth month(s) produced the most Presidents in the 20th century. Ohio; January, August, October.

Respuestas de Asociación

1. Las respuestas posibles serán tres de las siguientes:

Edad del presidente

Tallo	Hoja
4	2 3 6
5	1 1 1 2 4 4 5 5 6 6
6	0 1 2 4 9

Edad del vicepresidente

Tallo	Hoja
4	0 2 3 5 9 9
5	1 3 3 4 4 7 9
6	0 5 6 9
7	2

Años en el puesto	Frec.
2	2
3	1
4	6
5	1
6	2
7	1
8	4
12	1

Estado natal	Frec.
OH	3
NY	2
VA	1
VT	1
IA	1
MO	1
TX	2
MA	2
CA	1
NE	1
GA	1
IL	1
AR	1

Mes de Nac.	Frec.
Ene	3
Feb	1
Mar	0
Abr	0
May	2
Jun	1
Jul	2
Ago	3
Sep	1
Oct	3
Nov	1
Dic	1

Partido	Frec.
Republicano	11
Demócrata	7

2. Respuestas posibles: La escala podría comenzar en 0 para todas las gráficas; Las escalas de las gráficas de edades podrían comenzar en 40 y después la escala estaría interrumpida; Los intervalos deben ser apropiados para la gráfica (1, 5 ó 10).

3. La gráfica de barras debe incorporar las respuestas a la pregunta 2.

Answers for Connect

1. Possible answers will be three of the following:

2. Possible answers: Scale could start at 0 for all graphs; The scales of the ages graphs could start at 40 and then the scale would be broken; Intervals should be appropriate to the graph (1, 5, or 10).

3. Bar graph should incorporate answers to Question 2.

Review Correlation

Item(s)	Lesson(s)
1	1-4
2	1-5
3, 4	1-6

Test Prep

Test-Taking Tip

Tell students that sometimes, when taking a test, they might momentarily forget a definition. Suggest that they skip the problem and come back to it later. Some other question on the test may help them recall the definition.

Answers for Review

1.
No. of Elections Lost	Frequency
1	13
2	2
3	1
5	1
6	1

Possible answer: Most of the 18 candidates lost one election; the maximum number of attempts was six times by one candidate.

2.
Cost of Private 30-minute Piano Lessons

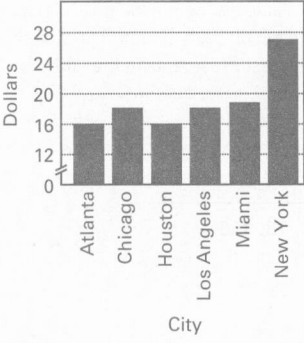

3. See page C1.

4. A.

---

1. Los datos de la tabla presentan los nombres de algunos candidatos a la presidencia y el número de elecciones presidenciales que perdieron. Elabora una tabla de frecuencia y un diagrama de puntos con estos datos. Describe, además, la apariencia de la gráfica.

Nombre	Elecciones perdidas	Nombre	Elecciones perdidas
William Bryan	3	Adlai Stevenson	2
Alton Parker	1	Richard Nixon	1
Eugene Debs	5	Gerald Ford	1
William Taft	1	Jimmy Carter	1
Theodore Roosevelt	1	John Anderson	1
Alfred Smith	1	Walter Mondale	1
Norman Thomas	6	Michael Dukakis	1
Herbert Hoover	1	George Bush	1
Thomas Dewey	2	Bob Dole	1

2. Haz una gráfica de barras con los siguientes datos.

Costo de lecciones particulares de piano (30 min, cifras redondeadas a $)			
Atlanta, GA	$16.00	Los Angeles, CA	$18.00
Chicago, IL	$18.00	Miami, FL	$19.00
Houston, TX	$16.00	New York, NY	$27.00

3. Construye una tabla arborescente del tamaño (en pulgadas) de los pájaros acuáticos. Describe la forma de los datos.
15, 22, 15, 32, 23, 17, 18, 23, 19, 23, 23, 32, 24

Para la prueba

En una prueba de elección múltiple necesitarás relacionar un conjunto de datos con una tabla arborescente. Puede ser útil dibujar primero tu propia tabla y después relacionarla con las alternativas que se te presentan.

4. ¿Cuál tabla arborescente representa al siguiente conjunto de datos?
47, 42, 59, 43, 53, 42, 38, 53, 55, 50, 61, 42, 41, 60, 57

Ⓐ Tallo	Hoja
3	8
4	1 2 2 2 3 7
5	0 3 3 5 7 9
6	0 1

Ⓑ Tallo	Hoja
3	8
4	1 2 2 2 3 7
5	0 3 3 5 7 9
6	0 1

Ⓒ Tallo	Hoja
3	8
4	1 2 2 2 3 7
5	0 3 3 3 7 9
6	0 1

40 Capítulo 1 • Estadísticas: Uso de números cabales en el mundo real

---

Correlación de repaso

Punto(s)	Lección(es)
1	1-4
2	1-5
3, 4	1-6

Para la prueba

Sugerencia para la prueba

Diga a los estudiantes que en ocasiones, cuando se resuelve una prueba, se puede olvidar de momento una definición. Sugiérales que se salten el problema y regresen a él más tarde. Quizá otras preguntas de la prueba les puedan ayudar a recordar la definición.

Respuestas de Repaso

1.
Num. de Elecciones perdidas	Frecuencia
1	13
2	2
3	1
5	1
6	1

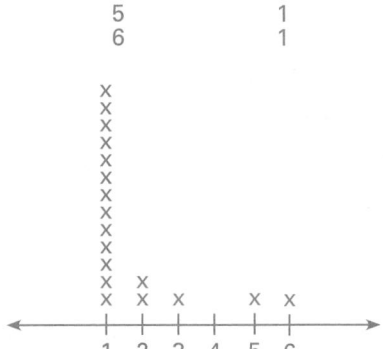

Respuesta posible: La mayoría de los 18 candidatos perdió una elección; el número máximo de intentos fue de seis veces, un candidato.

2.
Costo de lecciones particulares de piano (30 min)

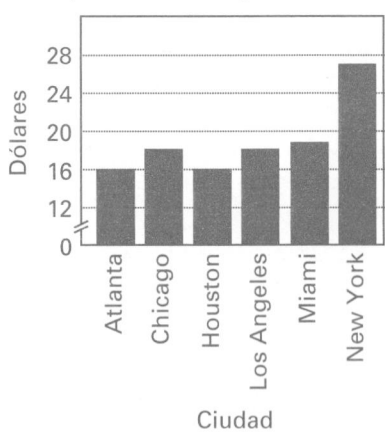

3. Véase la página C1.

4. A.

Resources

Practice Masters
   Section 1B Review
Assessment Sourcebook
   Quiz 1B
   TestWorks
   Test and Practice Software

PRACTICE

Nombre _____

Práctica

Sección 1B • Repaso

1. Haz una tabla de frecuencia y un diagrama de puntos que muestren el número de maestros que tiene un grupo de estudiantes de la escuela intermedia Monroe.
3, 7, 4, 7, 3, 5, 6, 4, 6, 4, 5, 6, 4, 7, 5, 6

Tabla de frecuencia	
Número de maestros	Frecuencia
3	2
4	4
5	3
6	4
7	3

Diagrama de puntos

2. **Geografía** Haz una gráfica de barras con los datos que muestre los cinco ríos más largos de Estados Unidos. Usa una escala interrumpida si lo consideras apropiado.

Río	Longitud (mi)
Missouri	2540
Mississippi	2340
Yukon	1980
St. Lawrence	1900
Arkansas	1460

Ríos más largos de EE UU

3. Con los siguientes datos haz una tabla arborescente que muestre las calificaciones de algunos estudiantes en el concurso de ortografía.
23, 36, 17, 21, 42, 19, 30, 22, 61, 20, 19, 24, 18, 26, 21, 19, 20

tallo	hoja
1	7 8 9 9 9
2	0 0 1 1 2 3 4 6
3	0 6
4	2
6	1

4. Indica el peso aproximado y el precio por paquete de cereal representado por cada punto del diagrama de dispersión. *[Lección 1-3]*

A: peso __12 oz__ precio __$3.00__
B: peso __16 oz__ precio __$2.25__
C: peso __20 oz__ precio __$2.75__
D: peso __15 oz__ precio __$2.00__
E: peso __24 oz__ precio __$4.25__
F: peso __18 oz__ precio __$3.00__

Section 1C

Describing Data

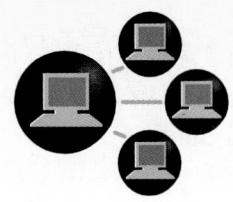

Visit www.teacher.mathsurf.com for links to lesson plans from teachers and other professionals, NCTM information, and other sites.

LESSON PLANNING GUIDE

▶ Student Edition

▶ Ancillaries*

LESSON	MATERIALS	VOCABULARY	DAILY	OTHER
Section 1C Opener				
1-7 Median and Mode		median, mode	1-7	*Interactive CD-ROM Lesson*
1-8 The Meaning of Mean	string, scissors, meter stick or yardstick	mean	1-8	Teaching Tool Trans. 2, 3 Technology Master 4
Technology	spreadsheet software			*Interactive CD-ROM Spreadsheet/Grapher Tool*
1-9 The Effects of Outliers		outlier	1-9	Technology Master 5 Ch. 1 Project Master
Connect				Interdisc. Team Teaching 1C
Review				Practice 1C; Quiz 1C; *TestWorks*
Extend Key Ideas				
Chapter 1 Summary and Review				
Chapter 1 Assessment				Ch. 1 Tests Forms A–F *TestWorks*; Ch. 1 Letter Home
Cumulative Review, Chapter 1	watch or clock with second hand			Cumulative Review Ch. 1

* Daily Ancillaries include Practice, Reteaching, Problem Solving, Enrichment, and Daily Transparency. Teaching Tool Transparencies are in *Teacher's Toolkits*. Lesson Enhancement Transparencies are in *Overhead Transparency Package*.

SKILLS TRACE

LESSON	SKILL	FIRST INTRODUCED			DEVELOP	PRACTICE/ APPLY	REVIEW
		GR. 4	GR. 5	GR. 6			
1-7	Calculating median and mode.	✗			pp. 42–43	pp. 44–45	pp. 59, 73, 156
1-8	Calculating mean.			✗ p. 46	pp. 46–47	pp. 48–49	pp. 59, 69, 77, 163
1-9	Assessing the effects of outliers.			✗ p. 51	pp. 51–52	pp. 53–54	pp. 59, 168, 301

CONNECTED MATHEMATICS

The unit *Data About Us (Statistics)*, from the **Connected Mathematics** series, can be used with Section 1C.

Math and Social Studies
(Worksheet pages 05–06: Teacher pages T5–T6)

In this lesson, students interpret desert weather data.

Nombre _____ *Ciencias sociales*

Tan seco como el polvo

Interpretación de datos sobre el clima del desierto.

Los desiertos de la Tierra son regiones que tienen menos de 10 pulgadas (254 mm) de precipitación (lluvia, nieve, granizo, cellisca, llovizna) por año. También hay lugares en donde el agua se evapora tan rápido que no permanece por mucho tiempo como un líquido.

Hay cuatro clases de desierto:

1. Desiertos cálidos: Se encuentran cerca del ecuador. Un ejemplo es el desierto del Sahara, en el norte de África.
2. Desiertos semiáridos: Tienen temporadas cortas impredecibles de lluvia. Un ejemplo es la región Sahel, al oeste de África.
3. Desiertos con una temporada de calor y otra de frío: Se encuentran en la parte central de grandes continentes. Un ejemplo es el desierto Gobi, en la parte central de Asia.
4. Desiertos fríos: Se encuentran en las regiones polares y cuasipolares. Se localizan en lugares como Groenlandia, Alaska, Siberia y en la Antártida.

Vivir en un desierto es difícil. La humedad, que debe reponerse, se pierde por la piel y los pulmones. Como los desiertos son lugares difíciles para vivir, sólo tienen un 5% de la población mundial, pero algunas personas, como los beduinos del Medio Oriente, se han adaptado bien a la vida del desierto. Ellos se mueven de un lugar a otro en busca de agua,

junto con sus manadas de ovejas, cabras y camellos que les proporcionan carne y leche. Las personas que viven en los desiertos más calientes tienen costumbres muy especiales: descansan durante las horas más calurosas del día. Esto les ayuda a conservar los fluidos del cuerpo. Muchos moradores y viajeros del desierto se cubren de pies a cabeza con ropa ligera para proteger sus cuerpos de los rayos del sol.

Algunas personas viven en pueblos y ciudades que de manera permanente son desiertos, localizados cerca del agua.

1. Los desiertos se definen de acuerdo con su cantidad de precipitación. Para completar la siguiente tabla, calcula el promedio de lluvia mensual de cada ciudad. Redondea al número cabal más cercano.

2. Halla la mediana mensual de lluvia para Alice Springs.

   16.5 mm

3. ¿Cuál ciudad tiene el mayor número de meses con cero lluvia? ¿Qué es lo que buscas al contestar esta pregunta?

   Antofagasta; La moda

Lluvia mensual (mm)

Ciudad	E	F	M	A	M	J	J	A	S	O	N	D	Promedio mensual de lluvia (mm)
Alice Springs, Australia	43	33	28	10	15	13	8	8	8	18	31	38	21
In Salah, Argelia	3	3	0	0	0	0	0	3	0	0	5	3	1
Kashgar, China	15	3	13	5	8	5	10	8	3	3	5	8	7
Antofagasta, Chile	0	0	0	0	0	3	5	3	0	3	0	0	1
Phoenix, Estados Unidos	20	20	18	10	3	3	25	25	18	10	15	23	16

Nombre _____ *Ciencias sociales*

4. Las siguientes ciudades del desierto se edificaron cerca de fuentes de agua. Durante muchos años, el clima en estas ciudades se ha registrado, estudiado y comparado. Para completar la tabla, calcula el promedio de las temperaturas mensuales altas y bajas para cada ciudad. Redondea al número cabal más cercano.

5. Compara la diferencia entre el promedio de temperaturas altas y bajas para cada ciudad (última fila). ¿Qué es lo interesante de estos datos?

   Todos, excepto Antofagasta, tienen un rango entre 24 y 29 grados. El rango de Antofagasta es de sólo 12°.

6. ¿Cuáles serían las recomendaciones para las tropas estadounidenses estacionadas en áreas desérticas?

   Las respuestas de los estudiantes variarán. Pueden sugerir que los soldados hagan su trabajo de noche y duerman durante el día, que mantengan bajo su nivel de actividad, que tomen bastantes líquidos todo el tiempo y que cubran su cuerpo con ropa ligera cuando están bajo el sol.

Mes	Promedio de temperatura alta (°F)					Promedio de temperatura baja (°F)				
	Alice Springs	In Salah	Kashgar	Anto-fagasta	Phoenix	Alice Springs	In Salah	Kashgar	Anto-fagasta	Phoenix
Enero	97	69	33	76	65	70	43	12	63	39
Febrero	95	75	43	76	69	69	47	19	63	43
Marzo	90	83	56	74	75	63	53	35	61	47
Abril	81	92	71	70	82	54	62	48	58	53
Mayo	73	99	81	67	91	46	69	58	55	60
Junio	67	110	89	65	101	41	80	64	52	69
Julio	67	113	92	63	104	39	83	68	51	77
Agosto	73	111	90	62	101	43	82	66	52	76
Septiembre	81	105	83	64	97	49	77	57	53	69
Octubre	88	94	71	66	86	58	66	43	55	56
Noviembre	93	80	54	69	75	64	53	29	58	45
Diciembre	96	71	38	72	66	68	45	17	60	40
Temperatura promedio	83	92	67	69	84	55	63	43	57	56

BIBLIOGRAPHY

FOR TEACHERS

Haven, Kendall. *Marvels of Science*. Englewood, CO: Libraries Unlimited, 1994.

Spangler, David. *Math for Real Kids*. Glenview, IL: Good Year Books, 1997.

Welton, Ann. *Explorers and Exploration*. Phoenix, AZ: Oryx Press, 1993.

The World Almanac and Book of Facts. Mahwah, NJ: Funk & Wagnalls, 1996.

FOR STUDENTS

Thomas, Ron. *The Grolier Student Encyclopedia of the Olympic Games*. Danbury, CT: Grolier Educational Press, 1996.

¿*Puede ponerse de pie el deportista #1 Por favor?*

atricia Hoskins jugó baloncesto colegial durante 4 años en la Universidad Estatal del Valle de Mississippi. Participó en casi 100 juegos y anotó miles de canastas. Anotó, en promedio, 28 puntos por juego. ¿Fue la mejor jugadora del baloncesto colegial?

Los aficionados a los deportes dedican mucho tiempo y energía tratando de determinar quién es el mejor deportista. Esto es complicado porque los atletas no se desempeñan de la misma manera en cada juego. En 1992, André Agassi derrotó a Pete Sampras en el Abierto de Francia. Un año después, Sampras venció a Agassi en Wimbledon.

Cada año, los periódicos publican miles de estadísticas sobre el desempeño de los deportistas. Si ésta información sólo se apilara una sobre otra, nadie sería capaz de comprenderla. Por fortuna, con ayuda de las matemáticas, grandes cantidades de información cobran sentido en unos cuantos números fáciles de entender. Así pues, las clasificaciones del béisbol, las calificaciones de la gimnasia y las posiciones en el futbol soccer pueden traducirse en números que ayudan a determinar quién es el número uno.

1 Busca otros ejemplos de información numérica acerca de los atletas.

2 ¿Cómo usarías los datos numéricos para designar al atleta número 1?

3 ¿En qué situaciones, diferentes de los deportes, se pueden utilizar las matemáticas para saber quién es el mejor?

Where are we now?

In Section 1B, students organized and compared data using graphs.

They learned how to

- use graphs to organize and display information.

- identify graphs that display misleading information.

- compare values in two sets of data using scatterplots.

Where are we going?

In Section 1C, students will

- calculate the mean, median, and mode for a set of data.

- identify outliers in a set of data.

- determine the effect of an outlier on a data set.

Tema: Atletas

World Wide Web

Si su clase tiene acceso al World Wide Web, tal vez quiera usar la información que se encuentra en la dirección Web indicada. El enlace interdisciplinario se relaciona con los temas examinados en esta sección.

Acerca de esta página

Esta página introduce el tema de la sección, Atletas, y analiza cómo se usan las estadísticas para clasificar el desempeño de los atletas.

Pregunte…

- ¿Cómo se escoge el mejor jugador de béisbol? ¿Cómo se escoge el mejor lanzador? ¿y al mejor bateador?

- ¿Cómo se organizan las estadísticas para que puedan interpretarse?

Ampliación

La siguiente actividad no requiere de acceso al Web.

Salud

Con base en el análisis de las habilidades de los jugadores y mediante la interpretación de las estadísticas, cada año se elige al mejor atleta de cada deporte. Escoge un atleta e investiga todo lo relacionado con su nutrición y planes de entrenamiento.

Respuestas de Preguntas

1. Respuestas posibles: Récords en béisbol: carreras producidas y anotadas, bases robadas, cuadrangulares. Récords en fútbol: Pases, intercepciones, yardas ganadas, puntos anotados. Récords en gimnasia: Calificaciones de los jueces.

2. Respuestas posibles: Se suman los datos, se halla el promedio y se determina quién tuvo el valor más alto.

3. Respuestas posibles: El nivel educativo de las universidades, ventas de boletos para el cine, velocidades de los autos, elecciones presidenciales.

Asociar

En la página 55, los estudiantes graficarán los datos para comparar las marcas de Babe Ruth y Hank Aaron.

Theme: Athletes

World Wide Web

If your class has access to the World Wide Web, you might want to use the information found at the Web site addresses given. The interdisciplinary link relates to topics discussed in this section.

About the Page

This page introduces the theme of the section, Athletes, and discusses how compiled statistics are used to rank athletic performance.

Ask …

- How is the best baseball player chosen? Best pitcher? Best hitter?

- How are the statistics organized so they can be interpreted?

Extension

The following activity does not require access to the World Wide Web.

Health

Every year, the #1 athlete in each sport is decided by analyzing the players skills during athletic competitions and interpreting the statistics. Select an athlete and research his or her nutrition and training plans.

Answers for Questions

1. Possible answers: Baseball records: Runs, stolen bases, home runs, runs batted in. Football records: Passes, interceptions, yards gained, points scored. Gymnastics records: Scores by judges.

2. Possible answers: Add up the data, average the data, find out who had the highest.

3. Possible answers: Ranking of colleges, movie ticket sales, speeds of cars, and presidential elections.

Connect

On page 55, students will graph data compare the performances of Babe Ruth and Hank Aaron.

1-7

Lesson Organizer

Objective

- Calculate the median and the mode for a set of data.

Vocabulary

- Median, mode

NCTM Standards

- 1–4, 10

Review

Order from least to greatest.

1. 32, 20, 8, 16, 41, 33, 20, 3, 12
   3, 8, 12, 16, 20, 20, 32, 33, 41

2. 1.8, 0.2, 3.1, 2.4, 0.9, 2.0, 1.4
   0.2, 0.9, 1.4, 1.8, 2.0, 2.4, 3.1

3. 23, 9, 12, 45, 9, 16, 8, 40, 38
   8, 9, 9, 12, 16, 23, 38, 40, 45

Available on Daily Transparency 1-7

► Repaso

Ordena de menor a mayor.

1. 32, 20, 8, 16, 41, 33, 20, 3, 12
   3, 8, 12, 16, 20, 20, 32, 33, 41

2. 1.8, 0.2, 3.1, 2.4, 0.9, 2.0, 1.4
   0.2, 0.9, 1.4, 1.8, 2.0, 2.4, 3.1

3. 23, 9, 12, 45, 9, 16, 8, 40, 38
   8, 9, 9, 12, 16, 23, 38, 40, 45

► Lesson link

Students learn to calculate the median and the mode for a set of data and apply the skills to analyzing sports statistics and other types of information.

► Enlace con la lección

Los estudiantes aprenden a calcular la mediana y la moda de un conjunto de datos y aplican las destrezas para analizar las estadísticas deportivas y otro tipo de información.

Introduce

1 Introducción

Explore

The Point

Students develop an intuitive sense of the middle number and the number appearing most often in a data set.

Ongoing Assessment

Check that students are able to judge whether to choose a greater or lesser number after being given hints by their partners.

For Groups That Finish Early

What is the middle number in the list of pitching wins? 342 What number(s) appear most often? 373 and 361 each appear twice.

Investigar

Objetivo

Los estudiantes desarrollan un sentido intuitivo del número intermedio y del número que aparece con más frecuencia en el conjunto de datos.

Evaluación continua

Compruebe que los estudiantes sean capaces de juzgar si deben elegir un número mayor o menor después de que sus compañeros les dan pistas.

Para los grupos que terminen antes

¿Cuál es el número intermedio de la lista de juegos ganados por los pitchers? 342 ¿Qué números aparecen con más frecuencia? 373 y 361, cada uno aparece dos veces.

1-7 Mediana y moda

Vas a aprender...

■ a calcular la mediana y la moda de un conjunto de datos.

...cómo se usa

Los corredores de bienes raíces emplean medianas y modas al comparar los costos de las casas en venta.

Vocabulario

- mediana
- moda

► Enlace con la lección   Ya sabes cómo organizar datos mediante una tabla de frecuencia y cómo mostrarla en un diagrama de puntos o una tabla arborescente. Ahora aprenderás a calcular números que por sí solos describen conjuntos completos de datos. ◄

Investigar   La media y el mayor

El pitcher ganador

La tabla presenta el total de juegos ganados de los 15 mejores pitchers de las grandes ligas.

Cy Young	511	Kid Nichols	361	John Clarkson	326
Walter Johnson	416	Pud Galvin	361	Don Sutton	324
Christy Mathewson	373	Tim Keefe	342	Nolan Ryan	319
Grover Alexander	373	Steve Carlton	329	Phil Niekro	318
Warren Spahn	363	Eddie Plank	327	Gaylord Perry	314

1. Reúnete con un compañero. Que uno escoja algún número del conjunto de datos; el otro debe tratar de adivinar cuál número escogió el primero, en el menor número de intentos. Después de cada intento, el compañero debe decir "muy alto", "muy bajo" o "correcto".

2. Después de cada turno se intercambian los papeles.

3. ¿Cuál es el mejor número para hacer el primer intento? ¿Por qué?

4. Si tu compañero escogiera un número aleatorio y sólo pudieras hacer un intento, ¿cuál sería el mejor número para hacer este intento? Justifica tu respuesta.

Aprender   Mediana y moda

Cuando los datos se listan de menor a mayor, la **mediana** de un conjunto de datos es el número intermedio de la lista. Si un conjunto tiene dos números intermedios, la mediana es el promedio de estos dos valores.

La **moda** de un conjunto de datos es el valor que se repite más veces. Si todos los valores aparecen una sola vez, entonces no hay moda. Si varios aparecen "muy seguido", entonces cada uno es una moda.

► MEETING INDIVIDUAL NEEDS

Resources

1-7 Practice
1-7 Reteaching
1-7 Problem Solving
1-7 Enrichment
1-7 Daily Transparency
   Problem of the Day
   Review
   Quick Quiz
Interactive CD-ROM Lesson

Recursos

1-7 Práctica
1-7 Práctica adicional
1-7 Resolución de problemas
1-7 Actividad de enriquecimiento

Lección en el CD-ROM interactivo

Learning Modalities

Visual Draw a number line on the chalkboard and list the numbers 1–9.
- Have students identify the middle number. 5
- Have students explain if there is a mode. No mode, because no number appears more than once.
- Add 10 to the number line and ask for the middle number(s). There are two, 5 and 6.
- Ask students to find the actual middle number. The point halfway between 5 and 6, 5.5.

Individual Students of this age enjoy working with data that are important to them. Try to use examples dealing with sports or other relevant topics, such as popular music, videos, or family.

Modos de aprendizaje

Visual Dibuje una recta numérica en la pizarra y liste los números 1-9.
- Pida a los estudiantes que identifiquen el número intermedio. 5
- Anímelos a determinar si hay una moda. No hay moda porque ningún número aparece más de una vez.
- Sume 10 números a la recta y pregunte cuál es el número intermedio. Ahora son dos: 5 y 6.
- Pídales que hallen un solo valor intermedio. El punto intermedio entre 5 y 6, es decir, 5.5.

Individual A los estudiantes les encanta usar datos importantes para ellos. Muéstreles ejemplos relacionados con los deportes y otros temas relevantes como la música, los videos o la familia.

English Language Development

To help students, relate the term "median" to a highway median and the term "mode" to a mode in fashion, a style that appears often.

Desarrollo del Lenguaje

Para facilitar la comprensión, asocie el término "mediana" con la línea divisoria en una carretera y el término "moda" con el estilo de vestir más popular.

Ejemplo 1

El equipo femenil de baloncesto de Long Beach ha ganado más juegos que cualquier otro equipo femenil colegial de baloncesto. Halla la mediana y moda de sus triunfos.

Triunfos del equipo de Long Beach (de 1986 a 1996)										
29	33	28	30	25	24	21	9	11	13	15

9 11 11 13 15 21 24 25 28 29 30 33 Ordena los totales.

9 11 11 13 15 21 [24] 25 28 29 30 33 Halla el número intermedio.

La mediana es 24 triunfos. Puesto que cada número aparece sólo una vez, no hay moda.

Ejemplo 2

A doce niñeras de Houston se les preguntó por sus tarifas por hora. Encuentra la mediana y moda.

Para calcular la mediana haz una lista en orden progresivo.

Tarifas por hora de las niñeras ($)		
4.00	3.30	3.25
3.00	3.75	3.25
3.15	3.50	3.00
3.75	3.75	3.60

3.00, 3.00, 3.15, 3.25, 3.25, 3.30, 3.50, 3.60, 3.75, 3.75, 3.75, 4.00

Hay dos números intermedios, $3.30 y $3.50. La mediana es el promedio entre estos valores, o sea, $3.40.

La moda es $3.75 pues aparece más veces que cualquier otro número.

Haz la prueba

Número de estaciones en las líneas ferroviarias de Estados Unidos								
134	108	18	126	62	101	181	27	158

a. Halla la mediana. 108   b. Encuentra la moda. No hay moda

Comprobar | Tu comprensión

1. Para cualquier conjunto de datos, ¿cuál es mayor: la mediana o la moda? Explica tu respuesta.

2. ¿La mediana es siempre algún número del conjunto? ¿Y la moda? Justifica tu respuesta.

1-7 • Mediana y moda **43**

MATH EVERY DAY

► Problema del día

Edward hizo una pila con 4 cubos. El cubo rojo está arriba del cubo azul. El cubo verde está arriba del cubo rosa. El cubo azul está arriba del cubo rosa. Dibuja la pila de cubos. Los cubos se apilaron en este orden de arriba hacia abajo: rojo, azul, verde, rosa.

Problem of the Day

Edward stacked 4 cubes on his desk. A red cube is above a blue cube. A green cube is on a pink cube. The blue cube is above the pink cube. Draw the stack. The cubes are stacked in this order from top to bottom: red, blue, green, pink.

Available on Daily Transparency 1-7

An Extension is provided in the transparency package.

Dato del día

El 5 de septiembre de 1995, Cal Ripken Jr. jugó su encuentro 2131 de manera consecutiva. Esto rompió la marca que había establecido Lou Gehrig en 1939.

Fact of the Day

On September 5, 1995, Cal Ripken, Jr., played his 2131st consecutive baseball game. He broke a record set in 1939 by Lou Gehrig.

Mental Math

Do these mentally.

1. Find a number halfway between 5 and 9. 7
2. Find a number halfway between 12 and 13. 12.5
3. Find a number halfway between 46 and 52. 49

Cálculo mental

Haz estos cálculos en forma mental.

1. Halla el número medio entre 5 y 9. 7
2. Halla el número medio entre 12 y 13. 12.5
3. Halla el número medio entre 46 y 52. 49

Seguimiento

Asegúrese de que los estudiantes comprendan el razonamiento de las estrategias usadas al adivinar los números.

Respuestas de Investigar

3. 342, porque es justo la mitad; Si se adivina eso, se eliminará la mitad de las posibilidades, no importa si el valor es muy alto o muy bajo.

4. 373 ó 361, porque cada uno aparece dos veces; El resto de los números aparece sólo una vez.

2 Enseñanza

Aprender

Ejemplos adicionales

1. Halla la mediana y moda de la lista de **Investigar**.

   314 318 319 324 326 327 329 342 361 361 363 373 373 416 511

   La mediana es 342. 361 y 373 aparecen dos veces y ningún número aparece más de dos veces, por tanto, 361 y 373 son las modas.

2. Encuentra la mediana y moda de estos números: 3.9, 5.2, 3.6, 4.8, 2.3, 2.8, 4.2, 3.7

   Primero ordena los números de menor a mayor: 2.3 2.8 3.6 3.7 3.9 4.2 4.8 5.2. Hay dos números en medio, 3.7 y 3.9. La mediana es el promedio de estos dos, o sea, 3.8. No hay moda.

3 Práctica y evaluación

Comprobar

Respuestas de Comprobar tu comprensión

1. Depende del conjunto de datos. Los datos con varios números bajos iguales pueden tener una mediana más alta. Los datos con varios números altos iguales pueden tener una moda más alta.

2. La mediana no siempre es un número del conjunto. A veces es el punto medio entre dos números. La moda siempre es un número del conjunto, a menos que todos los números aparezcan sólo una vez y no haya moda.

Follow Up

Be sure that students understand the reasoning in the strategies used in guessing the numbers.

Answers for Explore

3. 342, because it's in the exact middle; By guessing that, you'll eliminate half of the guesses, regardless of whether you're too high or too low.

4. 373 or 361, because each appears twice; All the rest of the numbers appear only once.

Teach

Learn

Alternate Examples

1. Find the median and the mode of the list in **Explore**.

   314 318 319 324 326 327 329 342 361 361 363 373 373 416 511

   The median is 342. Both 361 and 373 appear two times and no number appears more than that, so 361 and 373 are both modes.

2. Find the median and the mode of these numbers: 3.9, 5.2, 3.6, 4.8, 2.3, 2.8, 4.2, 3.7

   First list the numbers from least to greatest: 2.3 2.8 3.6 3.7 3.9 4.2 4.8 5.2 There are two middle numbers, 3.7 and 3.9. The median is the value halfway between, 3.8. There is no mode.

Practice and Assess

Check

Answers for Check Your Understanding

1. It depends on the data set. Data with several identical low numbers may have a higher median. Data with several identical high numbers may have a higher mode.

2. The median is not always a number in the set. Sometimes it's the midpoint between the middle two numbers. The mode is always a number in the set, unless all the numbers appear exactly once and there is no mode.

Assignment Guide

- Basic 1–3, 5–8, 10–18 evens, 24–38 evens
- Average 1–8, 9–17 odds, 19, 23–37 odds
- Enriched 2–8, 10–18 evens, 19, 24–38 evens

Exercise Notes

■ Exercise 6

Error Prevention Remind students to consider numbers that appear more than once and to to include the stem part of the numbers.

■ Exercises 9–14

Extension Find the range for each set of points.

9. 48
10. 6
11. 8
12. 10
13. 12
14. 11

Notas sobre los ejercicios

■ Ejercicio 6

Prevención de errores Recuerde a los estudiantes que consideren los números que aparecen más de una vez y que incluyan la parte de los números que representa el tallo.

■ Ejercicios 9–14

Ampliación Halla el rango de cada conjunto de puntos.

9. 48
10. 6
11. 8
12. 10
13. 12
14. 11

Reteaching

Activity

Work with a large group or the whole class to find the median and the mode of your heights.

- Arrange yourselves in a straight line according to height.

- If there is an odd number of students, identify the middle person. That person's height is the median height. If there is an even number of students, identify the two middle students. The median is the height halfway between those students' heights.

Práctica adicional

Actividad

Trabaje con un grupo grande o con la clase entera para encontrar la mediana y moda de sus estaturas.

- Fórmense por estaturas en una fila.

- Si existe un número impar de estudiantes, identifiquen a la persona de en medio. La estatura de esa persona es la mediana de las estaturas. Si hay un número par de estudiantes, identifiquen a los dos estudiantes de en medio. La mediana es el promedio de las estaturas de esos dos estudiantes.

1-7 Ejercicios y aplicaciones

PRACTICAR 1-7

Práctica y aplicación

1. **Para empezar** Halla la mediana y moda para cada conjunto de datos. Los datos están ordenados de menor a mayor.

   a. $1, $2, $3, $4, $4, $5, $10, $10, $10 Mediana $4, moda $10

   b. 12, 12, 18, 19, 54, 54, 102 Mediana 19, modas 12 y 54

   c. 82, 82, 84, 85, 87, 88, 95, 98 Mediana 86, moda 82

   d. 300, 301, 302, 310, 313, 318 Mediana 306, no hay moda

2. **Geografía** Determina la mediana y moda del número de condados de los 11 estados del oeste, mostrados en el mapa. Mediana 36, no hay moda

3. **Geografía** Encuentra la mediana del número de condados para los 5 estados que rodean Nevada. 36

4. **Geografía** Halla la mediana del número de condados para los 6 estados que colindan con Utah. 28

Número de condados por estado

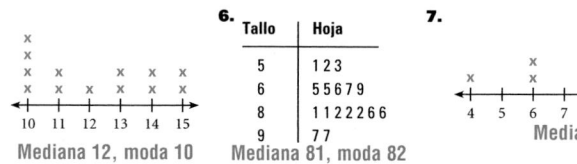

Halla la mediana y moda de los siguientes datos.

5.

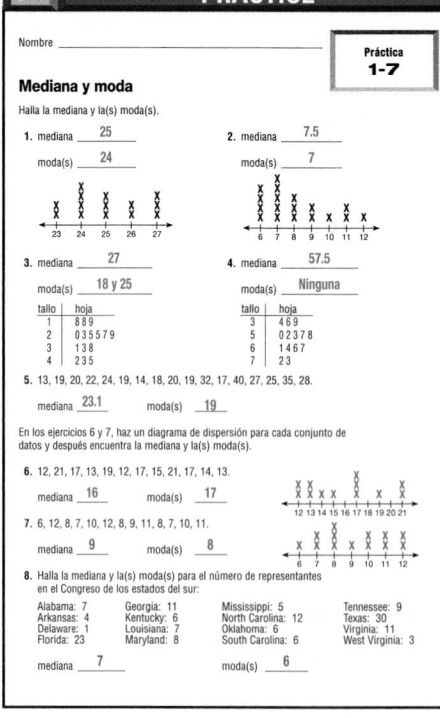

Mediana 12, moda 10

6.

Tallo	Hoja
5	1 2 3
6	5 5 6 7 9
8	1 1 2 2 2 6 6
9	7 7

Mediana 81, moda 82

7.

Mediana 11, moda 13

8. **Para la prueba** Encuentra la mediana y moda de este conjunto de datos: 25, 31, 28, 25, 21, 21, 32, 25, 32. D

   Ⓐ 21 y 25   Ⓑ 25 y 32   Ⓒ 21 y 32   Ⓓ 25 y 25

Halla la mediana y moda de los siguientes conjuntos de datos.

9. 15, 31, 45, 61, 13, 21, 31, 13, 20 Mediana 21, modas 13 y 31

10. 25, 26, 24, 21, 25, 21, 23, 21, 26, 21, 20 Mediana 23, moda 21

11. 9, 13, 7, 11, 12, 6, 8, 14 Mediana 10, no hay moda

12. 20, 25, 21, 23, 22, 30, 28, 20, 23, 22, 21, 30, 29, 28, 28, 30, 29, 20 Mediana 25, moda 28

13. 25, 16, 18, 20, 21, 24, 23, 28, 27, 26, 17, 18, 18, 28, 28, 27, 28, 27, 26 Mediana 25, moda 28

14. 23, 24, 24, 34, 30, 31, 32, 23, 24, 26, 27, 23, 23, 24, 24, 24, 34, 34 Mediana 24, moda 24

▷ PRACTICE

Nombre _____

Práctica 1-7

Mediana y moda

Halla la mediana y la(s) moda(s).

1. mediana 25
   moda(s) 24

2. mediana 7.5
   moda(s) 7

3. mediana 27
   moda(s) 18 y 25

tallo	hoja
1	8 8 9
2	0 3 5 5 7 9
3	1 3 8
4	2 3 5

4. mediana 57.5
   moda(s) Ninguna

tallo	hoja
3	4 6 9
5	0 2 3 7 8
6	1 4 6 7
7	2 3

5. 13, 19, 20, 22, 24, 19, 14, 18, 20, 19, 32, 17, 40, 27, 25, 35, 28.
   mediana 23.1   moda(s) 19

En los ejercicios 6 y 7, haz un diagrama de dispersión para cada conjunto de datos y después encuentra la mediana y la(s) moda(s).

6. 12, 21, 17, 13, 19, 12, 17, 15, 21, 17, 14, 13.
   mediana 16   moda(s) 17

7. 6, 12, 8, 7, 10, 12, 8, 9, 11, 8, 7, 10, 11.
   mediana 9   moda(s) 8

8. Halla la mediana y la(s) moda(s) para el número de representantes en el Congreso de los estados del sur:

Alabama: 7	Georgia: 11	Mississippi: 5	Tennessee: 9
Arkansas: 4	Kentucky: 6	North Carolina: 12	Texas: 30
Delaware: 1	Louisiana: 7	Oklahoma: 6	Virginia: 11
Florida: 23	Maryland: 8	South Carolina: 6	West Virginia: 3

   mediana 7   moda(s) 6

▷ RETEACHING

Nombre _____

Práctica adicional 1-7

Mediana y moda

La **mediana** de un conjunto de datos es el número intermedio cuando los datos están en una lista ordenada de menor a mayor. Si un conjunto tiene dos números intermedios, la mediana es la media de los dos números intermedios.

La **moda** de un conjunto de datos es el dato que aparece con más frecuencia. Si todos los datos aparecen una sola vez, no hay moda. Si varios datos aparecen "con la misma frecuencia", cada uno es una moda.

— Ejemplo —

Halla la mediana y moda de la edad de estos niños.

Niño	Edad	Niño	Edad
Kevin	2 años	Roberto	2 años
Jamal	3 años	Lauren	4 años
Andrea	3½ años	Althea	1½ años
Mariko	2 años	Jerry	3 años

Ordena las edades de menor a mayor.
La mediana de la edad es 2½ años, porque es la media de 2 y de 3.
La moda de la edad es de 2 años, porque es el número que aparece con mayor frecuencia.

1½ 2 2 2 3 3½ 4
         2½
       mediana

Haz la prueba Halla la mediana y moda del número de tarjetas de béisbol para los seis miembros del club de aficionados al béisbol.

Número de tarjetas: 20, 53, 39, 41, 34, 41

a. Ordena los números de menor a mayor. 20, 34, 39, 41, 41, 53

b. ¿Cuál es la mediana del número de tarjetas? 40 tarjetas.

c. ¿Cuál es la moda del número de tarjetas? 41 tarjetas.

Halla la mediana y moda de cada conjunto de datos.

d. Edad de conductores de taxi: 23, 23, 78, 54, 56, 34, 78, 52, 34, 67
   Mediana: 53; Modas: 23, 34, 78

e. Costo de estéreos: $384, $190, $827, $641, $384, $530, $773, $827, $299
   Mediana: $530; Modas: $384 y $827

Haz un diagrama de puntos para cada conjunto y después encuentra la mediana y moda.

15. 6, 11, 12, 5, 7, 11, 6, 6, 10

16. 3, 0, 1, 0, 1, 3, 2, 2, 3, 1, 0, 3

Resolución de problemas y razonamiento

17. Razonamiento crítico Crea un conjunto de 10 elementos cuya mediana sea de 8 y la moda de 10.

18. Razonamiento crítico La siguiente es la lista de tenistas con más títulos conseguidos en Wimbledon. Faltan los datos de Laurence Doherty. Si la mediana del conjunto es 13, y las modas son 10 y 13, ¿cuál es el dato que falta?

Martina Navratilova

Louise Brough	13	Suzanne Longlen	15
Margaret Court	10	Martina Navratilova	18
Laurence Doherty	???	William Renshaw	14
Doris Hart	10	Elizabeth Ryan	19
Billie Jean King	7	Helen Wills-Moody	12

19. Describe cómo encontrar la mediana de un conjunto de datos. La descripción debe contemplar qué hacer si entre los datos se encuentra un número par o impar de valores.

Repaso mixto

Haz las siguientes multiplicaciones. *[Curso anterior]*

20. 83 × 54 **4482**   **21.** 29 × 76 **2204**   **22.** 80 × 32 **2560**   **23.** 91 × 98 **8918**   **24.** 42 × 76 **3192**
25. 302 × 18 **5436**   **26.** 412 × 43 **17,716**   **27.** 520 × 63 **32,760**   **28.** 622 × 22 **13,684**   **29.** 928 × 52 **48,256**
30. 816 × 102   **31.** 792 × 653 **517,176**   **32.** 140 × 339 **47,460**   **33.** 469 × 203 **95,207**   **34.** 515 × 934 **481,010**
30. 816 × 102 **83,232**

35. ¿Cuál es el segundo tipo de zapatos más vendido? *[Lección 1-1]* **Baloncesto**

36. ¿Cuál es la diferencia entre las ventas de zapatos de atletismo y las de zapatos para jugar golf? *[Lección 1-1]* **20 pares**

37. Si las ventas totales son de 100 pares, ¿cuál es el número de ventas de zapatos para jugar tenis? *[Lección 1-1]* **15 pares**

38. Si cada símbolo representa 7 pares de zapatos, ¿cuántos zapatos de atletismo se hubieran vendido? **42 pares**

Ventas de zapatos deportivos

Atletismo
Baloncesto
Aeróbics
Tenis ? ? ?
Golf
Otros

= 5 pares

RESOLVER PROBLEMAS 1-7

Notas sobre los ejercicios

■ **Ejercicios 20–34**

Cálculo aproximado Haz un cálculo aproximado antes de efectuar las operaciones, para comprobar que tus respuestas son razonables.

Respuestas de Ejercicios

15.
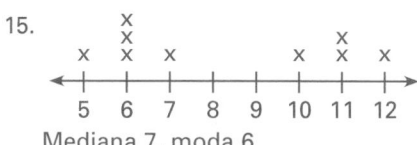
Mediana 7, moda 6

16.
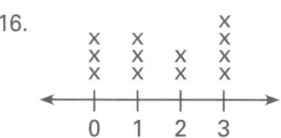
Mediana 1.5, moda 3

17. Respuesta posible: 1 2 3 6 7 9 10 10 10 11

18. 13

19. Respuesta posible: Se ordenan los valores de menor a mayor. Si hay un número impar de valores, la mediana es el valor intermedio. Si hay un número par de valores, la mediana es el promedio de los dos valores intermedios.

Evaluación adicional

Entrevista Proporciona un ejemplo de un conjunto de datos que tenga moda, y otro de un conjunto de datos que no tenga moda.

Exercise Notes

■ **Exercises 20–34**

Estimation Estimate your answers before computing as a check on reasonableness.

Exercise Answers

15.
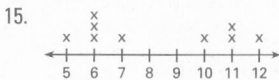
Median 7, mode 6

16.
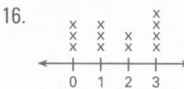
Median 1.5, mode 3

17. Possible answer: 1 2 3 6 7 9 10 10 10 11

18. 13

19. Possible answer: Order the values from least to greatest. If there are an odd number of values, the median is the middle value. If there are an even number of values, the median is the average of the two middle values.

Alternate Assessment

Interview Give an example of a data set that has a mode and a data set that does not have a mode.

▶ Prueba rápida

Halla la mediana y moda de cada conjunto de datos.

1. 8, 10, 7, 6, 5, 7, 9
   Mediana: 7; moda: 7

2. 12, 18, 10, 13, 15, 19, 22, 24
   Mediana: 16.5; moda: no hay

Quick Quiz

Find the median and the mode for each set of data.

1. 8, 10, 7, 6, 5, 7, 9
   Median: 7; Mode: 7

2. 12, 18, 10, 13, 15, 19, 22, 24
   Median: 16.5; Mode: none

Available on Daily Transparency 1-7

▶ PROBLEM SOLVING

Nombre _____

Resolución guiada de problemas 1-7

RGP PROBLEMA 2, PÁGINA 44 DEL ESTUDIANTE

Determina la mediana y moda del número de condados de los 11 estados del oeste, mostrados en el mapa.

Washington	39	Montana	56
Idaho	44	Wyoming	23
Oregon	36	Utah	29
Nevada	16	Colorado	63
California	58	New Mexico	33
		Arizona	15

— **Comprende** —
1. ¿Qué se te pide que halles? La mediana y modal del número de condados para los 11 estados del oeste.

— **Plan** —
2. Explica qué necesitas hacer para hallar la mediana y la moda.
Para hallar la mediana, se ordenan los números y se identifica
el número intermedio. Para hallar la moda, se identifica el número
o los números que aparecen con más frecuencia.

— **Resuelve** —
3. Escribe los números en orden ascendente.
15, 16, 23, 29, 33, 36, 39, 44, 56, 58, 63

4. Escribe la mediana. **36**

5. Escribe la moda. No hay moda.

— **Revisa** —
6. ¿Cuáles son otras formas en que puede organizarse la información del problema? Respuesta posible:
Al hacer un diagrama de puntos; al hacer una tabla arborescente.

RESUELVE OTRO PROBLEMA

Halla la mediana y moda del número de condados para estos 16 estados del sur:
Alabama, 67; Arkansas, 75; Delaware, 3; Florida, 67; Georgia, 159; Kentucky, 120;
Louisiana, 64; Maryland, 23; Mississippi, 82; North Carolina, 100; Oklahoma, 77;
South Carolina, 46; Tennessee, 95; Texas, 254; Virginia, 95 y West Virginia, 55.
La mediana es 76. Las modas son 67 y 95.

▶ ENRICHMENT

Nombre _____

Actividad de enriquecimiento 1-7

Tomar decisiones

Karel y su familia se mudaron hace poco a un nuevo vecindario. Karel quiere ganar dinero trabajando de niñera. Preguntó a otros estudiantes de su edad cuánto cobraban por cuidar niños. Los resultados aparecen en la tabla de la derecha.

Tarifas (por hora) por cuidar niños	
Stephanie	$2.75
Jessica	$2.00
Michael	$3.00
Raoul	$2.50
Rolanda	$2.75
Harry	$2.25
Samuel	$2.25
Anita	$2.75

1. Supónte que Karel quiere ser la niñera con la tarifa más barata del vecindario. ¿Cuánto debe cobrar?
Menos de $2 por hora.

2. Imagina ahora que Karel cobrar lo mismo que la mayoría de los otros cuidadores de niños. ¿Cuánto debe cobrar? Explica tu respuesta.
$2.75 por hora, porque es la tarifa que cobra la mayoría de los cuidadores de niños.

3. Imagina que Karel quiere que su tarifa por hora sea mayor que la de la mitad de los otros cuidadores de niños, pero más baja que la tarifa por hora del resto de los cuidadores de niños. ¿Cuánto debería cobrar? Explica tu respuesta.
Ella deberá establecer su tarifa entre $2.50 y $2.75, porque la mitad de las niñas cobra menos de $2.50 y la mitad cobra más de $2.75.

4. Además de las tarifas cobradas por los otros, ¿qué debe considerar Karel para fijar sus tarifas?
Respuesta posible: Qué tan seguido planea cuidar niños, cuándo necesitan los padres que le cuide a sus niños, cuánto durará cada trabajo, qué tan cerca de su casa viven los padres de los niños, etcétera.

5. Halla cuánto cobran seis personas de tu escuela por cuidar niños. Organiza la información y halla la mediana y la moda. Si fueras a cuidar niños, ¿cuánto cobrarías? ¿Por qué?
Revise el trabajo de los estudiantes.

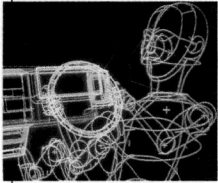

1-8
Lesson Organizer

Objective
- Calculate the mean for a set of data.

Vocabulary
- Mean

Materials
- Explore: String, scissors, meter stick or yard stick

NCTM Standards
- 1–4, 7, 10, 13

Review	**▶ Repaso**
Find each sum or quotient.	Encuentra las sumas o cocientes.
1. 32 + 49 + 52 + 48 + 35 + 56 272	1. 32 + 49 + 52 + 48 + 35 + 56 272
2. 1.8 + 2.2 + 3.1 + 2.4 + 1.9 + 1.4 12.8	2. 1.8 + 2.2 + 3.1 + 2.4 + 1.9 + 1.4 12.8
3. 270 ÷ 6 45	3. 270 ÷ 6 45
4. 434 ÷ 7 62	4. 434 ÷ 7 62
5. 76 ÷ 8 9.5	5. 76 ÷ 8 9.5

Available on Daily Transparency 1-8

▶ Lesson Link

Ask students to list uses and meanings of the word *average*. They might suggest "average grades," "average student," "average ball player," and so on. Explain that an average is a number which helps to describe a set of data.

▶ Enlace con la lección

Anime a los estudiantes para que hagan una lista de los usos y significados de la palabra *promedio*. Explíqueles que un promedio es un número que ayuda a describir un conjunto de datos.

1 Introducción

Investigar

Introduce

Explore

The Point

Students explore how changes in the people in their group would change the group's average arm length.

Ongoing Assessment

Check that students are able to measure accurately.

For Groups That Finish Early

Use the same method you used in **Explore** to find the average shoe length of the members in your group.

Objetivo

Los estudiantes investigan cómo los cambios en los integrantes de su grupo modifican el promedio de longitud de los brazos del grupo.

Evaluación continua

Compruebe que los estudiantes sean capaces de medir correctamente.

Para los grupos que terminen antes

Con el mismo método que utilizaste en **Investigar**, halla tu promedio de la medida de zapato de los miembros de tu grupo.

1-8   El significado de la media

Vas a aprender...
- a calcular la media de un conjunto de datos.

...cómo se usa
Los fabricantes de automóviles toman en cuenta la media de las dimensiones del cuerpo humano para el diseño de autos.

Vocabulario
- media

▶ Enlace con la lección   En la lección anterior aprendiste a utilizar la mediana y la moda de un conjunto de datos para describirlos. Ahora aprenderás a encontrar otro valor que se conoce por lo general como *promedio*. ◀

Investigar   La media

Recorta un registro

Materiales: Cuerda, tijeras y cinta métrica

Trabaja en grupo con al menos cuatro estudiantes.

1. Comienza por la punta de una madeja de cuerda. Utiliza la cuerda para medir la longitud del brazo de uno de tus compañeros (del hombro a la punta de los dedos). Marca la longitud del brazo en la cuerda.
   A partir de esta marca, mide la longitud del brazo del segundo compañero y márcala en la cuerda. Continúa hasta que todos los brazos hayan sido medidos en la misma cuerda.

2. Corta la cuerda en la última marca. Deberás tener ahora una sola medida de la longitud de la cuerda, que será igual a la suma de las longitudes de todos los brazos. Mide y registra la longitud total de la cuerda.

3. Corta la cuerda en secciones de igual longitud, de tal manera que haya tantos tramos de cuerda como miembros en tu grupo. Mide y registra la longitud de un tramo. ¿Qué representa la medida de cada tramo?

4. ¿Es importante saber quién se midió primero y quién al final? Explica por qué.

5. Si añades otra persona a tu grupo y repites los pasos del 1 al 3, ¿será el tramo final más largo o más corto que el tramo final del grupo original?

MEETING INDIVIDUAL NEEDS

Resources
1-8 Practice
1-8 Reteaching
1-8 Problem Solving
1-8 Enrichment
1-8 Daily Transparency
   Problem of the Day
   Review
   Quick Quiz
Teaching Tool Transparencies 2, 3
Technology Master 4

Recursos
1-8 Práctica
1-8 Práctica adicional
1-8 Resolución de problemas
1-8 Actividad de enriquecimiento
Tecnología 4

Learning Modalities

Logical After discussing **Check Your Understanding**, ask students which measure—the median, the mode, or the mean— is the best number to describe a set of data. Ask students to explain their reasoning.

Individual Now that students have studied the three major measures of central tendency, the mean, the median, and the mode, offer to let them decide which measure should be used to figure their weekly grade. Have them write a paragraph explaining their choice.

Challenge

Have students solve the following problem. For a set of five numbers, the mean is 28, the mode is 24, the median is 28, and the range is 10. Find the five numbers. 24, 24, 28, 30, 34

Modos de aprendizaje

Lógico Después de analizar la sección **Comprobar tu comprensión**, pregunte a los estudiantes qué medida —mediana, moda o media—describe mejor un conjunto de datos. Pídales que expliquen su razonamiento.

Individual Ahora que los estudiantes conocen las tres medidas de tendencia central más importantes (media, mediana y moda), pregúnteles cuál de ellas usarían para evaluar su aprendizaje cada semana. Pídales que expliquen por escrito su elección.

Desafío

Los estudiantes deben resolver este problema: En un conjunto de cinco números, la media es 28, la moda es 24, la mediana es 28 y el rango es 10. Halla los números que forman el conjunto. 24, 24, 28, 30, 34

La **media** de un conjunto de datos es la suma de los valores del conjunto dividida entre el número de elementos del conjunto. La media se conoce también como *promedio*. Para hallar la media, suma todos los valores de los datos y divide este resultado entre el número de datos.

No te olvides

La suma de un conjunto de números es el resultado de sumar todos los números. [Curso anterior]

Ejemplo 1

La carrera de trineos tirados por perros Iditarod consiste en atravesar la tundra de Alaska desde Anchorage hasta Nome. Susan Butcher ha ganado la carrera cuatro veces y sus posiciones de 1983 a 1994 son las siguientes. (No participó en 1985.) Halla la media.

9, 2, 1, 1, 2, 1, 3, 2, 4, 10

$9 + 2 + 1 + 1 + 1 + 2 + 1 + 3 + 2 + 4 + 10 = 36$ Suma los elementos.

$36 \div 11 = 3.272727\ldots$ Divide el resultado entre el número de elementos.

La media de Susan Butcher fue de 3.272727... A veces la media es un decimal con varios dígitos después del punto. Como las medidas reales no están escritas con tantos decimales, es razonable utilizar sólo los primeros dos dígitos después del punto. Por tanto, la media de las posiciones de Susan Butcher fue de 3.27.

Haz la prueba

a. Halla la media del precio de un balón de fútbol. $12.50, $16.00, $14.95, $19.00, $9.50

b. Encuentra la media de los goles anotados. 2, 3, 0, 1, 1, 2, 5, 0, 2, 1, 1, 0

A veces la media se concibe como el número *igualmente compartido*. Si todos los valores de un conjunto de datos se emparejan hasta llegar a ser iguales entre sí y si el total es el mismo, entonces cada valor será igual a la media.

1. ¿Cuál es la diferencia entre media y mediana? ¿Cuál es la diferencia entre media y moda?

2. ¿Es la media de un conjunto de datos un número que pertenece al conjunto? Justifica tu respuesta.

1-8 • El significado de la media **47**

MATH EVERY DAY

► Problema del día

Martha tiene un vaso de 7 onzas y otro de 4 onzas. ¿Cómo puede usar ambos vasos y otro recipiente para medir con exactitud 6 onzas de agua?

Respuesta posible: Primero debe llenar el vaso de 7 onzas y verter 4 onzas al vaso de 4 onzas. Luego debe verter las 3 onzas restantes en el tercer recipiente y vaciar el vaso de 4 onzas. Después debe repetir el proceso. Cuando agregue las 3 onzas al envase que contiene 3 onzas, tendrá 6 onzas en total.

Problem of the Day

Martha has a 7-ounce glass and a 4-ounce glass. How can she use these glasses and another container to measure exactly 6 ounces of water?

Possible answer: Martha fills the 7-ounce glass and pours 4 ounces into the 4-ounce glass. She then pours the remaining 3 ounces into another container and empties the 4-ounce glass. She repeats the process. When she adds the 3 ounces to the container already containing 3 ounces, she has 6 ounces in all.

Available on Daily Transparency 1-8

An Extension is provided in the transparency package.

Dato del día

Ty Cobb fue campeón de bateo de la Liga Americana de béisbol 12 veces a principios de siglo. Siempre mantuvo un promedio de bateo entre .324 y .420.

Fact of the Day

Ty Cobb was the American League batting champion 12 times in the early 1900s. His average ranged from .324 to .420.

Estimation

Estimate.
1. 421 ÷ 4   100
2. 483 ÷ 6   80
3. 7218 ÷ 71   100
4. 4624 ÷ 54   90

Cálculo aproximado

Haz un cálculo aproximado.

1. 421 ÷ 4   100
2. 483 ÷ 6   80
3. 7218 ÷ 71   100
4. 4624 ÷ 54   90

Respuestas de Investigar

1–2. Las respuestas pueden variar.

3. Representa una longitud del brazo si todos los miembros del grupo tuvieran la misma longitud de brazo.

4. No; La longitud total será la misma, sin importar el orden.

5. Depende de la persona que se agregue. Si la longitud del brazo de la persona es menor que la longitud de brazo del inciso 3, entonces la longitud de brazo del nuevo grupo será menor. Si la longitud del brazo de la persona es mayor, entonces la longitud de brazo del grupo será mayor.

2 Enseñanza

Ejemplos adicionales

En los juegos de postemporada de 1996 de la NBA, Michael Jordan anotó los siguientes puntos: 28, 29, 36, 23, 26 y 22.

Halla la media del número de puntos. Primero suma los puntos: 28 + 29 + 36 + 23 + 26 + 22 = 164

Puesto que fueron 6 juegos, divide la suma entre 6.
164 ÷ 6 = 27.333333…

La media de los puntos es 27.33.

3 Práctica y evaluación

Asegúrese de que los estudiantes comprendan que la media no es necesariamente el número intermedio.

Respuestas de Comprobar tu comprensión

1. La media es la medida que dice cuánto tendría cada quien si todos los valores se compartieran de manera equitativa. La mediana es el valor intermedio. La moda es el valor que ocurre con mayor frecuencia.

2. No necesariamente. La media es un cociente que podría no incluirse en el conjunto de datos.

Answers for Explore

1–2. Answers may vary.

3. It represents one arm length if all group members had exactly the same length arm.

4. No; The total will be the same regardless of the order.

5. It depends on the person added. If the person's arm length is shorter than the arm length from Step 3, the new group arm length will go down. If the person's arm length is longer, the group arm length will go up.

Teach

Learn

Alternate Examples

In the 1996 NBA championship playoff games, Michael Jordan scored the following number of points: 28, 29, 36, 23, 26, and 22.

Find the mean number of points. First add the points: 28 + 29 + 36 + 23 + 26 + 22 = 164

Since there were 6 games, divide the sum by 6.
164 ÷ 6 = 27.333333…

The mean number of points is 27.33.

Practice and Assess

Check

Be sure that students understand that the mean is not necessarily the middle number.

Answers for Check Your Understanding

1. The mean is the measure of how much each would have if all the values are shared equally. The median is the middle value, regardless of equal sharing. The mode is the value occurring most often, regardless of equal sharing.

2. Not necessarily. The mean is a quotient that may not turn out to be a number in the data set.

Assignment Guide

- Basic 1, 3–4, 6–12, 14–26 evens
- Average 2–4, 6–13, 16–28 evens
- Enriched 2, 5–13, 20–28 evens

Exercise Notes

■ Exercise 6

Error Prevention If students do not get the correct answers, remind them to include the stem when they consider the data.

■ Exercise 9

Test Prep Students can answer this question without actually finding the mean, median, and mode of the data set. Explain that the mode is a number in the data set, and that the median and mean will be less than 7, the largest number. Therefore, D cannot be the mean, median, or mode.

Notas sobre los ejercicios

■ Ejercicio 6

Prevención de errores Si los estudiantes no obtienen las respuestas correctas, recuérdeles que incluyan el tallo cuando consideren los datos.

■ Ejercicio 9

Para la prueba Los estudiantes pueden responder esta pregunta sin hallar la media, mediana y moda del conjunto de datos. Explíqueles que la moda es un número del conjunto de datos, y que la mediana y la media serán menores que 7, que es el número más grande. Por tanto, D no puede ser la media, mediana o moda.

PRACTICAR 1-8

Práctica y aplicación

Para empezar Halla la media para cada conjunto de datos al sumar los números y después dividir el resultado entre el número de datos.

1. $10, $10, $5, $1, $2, $5, $4, $3 **$5**

2. 100, 85, 88, 98, 95, 87, 82, 83, 84 **89.11**

3. 5, 5, 5, 5, 5, 5, 5, 5, 5 **5**

4. **Consumo** Calcula la media del dinero gastado por los clientes del teatro. **$8.43**
   $8, $7, $10, $12, $8, $11, $8, $6, $9, $8, $10, $7, $7, $7

5. **Salud** Los datos representan el número de segundos que tardó Manuel en recorrer los 100 metros planos. Halla la media de este tiempo. **11.81 segundos**
   10, 12, 15, 10, 11, 14, 13, 16, 10, 12, 10, 9, 13, 12, 11, 11

Encuentra la media de cada conjunto de datos.

6.   **32.29**

Tallo	Hoja
1	3 4 5
2	1 2 2 5 6
4	2 4 6 6
5	7 9

7.   **3.63**

8. Halla la media, mediana y moda. **Media 37.2, mediana 35, moda 33**

Equipos de la NFL que han jugado el mayor número de los partidos de postemporada (hasta 1995)			
Equipo	Juegos	Equipo	Juegos
Cowboys	49	Rams	33
'49ers	33	Raiders	36
Redskins	35		

9. **Para la prueba** De los siguientes datos, ¿cuál número **no** es la media, ni la mediana ni la moda? **D**
   6, 7, 7, 7, 6, 4, 4, 7, 2, 0

   (A) 7   (B) 5   (C) 6   (D) 50

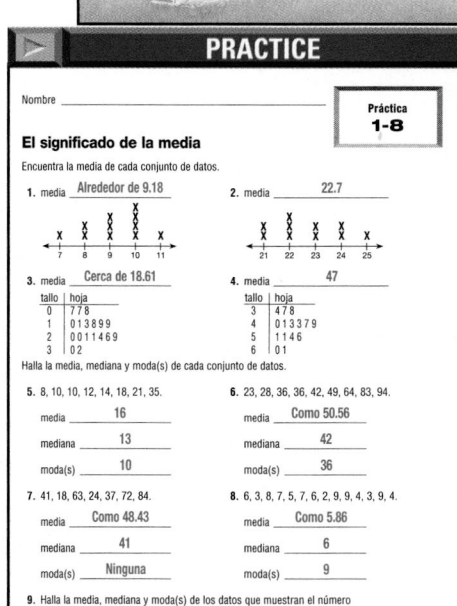

Reteaching

Activity

Materials: Centimeter cubes

Use centimeter cubes to represent this set of numbers as a bar graph: 8, 3, 9, 4, 1. Arrange the bars in order from least to greatest.

- What is the median number? 4
- How can you tell? It's in the middle.
- What is the range? 8
- How did you find the range? The greatest number is 9 and the least number is 1; 9 − 1 = 8.
- Try to make 5 equal-length bars with these cubes. How many cubes are in each bar? 5: The number 5 is the mean, or the average, number of cubes.

Práctica adicional

Actividad

Materiales: Cubos de un centímetro

Usa cubos de un centímetro para representar este conjunto de números como una gráfica de barras: 8, 3, 9, 4, 1. Ordena las barras de menor a mayor.

- ¿Qué número representa a la mediana? 4
- ¿Cómo lo sabes? Porque está en medio.
- ¿Cuál es el rango? 8
- ¿Cómo hallaste el rango? El número mayor es 9 y el menor es 1; 9 − 1 = 8.
- Trata de hacer 5 barras de igual longitud con estos cubos. ¿Cuántos cubos hay en cada barra? 5: El número 5 es la media, o promedio, del número de cubos.

PRACTICE

Nombre _____

Práctica adicional **1-8**

El significado de la media

Encuentra la media de cada conjunto de datos.

1. media Alrededor de 9.18
2. media 22.7
3. media Cerca de 18.61

tallo	hoja
0	7 7 8
1	0 1 3 8 9 9
2	0 0 1 1 4 6 9
3	0 2

4. media 47

tallo	hoja
3	4 7 8
4	0 1 3 3 7 9
5	1 1 4 6
6	0 1

Halla la media, mediana y moda(s) de cada conjunto de datos.

5. 8, 10, 10, 12, 14, 18, 21, 35.
   media 16
   mediana 13
   moda(s) 10

6. 23, 28, 36, 36, 42, 49, 64, 83, 94.
   media Como 50.56
   mediana 42
   moda(s) 36

7. 41, 18, 63, 24, 37, 72, 84.
   media Como 48.43
   mediana 41
   moda(s) Ninguna

8. 6, 3, 8, 7, 5, 7, 6, 2, 9, 9, 4, 3, 9, 4.
   media Como 5.86
   mediana 6
   moda(s) 9

9. Halla la media, mediana y moda(s) de los datos que muestran el número de miembros de los boy scouts de la localidad.
   41, 75, 32, 115, 75, 68, 81, 93, 102, 53, 49, 71
   media 71.25   mediana 73   moda(s) 75

10. Halla la media, mediana y moda(s) de los datos que muestran el número de puntos anotados por el equipo de baloncesto Hooping Cranes en los últimos 12 juegos.
    87, 112, 98, 93, 79, 80, 89, 83, 91, 93, 86, 101
    media 91   mediana 90   moda(s) 93

RETEACHING

Nombre _____

Práctica adicional **1-8**

El significado de la media

La **media** de un conjunto de datos es la suma de los valores del conjunto dividida entre el número de datos. A la media se le llama también *promedio*. Para hallar la media, suma todos los valores y divide entre el número de datos.

Ejemplo

Las mesadas de un grupo de niños son $5.00, $4.00, $3.50, $6.00, $5.00, $2.50, $2.00, $7.00, $6.50, $4.50, $3.50, $5.50.
¿Cuál es la media? Redondea tu respuesta al centavo más cercano.

Paso 1: Suma todas las cantidades.
El total es $55.00.

Paso 2: Hay 12 cantidades.
Divide el total de la cantidad de dólares entre este número. $55.00 ÷ 12 = $4.5833...
La media de las mesadas, redondeada al centavo más cercano, es de $4.58.

Haz la prueba Halla el precio medio de estas seis cajas de galletas:
$3.25, $2.75, $2.00, $3.25, $2.50, $2.75.

a. Suma todos los precios. ¿Cuál es la suma? $16.50
b. ¿Cuántas cajas de galletas hay? 6 cajas.
c. Divide la suma de los precios entre el número de cajas de galletas.
   Muestra tu enunciado numérico. 16.50 ÷ 6 = 2.75
d. Escribe el precio medio. $2.75

Halla el peso medio de estos gatos: Frisky, 6 lb; Mittens, 8 lb; Tiger, 12 lb; Baby Kitty, 7 lb; Patches, 10 lb; Kissy, 9 lb; Trípod, 14 lb; Angel, 9 lb. Redondea tu respuesta al número cabal más cercano.

e. Paso 1: 6 + 8 + 12 + 7 + 10 + 9 + 14 + 9 = 75
f. Paso 2: 75 ÷ 8 = 9.375
g. Peso medio: 9 lb

Halla la media de cada conjunto de datos.

h. Longitud de estos seis lápices:
   12 cm, 15 cm, 16 cm, 10 cm, 11 cm, 14 cm 13 cm
i. Calificación de estas ocho pruebas: 78, 69, 82, 75, 90, 88, 72, 86 80

Resolución de problemas y razonamiento

10. Razonamiento crítico Encuentra la media, mediana y moda. ¿Cuál describe mejor a los jugadores de tenis? **Media 75.5 in., mediana 76 in., moda 76 in.**
Respuesta posible: La moda, porque 4 de los 6 son iguales.

Jugadores famosos de tenis

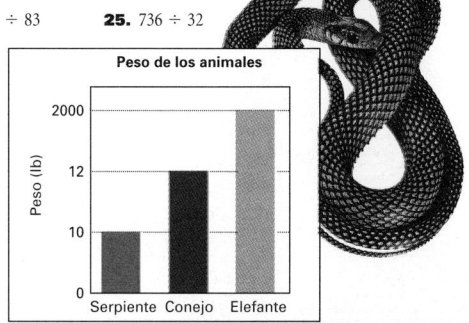

Estatura (in): 78, 77, 76, 75, 74, 73, 72, 71, 70
Andrés Gómez, Todd Martin, Goran Ivanisevic, Andrei Medvedev, Richard Krajicek, Michael Stich

11. Razonamiento crítico Piensa en un conjunto de cinco números diferentes cuya media sea 10. Explica tu método.

12. Escoge una estrategia
Imagina que las calificaciones de tus pruebas son 92, 85, 86 y 90. ¿Qué calificación necesitarías en la siguiente prueba para tener una media de 90? **97**

Resolución de problemas
ESTRATEGIAS
- Busca un patrón
- Organiza la información en una lista
- Haz una tabla
- Prueba y comprueba
- Empieza por el final
- Usa el razonamiento lógico
- Haz un diagrama
- Simplifica el problema

13. Razonamiento crítico ¿Cómo cambia la media de un conjunto de datos si agregas un número a los datos y este nuevo número es igual a la media? **No hay cambio en la media.**

Repaso mixto

Haz las siguientes divisiones. *[Curso anterior]*

14. 275 ÷ 5 **15.** 361 ÷ 7 **16.** 834 ÷ 9 **17.** 709 ÷ 8

18. 396 ÷ 11 **19.** 522 ÷ 13 **20.** 618 ÷ 15 **21.** 980 ÷ 20

22. 384 ÷ 24 **23.** 616 ÷ 56 **24.** 996 ÷ 83 **25.** 736 ÷ 32

26. ¿Cuál es la diferencia entre el peso de un conejo y el de una serpiente? *[Lección 1-2]*

27. ¿Cuántas veces, aproximadamente, es más alta la barra del elefante que la de la serpiente? *[Lección 1-2]*

28. ¿Crees que la gráfica se interpretó de manera errónea? Explica por qué. *[Lección 1-2]*

Peso de los animales

Peso (lb): 2000, 12, 10, 0
Serpiente, Conejo, Elefante

PROBLEM SOLVING

Nombre _____

Resolución guiada de problemas 1-8

RGP PROBLEMA 12, PÁGINA 49 DEL ESTUDIANTE

Imagina que las calificaciones de tus pruebas son 92, 85, 86 y 90. ¿Qué calificación necesitarías en la siguiente prueba para tener una media de 90?

— Comprende —
1. ¿Cuáles son las calificaciones de tus primeras cuatro pruebas? **92, 85, 86, 90**
2. ¿Cuál es la calificación media que quieres tener después de las cinco pruebas? **90**
3. ¿Cómo hallarías la media de un conjunto de datos?
Al sumar los datos y dividirlos entre el número de valores.

— Plan —
4. ¿Qué operación usarías para hallar la calificación total de las cuatro pruebas? **La suma.**
5. ¿Qué operación usarías para hallar la calificación total en las cinco pruebas si la calificación media es de 90? **La multiplicación.**
6. ¿Cuál operación utilizarías para encontrar la calificación que necesitas en la quinta prueba? **La resta.**

— Resuelve —
7. ¿Cuál es el total de las primeras cuatro calificaciones de pruebas? **353**
8. ¿Cuál es el total que necesitas en las cinco pruebas para tener un promedio de 90 puntos? **450**
9. ¿Qué calificación necesitas en la quinta prueba? **97**

— Revisa —
10. ¿Cómo puedes revisar que tu respuesta sea razonable?
Al sumar 97 a tus cuatro calificaciones y dividir el resultado entre 5 para ver si la respuesta es 90.

RESUELVE OTRO PROBLEMA

Supónte que estás de viaje. Has viajado 50 millas, 60 millas, 140 millas, 200 millas y 10 millas. ¿Cuánto debes viajar mañana para llegar a una distancia media de 100 millas? **140 millas.**

ENRICHMENT

Nombre _____

Actividad de enriquecimiento 1-8

Razonamiento crítico

La siguiente tabla muestra algunos precios de bicicletas de montaña de diez velocidades. Organiza esta información y úsala para responder las preguntas a continuación.

Precios de bicicletas
$180, $275, $675, $420, $385, $450, $610, $295, $450, $145, $395, $265, $515, $495, $235

1. ¿Cuál es la **mediana** del precio de una bicicleta? ¿Cómo lo sabes?
$395, porque es el número intermedio.
2. ¿Cuál es la **moda** del precio de una bicicleta? ¿Cómo lo sabes?
$450, porque aparece con más frecuencia.
3. ¿Cuál es la **media** del precio de una bicicleta? ¿Cómo lo sabes?
$386, porque la suma de los datos, $5790, dividida entre el número de artículos, 15, es de 386.
4. ¿Usarías el precio de la mediana, de la moda o de la media como límite de tus ahorros si quisieras comprar una bicicleta? Explica tu razonamiento.
Se acepta cualquier respuesta razonable.
Respuesta posible: Se usaría la mediana porque la mitad de las bicicletas tiene un precio por arriba de ésta y la mitad tiene un precio por abajo de ésta.
5. Imagina que al conjunto de datos agregas los de las bicicletas que cuestan $435 y $565. ¿Cambiarán la mediana, moda y media? Si es así, ¿cómo quedarán?
Nueva mediana, $420; nueva media, $399.41; la moda no cambia, $450.
6. ¿Agregar los nuevos datos afectará tu decisión de la pregunta 4? ¿Por qué?
Respuesta posible: Sí, porque la mediana aumenta de $395 a $420, por tanto, necesita ahorrar $25 más.

Respuestas de Ejercicios

11. Respuesta posible: 8, 9, 10, 11, 12; Se escogen cinco números que sumados den 50, porque 50 entre 5 es igual a 10.

14. 55

15. 51 R 4 ó 51.57

16. 92 R 6 ó 92.67

17. 88 R 5 ó 88.63

18. 36

19. 40 R 2 ó 40.15

20. 41 R 3 ó 41.2

21. 49

22. 16

23. 11

24. 12

25. 23

26. 2 libras

27. 3 veces

28. Respuesta posible: Sí, porque un elefante pesa 200 veces más que una víbora, pero en la gráfica parece que sólo pesara 3 veces más que una víbora.

Evaluación adicional

Progreso Trabaja en grupos de tres y prepara una presentación dirigida a los estudiantes de cuarto y quinto grados. Los estudiantes deben escoger los datos que les interesan a los más jóvenes, y usar estos datos para demostrar el significado de la media, mediana y moda.

▶ **Prueba rápida**

Encuentra la media, mediana y moda de cada conjunto de datos.

1. 8, 10, 7, 6, 5, 7, 13 Media: 8; mediana: 7; moda: 7.

2. 12, 18, 10, 13, 15, 19, 22, 27 Media: 17; mediana: 16.5; moda: no hay.

Exercise Notes

■ **Exercise 12**

Problem-Solving Tip You may wish to use Teaching Tool Transparencies 2 and 3: Guided Problem Solving, pages 1–2.

Exercise Answers

11. Possible answer: 8, 9, 10, 11, 12; Choose five numbers that add to 50, because 50 divided by 5 is 10.

14. 55

15. 51 R4 or 51.57

16. 92 R6 or 92.67

17. 88 R5 or 88.63

18. 36

19. 40 R2 or 40.15

20. 41 R3 or 41.2

21. 49

22. 16

23. 11

24. 12

25. 23

26. 2 pounds

27. 3 times

28. Possible answer: Yes, because an elephant weighs 200 times as much as a snake, but it looks as if it weighs only 3 times as much.

Alternate Assessment

Performance Work in groups of three to prepare a presentation directed to younger students in 4th or 5th grade. Students should choose data that is of interest to the younger students and use the data to demonstrate the meaning of mean, median, and mode.

Quick Quiz

Find the mean, the median, and the mode for each set of data.

1. 8, 10, 7, 6, 5, 7, 13 Mean: 8; Median: 7; Mode: 7.

2. 12, 18, 10, 13, 15, 19, 22, 27 Mean: 17; Median: 16.5; Mode: none.

Available on Daily Transparency 1-8

Using a Spreadsheet
• Finding the Median

The Point

Students use spreadsheets to find the median of a set of data.

Materials

Spreadsheet software

Resources

Interactive CD-ROM
Spreadsheet/Grapher Tool

About the Page

If students are not familiar with spreadsheets:

- Point out the columns, rows, and cells.
- Identify cell locations by column letter and row number.
- Discuss how to enter data.
- Discuss how to use the sort function.

Ask …

- How is the median found for an odd number of data values? Order the data; determine the middle number.
- How is the median found for an even number of data values? Order the data; find the average of the two middle numbers.

Answers for Try It

a. 81.5

b. 81.5

On Your Own

Students will have to collect data to answer these questions. You might suggest that they do this as a class. For the second question, be sure students understand the definition of mode.

Answers for On Your Own

- Answers may vary.
- The sort command will order the numbers so you can easily see how many of each number there are.
- Yes; Possible answer: The user could input the wrong data. Using technology doesn't mean that the user won't make a mistake.

 Uso de la hoja de cálculo
• Calcular la mediana

Objetivo

Los estudiantes usan la hoja de cálculo para hallar la mediana de un conjunto de datos.

Materiales

Software de hoja de cálculo

Recursos

CD-ROM Interactivo
Hoja de cálculo/Herramienta de graficación

Acerca de esta página

Si los estudiantes no están familiarizados con las hojas de cálculo:

- Señala las columnas, hileras y celdas.
- Identifica la localización de las celdas por la letra de la columna y el número de la hilera.
- Comenta cómo introducir los datos.
- Comenta cómo usar la función de clasificación.

Pregunte…

- ¿Cómo se determina la mediana de un conjunto de datos con un número impar de valores? Ordena los datos; señala cuál es el número intermedio.
- ¿Cómo se halla la mediana de un conjunto de datos con un número par de valores? Ordena los datos; halla el promedio de los dos números intermedios.

Respuestas de Inténtalo

a. 81.5

b. 81.5

Por tu cuenta

Los estudiantes tienen que recabar datos para responder a estas preguntas. Puede sugerirles que lo hagan en grupo. Para la segunda pregunta, asegúrese de que los estudiantes comprendan la definición de la moda.

Respuestas de Por tu cuenta

- Las respuestas pueden variar.
- El comando clasificar ordena los números y de este modo es más fácil observar cuántos valores hay de cada número.
- Sí; Respuesta posible: El usuario puede introducir datos equivocados. El uso de esta tecnología no significa que el usuario no pueda cometer errores.

TECNOLOGÍA

Uso de la hoja de cálculo • Calcular la mediana

Problema: ¿Cuál es la mediana para el siguiente conjunto de datos?

Puedes usar tu hoja de cálculo para ordenar los datos. Esto te ayudará a encontrar la mediana.

90	80	88	58	78	93	93	93	75	88	90	70
78	95	83	75	78	50	88	78	93	43	93	48
60	93	83	78	48	70	65	73	85	85	88	

1 Escribe los datos en la columna A. Asegúrate de que tienes 35 números en la hoja de cálculo.

	A	B
1	90	
2	80	
3	88	
4	58	
5	78	
6	93	
7	93	
8	93	

2 Utiliza el comando para ordenar y así organizar la información de menor a mayor. Para hacer esto, primero resalta los datos y después selecciona el comando ordenar (sort).

3 Emplea tus conocimientos sobre computación y encuentra la mediana de los datos.

Solución: La mediana es 80.

INTÉNTALO

a. ¿Cuál es la mediana de las primeras cuatro columnas?

b. ¿Cuál es la mediana de las dos hileras de la parte superior?

POR TU CUENTA

▶ Utiliza una hoja de cálculo para determinar la mediana del número de hermanos y hermanas de tus compañeros de clase.

▶ ¿Cómo puede ayudarte a encontrar la moda la función ordenar (sort) de una hoja de cálculo?

▶ ¿Es posible obtener una respuesta incorrecta cuando se usa una hoja de cálculo para hallar la mediana? Justifica tu respuesta.

50

Los efectos de los valores extremos

1-9

▶ **Enlace con la lección** En las dos lecciones anteriores estudiaste tres números que se pueden utilizar para describir un conjunto de datos: mediana, moda y media. Ahora verás cómo ciertos valores (muy alejados del resto del conjunto) pueden afectar dichos números. ◀

Investigar | Valores extremos

El mundo según Wayne

Cada año la Liga Nacional de Hockey otorga el trofeo Hart al jugador más valioso de la temporada. La tabla incluye a todos los jugadores, menos uno, que han ganado el trofeo Hart desde 1974 hasta 1995.

1. Halla la mediana, moda y media del conjunto de datos.

2. El jugador que no está incluido en la tabla es el legendario Wayne Gretzky, quien ha obtenido el trofeo Hart nueve veces. Considera dentro del conjunto los datos de Gretzky y calcula de nuevo la mediana, moda y media.

3. ¿Cómo afectó el valor de Gretzky la mediana, la moda y la media?

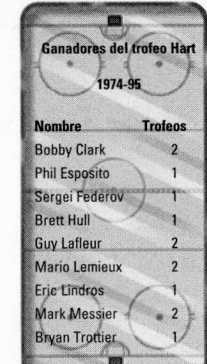

Ganadores del trofeo Hart 1974-95

Nombre	Trofeos
Bobby Clark	2
Phil Esposito	1
Sergei Federov	1
Brett Hull	1
Guy Lafleur	2
Mario Lemieux	2
Eric Lindros	1
Mark Messier	2
Bryan Trottier	1

Vas a aprender...

■ a determinar si un valor extremo afecta el análisis de un conjunto de datos.

...cómo se usa

Quienes investigan los beneficios de cierto tipo de ejercicios deben revisar si sus datos han sido afectados por valores extremos, antes de utilizarlos para recomendar nuevos métodos de entrenamiento.

Vocabulario

valor extremo

Aprender | Los efectos de los valores extremos

Un **valor extremo** es un número del conjunto de datos que difiere mucho del resto de los números. Los valores extremos pueden tener un gran efecto en la media.

En la lección anterior viste que la media de un conjunto de datos puede representar al conjunto en forma adecuada. Por ejemplo, la media de las temperaturas altas mostradas en esta tabla es 91°F. Puesto que la media es muy parecida a todos los datos, representa bien al conjunto.

Temperaturas altas del día (°F)

Lunes	88
Martes	94
Miércoles	94
Jueves	92
Viernes	87

MEETING INDIVIDUAL NEEDS

Recursos

1-9 Práctica
1-9 Práctica adicional
1-9 Resolución de problemas
1-9 Actividad de enriquecimiento
Tecnología 5

Resources

1-9 Practice
1-9 Reteaching
1-9 Problem Solving
1-9 Enrichment
1-9 Daily Transparency
Problem of the Day
Review
Quick Quiz
Technology Master 5
Chapter 1 Project Master

Modos de aprendizaje

Cinestésico Forme una hilera de cinco estudiantes en la parte izquierda del frente del salón. El resto de la clase deberá calcular la distancia media y mediana entre los estudiantes. Pídale a otro estudiante que se pare en el extremo opuesto del salón. Anime a la clase a calcular la distancia media y mediana una vez más.

Social Forme grupos de tres o cuatro para que resuelvan los ejercicios de **Investigar** y pídales que hallen la media, mediana y moda en el inciso 1. Anímelos a intercambiar roles en el inciso 2.

Desarrollo del lenguaje

Relacione el término *valor extremo*, el número más alejado de los demás en un conjunto de datos, con el término *jardinero*, el beisbolista que se ubica en la *parte externa* del campo de juego. Ambas palabras indican que un elemento está lejos de los demás. Si los estudiantes no están familiarizados con el béisbol, algún compañero que sí lo esté deberá ofrecerles una breve explicación del juego.

Learning Modalities

Kinesthetic Have five students line up at the left end of the front of the room. Have the rest of the class estimate the mean and the median distances of the five students from the left end. Then position one more student at the far right end of the room. Have the rest of the class recalculate the mean and the median.

Social Have students work in groups of three or four to share the tasks of ordering **Explore** data and finding the mean, the median, and the mode for Step 1. They can trade roles and work on Step 2.

English Language Development

You can relate the term *outlier*, a number which is far away from the rest of the numbers in a data set, to the baseball term *outfielder*, a player whose position is well away from the baseball diamond. Both terms indicate something that is away from the others. If some students are not familiar with baseball, ask other students to give a brief explanation of the game.

Lesson Organizer

1-9

Objective

■ **Determine if an outlier affects the analysis of a data set.**

Vocabulary

■ **Outlier**

NCTM Standards

■ **1–4, 7, 10**

▶ **Repaso**

Halla la media, mediana y moda de cada conjunto de datos.

1. 24, 12, 16, 18, 16, 22
   18, 17, 16

2. 1.6, 2.2, 3.1, 2.4, 1.7, 2.2, 2.2
   2.2, 2.2, 2.2

3. 8, 7, 40, 9, 8, 6 13, 8, 8

Review

Find the mean, the median, and the mode for each set of data.

1. 24, 12, 16, 18, 16, 22
   18, 17, 16

2. 1.6, 2.2, 3.1, 2.4, 1.7, 2.2, 2.2
   2.2, 2.2, 2.2

3. 8, 7, 40, 9, 8, 6 13, 8, 8

Available on Daily Transparency 1-9

---

1 Introducción

Investigar

Objetivo
Los estudiantes aprenden de qué manera uno o dos datos —que difieren mucho de los demás— afectan a las otras medidas de tendencia central que han estudiado.

Evaluación continua
Cerciórese de que todos los estudiantes puedan hallar la media, mediana y moda de un conjunto de datos.

Respuestas de Investigar

1. Mediana: 1; moda: 1; media: 1.44.

2. Mediana: 1.5; moda: 1; media: 2.2.

3. A la mediana sólo la afecta un poco, mientras que a la moda no la afecta en absoluto. La más afectada de todas es la media.

Introduce

Explore

The Point

Students learn how one or two data items which are very different from most of the data affect the other measures of central tendency they have studied.

Ongoing Assessment

Check that all students can find the mean, the median, and the mode for a set of data.

Answers for Explore

1. Median: 1; Mode: 1; Mean: 1.44.

2. Median: 1.5; Mode: 1; Mean: 2.2.

3. It changes the median only slightly, and it doesn't affect the mode at all. The mean changes most of all.

Teach

Learn

Alternate Examples

The four tallest structures in Toronto, Canada, are the CN Tower at 1821 feet, First Canadian Place at 952 feet, Bay/Adelaide Center at 945 feet, and Scotia Plaza at 902 feet. Find the median, the mode, and the mean of the data with and without the outlier.

Since it is so much greater than the other values, 1821 is the outlier.

Without outlier

Median = 945.
No mode.
Mean: $952 + 945 + 902 = 2799$.
$2799 \div 3 = 933$.

With outlier

Median: $952 + 945 = 1897$
$1897 \div 2 = 948.5$
No mode.
Mean:
$1821 + 952 + 945 + 902 = 4620$
$4620 \div 4 = 1155$.

Practice and Assess

Check

Discuss with students how an outlier might affect the median of a set of data.

Answers for Check Your Understanding

1. The mode doesn't change because the one outlier is a new value of data, and it doesn't change which number appears most often.

2. Yes; A high outlier will pull the mean up, and a low outlier will pull it down. The median and the mode are usually not profoundly affected either way.

---

2 Enseñanza

Aprender

Ejemplos adicionales

Los cuatro rascacielos más altos de Toronto, Canadá, son la Torre CN de 1821 pies, el First Canadian Place de 952 pies, el Bay/Adelaide Center de 945 pies y el Scotia Plaza de 902 pies. Halla la mediana, moda y media de los datos con valor extremo y sin él.

Puesto que 1821 es mucho más grande que los otros valores, éste es el valor extremo.

Sin valor extremo

Mediana = 945.
No hay moda.
Media: $952 + 945 + 902 = 2799$.
$2799 \div 3 = 933$.

Con valor extremo

Mediana: $952 + 945 = 1897$
$1897 \div 2 = 948.5$
No hay moda.
Media:
$1821 + 952 + 945 + 902 = 4620$
$4620 \div 4 = 1155$.

3 Práctica y evaluación

Comprobar

Comente con los estudiantes de qué manera un valor extremo puede afectar la mediana de un conjunto de datos.

Respuestas de Comprobar tu comprensión

1. La moda no cambia porque el único valor extremo es un valor nuevo en el conjunto de datos, por tanto, tampoco se modifica el número que aparece con más frecuencia.

2. Sí; Un valor extremo alto modifica la media hacia arriba mientras que un valor extremo bajo la modifica hacia abajo. En general, la mediana y la moda no resultan afectadas.

Imagina que el sábado la temperatura se dispara a 55°F. Encuentra qué sucede con la media: $88 + 94 + 94 + 92 + 87 + 55 = 510$
$510 \div 6 = 85$

La temperatura media de 85°F es *menor que* cinco de los seis datos; se ha movido hacia abajo por el valor extremo, 55°F.

	Lun–Vier	Lun–Sáb
Media	91	85
Mediana	92	90
Moda	94	94

En la tabla se aprecia que la suma del valor extremo del sábado afecta muy poco a la mediana y la moda no cambió.

Puedes observar que el conjunto de datos con un valor extremo se representa mejor, en general, por la mediana o la moda. El valor extremo modifica demasiado a la media como para que ésta represente en forma adecuada al conjunto.

Ejemplo 1

Calcula la mediana, moda y media de la información con valor extremo y sin él.

Edificios más altos en Las Vegas	
Edificio	**Altura (ft)**
Torre Vegas World	1012
Hotel Fitzgerald	400
Hotel Landmark	356
Las Vegas Hilton	345

Sin valor extremo

Mediana = 356
No hay moda
Media: $400 + 356 + 345 = 1101$
$1101 \div 3 = 367$

Con valor extremo

Mediana: $400 + 356 = 756$
$756 \div 2 = 378$
No hay moda
Media: $400 + 356 + 345 + 1012 = 2113$
$2113 \div 4 = 528.25$

Haz la prueba Con valor extremo: mediana 21, no hay moda, media 28
Sin valor extremo: mediana 19, no hay moda, media 18.2
Halla la mediana, moda y media con valor extremo y sin él.

Estados con más reservaciones indias								
Estado	AZ	CA	MN	NV	NM	WA	WI	SD
Número	23	96	14	19	25	27	11	9

Comprobar Tu comprensión

1. ¿Por qué no cambia la moda cuando se agrega un valor extremo al conjunto de datos?

2. ¿Afectarían de manera diferente al conjunto de datos un valor extremo mayor y uno menor? Justifica tu respuesta.

MATH EVERY DAY

▶ Problema del día

Se cree que los tangramas tuvieron su origen en China hace más de 4000 años. Dibuja un diagrama que ilustre cómo deben colocarse las piezas para formar estos diseños.

Respuesta posible:

Problem of the Day

The tangram puzzle is believed to have its origin in China and is over 4000 years old. Draw a diagram showing how to use the tangram pieces to make these designs.

Possible answer:

Available on Daily Transparency 1-9

An Extension is provided in the transparency package.

Dato del día

Wayne Gretsky es el líder de todos los tiempos en puntos, asistencias y anotaciones en la Liga Nacional de Hockey (NHL).

Fact of the Day

Wayne Gretsky was the National Hockey League all-time leading scorer in points, assists, and goals.

Mental Math

Do these mentally.

1. Find the mean of 4, 6, 8, 10, 12, 14 9
2. Find the mean of 5, 10, 15, 20, 25 15
3. Find the mean of 5, 10, 5, 10, 5, 10 7.5

Cálculo mental

Haz estos cálculos en forma mental

1. Halla la media de 4, 6, 8, 10, 12 y 14. 9

2. Halla la media de 5, 10, 15, 20 y 25. 15

3. Halla la media de 5, 10, 5, 10, 5 y 10. 7.5

1-9 Ejercicios y aplicaciones

Práctica y aplicación

Para empezar Identifica el valor extremo de cada conjunto de datos.

1. 24, 24, 18, 56, 25, 12, 15, 22   56

2. 34, 28, 31, 34, 37, 2, 29, 21   2

3. 7, 6, 9, 10, 11, 6, 8, 11, 0, 10, 7, 8   0

4. 200, 225, 3000, 500, 325, 311   3000

Identifica el valor extremo de cada conjunto de datos.

5.
Tallo	Hoja
0	3
1	0 0 0 1 1 5 8
2	1 3 3 8 9
3	0 0

3

6.

```
                    x
                x   x   x
            x   x   x   x
    x   x   x   x   x           x
  +---+---+---+---+---+---+---+---+---+---+
  0   1   2   3   4   5   6   7   8   9
```

9

7.
Tallo	Hoja
1	0 0 2 2 5
2	0 2 6 7
3	0 3 4 6
7	0

70

8. a. Encuentra la media, mediana y moda con valor extremo y sin él.

b. ¿Afectó el valor extremo la moda, la media o la mediana? ¿A cuál le afectó más?

Resultados del abierto de Inglaterra (1996)
John Daly	282
Costantino Rocca	282
Michael Campbell	283
Steven Bottomley	283
Barry Lane	288

9. a. Encuentra la media, mediana y moda con valor extremo y sin él. [RGP]

b. ¿Afectó el valor extremo la moda, la media o la mediana? ¿A cuál le afectó más?

Resultados del torneo Dinah Shore (1996)
Nanci Bowen	285
Susie Redman	286
Brandie Burton	287
Sherri Turner	287
Meg Mallon	292

10. **Para la prueba** Del siguiente conjunto de datos, ¿cuál tiene el valor más alto: la media, mediana, moda o el valor extremo?   C

94, 88, 11, 90, 94, 92

Ⓐ media   Ⓑ mediana
Ⓒ moda   Ⓓ valor extremo

1-9 • Los efectos de los valores extremos   **53**

Assignment Guide

- **Basic** 1–7, 9–15, 20, 22
- **Average** 3–8, 9–11, 16–22
- **Enriched** 4–7, 9–11, 16–22

Notas sobre los ejercicios

■ **Ejercicio 10**

Para la prueba Subraye que en este ejercicio el valor extremo es *menor* que el resto de los datos.

Respuestas de Ejercicios

8. a. Con valor extremo: Media 283.6, mediana 283, modas 282 y 283; Sin valor extremo: Media 282.5, mediana 282.5, modas 282 y 283.

   b. Las modas no cambiaron; La media y la mediana sí cambiaron; La que más cambió fue la media.

9. a. Con valor extremo: Media 287.4, mediana 287, moda 287; Sin valor extremo: Media 286.25, mediana 286.5, moda 287.

   b. La moda no cambió; La media y la mediana cambiaron; La que más cambió fue la media.

Exercise Notes

■ **Exercise 10**

Test Prep Point out that in this exercise the outlier is *less* than the rest of the data.

Exercise Answers

8. a. With outlier: Mean 283.6, median 283, modes 282 and 283; Without outlier: Mean 282.5, median 282.5, modes 282 and 283.

   b. Modes didn't change; Mean and median did change; Mean changed the most.

9. a. With outlier: Mean 287.4, median 287, mode 287; Without the outlier: Mean 286.25, median 286.5, mode 287.

   b. Mode didn't change; Mean and median did change; Mean changed the most.

Nombre _____

Práctica 1-9

Los efectos de los valores extremos

Identifica el valor extremo en cada conjunto de datos.

1. 84   **2.** 11

23, 32, 21, 36, 84, 27, 32, 29   90, 87, 112, 96, 11, 107, 93, 85

3. 69   **4.** 14   **5.** 82

tallo	hoja
3	6 7 8 8 9
4	0 1 3 3 4 5 7 9 9
5	0 1 1 2
6	9

tallo	hoja
1	4
3	5 7 8
4	0 2 2 3 5 7 9
5	2

tallo	hoja
4	8
5	0 1 1 3 5 7 7 9
6	3 4
8	2

6. 13

```
        x
      x x
    x x x       x
  x x x x x x x   x
  +-+-+-+-+-+-+-+-+-+
  7 8 9 10 11 12 13
```

7. 43

```
            x x x
            x x x x
    x       x x x x
  +-+-+-+-+-+-+-+-+-+
  43 44 45 46 47 48 49
```

8. a. Encuentra la media, mediana y moda(s) con valores extremos y sin ellos.

Con		Sin	
media	Como 134.62	media	Como 106.64
mediana	104	mediana	104
moda(s)	82	moda(s)	82

Áreas de los estados (miles de millas cuadradas)
AK	571
AZ	114
CA	156
CO	104
HI	6
ID	82
MT	145
NV	110
NM	121
OR	96
UT	82
WA	66
WY	97

b. ¿Tuvieron algún efecto los valores extremos en la moda? No

¿En la media? Sí

¿En la mediana? No

¿A cuál afectaron más? A la media

Nombre _____

Práctica adicional 1-9

Los efectos de los valores extremos

Un **valor extremo** de un conjunto de datos es un número cuyo valor difiere bastante del resto de los datos. Los valores extremos pueden tener un efecto considerable sobre los datos.

— Ejemplo —

Halla la media, mediana y moda (con valor extremo y sin él) para este conjunto de datos acerca del número de días en que 6 personas hicieron ejercicio en un mes: 4, 23, 21, 22, 21, 23.

Identifica el valor extremo. Puesto que la mayoría de los datos están en los veinte, el valor extremo de los datos es 4.

Halla la media del conjunto de datos.   Razona: 4 + 23 + 21 + 22 + 21 + 23 = 114
La media es 19.   114 ÷ 6 = 19

Sin el valor extremo (4), la media   Razona: 23 + 21 + 22 + 21 + 23 = 110
del conjunto de datos es 22.   110 ÷ 5 = 22

Halla la mediana del conjunto de datos.   Razona: 4, 21, 21, 22, 23, 23
La mediana es 21.5.   ↓
                                                                              21.5

Sin el valor extremo (4), la   Razona: 21, 21, 22, 23, 23
mediana de los datos es 22.

Halla la moda del conjunto de datos.   Razona: 4, 21, 21, 22, 23, 23
Las modas son 21 y 23.

Sin el valor extremo (4), las modas de   Razona: 21, 21, 22, 23, 23
los datos restantes son las mismas: 21 y 23.

Haz la prueba Halla la media, mediana y moda, con valores extremos y sin ellos, de este conjunto de datos: 450, 420, 435, 450, 5500, 440, 425, 460.

a. Identifica el valor extremo. __5500__

b. Organiza tus resultados en la tabla.

Millas viajadas la semana pasada
	Con valor extremo	Sin valor extremo
Media	1072.5	440
Mediana	445	440
Moda	450	450

Práctica adicional

[Actividad]

Materiales: Cubos de un centímetro

Usa cubos de un centímetro para representar una gráfica de barras de los ganadores del Trofeo Hart que aparecen en la lista de la página 51. Ordena las columnas de menor a mayor, pero no incluyas a Wayne Gretzky.

- ¿Cuántos cubos hay en la barra de en medio? 1 cubo

- ¿Cuál es el número de cubos más frecuente? 1 cubo

- ¿Qué división expresa la media del número de cubos?
  13 ÷ 9 = 1.4

- Agrega la barra de cubos que represente los premios que ha recibido Wayne Gretzky. ¿Cuál es la mediana? 1.5 cubos ¿Cuál es la moda? 1 cubo ¿Qué división expresa el promedio del número de cubos? 22 ÷ 9 ≈ 2.4

Reteaching

Activity

Materials: Centimeter cubes

Use centimeter cubes to model a bar graph of the Hart Trophy winners listed on page 51. Arrange the columns in order from least to greatest, but do not include Wayne Gretzky.

- How many cubes are in the middle bar? 1 cube

- What number of cubes appears most? 1 cube

- What division gives the mean number of cubes?
  13 ÷ 9 = 1.4

- Add a bar of cubes for Wayne Gretzky's awards. What is the median? 1.5 cubes What is the mode? 1 cube What division gives the average number of cubes? 22 ÷ 9 ≈ 2.4

Exercise Notes

■ Exercise 11

Sports Patricia Hoskins played basketball for four years at Mississippi Valley College. She is the all-time leading scorer in women's college basketball.

■ Exercises 12–19

Estimation First estimate your answers to check for reasonableness.

Project Progress

You may want to have students use Chapter 1 Project Master.

Exercise Answers

11. a. Mean 75.5, median 82, mode 82; b. Mean 70.7, median 82, mode 82; c. Mean is decreased; Median and mode are unchanged; d. Possible answers: The median or mode, which aren't affected by the outliers.

Alternate Assessment

You may want to use the *Interactive CD-ROM Journal* with this assessment.

Journal Create a data set of ten values, with an outlier. With and without the outlier, find the mean, median, and mode of your data set. Then, you should write a paragraph explaining which value the outlier affected the most.

Notas sobre los ejercicios

■ Ejercicio 11

Deportes Patricia Hoskins jugó baloncesto durante cuatro años en el Mississippi Valley College. Es la mejor anotadora de todos los tiempos del baloncesto colegial femenil.

■ Ejercicios 12–19

Cálculo aproximado Primero haz un cálculo aproximado para que compruebes si tus respuestas son razonables.

Respuestas de Ejercicios

11. a. Media 75.5, mediana 82, moda 82; b. Media 70.7, mediana 82, moda 82; c. La media disminuyó; La mediana y la moda no cambiaron; d. Respuestas posibles: La mediana o la moda, pues los valores extremos no las afectan.

Evaluación adicional

 Tal vez quiera usar con esta evaluación el *Diario interactivo CD-ROM*.

En tu diario Escribe un conjunto de diez números con un valor extremo. Halla la media, mediana y moda de tu conjunto de datos con valor extremo y sin él. Después, escribe un párrafo en el que expliques qué valor resultó más afectado por el valor extremo.

Resolución de problemas y razonamiento

11. La siguiente tabla muestra el número de juegos en que ha participado Michael Jordan con el equipo Chicago Bulls.

Año	Partidos jugados	Año	Partidos jugados	Año	Partidos jugados
1984–85	82	1988–89	81	1992–93	78
1985–86	???	1989–90	82	1994–95	17
1986–87	82	1990–91	82	1995–96	82
1987–88	82	1991–92	82	1996–97	82

a. Encuentra la media, mediana y moda. Ignora las anotaciones de la temporada 1985–86.

b. Durante la temporada 1985–86 Michael sufrió una lesión y sólo jugó 18 partidos. De acuerdo con este valor extremo, calcula de nuevo la media, mediana y moda.

c. Comunicación ¿Cómo afectan los valores extremos a la media, la mediana y la moda? Justifica tu respuesta.

d. Razonamiento crítico ¿Cuál número (mediana, moda o media) es más adecuado para describir el número de juegos en que participó Michael cada año? Explica por qué.

Repaso mixto

Realiza la operación apropiada. *[Curso anterior]*

12. $234 + 5278$ **13.** $5678 - 3991$ **14.** 26×52 **15.** $307 \div 9$

16. $43{,}675 + 2{,}344$ **17.** $89{,}021 - 5{,}811$ **18.** 329×86 **19.** $914 \div 30$

20. ¿Cuántas mujeres jugaron sólo tres partidos? *[Lección 1-3]* **3**

21. Una mujer jugó seis partidos, ¿cuántos hits anotó? *[Lección 1-3]* **5**

22. ¿Puede identificarse alguna tendencia en este diagrama de dispersión? Justifica tu respuesta. *[Lección 1-3]* **A más juegos jugados, más hits conseguidos.**

12. 5512 **13.** 1687 **14.** 1352
15. 34 R1 ó 34.11 **16.** 46,019 **17.** 83,210
18. 28,294 **19.** 30 R14 ó 30.47

Hits anotados por las jugadoras de softbol

Número de hits (y-axis: 1 2 3 4 5 6)
Partidos jugados (x-axis: 1 2 3 4 5 6)

El proyecto en marcha

Continúa tu trabajo con gráficas y tablas que muestren la información que buscas. Si te encuentras con un conjunto de datos muy grande acerca de un mismo tema, calcula la mediana, moda y media e inclúyelas en tu informe.

Resolución de problemas
Comprende
Planea
Resuelve
Revisa

PROBLEM SOLVING

Nombre _____

Resolución guiada de problemas 1-9

RGP PROBLEMA 9, PÁGINA 53 DEL ESTUDIANTE

a. Encuentra la media, mediana y moda con valor extremo y sin él.

b. ¿Afectó el valor extremo a la moda, la media o la mediana? ¿A cuál le afectó más?

Resultados del torneo Dinah Shore (1996)	
Nanci Bowen	285
Susie Redman	286
Brandie Burton	287
Sherri Turner	287
Meg Mallon	292

— Comprende —

1. ¿Cuántas veces necesitas hallar la media, mediana y moda para cada conjunto de datos? **Dos veces.**

— Plan —

2. Escribe los datos en orden ascendente. Subraya el valor extremo. **285, 286, 287, 287, 292**

— Resuelve —

3. Completa la tabla para hallar las medias, medianas y modas.

	Con valor extremo	Sin valor extremo
Media	287.4	286.25
Mediana	287	286.5
Moda	287	287

4. ¿Cómo afecta el valor extremo a la mediana, media y moda? La media se incrementó más de uno. La mediana se incrementó 0.5. La moda no cambió.

5. ¿A cuál afecta más? La media.

— Revisa —

6. ¿Cómo puedes decir si tu respuesta al punto 4 es razonable? Puesto que el valor extremo era mayor que los otros datos, lógicamente va a hacer que la media y la mediana se incrementen pero tendrá poco efecto sobre la moda.

RESUELVE OTRO PROBLEMA

Para estas calificaciones calcula la media, mediana y moda, con valor extremo y sin él: 35, 82, 85, 85, 90, 93.
Media: Con, 78.3; Sin, 87; Mediana: Con, 85; Sin, 85;
Moda: Con, 85; Sin, 85.

ENRICHMENT

Nombre _____

Actividad de enriquecimiento 1-9

Razonamiento crítico

La siguiente es información sobre la altura de varias razas de perros.

Raza	Promedio de altura (en centímetros)	Raza	Promedio de altura (en centímetros)
Collie	63	Labrador Retriever	58
Döberman	66	Chihuahua	20
Poodle	31	Cocker spaniel	34
Pastor alemán	63	Mastín	65
Sabueso	36	Shih Tzu	24
Golden retriever	59		

1. Organiza la información en dos grupos: razas menores de 40 cm y razas mayores de 40 cm. ¿Cuál es la media, mediana y moda de cada grupo?
Menor que 40: media, 29; mediana, 31; moda, no hay.

Mayor que 40: media, 62.33; mediana 63; moda, 63.

2. ¿Qué sucede con la media, mediana y moda del grupo más alto si incluyes como valor extremo la altura de la raza más pequeña del otro grupo?
La mediana y la moda quedan iguales. La media (56.29) es menor que todas las alturas sin contar la altura de la raza más baja.

3. ¿Qué generalización podrías hacer sobre el efecto en la mediana y la media si el valor extremo es menor que los otros datos?
Disminuye la media cuando el valor extremo se incluye.

4. ¿Qué sucede con la media, mediana y moda del grupo más bajo si incluyes como valor extremo la altura de la raza más grande del otro grupo?
No hay moda. La mediana aumenta de 31 a 32.5. La media (35.17) es mayor que 4 de los 6 datos del conjunto.

5. ¿Qué generalización puedes hacer sobre el efecto de la mediana y la media si el valor extremo es mayor que los otros datos?
La media será mayor si se incluye el valor extremo. En muchos casos, la mayor parte de los datos será menor que la media. La mediana cambia muy poco; aunque casi siempre aumenta.

Quick Quiz

Find the mean, the median, and the mode for each set of data with and without the outlier.

1. 4, 17, 7, 6, 5, 7, 10
   With outlier 17: Mean, 8; median, 7; mode, 7
   Without outlier 17: Mean, 6.5; median, 6.5; mode, 7.

2. 12, 18, 10, 34, 13, 15
   With outlier 34: Mean, 17; median, 14; mode, none.
   Without outlier 34: mean, 13.6; median, 13; mode, none.

Available on Daily Transparency 1-9

► Prueba rápida

Halla la media, mediana y moda de cada conjunto de datos, con valor extremo y sin él.

1. 4, 17, 7, 6, 5, 7, 10
   Con valor extremo 17: Media, 8; mediana, 7; moda, 7.
   Sin valor extremo 17: Media, 6.5; mediana, 6.5, moda, 7.

2. 12, 18, 10, 34, 13, 15
   Con valor extremo 34: Media, 17; mediana, 14; moda, no hay.
   Sin valor extremo 34: Media, 13.6; mediana, 13; moda, no hay.

Al principio de esta sección se dijo que "con ayuda de las matemáticas, grandes cantidades de información cobran sentido en unos cuantos números fáciles de entender". A partir de este enunciado se han visto tres medidas con las cuales puedes interpretar los datos: la mediana, moda y media. Ahora utilizarás estos números para determinar cuál deportista es el mejor.

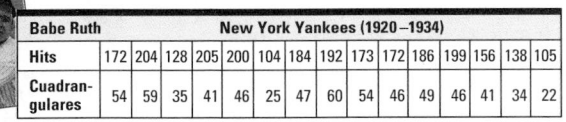

¿Puede ponerse de pie el deportista #1, por favor?

Babe Ruth y Hank Aaron son, quizá, dos de los beisbolistas más famosos. Ambos jugaron para diferentes equipos en distintas épocas. ¿Es posible utilizar las estadísticas para determinar quién fue el mejor?

La siguiente información representa los hits y cuadrangulares anotados por cada uno durante los años en que jugaron para sus respectivos equipos.

Babe Ruth	New York Yankees (1920–1934)													
Hits	172	204	128	205	200	104	184	192	173	172	186	199	156	138	105
Cuadrangulares	54	59	35	41	46	25	47	60	54	46	49	46	41	34	22

Hank Aaron	Milwaukee Braves (1954–1965)											
Hits	131	189	200	198	196	223	172	197	191	201	187	181
Cuadrangulares	13	27	26	44	30	39	40	34	45	44	24	32

1. Encuentra, para cada jugador, la mediana, moda y media de los hits y cuadrangulares.

2. De acuerdo con las estadísticas, ¿quién fue el mejor? Explica tu razonamiento en un párrafo.

3. Escoge cualquiera de los dos conjuntos, el de hits o el de cuadrangulares. Dibuja una gráfica que compare las medias, medianas y modas de los beisbolistas. La gráfica te ayudará a justificar tu decisión respecto de quién fue el mejor.

55

¿Puede ponerse de pie el deportista #1, por favor?

Objetivo

En *¿Puede ponerse de pie el deportista #1, por favor?*, de la página 41, los estudiantes comentaron de qué manera se usan las estadísticas para calificar el desempeño de los deportistas. Ahora interpretarán los datos para determinar quién es el número uno: Babe Ruth o Hank Aaron.

Acerca de esta página

- Explique a los estudiantes que no estén familiarizados con el béisbol la diferencia entre un hit y un cuadrangular.

- Deben hacer una lista de los números dados para que sea más fácil determinar la mediana y la moda.

- Recuérdeles que la media es el promedio de los datos.

- Pregunte a los estudiantes qué datos podrían ser valores extremos.

- Pregúnteles qué valor representa mejor un conjunto de datos: la media, mediana o moda.

- Comente si son los hits, los cuadrangulares o una combinación de ambos lo que determina quién es el número uno.

Evaluación continua

Cerciórese de que los estudiantes hayan determinado correctamente la media, mediana y moda.

Ampliación

Los estudiantes deben escoger al mejor bateador de su equipo favorito de béisbol y determinar cuántos hits y cuadrangulares ha conectado en su carrera. Pídales que comparen sus datos con la información que se proporciona de Babe Ruth y Hank Aaron. ¿Cómo se comparan los jugadores de ahora con estas leyendas del béisbol?

Will the Real #1 Athlete Please Stand Up?

The Point

In *Will the Real #1 Athlete Please Stand Up?* on page 41, students discussed how compiled statistics are used to rank athletic performance. Now they will interpret data to determine if Babe Ruth or Hank Aaron is the #1 Athlete.

About the Page

- Review the meaning of hits and home runs for students who may not be familiar with the game of baseball.

- Remind students to list the numbers given in order to help them determine the median and the mode.

- Remind students that the mean is the average of the data presented.

- Ask students which numbers might be outliers in the data.

- Ask students if mean, median, or mode best represents the data given.

- Discuss whether hits, home runs, or a combination of both best determines who is #1.

Ongoing Assessment

Check that students have determined the mean, median, and mode correctly.

Extension

Have students choose the best hitter on their favorite baseball team and determine his total number of career hits and home runs. Have students compare that data with the information given about Babe Ruth and Hank Aaron. How do today's players measure up to these baseball legends?

Respuestas de Asociación

1.

Babe Ruth		Hank Aaron	
Hits	Cuadrangulares	Hits	Cuadrangulares
104	22	131	13
105	25	172	24
128	34	181	26
138	35	187	27
156	41	189	30
172	41	191	32
172	46	196	34
173	46	197	39
184	46	198	40
186	47	200	44
192	49	201	44
199	54	223	45
200	54		
204	59		
205	60		

Mediana		Mediana	
173	46	193.5	33
Moda		Moda	
172	46	Ninguna	44
Media		Media	
167.87	43.93	188.83	33.17

2. Respuesta posible: Hank Aaron fue mejor deportista, pues si bien su promedio de cuadrangulares fue menor, su promedio de hits fue mayor.

3. Respuesta posible: Debe haber una gráfica que compare la media, mediana y moda de los hits y cuadrangulares de Hank Aaron y Babe Ruth.

Answers for Connect

2. Possible answer: Hank Aaron was a better athlete, because although his mean number of home runs was less, his mean number of hits was higher.

3. Possible answer: There should be one graph that compares mean, median, and mode about hits or home runs for both Hank Aaron and Babe Ruth.

Review Correlation

Item(s)	Lesson(s)
1–3	1-7, 1-8
4	1-2, 1-5
5	1-7, 1-8, 1-9
6	1-5
7	1-7

Correlación de Repaso

Punto(s)	Lección(es)
1–3	1-7, 1-8
4	1-2, 1-5
5	1-7, 1-8, 1-9
6	1-5
7	1-7

Test Prep

Test-Taking Tip

Point out to students that time on a test is limited, so they should not do more than what is required. Here, they need not find the mean since none of the answers involve this number.

Answers for Review

1. Mean: 4.81; Median: 5; Modes: 5 and 1.

2. Mean: 3.2; Median: 3; Mode: 3.

3. Mean: 15.07; Median: 12; Modes: 10 and 25.

4. a. 32; b. 14; c. Yes; Possible answer: The bar graph could be misleading because the intervals on the vertical scale are not equal.

5. The mean; Possible answer: The mean is often pulled too much toward the outlier to represent the set well.

6.
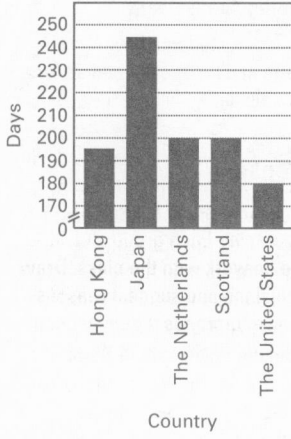
Length of School Year

7. C

Para la prueba

Sugerencia para la prueba

Subraye que el tiempo para una prueba es limitado, por lo que los estudiantes no deben hacer más de lo que se les pide. Aquí no necesitan hallar la media, puesto que ninguna de las respuestas incluye este número.

Respuestas de Repaso

1. Media: 4.81; Mediana: 5; Modas: 5 y 1.

2. Media: 3.2; Mediana: 3; Moda: 3.

3. Media: 15.07; Mediana: 12; Modas: 10 y 25.

4. a. 32; b. 14; c. Sí; Respuesta posible: La gráfica de barras puede ser engañosa porque los intervalos de la escala vertical no son iguales.

5. La media; Respuesta posible: En general, la media debe acercarse más al valor extremo para representar de manera adecuada al conjunto de datos.

6.
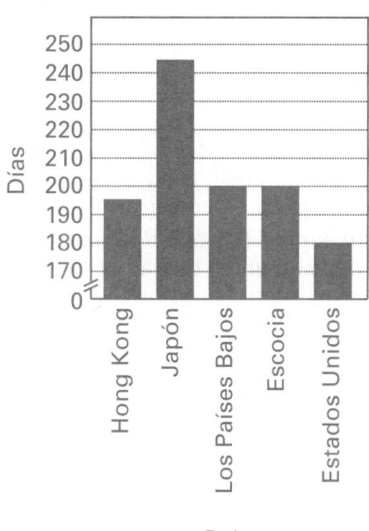
Duración del año escolar

7. C

Halla la media, mediana y moda de cada conjunto de datos.

1. $1, 1, 5, 5, 7, 7, 9, 9, 8,$
   $1, 1, 3, 4, 5, 5, 6$

2.
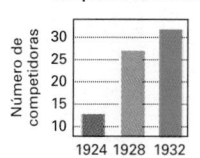

3.
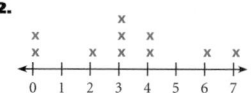

Tallo	Hoja
1	0 0 0 0 1 1 2 2 3 3 4
2	5 5 5 5

4. Las siguientes gráficas presentan información acerca de las atletas en los Juegos Olímpicos de Invierno.

Competidoras en las olimpiadas de invierno

a. ¿Cuántas mujeres participaron en los Juegos Olímpicos de Invierno de 1932?

b. El número de mujeres aumentó entre 1924 y 1928. ¿Cuánto?

c. **Comunicación** ¿Podría haber alguna interpretación errónea en estas gráficas? Explica por qué.

5. **Comunicación** ¿Qué valor (media, mediana o moda) puede ser más afectado por un valor extremo? ¿Por qué?

6. Construye una gráfica de barras con los datos relativos a la duración, en días, del año escolar en cada país: Hong Kong, 195; Japón, 244; los Países Bajos, 200; Escocia, 200; Estados Unidos, 180.

Para la prueba

Si necesitas encontrar la mediana y la moda de un conjunto grande de datos, un diagrama de puntos te dará una mejor idea de la información.

7. ¿Cuál valor es mayor para el siguiente conjunto de datos, la mediana o la moda?

9, 10, 12, 11, 9, 13, 12, 10, 11, 10, 12, 11, 11, 10, 12, 11, 13, 15

Ⓐ Mediana   Ⓑ Moda   Ⓒ Las dos son iguales

Resources

Practice Masters
Section 1C Review
Assessment Sourcebook
Quiz 1C
TestWorks
Test and Practice Software

PRACTICE

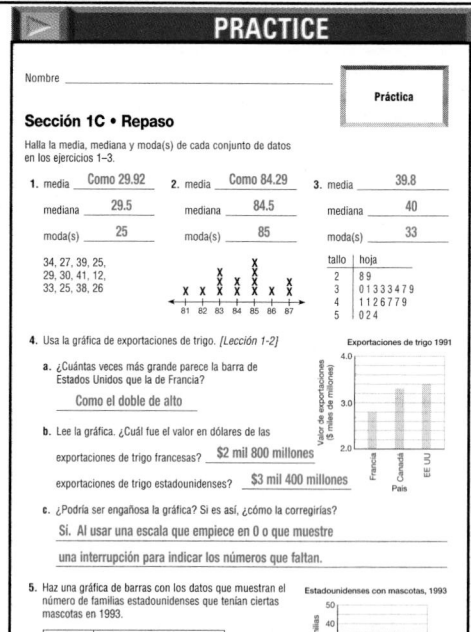

Nombre _____

Práctica

Sección 1C • Repaso

Halla la media, mediana y moda(s) de cada conjunto de datos en los ejercicios 1–3.

1. media — Como 29.92
   mediana — 29.5
   moda(s) — 25

2. media — Como 84.29
   mediana — 84.5
   moda(s) — 85

3. media — 39.8
   mediana — 40
   moda(s) — 33

34, 27, 39, 25, 29, 30, 41, 12, 33, 25, 38, 26

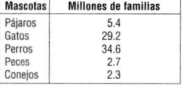

tallo	hoja
2	8 9
3	0 1 3 3 3 4 7 9
4	1 1 2 6 7 7 9
5	0 2 4

4. Usa la gráfica de exportaciones de trigo. [Lección 1-2]

   a. ¿Cuántas veces más grande parece la barra de Estados Unidos que la de Francia?
      Como el doble de alto

   b. Lee la gráfica. ¿Cuál fue el valor en dólares de las exportaciones de trigo francesas? $2 mil 800 millones
      exportaciones de trigo estadounidenses? $3 mil 400 millones

   c. ¿Podría ser engañosa la gráfica? Si es así, ¿cómo la corregirías?
      Sí. Al usar una escala que empiece en 0 o que muestre una interrupción para indicar los números que faltan.

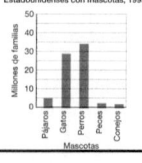
Exportaciones de trigo 1991

5. Haz una gráfica de barras con los datos que muestran el número de familias estadounidenses que tenían ciertas mascotas en 1993.

Mascotas	Millones de familias
Pájaros	5.4
Gatos	29.2
Perros	34.6
Peces	2.7
Conejos	2.3

Estadounidenses con mascotas, 1993

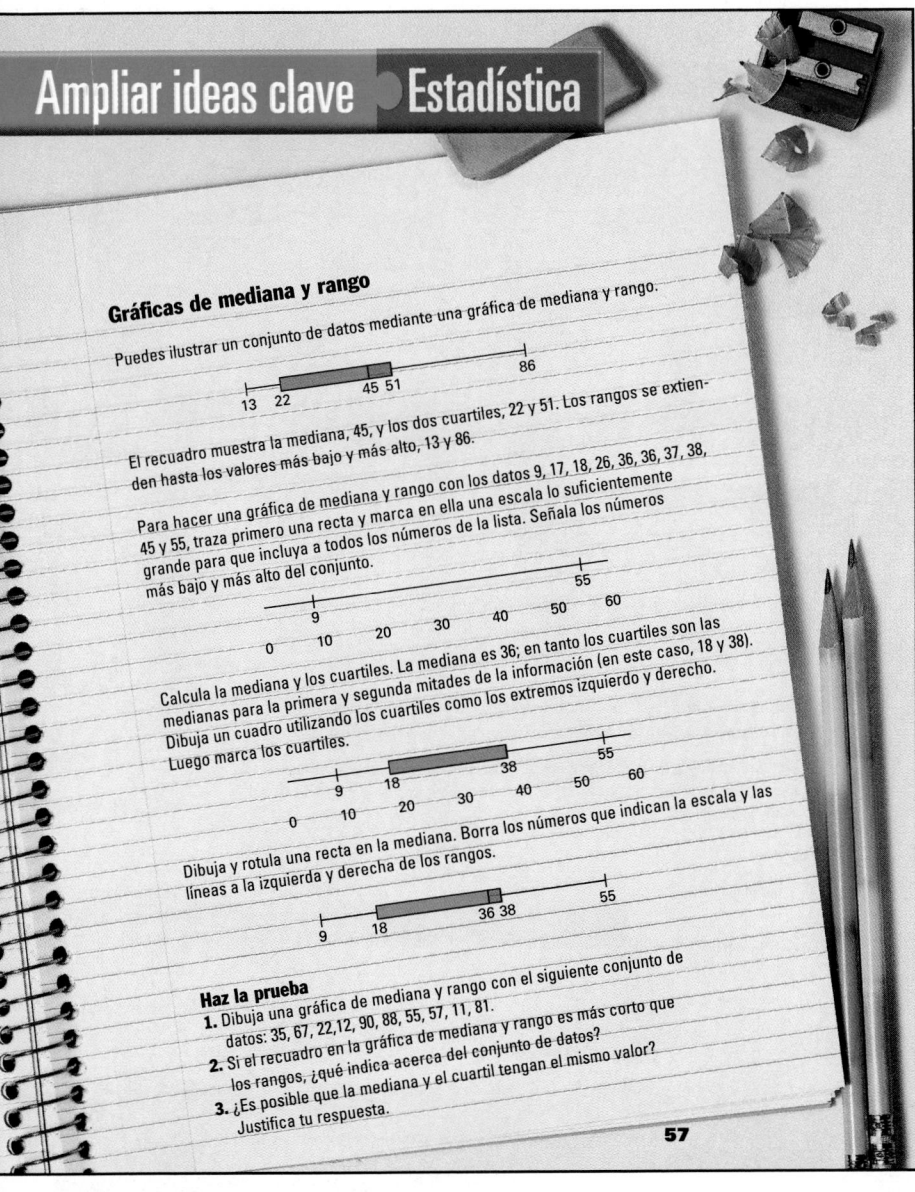

Gráficas de mediana y rango

Puedes ilustrar un conjunto de datos mediante una gráfica de mediana y rango.

El recuadro muestra la mediana, 45, y los dos cuartiles, 22 y 51. Los rangos se extienden hasta los valores más bajo y más alto, 13 y 86.

Para hacer una gráfica de mediana y rango con los datos 9, 17, 18, 26, 36, 36, 37, 38, 45 y 55, traza primero una recta y marca en ella una escala lo suficientemente grande para que incluya a todos los números de la lista. Señala los números más bajo y más alto del conjunto.

Calcula la mediana y los cuartiles. La mediana es 36; en tanto los cuartiles son las medianas para la primera y segunda mitades de la información (en este caso, 18 y 38). Dibuja un cuadro utilizando los cuartiles como los extremos izquierdo y derecho. Luego marca los cuartiles.

Dibuja y rotula una recta en la mediana. Borra los números que indican la escala y las líneas a la izquierda y derecha de los rangos.

Haz la prueba
1. Dibuja una gráfica de mediana y rango con el siguiente conjunto de datos: 35, 67, 22,12, 90, 88, 55, 57, 11, 81.
2. Si el recuadro en la gráfica de mediana y rango es más corto que los rangos, ¿qué indica acerca del conjunto de datos?
3. ¿Es posible que la mediana y el cuartil tengan el mismo valor? Justifica tu respuesta.

57

Respuestas de Haz la prueba
1.

```
|——————————————————|
11 22      56      81 90
```

2. Muchos datos se agrupan en torno de la mediana; Puede haber valores extremos.

3. Sí; Si hay valores repetidos en los datos.

Answers for Try It
1.

```
|——————————————————|
11 22      56      81 90
```

2. A lot of the data clusters around the median; There could be outliers.

3. Yes; If there are repeated values in the data.

Gráficas de mediana y rango

Objetivo
Los estudiantes investigan de qué manera una gráfica de mediana y rango representa a un conjunto de datos.

Acerca de esta página
- Recuerde a los estudiantes que, aunque los datos del ejemplo estén ordenados, es probable que tengan que reordenarlos cuando construyan una gráfica de mediana y rango.

- Visualmente, las gráficas de mediana y rango representan un conjunto completo de datos, en lugar de usar sólo un valor para representar toda la información.

Pregunte…
- ¿Cómo se determinan los cuartiles? Con la mediana de la mitad inferior de los datos; Con la mediana de la mitad superior de los datos.

- ¿Qué representa la caja? La parte de los datos que están entre los cuartiles superior e inferior.

- ¿Qué representan los rangos? La diferencia entre el valor menor de los datos y el cuartil inferior; La diferencia entre el valor mayor de los datos y el cuartil superior.

Ampliación
Trabaja en grupos de cuatro y halla dos conjuntos de datos relacionados. Un ejemplo son los puntos anotados en cada juego por el equipo de baloncesto de su escuela durante dos temporadas consecutivas. Después representa cada conjunto de datos en una gráfica de mediana y rango. Cada grupo debe compartir su trabajo con la clase. Saca conclusiones y explica cualquier diferencia entre los dos conjuntos de datos.

Box-and-Whisker Plots

The Point
Students investigate how a box-and-whisker plot represents a set of data.

About the Page
- Remind students that, although the data in the example is ordered, they will probably have to order the data themselves when constructing a box-and-whisker plot.

- Box-and-whisker plots visually represent the entire set of data, rather than using only one value to represent all the data.

Ask …
- How are the quartiles determined? The median of the lower half of the data; The median of the upper half of the data.

- What does the box represent? The box represents the part of the data between the upper and lower quartiles.

- What do the whiskers represent? The difference between the least data value and the lower quartile; The difference between the greatest data value and the upper quartile.

Extension
Work in groups of four. Find two sets of related data, such as the points scored per game by your school's basketball team during each of two consecutive seasons. Represent each set of data in a box-and-whisker plot. Each group should share its work with the class. Draw conclusions and suggest reasons for any differences that may occur between the two sets of data.

Review Correlation

Item(s)	Lesson(s)
1, 2	1-1
3, 4	1-4
5	1-5
6	1-6
7	1-7, 1-8
8	1-9

For additional review, see page 662.

Answers for Review

1. 80 blue jackets

2. 270 mi

3.

Souvenirs	Tally Marks	Frequency
Flags	Ⲏⳗ	5
White House models	III	3
Posters	IIII	4
Uncle Sam hats	I	1

4.

Presidential Vetoes

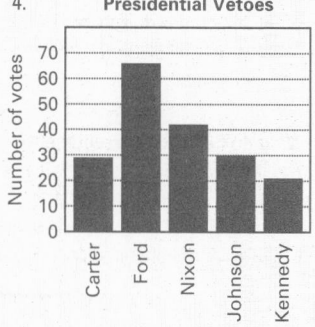

Correlación de repaso

Punto(s)	Lección(es)
1, 2	1-1
3, 4	1-4
5	1-5
6	1-6
7	1-7, 1-8
8	1-9

Para un repaso adicional, véase la página 662.

Respuestas de Repaso

1. 80 chamarras azules

2. 270 mi

3.

Recuerdos	Marcas de Conteo	Frecuencia
Banderas	Ⲏⳗ	5
Modelos de la Casa Blanca	III	3
Carteles	IIII	4
Sombreros Tío Sam	I	1

4.

Vetos presidenciales

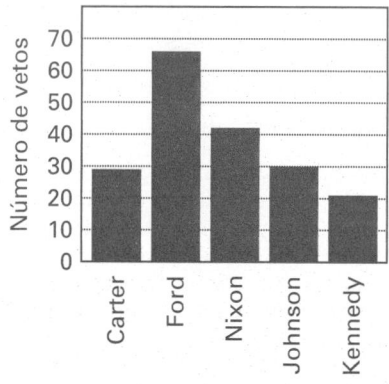

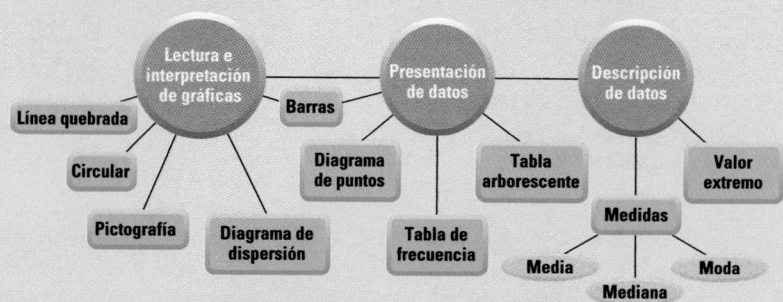

Organizador gráfico

Sección 1A Lectura e interpretación de gráficas

Resumen

- En una **gráfica de barras** la altura de cada barra indica el valor de los datos.

- En una **pictografía**, la información se codifica por medio de símbolos. Una clave indica el valor de cada símbolo.

- En una **gráfica de línea quebrada** la altura de los puntos en la línea representa los datos.

- En una **gráfica circular**, la información se indica como parte de la totalidad de un círculo.

- Dos conjuntos de datos pueden graficarse como puntos de un **diagrama de dispersión**. Si los puntos forman una línea, se dice que el diagrama de dispersión exhibe una **tendencia**.

Repaso

1. ¿Cuántas chamarras azules se vendieron?

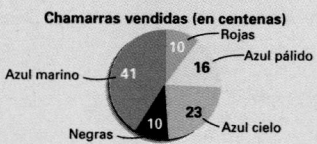

2. ¿Qué distancia aproximada recorre el tren durante las primeras 3 horas?

58 *Capítulo 1 • Estadísticas: Uso de números cabales en el mundo real*

Resources

Practice Masters
  Cumulative Review Chapter 1

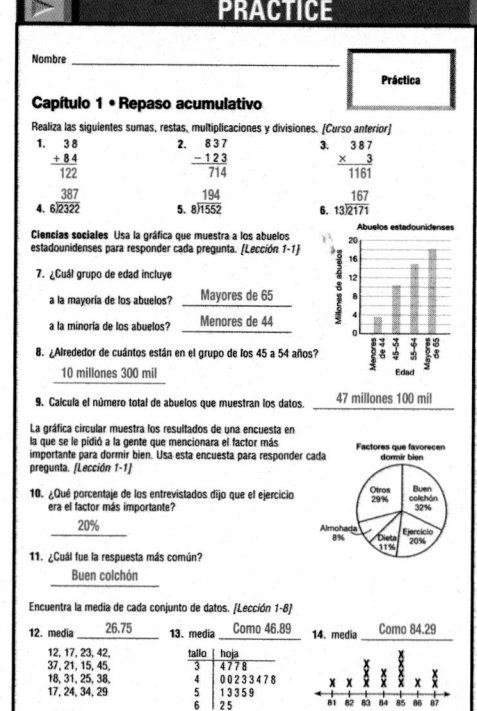

Sección 1B Presentación de datos

Resumen

■ Utiliza las **marcas de conteo** para registrar la información de cada tipo. Después organízala en una **tabla de frecuencia.**

■ Emplea columnas de × para mostrar la apariencia de los datos en un **diagrama de puntos.**

■ Mediante el **rango,** determina la **escala** y los **intervalos** que necesitarás cuando marques los ejes **horizontal** y **vertical** de una gráfica de barras.

■ Usa una **tabla arborescente** para observar la distribución o apariencia de la información en intervalos.

Repaso

3. Utiliza las marcas de conteo para elaborar una tabla de frecuencia de los recuerdos de campaña.

4. Haz una gráfica de barras con la información sobre veto de estos presidentes: Carter, 29; Ford, 66; Nixon, 42; L.B. Johnson, 30 y Kennedy, 21.

5. Dibuja los tallos y hojas para un conjunto cuyos elementos son todos los números pares menores de 100.

Sección 1C Descripción de datos

Resumen

Para describir un conjunto de datos, tres medidas pueden ser útiles.

■ La **mediana** es el valor intermedio de un conjunto ordenado de datos.

■ La **moda**, es decir, el número o números que aparecen con más frecuencia en un conjunto de datos.

■ La **media**, que es la suma de todos los números del conjunto dividida entre el número de elementos del conjunto.

■ Un **valor extremo**, es decir, un valor alejado de los otros datos del conjunto.

Repaso

6. Encuentra la mediana, moda y media de las siguientes marcas de cuadrangulares: Aaron, 755; Williams, 521; Foxx, 534; Ruth, 714; Jackson, 563; Mays, 660; Robinson, 586; Killebrew, 573; Mantle, 536; Schmidt, 548 y McCovey, 521.

7. Para cualquier conjunto de datos, ¿cuál de las tres medidas resulta más afectada por un valor extremo?

Capítulo 1 • Resumen y Repaso **59**

Respuestas de Repaso

5. Los tallos serán del 0 al 9. Las hojas serán 2, 4, 6 y 8 para la hilera opuesta al tallo cero, y 0, 2, 4, 6 y 8 para cada hilera opuesta a los tallos del 1 al 9.

6. Mediana: 563; Moda: 521; Media: 591.91 ó ≈ 592.

7. La media.

Answers for Review

5. Stems will be 0 through 9. Leaves will be 2, 4, 6, and 8 for the row opposite the zero stem and leaves of 0, 2, 4, 6, and 8 for each row opposite the 1 through 9 stems.

6. Median: 563; Mode: 521; Mean: 591.91 or ≈ 592.

7. The mean.

Chapter 1 Assessment

Assessment Correlation

Item(s)	Lesson(s)
1, 9	1-9
2	1-8
3, 8	1-3
4, 12, 13	1-6
5, 12, 13	1-7
6	1-4
7	1-5
10,11	1-1

Answers for Assessment

1. d

2. b

3. c

4. g

5. e

6. a

7.

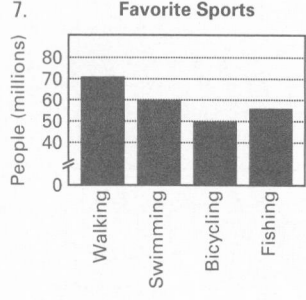

Favorite Sports

b. Mean, 59.25 or ≈ 59 million

8. Yes; Overall, the pattern of points shows that the more jumps a frog makes, the farther he is from the starting point.

9. No outlier.

10. Each symbol represents 6 washed cars.

11. 120 cars were washed.

12. Media: 13.

13. No mode.

Answer for Performance Task

Answer may vary, but might include: A bar graph showing the bowl wins of each team; a pictograph with each symbol representing 2 bowl wins; a stem-and-leaf diagram; or a line plot.

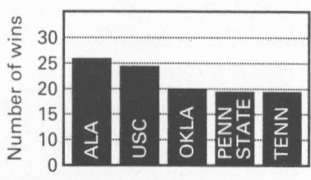

Bowl Wins Through 1994–1995 Season

Stem | Leaf
1 | 9 9
2 | 0 4 7

Correlación de evaluación

Punto(s)	Lección(es)
1, 9	1-9
2	1-8
3, 8	1-3
4, 12, 13	1-6
5, 12, 13	1-7
6	1-4
7	1-5
10,11	1-1

Respuestas de Evaluación

1. d

2. b

3. c

4. g

5. e

6. a

7.

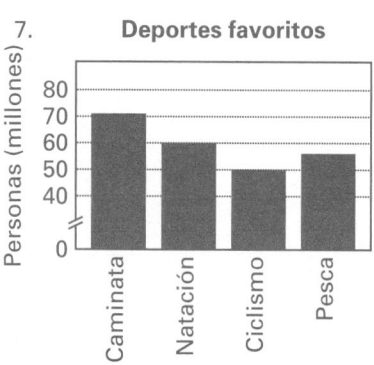

Deportes favoritos

b. Media, 59.25 ó ≈ 59 millones

8. Sí; El patrón de puntos muestra que mientras más saltos dé una rana, más lejos está del punto de partida.

9. No hay valor extremo.

10. Cada símbolo representa 6 autos lavados.

11. Se lavaron 120 autos.

12. Media: 13.

13. No hay moda.

Respuestas de Tarea para evaluar el progreso

La respuesta puede variar, pero podría incluir: una gráfica de barras que muestre los juegos ganados de cada equipo; una pictografía en la que cada símbolo represente 2 juegos ganados; una tabla arborescente o un diagrama de puntos.

Capítulo 1 • Evaluación

Para los primeros seis problemas relaciona las columnas.

1. Número que es mucho mayor o mucho menor que cualquier otro del conjunto.

2. Medida que se calcula al sumar los valores de un conjunto de datos y dividir el resultado entre los elementos del conjunto.

3. Gráfica que muestra la dispersión entre dos conjuntos de datos.

4. Gráfica que se utiliza con frecuencia para ver la forma de un gran conjunto de datos en intervalos.

5. Valor medio de un conjunto de datos.

6. Gráfica que muestra el cambio a través del tiempo.

   a. Gráfica de línea quebrada
   b. Media
   c. Diagrama de dispersión
   d. Valor extremo
   e. Mediana
   f. Rango
   g. Tabla arborescente
   h. Gráfica circular

7. Los siguientes son los deportes favoritos y los millones de personas que los practicaron en 1995: caminata, 71; natación, 60; ciclismo, 50 y pesca, 56.

   a. Utiliza la información para elaborar una gráfica de barras.

   b. Encuentra la media.

Utiliza la información de las gráficas para contestar los ejercicios 8–13.

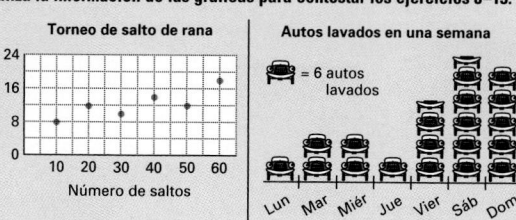

Tallo	Hoja
0	2 5
1	2 3 5 6
2	2

8. ¿Exhibe la información alguna tendencia? ¿Por qué?

9. ¿Existe un valor extremo? Si es así, ¿dónde?

10. ¿Cuál es el valor de cada símbolo?

11. ¿Cuántos autos se lavaron?

12. ¿Cuál es la media?

13. ¿Cuál es la moda?

Tarea para evaluar el progreso

Al final de la temporada 1994–95, estas universidades habían ganado la mayoría de los torneos de boliche: Alabama, 27; Universidad del Sur de California, 24; Oklahoma, 20; Estatal de Penn, 19 y Tennessee, 19. Indica qué tipo de representaciones pueden utilizarse para mostrar esta información. Haz cuando menos dos desplegados y explica de qué modo facilitan la comprensión de los datos.

60 *Capítulo 1 • Estadísticas: Uso de números cabales en el mundo real*

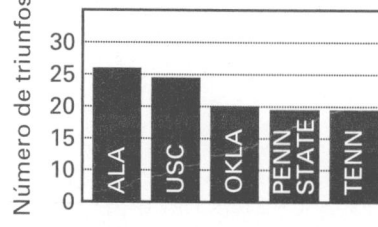

Ganadores de boliche temporada 1994–1995

Tallo | Hoja
1 | 9 9
2 | 0 4 7

Resources

Assessment Sourcebook

Chapter 1 Tests
   Forms A and B (free response)
   Form C (multiple choice)
   Form D (performance assessment)
   Form E (mixed response)
   Form F (cumulative chapter test)

 TestWorks
   Test and Practice Software

Home and Community Connections
   Letter Home for Chapter 1 in English and Spanish

Capítulo 1 • Repaso acumulativo

Para la prueba

Evaluación del progreso

Escoge un problema.

Prueba tu memoria

Utiliza un reloj con segundero. Pregunta a por lo menos 20 personas el nombre de los estados de la Unión Americana que puedan mencionar en 30 segundos. Registra tu información en una tabla. Haz un diagrama de puntos y una tabla arborescente. Explica cuál método ofrece una perspectiva más amplia de los datos.

¡El vuelo de una cometa!

Los siguientes son los resultados del concurso de vuelo de cometas de Lakeside.

Concursante	Altura (m)	Concursante	Altura (m)
Greg	233	Hassan	360
Tyron	212	Bill	274
Ku	272	Cassie	501
Manny	319	Ali	124
Charlene	275	María	286

Elabora una gráfica de barras con esta información. A partir de la interpretación de la gráfica, menciona cinco conclusiones interesantes.

Es mi fiesta

Fiesta de pizzas

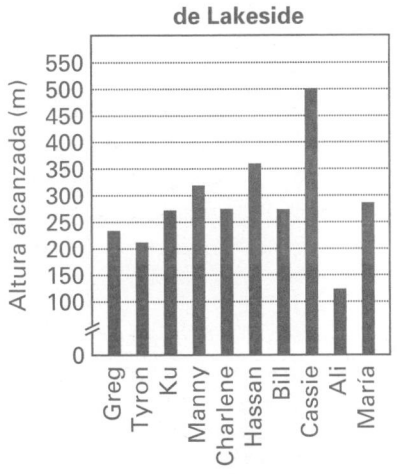

Grande, un ingrediente

Grande, dos ingredientes

Mediana, un ingrediente

Chica, un ingrediente

= 4 pizzas

La pictografía muestra el número de pizzas que necesita un grupo de jóvenes para hacer una fiesta de pizzas. Llama a una pizzería y pregunta cuánto cuesta cada una. Determina el costo de la orden completa y explica cómo lo hiciste.

El tiempo pasa

Utiliza un reloj con segundero. Escoge 20 personas y pídeles que calculen cuándo ha transcurrido un minuto (dales tú la señal de inicio y la otra persona debe decir "ya" cuando crea que ha pasado un minuto). Registra los datos y encuentra la moda, mediana y media. Explica cuál medida describe mejor la información y analiza cualquier valor extremo.

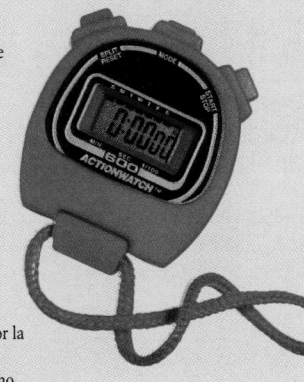

Capítulo 1 • Repaso acumulativo **61**

Acerca de Evaluación del progreso

Las opciones de la Evaluación del progreso...

- ofrecen alternativas a los maestros para evaluar a los estudiantes.
- presentan modos de aprendizaje diferentes.
- permiten a los estudiantes elegir un problema.

Los maestros pueden animar a los estudiantes para que escojan el problema que represente un reto.

Modos de aprendizaje
Prueba tu memoria **Visual** Los estudiantes escogen la tabla que tiene la mejor representación visual.
¡El vuelo de una cometa! **Verbal** Los estudiantes escriben interpretaciones de la gráfica de barras.
El tiempo pasa **Lógico** Los estudiantes reúnen información y después la interpretan.
Es mi fiesta **Individual** Los estudiantes piden información en los restaurantes para asignarle un precio a una orden para una fiesta.

About Performance Assessment

The Performance Assessment options ...

- provide teachers with an alternate means of assessing students.
- address different learning modalities.
- allow students to choose one problem.

Teachers may encourage students to choose the most challenging problem.

Learning Modalities

State of Recall
Visual Students select chart that is best visual representation.

Let's Go Fly a Kite
Verbal Students write interpretations of a bar graph.

As Time Goes By
Logical Students experiment to gather and then interpret data.

It's My Party
Individual Students contact restaurants to gather the information to price a party order.

¡El vuelo de una cometa!

Concurso de vuelos de cometas de Lakeside

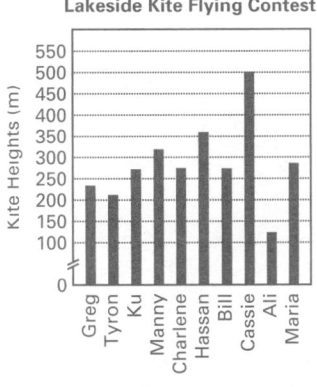

Altura alcanzada (m) — Concursantes: Greg, Tyron, Ku, Manny, Charlene, Hassan, Bill, Cassie, Ali, María

Respuestas posibles: La altura más alta alcanzada; la mediana, la media o la moda de las alturas; un valor extremo de los datos de las alturas, y la cometa que vuela más bajo.

Let's Go Fly a Kite!

Lakeside Kite Flying Contest

Kite Heights (m) — Contestants: Greg, Tyron, Ku, Manny, Charlene, Hassan, Bill, Cassie, Ali, María

Possible answers: Tallest kite height; the median, mean, or mode of the heights; an outlier of the height data, and the lowest kite.

As Time Goes By

4
- Finds correct mean, median, and mode for all data.
- Clearly explains which measure best describes the data and the effect of an outlier.

3
- Finds mean, median, and mode for most data.
- Explains which measure best describes the data and the effect of an outlier.

2
- Finds correct mean, median, and mode for some data.
- Attempts to explain either which measure best describes the data or the effect of an outlier.

1
- Cannot identify an outlier or explain its effect.
- Unable to calculate mean, median, or mode.
- Cannot identify an outlier or explain its effect.

Performance Assessment Key

See key on page 3.

Suggested Scoring Rubric

State of Recall

4
- Accurately records all data.
- Makes detailed line plot and stem-and-leaf diagram.
- Provides clear explanation.

3
- Records most data.
- Makes adequate line plot and a stem-and-leaf diagram.
- Provides adequate explanation.

2
- Records some data.
- Makes one graph and attempts to give explanation.

1
- Records less than 10 data items in a table.
- Poor explanation.

Rubric for **It's My Party** on page C1.

Chapter 2

▶ OVERVIEW

Asociación *Connecting*

entre aritmética y álgebra
Arithmetic to Algebra

Section 2A

Making Sense of Large Numbers: Students learn to write numbers in word form, number-word form, and with exponents. They also learn the rules for rounding, comparing, and ordering large numbers.

2-1
Lectura y escritura de números grandes

2-1
Reading and Writing Large Numbers

2-2
Redondeo de números grandes

2-2
Rounding Large Numbers

2-3
Comparación y ordenación de números

2-3
Comparing and Ordering Numbers

2-4
Exponentes

2-4
Exponents

Section 2B

Number Sense and Operation Sense: Mental math, estimation, and the rules for order of operations are presented to students as the tools necessary to solve many problems.

2-5
Cálculo mental

2-5
Mental Math

2-6
Cálculo aproximado de sumas y restas

2-6
Estimating Sums and Differences

2-7
Cálculo aproximado de productos y cocientes

2-7
Estimating Products and Quotients

2-8
El orden de las operaciones

2-8
Order of Operations

2-9
Patrones numéricos

2-9
Numerical Patterns

Section 2C

Introduction to Algebra: Students work with variables and variable expressions and are introduced to equations.

2-10
Variables y expresiones

2-10
Variables and Expressions

2-11
Escritura de expresiónes

2-11
Writing Expressions

2-12
Uso de ecuaciones

2-12
Using Equations

2-13
Resolución de ecuaciones

2-13
Solving Equations

► Curriculum Standards

S T A N D A R D			pages
1	**Problem Solving**	Skills and Strategies	64, 82, 97, 121
		Applications	68–69, 72–73, 76–77, 81–82, 83, 88–89, 92–93, 96–97, 100–101, 105–106, 107, 112–113, 116–117, 120–121, 124–125, 127
		Exploration	66, 70, 74, 78, 82, 86, 90, 94, 98, 102, 110, 114, 118, 122
2	**Communication**	Oral	65, 68, 69, 72, 75, 80, 85, 88, 92, 95, *97*, 99, 104, 109, 112, 119, 123
		Written	73, *82*, 84, *89*, *93*, 97, *101*, 106, 113, 117, 121
		Cooperative Learning	*66, 70, 74, 78,* 82, *86, 90, 94, 98, 102, 110, 114, 118, 122*
3	**Reasoning**	Critical Thinking	69, 73, 77, 82, 89, 93, 97, 101, 106, 113, 117, 121, 125
4	**Connections**	Mathematical	See Standards 5–10 and 13 below.
		Interdisciplinary	Science 62, *65,* 67, 68, 69, 72, 74, 75, 77, *80,* 81, 88, 106, 110, 113, 116, 118, 119; History 65, 113, 115; Fine Arts 62, 103, 116; Health 116; Language 67, *78,* 103, *115;* Geography 76, 92, 117, 120, 125, 128; Literature 93, 117; Industry 96; Social Sciences 96, 106; Social Studies 63, *96;* Music 62; Consumer *85,* 104
		Technology	*80,* 98, 111, 126
		Cultural	63, *68,* 77
5	**Number and Number Relationships**		66–73, 78–82, 100, 105
6	**Number Systems and Number Theory**		74–77, 91, 98–101
7	**Computation and Estimation**		73, *75, 79,* 86–97
8	**Patterns and Functions**		87, 102–106, 129
9	**Algebra**		110–125
10	**Statistics**		*68,* 89
13	**Measurement**		76, 96

Italic type indicates Teacher Edition reference.

► Teaching Standards

Focus on Respect

An important ingredient for a successful learning environment is respect of teachers for students. A successful teacher

- respects conventional and nonconventional ideas of students.

- refrains from the use of ridicule of students.

► Assessment Standards

Focus on Learning

Portfolios The Learning Standard encourages teachers to provide students with the opportunity to reflect on their own learning, and to participate in the assessment process. Selecting portfolio entries requires that students develop criteria by which to measure their progress. In Chapter 2, students

- select examples that illustrate their understanding of a particular skill.

- select a problem and explain what they learned from doing the problem.

TECHNOLOGY

► For the Teacher

- **Teacher Resource Planner CD-ROM**
  Use the teacher planning CD-ROM to view resources available for Chapter 2. You can prepare custom lesson plans or use the default lesson plans provided.

- **World Wide Web**
  Visit **www.teacher.mathsurf.com** for links to lesson plans from teachers and other professionals, NCTM information, and other sites.

- **TestWorks**
  TestWorks provides ready-made tests and can create custom tests and practice worksheets.

► For the Student

- **Interactive CD-ROM**
  Lesson 2-12 has an *Interactive CD-ROM Lesson*. The *Interactive CD-ROM Journal* and *Interactive CD-ROM Spreadsheet/Grapher Tool* are also used in Chapter 2.

- **Wide World of Mathematics**
  Lesson 2-13 Middle School: The Census

- **World Wide Web**
  Use with Chapter and Section Openers;
  Students can go online to the Scott Foresman-Addison Wesley Web site at **www.mathsurf.com/6/ch2** to collect information about chapter themes.

► For the Parent

- **World Wide Web**
  Parents can use the Web site at **www.parent.mathsurf.com.**

STANDARDIZED - TEST CORRELATION

LESSON	OBJECTIVE	ITBS Form M	CTBS 4th Ed.	CAT 5th Ed.	SAT 9th Ed.	MAT 7th Ed.	Your Form
2–1	• Identify the place values of digits.	✗	✗	✗	✗	✗	
	• Write numbers in standard, word, and number-word form.	✗		✗	✗	✗	
2–2	• Round numbers using rules for rounding.	✗	✗	✗		✗	
	• Use common sense to round numbers in real-life situations.			✗			
2–3	• Compare and order large numbers.	✗	✗	✗		✗	
2–4	• Use exponents to express numbers.		✗			✗	
	• Write expressions containing exponents in standard form.						

LESSON	OBJECTIVE	ITBS Form M	CTBS 4th Ed.	CAT 5th Ed.	SAT 9th Ed.	MAT 7th Ed.	Your Form
2–5	• Solve problems mentally using patterns, the Distributive Property, compatible numbers, and compensation.	✗		✗		✗	
2–6	• Estimate sums and differences using front-end estimation and clustering.	✗			✗	✗	
2–7	• Estimate products and quotients using rounding and compatible numbers.	✗	✗		✗	✗	
2–8	• Use order of operation rules to solve arithmetic problems.		✗	✗		✗	
2–9	• Continue numerical patterns based on addition and subtraction.	✗		✗	✗	✗	

LESSON	OBJECTIVE	ITBS Form M	CTBS 4th Ed.	CAT 5th Ed.	SAT 9th Ed.	MAT 7th Ed.	Your Form
2–10	• Recognize the difference between a variable and a constant.		✗	✗		✗	
	• Evaluate expressions.			✗	✗	✗	
2–11	• Translate phrases and situations into mathematical expressions.			✗	✗	✗	
2–12	• Know what an equation is.	✗				✗	
	• Determine if an equation is true or false.	✗		✗		✗	
2–13	• Find the value of the variable that makes an equation true.	✗		✗		✗	

Key: ITBS - Iowa Test of Basic Skills; CTBS - Comprehensive Test of Basic Skills; CAT - California Achievement Test; SAT - Stanford Achievement Test; MAT - Metropolitan Achievement Test

ASSESSMENT PROGRAM

▶ **Traditional Assessment**

QUICK QUIZZES	SECTION REVIEW	CHAPTER REVIEW	CHAPTER ASSESSMENT FREE RESPONSE	CHAPTER ASSESSMENT MULTIPLE CHOICE	CUMULATIVE REVIEW
TE: pp. 69, 73, 77, 82, 89, 93, 97, 101, 106, 113, 117, 121, 125	SE: pp. 84, 108, 128 *Quiz 2A, 2B, 2C	SE: pp. 130–131	SE: p. 132 *Ch. 2 Tests Forms A, B, E	*Ch. 2 Tests Forms C, E	SE: p. 133 *Ch. 2 Test Form F

▶ **Alternate Assessment**

INTERVIEW	JOURNAL	ONGOING	PERFORMANCE	PORTFOLIO	PROJECT	SELF
TE: pp. 69, 73, 97	SE: pp. 73, 84, 89, 93, 97, 106, 113, 117, 121 TE: pp. 64, 89, 93, 121	TE: pp. 66, 70, 74, 78, 86, 90, 94, 98, 102, 110, 114, 118, 122	SE: p. 132 TE: pp. 82, 113, 125 *Ch. 2 Tests Forms D, E	TE: pp. 106, 117	SE: pp. 82, 101, 125 TE: p. 63	TE: pp. 77, 101

*Tests and quizzes are in *Assessment Sourcebook*. Test Form E is a mixed response test.
Forms for Alternate Assessment are also available in *Assessment Sourcebook*.

 TestWorks: Test and Practice Software

MIDDLE SCHOOL PACING CHART

► REGULAR PACING

Day	5 classes per week
1	Chapter 2 Opener; Problem Solving Focus
2	Section **2A** Opener; Lesson **2–1**
3	Lesson **2–2**
4	Lesson **2–3**
5	Lesson **2–4**
6	**2A** Connect; **2A** Review
7	Section **2B** Opener; Lesson **2–5**
8	Lesson **2–6**
9	Lesson **2–7**
10	Lesson **2–8**
11	Lesson **2–9**
12	**2B** Connect; **2B** Review
13	Section **2C** Opener; Lesson **2–10**
14	Lesson **2–11**
15	Lesson **2–12**
16	Lesson **2–13**; Technology
17	**2C** Connect; **2C** Review; Extend Key Ideas
18	Chapter 2 Summary and Review
19	Chapter 2 Assessment Cumulative Review, Chapters 1–2

► BLOCK SCHEDULING OPTIONS

Block Scheduling for Complete Course

Chapter 2 may be presented in
- fourteen 90-minute blocks
- seventeen 75-minute blocks

Each block consists of a combination of
- Chapter and Section Openers
- Explores
- Lesson Development
- Problem Solving Focus
- Technology
- Extend Key Ideas
- Connect
- Review
- Assessment

For details, see *Block Scheduling Handbook.*

Block Scheduling for Lab-Based Course

In each block, 30–40 minutes is devoted to lab activities including
- Explores in the Student Edition
- Connect pages in the Student Edition
- Technology options in the Student Edition
- Reteaching Activities in the Teacher Edition

For details, see *Block Scheduling Handbook.*

Block Scheduling for Interdisciplinary Course

Each block integrates math with another subject area.

In Chapter 2, interdisciplinary topics include
- Space
- Collections
- Oceans

Themes for Interdisciplinary Team Teaching 2A, 2B, and 2C are
- Comets
- Literature
- SCUBA Diving

For details, see *Block Scheduling Handbook.*

Block Scheduling for Course with *Connected Mathematics*

In each block, investigations from **Connected Mathematics** replace or enhance the lessons in Chapter 2.

Connected Mathematics topics for Chapter 2 can be found in
- *Prime Time*

For details, see *Block Scheduling Handbook.*

BOLETÍN INTERDISCIPLINARIO

INTERDISCIPLINARY BULLETIN BOARD

Preparación

Dibuje el sistema solar en un cartel. Incluya una tabla en blanco para que los estudiantes registren la distancia que hay entre cada planeta y el Sol.

Procedimiento

- Investiga el tamaño de los planetas y la distancia que los separa del Sol.
- Dibuja los planetas.
- Traza en el cartel un esquema del sistema solar, sin los planetas. Tus compañeros deberán dibujar cada planeta a la distancia correspondiente del Sol.

Set Up

Prepare a bulletin board with a display of the solar system and a blank table on which students can fill in the distance of each planet from the Sun.

Procedure

- Research the sizes of the planets and their distances from the Sun.
- Copy drawings of the planets.
- Place an outline of the solar system on the bulletin board. Your classmates add planets at the appropriate distance from the Sun.

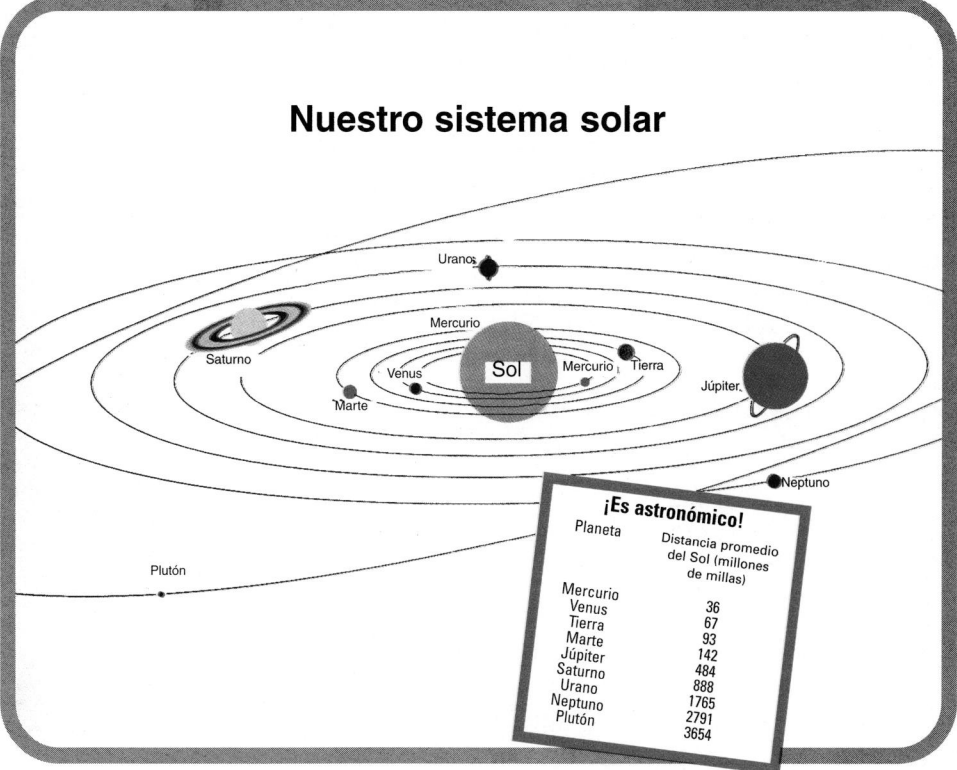

Nuestro sistema solar

¡Es astronómico!

Planeta	Distancia promedio del Sol (millones de millas)
Mercurio	36
Venus	67
Tierra	93
Marte	142
Júpiter	484
Saturno	888
Urano	1765
Neptuno	2791
Plutón	3654

62D

The information on these pages shows how large and small numbers and equations are used in real-life situations.

World Wide Web

If your class has access to the World Wide Web, you might want to use the information found at the Web site addresses given.

Extensions

The following activities do not require access to the World Wide Web.

Arts & Literature

Show students several pictures of Van Gogh's work and ask them to write a paragraph describing his painting style.

Science

Ask students why there is a difference between the time they see lightning and the time they hear the thunder. Light travels faster than sound, so you will see the lightning first.

Entertainment

Have students take a survey to identify their classmates' favorite songs. Choose the five most popular songs identified by the survey and find out how these songs rank on the charts.

Social Studies

Have students write a short essay about the contribution to the development of algebra made by the Greek mathematician Diophantus of Alexandria or the Arab mathematician Al-Khowarizmi.

People of the World

Have groups of students research how to use an abacus to perform the four basic operations and prepare a demonstration for the class. Ask students to compare the abacus to their calculator.

La información de estas páginas muestra qué tan grandes y qué tan pequeños son los números y las ecuaciones que se usan en situaciones de la vida real.

World Wide Web

Si su clase tiene acceso al World Wide Web, tal vez desee usar la información que se encuentra en las direcciones Web indicadas.

Ampliación

Las siguientes actividades no requieren de acceso al Web.

Arte y Literatura

Muestre a los estudiantes varias pinturas de Van Gogh y pídales que escriban un párrafo que describa su estilo pictórico.

Ciencias

Pregunte a los estudiantes por qué hay una diferencia entre el momento en que ven el relámpago y el momento en que escuchan el trueno. La luz viaja más rápido que el sonido, por tanto, primero se ve el relámpago.

Entretenimiento

Sugiera a los estudiantes que realicen una encuesta para identificar las canciones favoritas de sus compañeros. Luego deberán escoger las cinco canciones más populares identificadas en la encuesta y buscar qué lugar ocupan en las listas de popularidad.

Ciencias sociales

Pida a los estudiantes que escriban un artículo sobre las contribuciones al desarrollo del álgebra hechas por los matemáticos Diofanto de Alejandría (griego) y Al-Khowarizmi (árabe).

Alrededor del mundo

Forme grupos de estudiantes para que investiguen cómo se realizan las cuatro operaciones básicas con un ábaco y dígales que preparen una demostración para la clase. Indíqueles que después comparen el ábaco con su calculadora.

2 Asociación entre aritmética y álgebra

> **Enlace con Arte y Literatura**
> www.mathsurf.com/6/ch2/Arts

> **Enlace con Ciencias**
> www.mathsurf.com/6/ch2/science

Ciencias

La ecuación que relaciona el relámpago y el trueno establece a qué distancia cae un rayo. El número de segundos entre la luz del rayo y el sonido del trueno, dividido entre 5, proporciona la distancia en millas.

Arte y Literatura

En la actualidad cuando se habla del mercado de obras de arte, es necesario emplear números muy grandes. El *Retrato del doctor Gachet*, de Vincent van Gogh, se vendió en $75 millones.

Entretenimiento

La revista *Billboard* emplea esta fórmula para asignar una posición a las 40 canciones más escuchadas:

(copias vendidas × 0.4) + (número de veces que se toca en la radio × 0.6) = lugar en la lista.

62

TEACHER TALK

Meet Sharon Butler

Twin Creeks Middle School
Spring, Texas

I use the following activity to provide additional practice evaluating expressions. I have students find a simple picture to duplicate from a coloring or comic book, or, if they wish, draw their own picture. Then I have them write expressions in the spaces to be colored, such as $a + 2$, $a - 2$, $56 \div a$, $4a$, $\frac{a}{4}$, and $12 - a$.

Next, I have them assign a value for the variable and create a coloring key. For example, if they assign a value of 8 to a, the coloring key could be: red = 6; yellow = 2; blue = 8; green = 7; purple = 10; brown = 4; and black = 32. Any space with a different solution can be colored any other color.

Students exchange their pictures, evaluate the expressions, and color the picture according to the key.

This activity can be repeated throughout the year, using fractions, decimals, or integers for the value of a.

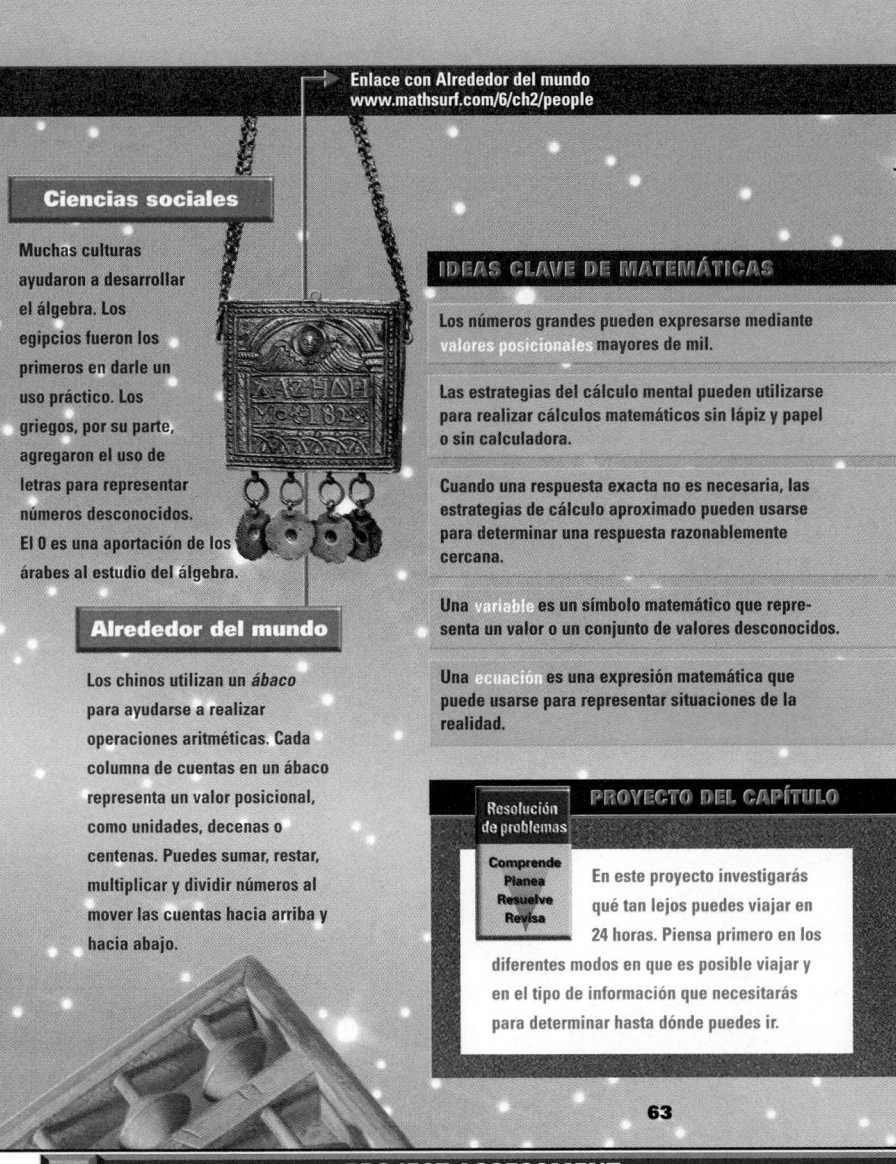

Ciencias sociales

Muchas culturas ayudaron a desarrollar el álgebra. Los egipcios fueron los primeros en darle un uso práctico. Los griegos, por su parte, agregaron el uso de letras para representar números desconocidos. El 0 es una aportación de los árabes al estudio del álgebra.

Alrededor del mundo

Los chinos utilizan un *ábaco* para ayudarse a realizar operaciones aritméticas. Cada columna de cuentas en un ábaco representa un valor posicional, como unidades, decenas o centenas. Puedes sumar, restar, multiplicar y dividir números al mover las cuentas hacia arriba y hacia abajo.

IDEAS CLAVE DE MATEMÁTICAS

Los números grandes pueden expresarse mediante valores posicionales mayores de mil.

Las estrategias del cálculo mental pueden utilizarse para realizar cálculos matemáticos sin lápiz y papel o sin calculadora.

Cuando una respuesta exacta no es necesaria, las estrategias de cálculo aproximado pueden usarse para determinar una respuesta razonablemente cercana.

Una variable es un símbolo matemático que representa un valor o un conjunto de valores desconocidos.

Una ecuación es una expresión matemática que puede usarse para representar situaciones de la realidad.

PROYECTO DEL CAPÍTULO

Resolución de problemas

Comprende
Planea
Resuelve
Revisa

En este proyecto investigarás qué tan lejos puedes viajar en 24 horas. Piensa primero en los diferentes modos en que es posible viajar y en el tipo de información que necesitarás para determinar hasta dónde puedes ir.

63

Proyecto del capítulo

Los estudiantes recabarán información de los métodos para viajar y después usarán estos datos para hacer un proyecto sobre qué tan lejos podrían viajar en 24 horas.

Introducción del proyecto

- Pida a los estudiantes que adivinen qué tan lejos creen que podrían viajar en 24 horas.

- Comente los diferentes métodos para viajar.

- Analice con los estudiantes dónde pueden hallar información sobre los diferentes medios de transporte.

El proyecto en marcha

Sección A, página 82 Los estudiantes pueden organizar los datos que reunieron por medio de la comparación y el orden de varias distancias.

Sección B, página 101 Los estudiantes pueden usar el cálculo mental o el cálculo aproximado para determinar la distancia que pueden viajar en 24 horas. Sugiérales que identifiquen patrones entre los tiempos de viaje y las distancias.

Sección C, página 125 Los estudiantes pueden escribir una expresión con variables para representar la distancia que podrían viajar usando un medio de transporte específico.

Chapter Project

Students will collect data about methods of travel and then use the information to project how far they could travel in 24 hours.

Resources

Chapter 2 Project Master

Introduce the Project

- Ask students to guess how far they think they could travel in 24 hours.

- Discuss different methods of travel.

- Discuss where students might find information about different means of transportation.

Project Progress

Section A, page 82 Students may organize the data they collect by comparing and ordering the various distances.

Section B, page 101 Students may use mental math or estimation to determine the distance they can travel in 24 hours. Suggest that students identify patterns between travel times and distances.

Section C, page 125 Students may write a variable expression to represent the distance they could travel using a specific means of transportation.

Community Project

A community project for Chapter 2 is available in *Home and Community Connections*.

Cooperative Learning

You may want to use Teaching Tool Transparency 1: Cooperative Learning Checklist with **Explore** and other group activities in this chapter.

PROJECT ASSESSMENT

You may choose to use this project as a performance assessment for the chapter.

Performance Assessment Key

Level 4 Full Accomplishment

Level 3 Substantial Accomplishment

Level 2 Partial Accomplishment

Level 1 Little Accomplishment

Suggested Scoring Rubric

4
- Gathers accurate information about various means of transportation.
- Distances for a 24-hour period are accurately calculated.

3
- Gathers adequate information about several means of transportation.
- Distances for a 24-hour period are calculated.

2
- Gathers minimum information about different means of transportation.
- Errors occur in calculation of distances.

1
- No research is done on any means of transportation.
- Calculated distances are not reasonable.

Finding Unnecessary Information

The Point

Students learn to evaluate which given numerical information is necessary and which is unnecessary.

Resources

Teaching Tool Transparency 18: Problem-Solving Guidelines

Interactive CD-ROM Journal

About the Page

Using the Problem-Solving Process

A critical skill of a successful problem solver is to be able to identify information which is not needed to solve the problem. Discuss these suggestions:

- Read the problem several times.
- Determine what the problem is asking.
- Identify unnecessary information.
- Identify and organize necessary information.

Ask …

- What information is needed to answer Question 1? The height of Mount Everest; The comparison between heights of Mount Everest and K2; The height of Kanchenjunga.
- What information is not needed to answer Question 2? The names of the mountains.
- Refer to Question 3. If one ton equals 2,000 pounds, how many pounds of garbage are on Mount Everest? 100,000 lb

Answers for Problems

1. 42 ft
2. Five
3. 33 tons

Journal

Write a short essay explaining how you could determine which information is necessary and which is not necessary to solve a problem.

Identificar qué información no es necesaria

Objetivo

Los estudiantes aprenden a evaluar qué información numérica es necesaria y cuál es superflua.

Recursos

 Diario interactivo CD-ROM

Acerca de esta página

Uso del proceso de resolución de problemas

Una destreza crítica en la resolución de problemas es la capacidad de identificar la información superflua para resolver el problema. Comente estas sugerencias:

- Lee el problema varias veces.
- Determina qué es lo que pide el problema.
- Identifica la información que no es necesaria.
- Identifica y organiza la información necesaria.

Pregunte…

- ¿Qué información se necesita para responder la pregunta 1? La altura del monte Everest; La comparación entre la altura del monte Everest y el K2; La altura del Kanchenjunga.
- ¿Qué información no se necesita para responder la pregunta 2? Los nombres de las montañas.
- En la pregunta 3, si una tonelada equivale a 2,000 libras, ¿cuántas libras de basura hay en el monte Everest? 100,000 lb.

Respuestas de Problemas

1. 42 ft
2. Cinco
3. 33 toneladas

En tu diario

Escribe un ensayo breve en el que expliques cómo podrías determinar la información necesaria y la superflua en la resolución de problemas.

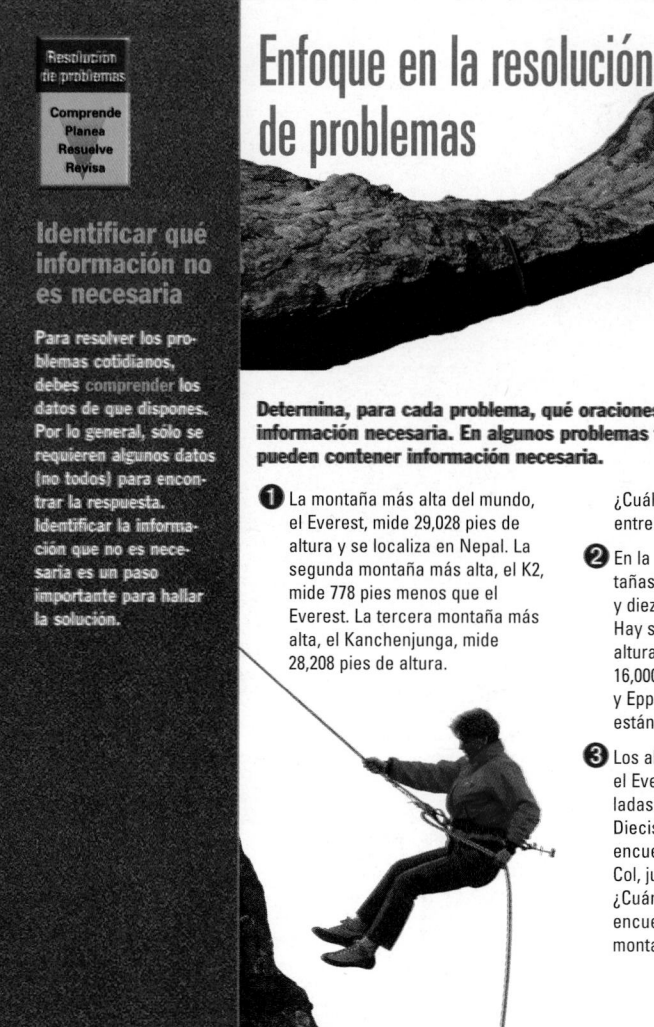

Enfoque en la resolución de problemas

Identificar qué información no es necesaria

Para resolver los problemas cotidianos, debes comprender los datos de que dispones. Por lo general, sólo se requieren algunos datos (no todos) para encontrar la respuesta. Identificar la información que no es necesaria es un paso importante para hallar la solución.

Determina, para cada problema, qué oraciones no aportan información necesaria. En algunos problemas todas las oraciones pueden contener información necesaria.

① La montaña más alta del mundo, el Everest, mide 29,028 pies de altura y se localiza en Nepal. La segunda montaña más alta, el K2, mide 778 pies menos que el Everest. La tercera montaña más alta, el Kanchenjunga, mide 28,208 pies de altura.

¿Cuál es la diferencia en altura entre el K2 y el Kanchenjunga?

② En la Antártida existen dos montañas que superan los 16,000 pies y diez con más de 14,000 pies. Hay sólo tres montañas cuyas alturas oscilan entre 15,000 y 16,000 pies: Shinn, Gardner y Epperly. ¿Cuántas montañas están entre 14,000 y 15,000 pies?

③ Los alpinistas que han escalado el Everest han dejado 50 toneladas de basura en la montaña. Diecisiete toneladas se encuentran en el área de South Col, justo abajo de la cima. ¿Cuántas toneladas se encuentran en el resto de la montaña?

64

Additional Problem

Indoor ice skating rinks opened for the first time in Philadelphia 40 years before ice skating became an Olympic sport in 1908. Dick Button won the first gold medal for the United States in 1948. Since then, the United States has won 11 gold medals in singles ice skating. Winter Olympics are held every 4 years. How many years after the first indoor rinks opened did Dick Button win the first gold medal for the United States in skating? 80 years

1. What is the problem asking? How many years after the first indoor ice skating rinks opened did Dick Button win a gold medal?

2. Is the year the first indoor rinks opened given in the problem? No; You find the year by subtracting 40 from 1908

3. Identify any unnecessary information in the problem. The number of gold medals the United States has won; How often Winter Olympics are held.

Problema adicional

Las pistas techadas de patinaje sobre hielo se abrieron por primera vez en Philadelphia 40 años antes de que el patinaje sobre hielo se convirtiera en un deporte olímpico, en 1908. Dick Button ganó la primera medalla de oro para Estados Unidos en 1948.

Desde entonces, Estados Unidos han ganado 11 medallas de oro en patinaje individual. Los Juegos Olímpicos de Invierno se llevan a cabo cada 4 años. ¿Cuántos años después de que se abrieran las pistas techadas para patinaje sobre hielo ganó Dick Button la primera medalla de oro para Estados Unidos? 80 años.

1. De qué trata el problema? De saber cuántos años después de que la primera pista techada de patinaje sobre hielo se abriera ganó Dick Button la primera medalla de oro.

2. ¿Se da en el problema el año en que se abrió la primera pista techada de patinaje sobre hielo? No; El año se encuentra por medio de la resta de 1908 menos 40.

3. Identifica la información superflua del problema. El número de medallas de oro ganadas por Estados Unidos; La frecuencia de los Juegos Olímpicos de Invierno.

Section 2A

Making Sense of Large Numbers

Visit **www.teacher.mathsurf.com** for links to lesson plans from teachers and other professionals, NCTM information, and other sites.

LESSON PLANNING GUIDE

► Student Edition ► Ancillaries*

LESSON		MATERIALS	VOCABULARY	DAILY	OTHER
	Chapter 2 Opener				Ch. 2 Project Master Ch. 2 Community Project Teaching Tool Trans. 1
	Problem Solving Focus				Teaching Tool Trans. 18 *Interactive CD-ROM Journal*
	Section 2A Opener				
2–1	Reading and Writing Large Numbers		place value	2-1	Teaching Tool Trans. 4 Lesson Enhancement Trans. 5
2–2	Rounding Large Numbers		rounding	2-2	Teaching Tool Trans. 4
2–3	Comparing and Ordering Numbers			2-3	Lesson Enhancement Trans. 6
2–4	Exponents	scientific calculator	factor, base, exponent, power, squared, cubed	2-4	Teaching Tool Trans. 2, 3, 23 Technology Masters 6, 7 Ch. 2 Project Master
	Connect				Interdisc. Team Teaching 2A
	Review				Practice 2A; Quiz 2A; *TestWorks*

* Daily Ancillaries include Practice, Reteaching, Problem Solving, Enrichment, and Daily Transparency. Teaching Tool Transparencies are in *Teacher's Toolkits*. Lesson Enhancement Transparencies are in *Overhead Transparency Package*.

SKILLS TRACE

LESSON	SKILL	FIRST INTRODUCED			DEVELOP	PRACTICE/APPLY	REVIEW
		GR. 4	GR. 5	GR. 6			
2–1	Identifying place value. Writing numbers in standard form.	✗			pp. 66–67	pp. 68–69	pp. 89, 130, 172, 219, 274
2–2	Rounding numbers.	✗			pp. 70–71	pp. 72–73	pp. 93, 130, 279
2–3	Comparing and ordering large numbers.	✗			pp. 74–75	pp. 76–77	pp. 97, 130, 180, 284
2–4	Using exponents.			✗ p. 78	pp. 78–80	pp. 81–82	pp. 101, 130, 194, 236, 241, 249

CONNECTED MATHEMATICS

Investigation 5 in the unit *Prime Time (Factors and Multiples)*, from the **Connected Mathematics** series, can be used with Section 2A.

Math and Science/Technology
(Worksheet pages 7–8: Teacher pages T7–T8)

In this lesson, students make sense of large numbers used to describe close approaches of comets to Earth.

Nombre _____ *Ciencia y tecnología*

¡Se cae el cielo!

Comprensión de números grandes usados para describir las aproximaciones de los cometas a la Tierra.

El 30 de enero de 1996 un astrónomo aficionado japonés, Yuji Hyakutake, descubrió un cometa. Como fue la primera persona que lo informó en forma oficial, el cometa lleva su nombre. Esta tradición ha existido desde hace muchos años. Si estás interesado en la astronomía, también puedes descubrir un cometa y éste llevará tu nombre.

El cometa más famoso de todos es, sin duda, el Halley. Este cometa tomó su nombre del astrónomo inglés Edmund Halley, quien lo avistó en 1682. Halley pensó que era el mismo cometa que la gente había visto en 1531 y 1607. Con estos datos, el astrónomo calculó que el cometa se acercaba a la Tierra aproximadamente cada 76 años y pronosticó que se volvería a mostrar en 1758. ¡Y así fue! La última vez que apareció fue en 1986 y su próxima aparición será en el 2062.

Cruzando el cielo como bolas de nieve incendiadas, algunos cometas como el Halley viajan alrededor del Sol, una y otra vez. Otros hacen un solo viaje alrededor del Sol y luego desaparecen para siempre.

En la actualidad, se sabe que un cometa permanece la mayor parte de su existencia en estado de congelación (como una "bola de nieve"). Al acercarse al Sol, se empieza a derretir y evaporar; desarrolla una cabeza y una larga cauda, o cola, de gases brillantes. La cauda siempre apunta en dirección contraria al Sol. Esto es a causa de una corriente de partículas cargadas eléctricamente —viento solar— que "sopla" sobre el cometa.

La cauda del cometa es lo más llamativo para los observadores terrestres. En ocasiones, la cola se extiende varios cientos de millones de kilómetros. (Estos son números muy grandes que los científicos escriben en notación científica, una potencia de 10 como 1.2×10^8, que es lo mismo que 120,000,000 pero es más corto y fácil de manejar.) A veces la Tierra pasa por la cola de un cometa. Cuando esto sucede, el cielo puede llenarse de "lluvia de estrellas" o meteoros.

El cometa Halley retorna a la Tierra cada 76 años. Como a todos los cometas que pasan cerca del Sol, al Halley le crece una cauda de gases brillantes que se extiende millones de kilómetros.

Nombre _____ *Ciencia y tecnología*

La distancia más cercana entre un cometa y la Tierra varía de un cometa a otro. A continuación se encuentran los cometas que más se han acercado a la Tierra.

Cometa	Fecha de la primera observación	Distancia a la Tierra (km)
Halley	607 d.C.	13,470,000
Temple-Tuttle	1366 d.C.	3,435,000
Pons-Winnecke	1927 d.C.	5,910,000
Hyakutake	1996 d.C.	15,270,000
Lexell	1770 d.C.	2,265,000

1. Haz una lista ordenada de los cometas: del más cercano al más lejano.

   2,265,000 km; 3,435,000 km;
   5,910,000 km; 13,470,000 km;
   15,270,000 km

2. A menudo los científicos redondean los números porque son más fáciles de manejar. Redondea las distancias de la tabla al millón más cercano.

   Halley, 13,000,000;
   Temple-Tuttle, 3,000,000;
   Pons-Winnecke, 6,000,000;
   Hyakutake, 15,000,000;
   Lexell, 2,000,000

3. En sus viajes, los cometas por lo general pasan entre la órbita de la Tierra y el Sol. El Sol se encuentra a 149,600,000 km de la Tierra. ¿Cómo leerías este número en forma verbal?

   Ciento cuarenta y nueve
   millones, seiscientos mil

4. Expresa las distancias de la tabla en notación científica.

   Halley, 1.347×10^7;
   Temple-Tuttle, 3.435×10^6;
   Pons-Winnecke, 5.91×10^6;
   Hyakutake, 1.527×10^7;
   Lexell, 2.265×10^6

5. Algunos cometas se acercan tanto a la Tierra que la gravedad de la Tierra los jala y se estrellan en la superficie del planeta. Tal vez un gran cometa pudo haber sido el responsable de la extinción de los dinosaurios y de muchos otros seres vivos hace 65 millones de años. Se cree que otro cometa fue el causante de una explosión y un incendio en Rusia en 1908. Se conoce como el "suceso Tunguska", por el lugar donde ocurrió la explosión. En una hoja por separado, describe lo que ocurrió (o se piensa que ocurrió) después de cada acontecimiento.

BIBLIOGRAPHY

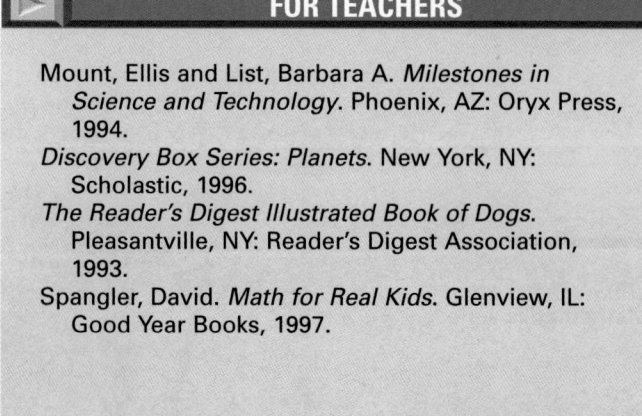

▷ FOR TEACHERS

Mount, Ellis and List, Barbara A. *Milestones in Science and Technology*. Phoenix, AZ: Oryx Press, 1994.

Discovery Box Series: Planets. New York, NY: Scholastic, 1996.

The Reader's Digest Illustrated Book of Dogs. Pleasantville, NY: Reader's Digest Association, 1993.

Spangler, David. *Math for Real Kids*. Glenview, IL: Good Year Books, 1997.

▷ FOR STUDENTS

Rand McNally World Facts & Maps. Chicago, IL: Rand McNally, 1996.

Schraff, Anne. *American Heroes of Exploration and Flight*. Bloomington, IL: Library Book Selection Service, 1996.

The Statesman's Year-Book. New York, NY: St. Martin's Press, 1996.

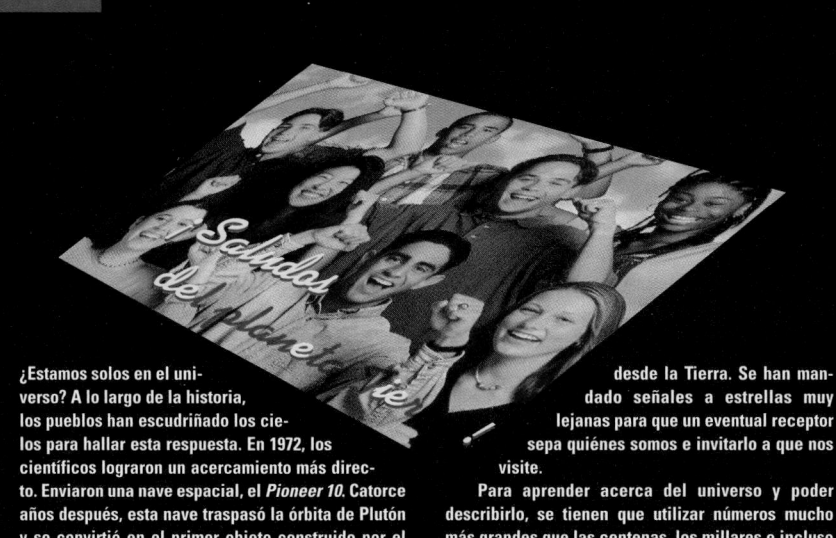

¿Estamos solos en el universo? A lo largo de la historia, los pueblos han escudriñado los cielos para hallar esta respuesta. En 1972, los científicos lograron un acercamiento más directo. Enviaron una nave espacial, el *Pioneer 10*. Catorce años después, esta nave traspasó la órbita de Plutón y se convirtió en el primer objeto construido por el hombre que abandonó el sistema solar.

Los científicos utilizan una amplia gama de tecnologías para estudiar el universo. Los astronautas giran en la órbita de la Tierra y alunizan. Las estaciones espaciales y los telescopios en órbita proporcionan información que sería imposible de obtener desde la Tierra. Se han mandado señales a estrellas muy lejanas para que un eventual receptor sepa quiénes somos e invitarlo a que nos visite.

Para aprender acerca del universo y poder describirlo, se tienen que utilizar números mucho más grandes que las centenas, los millares e incluso los millones. Las matemáticas nos ofrecen herramientas para usar los números grandes de manera adecuada y efectiva. Mientras tanto, el *Pioneer 10* viaja hacia una estrella distante llamada Ross 248. Debe llegar a ella en el año 34,600, a menos que antes se encuentre algo. Algo o alguien...

1. ¿Por qué le tomará al *Pioneer 10* cerca de 32,000 años llegar a la estrella Ross 248?

2. Nombra tres ejemplos relacionados con la exploración del espacio que puedan describirse con números grandes.

3. ¿Por qué necesitamos de las matemáticas para comprender el universo y poder describirlo?

65

Where are we now?

In Grade 5, students learned about large numbers.

They learned how to

- identify place values.
- compare and order large numbers.
- round large numbers.

Where are we going?

In Grade 6 Section 2A, students will

- read and write large numbers.
- round numbers in real-life situations.
- compare and order large numbers.
- use exponents to express numbers and write expressions containing exponents in standard form.

Tema: Los planetas

World Wide Web

Si su clase tiene acceso al World Wide Web, tal vez quiera utilizar la información que se encuentra en las direcciones Web indicadas. Los enlaces interdisciplinarios relacionan los temas examinados en esta sección.

Acerca de esta página

Esta página introduce el tema de la sección —los planetas— y examina la tecnología y la necesidad de las matemáticas para estudiar el universo.

Pregunte...
- ¿Alguna vez te has preguntado si existirá vida en otros planetas?
- ¿Te gustaría ser astronauta?
- ¿Cuáles son algunas de las formas en las que los científicos estudian el universo?

Ampliación

Las siguientes actividades no requieren de acceso al Web.

Ciencias

Investiga y haz un informe de los descubrimientos espaciales realizados con vehículos como el Sputnik, Apollo, Challenger, Explorer, Orbiter y Mir.

Historia

Haz una línea cronológica que muestre el progreso de la investigación espacial desde que se lanzó el Sputnik en 1957.

Respuestas de Preguntas

1. Respuesta posible: Porque la estrella está muy lejos.
2. Respuestas posibles: Las distancias entre los planetas, la velocidad de la nave espacial y el dinero necesario para financiar la misión.
3. Respuesta posible: Se necesitan números muy grandes para describir datos sobre el universo.

Asociación

En la página 83, los estudiantes compararán y ordenarán números grandes que describen las distancias de una estrella a los planetas.

Theme: Planets

World Wide Web

If your class has access to the World Wide Web, you might want to use the information found at the Web site address given. The interdisciplinary links relate to topics discussed in this section.

About the Page

This page introduces the theme of the section, planets, and discusses the technology and mathematics needed to study the universe.

Ask ...
- Have you ever wondered if there is anyone living on other planets?
- Would you like to be an astronaut?
- What are some ways in which scientists are studying the universe?

Extensions

The following activities do not require access to the World Wide Web.

Science

Research and report on the discoveries made about space through the use of such space vehicles as Sputnik, Apollo, Challenger, Explorer, Orbiter, and Mir.

History

Create a time line showing the progress of space research since the launch of Sputnik in 1957.

Answers for Questions

1. Possible answer: Because the star is so far away.
2. Possible answers: Distances between planets, speed at which a rocket travels, amount of money needed to fund a mission into space.
3. Possible answer: People need to use large numbers to talk about space.

Connect

On page 83, students will compare and order large numbers describing distances from a star to the planets.

65

Lesson Organizer

Objectives

- Understand place values of digits in numbers.
- Write numbers in standard form, word form, and number-word form.

Vocabulary

- Place value

NCTM Standards

- 1–5, 10

Review

Sarah and her friends listed the number of cousins each has: 1, 3, 4, 4, 8.

1. Find the mean number of cousins. 4
2. Find the median. 4
3. Find the mode. 4
4. Find the range. 7

Available on Daily Transparency 2-1

► Repaso

Sarah y sus amigas hicieron una lista del número de primos que tiene cada una: 1, 3, 4, 4, 8.

1. Halla la media del número de primos. 4
2. Encuentra la mediana. 4
3. Halla la moda. 4
4. Determina el rango. 7

Introduce

Explore

You may wish to use Teaching Tool Transparency 4: Place-Value Charts or Lesson Enhancement Transparency 5 with this lesson.

The Point

Students explore why it is useful to have names for numbers such as hundreds, thousands, and millions.

Ongoing Assessment

Students should be able to read large numbers, not just the digits.

For Groups That Finish Early

Try other strategies and see which one your group likes best.

1 Introducción

Investigar

Objetivo

Los estudiantes investigan por qué es útil asignar nombres como centenas, millares y millones a los números que usamos.

Evaluación continua

Los estudiantes deben ser capaces de leer números grandes, no sólo los dígitos.

Para los grupos que terminen antes

Prueba otras estrategias y determina cuál de todas te parece mejor.

2-1 Lectura y escritura de números grandes

Vas a aprender...

- el valor posicional de los dígitos en los números.
- a escribir números en forma usual, en forma verbal y en forma numérica-verbal.

...cómo se usa

Los astrónomos deben poder leer y escribir números grandes cuando estudian la distancia entre los planetas.

Vocabulario

- valor posicional

► Enlace con la lección En el capítulo anterior aprendiste a desplegar e interpretar datos. Para desplegar e interpretar cierto tipo de datos, debes ser capaz de leer y escribir números en realidad grandes. ◄

Investigar Números grandes

Centro de control, ¿me escuchan?

Eres el comandante de una nave espacial averiada. El centro de control de la misión, en Houston, quiere saber a qué distancia de la Tierra te encuentras. Aunque tú puedes escucharlos, ellos a ti no. Cada vez que el centro de control menciona una distancia, debes presionar uno de los botones de señales.

Trabaja con un compañero. Uno de ustedes será el comandante y el otro el encargado del centro de control.

Muy alto
Muy bajo
¡Correcto!

1. En secreto, el comandante de la nave debe escoger una distancia de 1 a 100 millas. El centro de control debe tratar de adivinar esta distancia en el menor número de intentos. Después de cada intento, el comandante debe decir "muy alto", "muy bajo" o "correcto".

2. Intercambien roles. Esta vez el comandante debe escoger una distancia de 1 a 1,000,000 de millas.

3. ¿Cuál juego fue más fácil? ¿Por qué?

4. ¿Cuál juego se llevaría a cabo más rápido, uno de 20 mil a 50 mil o uno de 20 millones a 50 millones? ¿Por qué?

Aprender Lectura y escritura de números grandes

Cada dígito de un número tiene un **valor posicional**. El valor posicional indica cuánto representa el dígito. En 2364, el dígito 3 representa 3 centenas (o 300) porque el 3 está en el lugar de las centenas. Para usar números grandes, necesitas saber los nombres de los valores posicionales grandes.

66 Capítulo 2 • Asociación entre aritmética y álgebra

MEETING INDIVIDUAL NEEDS

Resources

2-1 Practice
2-1 Problem Solving
2-1 Reteaching
2-1 Enrichment
2-1 Daily Transparency
   Problem of the Day
   Review
   Quick Quiz
Teaching Tool Transparency 4
Lesson Enhancement
Transparency 5

Recursos

2-1 Práctica
2-1 Práctica adicional
2-1 Resolución de problemas
2-1 Actividad de enriquecimiento

Learning Modalities

Verbal Working in pairs, have one student say a number aloud and the other write the number or enter it into a calculator.

Musical Students could write a rap or jingle that illustrates place value reading large numbers.

Visual Have students write numbers with spaces instead of commas between each group of three digits to help students read the numbers.

Modos de aprendizaje

Verbal En parejas, un estudiante debe decir un número en voz alta para que su compañero lo escriba o lo introduzca en su calculadora.

Musical Anime a los estudiantes a escribir una canción o estribillo que ilustre el valor posicional en los números muy grandes.

Visual Los estudiantes deberán escribir varias cifras usando espacios en lugar de comas para separar los grupos de tres dígitos y facilitar su lectura.

English Language Development

Students may be overwhelmed by all the words in Exercises 23–36. Suggest that students make a list of the words and corresponding numbers, such as thousand = 1000, which they can use while working on these exercises. You may also ask students if they know the names of large numbers in their native language. If so, have them write them next to their English equivalents.

Desarrollo del lenguaje

Es posible que la terminología de los ejercicios 23-36 haya abrumado a los estudiantes. Sugiérales que listen las palabras junto a los números correspondientes (mil = 1000, por ejemplo) para usarlas como referencia. Pregunte a quienes hablen otro idioma el nombre de algunos números muy grandes. Anímelos a escribirlos junto a su equivalente en inglés.

Valores posicionales

centenas	decenas	unidades	centenas	decenas	unidades	centenas	decenas	unidades	centenas	decenas	unidades	centenas	decenas	unidades
4	5	0	0	0	0	0	0	0	0	0	0	0	0	0
Billones			Millares de millón			Millones			Millares			Unidades		

Los números pueden escribirse de tres diferentes maneras.

Forma usual: 45,000,000,000,000

Forma verbal: cuarenta y cinco billones

Forma numérica-verbal: 45 billones

Ejemplos

1 Encuentra el valor posicional del 9 en el diámetro de Vega.

El diámetro de Vega es de 2,5 9 4,200 millas.

El 9 ocupa el lugar de las decenas de millar; esto representa 9 decenas de millar, o sea, 90,000.

2 Expresa en forma verbal el diámetro de Alfa Centauri.

Escribe cada número en términos de billones, millares de millón, millones, millares y unidades.

1 millón	37 millares	700 unidades
1,	037,	700
un millón,	treinta y siete mil,	setecientos

3 Expresa en forma usual siete mil millones, cuarenta mil dos.

millones	miles	unidades
7,000	040	002

→ 7,000,042,002

4 Escribe 36,000,000,000 en forma numérica-verbal.

36,000,000,000 = 36 mil millones

Haz la prueba

a. Halla el valor posicional del dígito 1 en el diámetro de Arturo. **Decenas de millón**

b. Expresa en forma verbal el diámetro de Arturo.

c. Escribe en forma usual el número cinco billones, veinte mil millones, trescientos. **5,020,000,000,300**

Diámetros de seis de las estrellas más brillantes

Nombre	Diámetro (mi)
Sol	864,730
Sirio	1,556,500
Cánope	25,941,900
Alfa Centauri	1,037,700
Arturo	19,888,800
Vega	2,594,200

▶ **Enlace con Ciencias**

La estrella más grande que se conoce es Betelgeuse (BEE-tuhl-joos), en la constelación de Orión. Betelgeuse tiene un diámetro aproximado de 400,000,000 de millas, cerca de 500 veces el diámetro del Sol.

▶ **Enlace con Lenguaje**

Los científicos utilizan el prefijo *mega-* para indicar 1 millón (como en *megabyte*) y el prefijo *giga-* para mil millones (como en *gigabyte*).

b. Diecinueve millones, ochocientos ochenta y ocho mil ochocientos

2-1 • *Lectura y escritura de números grandes* **67**

MATH EVERY DAY

▶ **Problema del día**

Escribe cuatro signos más (+) entre estos dígitos, de manera que la respuesta sea 1000.

8 8 8 8 8 8 8 Respuesta posible:
888 + 88 + 8 + 8 + 8

Problem of the Day

Put four + signs between the following digits so that the answer is 1000.
8 8 8 8 8 8 8
Possible answer:
888 + 88 + 8 + 8 + 8

Available on Daily Transparency 2-1

An Extension is provided in the transparency package.

Dato del día

La nave *Pioneer 10* tuvo que viajar 620,000,000 de millas para transmitir, en 1973, las primeras imágenes de acercamiento del planeta Júpiter.

Fact of the Day

Pioneer 10 traveled 620,000,000 miles to provide, in 1973, the first close-up view of the planet Jupiter.

Mental Math

Find the mean of each set of data.
1. 20, 25, 30, 35, 40 30
2. 70, 70, 70, 30 60
3. 65, 65, 65, 65, 65, 65 65

Cálculo mental

Halla la media de cada conjunto.

1. 20, 25, 30, 35, 40
   30
2. 70, 70, 70, 30 60
3. 65, 65, 65, 65, 65, 65 65

Respuestas de Investigar

3. El juego del 1 al 100 es más fácil porque hay menos números para escoger.

4. El juego de 20 mil a 50 mil sería más rápido porque hay menos números que escoger.

Answers for Explore

3. The game from 1 to 100 is easier because there are fewer numbers to choose from.

4. The game from 20 thousand to 50 thousand would be faster because there are fewer numbers to choose from.

2 Enseñanza

Aprender

Anime a los estudiantes para que señalen las partes de la tabla de valor posicional que ya conocen y las partes que son nuevas para ellos. Subráyeles que en dichas tablas, cada grupo de tres posiciones se denomina *período*.

Ejemplos adicionales

1. Halla el valor posicional del 4 en el diámetro del Sol: 864,730 millas.

   El 4 está en el lugar de los millares. Representa 4 mil ó 4000.

2. Escribe el diámetro de Sirio en forma verbal.

   Un millón, quinientos cincuenta y seis mil, quinientos.

3. Escribe en forma usual siete mil millones, veintiún mil, tres. 7,000,021,003

4. Escribe en forma numérica-verbal 9,000,045,000.

   9,000,045,000 = 9 mil millones 45 mil

Teach

Learn

Have students identify parts of the place-value chart they already know and parts that are new to them. Point out that each group of three places in the place-value chart is called a *period*.

Alternate Examples

1. Find the place value of the 4 in the Sun's diameter, 864,730 miles.

   The 4 is in the thousands place. It represents 4 thousands, or 4000.

2. Write Sirius's diameter in word form.

   One million, five hundred fifty-six thousand, five hundred

3. Write seven billion, twenty-one thousand, three in standard form. 7,000,021,003

4. Write 9,000,045,000 in number-word form.

   9,000,045,000 = 9 billion 45 thousand

Assignment Guide

- Basic 1–8, 11–19, 26–43, 45–46, 49–50
- Average 2–30 evens, 31–47, 49–51
- Enriched 2–36 evens, 37–51

Practice and Assess

Check

Answers for Check Your Understanding

1. Each place value is ten times larger than the one to its right.

2. No; Some numbers are so large, they've never been named.

Exercise Notes

■ Exercises 9–16

Cultural The numbers we use today are known as Arabic numerals. However, they originated in India and are really called Indian-Hindu numbers.

Exercise Answers

9. Thirty million, eighty thousand, seven hundred five

10. Five billion, one hundred eleven million, two hundred ninety-three thousand, twenty-six

11–22. See page C1.

Reteaching

Activity

Materials: Number cubes

- Toss a number cube 10 times and write down each toss as a digit in a number, from left to right.
- Write the number in word form.
- Repeat the process for 8 tosses and 14 tosses.

---

3 Práctica y evaluación

Comprobar

Respuestas de Comprobar tu comprensión

1. Cada valor posicional es diez veces más grande que el que está a su derecha.

2. No; Algunos números son tan grandes que no hay un nombre específico para ellos.

Notas sobre los ejercicios

■ Ejercicios 9–16

Cultural Los números usados hoy día se conocen como números arábigos. Sin embargo, su verdadero origen es hindú y debieran llamarse en realidad números hindúes.

Respuestas de Ejercicios

9. Treinta millones, ochenta mil, setecientos cinco.

10. Cinco mil ciento once millones, doscientos noventa y tres mil, veintiséis.

11–22. Véase la página C1.

Práctica adicional

Actividad

Materiales: Dados

- Lanza un dado 10 veces y escribe cada resultado como un dígito de un número, de izquierda a derecha.
- Escribe este número en forma verbal.
- Repite el proceso con 8 y 14 tiradas.

Comprobar Tu comprensión

1. ¿Cómo se relaciona cada valor posicional con el de la derecha?

2. ¿Existe un nombre para cada número, sin importar qué tan grande sea? ¿Por qué?

2-1 Ejercicios y aplicaciones

Práctica y aplicación

Para empezar Menciona el valor posicional de todos los dígitos en el número 31,480,725.

1. 5 Unidades 2. 7 Centenas 3. 8 Decenas de millar 4. 3 Decenas de millón

5. 1 Millones 6. 4 Centenas de millar 7. 0 Millares 8. 2 Decenas

Escribe los números en forma verbal.

9. 30,080,705 10. 5,111,293,026 11. 8235 12. 9,303,946

13. 7098 14. 222 15. 56,056,560 16. 8,000,969,152,001

Ciencias Escribe en forma numérica-verbal la distancia promedio de la Tierra a cada planeta.

17. Mercurio 18. Venus

19. Saturno 20. Urano

21. Neptuno 22. Plutón

Distancia promedio a la Tierra	
Planeta	**Distancia (mi)**
Mercurio	93,000,000
Venus	141,500,000
Saturno	888,000,000
Urano	1,779,500,000
Neptuno	2,791,000,000
Plutón	3,653,500,000

Escribe en forma usual cada número.

23. 52 millones 52,000,000 24. 38 mil 38,000

25. 560 millones 560,000,000 26. 7 billones 7,000,000,000,000

27. 9 mil 9000 28. cuatrocientos 400

29. 321 mil 321,000 30. 26 millones 26,000,000

31. cuarenta y dos millones, seis mil 42,006,000

32. ochocientos cuatro mil, dos 804,002

33. nueve billones, veinte mil millones, treinta 9,020,000,000,030

34. cuatro mil, setecientos cinco 4705

35. ochenta y un mil, quinientos 81,500

36. tres millones, novecientos 3,000,900

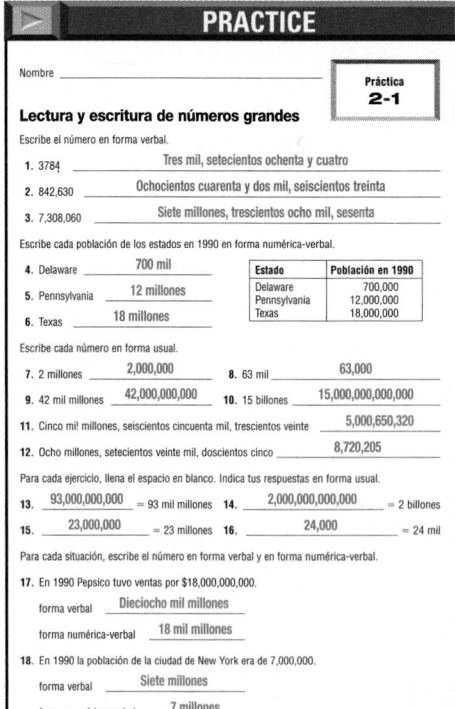

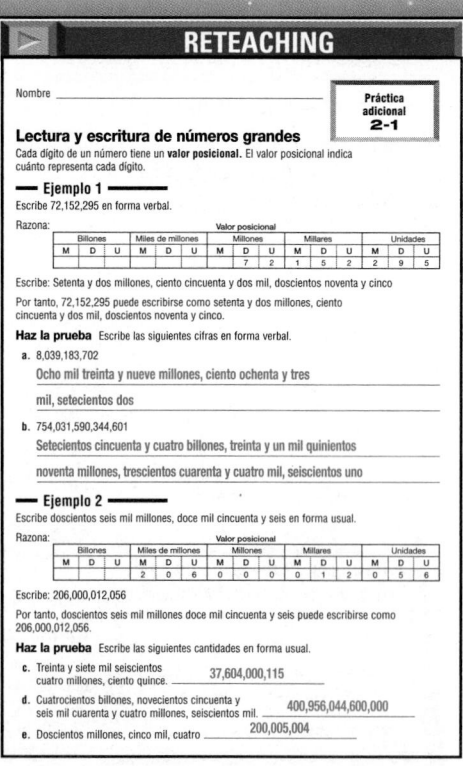

PRACTICE

Nombre _____

Práctica 2-1

Lectura y escritura de números grandes

Escribe el número en forma verbal.

1. 3784 ___ Tres mil, setecientos ochenta y cuatro ___

2. 842,630 ___ Ochocientos cuarenta y dos mil, seiscientos treinta ___

3. 7,308,060 ___ Siete millones, trescientos ocho mil, sesenta ___

Escribe cada población de los estados en 1990 en forma numérica-verbal.

4. Delaware 700 mil

5. Pennsylvania 12 millones

6. Texas 18 millones

Estado	Población en 1990
Delaware	700,000
Pennsylvania	12,000,000
Texas	18,000,000

Escribe cada número en forma usual.

7. 2 millones 2,000,000 8. 63 mil 63,000

9. 42 mil millones 42,000,000,000 10. 15 billones 15,000,000,000,000

11. Cinco mil millones, seiscientos cincuenta mil, trescientos veinte 5,000,650,320

12. Ocho millones, setecientos veinte mil, doscientos cinco 8,720,205

Para cada ejercicio, llena el espacio en blanco. Indica tus respuestas en forma usual.

13. 93,000,000,000 = 93 mil millones 14. 2,000,000,000,000 = 2 billones

15. 23,000,000 = 23 millones 16. 24,000 = 24 mil

Para cada situación, escribe el número en forma verbal y en forma numérica-verbal.

17. En 1990 Pepsico tuvo ventas por $18,000,000,000.

forma verbal Dieciocho mil millones

forma numérica-verbal 18 mil millones

18. En 1990 la población de la ciudad de New York era de 7,000,000.

forma verbal Siete millones

forma numérica-verbal 7 millones

RETEACHING

Nombre _____

Práctica adicional 2-1

Lectura y escritura de números grandes

Cada dígito de un número tiene un **valor posicional**. El valor posicional indica cuánto representa cada dígito.

— Ejemplo 1 —

Escribe 72,152,295 en forma verbal.

Razona:

Valor posicional														
Billones			Miles de millones			Millones			Millares			Unidades		
M	D	U	M	D	U	M	D	U	M	D	U	M	D	U
						7	2	1	5	2	2	9	5	

Escribe: Setenta y dos millones, ciento cincuenta y dos mil, doscientos noventa y cinco

Por tanto, 72,152,295 puede escribirse como setenta y dos millones, ciento cincuenta y dos mil, doscientos noventa y cinco.

Haz la prueba Escribe las siguientes cifras en forma verbal.

a. 8,039,183,702

Ocho mil treinta y nueve millones, ciento ochenta y tres mil, setecientos dos

b. 754,031,590,344,601

Setecientos cincuenta y cuatro billones, treinta y un mil quinientos noventa millones, trescientos cuarenta y cuatro mil, seiscientos uno

— Ejemplo 2 —

Escribe doscientos seis mil millones, doce mil cincuenta y seis en forma usual.

Razona:

Valor posicional														
Billones			Miles de millones			Millones			Millares			Unidades		
M	D	U	M	D	U	M	D	U	M	D	U	M	D	U
			2	0	6	0	0	0	0	1	2	0	5	6

Escribe: 206,000,012,056

Por tanto, doscientos seis mil millones doce mil cincuenta y seis puede escribirse como 206,000,012,056.

Haz la prueba Escribe las siguientes cantidades en forma usual.

c. Treinta y siete mil seiscientos cuatro millones, ciento quince 37,604,000,115

d. Cuatrocientos billones, novecientos cincuenta y seis mil cuarenta y cuatro millones, seiscientos mil 400,956,044,600,000

e. Doscientos millones, cinco mil, cuatro 200,005,004

Completa los espacios en blanco.

37. $36,000 = 36$ ___mil___

38. ___42,000,000___ $= 42$ millones

39. $67,000,000,000 = 67$ ___mil millones___

40. ___5,000,000,000,000___ $= 5$ billones

Ciencias Escribe, para cada situación, el número en forma verbal y en forma numérica-verbal.

41. El satélite artificial Cassini, diseñado para llevar una sonda, instrumentos científicos y combustible al espacio, pesa 5655 kg.

42. Los científicos pueden ver más de 100,000,000,000 galaxias en el universo.

43. 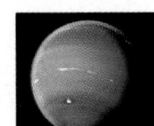 La distancia media de Neptuno al Sol es de 2,798,800,000 millas.

44. Desde 1995, los astronautas estadounidenses han pasado cerca de 17,715 horas en el espacio.

Shannon Lucid

45. **Para la prueba** Selecciona la forma usual para cuatrocientos treinta mil, cuatrocientos siete. **D**

Ⓐ 43,047   Ⓑ 403,407   Ⓒ 430,047   Ⓓ 430,407

Resolución de problemas y razonamiento

46. Comunicación Explica la diferencia entre los dos sietes en el número 737,459.

47. Razonamiento crítico Cuando los planetas están alineados, la Tierra está a una distancia aproximada de 92,960,000 millas del Sol. Plutón está a una distancia aproximada de 3,573,240,000 millas de la Tierra. ¿Cuál es la distancia aproximada entre Plutón y el Sol? Explica tu respuesta.

48. Razonamiento crítico Haz una gráfica de barras del presupuesto de un estudiante: $4 para el autobús, $5 para la comida, $3 para juegos. Después haz una gráfica de barras del presupuesto de una ciudad: $4 millones para mantenimiento de carreteras, $5 millones para salarios, $3 millones para construcción. ¿En qué se parecen las gráficas? ¿En qué son diferentes?

Repaso mixto

Usa la tabla arborescente para los ejercicios 49–50. *[Lección 1-6]*

49. Identifica el valor extremo. **14**

50. ¿Cuántos dígitos hay en cada número de los datos? **2**

51. Encuentra la media de los datos. Redondea al décimo más cercano.

[Lección 1-8] $1, 2, 7, 0, 3, 1, 0, 4, 2, 1, 0$ **1.9**

Tallo	Hoja
1	4
2	8 8 9
3	2 6 6 7
4	1 2 4 4 4 9

Notas sobre los ejercicios

■ Ejercicio 43

Ciencias Los vientos más rápidos en el sistema solar se registran en Neptuno, cuyas velocidades alcanzan las 1,243 mph.

Respuestas de Ejercicios

41. Cinco mil, seiscientos cincuenta y cinco; 5 mil, 655

42. Cien mil millones; 100 mil millones

43. Dos mil setecientos noventa y ocho millones, ochocientos mil; 2 mil 798 millones, 800 mil

44. Diecisiete mil, setecientos quince; 17 mil, 715

46. El primer 7 está en la posición de las centenas de millar. El segundo 7 está en la posición de los millares.

47. 3,666,200,000 millas; Se suma la distancia del Sol a la Tierra a la distancia de la Tierra a Plutón para hallar la distancia entre Plutón y el Sol.

48. Véase la página C1.

Evaluación adicional

Entrevista Explica por qué 200,800 es diferente de 280,000.

Exercise Notes

■ Exercise 43

Science The fastest winds in the Solar System are on Neptune with speeds of 1,243 mph.

Exercise Answers

41. Five thousand, six hundred fifty-five; 5 thousand, 655

42. One hundred billion; 100 billion

43. Two billion, seven hundred ninety-eight million, eight hundred thousand; 2 billion, 798 million, 800 thousand

44. Seventeen thousand, seven hundred fifteen; 17 thousand, 715

46. The first 7 is in the hundred-thousands place. The second 7 is in the thousands place.

47. 3,666,200,000 miles; Add the distance from the Sun to the Earth to the distance from the Earth to Pluto to find the distance between Pluto and the Sun.

48. See page C1.

Alternate Assessment

Interview Explain why 200,800 is different from 280,000.

➤ Prueba rápida

1. Escribe en forma verbal 3,042,001. Tres millones, cuarenta y dos mil uno.

2. Escribe en forma usual 32 mil millones, 34 mil, seis. 32,000,034,006

3. Escribe en forma usual quinientos tres mil, cuatrocientos veintinueve. 503,429

Quick Quiz

1. Write 3,042,001 in word form. Three million, forty-two thousand, one

2. Write 32 billion, 34 thousand, six in standard form. 32,000,034,006

3. Write five hundred three thousand, four hundred twenty-nine in standard form. 503,429

Available on Daily Transparency 2-1

➤ PROBLEM SOLVING

Nombre _____

Resolución guiada de problemas **2-1**

RGP PROBLEMA 43, PÁGINA 69 DEL ESTUDIANTE

Escribe, para esta situación, el número en forma verbal y en forma numérica-verbal.
La distancia media de Neptuno al Sol es de 2,798,800,000 millas.

— Comprende —

1. ¿Cuántos dígitos hay en el número? __10 dígitos.__

2. ¿En qué forma debes escribir el número? __En forma verbal y numérica-verbal.__

— Plan —

3. Escribe cada número que le corresponda a los billones, millares de millón, millones, millares y unidades.

a. Billones __0__   b. Millares de millón __2__   c. Millones __798__

d. Millares __800__   e. Unidades __0__

4. ¿Cuáles posiciones tienen ceros? ¿Cuál es el máximo valor posicional que vas a usar cuando escribas el número en forma numérica-verbal?

Billones y unidades; millares de millón.

— Resuelve —

5. Escribe el número en forma numérica-verbal.

2 mil 798 millones 800 mil.

6. Escribe el número en forma verbal. __dos mil setecientos noventa y ocho millones, ochocientos mil.__

— Revisa —

7. ¿Cómo puedes comprobar tu respuesta si lees cada número en voz alta?

Respuesta posible: Las respuestas de los puntos 5 y 6 deben sonar iguales cuando se leen en voz alta.

RESUELVE OTRO PROBLEMA

Para la velocidad que se expresa, escribe el número en forma verbal y en forma numérica-verbal. La luz viaja a 5,880,000,000,000 millas en un año.
Cinco billones, ochocientos ochenta mil millones; 5 billones 880 mil millones

---

➤ ENRICHMENT

Nombre _____

Actividad de enriquecimiento **2-1**

Aprendizaje visual

Haz un cálculo aproximado de los pájaros que hay en esta ilustración sin contarlos. Explica cómo hiciste la aproximación.

Respuesta posible: Alrededor de 136 pájaros. Se cuentan los pájaros del cuadro pequeño y se multiplican por 4.

Lesson Organizer

Objectives

- Round numbers using rules for rounding.
- Use common sense to round numbers in real-life situations.

Vocabulary

- Rounding

NCTM Standards

- 1–5, 7

Review	► Repaso
Find each product.	Halla cada producto.
1. 7×90 630	1. 7×90 630
2. 800×6 4800	2. 800×6 4800
3. 90×6 540	3. 90×6 540
4. 8×700 5600	4. 8×700 5600

Available on Daily Transparency 2-2

Introduce

Explore

You may wish to use Teaching Tool Transparency 4: Place-Value Charts with this lesson.

The Point

Students compare how a given value can be expressed with exact and rounded numbers.

Ongoing Assessment

Some students may be able to recognize where the numbers came from yet not remember the term *rounding.* Others may need hints such as "How did they change 26,725 to get 27,000?"

For Groups That Finish Early

Would it be appropriate to say that *Pioneer 11* passed Jupiter at a distance of more than 20,000 miles? Explain. Although the statement is correct, it is misleading. It suggests that the actual distance was between 20,000 and 25,000 miles.

1 Introducción

Investigar

Objetivo

Los estudiantes comparan de qué manera un valor dado puede expresarse mediante números exactos y redondeados.

Evaluación continua

Algunos estudiantes pueden ser capaces de reconocer de dónde vienen los números aunque no recuerden el término *redondear.* Otros pueden necesitar pistas como: "¿Cómo cambiaron 26,725 para obtener 27,000?"

Para los grupos que terminen antes

¿Sería adecuado decir que el *Pioneer 11* pasó por Júpiter a una distancia de más de 20,000 millas? Explica tu respuesta. Aunque el enunciado es correcto, es engañoso. Sugiere que la distancia real era entre 20,000 y 25,000 millas.

Redondeo de números grandes

Vas a aprender…

- a redondear números con ayuda de reglas para redondear.
- a utilizar el sentido común para redondear números de situaciones de la realidad.

…cómo se usa

Los periodistas redondean los datos científicos para escribir artículos con información precisa, pero fáciles de leer.

Vocabulario

- redondeo

► **Enlace con la lección** En la lección anterior aprendiste a leer y escribir números grandes. Ahora aprenderás un uso más fácil de los mismos. ◄

Investigar   Redondeo

Encuentros cercanos por redondeo

El *Pioneer 11* fue lanzado el 5 de abril de 1973. Veinte meses después, tres notas periodísticas describieron el encuentro más cercano de la nave con Júpiter.

1. ¿Dan las notas la distancia exacta del *Pioneer 11* a Júpiter? ¿Cómo lo sabes?

2. ¿Por qué cada una de estas tres notas menciona distancias diferentes?

3. A principios de 1973 el *Pioneer 10* llegó a estar a una distancia de 81,000 millas de Júpiter. Para comparar el desempeño del *Pioneer 11* con el del *Pioneer 10*, ¿cuál de las tres distancias indicadas en las notas usarías?

4. Un ingeniero del *Pioneer 11* explicó por qué habría otro proyecto sobre Júpiter: "Estamos acercándonos cada vez más. En esta ocasión estuvimos a casi 25,000 millas." ¿Por qué usó el ingeniero el término 25,000 millas en lugar de una de las distancias de las notas periodísticas?

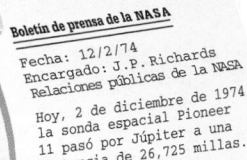

Boletín de prensa de la NASA

Fecha: 12/2/74
Encargado: J.P. Richards
Relaciones públicas de la NASA

Hoy, 2 de diciembre de 1974, la sonda espacial Pioneer 11 pasó por Júpiter a una distancia de 26,725 millas.

10A

El Pioneer 11, cerca de Júpiter
(UPI) — La sonda espacial Pioneer 11 estuvo ayer a cerca de 27,000 millas de distancia de Júpiter.
Los reportes dan

Pioneer 11
A finales de 1974, el Pioneer 11 pasó a una distancia de cerca de 30,000 millas de Júpiter.

Aprender   Redondeo de números grandes

Trabajar con números grandes puede ser difícil. Aunque no siempre necesitas usar el valor *exacto* de los números grandes. Con frecuencia puedes utilizar números cercanos al valor exacto, pero con los cuales es más fácil trabajar.

70 *Capítulo 2 • Asociación entre aritmética y álgebra*

MEETING INDIVIDUAL NEEDS

Resources

- **2-2** Practice
- **2-2** Problem Solving
- **2-2** Reteaching
- **2-2** Enrichment
- **2-2** Daily Transparency
  - Problem of the Day
  - Review
  - Quick Quiz
- Teaching Tool Transparency 4

Recursos

- **2-2** Práctica
- **2-2** Práctica adicional
- **2-2** Resolución de problemas
- **2-2** Actividad de enriquecimiento

Learning Modalities

Visual Show students how using a number line can help them determine whether to round a number up or down. For example, to round 268 to the nearest hundred, use a number line with 200 through 300 marked with intervals of 10. Students should be able to see that 268 is closer to 300.

Social Have students bring in examples of approximations of large numbers found in news-papers or magazines and work together to create a wall display.

Kinesthetic Have students model numbers using base-ten blocks. Rounding to a certain place means that the given place is the smallest size block that can be used.

Modos de aprendizaje

Visual Enseñe a los estudiantes cómo usar una recta numérica para determinar si deben redondear un número hacia arriba o hacia abajo. Por ejemplo, para redondear 268 a la centena más cercana, use una recta numérica del 200 al 300 con intervalos de 10. Esto permitirá a los estudiantes observar que 268 está más cerca de 300 que de 200.

Social Anime a los estudiantes a buscar en diarios y revistas algunos ejemplos de redondeos de números grandes y trabajar en equipo para elaborar un mural.

Cinestésico Invite a los estudiantes a representar diversos números con bloques de base diez. Redondear a cierta posición significa que ese punto representa el menor bloque posible.

Inclusion

Students with perceptual difficulties may not be able to easily identify the digit in the given place for rounding. Have them use graph paper with large grids to write numbers or highlight the digit to make it stand out.

Inclusión

Quizá los estudiantes con limitaciones de percepción tengan dificultades para identificar el dígito de redondeo de una cifra. Pídales que escriban los números en cuadrículas más grandes o resalten el dígito mencionado.

El **redondeo** es una forma de hallar un número que es más conveniente. El redondeo te dará el número más cercano que te conviene usar de acuerdo con un valor posicional.

Hay cuatro pasos para el proceso de redondeo.

67,683 a millares		2,341 a centenas
6[7],683	Halla el valor posicional.	2,[3]41
6[7],683	Observa el dígito de la derecha.	2,[3]41
6[7],683 ↑ Suma uno	Si este dígito es 5 o mayor, suma 1 al valor posicional del dígito. Si es menor de 5, déjalo como está.	2,[3]41 ↑ Déjalo como está
68,000	Cambia los dígitos de la derecha por ceros.	2,300

Ejemplos

De acuerdo con el censo de 1990 en Estados Unidos, había 45,249,989 personas en el grupo de edad de 5 a 17 años. Redondea la población al valor posicional que se indica.

1 millones | millones | Deja como está el dígito de los millones. |
↓ ↓
4 5, 2 4 9, 9 8 9   → redondea a 45,000,000

2 decenas de millón | decenas de millón | Suma 1 al dígito de las decenas de millón. |
↓ ↓
4 5, 2 4 9, 9 8 9   → redondea a 50,000,000

Haz la prueba

Redondea 73,952 al lugar posicional que se indica.

a. decenas de millar 70,000   **b.** millares 74,000   **c.** centenas 74,000

A veces debes utilizar tu sentido común para redondear hacia arriba o hacia abajo, aun cuando esto signifique redondear a un número que no es el más cercano.

Ejemplo 3

Danielle calcula que su tanque de buceo contiene oxígeno suficiente para una inmersión de 47 minutos. Como 47 se redondea a 50, ¿puede hacer una inmersión de 50 minutos?

No. Danielle no puede quedarse sin oxígeno mientras está bajo el agua. Al redondear le da un número aproximado, pero el sentido común le dice que debe redondear hacia abajo para calcular la duración de su inmersión.

¿LO SABÍAS?

Según el censo de 1990, hay cerca de 41 millones de estudiantes en escuelas públicas. Esto indica que Estados Unidos gasta alrededor de $200 mil millones anuales en educación pública, a un promedio de $4,700 por estudiante al año.

2-2 • *Redondeo de números grandes* **71**

MATH EVERY DAY

> **Problema del día**

Brooke usó 12 conchas y 4 caracoles para decorar uno de los lados del marco de una pintura. Ilustra cómo luciría el marco si Brooke repitiera el patrón de decorado.

Respuesta posible:

```
NSSSSNSSSSNSSSSN
S               S
S               S
S               S
   N → Caracol
   S → Concha
S               S
S               S
S               S
NSSSSNSSSSNSSSSN
```

Problem of the Day

Brooke uses 12 scallop shells and 4 snail shells to decorate one side of a square picture frame. Draw how the picture frame might look if she repeats the same pattern on each side.

Possible answer:

Available on Daily Transparency 2-2

An Extension is provided in the transparency package.

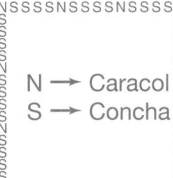

Dato del día

Júpiter tiene un diámetro de 88,736 millas. Esto equivale a 11 veces el diámetro de la Tierra.

Fact of the Day

The planet Jupiter has a diameter of 88,736 miles. That is about 11 times as large as Earth's diameter.

Mental Math

Do these mentally.

1. 5 + 17 + 25   47
2. 30 + 70 + 5   105
3. 200 − 140   60
4. 325 − 50   275

Cálculo mental
Haz estos cálculos en forma mental.
1. 5 + 17 + 25   47
2. 30 + 70 + 5   105
3. 200 − 140   60
4. 325 − 50   275

---

2 Enseñanza

Aprender

Ejemplos adicionales

Tom Heymann, autor de *En una vida promedio*, afirma que el promedio de estadounidenses ve 136,692,500 mensajes de anuncios y comerciales durante su vida. Redondea este número a la posición que se pide en los Ejemplos adicionales 1-2.

1. Millones

   137,000,000

2. Decenas de millón

   140,000,000

3. Supónte que Hal olvidó su dinero, así que tú le prestaste para que se comprara un cuaderno de $0.74. Te pagó $0.70, porque 74 se redondea a 70. ¿Te perece aceptable?

   No; porque $0.70 no alcanzan para comprar el cuaderno.

Teach

Learn

Alternate Examples

According to Tom Heymann's *In An Average Lifetime*, the average American sees 136,692,500 advertisements and commercial messages in a lifetime. Round this number to the given place in Alternate Examples 1–2.

1. Millions

   137,000,000

2. Ten-millions

   140,000,000

3. Hal forgot his money, so you bought him a notebook for $0.74. He paid you back $0.70, since 74 rounds to 70. Did he pay you enough?

   No; $0.70 does not cover the cost of the notebook.

Assignment Guide

- Basic 1–7, 11–13, 16–20, 22, 24
- Average 1, 2–8 evens, 9–15, 17–21 odds, 22–27
- Enriched 2–10 evens, 11–18, 19–27 odds

Practice and Assess

Check

Answers for Check Your Understanding

1. The rounded number might have many zeros in it, which are easy to add or subtract.
2. Answers may vary.

Exercise Answers

1. a. 4
   b. Less than 5.
   c. Leave it the same because the next digit is less than 5.
   d. 1,370,000
10. a. 84,226,499,400
    b. 84,226,500,000
    c. 84,226,500,000
    d. 80,000,000,000
11. Two billion, seven hundred fifty-eight million, five hundred thirty thousand, nine hundred twenty-eight
12. a. 2,758,500,000
    b. 2,760,000,000
    c. 2,800,000,000
    d. 3,000,000,000

3 Práctica y evaluación

Comprobar

Respuestas de Comprobar tu comprensión

1. El número redondeado puede tener muchos ceros, que son fáciles de sumar o restar.
2. Las respuestas pueden variar.

Respuestas de Ejercicios

1. a. 4
   b. Menor que 5.
   c. Se deja igual porque el siguiente dígito es menor que 5.
   d. 1,370,000
10. a. 84,226,499,400
    b. 84,226,500,000
    c. 84,226,500,000
    d. 80,000,000,000
11. Dos mil setecientos cincuenta y ocho millones, quinientos treinta mil, novecientos veintiocho
12. a. 2,758,500,000
    b. 2,760,000,000
    c. 2,800,000,000
    d. 3,000,000,000

Reteaching

Activity

Materials: Catalogs

- Find several items that have a total cost of $50, $100, $500, and $1000 when the cost of each item is rounded to the nearest 10 dollars.
- Use a calculator to find the actual total costs and see how close you came.

Práctica adicional

Actividad

Materiales: Catálogos

- Halla varios artículos que tengan un costo total de $50, $100, $500 y $1000 cuando el costo de cada artículo se redondee a la decena de dólares más cercana.
- Usa una calculadora para hallar el costo total real y observa qué tan cerca estuviste.

Comprobar Tu comprensión

1. ¿Por qué es más fácil trabajar con números redondeados?
2. Describe una situación en la que puedas redondear hacia arriba y una en la que puedas hacerlo hacia abajo.

2-2 Ejercicios y aplicaciones

Práctica y aplicación

1. **Para empezar** Responde estas preguntas para redondear 1,374,692 a la decena de millar más cercana.
   a. ¿Cuál es el dígito a la derecha de la posición de las decenas de millar?
   b. ¿Es este dígito mayor o menor que 5?
   c. ¿Debes dejar el dígito de las decenas de millar como está o sumarle 1? ¿Por qué?
   d. ¿Cómo queda 1,374,692 redondeado a la decena de millar más cercana?

Redondea al valor posicional indicado.

2. 8702; centenas 8700
3. 94,655; decenas de millar 90,000
4. 1,850,817,349; centenas de millón 1,900,000,000
5. 738; decenas 740
6. 800,000,000,000; billones 1,000,000,000,000
7. 3,886,000; centenas de millar 3,900,000
8. 2,790,600,073,521; miles de millón 2,790,000,000,000
9. 22,900; millares 23,000
10. Redondea 84,226,499,391 al valor posicional que se indica.
    a. centenas   b. decenas de millar   c. centenas de millar   d. decenas de millares de millón

Ciencias El 29 de agosto de 1989 la sonda espacial *Voyager 2* cruzó la órbita de Plutón y abandonó el sistema solar. El *Voyager 2* estaba a 2,758,530,928 millas de la Tierra.

11. Escribe en forma verbal la distancia del *Voyager 2* a la Tierra.
12. Redondea la distancia del *Voyager 2* al valor posicional dado.
    RGP
    a. centenas de millar   b. decenas de millón
    c. centenas de millón   d. millares de millón

13. **Para la prueba** Redondea noventa y siete mil, quinientos cuarenta y nueve al millar más cercano. B
    Ⓐ 98,500   Ⓑ 98,000   Ⓒ 97,500   Ⓓ 97,500   Ⓔ 97,000

72 *Capítulo 2 • Asociación entre aritmética y álgebra*

PRACTICAR 2-2

PRACTICE

Nombre _____   **Práctica 2-2**

Redondeo de números grandes

Redondea a la posición indicada.

1. 38,721,830, decenas de millón
   40,000,000
2. 432,483, decenas de millar
   430,000
3. 1,387,216, decenas
   1,387,220
4. 83,172,635,810, centenas de millón
   83,200,000,000
5. 392,621, centenas de millar
   400,000
6. 471,832,103, millones
   472,000,000
7. 217,384,166,982,364, centenas de millares de millón
   217,400,000,000,000
8. 37,852,408,069,843, decenas de millar
   37,852,408,070,000
9. 3,871,664,397,972, centenas de millón
   3,871,700,000,000
10. 6,378,294,183,275, billones
    6,000,000,000,000

56,603,451 aficionados asistieron en 1990 a juegos de béisbol de las ligas mayores.

11. Escribe el número de aficionados en forma verbal. Cincuenta y seis millones, seiscientos tres mil, cuatrocientos cincuenta y uno.

12. Redondea el número de aficionados a la posición indicada.
    a. centenas 56,603,500
    b. millones 57,000,000
    c. decenas de millar 56,600,000
    d. decenas de millón 60,000,000
    e. millares 56,603,000
    f. centenas de millar 56,600,000

13. La cocina de Thom necesita 33 pies de papel tapiz para cenefa. Thom escoge un diseño que viene en un paquete que contiene una longitud de 10 pies. Como 33 se redondea a 30, compra 3 paquetes. ¿Estás de acuerdo con su razonamiento? Explica por qué.
    No. Se necesitan *por lo menos* 33 pies, así que debe comprar 4 paquetes.

RETEACHING

Nombre _____   **Práctica adicional 2-2**

Redondeo de números grandes

El **redondeo** es una manera de hallar un número que es más fácil de usar. Redondear te dará el número conveniente más cercano, de acuerdo con un valor posicional dado.

— Ejemplo —

Redondea 82,439 a la centena más cercana.   8 2 4 3 9

Hay cuatro pasos que deben seguirse en el proceso de redondeo:

Paso 1: Halla el valor posicional.   El valor posicional son las "centenas".
Paso 2: Observa el dígito de la derecha.   El dígito es 3.
Paso 3: Si este dígito es mayor o igual a 5, agrega uno al dígito del valor posicional. Si es menor que 5, deja el dígito del valor posicional como está.   3 es menor que 5, por tanto, no cambiará.
Paso 4: Cambia los dígitos de la derecha por ceros.   El número redondeado es 82,400.

Cuando se redondea a la centena más cercana, 82,439 queda como 82,400.

Haz la prueba Redondea 132,874,015 a la centena de millar más cercana.

a. El dígito de las centenas de millar es 8
b. El dígito a la derecha de las centenas de millar es 7
c. ¿Es este dígito mayor que o igual a 5? Sí.
d. Escribe el número redondeado. Recuerda cambiar los dígitos a la derecha de las centenas de millar por ceros. 132,900,000

Redondea cada número al valor posicional indicado.

e. 941 a la posición de las decenas 940
f. 103,555 a la posición de los millares 104,000
g. 1,806,090 a la posición de las decenas de millar 1,810,000
h. 967,063,402 a la posición de las centenas de millar 967,100,000
i. 460,027,971 a la posición de los millones 460,000,000
j. 457,032,333 a la posición de las decenas de millón 460,000,000
k. 384,203,670,159 a la posición de las decenas de millares de millón 380,000,000,000

14. Cálculo aproximado El auto de Arnold está a punto de quedarse sin gasolina, pero calcula que aún puede recorrer 25 millas más. La siguiente estación de gasolina está a 30 millas de distancia. ¿Debe tratar de llegar a la siguiente estación? ¿Por qué?

Resolución de problemas y razonamiento

15.  Haz una lista de situaciones en las cuales debas usar números exactos. Después elabora otra lista de situaciones cotidianas donde puedas utilizar números redondeados para obtener respuestas aproximadas.

16. Razonamiento crítico Al registrar los datos de población de 1990 en una computadora, un trabajador del censo borró, por error, los dígitos de la población de dos pueblos de Texas.

Borger	Copperas Cove
Altitud: 3,050	Altitud: 1,602
Población: 1_,675	Población: 2_,079

El trabajador recordó que ambas poblaciones se redondeaban a 20,000, al millar más cercano. ¿Cuál podría ser la población de estas dos ciudades? Explica por qué.

17. Comunicación Claudia debe contratar autobuses para llevar a los estudiantes al Museo de Ciencias. Piensa que asistirán cerca de 263 estudiantes. El cupo de cada autobús es de 30 estudiantes. ¿Cuántos autobuses necesita? ¿Por qué?

Repaso mixto

Realiza las siguientes sumas. *[Curso anterior]*

18. 2672 + 2438 + 8616   **13,726**
19. 2107 + 596 + 5632   **8335**
20. 759 + 6675 + 3219   **10,653**
21. 9820 + 423 + 890   **11,133**

Usa los datos para hacer una tabla de frecuencia y un diagrama de puntos. *[Lección 1-4]*

22. 48, 48, 49, 52, 53, 53, 53, 54
23. 101, 94, 96, 103, 98, 100, 100

Halla la mediana, moda y rango de los datos a continuación. *[Lección 1-7]*

24. 12, 2, 6, 10, 2, 10, 11
25. 32, 29, 22, 32, 30, 32
26. 44, 48, 31, 57
27. 108, 96, 108, 108, 96, 102, 102

2-2 • Redondeo de números grandes   **73**

PROBLEM SOLVING

Nombre _____

Resolución guiada de problemas 2-2

RGP PROBLEMA 12, PÁGINA 72 DEL ESTUDIANTE

El 29 de agosto de 1989 la sonda espacial *Voyager 2* cruzó la órbita de Plutón y abandonó el sistema solar. El *Voyager 2* estaba a 2,758,530,928 millas de la Tierra. Redondea la distancia del *Voyager 2* al valor posicional dado.

a. centenas de millar
b. decenas de millón
c. centenas de millón
d. millares de millón

— **Comprende** —

1. ¿A cuántos valores posicionales diferentes se te pide que redondees?   **4**

2. Si el dígito a la derecha del valor posicional que estás redondeando es menor que 5, ¿disminuye en 1 el dígito del valor posicional o queda igual?   **Queda igual.**

— **Plan** —

3. ¿Cuál es el dígito del valor posicional y el dígito a la derecha de cada valor posicional?

a. centenas de millar   **5; 3**
b. decenas de millón   **5; 8**
c. centenas de millón   **7; 5**
d. millares de millón   **2; 7**

— **Resuelve** —

4. Redondea la distancia al valor posicional que se indica. Recuerda escribir los dígitos a la derecha del dígito del valor posicional como ceros.

a. centenas de millar   **2,758,500,000**
b. decenas de millón   **2,760,000,000**
c. centenas de millón   **2,800,000,000**
d. millares de millón   **3,000,000,000**

— **Revisa** —

5. Si redondeas las respuestas de la pregunta 4 a los millares de millón más cercanos, ¿serán todas iguales? Explica tu respuesta.

Sí; El dígito a la derecha de los 2 mil millones es mayor que 5.

_____

_____

RESUELVE OTRO PROBLEMA

Redondea 6,832,149,520 al valor posicional dado.

a. decenas de millar   **6,832,150,000**
b. millones   **6,832,000,000**
c. centenas de millón   **6,800,000,000**
d. millares de millón   **7,000,000,000**

ENRICHMENT

Nombre _____

Actividad de enriquecimiento 2-2

Tomar decisiones

Horace debe bajar 5 libras para conservar su lugar en el equipo de lucha. Sabe que por cada 3500 calorías que quite de su dieta perderá 1 libra. Por otro lado, podría hacer más ejercicio para quemar las calorías que le sobran. Las tablas de la derecha muestran las calorías de algunos de los alimentos favoritos de Horace y las calorías que podría quemar si realizara una hora de ejercicio adicional.

Alimentos favoritos	
Hamburguesa de un cuarto de libra	450 calorías
Papas fritas	468 calorías
Rebanada de pay	450 calorías
Filete de pollo	170 calorías
Malteada	482 calorías

Actividades	
Andar en bicicleta	600 calorías/hora
Calistenia	425 calorías/hora
Natación	500 calorías/hora
Patinar	700 calorías/hora
Correr	700 calorías/hora

1. Horace decide dejar de comer dos de sus alimentos favoritos dos veces por semana ¿Cuáles alimentos debe dejar? Explica tu respuesta.

Respuesta posible: Malteada y rebanada de pay porque

contienen gran cantidad de calorías y no son tan nutritivas.

2. Una semana antes, ¿cuánto le tomará a Horace perder las 5 libras si sigue su plan de la pregunta 1?   **Respuesta posible: 10 semanas**

3. Horace decide hacer ejercicio tres horas más cada semana en lugar de someterse a una dieta. ¿Cuál deporte debe incluir en su horario? Explica por qué.

Respuesta posible: Correr o patinar porque gastará más calorías por hora.

4. Redondeado a semanas, ¿cuánto le tomará a Horace perder las 5 libras si sigue su plan de la pregunta 3?   **8 semanas.**

5. ¿Cuántas calorías necesitará Horace restar de su dieta cada semana si quiere perder 5 libras en cuatro semanas?   **4375 calorías.**

6. Describe un plan alternativo que pudiera seguir Horace si necesita perder 5 libras en las 4 semanas que faltan para que empiece la temporada de competencia de lucha.

Respuesta posible: Aumentar sus actividades y descartar la

comida chatarra.

Respuestas de Ejercicios

14. No; Es muy probable que Arnold tenga que caminar las últimas cinco millas a la estación de gasolina.

15. Respuestas posibles: Se usan números exactos cuando se paga algo o cuando se determinan las tallas de la ropa. Se usan números redondeados cuando se calcula el precio aproximado o la talla de algo.

16. El dígito que falta en Copperas Cove debe ser 0, y el que falta en Borger debe ser 9. Con cualquier otro dígito la población no se redondearía —al millar más cercano— como 20,000.

17. 9 autobuses; 263 debe redondearse hacia arriba, si no es así, 23 estudiantes no tendrían autobús, y 270 ÷ 30 es igual a 9.

22.

Número	Frecuencia
48	2
49	1
52	1
53	3
54	1

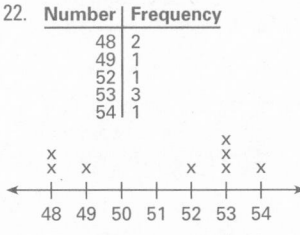

23.

Número	Frecuencia
94	1
96	1
98	1
100	2
101	1
103	1

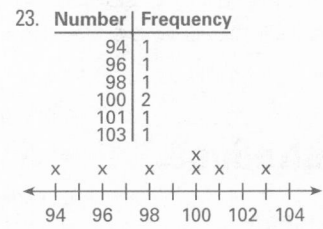

24. Mediana 10; Modas 2 y 10; Rango 10.

25. Mediana 31; Moda 32; Rango 10.

26. Mediana 46; No hay moda; Rango 26.

27. Mediana 102; Moda 108; Rango 12.

Evaluación adicional

Entrevista Explica las reglas para redondear números enteros positivos.

> ▶ **Prueba rápida**
>
> Redondea 3,145,987,002
>
> 1. al millón más cercano.
>   3,146,000,000
>
> 2. a la centena de millar más cercana. 3,146,000,000
>
> 3. al millar más cercano.
>   3,145,987,000

Exercise Answers

14. No; There is a good chance that Arnold will then have to walk the last 5 miles to the gas station.

15. Possible answers: Use exact numbers when paying for something or when determining clothing sizes. Use rounded numbers when figuring out the approximate price or size of something.

16. The missing digit for Copperas Cove must be 0, and the missing digit for Borger must be 9. Any other digits would not make the populations round to 20,000 to the nearest thousand.

17. 9 buses; 263 must be rounded up otherwise 23 students would not have a bus, and 270 ÷ 30 is 9.

22.

Number	Frequency
48	2
49	1
52	1
53	3
54	1

23.

Number	Frequency
94	1
96	1
98	1
100	2
101	1
103	1

24. Median 10; Modes 2 and 10; Range 10.

25. Median 31; Mode 32; Range 10.

26. Median 46; No mode; Range 26.

27. Median 102; Mode 108; Range 12.

Alternate Assessment

Interview Explain the rules for rounding whole numbers.

> **Quick Quiz**
>
> Round 3,145,987,002 to the nearest
>
> 1. million. 3,146,000,000
>
> 2. hundred-thousand. 3,146,000,000
>
> 3. thousand. 3,145,987,000

Available on Daily Transparency 2-2

Lesson Organizer

Objective

- Compare and order large numbers.

NCTM Standards

- 1–4, 6, 7, 11, 13

Vas a aprender...
- a comparar y ordenar números grandes.

...cómo se usa

Los corredores de bolsa deben comparar y ordenar números muy grandes para determinar cuáles compañías tienen más éxito.

▶ **Enlace con la lección** Puesto que ya sabes leer, escribir y redondear números, ahora aprenderás a determinar si un número es más grande que otro. ◀

Review

1. Round 345,029 to the nearest ten-thousand. 350,000

2. Write 345,029 in word form. Three hundred forty-five thousand, twenty-nine

3. Write the answer to 3465 + 20,825 in number-word form. 24 thousand, 290

Available on Daily Transparency 2-3

▶ Repaso

1. Redondea 345,029 a la decena de millar más cercana. 350,000

2. Escribe en forma verbal 345,029. Trescientos cuarenta y cinco mil, veintinueve

3. Escribe en forma numérica-verbal la respuesta de 3465 + 20,825. 24 mil, 290

Investigar Comparación y ordenación

¡Fórmense. Es una orden!

La tabla presenta una lista de ocho sondas espaciales estadounidenses enviadas a otros tantos planetas de nuestro sistema solar, y la distancia entre estas naves y el Sol cuando se acercaron a los planetas y cruzaron sus órbitas.

Sonda espacial	Distancia (mi)
Mariner 2	67 millones
Pioneer 10	500,000,000
Pioneer 10	4,000,000,000
Pioneer 11	3 mil milllones
Mariner 10	cuarenta millones
Viking 1	150 millones
Voyager 2	1,700,000,000
Voyager 1	mil millones

1. Relaciona cada sonda y su distancia con el planeta que visitó o la órbita planetaria que cruzó.

2. Explica cómo determinaste cuál sonda se relaciona con cada planeta.

3. Imagina que se descubriera un nuevo planeta entre las órbitas de Neptuno y Plutón. Halla su posible distancia al Sol.

Introduce

1 Introducción

Explore

You may wish to use Lesson Enhancement Transparency 6 with **Explore**.

The Point

Students use their knowledge of naming large numbers to order a list of space-probe voyages.

Ongoing Assessment

Students may have difficulty comparing the numbers that are in different forms. Suggest that they put all the numbers in the same form before they compare them.

For Groups That Finish Early

Determine where asteroids at distances of 48 million miles, 245 million miles, and 1,500,000,000 miles would be. Between Mercury and Venus, between Mars and Jupiter, and between Saturn and Uranus.

Investigar

Objetivo
Los estudiantes utilizan lo que saben sobre la nomenclatura de números grandes para ordenar una lista de viajes de las sondas espaciales.

Evaluación continua
Los estudiantes pueden tener dificultad al comparar los números que están expresados en formas diferentes. Sugiérales que, antes de compararlos, escriban todos los números con el mismo formato.

Para los grupos que terminen antes
Dadas las siguientes distancias, determina dónde estarían los asteroides: 48 millones de millas, 245 millones de millas y 1,500,000,000 millas. Entre Mercurio y Venus, entre Marte y Júpiter, y entre Saturno y Urano.

C Á L C U L O   M E N T A L

Si dos números cabales tienen diferentes dígitos, el número con mayor cantidad de dígitos es el más grande.

Aprender Comparación y ordenación de números

Para comparar dos cifras que tienen el mismo número de dígitos, empieza por la izquierda y halla el primer valor posicional que tenga diferente dígito. El número con el dígito mayor es el número más grande.

236,412
236,783

Como 7 es más grande que 4, el segundo número es más grande que el primero.

74 Capítulo 2 • Asociación entre aritmética y álgebra

MEETING INDIVIDUAL NEEDS

Resources

2-3 Practice
2-3 Problem Solving
2-3 Reteaching
2-3 Enrichment
2-3 Daily Transparency
　　Problem of the Day
　　Review
　　Quick Quiz
Lesson Enhancement Transparency 6

Recursos

2-3 Práctica
2-3 Resolución de problemas
2-3 Práctica adicional
2-3 Actividad de enriquecimiento

Learning Modalities

Visual For **Explore**, have students write the probe and their distances on index cards so that they can put them in order of distance from the sun more easily.

Social Have students work in groups and discuss situations in which they have to compare or order numbers. Students should also make a list of jobs or careers that would require comparing or ordering numbers.

Modos de aprendizaje

Visual En **Investigar**, los estudiantes deben escribir el nombre de las sondas y las distancias correspondientes en tarjetas para ordenarlas con mayor facilidad según su distancia al Sol.

Social Anime a los estudiantes a analizar por equipos diversas situaciones en las que sea necesario comparar el orden de los números. Después deberán listar las profesiones o trabajos que también requieran ordenaciones o comparaciones numéricas.

Challenge

Have students work in cooperative groups of three or four to research and write a report about historical number systems, such as those used by the Egyptians or Mayans. Students should decide which systems used place value. Highlights of each report may be presented to the class.

Desafío

En equipos de tres o cuatro, los estudiantes deben hacer una investigación y un informe sobre los sistemas numéricos usados a lo largo de la historia, como los de los egipcios o los mayas. Pídales que determinen qué sistemas usaban el valor posicional. Anímelos a presentar ante la clase los datos más importantes.

Los símbolos $>$ y $<$ se usan para comparar números. El símbolo $>$ significa "mayor que", y $<$ significa "menor que".

Ejemplos

1 El monte Shasta tiene 14,162 pies de altura; mientras que el monte Russell mide 14,086 pies de altura. Compara las alturas de estas montañas de California.

$\boxed{1}$4,162 $\Big\}$ Los dígitos de las decenas de millar son iguales, por tanto,
$\boxed{1}$4,086 $\Big\}$ muévete a la derecha.

$1\boxed{4}$,162 $\Big\}$ Los dígitos de los millares son iguales; muévete a la derecha.
$1\boxed{4}$,086 $\Big\}$

14,$\boxed{1}$62 $\Big\}$ En la posición de las centenas, 1 es mayor que 0.
14,$\boxed{0}$86 $\Big\}$

$14,162 > 14,086$ El monte Shasta es más alto que el monte Russell.

2 Ordena de menor a mayor los tres cráteres del lado visible de la Luna.

$227,000 < 234,000$ Compara dos cifras a la vez.
Schickard $<$ Deslandres

$234,000 < 303,000$ Usa el mismo símbolo en la
Deslandres $<$ Bailly   segunda comparación.

El orden es: Schickard con 227,000 metros, Deslandres con 234,000 metros y Bailly con 303,000 metros.

Cráteres de la Luna	
Nombre	**Diámetro (m)**
Deslandres	234,000
Schickard	227,000
Bailly	303,000

▶ **Enlace con Ciencias**

Los cráteres se forman cuando los meteoritos chocan contra la superficie de un planeta o luna.

Sugerencia

Para que no olvides la diferencia entre $>$ y $<$, recuerda que la parte más abierta del símbolo siempre indica cuál es el número mayor.

Haz la prueba

a. Ordena de menor a mayor: 138,417; 146,416; 98,419.   98,419; 138,417; 146,416

b. El cráter Belkovich tiene 198,000 metros de diámetro, y el cráter Janssen mide 190,000 metros de diámetro. Compara los diámetros de los dos cráteres. $190,000 < 198,000$

Comprobar | Tu comprensión

1. ¿Es más fácil comparar números grandes cuando están escritos en forma usual o en forma verbal? ¿Por qué?

2. El primer dígito de un número es 7. ¿Es este número más grande que otro número cuyo primer dígito es 6? Explica tu razonamiento.

2-3 • Comparación y ordenación de números   **75**

MATH EVERY DAY

▶ **Problema del día**

Cierta estación de TV informó que tuvo una audiencia de 45,000,000 de personas (cifra redondeada al millón más cercano) en su cobertura de un suceso especial. ¿Cuál es el mayor número posible de espectadores?, ¿y el menor?   45,499,999; 44,500,000

Problem of the Day

A TV network reported that 45,000,000 people (rounded to the nearest million) watched their coverage of a special event. What is the greatest number of viewers that could have watched the newscast? The least number?
45,499,999 viewers; 44,500,000 viewers

Available on Daily Transparency 2-3

An Extension is provided in the transparency package.

Dato del día

La Luna gira sobre su eje al tiempo que gira alrededor de la Tierra. Por eso siempre muestra la misma cara a la Tierra.

Fact of the Day

As the Moon makes one revolution around Earth, it rotates once on its axis. The same side always faces Earth.

Estimation

Estimate each sum.

1. $189 + 176$ 400
2. $46 + 59 + 54 + 47$ 210
3. $423 + 379$ 800
4. $2593 + 3167$ 6000

Cálculo aproximado

Haz un cálculo aproximado de estas sumas.

1. $189 + 176$ 400
2. $46 + 59 + 54 + 47$ 210
3. $423 + 379$ 800
4. $2593 + 3167$ 6000

Respuestas de Investigar

1. *Mariner 2*, Venus; *Pioneer 10* (500,000,000), Júpiter; *Pioneer 10* (4,000,000,000), Plutón; *Pioneer 11*, Neptuno; *Mariner 10*, Mercurio; *Viking 1*, Marte; *Voyager 2*, Urano; *Voyager 1*, Saturno.

2. Al ordenar de menor a mayor las distancias de las naves y después relacionarlas con los planetas.

3. De 3 mil a 4 mil millones de millas

2 Enseñanza

Aprender

Ejemplos adicionales

1. El diámetro de Urano es de 31,600 millas y el de Neptuno de 30,200 millas. Compara el tamaño de estos dos planetas.

   $31,600 > 30,200$

   Urano tiene un diámetro mayor que Neptuno.

2. Ordena de menor a mayor las distancias de los siguientes planetas a la Tierra.

Planeta	Distancia a la Tierra
Mercurio	56,983,012 millas
Venus	25,723,000 millas
Marte	48,679,236 millas

   El orden es: Venus a 25,723,000 millas, Marte a 48,679,236 millas y Mercurio a 56,983,012 millas.

3 Práctica y evaluación

Comprobar

Cerciórese de que los estudiantes entiendan que una comparación dígito por dígito es pertinente sólo cuando dos cifras tienen el mismo número de dígitos.

Respuestas de Comprobar tu comprensión

1. Respuesta posible: En la forma usual es más fácil. Cuando se observan los dígitos de los números es más fácil compararlos.

2. No necesariamente; Depende de la posición en que estén los valores de 7 y 6. Por ejemplo, $72 < 689$, pero $745 > 63$.

Answers for Explore

1. *Mariner 2*, Venus; *Pioneer 10* (500,000,000), Jupiter; *Pioneer 10* (4,000,000,000), Pluto; *Pioneer 11*, Neptune; *Mariner 10*, Mercury; *Viking 1*, Mars; *Voyager 2*, Uranus; *Voyager 1*, Saturn.

2. Ordered the probe distances from smallest to largest and then matched them to the planets.

3. 3 to 4 billion miles

Teach

Learn

Alternate Examples

1. The diameter of Uranus is 31,600 miles. The diameter of Neptune is 30,200 miles. Compare the size of these two planets.

   $31,600 > 30,200$

   Uranus has a larger diameter than Neptune.

2. Order from least to greatest the distances of the following planets from the Earth.

Planet	Distance from Earth
Mercury	56,983,012 miles
Venus	25,723,000 miles
Mars	48,679,236 miles

   The order is Venus at 25,723,000 miles, Mars at 48,679,236 miles, and Mercury at 56,983,012 miles.

Practice and Assess

Check

Be sure students understand that a digit-by-digit comparison is only needed when two numbers have the same number of digits.

Answers for Check Your Understanding

1. Possible answer: Standard form is easier. Seeing the digits in the numbers makes it easier to compare them.

2. Not necessarily; It depends what the place values of 7 and 6 are. For example, $72 < 689$, but $745 > 63$.

Assignment Guide

- Basic 1–9, 14–18, 19–20, 25, 28–30, 37, 39
- Average 1–13 odds, 17–18, 22, 25–26, 28–40 evens
- Enriched 1–3, 7, 9–12, 17–18, 21–27, 30–40 evens

Exercise Notes

■ Exercise 18

Error Prevention Students may have difficulty determining the correct order of the three students. Suggest that they draw a picture to help them.

Notas sobre los ejercicios

■ Ejercicio 18

Prevención de errores Los estudiantes pueden tener dificultad para determinar el orden correcto de los tres niños. Sugiérales que hagan un dibujo para ayudarse.

2-3 Ejercicios y aplicaciones

Práctica y aplicación

Para empezar Compara los números por medio de $>$ o $<$.

1. $277 \boxed{>} 31$
2. $5768 \boxed{>} 924$
3. $873 \boxed{<} 2183$
4. $327 \boxed{>} 91$
5. $64 \boxed{<} 65$
6. $158 \boxed{<} 185$
7. $448{,}119 \boxed{<} 448{,}191$

Ordena cada grupo de números de menor a mayor.

8. 77; 7,777; 777; 77,777
   77; 777; 7,777; 77,777
9. 5678; 5768; 5687 **5678; 5687; 5768**
10. 57,000; 56,940; 56,490
    56,490; 56,940; 57,000
11. 20,200; 22,000; 20,002 **20,002; 20,200; 22,000**
12. 20 millones; 500 mil; 1 mil millones
    500 mil; 20 millones; 1 mil millones
13. 10 centenas; 10 millones; 1 billón
    10 centenas; 10 millones; 1 billón
14. 9 centenas; 901; nueve
    Nueve; 9 centenas; 901
15. 62 mil; 6 centenas; 29 mil millones
    6 centenas; 62 mil; 29 mil millones

16. **Medición** En casi 19 años, el *Voyager 1* viajó 11,005,000,000 kilómetros, mientras que el *Voyager 2* viajó 10,042,000,000 kilómetros. ¿Cuál de las dos sondas espaciales viajó más lejos? **Voyager 1**

17. **Para la prueba** Escoge el número menor. D
    - Ⓐ 138,528
    - Ⓑ 13,855
    - Ⓒ 13,852
    - Ⓓ 13,555

18. **Lógica** Marisela, Luis y Raymond están comparando sus estaturas. Luis mide 54 pulgadas; Marisela es más baja que Luis pero es 2 pulgadas más alta que Raymond. Ordena a los tres estudiantes de menor a mayor.
    Raymond, Marisela, Luis

19. **Geografía** El diámetro de la Tierra en el ecuador es de 7926 millas. El diámetro desde el polo norte hasta el polo sur es de 7898 millas. ¿Cuál diámetro es más grande?

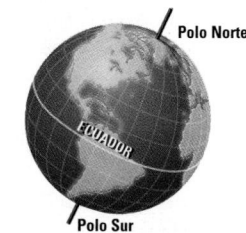

Polo Norte

ECUADOR

Polo Sur

19. El diámetro en el ecuador es más grande.

20. **Posibilidad** En la rifa de otoño de la escuela intermedia de Oakdale se vendieron 4269 boletos, en la de invierno se vendieron 4629 y en la de primavera, 4962. Ordena las rifas, de la más fácil a la más difícil de ganar. **Otoño, invierno y primavera**

21. **Geografía** Haz una lista en orden decreciente de población de las siguientes ciudades: Río de Janeiro, Brasil: 12,788,000; Buenos Aires, Argentina: 12,232,000; Calcuta, India: 12,885,000.
    Calcuta, Río de Janeiro, Buenos Aires

PRACTICAR 2-3

PRACTICE

Nombre _____

Práctica 2-3

Comparación y ordenación de números

Ordena de manera ascendente cada conjunto de números.

1. 3,000; 20,000; 400; 50 — **50; 400; 3,000; 20,000**
2. 38,000; 37,940; 38,010 — **37,940; 38,000; 38,010**
3. 6,748; 6,847; 6,487; 6,874 — **6,487; 6,748; 6,847; 6,874**
4. 3,333; 33,333; 33; 333 — **33; 333; 3,333; 33,333**
5. 78,321; 873,210; 783,210 — **78,321; 783,210; 873,210**
6. 1,243; 1,342; 1,324; 1,234 — **1,234; 1,243; 1,324; 1,342**
7. 99,909; 99,000; 99,900; 90,000 — **90,000; 99,000; 99,900; 99,909**
8. 37,630; 37,628; 37,624; 37,700 — **37,624; 37,628; 37,630; 37,700**
9. 82,270; 83,100; 82,200; 82,170 — **82,170; 82,200; 82,270; 83,100**
10. 48,380; 48,376; 48,408; 48,480 — **48,376; 48,380; 48,408; 48,480**
11. 63,821; 63,900; 63,800; 64,000 — **63,800; 63,821; 63,900; 64,000**
12. 10 millones; 1 mil millones; 10 mil — **10 mil; 10 millones; 1 mil millones**
13. 1,675; 15 cientos; 2 mil — **15 cientos; 1,675; 2 mil**
14. 19 millones; 2 millones; 30 mil — **30 mil; 2 millones; 19 millones**
15. 200 mil millones; 5 billones; 990 millones — **990 millones; 200 mil millones; 5 billones**
16. 18 mil; 18 millones; 180,000 — **18 mil; 180,000; 18 millones**

17. En 1990 las comedias musicales *Cats* y *Gypsy* tuvieron ganancias de $22,941,820 y $21,941,875, respectivamente. Compara estos números por medio de $<$ o $>$.
    22,941,820 > 21,941,875

18. En 1990, 3,379,000 estadounidenses trabajaron en tiendas de abarrotes, 3,665,000 eran empleados de transportes y 3,363,000 laboraban en el sector financiero. Ordena estas industrias de menor a mayor número de empleados.
    Sector financiero, tiendas de abarrotes, transportes.

RETEACHING

Nombre _____

Práctica adicional 2-3

Comparación y ordenación de números

Para comparar dos cifras con el mismo número de dígitos, empieza por la izquierda y halla el primer valor posicional que tenga dígitos diferentes. El número con el dígito mayor es la cifra más grande. Los símbolos $>$ y $<$ se usan para comparar números.

El símbolo $>$ significa "es mayor que".
El símbolo $<$ significa "es menor que".

— **Ejemplo** —
Compara 87,812 y 87,349.
Los números tienen el mismo número de dígitos. Empieza con el dígito de la izquierda.

Paso 1: [8] 7 8 1 2 — Compara los dígitos de las decenas de millar. Son iguales.
        [8] 7 3 4 9 — Muévete a la derecha de esta posición.

Paso 2: 8 [7] 8 1 2 — Compara los dígitos de las unidades de millar. Son iguales.
        8 [7] 3 4 9 — Muévete a la derecha de esta posición.

Paso 3: 8 7 [8] 1 2 — Compara los dígitos de las centenas. 8 es mayor que 3.
        8 7 [3] 4 9

87,812 es mayor que 87,349.
Esto también puede escribirse como 87,812 > 87,349.

Haz la prueba Compara 21,009 y 21,090.

a. Compara los dígitos, empieza por la izquierda. ¿En qué valor posicional son iguales los dígitos?
   Decenas de millar, millares, centenas

b. Para los primeros dos dígitos que no son iguales, ¿cuál número es mayor? **9**

c. ¿Cuál es mayor: 21,009 ó 21,090? **21,090**

d. Compara 6802 y 6820. ¿Cuál es mayor? **6820**

Usa $>$ y $<$ para comparar los números.

e. 45 $\underline{<}$ 54
f. 932 $\underline{>}$ 923
g. 5676 $\underline{>}$ 5675
h. 6321 $\underline{>}$ 6279
i. 11,122 $\underline{<}$ 11,211
j. 86,321 $\underline{>}$ 86,279
k. 120,932 $\underline{>}$ 102,923
l. 707,213 $\underline{<}$ 778,689

Reteaching

Activity

Materials: Index cards

- Work with a partner. Player 1 writes two numbers on a sheet of paper, lining up the places.
- Using an index card, Player 1 reveals the numbers, one digit at a time from left to right.
- Player 2 decides which number is larger.
- For example, Player 1 writes
  34,129
  34,298
- Player 2 knows the second number is larger as soon as the hundreds place is revealed.

Práctica adicional

Actividad

Materiales: Tarjetas

- Indique a los estudiantes que trabajen por parejas. El jugador 1 debe escribir dos números en una hoja, alineando las posiciones de los dígitos.
- Por medio de tarjetas, el jugador 1 revela los números; un dígito a la vez de izquierda a derecha.
- El jugador 2 decide cuál número es mayor.
- Por ejemplo, el jugador 1 escribe
  34,129
  34,298
- El jugador 2 sabe que el segundo número es mayor en cuanto aparece la posición de las centenas.

22. Ciencias Las dos mujeres más experimentadas en el espacio son Shannon Lucid y Elena Kondakova. Para 1996, Lucid había estado 5354 horas en el espacio. Para 1995, Kondakova había pasado 2033 horas en el espacio. Compara sus horas en el espacio mediante > o <.

23. Ciencias Indonesia tiene 268,356,000 acres de bosques; en tanto que Australia cuenta con 261,931,000 acres. Compara ambas cantidades con > o <.

Elena Kondakova

Resolución de problemas y razonamiento

24. Razonamiento crítico Utiliza los dígitos 7, 1, 5, 9 y 3 para escribir el número más grande y el más pequeño posible de 5 dígitos. Cada dígito debe usarse sólo una vez. Emplea < o > para comparar tus respuestas.

La gráfica de barras muestra las cinco áreas metropolitanas más pobladas de Estados Unidos, de acuerdo con el censo de 1990. Usa los datos para resolver los ejercicios 25–27.

25. Razonamiento crítico La población de las cinco áreas es 18,087,251; 6,253,311; 14,531,529; 8,065,633 y 5,899,345. Relaciona cada área con su población.

26. Razonamiento crítico La población de Jakarta, Indonesia, es mayor que la de Chicago. ¿Cómo puede compararse la población de Jakarta con la de San Francisco?

27. Comunicación ¿Puedes decir cómo se compara la población de Jakarta con la de Los Angeles? Justifica tu respuesta.

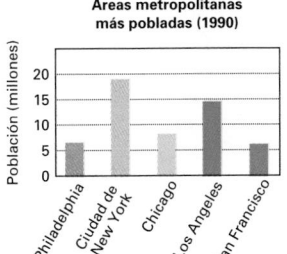
Áreas metropolitanas más pobladas (1990)

Repaso mixto

Realiza las siguientes sumas. *[Curso anterior]*

28. 4212 + 2590 + 3856 **10,658**

29. 22,386 + 6,911 **29,297**

30. 356,093 + 734,035 **1,090,128**

31. 160,577 + 64,444 **225,021**

32. 454,232 + 711,804 **1,166,036**

33. 560,380 + 479,120 **1,039,500**

34. 984,909 + 978,099 **1,963,008**

35. 328,040 + 288,045 **616,085**

36. 423,371 + 968,195 **1,391,566**

Halla la media de los siguientes conjuntos de datos. *[Lección 1-8]*

37. 40, 34, 50, 39, 61, 34 **43**

38. 72, 92, 83, 47, 101 **79**

39. 123, 98, 112, 131, 121 **117**

40. 204, 342, 267, 412, 383, 439 **341.17 ó 341 R1**

Notas sobre los ejercicios

■ Ejercicio 26

Geografía Jakarta es la capital y la ciudad más grande de Indonesia. Se localiza en la isla de Java. Indonesia es un archipiélago con más de 13,600 islas.

Respuestas de Ejercicios

22. 5354 > 2033

23. 268,356,000 > 261,931,000

24. El número más grande es 97,531; El número más pequeño es 13,579.

25. Philadelphia 5,899,345; Ciudad de New York 18,087,251; Chicago 8,065,633; Los Angeles 14,531,529; San Francisco 6,253,311.

26. La población de Jakarta también es mayor que la población de San Francisco.

27. No; No existe suficiente información.

Evaluación adicional

Autoevaluación ¿Qué te pareció más difícil en la comparación de números cabales?, ¿Crees que podrás comparar sin dificultad cualquier par de números cabales con el mismo número de dígitos?

Exercise Notes

■ Exercise 26

Geography Jakarta is the capital and largest city of Indonesia. It is located on the island of Java. Indonesia is comprised of more than 13,600 islands.

Exercise Answers

22. 5354 > 2033

23. 268,356,000 > 261,931,000

24. Largest number is 97,531; Smallest number is 13,579.

25. Philadelphia 5,899,345; New York City 18,087,251; Chicago 8,065,633; Los Angeles 14,531,529; San Francisco 6,253,311.

26. The population of Jakarta is also greater than the population of San Francisco.

27. No; Not enough information is given.

Alternate Assessment

Self Assessment What did you find most difficult about comparing whole numbers in this lesson? and do you feel that you have mastered comparing two whole numbers with the same number of digits?

▶ Prueba rápida

Usa < o > para comparar los números.

1. 283 y 2837 <

2. 34,205 y 34,805 <

3. Ordena de menor a mayor: 345; 3754; 3547; 3745
   345; 3547; 3745; 3754

Quick Quiz

Compare the numbers using < or >.

1. 283 and 2837 <

2. 34,205 and 34,805 <

3. Order from least to greatest: 345; 3754; 3547; 3745
   345; 3547; 3745; 3754

Available on Daily Transparency 2-3

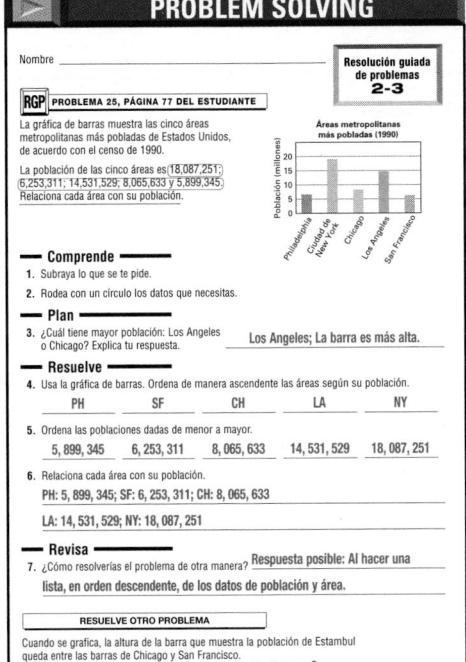

▶ PROBLEM SOLVING

Nombre _____

Resolución guiada de problemas 2-3

RGP PROBLEMA 25, PÁGINA 77 DEL ESTUDIANTE

La gráfica de barras muestra las cinco áreas metropolitanas más pobladas de Estados Unidos, de acuerdo con el censo de 1990.

La población de las cinco áreas es 18,087,251; 6,253,311; 14,531,529; 8,065,633 y 5,899,345. Relaciona cada área con su población.

Áreas metropolitanas más pobladas (1990)

— Comprende —
1. Subraya lo que se te pide.
2. Rodea con un círculo los datos que necesitas.

— Plan —
3. ¿Cuál tiene mayor población: Los Angeles o Chicago? Explica tu respuesta. Los Angeles; La barra es más alta.

— Resuelve —
4. Usa la gráfica de barras. Ordena de manera ascendente las áreas según su población.

| PH | SF | CH | LA | NY |

5. Ordena las poblaciones dadas de menor a mayor.
5, 899, 345   6, 253, 311   8, 065, 633   14, 531, 529   18, 087, 251

6. Relaciona cada área con su población.
PH: 5, 899, 345; SF: 6, 253, 311; CH: 8, 065, 633
LA: 14, 531, 529; NY: 18, 087, 251

— Revisa —
7. ¿Cómo resolverías el problema de otra manera? Respuesta posible: Al hacer una lista, en orden descendente, de los datos de población y área.

RESUELVE OTRO PROBLEMA

Cuando se grafica, la altura de la barra que muestra la población de Estambul queda entre las barras de Chicago y San Francisco. ¿Cuál de las siguientes es una aproximación de su población? ___c___
a. 8,865,000   b. 5,890,000   c. 6,461,000

▶ ENRICHMENT

Nombre _____

Actividad de enriquecimiento 2-3

Razonamiento crítico

Información del censo de Estados Unidos
En 1990 el censo de población de Estados Unidos de los 50 estados más el Distrito de Columbia fue de 248,709,873. Usa la información de la tabla para responder las siguientes preguntas. Si es necesario, redondea tus respuestas al número cabal más cercano. ¡Tu calculadora puede ser una herramienta útil!

Población de 1990	
California	29,760,021
Florida	12,937,926
Indiana	5,544,159
Maine	1,227,928
Mississippi	5,117,073
New Hampshire	1,109,252
North Dakota	628,800
Rhode Island	1,003,464
Utah	1,722,850
Wisconsin	4,891,769

Fuente: Oficina del Censo de EE UU

1. Halla la media (promedio) de la población de los 50 estados más el Distrito de Columbia. 4,876,664

2. ¿Cuál de los estados de la lista tiene la población más cercana a la población media? Wisconsin.

3. ¿Cuál es la media de la población de los 10 estados de la tabla? 6,394,324

4. ¿Cómo se compara la media de la población de los 10 estados con la media de la población de los 50 estados más el Distrito de Columbia?
Respuesta posible: Es mayor para los diez estados.

5. Entre 1980 y 1990 la población de un estado aumentó aproximadamente en 6,000,000 de habitantes. ¿Cuál estado crees que tuvo este incremento en su población? ¿Por qué?
Respuesta posible: California; Sólo CA y FL tienen una población mayor de 6,000,000, por eso es más probable que aumente 1/4 la de CA y que se duplique en FL.

6. Una compañía vende su producto en cada uno de los 10 estados que aparecen en la tabla. El gerente de ventas de la compañía quiere dividir los estados en dos grupos que tengan aproximadamente la misma población total. ¿Con cuáles estados podría el gerente de ventas formar un grupo?
Respuesta posible: Los estados del este: FL, IN, MI, WI, ME, NH, RI, (31,831,571 habitantes); Los estados del oeste: CA, ND, UT (32,111,671 habitantes).

Lesson Organizer

Objectives

- Use exponents to express numbers.
- Write expressions containing exponents in standard form.

Vocabulary

- Factor, base, exponent, power, squared, cubed

Materials

- Explore: Scientific calculator

NCTM Standards

- 1–5, 7

Review	**► Repaso**
Find each product.	Halla cada producto.
1. $2 \times 2 \times 2 \times 2$ 16	1. $2 \times 2 \times 2 \times 2$ 16
2. $3 \times 3 \times 3$ 27	2. $3 \times 3 \times 3$ 27
3. $3 \times 3 \times 3 \times 3$ 81	3. $3 \times 3 \times 3 \times 3$ 81
4. $4 \times 4 \times 4$ 64	4. $4 \times 4 \times 4$ 64

Available on Daily Transparency 2-4

Introduce

Explore

You may wish to use Teaching Tool Transparency 23: Scientific Calculator with this lesson.

The Point

Students experiment with the y^x key. They test their ideas by predicting what will happen when specific key sequences are pressed.

Ongoing Assessment

You may have to help students locate the y^x key on their calculators. If students have difficulty organizing their findings, suggest that they use a table to record what keys were pressed and the results.

1 Introducción

Investigar

Objetivo

Los estudiantes experimentan con la tecla y^x. Después prueban sus ideas al predecir lo que sucederá cuando se opriman secuencias específicas de teclas.

Evaluación continua

Tal vez tenga que ayudar a los estudiantes a localizar la tecla y^x en sus calculadoras. Si a los estudiantes se les dificulta organizar su trabajo, sugiérales que utilicen una tabla para anotar qué teclas presionaron y cuáles fueron los resultados.

2-4 Exponentes

Vas a aprender...

- a usar exponentes para expresar números.
- a escribir en forma usual expresiones que contengan exponentes.

...cómo se usa

Los urbanistas emplean exponentes para predecir qué tan rápido crecerá la población de una ciudad.

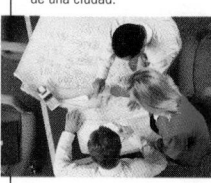

Vocabulario

factor
base
exponente
potencia
elevado al cuadrado
elevado al cubo

► Enlace con la lección En esta sección has aprendido a redondear y comparar números grandes. Ahora aprenderás una forma fácil de escribir ciertos números grandes. ◄

Investigar | Multiplicación repetida

Uno, dos, tres, cuatro... ¡aprieta el botón!

Materiales: Calculadora científica

1. Usa sólo los números 1, 2, 3 y 4. En tu calculadora, oprime esta secuencia:

   1, 2, 3 ó 4 y^x 1, 2, 3 ó 4 $=$.

   Registra los números que elegiste y la respuesta de la calculadora.

2. Repite el paso 1 tantas veces como sea necesario hasta que entiendas cómo encuentra la respuesta tu calculadora. Explica el método de la calculadora.

3. Predice cada resultado. Después usa tu calculadora para revisar tu predicción.

   a. 2 y^x 5 $=$ **b.** 6 y^x 2 $=$ **c.** 10 y^x 3 $=$

4. Encuentra 3 y^x 5 $=$ y 5 y^x 3 $=$ en tu calculadora. ¿Son iguales los resultados? ¿Por qué?

Aprender | Exponentes

Cuando multiplicas números, cada número es un **factor** del resultado.

$$\overset{\text{Factores}}{\overbrace{2 \times 3 \times 5}} = 30$$

Puedes representar la multiplicación repetida del mismo número por medio de la notación exponencial. La **base** es el número que se va a multiplicar y el **exponente** es el número que te dice cuántas veces se usa la base como factor.

$$3 \times 3 \times 3 \times 3 \times 3 = 3^5$$

5 es el exponente

5 factores   3 es la base

MEETING INDIVIDUAL NEEDS

Resources

2-4 Practice
2-4 Reteaching
2-4 Problem Solving
2-4 Enrichment
2-4 Daily Transparency
    Problem of the Day
    Review
    Quick Quiz
Teaching Tool Transparencies 2, 3, 23
Technology Masters 6, 7
Chapter 2 Project Master

Recursos

2-4 Práctica
2-4 Práctica adicional
2-4 Resolución de problemas
2-4 Actividad de enriquecimiento
Tecnología 6 y 7

Learning Modalities

Verbal Students who are discouraged from asking questions at home may be hesitant to ask questions and discuss topics in class. Divide students into small groups to talk about how to write a number with an exponent in standard form and how to write a product in exponential form.

Visual Relate squared numbers to finding the area of a square whose side is the length shown by the base. Relate cubed numbers to finding the volume of a cube whose side is the base.

English Language Development

Discuss the different meanings of the terms base and *power*. Then, have students write their own definitions and draw pictures or diagrams to help them remember the meaning. Be sure students understand that *squared* and *cubed* are alternate names for raising a number to the second and third powers.

Modos de aprendizaje

Verbal Los estudiantes que no reciben respuestas a sus preguntas en casa, suelen mostrarse inhibidos para hacer preguntas en clase. Divídalos en grupos pequeños y explíqueles cómo utilizar la forma usual para escribir números con exponentes y cómo escribir productos en formato exponencial.

Visual Asocie los números elevados al cuadrado para hallar el área de un cuadrado en el que la longitud de los lados es igual a la base exponencial. Relacione los números elevados al cubo para hallar el volumen de un cubo en el que la longitud de los lados es igual a la base exponencial.

Desarrollo del lenguaje

Comente los significados de los términos base y *potencia*. Anime a los estudiantes a escribir sus propias definiciones e incluir dibujos para recordar los significados con mayor facilidad. Asegúrese de que los estudiantes comprendan que *cuadrado* y *cubo* son términos que definen la elevación de un número a la segunda y tercera potencias.

Los números con exponentes pueden escribirse de tres formas distintas.

Notación exponencial: 9^4

Notación multiplicativa: $9 \times 9 \times 9 \times 9$

Forma usual: 6561

Cuando la base y el exponente son pequeños, puedes usar el cálculo mental o lápiz y papel para expresar los números en forma usual. Si no es así, utiliza la tecla y^x de tu calculadora:

$3 \times 3 \times 3 \times 3 \times 3 = 3$ $\boxed{y^x}$ 5 $\boxed{=}$ 243

Ejemplos

1 Usa exponentes para escribir $8 \times 8 \times 8 \times 8 \times 8 \times 8$.

$8 \times 8 \times 8 \times 8 \times 8 \times 8 = 8^6$

2 Escribe 7^4 en notación multiplicativa.

$7^4 = 7 \times 7 \times 7 \times 7$

3 Escribe 5^3 en forma usual.

$5^3 = 5 \times 5 \times 5 = 125$

4 Cuando en 1972 la sonda espacial *Mariner 10* pasó por Mercurio, viajaba aproximadamente a 19^4 mi/h. Escribe 19^4 en forma usual.

$19^4 = 19 \times 19 \times 19 \times 19 = 19$ $\boxed{y^x}$ 4 $\boxed{=}$ $130,321$

La velocidad del *Mariner 10* era cerca de 130,321 mi/h.

▶ **Enlace con Ciencias**

Mercurio tarda 88 días en su movimiento de traslación. En su cumpleaños número doce, una niña nacida en la Tierra tendría cerca de 49 años mercurianos.

Haz la prueba

a. Escribe $12 \times 12 \times 12 \times 12$ en notación exponencial.   **12^4**

b. Escribe 5^6 en notación multiplicativa.   **$5 \times 5 \times 5 \times 5 \times 5 \times 5$**

c. Usa el cálculo mental para expresar 9^2 en forma usual.   **81**

d. Expresa 11^5 en forma usual.   **161,051**

A un exponente se le llama también **potencia** . Así, 3^6 se lee como "3 elevado a la sexta potencia" o simplemente "3 a la sexta potencia". La segunda y tercera potencias tienen nombres especiales:

5^2 se lee como "5 a la segunda potencia" o 5 **elevado al cuadrado** .

8^3 se lee como "8 a la tercera potencia" u 8 **elevado al cubo** .

¿LO SABÍAS?

El número más grande que puede escribirse con dos dígitos es 9^9. Que es igual a 387,420,489.

MATH EVERY DAY

▶ **Problema del día**

El koala, originario de Australia, es similar a un oso pequeño. Los koalas sólo se alimentan con hojas de eucalipto, pero llegan a comer 1.3 kg de hojas al día. Los koalas pueden vivir 20 años. ¿Cuántos kg de hojas pueden comer en su vida? 9,490 kilogramos

Problem of the Day

The koala, a native of Australia, resembles a teddy bear. It feeds only on eucalyptus leaves and eats about 1.3 kilograms each day. A koala can live for 20 years. How many kilograms of eucalyptus leaves can it eat in its lifetime? 9490 kilograms

Available on Daily Transparency 2-4

An Extension is provided in the transparency package.

Dato del día

El *Mariner 9*, la primera nave espacial que sobrevoló Marte, envió un total de 7,300 fotografías a la Tierra.

Fact of the Day

Mariner 9, the first spacecraft to fly around Mars, sent back 7300 pictures to Earth.

Estimation

Estimate.

1. $93 - 54$ 40
2. $523 - 325$ 200
3. $3821 + 7125$ 11,000

Cálculo aproximado

Haz un cálculo aproximado.

1. $93 - 54$ 40
2. $523 - 325$ 200
3. $3821 + 7125$ 11,000

Para los grupos que terminen antes

Determina el número más grande que puedas usar con la tecla $\boxed{y^x}$ si primero introduces un 2.

Seguimiento

Anime a los estudiantes para que compartan sus respuestas sobre cómo funciona la calculadora. Algunos estudiantes pueden darse cuenta de que cuando usan el 10 como primer número, el segundo número les muestra cuántos ceros necesitan después del 1.

Respuestas de Investigar

1. Respuesta posible: $4^4 = 256$

2. Respuesta posible: $4^4 = 4 \times 4 \times 4 = 256$

3. a. 32; b. 36; c. 1000

4. $3^5 = 243$; $5^3 = 125$; Los resultados no son los mismos porque $3 \times 3 \times 3 \times 3 \times 3$ no es igual a $5 \times 5 \times 5$.

2 Enseñanza

Aprender

Repase con el grupo los términos *factor y producto*. Pida a los estudiantes que comparen los números expresados en formas diferentes. Anímelos a identificar los factores, la base, el exponente y la potencia.

Ejemplos adicionales

1. Usa exponentes para escribir $7 \times 7 \times 7 \times 7 \times 7 \times 7$.

   $7 \times 7 \times 7 \times 7 \times 7 \times 7 = 7^6$

2. Escribe 3^5 en notación multiplicativa.

   $3^5 = 3 \times 3 \times 3 \times 3 \times 3$

3. Escribe 4^5 en forma usual.

   $4 \times 4 \times 4 \times 4 \times 4 = 1024$

4. Hay 6^3 combinaciones diferentes que pueden obtenerse con tres dados. Escribe 6^3 en forma usual.

   $6^3 = 6 \times 6 \times 6 = 216$

   Hay 216 combinaciones diferentes.

For Groups That Finish Early

Determine the largest number you can use with the $\boxed{y^x}$ key if you first enter a 2.

Follow Up

Have students share their answers concerning how the calculator works. Some students may note that when you use 10 as the first number, the second number tells you how many zeros you need after the 1.

Answers for Explore

1. Possible answer: $4^4 = 256$

2. Possible answer: $4^4 = 4 \times 4 \times 4 = 256$

3. a. 32; b. 36; c. 1000

4. $3^5 = 243$; $5^3 = 125$; The results are not the same because $3 \times 3 \times 3 \times 3 \times 3$ does not equal $5 \times 5 \times 5$.

Teach

Learn

Review the terms *factor* and *product* with the class. Ask students to compare the numbers written in different forms. Have them identify the factors, the base, the exponent, and the power.

Alternate Examples

1. Write $7 \times 7 \times 7 \times 7 \times 7 \times 7$ using exponents.

   $7 \times 7 \times 7 \times 7 \times 7 \times 7 = 7^6$

2. Write 3^5 in expanded form.

   $3^5 = 3 \times 3 \times 3 \times 3 \times 3$

3. Write 4^5 in standard form.

   $4 \times 4 \times 4 \times 4 \times 4 = 1024$

4. There are 6^3 different combinations that can be tossed with three number cubes. Write 6^3 in standard form.

   $6^3 = 6 \times 6 \times 6 = 216$

   There are 216 different combinations.

What Do You Think?

Students are shown two methods of finding the value of 10 raised to a power. One method involves using a calculator, while the other involves using patterns. Students are asked to decide which method they would rather use in a specific situation and why.

Answers for What Do You Think?

1. Answers may vary.
2. The answer would be a 1 followed by twice as many zeros as the value of the exponent.

Practice and Assess

Check

Question 2 will help those students who have a tendency to multiply the base and the exponent instead of using the exponent as the number of factors.

Answers for Check Your Understanding

1. Exponents take up less space.
2. No; $3^7 = 2187$ and $7^3 = 343$.
3. The number stays the same.

Se muestra a los estudiantes dos métodos para hallar el valor de 10 elevado a una potencia. Un método incluye el uso de una calculadora, mientras que el otro se basa en el uso de patrones. Después se les pide que decidan qué método usarían en una situación específica y por qué.

Respuestas de ¿Qué crees tú?

1. Las respuestas pueden variar.
2. La respuesta sería un 1 seguido por tantos ceros como el valor del exponente.

3 Práctica y evaluación

Comprobar

La pregunta 2 corregirá a los estudiantes que tienden a multiplicar la base por el exponente en lugar de usar el exponente como el número de factores de la base.

Respuestas de Comprobar tu comprensión

1. Los exponentes ocupan menos lugar.
2. No; $3^7 = 2187$ y $7^3 = 343$.
3. El número no cambia.

En la clase de ciencias, Tyreka y Ricardo aprendieron que el Sol está alrededor de 10^8 millas de la Tierra y quieren calcular 10^8.

Tyreka piensa...

Usaré mi calculadora.

10 y^x 8 $=$ 100,000,000

Ricardo piensa...

$10^2 = 10 \times 10 = 100$, que es un 1 seguido de dos ceros.

$10^3 = 10 \times 10 \times 10 = 1,000$, que es un 1 seguido de tres ceros. Cada vez que multiplico por 10, agrego un cero al producto. Por tanto, 10^8 es un 1 seguido de ocho ceros, o sea, 100,000,000.

¿Qué crees tú?

1. ¿Cuál método usarías para calcular 10^{25}? ¿Por qué?
2. ¿Qué regla puede usar Ricardo para calcular potencias de 100?

Recuerda que 8^3 y 8×3 no significan lo mismo. 8×3 representa una suma repetida; tiene el mismo valor que $8 + 8 + 8$. Mientras que 8^3 representa una multiplicación repetida; tiene el mismo valor que $8 \times 8 \times 8$.

$$8 \times 3 = 24, \text{ pero } 8^3 = 512.$$

Comprobar Tu comprensión

1. ¿Cuál es la ventaja de usar exponentes para escribir números?
2. ¿3^7 es lo mismo que 7^3? Explica por qué.
3. ¿Qué le pasa a un número cuando lo elevas a la primera potencia?

80 Capítulo 2 • Asociación entre aritmética y álgebra

Tips from Middle School Teachers

My students enjoy learning how to use a four-function calculator to simplify a number in exponential form by using repeated multiplication. For example, 8^4 can be found using the key sequence: 8 $[\times]$ $[=]$ $[=]$ $[=]$.

Sugerencias de los maestros

A los estudiantes les encanta aprender a usar la calculadora de cuatro funciones para simplificar los números exponenciales mediante multiplicaciones repetidas. Por ejemplo, 8^4 puede calcularse con esta secuencia: 8 $[\times]$ $[=]$ $[=]$ $[=]$.

Team Teaching

Work with a science teacher when your class is studying exponents. The science teacher should be able to provide examples where exponents are used. Scientists use exponents to represent numbers that are very large, such as distances of planets, or very small, such as sizes of bacteria. Exponents are also used in describing the process of mitosis, or cell division.

Enseñanza en equipo

Trabaje con el maestro de ciencias cuando analice el tema de los exponentes. Sin duda, el maestro de ciencias puede sugerir varios ejemplos del uso de exponentes. Los científicos usan los exponentes para representar números muy grandes, como las distancias entre los planetas y números muy pequeños, como el tamaño de las bacterias. Los exponentes también se usan para describir procesos como la mitosis (división celular).

Science Connection

Distances in space can be measured by how far light travels in a certain time. Light travels 186,282.3976 miles in a second. A light year, the distance light travels in a year, is 5,880,000,000,000 miles. The star nearest our Sun is 4.3 light years away.

Asociación con Ciencias

Las distancias en el espacio pueden medirse según la distancia que recorre la luz en determinado tiempo. La luz puede viajar 186,282.3976 millas en un segundo. Un año luz, la distancia recorrida por la luz en un año, es 5,580,000,000,000 de millas. La estrella más cercana a nuestro Sol se encuentra a 4.3 años luz.

2-4 Ejercicios y aplicaciones

Práctica y aplicación

1. **Para empezar** Contesta estas preguntas para escribir
$4 \times 4 \times 4 \times 4 \times 4 \times 4 \times 4$ en notación exponencial.

   a. ¿Qué número es el factor en el producto? 4

   b. ¿Cuántas veces se usa el número como un factor? 7

   c. Para escribir $4 \times 4 \times 4 \times 4 \times 4 \times 4 \times 4$ en notación exponencial, ¿qué
   número debes utilizar como base? ¿Y cuál como exponente? 4; 7

   d. Escribe $4 \times 4 \times 4 \times 4 \times 4 \times 4 \times 4$ en notación exponencial. 4^7

Escribe en notación exponencial.

2. $5 \times 5 \times 5 \times 5$ 5^4 3. $9 \times 9 \times 9 \times 9 \times 9$ 9^5 4. $24 \times 24 \times 24$ 24^3 5. 79×79 79^2

6. $20 \times 20 \times 20$ 20^3 7. $7 \times 7 \times 3 \times 3$ $7^2 \times 3^2$ 8. $8 \times 8 \times 8 \times 4$ $8^3 \times 4$ 9. 36 36^1

Escribe en notación multiplicativa.

10. 4^3 11. 25^2 12. 11^6 13. 200^4 14. 13^5 15. 7^7

16. 10^{10} 17. 3^4 18. 19^6 19. 5^9 20. 1^{10} 21. 9^8

Escribe en forma usual.

22. 6^2 36   23. 5^3 125   24. 10^4 10,000   25. 3^5 243   26. 13 al cuadrado 169

27. 1^{10} 1   28. 7^5 16,807   29. 2^8 256   30. 15^4 50,625   31. 9 al cubo 729

Ciencias Para cada número en notación exponencial, identifica la base y el
exponente. Utiliza una calculadora y escribe cada número en forma usual.

32. En septiembre de 1979 la sonda espacial *Pioneer 11* se acercó a 114^2
millas de Saturno. La sonda viajaba a una velocidad aproximada de
4^8 mi/h. Recabó datos que mostraban que los anillos de Saturno tienen
cerca de 11^5 millas de ancho.

33. Plutón, el planeta más alejado del Sol, tiene una velocidad de traslación
de cerca de 8^6 millas por día. A esta velocidad, le toma cerca de 3^5 años
recorrer su órbita solar.

Saturno

Haz las siguientes comparaciones mediante el uso de $<$, $>$ **o** $=$.

34. 2^3 $<$ 3^2 35. 5^4 $>$ 5×4 36. 1^{12} $<$ 12^1 37. 10^{15} $<$ 10^{16}

PRACTICAR 2-4

Assignment Guide

■ Basic 1–5, 10–15, 22–26, 34–40, 42–52 evens

■ Average 1–31 odds, 32–41, 43–53 odds

■ Enriched 6–9, 16–21, 27–31, 33–41, 43–53 odds

Respuestas de Ejercicios

10. $4 \times 4 \times 4$

11. 25×25

12. $11 \times 11 \times 11 \times 11 \times 11 \times 11$

13. $200 \times 200 \times 200 \times 200$

14. $13 \times 13 \times 13 \times 13 \times 13$

15. $7 \times 7 \times 7 \times 7 \times 7 \times 7 \times 7$

16. $10 \times 10 \times 10 \times 10 \times 10 \times 10 \times 10 \times 10 \times 10 \times 10$

17. $3 \times 3 \times 3 \times 3$

18. $19 \times 19 \times 19 \times 19 \times 19 \times 19$

19. $5 \times 5 \times 5 \times 5 \times 5 \times 5 \times 5 \times 5 \times 5$

20. $1 \times 1 \times 1 \times 1 \times 1 \times 1 \times 1 \times 1 \times 1 \times 1$

21. $9 \times 9 \times 9 \times 9 \times 9 \times 9 \times 9 \times 9$

32. 114^2: base 114, exponente 2,
12,996; 4^8: base 4, exponente 8,
65,536; 11^5: base 11, exponente 5,
161,051.

33. 8^6: base 8, exponente 6, 262,114;
3^5: base 3, exponente 5, 243.

Exercise Answers

10. $4 \times 4 \times 4$

11. 25×25

12. $11 \times 11 \times 11 \times 11 \times 11 \times 11$

13. $200 \times 200 \times 200 \times 200$

14. $13 \times 13 \times 13 \times 13 \times 13$

15. $7 \times 7 \times 7 \times 7 \times 7 \times 7 \times 7$

16. $10 \times 10 \times 10 \times 10 \times 10 \times 10 \times 10$
$10 \times 10 \times 10 \times 10$

17. $3 \times 3 \times 3 \times 3$

18. $19 \times 19 \times 19 \times 19 \times 19 \times 19$

19. $5 \times 5 \times 5 \times 5 \times 5 \times 5 \times 5 \times 5 \times 5$

20. $1 \times 1 \times 1 \times 1 \times 1 \times 1 \times 1 \times 1 \times 1 \times 1$

21. $9 \times 9 \times 9 \times 9 \times 9 \times 9 \times 9 \times 9$

32. 114^2: base 114, exponent 2,
12,996; 4^8: base 4, exponent 8,
65,536; 11^5: base 11, exponent 5,
161,051.

33. 8^6: base 8, exponent 6, 262,144;
3^5: base 3, exponent 5, 243.

PRACTICE

Nombre _____

Práctica 2-4

Exponentes

Usa los exponentes para escribir los siguientes números.

1. $3 \times 3 \times 3 \times 3$ ___3^4___   2. 364×364 ___364^2___

3. $2 \times 2 \times 2 \times 2 \times 2 \times 2 \times 2$ ___2^7___   4. $13 \times 13 \times 13$ ___13^3___

5. $8 \times 8 \times 8 \times 7 \times 7$ ___$8^3 \times 7^2$___   6. 49 ___7^2___

Escribe las cantidades en notación multiplicativa.

7. 10^4 ___$10 \times 10 \times 10 \times 10$___   8. 6^5 ___$6 \times 6 \times 6 \times 6 \times 6$___

9. 3^2 ___3×3___   10. 7^3 ___$7 \times 7 \times 7$___

11. 12^4 ___$12 \times 12 \times 12 \times 12$___   12. 5 elevado al cubo ___$5 \times 5 \times 5$___

Escribe las cantidades en forma usual.

13. 5^4 ___625___   14. 2^6 ___64___   15. 11 elevado al cuadrado ___121___

16. 10^7 ___10,000,000___   17. 12^2 ___144___   18. 6 elevado al cubo ___216___

Compara por medio de $<$, $>$ o $=$.

19. 4^2 ○ 2^4 20. 4^3 ○ 3^4 21. 5^8 ○ 5^9

22. 3^3 ○ 3×8 23. 2^5 ○ 5^2 24. 10^3 ○ $10 + 10 + 10$

25. 5^3 ○ $5 \times 5 \times 5$ 26. 7^3 ○ 3^7 27. 10^4 ○ 4×10

Para cada número en notación exponencial, identifica la base, el exponente y
la potencia. Usa una calculadora para escribir cada número en forma usual.

28. Un niño promedio estadounidense dedica casi 18^4 de su tiempo a ver
anuncios de televisión desde que nace hasta que se gradúa de preparatoria.

base ___18___   exponente ___4___

potencia ___4___   forma usual ___104,976___

29. El punto más alto de Kentucky es la montaña Black. Su altura es alrededor de 2^{12} pies.

base ___2___   exponente ___12___

potencia ___12___   forma usual ___4,096___

RETEACHING

Nombre _____

Práctica adicional 2-4

Exponentes

Cuando realizas una multiplicación, cada número es un **factor** del resultado. La
multiplicación repetida puede representarse por medio de la notación
exponencial. La **base** es el número que se multiplica. El **exponente** es el número
que indica cuántas veces se usa la base como factor.

```
                              5 es el exponente.
                                  ↓
      3 × 3 × 3 × 3 × 3 = 3⁵
      ──────┬──────        ↑
        5 factores      3 es la base.
```

— **Ejemplo 1**

Escribe $4 \times 4 \times 4$ en notación exponencial.

El número que se multiplica es 4, por tanto, cuatro será la base.
La base se usa como factor 3 veces, por tanto, 3 será el exponente.
$4 \times 4 \times 4 = 4^3$

Haz la prueba Escribe $7 \times 7 \times 7 \times 7 \times 7 \times 7$ en notación exponencial.

a. ¿Cuál es la base? ___7___   b. ¿Cuál es el exponente? ___6___

c. Escribe $7 \times 7 \times 7 \times 7 \times 7 \times 7$ en notación exponencial. ___7^6___

Escribe los siguientes enunciados en notación exponencial.

d. $25 \times 25 \times 25$ ___25^3___   e. $6 \times 6 \times 6 \times 6 \times 6 \times 6$ ___6^7___

f. $10 \times 10 \times 10 \times 10$ ___10^4___   g. $9 \times 9 \times 9 \times 9 \times 9$ ___9^6___

— **Ejemplo 2**

Escribe 3^4 en notación multiplicativa y en forma usual.

La base es 3: es el número que se multiplica.
El exponente es 4: es el número de veces que se multiplica la base.
En notación multiplicativa, $3^4 = 3 \times 3 \times 3 \times 3$.
En forma usual, $3^4 = 81$.

Haz la prueba Escribe estas operaciones en notación multiplicativa y en forma usual.

	Notación multiplicativa	Forma usual
h. 5^3	$5 \times 5 \times 5$	125
i. 4^4	$4 \times 4 \times 4 \times 4$	256
j. 2^5	$2 \times 2 \times 2 \times 2 \times 2$	32

Práctica adicional

Actividad

- Dobla una hoja a la mitad y anota
el número de partes obtenidas.
Primer doblez: 2 partes

- Continúa doblando el papel por la
mitad hasta que lo hayas hecho 5
veces. Anota el número de partes
después de cada doblez. Segundo
doblez: 4 partes; Tercer doblez: 8
partes; Cuarto doblez: 16 partes;
Quinto doblez: 32 partes.

- ¿Cuántas partes habrá después
de 6 dobleces? ¿Después de 7
dobleces? 64; 128.

- ¿Qué pasa con el número de partes
después de cada doblez adicional?
El número de partes se duplica.

Reteaching

Activity

- Fold a sheet of paper in half and
record the number of layers.
First fold: 2 layers

- Continue folding the paper in half
until it has been folded 5 times.
Record the number of layers
after each fold. Second fold:
4 layers; Third fold: 8 layers;
Fourth fold: 16 layers; Fifth fold:
32 layers.

- How many layers will there be
after 6 folds? 7 folds? 64;128

- What do you notice about the
number of layers after each
additional fold? The number of
layers is doubled.

■ Exercises 40 and 41

Extension Point out to students that these questions involve finding the root, the inverse operation of finding a power.

■ Exercise 41

Problem-Solving Tip You may wish to use Teaching Tool Transparencies 2 and 3: Guided Problem Solving, pages 1–2.

Project Progress

You may want to have students use Chapter 2 Project Master.

Exercise Answers

39. a. 1 hr, 2^1 cells

2 hr, 2^2 cells

3 hr, 2^3 cells

4 hr, 2^4 cells

5 hr, 2^5 cells

6 hr, 2^6 cells

7 hr, 2^7 cells

8 hr, 2^8 cells

9 hr, 2^9 cells

10 hr, 2^{10} cells

b. 50 hours, 2^{50} cells

Alternate Assessment

Performance Work in groups of three or four. Each group should determine what they learned in class today. Together you should write a letter to an absent student, explaining what you learned. Share your letters with the class.

Notas sobre los ejercicios

■ Ejercicios 40 y 41

Ampliación Señale a los estudiantes que estas preguntas incluyen el cálculo de la raíz, es decir, la operación inversa de hallar una potencia.

Respuestas de Ejercicios

39. a. 1 h, 2^1 células

2 h, 2^2 células

3 h, 2^3 células

4 h, 2^4 células

5 h, 2^5 células

6 h, 2^6 células

7 h, 2^7 células

8 h, 2^8 células

9 h, 2^9 células

10 h, 2^{10} células

b. 50 horas, 2^{50} células

Evaluación adicional

Progreso Trabaja en grupos de tres o cuatro. Cada grupo debe determinar lo que aprendió hoy en la clase. Entre todos deben escribir una carta a un estudiante ausente, donde le expliquen lo que aprendieron. Comparte tus cartas con los demás equipos.

Quick Quiz

1. Write 5^6 in expanded form. $5 \times 5 \times 5 \times 5 \times 5 \times 5$

2. Write 3^5 in standard form. 243

3. Identify the base and the exponent in 5^6. 5 is the base; 6 is the exponent.

4. Write $13 \times 13 \times 13$ using exponents. 13^3

Available on Daily Transparency 2-4

► Prueba rápida

1. Escribe 5^6 en notación multiplicativa. $5 \times 5 \times 5 \times 5 \times 5 \times 5$

2. Escribe 3^5 en forma usual. 243

3. Identifica la base y el exponente en 5^6. 5 es la base; 6 es el exponente.

4. Usa exponentes para escribir $13 \times 13 \times 13$. 13^3

RESOLVER PROBLEMAS 2-4

38. **Para la prueba** La pista A tiene 3^7 yardas de longitud; en tanto que la pista B es tres veces más larga que la pista A. ¿Cuál es la longitud de la pista B? **A**

Ⓐ 3^8 Ⓑ 3^{21} Ⓒ 9^{21} Ⓓ 6^{14}

Resolución de problemas y razonamiento

39. **Razonamiento crítico** El número de células de bacteria en un experimento de biología se duplica cada hora. Después de una hora hay 2 células, al cabo de 2 horas hay 2×2 (ó 4) células, luego de 3 horas hay $2 \times 2 \times 2$ (u 8) células y así sucesivamente.

a. Usa exponentes para expresar el número de células que habrá después de cada una de las 10 primeras horas del experimento.

b. Escribe una expresión en notación exponencial para el número de células después de 50 horas.

40. **Comprensión numérica** Encuentra cada número.

RGP a. El número que elevado al cuadrado es igual a 100. **10**

b. El número que elevado al cubo es igual a 27. **3**

41. **Escoge una estrategia** ¿Cuál número cabal, elevado a la cuarta potencia, es igual a 1296? **6**

Repaso mixto

Haz las siguientes multiplicaciones. *[Curso anterior]*

42. $2 \times 2 \times 2 \times 2$ **16**   43. $3 \times 3 \times 3 \times 3$ **81**

44. $4 \times 4 \times 4 \times 4$ **256**   45. $2 \times 3 \times 2 \times 3$ **36**

46. $2 \times 4 \times 2 \times 4$ **64**   47. $3 \times 4 \times 3 \times 4$ **144**

Realiza estas sumas. *[Curso anterior]*

48. $13,427.00 + 46,212.00$ **$59,639.00**   49. $7295.63 + 1754.89$ **$9050.52**

50. $824,788 + 567,673$ **$1,392,461**   51. $8,691,288 + 7,643,841$ **$16,335,129**

52. $372,150 + 517,720$ **$889,870**   53. $8,542,505 + 3,276,023$ **$11,818,528**

El proyecto en marcha

Escoge seis diferentes maneras en las que puedas viajar. Por ejemplo, una puede ser en bicicleta. Para cada método, determina cuánto podrías viajar en una hora.

Resolución de problemas

ESTRATEGIAS

- Busca un patrón
- Organiza la información en una lista
- Haz una tabla
- Prueba y comprueba
- Empieza por el final
- Usa el razonamiento lógico
- Haz un diagrama
- Simplifica el problema

Resolución de problemas

Comprende
Planea
Resuelve
Revisa

82 *Capítulo 2 • Asociación entre aritmética y álgebra*

► PROBLEM SOLVING

Nombre _____

Resolución guiada de problemas 2-4

RGP PROBLEMA 40, PÁGINA 82 DEL ESTUDIANTE

Encuentra cada número.

a. El número que elevado al cuadrado es igual a 100.

b. El número que elevado al cubo es igual a 27.

— Comprende —

1. Rodea con un círculo la información que necesitas.

2. ¿Qué significa "elevado al cuadrado"? Un factor multiplicado por sí mismo.

3. ¿Qué significa "elevado al cubo"? Un factor multiplicado por sí mismo dos veces.

— Plan —

4. En la solución del problema, ¿cómo puede ayudarte hallar los factores de cada número? Respuesta posible: Un factor elevado al cuadrado o elevado al cubo debe ser igual al número.

5. ¿Cuáles son los factores de 100? 1, 2, 4, 5, 10, 20, 25, 50, 100

6. ¿Cuáles son los factores de 27? 1, 3, 9, 27

— Resuelve —

7. Multiplica cada factor por sí mismo el número apropiado de veces. ¿Cuál factor del punto 5 es igual a 100 cuando se eleva al cuadrado? **10**

8. Multiplica cada factor por sí mismo el número apropiado de veces. ¿Cuál factor del punto 6 es igual a 27 cuando se eleva al cubo? **3**

— Revisa —

9. Escribe un enunciado numérico con exponentes para expresar cada respuesta. Respuesta posible: $100 = 10^2$; $27 = 3^3$.

10. ¿Cómo podrías hallar la respuesta si usas una estrategia diferente? Respuesta posible: Al probar y comprobar con el cálculo mental.

RESUELVE OTRO PROBLEMA

Halla cada número.

a. Halla el número que elevado al cuadrado es igual a 225. **15**

b. Halla el número que elevado al cubo es igual a 512. **8**

► ENRICHMENT

Nombre _____

Actividad de enriquecimiento 2-4

Patrones numéricos

Has aprendido que la multiplicación repetida puede representarse por medio de la notación exponencial. Puedes descubrir algunos patrones interesantes cuando trabajas con estos números.

La tabla de la derecha muestra las potencias de 2 del 2^1 al 2^{10} en forma usual y en notación exponencial.

Potencias de 2	Potencias de 3
$2^1 = 2$	$3^1 = 3$
$2^2 = 4$	$3^2 = 9$
$2^3 = 8$	$3^3 = 27$
$2^4 = 16$	$3^4 = 81$
$2^5 = 32$	$3^5 = 243$
$2^6 = 64$	$3^6 = 729$
$2^7 = 128$	$3^7 = 2187$
$2^8 = 256$	$3^8 = 6561$
$2^9 = 512$	$3^9 = 19,683$
$2^{10} = 1024$	$3^{10} = 59,049$

1. Describe el patrón de la tabla. Respuesta posible: El exponente aumenta en 1 y el valor se duplica. Los dígitos de las unidades son 2, 4, 8, 6, 2, 4, 8, 6...

2. Continúa el patrón. Escribe los siguientes tres números en forma usual y en notación exponencial.
2^{11}; 2048
2^{12}; 4096
2^{13}; 8192

3. Completa la tabla anterior para representar las potencias de 3 desde 3^1 hasta 3^{10}. ¿Qué patrones observas en estos números? Respuesta posible: El exponente aumenta en 1 y el número en forma usual se triplica. Los dígitos de las unidades forman un patrón.

4. ¿Son iguales los patrones para las potencias de 2 y de 3? ¿Por qué? Respuesta posible: Sí. El exponente aumenta en 1 y el número en forma usual aumenta en un factor igual a la base. Los dígitos de las unidades forman un patrón.

5. ¿Cómo piensas que es el patrón cuando la base es 8? Explica tu respuesta. Respuesta posible: El exponente aumenta en 1 y el número en forma usual aumenta en un factor de 8. Los dígitos de las unidades forman un patrón. Los patrones son similares a los de los puntos 1 y 2.

El sistema solar tiene nueve planetas. Hasta donde se sabe, la Tierra es el único planeta del sistema solar con vida inteligente.

También se han detectado planetas alrededor de otras estrellas. Se sospecha que una estrella distante, conocida como PSR1257 + 12, tiene un sistema planetario semejante al nuestro.

¡Saludos del planeta Tierra!

Las investigaciones actuales indican que existen dos planetas que giran alrededor de la estrella PSR1257 + 12. Para este caso se denominarán Planeta 1 y Planeta 2.

La tabla muestra las distancias aproximadas de cuatro de nuestros planetas al Sol, y de los planetas 1 y 2 a PSR1257 + 12.

Distancia a la estrella local	
Planeta	**Distancia (km)**
Tierra	148 millones
Marte	228,260,860
Mercurio	58,000,000
Venus	ciento cinco millones
Planeta 1	52 millones
Planeta 2	ochenta millones

1. Imagínate que los planetas 1 y 2 estuvieran en nuestro sistema solar y que las distancias en la tabla fueran distancias a nuestro sol. Haz un dibujo que muestre a los seis planetas alineados con nuestro sol en el orden correcto. Rotula cada planeta con su nombre y su distancia al Sol.

2. Haz una lista que indique qué distancia hay de cada planeta a la Tierra. (Considera que todos los planetas están en línea recta.)

3. Haz tres listas de las distancias al Sol, de menor a mayor. En la primera lista, redondea todas las distancias al millón más cercano; en la segunda, redondea a la decena de millón más cercana; en la tercera, redondea a la centena de millón más cercana. Si fueras a escribir un artículo acerca de los planetas, ¿cuál lista utilizarías? ¿Por qué?

4. Mientras más alejado está un planeta del Sol, más tiempo tarda en su movimiento de traslación. Los tiempos de traslación (en días terrestres) de los seis planetas que aparecen en la tabla son, aproximadamente, 5^4, 15^2, 3^4, 7^3, 8^2 y 10^2. Relaciona cada planeta con su tiempo aproximado de traslación.

83

3. Usa la primera lista para escribir el informe. Es la más exacta.

Planeta	Distancia del Sol
Planeta 1	52,000,000
Mercurio	58,000,000
Planeta 2	80,000,000
Venus	105,000,000
Tierra	148,000,000
Marte	228,000,000

Planeta	Distancia del Sol
Planeta 1	50,000,000
Mercurio	60,000,000
Planeta 2	80,000,000
Venus	110,000,000
Tierra	150,000,000
Marte	230,000,000

Planeta	Distancia del Sol
Planeta 1	100,000,000
Mercurio	100,000,000
Planeta 2	100,000,000
Venus	100,000,000
Tierra	100,000,000
Marte	200,000,000

4.

Planeta	Tiempo orbital
Planeta 1	8^2
Mercurio	3^4
Planeta 2	10^2
Venus	15^2
Tierra	7^3
Marte	5^4

¡Saludos del planeta Tierra!

Objetivo

En *¡Saludos del planeta Tierra!*, página 65, los estudiantes comentaron sobre la tecnología y las matemáticas que se necesitan para estudiar el universo. Ahora van a comparar, ordenar y describir las distancias del sistema solar.

Acerca de esta página

• Pida a los estudiantes que expliquen cómo se determinan las distancias entre los planetas y el Sol.

• Recuérdeles que puede ser más fácil comparar y ordenar los números escritos en forma exponencial si primero los expresan en forma usual.

Evaluación continua

En la pregunta 1, compruebe que los estudiantes hayan ordenado correctamente los planetas y que hayan escrito los números en forma usual.

Ampliación

Pida a los estudiantes que expresen en una gráfica de barras los tiempos orbitales aproximados de los seis planetas. Recuérdeles que marquen los ejes.

Respuestas de Asociación

1. El dibujo debe mostrar los planetas con estas distancias marcadas y en este orden a partir del Sol: Planeta 1, 52,000,000; Mercurio, 58,000,000; Planeta 2, 80,000,000; Venus, 105,000,000; Tierra, 148,000,000; Marte, 228260,860.

2.

Planeta	Distancia de la Tierra
Planeta 1	96,000,000
Mercurio	90,000,000
Planeta 2	68,000,000
Venus	43,000,000
Marte	80,260,860

Greeting from Planet Earth

The Point

In *Greetings from Planet Earth* on page 65, students discussed the technology and mathematics needed to study the universe. Now they will compare, order, and describe distances within the solar system.

About the Page

• Ask students to explain how they might determine the distance between the planets and the Sun.

• Remind students that it may be easier to compare and order numbers written in exponential notation if they first express the numbers in standard form.

Ongoing Assessment

In Question 1, check that students have correctly ordered the planets and written the numbers in standard form.

Extension

Have students express the approximate orbital times of the six planets on a bar graph. Remind them to label the axes.

Answers for Connect

1. Sketch should show the planets with these distances labeled and in this order from the Sun: Planet 1, 52,000,000; Mercury, 58,000,000; Planet 2, 80,000,000; Venus, 105,000,000; Earth, 148,000,000; Mars, 228,260,860.

2.

Planet	Distance from Earth
Planet 1	96,000,000
Mercury	90,000,000
Planet 2	68,000,000
Venus	43,000,000
Mars	80,260,860

3. To write a report, use the first list. It is the most accurate.

Planet	Distance from Sun
Planet 1	52,000,000
Mercury	58,000,000
Planet 2	80,000,000
Venus	105,000,000
Earth	148,000,000
Mars	228,000,000

Planet	Distance from Sun
Planet 1	50,000,000
Mercury	60,000,000
Planet 2	80,000,000
Venus	110,000,000
Earth	150,000,000
Mars	230,000,000

Planet	Distance from Sun
Planet 1	100,000,000
Mercury	100,000,000
Planet 2	100,000,000
Venus	100,000,000
Earth	100,000,000
Mars	200,000,000

4.

Planet	Orbital Time
Planet 1	8^2
Mercury	3^4
Planet 2	10^2
Venus	15^2
Earth	7^3
Mars	5^4

Review Correlation

Item(s)	Lesson(s)
1–6	2-1, 2-2
7	2-1, 2-4
8	2-3
9	2-2
10–16	2-3
17	2-1
18, 19	2-4

Test Prep

Test-Taking Tip

Tell students they can use word association to help them remember some key words and properties in problems. In this problem, students can picture an ice cube, which has 3 dimensions, to help them remember that "cubing" means "3rd power."

Answers for Review

7. a. 864°F

   b. Possible answer: $2^5 \times 3^4$ is bigger. The difference between 3^4 and 3^3 is bigger than the difference between 2^6 and 2^5.

8. 7,310; 16,864; 18,510; 19,340; 20,320; 22,834; 29,028.

9. 7,000; 17,000; 19,000; 19,000; 20,000; 23,000; 29,000.

10. Possible answer: Ordering numbers and putting words in alphabetical order are similar in that both methods follow a certain pattern. They are different because numbers depend on place value but words do not.

17. Juanita is right. 1,000 thousand is 1,000,000 which is the same as 1 million.

Correlación de repaso

Punto(s)	Lección(es)
1–6	2-1, 2-2
7	2-1, 2-4
8	2-3
9	2-2
10–16	2-3
17	2-1
18, 19	2-4

Para la prueba

Sugerencia para la prueba

Diga a los estudiantes que pueden usar asociaciones lingüísticas para recordar algunas palabras clave y las peculiaridades de los problemas. En este problema, los estudiantes pueden dibujar un cubo —que tiene 3 dimensiones— para ayudarse a recordar que "elevar al cubo" significa "elevar a la tercera potencia".

Respuestas de Repaso

7. a. 864°F

   b. Respuesta posible: $2^5 \times 3^4$ es mayor. La diferencia entre 3^4 y 3^3 es mayor que la diferencia entre 2^6 y 2^5.

8. 7,310; 16,864; 18,510; 19,340; 20,320; 22,834; 29,028.

9. 7,000; 17,000; 19,000; 19,000; 20,000; 23,000; 29,000.

10. Respuesta posible: Ordenar números y poner las palabras en orden alfabético son cosas semejantes porque en ambas se sigue cierto patrón. Son diferentes porque los números dependen del valor posicional, y las palabras no.

17. Juanita está en lo correcto. 1,000 millares equivale a 1,000,000, o sea, 1 millón.

REPASO 2A

Escribe cada número en forma usual. Después redondea ese número al valor posicional que se indica.

1. 4^2; decenas 16; 20
2. 5^3; decenas 125; 130
3. 10^5; centenas de millar 100,000; 100,000
4. 8^4; millares 4096; 4000
5. 9^2; centenas 81; 100
6. 16^5; decenas de millar 1,048,576; 1,050,000

7. **Ciencias** La sonda espacial rusa *Venera* midió la temperatura de la superficie de Venus, registró $2^5 \times 3^3$ grados Fahrenheit.

   a. Escribe la temperatura en forma usual.

   b. Sin calcular, decide cuál es mayor, $2^6 \times 3^3$ ó $2^5 \times 3^4$. Explica cómo tomaste esa decisión.

Venus

La tabla muestra los puntos de mayor altitud de los siete continentes.

8. Ordena las altitudes de menor a mayor.

9. Redondea las altitudes al millar más cercano.

10. Compara el hecho de ordenar números con el poner palabras en orden alfabético.

Continente	Altitud (ft)
África	19,340
Asia	29,028
Antártida	16,864
Australia	7,310
Europa	18,510
América del Norte	20,320
América del Sur	22,834

Compara las cantidades mediante $<$, $>$ o $=$.

11. 9 millones $=$ 9,000,000
12. 2^5 $>$ 2×5
13. 50,999 $<$ 51,000
14. 2080 $>$ dos mil ocho
15. 3^2 $>$ 2^3
16. 47,350 $>$ 4,735

17. **Comunicación** Juanita dice que 1000 millares es lo mismo que un millón; en tanto que Seth afirma que no existe tal número. ¿Quién está en lo correcto? Explica tu respuesta.

Para la prueba

Para hallar el área de un cuadrado, eleva al cuadrado la longitud de un lado. Para determinar el volumen de un cubo, eleva al cubo la longitud de un lado.

18. Halla el área de un cuadrado cuyo lado es 5. B
    Ⓐ 10   Ⓑ 25   Ⓒ 32   Ⓓ 50

19. Encuentra el volumen de un cubo cuyo lado es 6. C
    Ⓐ 36   Ⓑ 64   Ⓒ 216   Ⓓ 729

84 *Capítulo 2 • Asociación entre aritmética y álgebra*

Resources

Practice Masters
  Section 2A Review

Assessment Sourcebook
  Quiz 2A

  TestWorks
  Test and Practice Software

PRACTICE

Nombre _____   Práctica

Sección 2A • Repaso

Escribe cada número en forma usual. Después redondea ese número a la posición indicada.

1. 3^4; decenas
   forma usual ___81___
   redondeado ___80___

2. 7^5; millares
   forma usual ___16,807___
   redondeado ___17,000___

3. 5^4; centenas
   forma usual ___625___
   redondeado ___600___

La tabla muestra una lista de las poblaciones de varias ciudades estadounidenses en 1990.

Ciudad	Población
Detroit, MI	1,027,974
St. Louis, MO	396,685
Cleveland, OH	505,616
Chattanooga, TN	152,466
Pittsburgh, PA	369,879

4. Ordena de manera ascendente las poblaciones.
   152,466; 369,879; 396,685; 505,616; 1,027,974

5. Redondea cada población a la decena de millar más cercana.
   150,000; 370,000; 400,000; 510,000; 1,030,000

Compara las cantidades por medio de $<$, $>$ o $=$.

6. 37,990 ◯ 38,000
7. 4^5 ◯ 5^4
8. 630,000 ◯ seis mil, treinta
9. 8,000,000,000 ◯ 8 billones
10. 7×3 ◯ 7^3
11. 6580 ◯ 64,800

12. El siguiente diagrama de dispersión muestra el número de perros y gatos en varias tiendas de mascotas. *[Lección 1-3]*

    a. ¿Cuál punto representa la tienda que tiene el mayor número de perros? ___C___
       ¿Cuántos perros tiene dicha tienda? ___16___

    b. ¿Cuáles dos puntos representan tiendas con el mismo número de gatos? ___D y F___
       ¿Cuántos gatos tiene cada una de estas tiendas? ___15___

Section 2B

Number Sense and Operation Sense

Visit **www.teacher.mathsurf.com** for links to lesson plans from teachers and other professionals, NCTM information, and other sites.

LESSON PLANNING GUIDE

▶ **Student Edition**

▶ **Ancillaries***

LESSON		MATERIALS	VOCABULARY	DAILY	OTHER
	Section 2B Opener				
2–5	Mental Math		Distributive Property	2-5	
2–6	Estimating Sums and Differences			2-6	Lesson Enhancement Trans. 7
2–7	Estimating Products and Quotients			2-7	Teaching Tool Trans. 2, 3
2–8	Order of Operations		order of operations	2-8	Technology Master 8 Ch. 2 Project Master
2–9	Numerical Patterns	hundred chart, colored pencils or markers		2-9	Teaching Tool Trans. 13
	Connect				Interdisc. Team Teaching 2B
	Review				Practice 2B; Quiz 2B; *TestWorks*

* Daily Ancillaries include Practice, Reteaching, Problem Solving, Enrichment, and Daily Transparency. Teaching Tool Transparencies are in *Teacher's Toolkits*. Lesson Enhancement Transparencies are in *Overhead Transparency Package*.

SKILLS TRACE

LESSON	SKILL	FIRST INTRODUCED			DEVELOP	PRACTICE/APPLY	REVIEW
		GR. 4	GR. 5	GR. 6			
2–5	Computing mentally.	X			pp. 86–87	pp. 88–89	pp. 106, 108, 131, 306
2–6	Estimating sums and differences.	X			pp. 90–91	pp. 92–93	pp. 113, 131, 249
2–7	Estimating products and quotients.	X			pp. 94–95	pp. 96–97	pp. 117, 131, 253
2–8	Using order of operations.			X p. 98	pp. 98–99	pp. 100–101	pp. 131, 184, 258
2–9	Identifying number patterns.	X			pp. 102–104	pp. 105–106	pp. 131, 189, 327

CONNECTED MATHEMATICS

The unit *Prime Time (Factors and Multiples)*, from the **Connected Mathematics** series, can be used with Section 2B.

Math and Literature
(Worksheet pages 9–10: Teacher pages T9–T10)

In this lesson, students use number sense and operation sense in literature.

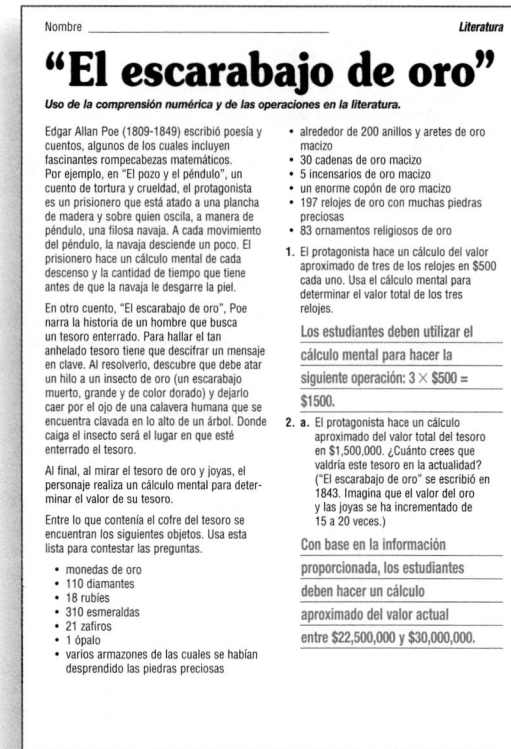

Nombre _____   *Literatura*

"El escarabajo de oro"

Uso de la comprensión numérica y de las operaciones en la literatura.

Edgar Allan Poe (1809–1849) escribió poesía y cuentos, algunos de los cuales incluyen fascinantes rompecabezas matemáticos. Por ejemplo, en "El pozo y el péndulo", un cuento de tortura y crueldad, el protagonista es un prisionero que está atado a una plancha de madera y sobre quien oscila, a manera de péndulo, una filosa navaja. A cada movimiento del péndulo, la navaja desciende un poco. El prisionero hace un cálculo mental de cada descenso y la cantidad de tiempo que tiene antes de que la navaja le desgarre la piel.

En otro cuento, "El escarabajo de oro", Poe narra la historia de un hombre que busca un tesoro enterrado. Para hallar el tan anhelado tesoro tiene que descifrar un mensaje en clave. Al resolverlo, descubre que debe atar un hilo a un insecto de oro (un escarabajo muerto, grande y de color dorado) y dejarlo caer por el ojo de una calavera humana que se encuentra clavada en lo alto de un árbol. Donde caiga el insecto será el lugar en que esté enterrado el tesoro.

Al final, al mirar el tesoro de oro y joyas, el personaje realiza un cálculo mental para determinar el valor de su tesoro.

Entre lo que contenía el cofre del tesoro se encuentran los siguientes objetos. Usa esta lista para contestar las preguntas.

- monedas de oro
- 110 diamantes
- 18 rubíes
- 310 esmeraldas
- 21 zafiros
- 1 ópalo
- varios armazones de las cuales se habían desprendido las piedras preciosas

- alrededor de 200 anillos y aretes de oro macizo
- 30 cadenas de oro macizo
- 5 incensarios de oro macizo
- un enorme copón de oro macizo
- 197 relojes de oro con muchas piedras preciosas
- 83 ornamentos religiosos de oro

1. El protagonista hace un cálculo del valor aproximado de tres de los relojes en $500 cada uno. Usa el cálculo mental para determinar el valor total de los tres relojes.

Los estudiantes deben utilizar el cálculo mental para hacer la siguiente operación: $3 \times \$500 = \$1500$.

2. a. El protagonista hace un cálculo aproximado del valor total del tesoro en $1,500,000. ¿Cuánto crees que valdría este tesoro en la actualidad? ("El escarabajo de oro" se escribió en 1843. Imagina que el valor del oro y las joyas se ha incrementado de 15 a 20 veces.)

Con base en la información proporcionada, los estudiantes deben hacer un cálculo aproximado del valor actual entre $22,500,000 y $30,000,000.

Nombre _____   *Literatura*

b. El protagonista también hace un cálculo aproximado de 350 libras de tesoro, sin contar los relojes de oro. Considera que todas las piezas de oro son de oro macizo y que el peso de las piedras preciosas es de cinco libras. ¿Cuál sería en la actualidad el valor total de las piezas de oro en el tesoro? (Pista: Para encontrar el valor actual del oro, consulta las páginas de la sección financiera de cualquier periódico o en la Internet. Se encontrará en una lista en dólares por onza. Recuerda que hay 16 onzas en una libra.) Establece una ecuación que contenga todas las operaciones necesarias y resuélvela.

345 libras de oro macizo $\times$
16 oz/lb $\times$ valor del oro
en $/oz.

3. Imagina que te has encontrado un cofre lleno de monedas de oro macizo, de plata y de cobre. Cada moneda pesa una onza. Completa la siguiente tabla para calcular el valor aproximado del tesoro. La tabla ya tiene los datos para el oro. ¿Cuál es el valor total del tesoro?

$181,885

4. ¿De qué le sirve a un escritor tener destrezas matemáticas?

Habrá muchas situaciones en las cuales las destrezas matemáticas estarán a la mano cuando los escritores expliquen una secuencia de sucesos o describan dimensiones, distancias, figuras y cosas por el estilo.

5. Haz una lista y describe de manera sucinta cualquier cuento o película en que las matemáticas hayan tenido un papel preponderante.

Los estudiantes deben decidir si las matemáticas son parte central del cuento o sólo son elementos accesorios.

6. Aunque "El escarabajo de oro" se escribió hace más de 150 años, es un cuento que la gente todavía disfruta; léelo. En una hoja por separado explica por qué piensas que el cuento es interesante.

Véase a continuación.

Tipo de monedas	Número de monedas	Valor actual aproximado del metal	Ecuación	Valor de las monedas
oro	456	$390/onza	$456 \times \$390$	$177,840
plata	789	$5/onza	$789 \times \$5$	$3945
cobre	1600	$1/libra	$(1600 \div 16) \times \$1$	$100

Respuestas adicionales

6. Las respuestas variarán. Los estudiantes quizá comenten que las historias sobre la búsqueda de tesoros siempre han sido emocionantes porque las personas de todas las épocas han soñado con obtener riquezas de manera fácil.

BIBLIOGRAPHY

FOR TEACHERS

The Reader's Digest Illustrated Book of Dogs. Pleasantville, NY: Reader's Digest Association, 1993.

Discovery Box Series: Planets. New York, NY: Scholastic, 1996.

Mount, Ellis and List, Barbara A. *Milestones in Science and Technology.* Phoenix, AZ: Oryx Press, 1994.

Spangler, David. *Math for Real Kids.* Glenview, IL: Good Year Books, 1997.

FOR STUDENTS

Patneaude, David. *The Last Man's Reward.* Bloomington, IL: Library Book Selection Service, 1996.

SECCIÓN 2B
Comprensión numérica y de operaciones
▶ Enlace con Consumo   ▶ www.mathsurf.com/6/ch2/collection

Artículos coleccionables de primera clase

Hace cien años, un muchacho recibió una carta con una estampilla de 50¢. Tiró a la basura el sobre, pero guardó la carta para dársela a sus nietos.

Hace cien años, un muchacho recibió una carta y $500. Tiró a la basura los $500, pero guardó la carta para dársela a sus nietos.

Por extraño que parezca, las dos situaciones son exactamente la misma historia. Si alguien en 1898 guardó una estampilla de 50¢ del Trans-Mississippi, sus nietos podrían venderla en cerca de $500. Esto puede parecer mucho dinero, pero para algún filatelista bien vale la pena.

Las personas coleccionan toda clase de objetos, desde autógrafos hasta automóviles. Un buen coleccionista usa varias destrezas al tratar de reunir la mejor colección posible con la menor cantidad de dinero. Una destreza importante que debe tenerse es una buena comprensión de las matemáticas.

1. ¿Cuántas veces es mayor el valor actual de una estampilla Trans-Mississippi que su valor en 1898?

2. ¿De qué manera te ayudan las matemáticas a reunir una colección con la menor cantidad de dinero?

Where are we now?

In Section 2A, students learned to round, compare, and order large numbers and to write numbers with exponents.

They learned how to

- read and write large numbers.

- round numbers in real-life situations.

- compare and order large numbers.

- use exponents to express numbers and write expressions containing exponents in standard form.

Where are we going?

In Section 2B, students will

- solve problems mentally.

- estimate sums and differences.

- estimate products and quotients.

- apply the order of operations when solving problems.

Tema: Colecciones

World Wide Web

Si su clase tiene acceso al World Wide Web, tal vez desee utilizar las actividades que se encuentran en la dirección Web indicada. El enlace interdisciplinario relaciona los temas examinados en esta lección.

Acerca de esta página

Esta página introduce el tema de la sección —colecciones— y comenta el valor de estampillas y cartas antiguas.

Pregunte…

- ¿Qué clase de objetos colecciona la gente?

- ¿Cómo se le asigna un valor a un autógrafo, una estampilla o una tarjeta de béisbol?

- ¿Crees que las cosas que usamos hoy puedan volverse coleccionables?

Ampliación

La siguiente actividad no requiere de acceso al Web.

Consumo

Los estudiantes interesados en este tema pueden visitar la oficina de correos de su localidad para obtener información sobre colecciones de estampillas. Pueden obtener un catálogo gratis de productos filatélicos de: Philatelic Fulfillment Service Center, U.S. Postal Service, PO Box 449997, Kansas City MO 64144-9997.

Respuestas de Preguntas

1. Respuesta posible: En virtud de que $0.50 × 1000 = $500, la estampilla es 1000 veces más valiosa.

2. Respuestas posibles: Las matemáticas pueden ayudar a hacer un buen negocio mediante la compra o venta de piezas de colección.

Asociación

En la página 107 los estudiantes escribirán problemas de matemáticas donde se empleen el cálculo aproximado y la propiedad distributiva.

Theme: Collections

World Wide Web

If your class has access to the World Wide Web, you might want to use the activities found at the Web site address given. The interdisciplinary link relates to topics discussed in this section.

About the Page

This page introduces the theme of the section, collections, and discusses the value of old stamps and letters.

Ask …

- What kinds of things do people collect?

- How is a value placed on an autograph, a stamp, or a baseball card?

- Are there things we are using today that you think might become collectible?

Extension

The following activity does not require access to the World Wide Web.

Consumer

Interested students can visit their local post office to get information about stamp collecting. A free catalogue of philatelic products can be obtained from: Philatelic Fulfillment Service Center, U.S. Postal Service, PO Box 449997, Kansas City MO 64144-9997.

Answers for Questions

1. Possible answer: Since $0.50 × 1000 = $500, the stamp is 1,000 times more valuable.

2. Possible answers: Mathematics can help you find or make good deals on buying or selling pieces of a collection.

Connect

On page 107, students will write math problems that apply estimation techniques and the Distributive Property.

Objective

- Simplify problems mentally using patterns, the Distributive Property, compatible numbers, and compensation.

Vocabulary

- Distributive Property

NCTM Standards

- 1–4, 7, 8, 10

Review

Find the number(s) that fit all the clues.

- The number has 5 digits.
- The number rounds to 12,000.
- The sum of the first and last digits is 8.
- Every digit is different.
- The product of the second and fourth digits is 12.
  12,367 or 12,467

Available on Daily Transparency 2-5

▶ Repaso

Halla el número que cumple con las pistas.

- El número tiene 5 dígitos.
- El número se redondea a 12,000.
- La suma del primero y último dígitos es 8.
- Todos los dígitos son diferentes.
- El producto del segundo y el cuarto dígitos es 12.
  12,367 ó 12,467

Introduce

Explore

The Point

Students explore strategies for doing arithmetic mentally by choosing arithmetic problems that most of their classmates could simplify correctly.

Ongoing Assessment

If students have trouble ordering the problems from easiest to hardest, suggest that they sort the problems into three groups—easy, medium, and hard.

For Groups That Finish Early

Find ways to do the more difficult problems in your heads. Share your ideas with your group.

1 Introducción

Investigar

Objetivo

Para investigar las estrategias de cálculo mental, los estudiantes escogen problemas de aritmética que la mayoría de sus compañeros puedan simplificar de manera correcta.

Evaluación continua

Si los estudiantes tienen problemas para ordenar los ejercicios de acuerdo con su grado de dificultad, sugiérales que los clasifiquen en tres grupos: fáciles, intermedios y difíciles.

Para los grupos que terminen antes

Halla formas para resolver mentalmente los problemas más difíciles. Comparte tus ideas con el grupo.

2-5   Cálculo mental

Vas a aprender...

- a simplificar en forma mental los problemas por medio de patrones, la propiedad distributiva, los números compatibles y la compensación.

...cómo se usa

Los meseros utilizan el cálculo mental para verificar que las cuentas que dan a sus clientes sean correctas.

Vocabulario

- Propiedad distributiva

▶ **Enlace con la lección**   Has aprendido muchas formas de manejar un número; por ejemplo, el redondeo, la interpretación de gráficas y la notación con exponentes. Ahora aprenderás algunos métodos para operar dos o más números de manera mental. ◀

Investigar   Cálculo mental

¡La estampilla de la excelencia!

Durante la convención anual Carson Stamp, los organizadores realizaron un concurso. Cada participante tenía que simplificar los diez problemas de matemáticas que siguen sin usar papel y lápiz o una calculadora. El de mayor calificación ganó una estampilla coleccionable de un camaleón vietnamita.

a. 60×100 **b.** 37×16 **c.** $25 + 16 + 75$ **d.** $381 + 99$ **e.** $315 \div 12$

f. 19×4 **g.** $1200 \div 4$ **h.** $4 \times 25 \times 7$ **i.** 21×5 **j.** $498 + 795$

1. ¿Cuáles problemas crees que la mayoría de tus compañeros pudo simplificar correctamente en su mente? ¿Cuáles casi nadie pudo simplificar? Explica por qué.

2. Ordena los problemas por grado de dificultad, del más fácil al más difícil.

3. Explica cómo simplificarías los tres problemas más fáciles en tu mente.

4. Para cada uno de los tres problemas que escogiste, escribe un problema similar que pueda simplificarse mentalmente por medio del mismo método. Intercambia problemas con un compañero y simplifica sus problemas de forma mental.

Aprender   Cálculo mental

A menudo es conveniente simplificar los problemas de matemáticas de manera mental. Hay varias técnicas de cálculo mental que son en verdad útiles.

Números compatibles Los números compatibles son pares de números que pueden calcularse con facilidad. Combina los números compatibles y después combina lo que sobra.

86   *Capítulo 2 • Asociación entre aritmética y álgebra*

▶ MEETING INDIVIDUAL NEEDS

Resources

2-5 Practice
2-5 Reteaching
2-5 Problem Solving
2-5 Enrichment
2-5 Daily Transparency
    Problem of the Day
    Review
    Quick Quiz

Recursos

2-5 Práctica
2-5 Práctica adicional
2-5 Resolución de problemas
2-5 Actividad de enriquecimiento

Learning Modalities

Visual Have students make a poster with a diagram that illustrates the use of the Distributive Property in finding products.

Social Have students work in groups of three or four simplifying problems while identifying and discussing the mental math strategies that they are using.

English Language Development

Discuss how the names of the mental math strategies are derived from their everyday meanings. Ask students to describe pairs of things that are compatible (things that go together) or situations that involve compensation (trading).

Students may need assistance with spelling and vocabulary. Assess their journals for content rather than language.

Modos de aprendizaje

Visual Anime a los estudiantes a elaborar un cartel con un diagrama que ilustre el uso de la propiedad distributiva en el cálculo de productos.

Social Los estudiantes deben trabajar en equipos de tres o cuatro para simplificar los problemas, al tiempo que identifican y comentan las estrategias de cálculo mental que usan.

Desarrollo del lenguaje

Comente que los nombres de las estrategias del cálculo mental se basan en el uso de esas técnicas en la vida cotidiana. Anime a los estudiantes a describir pares de objetos compatibles (relacionados) o situaciones que impliquen una compensación (o intercambio).

Es posible que los estudiantes necesiten ayuda para escribir el vocabulario. Base la calificación en el contenido, no en la ortografía.

Patrones Para multiplicar números que terminan en ceros, multiplica primero las partes que no son ceros y agrega a tu respuesta un cero por cada cero del problema. Para dividir números que terminan en ceros, réstale al número de ceros del dividendo el número de ceros del divisor, así encontrarás el número de ceros del cociente.

Compensación Escoge un número cercano al número del problema. Después ajusta la respuesta para compensar el número que escogiste.

La propiedad distributiva Fracciona los números en partes más pequeñas. Haz el cálculo con los números más pequeños y después suma tus respuestas.

No te olvides
La *Propiedad conmutativa* establece que si se altera el orden de los sumandos o de los factores, no se modifican ni la suma ni el producto. Por ejemplo, 4 × 7 = 28 y 7 × 4 = 28.
[Curso anterior]

Ejemplos

Simplifica.

1 20 × 700

Usa patrones:

$2 \times 7 = 14$

1 cero + 2 ceros = 3 ceros

$20 \times 700 = 14,000$

2 5,400,000 ÷ 90

Usa patrones:

$54 \div 9 = 6$

5 ceros − 1 cero = 4 ceros

$5,400,000 \div 90 = 60,000$

3 25 + 18 + 75

25 y 75 son compatibles porque son fáciles de sumar.

$25 + 18 + 75 = (25 + 75) + 18$

$= 100 + 18 = 118$

4 58 × 3

Como 58 está cerca de 60, puedes utilizar la compensación:

$58 \times 3 = (60 \times 3) - (2 \times 3)$

$= 180 - 6 = 174$

No te olvides
La *Propiedad asociativa* establece que si se modifica la agrupación de los sumandos o de los factores, no cambian ni la suma ni el producto. Así, (5 + 3) + 7 = 15, y 5 + (3 + 7) = 15.
[Curso anterior]

5 Un coleccionista quisiera vender cinco carteles de la Feria Mundial en $32 cada uno. Utiliza la propiedad distributiva para hallar el costo total.

$32 \times 5 = (30 + 2) \times 5$ Fracciona 32 en 30 + 2.

$= (30 \times 5) + (2 \times 5)$ Multiplica cada una por 5.

$= (150) + (10) = 160$ Suma los totales.

Haz la prueba

Simplifica las siguientes expresiones.

a. 4000 × 300 **1,200,000**
b. 210,000 ÷ 700 **300**
c. 61 × 3 **183**
d. 285 + 47 + 15 **347**
e. 50 × 2 × 13 **1300**
f. 296 + 55 **351**
g. 29 × 6 **174**
h. 102 × 7 **714**

2-5 • Cálculo mental **87**

MATH EVERY DAY

▶ Problema del día

¿Qué grupo de tres monedas debes mover en el primer conjunto para que éste sea igual al de la derecha?

Problem of the Day
What three pennies can you move in the first group to make it like the group on the right?

Available on Daily Transparency 2-5

An Extension is provided in the transparency package.

Dato del día

El primer comic de la historia, "The Yellow Kid", apareció en 1896. En él, los diálogos se imprimían antes que las imágenes.

Fact of the Day
The earliest modern comic, "The Yellow Kid," appeared in 1896. The dialog was first printed inside a comic's frame.

Estimation
Estimate each sum.
1. 261 + 232 500
2. 638 + 712 + 584 1900
3. 29 + 29 + 29 + 29 120

Cálculo aproximado
Haz un cálculo aproximado de estas sumas.
1. 261 + 232 500
2. 638 + 712 + 584 1900
3. 29 + 29 + 29 + 29 120

Respuestas de Investigar

1. Los compañeros de clase podrían resolver a, c, d, f, g, h, i y j porque los números son fáciles de sumar, restar, multiplicar o dividir; b y e son más difíciles porque no parece haber ninguna relación entre los números.

2. Respuesta posible: a, c, g, d, h, i, j, b, e.

3. Respuesta posible: a: 6 × 1 = 6, por tanto, 60 × 100 = 6000; c: 3: Primero se suman 25 y 75 para obtener 100 y después se suma 16; g: 12 ÷ 4 es igual a 3, por tanto, 1200 ÷ 4 es igual a 300.

4. Respuesta posible: a: 400 × 100; c: 50 + 32 + 50; g: 600 ÷ 3.

2 Enseñanza

Aprender

Ejemplos adicionales

Simplifica.

1. **300 × 50**

   Usa patrones: 3 × 5 = 15
   2 ceros + 1 cero = 3 ceros
   300 × 50 = 15,000

2. **42,000 ÷ 700**

   Usa patrones: 42 ÷ 7 = 6
   3 ceros − 2 ceros = 1 cero
   42,000 ÷ 700 = 60

3. **30 + 58 + 70**

   30 y 70 son compatibles porque son fáciles de sumar.

   $30 + 58 + 70 = (30 + 70) + 58$
   $= 100 + 58$
   $= 158$

4. **49 × 4**

   Puesto que 49 está cerca de 50, puedes usar la compensación.

   $49 \times 4 = 50 \times 4 \text{ (menos } 1 \times 4)$
   $= 200 - 4$
   $= 196$

5. Un coleccionista hizo una oferta para comprar 6 prendedores olímpicos en $43 cada uno. Usa la propiedad distributiva para hallar el costo total.

   $43 \times 6 = (40 + 3) \times 6$
   Divide 43 en 40 + 3.

   $(40 \times 6) + (3 \times 6)$
   Multiplica por 6 cada parte.

   $(240) + (18) = 258$
   Suma las partes.

Answers for Explore

1. Classmates could solve a, c, d, f, g, h, i, and j because the numbers are easy to add, subtract, multiply, or divide; b and e are harder because there doesn't seem to be any connection between the numbers.

2. Possible answer: a, c, g, d, h, i, j, b, e.

3. Possible answer: a: 6 × 1 = 6, so 60 × 100 = 6000; c: 3: Add 25 and 75 first to get 100 and then add 16; g: 12 ÷ 4 is 3, so 1200 ÷ 4 is 300.

4. Possible answer: a: 400 × 100; c: 50 + 32 + 50; g: 600 ÷ 3.

Teach

Learn

Alternate Examples

Simplify.

1. **300 × 50**

   Use patterns: 3 × 5 = 15
   2 zeros + 1 zero = 3 zeros
   300 × 50 = 15,000

2. **42,000 ÷ 700**

   Use patterns: 42 ÷ 7 = 6
   3 zeros − 2 zeros = 1 zero
   42,000 ÷ 700 = 60

3. **30 + 58 + 70**

   30 and 70 are compatible because they are easy to add.

   $30 + 58 + 70 = (30 + 70) + 58$
   $= 100 + 58$
   $= 158$

4. **49 × 4**

   Since 49 is close to 50, you can use compensation.

   $49 \times 4 = 50 \times 4 \text{ (minus } 1 \times 4)$
   $= 200 - 4$
   $= 196$

5. A collector offered to buy 6 Olympic pins at $43 each. Use the Distributive Property to find the total cost.

   $43 \times 6 = (40 + 3) \times 6$
   Break 43 into 40 + 3.

   $(40 \times 6) + (3 \times 6)$
   Multiply each piece by 6.

   $(240) + (18) = 258$
   Add the pieces together.

Assignment Guide

- **Basic** 1–20, 43–48, 51, 52–66 evens
- **Average** 10–30, 42–51, 52–66 evens
- **Enriched** 20–51, 53–65 odds

Practice and Assess

Check

Answers for Check Your Understanding

1. Some compatible numbers for addition are 25 and 75, 50 and 50, 60 and 40, 25 and 25; Some compatible numbers for multiplication are 10, 100, 1000, etc.

2. Possible Answer: So you can solve a problem quickly, or when you don't have access to paper, pencil, or a calculator.

Exercise Answers

1. c. 2,400,000   d. 24,000,000
16. 1119
23. 35,000
25. 7,200,000
26. 1336
30. 180,000
34. 3,600,000
40. 600,000,000

Reteaching

Activity

Materials: Index cards

- Work in groups of three or four. On index cards, write ten problems, using each mental math strategy at least once.
- Exchange problems with another group.
- Have one student draw a card. If the correct answer is given in ten seconds, then he or she keeps the card. If not, then the first player to answer correctly wins the card.
- The player with the most cards at the end wins.

---

3 Práctica y evaluación

Comprobar

Respuestas de Comprobar tu comprensión

1. Algunos números compatibles para sumar son 25 y 75, 50 y 50, 60 y 40, 25 y 25; Algunos números compatibles para multiplicar son 10, 100, 1000, etcétera.

2. Respuesta posible: Para resolver un problema con rapidez, o cuando no se tiene a la mano lápiz y papel o una calculadora.

Respuestas de Ejercicios

1. c. 2,400,000 d. 24,000,000
16. 1119
23. 35,000
25. 7,200,000
26. 1336
30. 180,000
34. 3,600,000
40. 600,000,000

Práctica adicional

Actividad

Materiales: Tarjetas

- Trabaja en grupos de tres o cuatro. Usa cada estrategia de cálculo mental cuando menos una vez para escribir diez problemas en las tarjetas.
- Intercambia problemas con otro grupo.
- Un estudiante deberá tomar una tarjeta. Si en menos de diez segundos responde correctamente, entonces se quedará con la tarjeta. Si no, el primer jugador que responda de manera correcta ganará la tarjeta.
- El ganador será quien tenga el mayor número de tarjetas al final del juego.

Comprobar Tu comprensión

1. Los números compatibles son números fáciles de sumar o multiplicar entre sí. ¿Cuáles son algunos pares de números compatibles para sumar? ¿Y cuáles para multiplicar?

2. ¿Por qué es útil que puedas resolver problemas de aritmética en forma mental?

2-5 Ejercicios y aplicaciones

Práctica y aplicación

1. **Para empezar** Usa patrones para simplificar cada problema.

   a. 60×4 **240**   b. 600×40 **24,000**   c. $6,000 \times 400$ d. $6,000 \times 4,000$

   e. $210 \div 3$ **70**   f. $2,100 \div 30$ **70**   g. $2,100 \div 300$ **7**   h. $21,000 \div 3,000$ **7**

Simplifica las siguientes expresiones.

2. 40×20 **800**   3. $251 + 314$ **565**   4. $96 + 117$ **213**   5. $4 \times 11 \times 25$ **1100**

6. 24×2 **48**   7. $240 \div 6$ **40**   8. $25 + 23 + 75$ **123**   9. 49×3 **147**

10. $198 + 123$ **321**   11. $2,500 \div 50$ **50**   12. $68 + 31$ **99**   13. $50 \times 2 \times 9$ **900**

14. 30×600 **18,000**   15. 31×4 **124**   16. $750 + 119 + 250$ 17. 99×7 **693**

18. 53×3 **159**   19. 89×6 **534**   20. $819 + 120$ **939**   21. 700×5 **3500**

22. $147 - 99$ **48**   23. $250 \times 4 \times 35$ 24. $90 + 57 + 10$ **157**   25. $9,000 \times 800$

26. $800 + 336 + 200$ 27. 58×5 **290**   28. $560,000 \div 80$ **7,000**   29. $2,645 + 213$ **2858**

30. $5,000 \times 18 \times 2$ 31. $461 - 295$ **166**   32. 112×4 **448**   33. $1,800,000 \div 9,000$ **200**

34. $12,000 \times 300$ 35. 42×8 **336**   36. $79 + 98 + 3$ **180**   37. $550 - 25$ **525**

38. $22 + 88$ **110**   39. $84 - 34$ **50**   40. $1,200,000 \times 500$ 41. 29×6 **174**

42. Marcie compró un cartel de una película en \$4.45, más \$0.34 de impuestos. Halla el costo total del cartel. **\$4.79**

43. En la Feria Metropolitana de Monedas, Robbie vendió 99 monedas de su colección de un total de 876. ¿Cuántas monedas le quedan? **777**

44. **Ciencias** La Luna se encuentra como a 240,000 millas de distancia de la Tierra. ¿Cuánto tiempo te llevaría llegar hasta la Luna a una velocidad de 40,000 millas por día? **6 días**

Capítulo 2 • Asociación entre aritmética y álgebra **88**

PRACTICE

Nombre _____   **Práctica 2-5**

Cálculo mental

Simplifica las siguientes expresiones.

1. 60×70 **4,200**   2. $162 + 37$ **199**   3. $142 + 321$ **463**
4. $2 \times 21 \times 5$ **210**   5. 3×81 **243**   6. $2,700 \div 9$ **300**
7. $162 + 17 + 38$ **217**   8. 38×7 **266**   9. $295 + 85$ **380**
10. $28,000 \div 700$ **40**   11. $37 + 42$ **79**   12. $20 \times 50 \times 37$ **37,000**
13. 100×300 **30,000**   14. 62×5 **310**   15. $875 + 627 + 125$ **1,627**
16. 42×9 **378**   17. 79×4 **316**   18. $164 + 135$ **299**
19. $8 \times 1,200$ **9,600**   20. $173 - 98$ **75**   21. $25 \times 40 \times 17$ **17,000**
22. $38 + 87 + 62$ **187**   23. $70 \times 3,000$ **210,000**   24. $600 + 327 + 400$ **1,327**
25. 87×4 **348**   26. $3,800 \div 20$ **190**   27. $3,143 + 222$ **3,365**
28. 300×160 **48,000**   29. $20 \times 21 \times 50$ **21,000**   30. $387 - 295$ **92**
31. 213×2 **426**   32. $63,000 \div 700$ **90**   33. $750,000 \div 2,500$ **300**
34. $64 + 46$ **110**   35. $12,387 - 4,387$ **8,000**   36. $38,000 \div 190$ **200**
37. 52×40 **2,080**   38. 39×90 **3,510**   39. $5 \times 37 \times 200$ **37,000**
40. $6,700 + 1,200$ **7,900**   41. $8,416 - 8,116$ **300**   42. $83,725 - 300$ **83,425**
43. $389 + 711$ **1,100**   44. $100,000 \div 40$ **2,500**   45. $320,000 \div 400$ **800**
46. 310×40 **12,400**   47. $56,000 \div 800$ **70**   48. $185 + 32$ **217**
49. $90,000 \div 300$ **300**   50. $520,000 \div 130$ **4,000**   51. $2,587 - 198$ **2,389**
52. $64,107 - 304$ **63,803**   53. $2,200 \times 30$ **66,000**   54. $63,000 \div 90$ **700**

55. Se necesitan 300 galones de agua para producir una libra de hule sintético. ¿Cuántos galones de agua se necesitarán para producir 8 libras de hule sintético?   **2,400 galones**

56. Un paquete común de cheques personales contiene 200 cheques repartidos en 8 chequeras. ¿Cuántos cheques hay en cada chequera?   **25 cheques**

RETEACHING

Nombre _____   **Práctica adicional 2-5**

Cálculo mental

Con frecuencia conviene simplificar mentalmente los problemas matemáticos. Hay varias técnicas de cálculo mental que son de gran utilidad.

— Ejemplo 1

Usa la compensación para simplificar las siguientes operaciones.

a. 74×4

74 está cerca de 70.

$74 \times 4 = 70 \times 4$ (más 4×4)
$= 280 + 16 = 296$
$74 \times 4 = 296$

b. $98 + 30$

98 está cerca de 100.

$98 + 30 = 100 + 30$ (menos 2)
$= 130 - 2 = 128$
$98 + 30 = 128$

Haz la prueba Usa la compensación para simplificar las operaciones.

a. 22×9 **198**   b. 48×5 **240**
c. $17 + 6$ **23**   d. $33 - 5$ **28**
e. 108×8 **864**   f. $152 + 25$ **177**

— Ejemplo 2

Usa la propiedad distributiva para simplificar 85×7.

Divide 85 en 80 + 5.
Multiplica cada parte por 7. Halla 80×7 y 5×7.
Suma las partes.

$85 \times 7 = (80 + 5) \times 7$
$= (80 \times 7) + (5 \times 7)$
$= (560) + (35)$
$= 595$

$85 \times 7 = (80 + 5) \times 7 = 595$

Haz la prueba Usa la propiedad distributiva para simplificar las operaciones.

g. 56×8 **448**   h. 4×104 **416**
i. 5×45 **225**   j. 9×42 **378**
k. 7×64 **448**   l. 3×55 **165**

45. Craig gana $5 por hora en su trabajo de las tardes. Una semana trabajó 21 horas. Halla el total de sus ganancias en esa semana. **$105**

Usa la gráfica de barras para contestar cada pregunta.

46. ¿Cuántas yardas nadó Marcus? **300**

47. ¿Qué tanta distancia más nadó en estilo libre que en mariposa? **50 yardas**

48. [Para la prueba] Simplifica 48 × 6. **C**
- Ⓐ 24
- Ⓑ 72
- Ⓒ 288
- Ⓓ 300

Récord de natación de Marcus

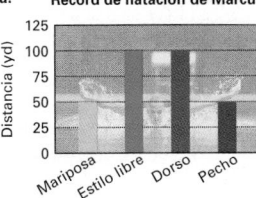

Resolución de problemas y razonamiento

49. Explica la diferencia entre el uso de números compatibles y la compensación. Proporciona ejemplos que ilustren tu respuesta.

50. Comunicación ¿Cuál problema es más fácil de simplificar con cálculo mental, 20 × 19 × 5 ó 20 × 19 × 6? Explica tu razonamiento.

51. Razonamiento crítico Janet tiene $13.64 y quiere comprar un juego de mesa de $15.84. ¿Cuánto dinero necesita de más? Si el juego se vende en $2.00 menos, ¿le alcanzará el dinero? **$2.20; No**

Repaso mixto

Escribe estas cantidades en forma usual. *[Lección 2-1]*

52. Seiscientos cuarenta y ocho millones, doscientos veintiocho mil, novecientos setenta y tres. **648,228,973**

53. Trescientos treinta y cinco millones, setecientos veintiocho mil, seiscientos cuarenta y dos. **335,728,642**

Escribe las siguientes cifras en forma verbal. *[Lección 2-1]*

54. 467,987,382 **55.** 5,976,321,401 **56.** 5983 **57.** 3,093,002

Realiza estas restas. *[Curso anterior]*

58. 412 − 176 **236**
59. 91,233 − 17,974 **73,259**
60. 845,213 − 685,787 **159,426**
61. 6,329,432 − 3,654,987 **2,674,445**
62. 54,987 − 3,283 **51,704**
63. 94,040 − 32,804 **61,236**
64. 4,931,515 − 34,687 **4,896,828**
65. 7,237,802 − 5,091,465 **2,146,337**
66. 111,996 − 22,197 **89,799**

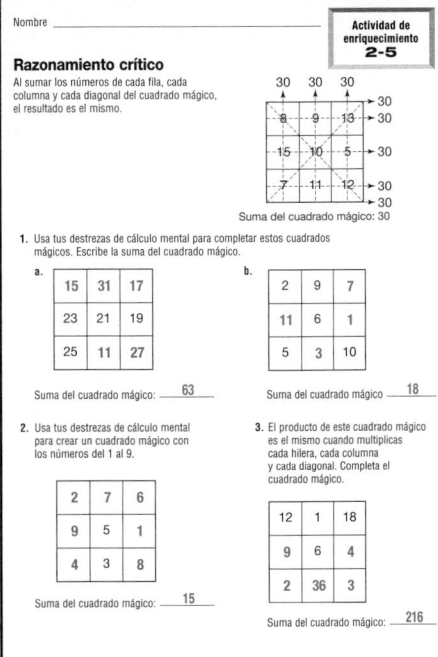

Notas sobre los ejercicios

■ Ejercicio 49

Resolución de problemas Ten en cuenta Identifica cuál es la estrategia de cálculo mental utilizada para simplificar un problema. Pueden darse cuenta de que se inclinan más por una estrategia que por otra.

■ Ejercicios 58–66

Cálculo aproximado Haz un cálculo aproximado de la diferencia y después usa una calculadora para encontrar el resultado.

Respuestas de Ejercicios

49. Respuesta posible: Usar números compatibles significa que estos se pueden sumar, restar, multiplicar o dividir entre sí de manera sencilla, como 125 + 375. En la compensación se usan números compatibles que estén cerca de los números reales, como 99 + 101, y luego se ajusta la respuesta.

50. 20 × 19 × 5 es más sencillo porque 20 y 5 son números compatibles.

54. Cuatrocientos sesenta y siete millones, novecientos ochenta y siete mil, trescientos ochenta y dos

55. Cinco mil novecientos setenta y seis millones, trescientos veintiún mil cuatrocientos uno

56. Cinco mil novecientos ochenta y tres

57. Tres millones noventa y tres mil dos

Evaluación adicional

Tal vez quiera usar con esta evaluación el *Diario interactivo CD-ROM.*

En tu diario Escribe sobre tu estrategia de cálculo mental favorita. Debes explicar por qué te gusta usar esa estrategia y además dar ejemplos.

▶ Prueba rápida

Efectúa en forma mental estos cálculos.

1. 40,000 ÷ 80 500

2. 250 + 565 + 750 1565

3. 267 − 199 68

4. 33 × 7 231

Exercise Notes

■ Exercise 49

Problem-Solving Tip Identify which mental math strategy you are using in simplifying a problem. They may realize that they favor one strategy over another.

■ Exercises 58–66

Estimation Estimate the difference and then use a calculator to actually compute the difference.

Exercise Answers

49. Possible answer: Using compatible numbers means the numbers already add, subtract, multiply, or divide together easily, like 125 + 375. Using compensation means using compatible numbers that are close to the actual numbers, like 99 + 101, and then adjusting the answer.

50. 20 × 19 × 5 is easier because 20 and 5 are compatible numbers.

54. Four hundred sixty-seven million, nine hundred eighty-seven thousand, three hundred eighty-two

55. Five billion, nine hundred seventy-six million, three hundred twenty-one thousand, four hundred one

56. Five thousand, nine hundred eighty-three

57. Three million, ninety-three thousand, two

Alternate Assessment

Your may want to use the *Interactive CD-ROM Journal* with this assessment.

Journal Write about your favorite mental math strategy. You should explain why you like to use the strategy, as well as give examples.

Quick Quiz

Do these mentally.

1. 40,000 ÷ 80 500

2. 250 + 565 + 750 1565

3. 267 − 199 68

4. 33 × 7 231

Available on Daily Transparency 2-5

Lesson Organizer

Objective

- Estimate sums and differences using front-end estimation and clustering.

NCTM Standards

- 1–4, 6

Review	► Repaso
1. 35 + 78 113	1. 35 + 78 113
2. 241 + 378 619	2. 241 + 378 619
3. 902 − 345 557	3. 902 − 345 557
4. 554 − 398 156	4. 554 − 398 156
5. Which problems can you do mentally? Answers may vary.	5. ¿Qué problemas puedes resolver de manera mental? Las respuestas pueden variar.

Available on Daily Transparency 2-6

Introduce

Explore

You may wish to use Lesson Enhancement Transparency 7 with this lesson.

The Point

Students invent estimation strategies to find a set of four different pennies with a total cost as close as possible to $30 without going over.

Ongoing Assessment

Some students may try to solve the problem using exact numbers. Encourage them to use estimation to select coins.

For Groups That Finish Early

Find other sets of coins with a total cost close to $30.

1 Introducción

Investigar

Tal vez quiera usar Lesson Enhancement Transparency 7 con esta lección.

Objetivo

Los estudiantes inventan estrategias de cálculo aproximado para reunir un conjunto de cuatro monedas de un centavo cuyo costo total sea lo más cercano posible a $30, pero sin sobrepasarlo.

Evaluación continua

Algunos estudiantes pueden tratar de resolver el problema con números exactos. Anímelos a usar el cálculo aproximado para escoger las monedas.

Para los grupos que terminen antes

Halla otros conjuntos de monedas cuyo costo total sea lo más cercano posible a $30.

Cálculo aproximado de sumas y restas

Vas a aprender...

- a calcular sumas y restas por medio del cálculo aproximado por los primeros dígitos y la agrupación.

...cómo se usa

Al trabajar en un proyecto, los pintores a menudo hacen un cálculo aproximado de los resultados para medir su avance.

► **Enlace con la lección** Has aprendido a utilizar el cálculo mental para encontrar respuestas exactas. En esta lección aprenderás a calcular el resultado aproximado de sumas y restas cuando no necesites obtener respuestas exactas. ◄

Investigar Cálculo aproximado de sumas y restas

Un centavo por tus pensamientos

La tabla muestra los precios de 1913 de las monedas de un centavo —grabadas con la efigie de Lincoln— de las tres acuñaciones en cinco diferentes estados de conservación. Los precios están en dólares.

Acuñación	Buena	Muy buena	Fina	Muy fina	Extremadamente fina
Denver	0.85	1.95	3.79	8.30	16.75
Philadelphia	0.49	0.65	1.19	2.75	9.20
San Francisco	5.15	6.65	7.45	11.19	24.95

1. Sin usar calculadora, trata de hallar un conjunto de cuatro diferentes monedas de un centavo con un costo total aproximado de $30, pero sin que rebase esta cantidad. Inténtalo hasta que encuentres un conjunto de cuatro tan cercano a $30 como sea posible.

2. Calcula qué tan cerca está tu costo total de $30. Explica cómo hiciste tus aproximaciones.

3. Halla el costo total exacto de tus cuatro monedas. Compara tus resultados con los de tus compañeros.

4. Si redondeas dos precios para calcular su suma, ¿cómo puedes estar seguro de que tu aproximación no excede los $30?

5. Sin usar calculadora, ¿cómo puedes afirmar que el costo combinado de las monedas de Denver y de San Francisco de calidad fina es mayor de $11?

¿LO SABÍAS?

La moneda más valiosa de un centavo con la efigie de Lincoln fue acuñada en 1909 en San Francisco. Esta moneda tiene las iniciales VDB, del diseñador Victor D. Brenner. Hoy día, una moneda de Brenner en perfectas condiciones vale alrededor de $750.

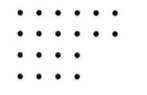

90 Capítulo 2 • Asociación entre aritmética y álgebra

MEETING INDIVIDUAL NEEDS

Resources

2-6 Practice
2-6 Reteaching
2-6 Problem Solving
2-6 Enrichment
2-6 Daily Transparency
  Problem of the Day
  Review
  Quick Quiz
Lesson Enhancement
Transparency 7

Recursos

2-6 Práctica
2-6 Práctica adicional
2-6 Resolución de problemas
2-6 Actividad de enriquecimiento

Learning Modalities

Verbal Ask students to describe situations in which they would want estimates to be low or high. For example, an engineer estimating how much weight a bridge can carry would want to use a low estimate.

Visual Draw an arrangement of dots such as the one shown and ask students to estimate the number of dots. Ask students whether their estimate is high or low and how they know.

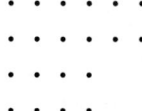

Modos de aprendizaje

Verbal Anime a los estudiantes a describir situaciones en las que se requieran aproximaciones mínimas o máximas. Por ejemplo, para que un ingeniero calcule el peso que puede cargar un puente, primero debe hacer un cálculo aproximado del peso mínimo que soportaría.

Visual Acomode varios puntos como se muestra a continuación y pida a los estudiantes que hagan un cálculo aproximado del número de puntos que ven. Pregúnteles si su aproximación es alta o baja y cómo la obtuvieron.

Inclusion

Students may have difficulty learning two methods of estimation at once. Focus on one method at a time. After they have mastered one estimating skill, they might go on to learn another.

Inclusión

Algunos estudiantes tienen dificultades para aprender dos métodos de cálculo aproximado al mismo tiempo. Explíqueles una técnica a la vez. Cuando hayan dominado un método, enséñeles el otro.

Aprender **Cálculo aproximado de sumas y restas**

Cuando no necesites una respuesta exacta para un problema, haz una aproximación. Al usar el *cálculo aproximado por los primeros dígitos*, suma o resta utilizando sólo el primer dígito de cada número. Efectúa la suma o resta de los dígitos restantes y súmala a tu primer resultado. Para una aproximación más cercana, utiliza los primeros *dos* dígitos.

Ejemplos

1 Realiza 982 − 539 mediante el cálculo aproximado por los primeros dígitos.

$$
\begin{array}{r}
982 \\
- 539 \\
\hline
400 \\
+ \ 40 \\
\hline
440
\end{array}
$$

Resta el primer dígito de cada número.
Súmale 40 puesto que 82 − 39 es alrededor de 40.

2 Haz el cálculo aproximado mediante los dos primeros dígitos: 23,745 + 54,881

$$
\begin{array}{r}
23,745 \\
+ 54,881 \\
\hline
77,000 \\
+ \ 1,600 \\
\hline
78,600
\end{array}
$$

Suma los primeros dos dígitos de cada número.
Suma 1,600 puesto que 745 + 881 es cerca de 1,600.

Cuando sumes varios números que sean parecidos, utiliza la *agrupación* para calcular la suma. Remplaza todos los números por un número cercano a ellos que sea más fácil de multiplicar. Después multiplica.

Ejemplo 3

Un científico midió cuatro pasos de un dinosaurio. Calcula la longitud combinada de los cuatro pasos.

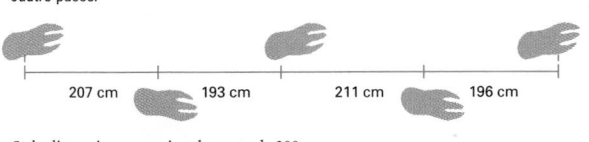

207 cm	193 cm	211 cm	196 cm

CÁLCULO MENTAL
Cuando sumes un conjunto de números iguales, puedes usar la multiplicación como un atajo.

Cada distancia es aproximadamente de 200 cm.

$200 + 200 + 200 + 200 = 4 \times 200 = 800$

El dinosaurio caminó alrededor de 800 cm.

Haz la prueba Respuestas posibles:

Aproxima. **a.** 773 + 848 1620   **b.** 6707 − 4559 2140   **c.** 307 + 297 + 299 900

2-6 • Cálculo aproximado de sumas y restas **91**

MATH EVERY DAY

► Problema del día

Cara tenía que acomodar varios libros en el aparador de una tienda. Ella los ordenó así: 1 libro en la primera hilera, 4 libros en la segunda hilera, 7 libros en la tercera hilera, etcétera. ¿Cuántos libros puso en la séptima hilera? 19 libros

Problem of the Day

Cara was arranging a window display of books at the mall. She put 1 book in the first row, 4 books in the second row, 7 books in the third row, and so on. How many books did she put in the seventh row? 19 books

Available on Daily Transparency 2-6

An Extension is provided in the transparency package.

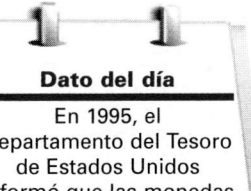

Dato del día

En 1995, el Departamento del Tesoro de Estados Unidos informó que las monedas circulantes sumaban $21,883,282,637.

Fact of the Day

In 1995, the U.S. Department of the Treasury reported that $21,883,282,637 in coins were in circulation.

Mental Math

Do these mentally.

1. 50 + 20 + 80 + 49 + 50 249
2. 328 − 199 129
3. 60 × 700 42,000
4. 42 × 3 126

Cálculo mental

Realiza estos cálculos en forma mental.

1. 50 + 20 + 80 + 49 + 50 249
2. 328 − 199 129
3. 60 × 700 42,000
4. 42 × 3 126

Respuestas de Investigar

1. Una Philadelphia extremadamente fina, una Denver muy fina, una San Francisco muy fina y una Philadelphia fina.

2. Como $30 es $9.20 + $8.30 = $17.50, $1.19 + $11.19 es aproximadamente $12.50, y $17.50 + $12.50 = $30.

3. $29.88

4. Si se redondean ambos números para que parezcan menores de lo que son, entonces el cálculo aproximado no puede ser mayor que la suma real.

5. Puesto que $3 + $7 = 10 y $0.79 + $0.45 son mayores que $1, la suma debe ser mayor que $11.

2 Enseñanza

Aprender

Ejemplos adicionales

1. Usa un dígito en el cálculo aproximado por los primeros dígitos para hallar 876 − 453.

$$
\begin{array}{r}
876 \\
- 453 \\
\hline
400 \\
+ \ 20 \\
\hline
420
\end{array}
$$

Resta el primer dígito.
76 − 53 es como 20.

2. Usa los primeros dos dígitos para hacer un cálculo aproximado: 43,257 + 52,913

$$
\begin{array}{r}
43,257 \\
+ 52,913 \\
\hline
95,000 \\
+ \ 1,200 \\
\hline
96,200
\end{array}
$$

Suma los primeros dos dígitos.
257 + 913 como 1200.

3. Alice necesitaba saber cuántos periódicos se distribuían en la escuela intermedia. Las suscripciones son las siguientes: Sexto grado, 444; séptimo grado, 465; octavo grado, 451.

Cada grado tiene aproximadamente 450 estudiantes.

$450 + 450 + 450 = 3 \times 450 = 1350$

Se distribuyeron como 1350 periódicos.

Answers for Explore

1. A Philadelphia Extremely Fine, a Denver Very Fine, a San Francisco Very Fine, and a Philadelphia Fine.

2. Almost $30 as $9.20 + $8.30 = $17.50, $1.19 + $11.19 is about $12.50, and $17.50 + $12.50 = $30.

3. $29.88

4. If you round both of the numbers to be smaller than they are, then the estimate cannot be bigger than the actual sum.

5. Since $3 + $7 = 10 and $0.79 + $0.45 is over $1, the sum must be over $11.

Teach

Learn

Alternate Examples

1. Estimate 876 − 453 using one-digit front-end estimation.

$$
\begin{array}{r}
876 \\
- 453 \\
\hline
400 \\
+ \ 20 \\
\hline
420
\end{array}
$$

Subtract the first digit.
76 − 53 is about 20.

2. Estimate using the first two digits: 43,257 + 52,913

$$
\begin{array}{r}
43,257 \\
+ 52,913 \\
\hline
95,000 \\
+ \ 1,200 \\
\hline
96,200
\end{array}
$$

Add the first 2 digits.
257 + 913 is about 1200.

3. Alice needed to know about how many newspapers were distributed to the middle school. Here are the enrollments: Grade 6, 444; Grade 7, 465; Grade 8, 451.

Each grade has about 450 students.

$450 + 450 + 450 = 3 \times 450 = 1350$

About 1350 newspapers were distributed.

Assignment Guide

- Basic 1–12, 22–23, 27–29, 31–38

- Average 5–17, 22–30, 31–37 odds

- Enriched 9–30, 31–37 odds

Practice and Assess

Check

Answers for Check Your Understanding

1. Possible answer: Exact answers are needed when figuring out how much to pay for a group of items or using precise numbers in scientific studies. Estimates are satisfactory when figuring out about how much something will cost.

2. No; They are similar, but front-end estimation usually uses the first digit or two without rounding.

3 Práctica y evaluación

Comprobar

Respuestas de Comprobar tu comprensión

1. Respuesta posible: Se necesitan respuestas exactas cuando hay que saber cuánto debe pagarse por un conjunto de artículos o cuando se usan números precisos en trabajos científicos. Los cálculos aproximados son satisfactorios cuando sólo se quiere tener una idea de cuál será el costo de algo.

2. No; Son similares, pero el cálculo aproximado por los primeros dígitos suele basarse en uno o dos dígitos sin redondearlos.

Reteaching

Activity

Roll	Turn 1	Turn 2	Turn 3
1	2,125	3,125	37,683
2	3,243	2,187	39,049
3	2,256	1,024	41,250
4	3,625	5,625	44,034
5	2,729	6,561	45,789
6	1,512	2,048	50,219

Materials: Number cubes

- Work with a partner. Toss a number cube three times. After each toss, record the number from the table that is the score for that turn. For example, if a 3, 6, and 1 are tossed, record 2,256, 2,048, and 37,683 as your scores.

- Estimate the sum of your scores. The player whose sum is closest to 50,000 wins the round.

- If both players' estimates are close to 50,000 you may have to find the actual sum of each score.

Práctica adicional

Actividad

Tirada	Turno 1	Turno 2	Turno 3
1	2,125	3,125	37,683
2	3,243	2,187	39,049
3	2,256	1,024	41,250
4	3,625	5,625	44,034
5	2,729	6,561	45,789
6	1,512	2,048	50,219

Materiales: Dados

- Trabaja con un compañero. Tira un dado tres veces. Después de cada tirada, registra el número de la tabla con el resultado de ese turno. Por ejemplo, si tiras 3, 6 y 1, anótate estos puntos: 2,256, 2,048 y 37,683.

- Haz un cálculo aproximado de los puntos que obtuviste. Gana el jugador cuya suma esté más cerca de 50,000.

- Si los cálculos de ambos jugadores están cerca de 50,000, tal vez tengas que encontrar la suma real de cada puntuación.

Comprobar | Tu comprensión

1. Describe algunas situaciones cotidianas en las cuales se usen sumas y restas y que requieran de respuestas exactas. Describe algunas situaciones en donde los cálculos aproximados sean satisfactorios.

2. ¿Es el cálculo aproximado por los primeros dígitos lo mismo que redondear y después sumar? Explica tu respuesta.

2-6 Ejercicios y aplicaciones

Práctica y aplicación

1. **Para empezar** Simplifica mediante el cálculo aproximado por los primeros dígitos; primero con un dígito, después con dos.
   a. $216 + 516$ 730; 732
   b. $3006 - 1811$ 1200; 1195
   c. $85,002 - 12,667$ 72,000; 72,300
   d. $880 + 110$ 990; 990

Haz el cálculo aproximado de estas expresiones. Respuestas posibles para ejercicios 2–24 y 26:

2. $555 + 429$ **985**

3. $489 + 495 + 976 + 503 + 515$ **3000**

4. $7641 - 2578$ **5100**

5. $98 + 107 + 95 + 97 + 103$ **500**

6. $53,923,831 + 54,902,756$ **109,000,000**

7. $873 - 549$ **325**

8. $3101 + 3054 + 2916$ **9000**

9. $5,901,877 - 2,635,392$ **3,300,000**

10. $3409 + 7118$ **10,500**

11. $257 + 249 + 241 + 259$ **1000**

12. $48,206 + 81,175$ **129,000**

13. $443 + 158$ **600**

14. $1054 - 928$ **125,000**

15. $7621 + 8109 + 2117$ **18,000**

16. $14,651 + 23,977$ **38,500**

17. $9 + 11 + 13 + 8 + 7 + 12 + 9$ **70**

18. $15,279 - 7,033$ **8,700**

19. $8,715,739 + 9,849,129$ **18,500,000**

20. $891 + 677$ **1570**

21. $1577 - 1328$ **250**

22. **Geografía** La profundidad promedio del Mar del Caribe es de 8685 pies. La profundidad promedio del Mar del Sur de China es de 5419 pies. ¿Cuánto más profundo es, aproximadamente, el mar del Caribe? **3300 ft**

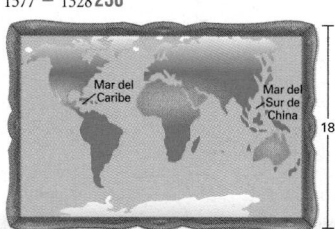

23. **RGP** El marco de un cuadro mide 36 por 18 pulgadas. Calcula el perímetro aproximado del marco. **110 in.**

PRACTICE

Nombre _____   **Práctica 2-6**

Cálculo de sumas y diferencias

Haz un cálculo aproximado de las siguientes operaciones.

1. $38,624 + 83,102$ **121,700**

2. $47,623 - 12,385$ **35,200**

3. $37 + 42 + 43$ **120**

4. $387 + 410 + 405$ **1,200**

5. $824,368 + 217,638$ **1,042,000**

6. $847,167 - 382,208$ **465,000**

7. $6375 - 1890$ **4,500**

8. $7538 + 2317$ **9,850**

9. $163,462 + 3,210$ **166,700**

10. $6138 + 5963 + 6023 + 5874 + 6003$ **30,000**

11. $69 + 73 + 71 + 68 + 70 + 72 + 67 + 72$ **560**

12. $894 + 925 + 888 + 907 + 873 + 895$ **5400**

13. $83,762 + 83,984 + 84,731 + 84,201$ **336,000**

14. $38,124 + 92,064 + 67,312 + 53,720$ **251,000**

15. $1632 + 3129 + 6473 + 3217$ **14,450**

16. $867,530 + 9,874 + 128,382$ **1,006,000**

17. $58,128 + 59,370 + 60,028 + 62,310$ **240,000**

18. $92,163 + 87,920 + 91,325 + 89,012$ **360,000**

19. El club Broken Hill Darts estableció una marca mundial de tiro de dardos al acumular 1,772,249 puntos en 24 horas. La marca de un equipo de mujeres es de 744,439, obtenida por un equipo inglés. ¿Aproximadamente cuántos puntos más obtuvo el club Broken Hill Darts que el equipo inglés?   **Alrededor de 980,000 puntos**

20. En 1990 la población de Fresno, CA, era de 354,202, y la de New Orleans, LA, era de 496,938. Calcula la población aproximada de estas dos ciudades juntas.   **Como 851,000**

RETEACHING

Nombre _____   **Práctica adicional 2-6**

Cálculo de sumas y diferencias

Para aproximar una suma o diferencia con el *cálculo por los primeros dígitos*, suma o resta los primeros dígitos de cada número. Aproxima la suma o diferencia de los dígitos restantes y súmala al primer cálculo.

Cuando sumes varios números que sean más o menos iguales, usa la agrupación para calcular la suma. Reemplaza todos los números por un solo número cercano a estos que sea fácil de multiplicar. Después multiplica.

— Ejemplo 1 —

Usa el cálculo por los primeros dígitos para aproximar $640 + 521$.

Paso 1: Suma el primer dígito de cada número: $6 + 5 = 11$.

$$\begin{array}{r} 640 \\ +\ 521 \\ \hline 1100 \end{array}$$

Paso 2: Suma 60 porque $40 + 21$ es alrededor de 60.

$$\begin{array}{r} 1100 \\ +\ 60 \\ \hline 1160 \end{array}$$

$640 + 521$ es como 1160.

Haz la prueba Calcula $3785 - 1276$ mediante el cálculo aproximado por los primeros dígitos.

a. ¿Cuáles dos dígitos se van a restar primero? ¿Cuál es la diferencia?   **3 – 1; 2**

b. Calcula la diferencia aproximada de los dígitos restantes.   **≈ 500**

c. Haz un cálculo aproximado de $3785 - 1276$.   **2500**

Usa el cálculo aproximado por los primeros dígitos para calcular.

d. $2118 + 4632$ **≈ 6700**

e. $9380 - 5252$ **≈ 4100**

— Ejemplo 2 —

Aproxima $310 + 305 + 298 + 296 + 302$ por medio de la agrupación.

Cada uno de los números está cerca de 300. Hay 5 números.
$300 + 300 + 300 + 300 + 300 = 5 \times 300 = 1500$

Por tanto, $310 + 305 + 298 + 296 + 302$ es alrededor de 1500.

Haz la prueba Usa la agrupación para aproximar $189 + 199 + 215$.

f. ¿Qué número está cerca de los tres números que se suman?   **200**

g. ¿Cuántos números se están sumando?   **3**

h. Haz una cálculo aproximado de $189 + 199 + 215$.   **≈ 600**

Aproxima por medio de la agrupación.

i. $468 + 525 + 491 + 501$ **≈ 2000**

j. $710 + 745 + 699 + 685 + 708$ **≈ 3500**

---

24. Literatura En el *Oxford English Dictionary* la letra con más entradas es la *s*, con 34,556 vocablos. La siguiente es la *c*, con 26,239 y después la *p* con 24,980.

a. Calcula el número aproximado de palabras en el diccionario que comienzan con *s*, *c* o *p*. **85,800**

b. Calcula la diferencia aproximada entre el número de palabras que comienzan con *c* y las que empiezan con *p*. **1200**

Utiliza la tabla adjunta para resolver los ejercicios 25 y 26.

25. Efectúa el cálculo aproximado por los primeros dígitos (primero con un dígito y luego con dos) para el número total de monedas acuñadas de un centavo. **99,000,000; 98,400,000**

Acuñación	Número de monedas de un centavo acuñadas
Denver	15,804,000
Philadelphia	76,532,352
San Francisco	6,101,000

26. Calcula aproximadamente qué tantas monedas más se hicieron en Philadelphia que en Denver. **60,500,000**

27. **Para la prueba** Un banco tiene 2 millones de dólares. En un día se retiran $1,002,987 y se depositan $2,987,102. ¿Cuál cálculo acerca de cuánto dinero tiene el banco al final del día es más aproximado?

Ⓐ $1 millón　　Ⓑ $2 millones　　Ⓒ $3 millones　　Ⓓ $4 millones

RESOLVER PROBLEMAS 2-6

Resolución de problemas y razonamiento

28. Razonamiento crítico Erika calculó en 900 la suma de 299 + 298 + 297. ¿Fue alta o baja su aproximación? Explica tu respuesta.

29. Explica cómo sumar un conjunto de números por medio de la agrupación. Proporciona un ejemplo para ilustrar tu respuesta.

30. Comunicación Para 86,002 + 17,775, ¿cuánto más exacto es un cálculo aproximado por los primeros dígitos con dos dígitos que con uno?

Repaso mixto

Redondea al valor posicional dado. *[Lección 2-2]*

31. 6,967,243; a centenas de millar **7,000,000**　　**32.** 42,352,408; a centenas **42,352,400**

33. 423,855,211; a centenas de millón **400,000,000**　　**34.** 8,788,212,403; a millares **8,788,212,000**

Haz las siguientes restas. *[Curso anterior]*

35. $823.44 − $127.58 **$695.86**　　**36.** $212,203 − $83,498 **$128,705**

37. $62,148.67 − $45,746.23 **$16,402.44**　　**38.** $753,497.62 − $376,032.07 **$377,465.55**

2-6 • Cálculo aproximado de sumas y restas **93**

Notas sobre los ejercicios

■ Ejercicios 2–21

Cálculo aproximado Según el método de cálculo aproximado que hayan escogido, los estudiantes pueden obtener respuestas un poco diferentes de las que se dan. Quizá sea útil pedirles que expliquen cómo hallaron sus respuestas.

■ Ejercicio 24

Ampliación Este es un buen problema que puede usarse para comentar los diferentes métodos de cálculo aproximado. Anime a los estudiantes a compartir la manera como resolvieron el problema.

Respuestas de Ejercicios

27. D

28. El cálculo aproximado de Erika estuvo alto. Cada uno de los números es menor que 300.

29. Los números se remplazan con un solo número cercano a ellos que sea fácil de multiplicar, y después se multiplican. Por ejemplo, 49 + 51 + 53 es como 3 × 50 ó 150.

30. Puesto que con dos dígitos el cálculo aproximado por los primeros dígitos es 103,800 y con un dígito es 104,000, el primer cálculo es más cercano —por 200— a la suma real.

Evaluación adicional

Tal vez quiera usar el *Diario interactivo CD-ROM* con esta evaluación.

En tu diario Describe en un párrafo los métodos de cálculo aproximado que conoces y explica cómo decidiste qué método utilizar.

Exercise Notes

■ Exercises 2–21

Estimation Depending upon the estimation method selected, students may get slightly different estimates than those given. It may be helpful to ask students to explain how they found their answers.

■ Exercise 24

Extension This is a good problem to use to discuss different estimation methods. Have students share how they solved the problem.

Exercise Answers

27. D

28. Erika's estimate was high. Each of the numbers is less than 300.

29. Replace all of the numbers with a single number close to them that is easy to multiply, and then multiply. For example, 49 + 51 + 53 is about 3 × 50, or 150.

30. Since the two-digit front-end estimate is 103,800 and the one-digit front-end estimate is 104,000, the two-digit front-end estimate is closer to the actual sum of 103,777 by 200.

Alternate Assessment

You may want to use the *Interactive CD-ROM Journal* with this assessment.

Journal Write a paragraph describing the different methods of estimating and explaining how you decide which method to use.

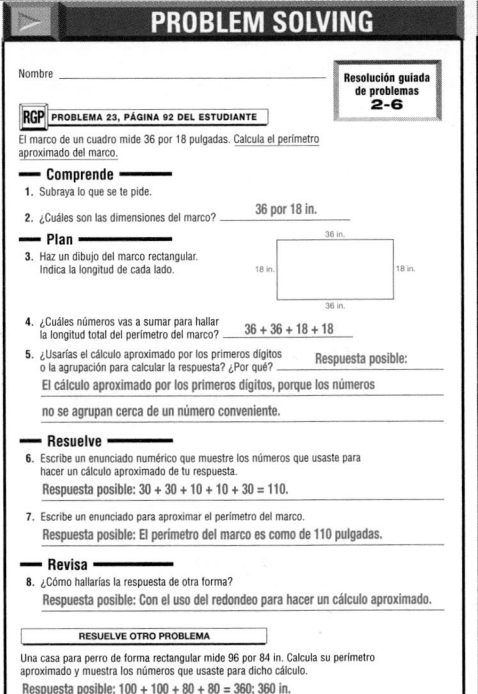

PROBLEM SOLVING

Nombre _____

Resolución guiada de problemas 2-6

RGP PROBLEMA 23, PÁGINA 92 DEL ESTUDIANTE

El marco de un cuadro mide 36 por 18 pulgadas. Calcula el perímetro aproximado del marco.

── Comprende ──

1. Subraya lo que se te pide.

2. ¿Cuáles son las dimensiones del marco? **36 por 18 in.**

── Plan ──

3. Haz un dibujo del marco rectangular. Indica la longitud de cada lado.

36 in.
18 in.　18 in.
36 in.

4. ¿Cuáles números vas a sumar para hallar la longitud total del perímetro del marco? **36 + 36 + 18 + 18**

5. ¿Usarías el cálculo aproximado por los primeros dígitos o la agrupación para calcular la respuesta? ¿Por qué? **Respuesta posible:** El cálculo aproximado por los primeros dígitos, porque los números no se agrupan cerca de un número conveniente.

── Resuelve ──

6. Escribe un enunciado numérico que muestre los números que usaste para hacer un cálculo aproximado de tu respuesta. Respuesta posible: 30 + 30 + 10 + 10 + 30 = 110.

7. Escribe un enunciado para aproximar el perímetro del marco. Respuesta posible: El perímetro del marco es como de 110 pulgadas.

── Revisa ──

8. ¿Cómo hallarías la respuesta de otra forma? Respuesta posible: Con el uso del redondeo para hacer un cálculo aproximado.

RESUELVE OTRO PROBLEMA

Una casa para perro de forma rectangular mide 96 por 84 in. Calcula su perímetro aproximado y muestra los números que usaste para dicho cálculo. Respuesta posible: 100 + 100 + 80 + 80 = 360; 360 in.

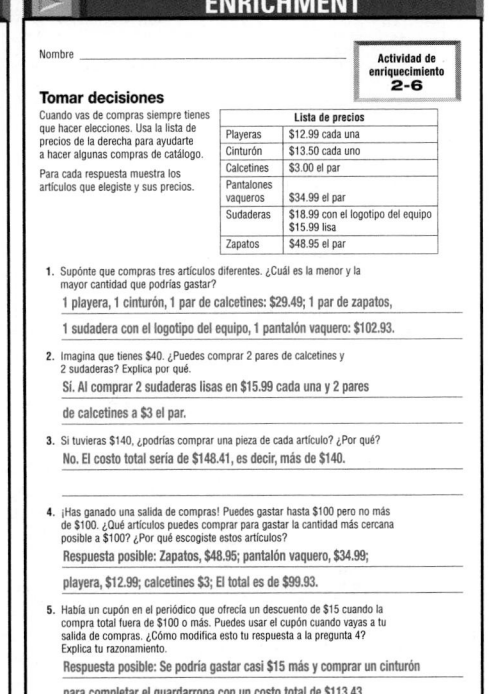

ENRICHMENT

Nombre _____

Actividad de enriquecimiento 2-6

Tomar decisiones

Cuando vas de compras siempre tienes que hacer elecciones. Usa la lista de precios de la derecha para ayudarte a hacer algunas compras de catálogo.

Para cada respuesta muestra los artículos que eliges y sus precios.

Lista de precios	
Playeras	$12.99 cada una
Cinturón	$13.50 cada uno
Calcetines	$3.00 el par
Pantalones vaqueros	$34.99 el par
Sudaderas	$18.99 con el logotipo del equipo $15.99 lisa
Zapatos	$48.95 el par

1. Supónte que compras tres artículos diferentes. ¿Cuál es la menor y la mayor cantidad que podrías gastar?
1 playera, 1 cinturón, 1 par de calcetines: $29.49; 1 par de zapatos, 1 sudadera con el logotipo del equipo, 1 pantalón vaquero: $102.93.

2. Imagina que tienes $40. ¿Puedes comprar 2 pares de calcetines y 2 sudaderas? Explica por qué.
Sí. Al comprar 2 sudaderas lisas en $15.99 cada una y 2 pares de calcetines a $3 el par.

3. Si tuvieras $140, ¿podrías comprar una pieza de cada artículo? ¿Por qué?
No. El costo total sería de $148.41, es decir, más de $140.

4. ¡Has ganado una salida de compras! Puedes gastar hasta $100 pero no más de $100. ¿Qué artículos puedes comprar para gastar la cantidad más cercana posible a $100? ¿Por qué escogiste estos artículos?
Respuesta posible: Zapatos, $48.95; pantalón vaquero, $34.99; playera, $12.99; calcetines $3; El total es de $99.93.

5. Había un cupón en el periódico que ofrecía un descuento de $15 cuando la compra total fuera de $100 o más. Puedes usar el cupón cuando vayas a tu salida de compras. ¿Cómo modifica esto tu respuesta a la pregunta 4? Explica tu razonamiento.
Respuesta posible: Se podría gastar casi $15 más y comprar un cinturón para completar el guardarropa con un costo total de $113.43.

▶ Prueba rápida

Haz un cálculo aproximado y explica cómo obtuviste la respuesta.

1. 34,728 + 42,519 **77,200;** Cálculo aproximado por los primeros dígitos basado en dos dígitos.

2. 934,362 − 438,299 **500,000;** Cálculo aproximado por los primeros dígitos basado en un dígito.

3. 289 + 302 + 311 + 298 + 301 **1500;** Agrupación.

Quick Quiz

Estimate and explain how you got your answer.

1. 34,728 + 42,519 **77,200;** Two-digit front-end estimation

2. 934,362 − 438,299 **500,000;** One-digit front-end estimation

3. 289 + 302 + 311 + 298 + 301 **1500;** Clustering

Available on Daily Transparency 2-6

Objective

- Estimate products and quotients using rounding and compatible numbers.

NCTM Standards

- 1–4, 7, 13

Review	Repaso
Round 32,456,278,199 to the indicated place.	Redondea 32,456,278,199 al valor posicional indicado.
1. Thousands 32,456,278,000	1. Millares 32,456,278,000
2. Millions 32,456,000,000	2. Millones 32,456,000,000
3. Ten-thousands 32,456,280,000	3. Decenas de millar 32,456,280,000
4. Hundred-millions 32,500,000,000	4. Centenas de millón 32,500,000,000

Available on Daily Transparency 2-7

Introduce

Explore

The Point

Students estimate products and quotients to compare costs for marbles on each day.

Ongoing Assessment

Some students may divide to find the cost for one marble each day and then answer the questions. Others may note, however, that marbles cost less in March than in February because in March you get one more marble for the same price as in February.

For Groups That Finish Early

Terry spent $563 on Peppermint Swirl marbles from February through May. How many marbles did she buy and in which months? 5 for $250 in April; 4 for $164 in May; Either 3 for $149 in February or 4 for $149 in March.

1 Introducción

Objetivo

Los estudiantes hacen cálculos aproximados de productos y cocientes para comparar los costos de las canicas cada día.

Evaluación continua

Algunos estudiantes dividen para hallar el costo de una canica cada día y después responden las preguntas. Sin embargo, otros advierten que las canicas son menos costosas en marzo que en febrero, porque en marzo obtienen una canica más por el mismo precio.

Para los grupos que terminen antes

Terry gastó $563 en canicas Peppermint Swirl de febrero a mayo. ¿Cuántas canicas compró y en qué meses?
5 por $250 en abril; 4 por $164 en mayo; Ya sea 3 por $149 en febrero ó 4 por $149 en marzo.

Vas a aprender...

■ a calcular productos y cocientes aproximados mediante el redondeo y los números compatibles.

...cómo se usa

Los cocineros emplean las habilidades de cálculo para determinar la cantidad aproximada de un ingrediente que debe usarse al cocinar.

▶ Enlace con la lección En la lección anterior aprendiste métodos útiles para calcular los resultados aproximados de sumas y restas. Ahora aprenderás dos métodos funcionales para problemas de multiplicación y división. ◀

Investigar Cálculo aproximado

Ojos de gato e Immies

La tienda Canicas Maravillosas vende un tipo raro de canicas conocido como "Peppermint swirl". El precio de esta canica varía cada mes.

Sin usar calculadora, contesta las preguntas.

Peppermint Swirl	
Enero	1 por $58
Febrero	3 por $149
Marzo	4 por $149
Abril	5 por $250
Mayo	2 por $82

1. ¿En febrero subió o bajó el precio de una canica? Explica tu respuesta.

2. ¿En marzo subió o bajó el precio de una canica? ¿Por qué?

3. ¿En abril subió o bajó el precio de una canica? Fundamenta tu respuesta.

4. ¿En mayo subió o bajó el precio de una canica? Explica tu razonamiento.

5. ¿En qué mes se registró el precio más alto? ¿Cuál fue la causa?

6. ¿En qué mes tuvo el precio más bajo? Explica la razón.

No te olvides

Para redondear un número, fíjate en el dígito que está a la derecha del que quieres redondear. Si el dígito es mayor o igual a 5, redondea hacia arriba. Si es menor de 5, deja el dígito que quieres redondear como está. **[Página 71]**

Aprender Cálculo aproximado de productos y cocientes

Del mismo modo que las sumas y restas, los productos y cocientes pueden calcularse de manera aproximada cuando no necesitas respuestas exactas. Para calcular un producto o cociente por medio del *redondeo*, todos los números se redondean para que cada uno contenga sólo un dígito diferente de cero; después se multiplica o divide.

▶ MEETING INDIVIDUAL NEEDS

Resources

2-7 Practice
2-7 Reteaching
2-7 Problem Solving
2-7 Enrichment
2-7 Daily Transparency
   Problem of the Day
   Review
   Quick Quiz
Teaching Tool Transparencies 2, 3

Recursos

2-7 Práctica
2-7 Práctica adicional
2-7 Resolución de problemas
2-7 Actividad de enriquecimiento

Learning Modalities

Verbal Have students write and perform a short skit in which the characters must solve a variety of estimation problems.

Logical Have students investigate which estimation methods give better answers in which situations.

Modos de aprendizaje

Verbal Anime a los estudiantes a escribir y actuar una breve escena cómica en la que los personajes resuelvan diversos problemas mediante cálculos aproximados.

Lógico Los estudiantes deberán investigar qué métodos de cálculo aproximado producen mejores resultados en cada situación.

Challenge

Look through newspapers for examples of cars, appliances, or any other items that come with one or more options. Write problems in which you must either estimate the total cost of the item with several options or compare the cost of the item with different packages of options.

Desafío

Busca en diarios y revistas algunos ejemplos de autos, electrodomésticos y otros objetos que se muestren en varias presentaciones. Escribe problemas sobre el costo aproximado de cada artículo según las opciones incluidas o compara el costo de diferentes paquetes de opciones.

Ejemplos

Usa el redondeo para calcular.

1 429×16

$429 \times 16 \approx 400 \times 20$ Redondea.

    $= 8000$

2 $1170 \div 45$

$1170 \div 45 \approx 1000 \div 50$ Redondea.

    $= 20$

Haz la prueba

Calcula por medio del redondeo.

a. $84 \times 279 \approx \mathbf{24{,}000}$

b. $7912 \div 43 \approx \mathbf{200}$

> **No te olvides**
>
> El símbolo ≈ significa "es aproximadamente igual a".
>
> [Curso anterior]

Para efectuar cálculos aproximados con *números compatibles*, reescribe el problema utilizando números que se relacionen con facilidad. Después multiplica o divide.

Ejemplos

3 Calcula 48×12 mediante números compatibles.

$48 \times 12 \approx 50 \times 10 = 500$

4 En el juego número 28 de la temporada de baloncesto, Ted anotó 231 puntos. Calcula el promedio aproximado de puntos anotados en cada juego.

$231 \div 28 \approx 240 \div 30 = 8$

Anotó cerca de 8 puntos por juego.

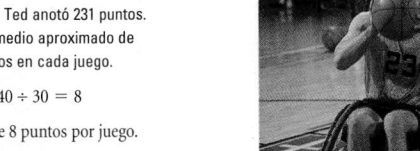

Haz la prueba

Usa números compatibles para los siguientes cálculos. **Respuestas posibles:**

a. 22×31 **600**

b. $553 \div 79$ **7**

Comprobar Tu comprensión

1. ¿El redondeo y los números compatibles son estrategias adecuadas para calcular problemas de suma y resta? Justifica tu respuesta.

2. Explica dos formas en que puedas calcular de manera aproximada $3177 \div 45$.

2-7 • Cálculo aproximado de productos y cocientes   **95**

MATH EVERY DAY

▶ Problema del día

En su cumpleaños, Jennifer gastó la mitad de sus ahorros en un centro comercial y donó $5 a una obra de caridad. Después recibió $25 como obsequio de cumpleaños. Ahora tiene $128. ¿Cuánto dinero tenía antes de ir al centro comercial? **$216**

Problem of the Day

On her birthday, Jennifer spent half of her savings at the mall and then donated $5 to charity. She received $25 as a birthday gift. Now she has $128. How much money did Jennifer have before she went to the mall? **$216**

Available on Daily Transparency 2-7

An Extension is provided in the transparency package.

Dato del día

Hasta 1995, Michael Jordan había participado en 684 juegos y había anotado 21,998 puntos. Esto significa que promedia 32.2 puntos por juego.

Fact of the Day

By 1995, Michael Jordan had played 684 games, scoring 21,998 points. He averaged a record 32.2 points a game.

Mental Math

Do these mentally.

1. 42×8 336
2. $72{,}000 \div 80$ 900
3. $345 + 298$ 643
4. $72 + 35 + 65$ 172

Cálculo mental

Haz estos cálculos en forma mental.

1. 42×8 **336**
2. $72{,}000 \div 80$ **900**
3. $345 + 298$ **643**
4. $72 + 35 + 65$ **172**

Respuestas de Investigar

1. Bajó; Con relación a enero, el precio de una canica es menor.

2. Bajó; En febrero, 3 canicas costaban $149, en marzo 4 canicas costaban la misma cantidad.

3. Subió; Comparado con marzo, el precio de una canica es mayor.

4. Bajó; Con relación a abril, el precio de una canica es menor.

5. Enero; El precio de una canica era $58.

6. Marzo; El precio de una canica era menos de $40.

2 Enseñanza

Aprender

Algunos estudiantes prefieren redondear cada factor con uno o dos dígitos. Por ejemplo, 429×16 puede redondearse a $400 \times 15 = 6000$ ó $430 \times 20 = 8600$. Los estudiantes deben darse cuenta de que el primero de estos cálculos aproximados es un poco bajo, mientras que el segundo es bastante alto.

Ejemplos adicionales

Usa el redondeo para hacer un cálculo aproximado.

1. 378×18

   Redondear a $400 \times 20 = 8000$

2. $2078 \div 39$

   Redondear a $2000 \div 40 = 50$

3. Usa números compatibles para hacer un cálculo aproximado de 53×18.

   $53 \times 18 \approx 50 \times 20 = 1000$

4. Sue anotó 327 puntos durante los 29 juegos de la temporada de baloncesto. Haz un cálculo aproximado del promedio de puntos que anotó en cada juego.

   $327 \div 29 \approx 330 \div 30 = 11$

   En promedio anotó como 11 puntos por juego.

3 Práctica y evaluación

Comprobar

Respuestas de Comprobar tu comprensión

1. Sí; Porque el redondeo y los números compatibles harían más fáciles la suma y la resta, y también se obtendrían respuestas cercanas.

2. Hacer un cálculo aproximado para resolver $3000 \div 50$ ó $3200 \div 40$.

Answers for Explore

1. Down; Compared to January, the price of one marble is less.

2. Down; In February, 3 marbles cost $149, in March, 4 marbles cost the same amount.

3. Up; Compared to March, the price of one marble is more.

4. Down; Compared to April, the price of one marble is less.

5. January; The price of one marble is $58.

6. March; The price of one marble is less than $40.

Teach

Learn

Some students may be comfortable rounding each factor to either one or two digits. For example, 429×16 could be rounded to $400 \times 15 = 6000$ or $430 \times 20 = 8600$. Students should note that the first of these estimates is a little low, while the second is quite high.

Alternate Examples

Estimate using rounding.

1. 378×18

   Round to $400 \times 20 = 8000$

2. $2078 \div 39$

   Round to $2000 \div 40 = 50$

3. Estimate 53×18 using compatible numbers.

   $53 \times 18 \approx 50 \times 20 = 1000$

4. Sue scored 327 points during the 29-game basketball season. Estimate the average number of points she scored each game.

   $327 \div 29 \approx 330 \div 30 = 11$

   She averaged about 11 points each game.

Practice and Assess

Check

Answers for Check Your Understanding

1. Yes; Because rounding and compatible numbers would make addition and subtraction easy and still give close answers.

2. Estimate by solving $3000 \div 50$ or $3200 \div 40$.

Assignment Guide

- Basic 1–20, 35–41 odds, 44–62 evens
- Average 1–25, 34–42, 44–62 evens
- Enriched 6–42, 43–61 odds

Exercise Notes

■ **Exercises 2–33**

Error Prevention Watch for students who place the incorrect number of zeros in the product or quotient. Review the process of multiplying and dividing multiples of ten.

■ **Exercise 36**

Social Studies In the United States, the newspaper with the highest daily circulation is *USA Today* at approximately 1,500,000 copies for its Monday through Thursday editions and almost 2,000,000 copies for its weekend edition. The *New York Times* has a circulation of 1,700,000 for its Sunday paper.

Notas sobre los ejercicios

■ **Ejercicios 2–33**

Prevención de errores Observe a los estudiantes que colocan el número incorrecto de ceros en el producto o el cociente. Repase el proceso necesario para multiplicar y dividir múltiplos de diez.

■ **Ejercicio 36**

Ciencias sociales En Estados Unidos, el periódico de mayor circulación diaria es *USA Today* con aproximadamente 1,500,000 ejemplares de lunes a jueves y casi 2,000,000 de ejemplares los fines de semana. El *New York Times* tiene una circulación de 1,700,000 en su edición dominical.

2-7 Ejercicios y aplicaciones

Práctica y aplicación

1. Para empezar Usa el redondeo para calcular estas expresiones.

a. 560×4 **2400** b. $7800 \div 22$ **400** c. 68×472 **35,000** d. $9433 \div 300$ **30**

Utiliza los números compatibles para calcular estas operaciones. **Respuestas posibles:**

e. $372 \div 56$ **6 ó 7** f. 58×5 **300** g. $8099 \div 8$ **1000** h. 27×4286 **120,000**

Haz el cálculo aproximado de las siguientes expresiones. **Respuestas posibles para ejercicios 2–37.**

2. $183 \div 21$ **9** 3. 7111×7888 **56,000,000** 4. $327 \div 64$ **5** 5. 488×53 **25,000**

6. $4522 \div 92$ **50** 7. $9 \times 11 \times 17$ **1700** 8. $11 \times 23 \times 98$ **23,000** 9. $777 \div 38$ **20**

10. 217×308 **60,000** 11. $207 \times 6 \times 15$ **15,000** 12. $24,111 \div 84$ **300** 13. 54×82 **4000**

14. $4270 \div 38$ **100** 15. $2803 \div 24$ **100** 16. $1895 \div 463$ **4** 17. 463×719 **350,000**

18. $5 \times 26 \times 12$ **1250** 19. $175 \div 28$ **6** 20. $425 \div 59$ **7** 21. $51 \times 14 \times 19$ **14,000**

22. $358 \div 7$ **50** 23. $149 \div 4$ **40** 24. 29×41 **1200** 25. $19 \times 4 \times 7$ **560**

26. $248 \times 5 \times 8$ **10,000** 27. $23,714 \div 522$ **50** 28. 185×29 **6000** 29. $200,000 \div 720$ **300**

30. $2733 \div 71$ **40** 31. $103 \div 54$ **2** 32. $3625 \div 581$ **6** 33. $5 \times 9 \times 2457$ **100,000**

34. Tracy colecciona partituras antiguas. En un baúl de un mercado de antigüedades encontró 19 partituras cuyo precio era de $4.95 cada una. Calcula el costo aproximado total de las partituras. **$100**

35. **Industria** El vuelo 777 lleva 54 pasajeros, cada uno con 2 maletas. Cada maleta pesa, en promedio, 36 libras. Si el avión se diseñó para cargar 5000 libras de equipaje, ¿está el vuelo subcargado o sobrecargado de equipaje? **Subcargado**

36. **Ciencias sociales** En Japón, el *Yomiuri Shimbun* es el periódico de mayor circulación, con un tiraje de 8,700,000 ejemplares al día. Si los periódicos de un día se distribuyeran de manera uniforme entre las cuatro islas de Japón, ¿aproximadamente cuántos periódicos estarían en cada isla? **2,200,000**

37. **Medición** Una milla tiene 5280 pies y un pie tiene 12 pulgadas. Calcula el número aproximado de pulgadas en una milla. **60,000**

Reteaching

Activity

Materials: Index cards

- Work in groups of three or four. Label half of the index cards with the digits 1 through 9 and shuffle.
- Label the other half with a variety of numbers from 11 through 99 and shuffle. Keep each set separate.
- Draw two cards, one from each set. Estimate the product of the two numbers, while the other players check your work.

Práctica adicional

Actividad

Materiales: Tarjetas

- Trabaja en grupos de tres o cuatro. Marca la mitad de las tarjetas con los dígitos del 1 al 9 y revuélvelas.
- Marca la otra mitad con algunos números del 11 al 99 y revuélvelas. Guarda cada grupo por separado.
- Toma dos tarjetas, una de cada grupo. Haz un cálculo aproximado del producto de los dos números, mientras los demás jugadores revisan tu trabajo.

PRACTICE

Nombre _____   **Práctica 2-7**

Cálculo aproximado de productos y cocientes

Haz un cálculo aproximado de las siguientes operaciones.

1. 38×47 **2,000** 2. 58×72 **4,200** 3. 867×12 **9,000**
4. $163 \div 39$ **4** 5. $894 \div 293$ **3** 6. $37,183 \div 191$ **200**
7. 79×195 **16,000** 8. $12,375 \div 29$ **400** 9. $5417 \div 59$ **90**
10. $83,921 \div 49$ **1,700** 11. $2414 \div 62$ **40** 12. $7398 \div 369$ **20**
13. $8700 \div 910$ **10** 14. $3972 \div 217$ **20** 15. 732×47 **35,000**
16. $55,760 \div 692$ **80** 17. $64,900 \div 129$ **500** 18. 995×24 **24,000**
19. 934×193 **200,000** 20. $9583 \div 163$ **60** 21. $43,972 \div 493$ **90**
22. $72,389 \div 8888$ **8** 23. 29×817 **24,000** 24. $447 \div 153$ **3**
25. $893 \div 61$ **15** 26. $95,831 \div 398$ **240** 27. $143,698 \div 119$ **1,200**
28. $7862 \div 101$ **80** 29. $869 \div 27$ **30** 30. $621,830 \div 7012$ **90**
31. $4982 \div 61$ **300,000** 32. $350,123 \div 698$ **500** 33. 592×29 **18,000**
34. 738×691 **490,000** 35. 1284×691 **700,000**
36. $94 \times 83 \times 41$ **288,000** 37. $37 \times 61 \times 59$ **144,000**
38. 872×6100 **5,400,000** 39. $99 \times 41 \times 67$ **280,000**
40. 6843×592 **4,200,000** 41. $13 \times 61 \times 8127$ **4,800,000**
42. 8397×1975 **16,000,000** 43. $367 \times 824 \times 7$ **2,240,000**
44. 624×832 **480,000** 45. 384×718 **280,000**

46. Akira Matsushima anduvo en un monociclo por todo Estados Unidos y recorrió 3260 millas en 44 días. Calcula cuánto viajó aproximadamente cada día. **Alrededor de 75 millas**

47. Hay 60 minutos en una hora, 24 horas en un día y 365 días en un año. Calcula el número aproximado de minutos en un año. **Como 480,000 minutos**

RETEACHING

Nombre _____   **Práctica adicional 2-7**

Cálculo de productos y cocientes

Al igual que las sumas y diferencias, los productos y cocientes pueden calcularse de manera aproximada cuando no necesitas respuestas exactas. Para calcular un producto o cociente mediante el *redondeo*, redondea todos los números de manera que uno contenga sólo un dígito distinto de cero. Después multiplica o divide.

Para calcular por medio de *números compatibles*, reescribe el problema con números que sean fáciles de relacionar. Después multiplica o divide.

Ejemplo 1

Calcula 87×104 por medio del redondeo.

$104 \rightarrow$ Redondea 104 a 100. $\rightarrow$ 100
$\times 87 \rightarrow$ Redondea 87 a 90. $\rightarrow \times 90$
= 9000

Por tanto, 87×104 es alrededor de 9000.

Haz la prueba Calcula 937×67 por medio del redondeo.

a. Redondea 937 a la centena más cercana. **900**
b. Redondea 67 a la decena más cercana. **70**
c. Multiplica los dos números redondeados para calcular 937×67. **63,000**

Haz un cálculo aproximado por medio del redondeo.

d. 280×32 **9000** e. 77×21 **1600** f. 86×402 **36,000**

Ejemplo 2

Usa números compatibles para hacer un cálculo aproximado de $154 \div 38$.

Paso 1: Decide cuáles números se relacionan fácilmente. Razona: 154 es como **160**. 38 es alrededor de **40**.

Paso 2: Sustituye los números compatibles y halla el cociente. $160 \div 40 = 4$

Por tanto, $154 \div 38$ es alrededor de 4.

Haz la prueba Respuestas posibles: Puntos g – k

Usa número compatibles para hacer un cálculo aproximado de $472 \div 84$.

g. ¿Cuáles dos números se relacionan fácilmente? **480 y 80**
h. Divide los números compatibles para calcular $472 \div 84$. **6**

Haz un cálculo aproximado por medio de números compatibles.

i. $252 \div 61$ **4** j. $536 \div 51$ **10** k. $790 \div 92$ **9**

38. A Carlos le ofrecieron $825 por su colección de 19 modelos de cabuses de tren. Quiere obtener un promedio de, por lo menos, $40 por cabús. ¿Debe aceptar la oferta? Explica cómo puede utilizar el cálculo aproximado para tomar una decisión.

39. [Para la prueba] Escoge el que creas sea el mejor cálculo aproximado para 5,985 × 89. **C**

Ⓐ 4,000,000   Ⓑ 450,000   Ⓒ 540,000   Ⓓ 600,000

Resolución de problemas y razonamiento

40. Razonamiento crítico Estás acomodando en un elevador de carga cajas de 105 libras. Un letrero dice: "Capacidad máxima: 1000 libras". ¿Cuál es el número máximo de cajas que puedes acomodar en el elevador? Explica tu razonamiento.

41. [En tu diario] Escribe dos situaciones donde sea mejor tener una respuesta exacta que un cálculo aproximado. Explica por qué.

42. Escoge una estrategia Leslie ganó algo de dinero en un concurso. Después de gastar $12 en un disco compacto, alrededor de $34 en neumáticos nuevos para su bicicleta y cerca de $16 en un par de pantalones, le quedan aproximadamente $15. Calcula cuánto dinero ganó Leslie y explica tu razonamiento.

> **Resolución de problemas**
> ## ESTRATEGIAS
> • Busca un patrón
> • Organiza la información en una lista
> • Haz una tabla
> • Prueba y comprueba
> • Empieza por el final
> • Usa el razonamiento lógico
> • Haz un diagrama
> • Simplifica el problema

RESOLVER PROBLEMAS 2-7

Repaso mixto

Compara los siguientes números mediante > o <. *[Lección 2-3]*

43. 2156 < 2157   **44.** 324,265,129 > 324,264,872   **45.** 19,667 < 190,675

46. 3189 < 3891   **47.** 267 < 627   **48.** 134,256 < 134,265

Ordena los números de menor a mayor. *[Lección 2-3]*

49. 1023; 10; 356; 1009; 383   **50.** 22,456; 122,802; 21,904; 122,501
10; 356; 383; 1009; 1023   21,904; 22,456; 122,501; 122,802

Realiza las siguientes multiplicaciones. *[Curso anterior]*

51. 20 × 607 12,140   **52.** 50 × 505 25,250   **53.** 60 × 304 18,240   **54.** 70 × 801 56,070

55. 14 × 18 252   **56.** 26 × 21 546   **57.** 60 × 52 3120   **58.** 83 × 57 4731

59. 12 × 12 144   **60.** 21 × 25 525   **61.** 63 × 34 2142   **62.** 99 × 99 9801

2-7 • Cálculo aproximado de productos y cocientes   **97**

Respuestas de Ejercicios

38. Sí; Se hace un cálculo aproximado de $825 ÷ 19 como $800 ÷ 20 = $40.

40. 9 porque 105 × 10 = 1050 y esto es 50 libras más.

41. Respuesta posible: Se necesitan respuestas exactas para saber cuánto debe pagarse por un conjunto de artículos, pues es indispensable pagar la cantidad exacta. También son necesarias cuando se usan números precisos en trabajos científicos porque de otro modo los resultados del trabajo podrían resultar equivocados.

42. Pudo haber ganado $75, porque $10 + $35 + $15 + $15 es igual a $75.

Evaluación adicional

Entrevista Describe una situación en la que necesites hacer el cálculo aproximado de un producto o un cociente.

> ➤ **Prueba rápida**
>
> Haz un cálculo aproximado:
>
> 1. 719 × 31   21,000
>
> 2. 24 × 39   800
>
> 3. 5,693 ÷ 68   80
>
> 4. 598,888 ÷ 198   3,000

> **Quick Quiz**
>
> Estimate:
>
> 1. 719 × 31   21,000
>
> 2. 24 × 39   800
>
> 3. 5,693 ÷ 68   80
>
> 4. 598,888 ÷ 198   3,000
>
> Available on Daily Transparency 2-7

Objective

- Use order of operation rules to solve arithmetic problems.

Vocabulary

- Order of operations

NCTM Standards

- 1–6

Review

Answer the following questions using the stem-and-leaf plot shown.

Stem	Leaf
1	0 1 1 2 5
2	1 2 3 6 6 7 8
3	0 0 0 1 1
4	8

1. What is the outlier? 48

2. What is the median? 26

3. What is the mode? 30

Available on Daily Transparency 2-8

▶ Repaso

Usa la tabla arborescente que se muestra para responder las siguientes preguntas.

Tallo	Hoja
1	0 1 1 2 5
2	1 2 3 6 6 7 8
3	0 0 0 1 1
4	8

1. ¿Cuál es el valor extremo? 48

2. ¿Cuál es la mediana? 26

3. ¿Cuál es la moda? 30

Introduce

Explore

The Point

Students look at results generated by two different calculators to develop the rules for order of operations.

Ongoing Assessment

Some students may have difficulty figuring out what the HP 9820 calculator did; they can only see the left-to-right computation. Ask them to try doing another operation first instead of starting at the left.

For Groups That Finish Early

Predict the value each calculator would give for the expression: $3 \times 5 + 16 \div 4$.

1 Introducción

Investigar

Objetivo

Los estudiantes se basan en los resultados generados por dos diferentes calculadoras para definir las reglas del orden de las operaciones.

Evaluación continua

Algunos estudiantes pueden tener dificultades para comprender el proceso en la calculadora HP 9820; sólo pueden ver el cálculo de izquierda a derecha. Indíqueles que traten de hacer primero otra operación en lugar de comenzar por la izquierda.

Para los grupos que terminen antes

Predice el valor que dará cada calculadora para la expresión: $3 \times 5 + 16 \div 4$.

2-8 El orden de las operaciones

Vas a aprender...

- a usar las reglas del orden de las operaciones para resolver problemas de aritmética.

...cómo se usa

Los cajeros usan estas reglas para calcular los precios que incluyen impuestos, descuentos y cupones.

Vocabulario

- orden de las operaciones

▶ Enlace con Tecnología

Para saber si tu calculadora sigue las reglas del orden de las operaciones, oprime 2 ⊞ 3 ⊠ 4 ⊜. Si la respuesta es 14, la calculadora sí sigue las reglas.

▶ Enlace con la lección Como ya sabes trabajar con problemas de aritmética en los que se realiza una sola operación, ahora aprenderás a simplificar problemas que involucran varias operaciones. ◄

Investigar El orden de las operaciones

Las calculadoras que no siempre estaban de acuerdo

David Hicks colecciona calculadoras y tiene un museo de estos aparatos en el Web. Una de estas calculadoras es una antigua HP-01 de 1970; otra es la HP 9820, una de las primeras calculadoras algebraicas. Cada máquina efectúa las operaciones aritméticas de diferente manera.

1. A veces las calculadoras dan respuestas diferentes, porque cada una realiza en primer lugar una parte distinta del problema. Para cada problema, determina cuál fue la primera operación que hizo cada calculadora.

Problema	HP-01	HP 9820
$3 + 4 \times 5$	35	23
$2 + 8 \times 6$	60	50
$9 \times 4 - 8$	28	28
$6 + 15 \div 3$	7	11
$20 - 16 \div 4$	1	16
$42 \div 7 + 3$	9	9

2. Con base en tus respuestas, indica cuál es la operación que realiza primero la calculadora HP-01.

3. Según tus respuestas, menciona cuál es la operación que hace primero la calculadora HP 9820.

4. Predice los valores que daría cada calculadora para las siguientes expresiones:

   a. $50 - 10 \div 2$ b. $12 \times 6 - 3$ c. $14 + 21 \div 7$ d. $20 + 5 \times 3$

Aprender El orden de las operaciones

El resultado de una expresión que incluye varias operaciones depende del orden en que se realizan las mismas. Imagina que quieres simplificar $9 + 6 \div 3$. Puedes: o sumar primero o dividir primero.

Suma primero:	$9 + 6 = 15$		Divide primero:	$6 \div 3 = 2$
Ahora divide:	$15 \div 3 = 5$		Ahora suma:	$9 + 2 = 11$

▶ MEETING INDIVIDUAL NEEDS

Resources

2-8 Practice
2-8 Reteaching
2-8 Problem Solving
2-8 Enrichment
2-8 Daily Transparency
    Problem of the Day
    Review
    Quick Quiz
Technology Master 8
Chapter 2 Project Master

Recursos

2-8 Práctica
2-8 Práctica adicional
2-8 Resolución de problemas
2-8 Actividad de enriquecimiento
Tecnología 8

Learning Modalities

Musical Have students make up a song or rhyme about order of operations.

Logical Have students use a calculator to evaluate an expression that requires using order of operations. Require the students to rewrite the expression after each operation is performed.

Modos de aprendizaje

Musical Anime a los estudiantes a escribir una canción o rima sobre el orden de las operaciones.

Lógico Los estudiantes deberán usar sus calculadoras para evaluar una expresión que requiera el orden de las operaciones. Pídales que reescriban la expresión completa después de completar cada etapa.

English Language Development

You may want to help students remember the order of operations by using the mnemonic:

Please	**P**arentheses
Excuse	**E**xponents
My **D**ear	**M**ultiplication and **D**ivision from left to right
Aunt **S**ally	**A**ddition and **S**ubtraction from left to right

Desarrollo del lenguaje

Si es necesario, use frases nemónicas para que los estudiantes recuerden el orden de las operaciones con mayor facilidad:

Por favor	**P**aréntesis
Exponer	**E**xponentes
Mi **D**ulce	**M**ultiplicación y **D**ivisión de izquierda a derecha
Serenata **R**omántica	**S**uma y **R**esta de izquierda a derecha

Los matemáticos usan los paréntesis para mostrar qué parte del problema se debe resolver primero. Pero algunos problemas no tienen paréntesis. Para asegurarse de obtener la misma respuesta, los matemáticos usan las reglas del **orden de las operaciones** .

ORDEN DE LAS OPERACIONES
1. Simplifica dentro de los paréntesis.
2. Simplifica los exponentes.
3. Multiplica y divide de izquierda a derecha.
4. Suma y resta de izquierda a derecha.

Ejemplos

Simplifica las siguientes expresiones.

1 $7 \times (3 + 2)$

$7 \times (3 + 2) = 7 \times 5$ Primero simplifica dentro de los paréntesis.

$\qquad = 35$ Luego haz la multiplicación.

2 5×3^2

$5 \times 3^2 = 5 \times 9$ Primero simplifica los exponentes.

$\qquad = 45$ Luego haz la multiplicación.

3 $12 + 5 \times 4$

$12 + 5 \times 4 = 12 + 20$ Primero multiplica.

$\qquad = 32$ Luego realiza la suma.

4 $16 \div 2 \times 9$

$16 \div 2 \times 9 = 8 \times 9$ Primero calcula la operación de la izquierda.

$\qquad = 72$ Luego calcula la operación de la derecha.

Haz la prueba

Simplifica estas expresiones.

a. $28 - 12 \div 4$ **25** **b.** $36 \div 12 \div 3$ **1** **c.** $19 - 4^2$ **3** **d.** $8 \times (10 - 4)$

Comprobar Tu comprensión

1. ¿Por qué necesitas usar las reglas del orden de las operaciones para calcular $20 + 5 \times 3$?

2. Propón un ejemplo de algo que puedas realizar de varias maneras y en lo cual la gente se ha puesto de acuerdo para hacerlo del mismo modo.

2-8 • El orden de las operaciones **99**

MATH EVERY DAY

▶ **Problema del día**

¿Cuántos rectángulos puedes ver en esta figura?

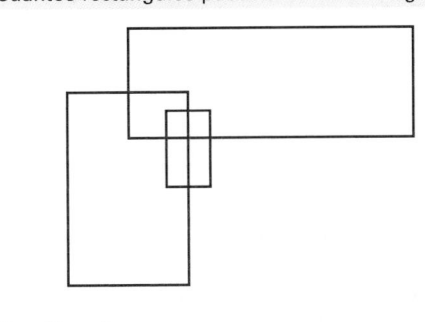

12 rectángulos

Problem of the Day

How many rectangles can you find in this geometric figure?

12 rectangles

Available on Daily Transparency 2-8

An Extension is provided in the transparency package.

Dato del día

La primera computadora electrónica, construida en Inglaterra en 1943, se usó para descifrar los códigos alemanes en la Segunda Guerra Mundial.

Fact of the Day

The first electronic computer, built in 1943 in Great Britain, was used to break German codes in World War II.

Estimation

Estimate.
1. $2,400,456 \div 3,028$ 800
2. $234 \times 402 \div 100$ 800
3. 201×201 40,000

Cálculo aproximado

Haz un cálculo aproximado.
1. $2,400,456 \div 3,028$ 800
2. $234 \times 402 \div 100$ 800
3. 201×201 40,000

Respuestas de Investigar

1. HP-01; HP 9820:
   Suma; Multiplicación
   Suma; Multiplicación
   Multiplicación; Multiplicación
   Suma; División
   Resta; División
   División; División

2. La HP-01 realiza las operaciones de izquierda a derecha, en el orden que aparecen.

3. La HP 9820 hace las multiplicaciones o divisiones antes que las sumas o las restas.

4. HP-01; HP 9820:
   a. 20; 45
   b. 69; 69
   c. 5; 17
   d. 75; 35

2 Enseñanza

Aprender

Ejemplos adicionales

Simplifica.

1. $5 \times (4 + 8)$
   $5 \times (4 + 8) = 5 \times 12 = 60$

2. 7×2^3
   $7 \times 2^3 = 7 \times 8$
   $\qquad = 56$

3. $15 + 6 \times 7$
   $15 + 6 \times 7 = 15 + 42$
   $\qquad = 57$

4. $24 \div 3 \times 5 = 8 \times 5$
   $\qquad = 40$

Respuestas de Haz la prueba

d. 48

3 Práctica y evaluación

Comprobar

Respuestas de Comprobar tu comprensión

1. Sin las reglas, una persona obtendría 75 y otra 35.

2. Respuesta posible: En Estados Unidos la gente acordó conducir del lado derecho de la calle. En el Reino Unido y Japón la gente acordó manejar del lado izquierdo de la calle.

Answers for Explore

1. HP-01; HP 9820:
   Addition; Multiplication
   Addition; Multiplication
   Multiplication; Multiplication
   Addition; Division
   Subtraction; Division
   Division; Division

2. The HP-01 did operations from left to right, in the order they appeared.

3. The HP 9820 did multiplication or division before addition or subtraction.

4. HP-01; HP 9820:
   a. 20; 45
   b. 69; 69
   c. 5; 17
   d. 75; 35

Teach

Learn

Alternate Examples

Simplify.

1. $5 \times (4 + 8)$
   $5 \times (4 + 8) = 5 \times 12 = 60$

2. 7×2^3
   $7 \times 2^3 = 7 \times 8$
   $\qquad = 56$

3. $15 + 6 \times 7$
   $15 + 6 \times 7 = 15 + 42$
   $\qquad = 57$

4. $24 \div 3 \times 5 = 8 \times 5$
   $\qquad = 40$

Answers for Try It

d. 48

Practice and Assess

Check

Answers for Check Your Understanding

1. Without the rules, one person could get 75 and another could get 35.

2. Possible answer: In the United States people have agreed to drive on the right side of the street. In the United Kingdom and Japan people have agreed to drive on the left side of the street.

Assignment Guide

- **Basic** 1–19, 33–43 odds, 44–46, 50–58, 60
- **Average** 1, 10–19, 21–29 odds, 30–46, 49–59 odds
- **Enriched** 1, 10–44 evens, 45–49, 50–62 evens

Exercise Notes

■ **Exercises 2–29**

Error Prevention If students make errors in the early exercises, have them use parentheses to group the multiplication and division parts of each problem.

Exercise Answers

1. a. Multiplication; b. Addition; c. Division; d. Simplify exponent; e. Subtraction; f. Multiplication; g. Subtraction; h. Subtraction

30. 10,000

36. $2 \times (3 + 6) = 18$

37. $20 \times (15 - 2) = 260$

38. $(4 + 4^2) \div 5 = 4$

39. $2 \times (6^2 - 8) = 56$

40. $6 + (8 \div 2) = 10$ or no parentheses needed

41. $(12 + 10) \div 11 = 2$

42. $(5 \times 4) \div 2 = 10$ or $5 \times (4 \div 2) = 10$ or no parentheses needed

43. $(5 + 4) \div 3 = 3$

44. Possible answers:
   a. $16 \div 2 + 1 = 9$
   b. $20 \div 2 - 1 = 9$
   c. $2^2 \times 2 + 1 = 9$

Notas sobre los ejercicios

■ **Ejercicios 2–29**

Prevención de errores Si los estudiantes cometen errores en los primeros ejercicios, sugiérales que usen paréntesis para agrupar las partes que se multiplican y las que se dividen.

Respuestas de Ejercicios

1. a. Multiplicación; b. Suma; c. División; d. Simplificación de exponente; e. Resta; f. Multiplicación; g. Resta; h. Resta

30. 10,000

36. $2 \times (3 + 6) = 18$

37. $20 \times (15 - 2) = 260$

38. $(4 + 4^2) \div 5 = 4$

39. $2 \times (6^2 - 8) = 56$

40. $6 + (8 \div 2) = 10$ ó no se necesitan paréntesis

41. $(12 + 10) \div 11 = 2$

42. $(5 \times 4) \div 2 = 10$ ó $5 \times (4 \div 2) = 10$ ó no se necesitan paréntesis

43. $(5 + 4) \div 3 = 3$

44. Respuestas posibles:
   a. $16 \div 2 + 1 = 9$
   b. $20 \div 2 - 1 = 9$
   c. $2^2 \times 2 + 1 = 9$

Reteaching

Activity

Materials: Index cards numbered 1–10, 4 of each number

- Work with a partner. Shuffle the cards. Pick 3 cards. Write as many number sentences with different answers as you can using all three numbers and any of the following: $+, -, \times, \div, (\ )$.
- Score one point for each number sentence your partner does not have. The first player to get 25 points wins.

Práctica adicional

Actividad

Materiales: Tarjetas numeradas del 1 al 10, 4 de cada número

- Trabaja con un compañero. Revuelve las tarjetas y elige 3. Usa estos tres números y cualquiera de los siguientes signos $+, -, \times, \div, (\ )$ para escribir tantos enunciados numéricos con respuestas diferentes como puedas.
- Anótate un punto por cada enunciado numérico que tu pareja no tenga. Quien llegue primero a 25 puntos será el ganador.

2-8 Ejercicios y aplicaciones

Práctica y aplicación

1. **Para empezar** Establece cuáles operaciones deben realizarse primero.
   - **a.** $36 - (29 \times 102)$
   - **b.** $(62 + 45) \times 58$
   - **c.** $119 \div 26 - 13$
   - **d.** $8^7 - 132$
   - **e.** $(36 - 29) \times 102$
   - **f.** $62 + 45 \times 58$
   - **g.** $119 \div (26 - 13)$
   - **h.** $(8 - 132)^7$

Simplifica cada expresión.

2. $25 - 10 \div 5$ **23**
3. $14 + 7 \times 6$ **56**
4. $30 \times 6 + 2$ **182**
5. $50 \div 5 - 2$ **8**

6. $32 \div 8 \div 4$ **1**
7. $2 \times 4 \times 6$ **48**
8. $15 \div 3 \times 5$ **25**
9. $9 \times 6 \div 2$ **27**

10. $10 - 8 - 2$ **0**
11. $(10 - 8) - 2$ **0**
12. $10 - (8 - 2)$ **4**
13. $(6^2 + 4) \times 3$ **120**

14. $50 \div 5^2$ **2**
15. $6^2 - 9$ **27**
16. $(4 + 5)^2$ **81**
17. $10^2 \times 3$ **300**

18. $6^2 - 2 \times 6$ **24**
19. $2^3 + 8 \div 4$ **10**
20. $7^2 - 4^2 \times 3$ **1**
21. $9 - (4 - 1)^2$ **0**

22. $4 \times (5 - 3)$ **8**
23. $(8 + 7) \div 3$ **5**
24. $6 \times (9 - 4)^2$ **150**
25. $(7 + 3)^2 \div 5$ **20**

26. $32 - 6 + 5 \times 4$ **46**
27. $40 + 18 \div 2 - 16$ **33**
28. $45 \div 9 - 21 \div 7$ **2**
29. $144 \div 9 \div 8 \div 2$ **1**

Usa el cálculo mental para evaluar las siguientes expresiones.

30. $30,000 - 5,000 \times 4$
31. $6 + 48,000,000 \div 800,000$ **66**
32. $60 \times 4 \div 3 + 19$ **99**

33. $5,000 + 400 \times 8$ **8200**
34. $60 + 60 \div 60$ **61**
35. $200 - 200 \div 20$ **190**

Coloca paréntesis para hacer que cada enunciado sea verdadero.

36. $2 \times 3 + 6 = 18$
37. $20 \times 15 - 2 = 260$
38. $4 + 4^2 \div 5 = 4$
39. $2 \times 6^2 - 8 = 56$

40. $6 + 8 \div 2 = 10$
41. $12 + 10 \div 11 = 2$
42. $5 \times 4 \div 2 = 10$
43. $5 + 4 \div 3 = 3$

44. **Comprensión numérica** Halla una expresión aritmética que sea igual a 9 y contenga las siguientes operaciones. **RGP**
   - **a.** Suma y división
   - **b.** Resta y división
   - **c.** Suma, multiplicación y un exponente

45. **Para la prueba** Danielle compró 3 pares de aretes en una oferta. Por lo general se venden en $4.50 cada uno. ¿Cuál expresión describe la cantidad final de su compra? **B**
   - Ⓐ $(4.50 \times 3) - 1.00$
   - Ⓑ $(4.50 - 1.00) \times 3$
   - Ⓒ $(3 - 1.00) \times 4.50$

Un par por $1

PRACTICAR 2-8

PRACTICE

Nombre _____

Práctica 2-8

El orden de las operaciones

Evalúa cada expresión.

1. $6 \times 3 \div 2$ **9**
2. $4 + 3 \times 7$ **25**
3. $12 \div 4 + 2$ **5**
4. $36 \div (6 + 3)$ **4**
5. $8 \times 10 \div 5$ **16**
6. $50 \div 10 + 15$ **20**
7. $13 - 2 - 4$ **7**
8. $25 - (12 - 10)$ **23**
9. $(3 + 7^2) + 4$ **13**
10. $(9 - 4)^2$ **25**
11. 6×2^3 **48**
12. $(38 \div 19)^5$ **32**
13. $8^2 - 5^2$ **39**
14. $(21 - 15)^2 - 20$ **16**
15. $600 \div 2 \div 3 + 5$ **20**
16. $125 \div (25 + 5)$ **25**
17. $6 \times 5 - 2^2$ **26**
18. $128 \div 16 - 8 \div 2$ **4**
19. $80,000 - 6 \times 5,000$ **50,000**
20. $9000 + 7 \times 300$ **11,100**
21. $21 + 39,000 \div 1,300$ **51**
22. $700 - 300 \div 10$ **670**
23. $20 \times 7 \div 5 + 11$ **39**
24. $69,000 \div (1700 + 600)$ **30**

Coloca un par de paréntesis para que cada enunciado sea verdadero.

25. $3 \times (7 + 4) \times 8 = 264$
26. $18 \div (3 + 3) = 3$
27. $(8 + 16) \div 4 = 6$
28. $500 \div (50 \div 2) + 5 = 4$
29. $(3 \times 2)^2 - 1 = 35$
30. $48 \div (12 \times 2) = 2$

31. Una tienda tiene 27 paquetes de seis latas, 15 paquetes de doce latas y 34 latas sueltas de refresco. Escribe una expresión con los números 27, 6, 15, 12 y 34 para mostrar cuántas latas tiene en total la tienda. No uses paréntesis a menos que sea necesario. Después evalúa tu expresión para encontrar el número de latas.

$27 \times 6 + 15 \times 12 + 34 = 376$

32. Halla una expresión aritmética que sea igual a 25 y que comprenda las siguientes operaciones.
   - **a.** suma y multiplicación — Las respuestas pueden variar.
   - **b.** resta y división — Las respuestas pueden variar.
   - **c.** suma y cuando menos un exponente — Las respuestas pueden variar.
   - **d.** división y un exponente — Las respuestas pueden variar.

RETEACHING

Nombre _____

Práctica adicional 2-8

El orden de las operaciones

Para asegurarse de que todos obtengan la misma respuesta para un problema dado, los matemáticos usan un conjunto de reglas conocidas como el **orden de las operaciones**.

Las reglas del orden de las operaciones son:
1. Simplifica dentro de los paréntesis.
2. Simplifica los exponentes.
3. Multiplica y divide de izquierda a derecha.
4. Suma y resta de izquierda a derecha.

— Ejemplo 1

Simplifica $5 \times (2 + 4)$.

Sigue el orden de las operaciones.
$$5 \times (2 + 4)$$
$$= 5 \times \underset{\downarrow}{6} = 30 \quad \text{Haz la multiplicación.}$$

Primero simplifica dentro de los paréntesis.

$5 \times (2 + 4)$ simplificado es igual a 30.

— Ejemplo 2

Simplifica $8 \div 2^2$.
$$8 \div \underset{\downarrow}{2^2}$$
$$= 8 \div 4 = 2 \quad \text{Realiza la división.}$$

Primero simplifica los exponentes.

$8 \div 2^2$ simplificado es igual a 2.

Haz la prueba Simplifica $6 + 4^2 - 12$.

$6 + 4^2 - 12$

- **a.** No hay paréntesis. Por tanto, simplifica los exponentes. — $6 + \underline{16} - 12$
- **b.** No hay números para multiplicar o dividir. Por tanto, suma y resta de izquierda a derecha. Suma los primeros dos números. — $\underline{22} - 12$
- **c.** Haz la resta. — $\underline{10}$

Simplifica las siguientes operaciones.

- **d.** $(35 - 15) \div 4$ **5**
- **e.** $8 \times 2 + 4$ **20**
- **f.** $17 - 5 \times 2$ **7**
- **g.** $4 \times 6 \div 3$ **8**
- **h.** $5 \times (5 + 6)$ **55**
- **i.** $4^2 + 2 \div 2$ **17**
- **j.** $10 + 5 \times 2$ **4**
- **k.** $5^2 - (3 \times 6)$ **7**
- **l.** $3 \div 2^3 + 6$ **4**
- **m.** $8 + 5 - 6$ **7**

46. **Para la prueba** El comité que organiza un baile necesita 3 globos para cada una de las 15 mesas. Necesita también 50 globos para cada una de las cuatro paredes del salón. Para otras decoraciones se necesitan 35 globos y el comité ordenará 10 globos de más. ¿Cuál es el orden correcto de las operaciones? **B**

Ⓐ $3 + 15 + 50 + 4 + 35 + 10$ Ⓑ $3 \times 15 + 50 \times 4 + 35 + 10$

Ⓒ $3 \times 15 + 50 \times 4 + 35 \times 10$ Ⓓ $3 + 50 \times 15 + 4 + 35 \times 10$

47. Joy compró cuatro globos nevados a $7.00 cada uno y usó un cupón de $2.00. Después del cupón, el impuesto fue de $1.96. El padre de Joy pagó la mitad del costo total. Escribe una expresión que describa la situación y sea igual a la cantidad total de dinero que pagó Joy.

Resolución de problemas y razonamiento

48. Razonamiento crítico Un pintor afirma que una pared mide "veinte por diez al cuadrado" pies cuadrados. Explica dos posibles significados de este enunciado. Con base en el orden de las operaciones, ¿cuál es el significado matemático correcto de lo que afirma el pintor?

49. Razonamiento crítico Ordenas una pizza grande, tres bebidas grandes y una bolsa de manzanas. Divides el costo de manera equitativa entre tres amigos. ¿Qué orden de las operaciones usarías para encontrar cuánto debe pagar cada quien?

Repaso mixto

Simplifica las siguientes notaciones exponenciales. [Lección 2-4]

50. 30^2 900 **51.** 10^5 100,000 **52.** 3^3 27 **53.** 4^6 4096 **54.** 27^3 19,683 **55.** 14^4 38,416

Expresa en notación exponencial y simplifica. [Lección 2-4]

56. $8 \times 8 \times 8 \times 8$ $8^4 = 4096$ **57.** $2 \times 2 \times 2 \times 2 \times 2 \times 2 \times 2$ $2^7 = 128$ **58.** $4 \times 4 \times 4 \times 4$ $4^4 = 256$

Realiza estas multiplicaciones. [Curso anterior]

59. 127×489 62,103 **60.** $856 \times 45,625$ 39,055,000 **61.** $28,598 \times 67,204$ 1,921,899,992 **62.** $123,087 \times 765,294$ 94,197,742,578

El proyecto en marcha

Una vez que sepas qué tan lejos puedes viajar en una hora con cada uno de tus seis métodos, calcula qué tan lejos puedes viajar en 24 horas. Registra tus cálculos aproximados. Después debes calcular la cantidad exacta que podrías viajar en 24 horas.

Resolución de problemas
Comprende
Planea
Resuelve
Revisa

RESOLVER PROBLEMAS 2-8

Notas sobre los ejercicios

■ Ejercicios 59–62

Prevención de errores Los estudiantes deben reconocer que las calculadoras son necesarias para obtener las respuestas exactas en estos problemas.

Respuestas de Ejercicios

47. $(4 \times 7.00 - 2.00 + 1.96) \div 2$

48. El pintor quiere decir $20 + 10^2$ ó $(20 + 10)^2$; el significado matemático correcto es $20 + 10^2$.

49. La multiplicación (para hallar el precio de las tres bebidas), la suma (para hallar el costo total), la división (para hallar el costo por cada persona).

Evaluación adicional

Autoevaluación Escribe lo que has comprendido sobre el orden de las operaciones. Indica lo que aprendiste y lo que te falta por saber. Escribe ejemplos de problemas fáciles y difíciles de resolver.

▶ **Prueba rápida**

Evalúa cada expresión.

1. $3 + 5 \times 6$ 33

2. $4 - 6 \div 3$ 2

3. $12 \div 4 + 6 \times 7$ 45

4. $52 + 3 \times 6$ 70

5. $(6 - 2) \times 8 + 1$ 33

PROBLEM SOLVING

Nombre _____

Resolución guiada de problemas 2-8

RGP PROBLEMA 44, PÁGINA 100 DEL ESTUDIANTE

Halla una expresión aritmética que sea igual a 9 y contenga las siguientes operaciones.

a. Suma y división
b. Resta y división
c. Suma, multiplicación y un exponente

— **Comprende** —

1. ¿Qué número debe ser igual en cada expresión? 9

2. ¿Cuántas expresiones debes escribir? 3 expresiones.

— **Plan** —

3. ¿Cuántas operaciones vas a realizar en cada expresión?
   a. Parte a 2 b. Parte b 2 c. Parte c 3

4. ¿Cuál operación debes realizar primero en cada expresión?
   a. Parte a La división. b. Parte b La división. c. Parte c Los exponentes.

— **Resuelve** —

Respuestas posibles:

5. Para escribir la expresión a, escoge dos números y realiza la primera operación. Muestra los números que escogiste. $9 \div 3 = 3$

6. ¿Qué número necesitas usar con la segunda operación para que el valor de la expresión sea 9? Escribe la expresión. Si no puedes hallar un número, cambia los números que usaste en el punto 5. $6 + 9 \div 3$

7. Repite los pasos de los puntos 5 y 6 para escribir la expresión b. $10 - 9 \div 9$

8. Para escribir la expresión c, repite el paso del punto 5. Escoge un número y realiza la segunda operación. Después repite los pasos del punto 7. $1 + 2 \times 2^2$

— **Revisa** —

9. Halla otra solución para cada problema.
   Respuestas posibles: $4 + 25 \div 5$; $15 - 12 \div 2$; $0 + 1 \times 3^2$.

RESUELVE OTRO PROBLEMA

Escribe una expresión aritmética igual a 12 que contenga una resta, un exponente y una división.
Respuesta posible: $14 - 2^2 \div 2$.

ENRICHMENT

Nombre _____

Actividad de enriquecimiento 2-8

Aprendizaje visual

Analiza las figuras de la cuadrícula para hallar el patrón y después completa la sección que falta en el centro.

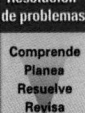

Objective

■ Identify and continue numerical patterns based on addition and subtraction.

Materials

■ Explore: Hundred charts, colored pencils or markers

NCTM Standards

■ 1–4, 8

Review

Write each of the following numbers in standard form.

1. 7^2 49

2. 2^4 16

Write each of the following in exponential notation.

3. $5 \times 5 \times 5 \times 5$ 5^4

4. $18 \times 18 \times 18 \times 18 \times 18 \times 18 \times 18$ 18^7

Available on Daily Transparency 2-9

▶ Repaso

Escribe en forma usual cada uno de los siguientes números.

1. 7^2 49

2. 2^4 16

Escribe en forma exponencial cada uno de los siguientes ejercicios.

3. $5 \times 5 \times 5 \times 5$ 5^4

4. $18 \times 18 \times 18 \times 18 \times 18 \times 18 \times 18$ 18^7

Vas a aprender...

■ a identificar y continuar los patrones numéricos basados en la suma y la resta.

...cómo se usa

Los biólogos marinos utilizan patrones numéricos cuando determinan las horas de pleamar y bajamar.

▶ Enlace con la lección Has visto cómo la comprensión numérica te ayuda a resolver problemas aritméticos. Ahora aprenderás a utilizar este concepto para identificar y ampliar patrones numéricos. ◀

Investigar Patrones numéricos

¡La vida de cuadritos!

Materiales: Tablas de centenas, lápices o marcadores de colores

1. En una tabla de centenas diferente para cada lista colorea todos los números de las listas que aparecen a continuación.

   Lista A: 1, 3, 5, 7, 9, 11, 13, 15, 17, 19, 21

   Lista B: 5, 8, 11, 14, 17, 20, 23, 26, 29, 32

   Lista C: 97, 86, 75, 64, 53

   Lista D: 100, 99, 98, 97, 96, 95, 94, 93, 92, 91

2. Si continuaras coloreando números en cada lista de centenas bajo el mismo patrón, ¿colorearías el número 44? Explica tu respuesta.

3. Inventa tú mismo un patrón semejante a los anteriores. Coloréalo en una tabla de centenas y después haz una lista de todos los números menores de 50 en tu patrón.

4. Intercambia tu lista con la de un compañero y pídele que determine si cierto número mayor que 50 aparecerá en tu patrón.

¿LO SABÍAS?

Los fractales son complejas expresiones matemáticas basadas en patrones simples que se repiten una y otra vez.

Aprender Patrones numéricos

Un patrón numérico es una lista de números que aparecen de manera predecible. Los patrones numéricos pueden utilizarse para describir sucesos de la realidad, por ejemplo, el crecimiento de la población y el decaimiento de los materiales radiactivos. Pueden usarse también para generar arte, como los fractales, que son pinturas matemáticas complejas creadas a partir de la repetición de un patrón matemático simple.

102 Capítulo 2 • Asociación entre aritmética y álgebra

Introduce

Explore

You may wish to use Teaching Tool Transparency 13: Hundred Chart with **Explore**.

The Point

Students use a hundred chart to create and interpret visual models of numerical patterns.

Ongoing Assessment

Ask students to identify patterns that involve lists of numbers that are increasing.

Answers for Explore

1. List A   List B

 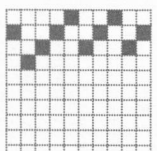

---

1 Introducción

Investigar

Objetivo

Los estudiantes usan una tabla de centena para crear e interpretar modelos visuales de patrones numéricos.

Evaluación continua

Pida a los estudiantes que identifiquen los patrones basados en listas de números escritas en forma ascendente.

Respuestas de Investigar

1.   Lista A   Lista B

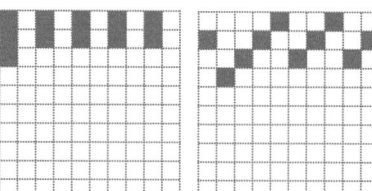

MEETING INDIVIDUAL NEEDS

Resources

2-9 Practice
2-9 Reteaching
2-9 Problem Solving
2-9 Enrichment
2-9 Daily Transparency
    Problem of the Day
    Review
    Quick Quiz
Teaching Tool
Transparency 13

Recursos

2-9 Práctica
2-9 Práctica adicional
2-9 Resolución de problemas
2-9 Actividad de enriquecimiento

Learning Modalities

Kinesthetic Use some type of manipulative, such as blocks, to show number patterns.

Individual Encourage students to monitor what they are thinking as they look for a pattern. Ask if they guess and check when they are looking for patterns and if their first guess is always correct.

Inclusion

Many students have difficulty perceiving patterns when only one learning modality is used (numbers only, pictures or cubes only, words only). Translating from one modality to another can be very helpful for students. You may want to group students with different modality preferences together to help improve comprehension.

Modos de aprendizaje

Cinestésico Use objetos manipulables (cubos, por ejemplo) para representar los patrones numéricos.

Individual Anime a los estudiantes a supervisar su razonamiento en la búsqueda de patrones. Pregúnteles si usan la técnica de probar y comprobar y si su primer intento siempre es correcto.

Inclusión

Muchos estudiantes tienen dificultades para distinguir los patrones cuando se usa un solo modo de aprendizaje (números, figuras, objetos o palabras). Traduzca los datos de un modo a otro para facilitar el proceso. Si lo desea, agrupe a los estudiantes según sus preferencias de modos de aprendizaje para ayudarlos a mejorar su comprensión.

Muchos patrones usan la suma o la resta. Para encontrar el patrón, escribe el número que necesitas sumar o restar a fin de hallar el siguiente número del patrón.

Ejemplos

Para cada patrón halla los siguientes tres números.

1 8, 15, 22, 29, 36, …

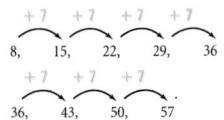

Escribe el número que debes sumar para obtener el siguiente número.

Utiliza el patrón para calcular los siguientes tres números.

2 50, 49, 47, 44, 40, …

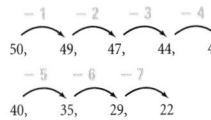

Escribe el número que debes restar para obtener el siguiente número.

Utiliza el patrón para calcular los siguientes tres números.

3 14, 24, 22, 32, 30, …

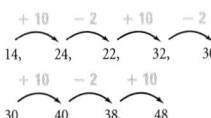

Escribe el número que debes sumar o restar para obtener el siguiente número.

Utiliza el patrón para calcular los siguientes tres números.

4 Ayana compró una estampilla postal en $3. El vendedor le dijo que el siguiente año tendría un valor de $6, que al subsiguiente valdría $12 y que un año después costaría $24. Si la estampilla continúa encareciéndose de esta manera, ¿cuál será su valor en 6 años?

> **► Enlace con Lenguaje**
> A los coleccionistas de estampillas también se les llama *filatelistas*.

3, 6, 12, 24, …?   Escribe el patrón.

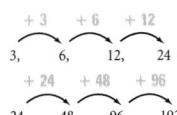

Escribe el número que debes sumar para obtener el siguiente número.

Utiliza el patrón para calcular el valor dentro de 6 años.

El timbre postal tendrá un valor de $192 dólares.

Haz la prueba

Para cada patrón, encuentra el número que sigue.

a. 10, 12, 15, 19, 24, …   **b.** 30, 26, 22, 18, 14, …

2-9 • Patrones numéricos **103**

MATH EVERY DAY

► Problema del día

486,486 es un *tantónimo*, es decir, un número de seis dígitos con un patrón repetido. Escribe un número de tres dígitos. Repítelos para formar un tantónimo. Divide la cifra entre 13, después entre 11 y por último entre 7. Describe lo que sucede. Aparece el número original de tres dígitos.

Problem of the Day

486,486 is a *tantonym*, a six-digit number that contains a pattern of repeating digits. Write any three-digit number. Repeat these digits again so you have a tantonym. Divide this number by 13, then by 11, then by 7. Describe what happens. The original 3-digit number appears.

Available on Daily Transparency 2-9

An Extension is provided in the transparency package.

Dato del día

A muchas personas les gusta coleccionar estampillas postales. Las primeras estampillas engomadas en Estados Unidos se pusieron a la venta en 1847.

Fact of the Day

Many people enjoy collecting postage stamps. The first gummed stamps issued in the United States went on sale in 1847.

Mental Math

Do these mentally.
1. 3 × 32 + 1 97
2. 400 ÷ 40 − 5 5
3. 30 + 129 + 22 181
4. 2001 − 198 1803

Cálculo mental

Realiza estos cálculos en forma mental.
1. 3 × 32 + 1 97
2. 400 ÷ 40 − 5 5
3. 30 + 129 + 22 181
4. 2001 − 198 1803

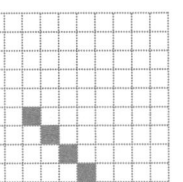
2 Enseñanza

Aprender

Ejemplos adicionales

Halla los siguientes tres números en cada ejercicio.

1. 5, 11, 17, 23, 29,…

+6 +6 +6 +6
5, 11, 17, 23, 29

+6 +6 +6
29, 35, 41, 47

2. 60, 58, 54, 48, 40,…

−2 −4 −6 −8
60, 58, 54, 48, 40

−10 −12 −14
40, 30, 18, 4

3. 1, 6, 3, 8, 5,…

+5 −3 +5 −3
1, 6, 3, 8, 5

+5 −3 +5
5, 10, 7, 12

4. José tiene una tarjeta de béisbol que actualmente vale $4. El vendedor le dice que valdrá $8 el próximo año, $16 el subsecuente y $32 dentro de tres años. Si la tarjeta continúa aumentando de valor de esta forma, ¿cuánto valdrá dentro de 5 años?

+4 +8 +16
4, 8, 16, 32

+32 +64
32, 64, 128

La tarjeta valdrá $128.

Respuestas de Haz la prueba

a. 30   b. 10

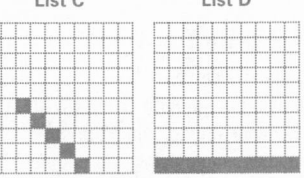
Teach

Learn

Alternate Examples

For each example, find the next three numbers.

1. 5, 11, 17, 23, 29, …

+6 +6 +6 +6
5, 11, 17, 23, 29

+6 +6 +6
29, 35, 41, 47

2. 60, 58, 54, 48, 40, …

−2 −4 −6 −8
60, 58, 54, 48, 40

−10 −12 −14
40, 30, 18, 4

3. 1, 6, 3, 8, 5, …

+5 −3 +5 −3
1, 6, 3, 8, 5

+5 −3 +5
5, 10, 7, 12

4. Jose has a baseball card that is worth $4 now. The dealer says it will be worth $8 next year, $16 the year after that, and $32 the year after that. If the card continues to increase in value this way, what will it be worth five years from now?

+4 +8 +16
4, 8, 16, 32

+32 +64
32, 64, 128

The card will be worth $128.

Answers for Try It

a. 30   b. 10

What Do You Think?

Students see two different ways of looking at a number pattern. One involves adding, while the other involves multiplying and adding.

Answers for What Do You Think?

1. Possible answer: Susana's method, because she doesn't have to keep track of what she needs to add or multiply every time to get the new number.

2. Add 2^2 to the 1st number, 2^3 to the 2nd number, 2^4 to the 3rd number, 2^5 to the 4th, and so on.

Practice and Assess

Check

Students should note that by finding the differences between terms, we can use arithmetic to help us extend and describe patterns.

Answers for Check Your Understanding

1. Arithmetic helps you understand how to get from one number to the next in a pattern.

2. No. Possible answers: Some go up and down; Some go up or down by varying amounts.

Los estudiantes tienen dos formas diferentes de ver un patrón numérico. Una incluye la suma, en tanto que la otra incluye la multiplicación y la suma.

Respuestas de ¿Qué crees tú?

1. Respuesta posible: El método de Susana, porque no tiene que registrar los valores que debe sumar o multiplicar cada vez para obtener el nuevo número.

2. Se suma 2^2 al primer número, 2^3 al segundo, 2^4 al tercero, 2^5 al cuarto, etcétera.

3 Práctica y evaluación

Comprobar

Al hallar las diferencias entre los términos, los estudiantes deben advertir que la aritmética puede usarse para ampliar y describir patrones.

Respuestas de Comprobar tu comprensión

1. La aritmética ayuda a comprender cómo pasar de un número al siguiente dentro de un patrón.

2. Respuestas posibles: Algunos suben y bajan; Algunos suben o bajan al variar las cantidades.

Skye y Susana hacen un experimento acerca del crecimiento de un moho. La tabla muestra la información que reunieron. Ellos quieren saber en cuánto tiempo el moho pesará por lo menos 1000 gramos.

Día	Peso (g)
1	3
2	7
3	15
4	31
5	63

Skye piensa...

El patrón que debo seguir es sumar el doble del número que sumé antes. Continuaré el patrón hasta que llegue a los 1000 o más.

$+4$ $+8$ $+16$ $+32$ $+64$ $+128$ $+256$ $+512$

3, 7, 15, 31, 63, 127, 255, 511, 1023

Pesará más de mil gramos el noveno día.

Susana piensa...

El patrón que debo seguir indica que cada número es el doble del número anterior más uno. Continuaré el patrón hasta llegar a 1000 o más.

$\times 2+1$ $\times 2+1$ $\times 2+1$ $\times 2+1$

63, 127, 255, 511, 1023

Pesará más de 1000 gramos el noveno día.

¿Qué crees  **?**

1. Si tuvieras que continuar el patrón sin utilizar una calculadora, ¿cuál método preferirías? Explica tu razonamiento.

2. ¿Puedes describir el patrón de una manera diferente de los dos métodos utilizados por Skye y Susana? Justifica tu respuesta.

Comprobar Tu comprensión

1. ¿Cómo puedes usar la aritmética para entender un patrón numérico?

2. ¿Un patrón numérico aumenta o disminuye siempre en la misma cantidad?

104 *Capítulo 2 • Asociación entre aritmética y álgebra*

MEETING MIDDLE SCHOOL CLASSROOM NEEDS

Tips from Middle School Teachers

I use the hundred chart that the students generate in **Explore** as a bulletin board display and challenge students to find as many of the patterns as they can. Sometimes this is very competitive, but at other times, the students work together to find patterns. I usually give two prizes: one for the person or team who finds the most patterns and one for the person whose pattern is found least often.

Sugerencias de los maestros

Suelo usar la tabla de centenas que los estudiantes elaboraron en **Investigar** como tablero de anuncios para plantear este desafío: halla todos los patrones que puedas. En ocasiones permito que compitan, pero a veces los animo a trabajar por equipos. En las competencias ofrezco dos premios: uno para quien halle más patrones y otro para quien halle el patrón menos común.

Team Teaching

Ask other team members for examples of number patterns that students can use for analysis. Good examples might be plant or animal growth, population, or costs.

Enseñanza en equipo

Pida a los demás maestros que presenten ejemplos de patrones numéricos para que los estudiantes los analicen. Algunos ejemplos son el crecimiento de las plantas, animales, poblaciones o costos.

Consumer

Sometimes the stamps most valued by collectors are those containing a printing error. In 1989 an American buyer paid $1.1 million for a "Curtiss Jenny" plate block of four 24-cent stamps from 1918 with an inverted image of an airplane.

Consumo

En ocasiones, las estampillas más apreciadas son las que muestran errores de impresión. En 1989, un coleccionista estadounidense pagó 1.1 millones de dólares por una placa de impresión de cuatro estampillas "Curtiss Jenny" de 1918 con valor de 24 centavos, emitidas con la imagen invertida de un avión.

2-9 Ejercicios y aplicaciones

Práctica y aplicación

1. a. Sumar	b. Sumar	c. Restar
d. Restar	e. Restar	f. Restar
g. Restar	h. Sumar	

1. **Para empezar** Determina si tienes que sumar o restar para hallar el siguiente número.

   a. $5, 10, 15, 20, \ldots$ b. $4, 8, 12, 16, \ldots$ c. $13, 10, 7, 4, \ldots$ d. $22, 21, 20, \ldots$

   e. $33, 28, 23, 18, \ldots$ f. $64, 57, 50, 43, \ldots$ g. $18, 12, 6, 0, \ldots$ h. $28, 32, 36, \ldots$

Escribe el número que debes sumar o restar para encontrar el siguiente número.

2. $17, 21, 25, 29, 33, \ldots$ Sumar 4

3. $15, 18, 21, 24, 27, \ldots$ Sumar 3

4. $7, 7, 7, 7, 7, \ldots$ Sumar o restar 0

5. $22, 35, 48, 61, 74, \ldots$ Sumar 13

6. $38, 31, 24, 17, 10, \ldots$ Restar 7

7. $9, 8, 7, 6, 5, \ldots$ Restar 1

8. $1234, 1244, 1254, 1264, 1274, \ldots$ Sumar 10

9. $45, 56, 67, 78, 89, \ldots$ Sumar 11

10. $66, 72, 78, 84, 90, \ldots$ Sumar 6

11. $7826, 7797, 7768, 7739, 7710, \ldots$ Restar 29

12. $299, 267, 235, 203, 171, \ldots$ Restar 32

13. $42, 34, 26, 18, 10, \ldots$ Restar 8

14. $999, 1002, 1005, 1008, 1011, \ldots$ Sumar 3

15. $29, 44, 59, 74, 89, \ldots$ Sumar 15

16. $101, 91, 81, 71, 61, \ldots$ Restar 10

17. $2158, 2216, 2274, 2332, 2390, \ldots$ Sumar 58

Halla los siguientes tres números del patrón.

18. $142, 143, 145, 148, 152, \ldots$ 157, 163, 170

19. $299, 293, 288, 282, 277, \ldots$ 271, 266, 260

20. $480, 492, 486, 498, 492, 504, \ldots$ 498, 510, 504

21. $106, 100, 94, 88, 82, \ldots$ 76, 70, 64

22. $89, 79, 70, 62, 55, \ldots$ 49, 44, 40

23. $965, 968, 974, 983, 995, \ldots$ 1010, 1028, 1049

24. $62, 59, 64, 61, 66, \ldots$ 63, 68, 65

25. $6, 8, 7, 9, 8, \ldots$ 10, 9, 11

26. $43, 44, 46, 49, 53, \ldots$ 58, 64, 71

27. $0, 5, 20, 45, 80, \ldots$ 125, 180, 245

28. $22, 24, 28, 34, 42, \ldots$ 52, 64, 78

29. $1111, 1115, 1119, 1123, 1127, \ldots$ 1131, 1135, 1139

30. $15, 21, 27, 33, 39, \ldots$ 45, 51, 57

31. $441, 394, 410, 363, 379, \ldots$ 332, 348, 301

32. Tanya compró una tarjeta de colección de béisbol en $34. Le dijeron que valdría $11 más cada año. ¿Cuánto valdrá la tarjeta dentro de 10 años? $144

33. Tanya vendió una tarjeta de béisbol en $38. Su valor aumentó $4 cada uno de los cuatro años que la tuvo en su poder. ¿Cuánto pagó originalmente por la tarjeta? $22

PRACTICAR 2-9

2-9 • Patrones numéricos **105**

Assignment Guide

■ Basic 1–17, 25–30, 32–35, 38–56 evens

■ Average 1–31 odds, 32–36, 38–48, 49–55 odds

■ Enriched 3–17 odds, 18–48, 50–56 evens

Notas sobre los ejercicios

■ **Ejercicios 1–17**

Ampliación Escribe los siguientes tres números del patrón en cada uno de los ejercicios.

■ **Ejercicio 32**

Resolución de problemas Ten en cuenta Algunos estudiantes pueden pensar que la solución para este problema es $10 \times 11 + 34$, en lugar de escribir todos los números de la lista. Se les debe animar para que observen diferentes formas de resolver el problema y que ellos mismos decidan cuál prefieren.

Exercise Notes

■ **Exercises 1–17**

Extension Write the next three numbers in the pattern for each of these exercises.

■ **Exercise 32**

Problem-Solving Tip Some students may think of the solution to this problem as $10 \times 11 + 34$ rather than generating all of the numbers in the list. Students should be encouraged to look at different ways of solving the problem, deciding for themselves which way they prefer.

Práctica adicional

Actividad

Materiales: Cubos de 1 cm

• Usa cubos de 1 cm para elaborar los tres modelos siguientes. Todos los cubos forman un patrón.

• Halla los siguientes dos números de cada patrón.

• Describe cada patrón en forma verbal.

1. 7, 9; Sumar 2.

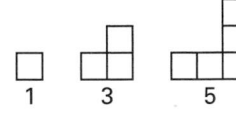

2. 14, 17; Sumar 3.

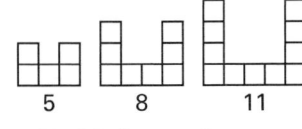

3. 20, 24; Sumar 4.

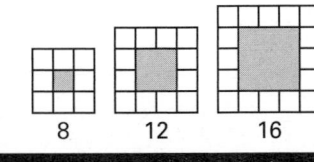

Reteaching

Activity

Materials: Centimeter cubes

• Use centimeter cubes to build each of the three models below. The total number of cubes used makes a pattern.

• Find the next two numbers in each pattern.

• Describe each pattern in words.

1. 7, 9; Add 2.

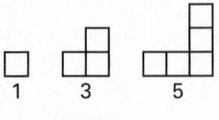

2. 14, 17; Add 3.

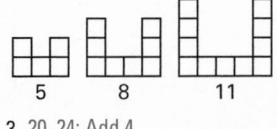

3. 20, 24; Add 4.

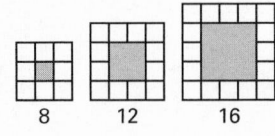

Lección 2-9 105

Exercise Notes

■ **Exercises 49–56**

Error Prevention Students should select an appropriate method for doing these problems, using calculators when there are many digits.

Exercise Answers

37. 2, 8, 32, 128, 512, 2048

38. After 9 more steps in the first set of numbers and after 8 more steps in the second set of numbers, both sets will have the number 378.

39. Possible answer: Look at about 5 numbers to know what the pattern looks like.

40. Add the previous 2 numbers together to get the next number. Next numbers: 34, 55, 89.

Alternate Assessment

Portfolio Select examples of your work in this section that illustrate your understanding of estimation, mental math, order of operations, and/or number patterns.

Notas sobre los ejercicios

■ **Ejercicios 49–56**

Prevención de errores Los estudiantes deben escoger un método apropiado para resolver estos problemas y usar la calculadora cuando haya muchos dígitos.

Respuestas de Ejercicios

37. 2, 8, 32, 128, 512, 2048

38. Después de 9 pasos más en el primer conjunto de números y después de 8 pasos más en el segundo conjunto, ambos obtendrán el número 378.

39. Respuesta posible: Deben observarse más o menos 5 números para saber a qué patrón se parece.

40. Se suman los 2 números anteriores para obtener el siguiente número. Los siguientes números son: 34, 55, 89.

Evaluación adicional

Portafolio Elige ejemplos de tu trabajo en esta sección para demostrar lo que has comprendido del cálculo aproximado, cálculo mental, el orden de las operaciones y/o de patrones numéricos.

Quick Quiz

Find the next three numbers in each pattern.

1. 77, 72, 67, 62, 57,…
   52, 47, 42

2. 10, 17, 24, 31, 38,…
   45, 52, 59

3. 5, 6, 8, 11, 15,…
   20, 26, 33

4. 20, 22, 21, 23, 22,…
   24, 23, 25

5. 5, 10, 20, 40, 80,…
   160, 320, 640

Available on Daily Transparency 2-9

➤ Prueba rápida

Halla los siguientes tres números de cada patrón.

1. 77, 72, 67, 62, 57,…
   52, 47, 42

2. 10, 17, 24, 31, 38,…
   45, 52, 59

3. 5, 6, 8, 11, 15,…
   20, 26, 33

4. 20, 22, 21, 23, 22,…
   24, 23, 25

5. 5, 10, 20, 40, 80,…
   160, 320, 640

---

34. **Ciencias** Jeff realiza un experimento con una población de tres conejos. Cada mes la población se duplica. ¿Cuántos conejos tendrá después de 5 meses? **96**

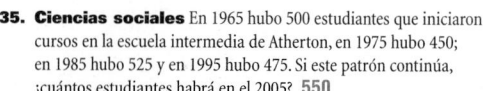

35. **Ciencias sociales** En 1965 hubo 500 estudiantes que iniciaron cursos en la escuela intermedia de Atherton, en 1975 hubo 450; en 1985 hubo 525 y en 1995 hubo 475. Si este patrón continúa, ¿cuántos estudiantes habrá en el 2005? **550**

36. **Para la prueba** ¿Cuál es el siguiente número del patrón? **A**

    224, 230, 222, 228, 220, 226, …

    Ⓐ 218   Ⓑ 220   Ⓒ 232   Ⓓ 234

Resolución de problemas y razonamiento

37. **Razonamiento crítico** Crea un patrón de seis números que comience en el 2, termine en el 2048 y en el cual se use la multiplicación para obtener el siguiente número.

38. **Comunicación** ¿Después de cuántos pasos más tendrán estos patrones un número que coincida? Explica tu razonamiento.

    234, 246, 258, 270, …   y   235, 248, 261, 274, …

39.  ¿Cuántos números de un patrón necesitas saber para imaginártelo?

40. **Razonamiento crítico** El siguiente patrón se llama *serie de Fibonacci*, en honor del matemático del siglo XIII que lo desarrolló. Describe el patrón y encuentra los siguientes tres números.

    1, 1, 2, 3, 5, 8, 13, 21, …

Repaso mixto

Simplifica en forma mental. *[Lección 2-5]*

41. 64 + 102 **166**   42. 150 + 157 **307**   43. 1762 − 101 **1661**   44. 22,839 − 10,838 **12,001**

45. 41 × 5 **205**   46. 236 + 504 + 44 **784**   47. 36,000 ÷ 6,000 **6**   48. 49,000 ÷ 700 **70**

Haz las siguientes multiplicaciones. *[Curso anterior]*

49. $2.34 × 52 **$121.68**   50. $6.35 × 365 **$2317.75**   51. $245.75 × 754 **$185,295.50**   52. 261 × $982.20 **$256,354.20**

53. $1.70 × 14 **$23.80**   54. $4.87 × 21 **$102.27**   55. $66.06 × 22 **$1453.32**   56. 11 × $34.57 **$380.27**

RESOLVER PROBLEMAS 2-9

106 *Capítulo 2 • Asociación entre aritmética y álgebra*

➤ PROBLEM SOLVING

Nombre _____

Resolución guiada de problemas 2-9

RGP PROBLEMA 34, PÁGINA 106 DEL ESTUDIANTE

Jeff realiza un experimento con una población de tres conejos. Cada mes la población se duplica. ¿Cuántos conejos tendrá después de 5 meses?

— **Comprende** —

1. Rodea con un círculo la información que necesitas.

2. ¿Qué significa que la población se "duplique"? Se hace dos veces más grande.

3. ¿Va a incrementar o a disminuir la población de conejos? Va a incrementar.

— **Plan** —

4. ¿Usarías la suma o la multiplicación para resolver el problema? Cualquiera.

5. ¿Cuál es el patrón numérico? Se duplica el número anterior.

6. ¿Cuál sería una respuesta razonable para el número de conejos que tendrá Jeff en 5 meses? **b**

   a. alrededor de 20   b. alrededor de 200   c. alrededor de 2000

— **Resuelve** —

7. ¿Cuántos conejos tendrá Jeff después de 1 mes? 6 conejos.

8. Continúa el patrón para los meses 1, 2, 3 y 4 y 5.

   3, __6__ __12__ __24__ __48__ __96__
   después: 1er mes 2.° mes 3er mes 4.° mes 5.° mes

9. Escribe un enunciado para expresar la respuesta final. _____
   Respuesta posible: Jeff tendrá 96 conejos después de 5 meses.

— **Revisa** —

10. ¿Qué otras estrategias pudiste haber utilizado para hallar la respuesta?
    Respuesta posible: Hacer una tabla.

RESUELVE OTRO PROBLEMA

Marie realiza un experimento con una población de 4 ratones. Cada 2 meses la población de ratones se duplica. ¿Cuántos ratones tendrá después de 8 meses? 64 ratones.

➤ ENRICHMENT

Nombre _____

Actividad de enriquecimiento 2-9

Patrones numéricos

Los patrones numéricos son algo así como códigos secretos. Una vez que comprendes lo que es el patrón, tienes la posibilidad de extender la secuencia. Crea algunos patrones numéricos y después compártelos con otros compañeros de tu salón. Ve si puedes "descifrar los códigos" de los patrones numéricos de tus compañeros.

1. El patrón numérico, "1, 4, 13, 16, 25…" es un patrón de dos sumas, o sea: "+3, +9, +3, +9…" Crea otro patrón que sea un patrón de dos sumas. Muestra cuando menos diez números de tu patrón.
   Respuesta posible: Patrón: +0, +2; 1, 1, 3, 3, 5, 5, 7, 7, 9, 9.

2. ¿Cuál es el patrón numérico de esta progresión: "50, 60, 55, 65, 60, 70…"? Crea otra progresión de números con las mismas operaciones. Muestra cuando menos diez números de tu patrón.
   Respuesta posible: Patrón: +10, −5; 10, 20, 15, 25, 20, 30, 25, 35, 30, 40.

3. Puedes usar también la multiplicación y la división para crear patrones. Crea un patrón en el cual todos los números sean pares. Usa cuando menos tres operaciones y muestra por lo menos diez números de tu patrón.
   Respuesta posible: Patrón: ×2, +4, ÷2; 2, 4, 8, 4, 8, 12, 6, 12, 16, 8.

4. Crea un patrón en el cual todos los números sean impares. Usa por lo menos tres operaciones y muestra diez números de tu patrón.
   Respuesta posible: Patrón: ×1, −2, +4; 5, 5, 3, 7, 7, 5, 9, 9, 7, 11.

5. Un patrón necesita tener suficientes números para establecer el patrón. Halla por lo menos tres formas en las que estos números puedan empezar un patrón: 2, 4… Después halla los siguientes cinco números de cada patrón.
   Respuesta posible: Patrón: +2, −1; 2, 4, 3, 5, 4, 6, 5;
   Patrón: ×2, +3; 2, 4, 7, 14, 17, 34, 37;
   Patrón: +2, x2; 2, 4, 8, 10, 20, 22, 44.

En esta sección aprendiste acerca de la simplificación mental de problemas, por medio de técnicas de cálculo aproximado, del orden de las operaciones y patrones numéricos. Ahora aplicarás tus conocimientos en la creación de una prueba que requiera del uso de estas técnicas.

Artículos coleccionables de primera clase

Escribe una prueba que consista en nueve problemas verbales. Cada problema deberá contener uno o más de los precios de los artículos coleccionables que se muestran en esta página. Puedes usar el mismo objeto en más de un problema.

Tres de los problemas deberán precisar soluciones de razonamiento matemático.

Tres de los problemas deberán requerir soluciones de cálculo aproximado.

Tres de los problemas deberán preguntar acerca del siguiente número en un patrón numérico.

Los problemas deberán aplicarse a ciertas personas para usar algunos (aunque no necesariamente todos) de estos métodos: patrones, la propiedad distributiva, números compatibles, compensación, cálculo aproximado por los primeros dígitos, agrupación y redondeo. Cerciórate de conocer las respuestas de todos tus problemas.

Un ejemplo de un problema es como sigue: Calcula aproximadamente cuántos pingüinos pequeños puedes comprar con $100. Respuesta: Cerca de 5.

Pingüino con moño: $14.65

Globo nevado: $34.99

Pingüino grande: $25.00

Pingüino pequeño: $18.40

Conjunto de estampillas: $8.13

107

Artículos coleccionables de primera clase

Objetivo
En *Artículos coleccionables de primera clase*, de la página 85, los estudiantes comentaron el valor de las cartas y los timbres antiguos. Ahora van a incorporar las técnicas del cálculo aproximado y la propiedad distributiva en problemas sobre objetos coleccionables.

Acerca de esta página

- Diga a los estudiantes que ellos harán el papel del maestro o el autor del libro, así que deben preparar la prueba de esta sección.

- Recuérdeles que tengan presentes los objetivos de estas lecciones conforme escriban los problemas. Repase los enunciados de **Vas a aprender**…, que están al principio de cada lección.

- Anime a los estudiantes para que planteen problemas interesantes y que representen un reto, pero que éste no sea ni muy fácil ni muy difícil.

- Pídales que escriban las respuestas de sus problemas.

Evaluación continua
Compruebe que los estudiantes usen los objetivos requeridos para escribir preguntas claras y pertinentes.

Ampliación

- Divida a los estudiantes en grupos pequeños. Pida a uno de ellos que aplique a sus compañeros de grupo la prueba que elaboró. Después de aplicar la prueba, deberá recogerlo y calificarlo.

- Los estudiantes que resuelvan la prueba tendrán que evaluar la claridad de la misma y determinar si los problemas incluyeron cálculo mental, cálculo aproximado y patrones numéricos.

- Cada estudiante del grupo debe aplicar su prueba a los compañeros de equipo.

Respuestas de Asociación
Las respuestas pueden variar.

First Class Collectibles

The Point
In *First Class Collectibles* on page 85, students discussed the value of old stamps and letters. Now they will incorporate estimation techniques and the Distributive Property in problems they write about collectibles.

About the Page

- Tell students that they have the opportunity to be the teacher or author and to write the test for this section.

- Remind students to keep the objectives of these lessons in mind as they write problems. Review the **You'll Learn** … statements at the beginning of each lesson.

- Tell students to make the problems interesting and challenging, but not too hard or too easy.

- Ask students to write answers to their problems.

Ongoing Assessment
Check that students are writing clear and appropriate questions, using the required objectives.

Extension

- Divide students into small groups. Have one student administer the test he or she wrote to the other students in the group. Each student administering a test should collect and grade that test.

- Ask the students taking the test to evaluate the test they took for clarity and to determine if the test problems tested mental math, estimating solutions, and numerical patterns.

- Each student in the group should have an opportunity to give his or her test to the other students.

Answers for Connect
Answers may vary.

Review Correlation

Item(s)	Lesson(s)
1–5	2-5
6–18	2-6, 2-7
19–23	2-8
24–26	2-6

Test Prep

Test-Taking Tip

Tell students that more than one form of estimation can be used in judging unreasonable answers. In Exercise 25, students can use front-end estimation to eliminate Answers A and C. Clustering can then be used to eliminate Answer D.

Answers for Review

24. Possible answer: In 1980 the stamp was worth almost 100 million times its original value.

Correlación de repaso

Punto(s)	Lección(es)
1–5	2-5
6–18	2-6, 2-7
19–23	2-8
24–26	2-6

Para la prueba

Sugerencia para la prueba

Diga a los estudiantes que hay más de una manera de hacer cálculos aproximados para juzgar respuestas poco razonables. En el ejercicio 25, los estudiantes pueden utilizar el cálculo por los primeros dígitos para eliminar las respuestas A y C. La agrupación puede usarse para descartar la respuesta D.

Respuestas de Repaso

24. Respuesta posible: En 1980 el timbre valía casi 100 millones de veces su valor original.

REPASO 2B

Usa el cálculo mental para simplificar las siguientes expresiones.

1. 300×200 **60,000**
2. $4 \times 3 \times 25$ **300**
3. $604 + 275$ **879**
4. 19×5 **95**
5. $240,000 \div 60$ **4000**

Haz un cálculo aproximado de estas operaciones.

6. $3479 + 4625$ **8000**
7. 503×22 **30,000**
8. $488 \div 7$ **70**
9. $831 - 546$ **300**
10. $8281 + 3444$ **11,000**
11. $24,700 - 8,300$ **17,000**
12. $49 \times 2 \times 16$ **1600**
13. $2409 \div 81$ **30**
14. $23 + 26 + 27 + 20$ **100**
15. 98×230 **23,000**
16. 19×42 **800**
17. $413 + 405 + 399 + 385$ **1600**

18. Las tarjetas postales antiguas cuestan $5 cada una. Haz un cálculo aproximado para saber cuántas puedes comprar por $550. **110**

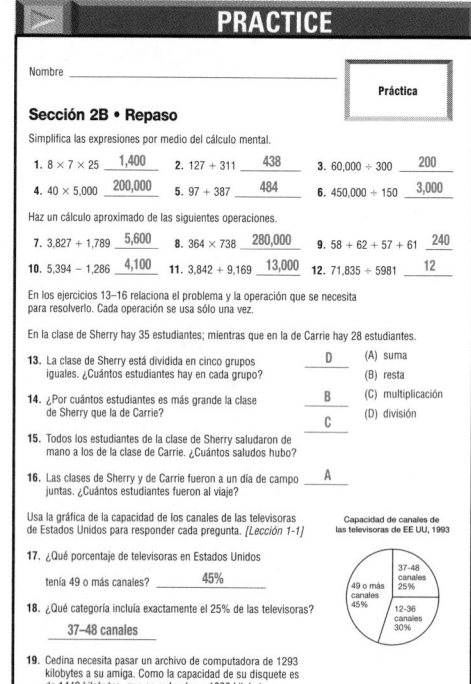

En los ejercicios 19–23, relaciona el problema con la solución. Cada solución se utiliza sólo una vez.

19. $(6 - 3) \times (5 + 1 \times 4)$ **C**   A. 0
20. $5^2 + 7$ **B**   B. 32
21. $5 + 3 \times 5 + 3 \times 5$ **D**   C. 27
22. $(100 \div 50 - 2) \times 3$ **A**   D. 35
23. $8^2 - 2^2 + 4^2$ **E**   E. 76

24. **Comunicación** Una estampilla de 1856 de Guyana Británica se vendió originalmente en 1¢. En 1980 un filatelista la compró en $935,000. Emplea cualquier método que se te ocurra para comparar el valor de la estampilla en 1856 y en 1980.

Para la prueba

En una prueba de elección múltiple, puedes usar el cálculo aproximado para eliminar las respuestas que no sean razonables.

25. Halla esta suma: $2,487 + 2,546 + 2,490 + 2,531$ **B**
    Ⓐ 1,054   Ⓑ 10,054   Ⓒ 20,540   Ⓓ 6,054

26. Halla esta resta: $20,050 - 5,100 - 9,995$ **C**
    Ⓐ 13,955   Ⓑ 495   Ⓒ 4,955   Ⓓ 35,145

Resources

Practice Masters
    Section 2B Review
Assessment Sourcebook
    Quiz 2B
    TestWorks
    Test and Practice Software

PRACTICE

Nombre _____   **Práctica**

Sección 2B • Repaso

Simplifica las expresiones por medio del cálculo mental.

1. $8 \times 7 \times 25$ **1,400**
2. $127 + 311$ **438**
3. $60,000 \div 300$ **200**
4. $40 \times 5,000$ **200,000**
5. $97 + 387$ **484**
6. $450,000 \div 150$ **3,000**

Haz un cálculo aproximado de las siguientes operaciones.

7. $3,827 + 1,789$ **5,600**
8. 364×738 **280,000**
9. $58 + 62 + 57 + 61$ **240**
10. $5,394 - 1,286$ **4,100**
11. $3,842 + 9,169$ **13,000**
12. $71,835 \div 5981$ **12**

En los ejercicios 13–16 relaciona el problema y la operación que se necesita para resolverlo. Cada operación se usa sólo una vez.

En la clase de Sherry hay 35 estudiantes; mientras que en la de Carrie hay 28 estudiantes.

13. La clase de Sherry está dividida en cinco grupos iguales. ¿Cuántos estudiantes hay en cada grupo? **D**
14. ¿Por cuántos estudiantes es más grande la clase de Sherry que la de Carrie? **B**
15. Todos los estudiantes de la clase de Sherry saludaron de mano a los de la clase de Carrie. ¿Cuántos saludos hubo? **C**
16. Las clases de Sherry y de Carrie a un día de campo juntas. ¿Cuántos estudiantes fueron al viaje? **A**

(A) suma
(B) resta
(C) multiplicación
(D) división

Usa la gráfica de la capacidad de los canales de las televisoras de Estados Unidos para responder cada pregunta. *[Lección 1-1]*

Capacidad de canales de las televisoras de EE UU, 1993
- 37–48 canales 25%
- 49 o más canales 45%
- 12–36 canales 30%

17. ¿Qué porcentaje de televisoras en Estados Unidos tenía 49 o más canales? **45%**
18. ¿Qué categoría incluía exactamente el 25% de las televisoras? **37–48 canales**

19. Cedina necesita pasar un archivo de computadora de 1293 kilobytes a su amiga. Como la capacidad de su disquete es de 1440 kilobytes, que se redondea a 1000 kilobytes, está preocupada de que el archivo no quepa en el disco. ¿Debe preocuparse? Explícate. **No. 1,293 es menor que 1,440.**

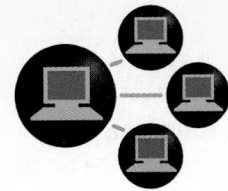

Visit **www.teacher.mathsurf.com** for links to lesson plans from teachers and other professionals, NCTM information, and other sites.

LESSON PLANNING GUIDE

▶ **Student Edition**

▶ **Ancillaries***

LESSON	MATERIALS	VOCABULARY	DAILY	OTHER
Section 2C Opener				
2–10 Variables and Expressions		variable, constant, expression	2-10	Technology Master 9
2–11 Writing Expressions		sum, difference, product, quotient	2-11	
2–12 Using Equations		equation	2-12	*Interactive CD-ROM Lesson*
2–13 Solving Equations			2-13	Technology Master 10 Ch. 2 Project Master *WW Math*—Middle School
Technology	spreadsheet software			*Interactive CD-ROM Spreadsheet/Grapher Tool*
Connect				Interdisc. Team Teaching 2C
Review				Practice 2C; Quiz 2C; *TestWorks*
Extend Key Ideas				
Chapter 2 Summary and Review				
Chapter 2 Assessment				Ch. 2 Tests Forms A–F *TestWorks*; Ch. 2 Letter Home
Cumulative Review, Chapters 1–2				Cumulative Review Ch. 1–2

* Daily Ancillaries include Practice, Reteaching, Problem Solving, Enrichment, and Daily Transparency. Teaching Tool Transparencies are in *Teacher's Toolkits*. Lesson Enhancement Transparencies are in *Overhead Transparency Package*.

SKILLS TRACE

LESSON	SKILL	FIRST INTRODUCED			DEVELOP	PRACTICE/ APPLY	REVIEW
		GR. 4	GR. 5	GR. 6			
2–10	Evaluating expressions.			✘ p. 110	pp. 110–111	pp. 112–113	pp. 121, 131, 141, 312, 332
2–11	Translating words to expressions.			✘ p. 114	pp. 114–115	pp. 116–117	pp. 131, 146
2–12	Testing values in equations.			✘ p. 118	pp. 118–119	pp. 120–121	pp. 131, 152, 338
2–13	Solving equations.			✘ p. 122	pp. 122–123	pp. 124–125	pp. 131, 156, 345

Math and Science/Technology
(Worksheet pages 11–12: Teacher pages T11–T12)

In this lesson, students use introductory algebra to explore SCUBA diving.

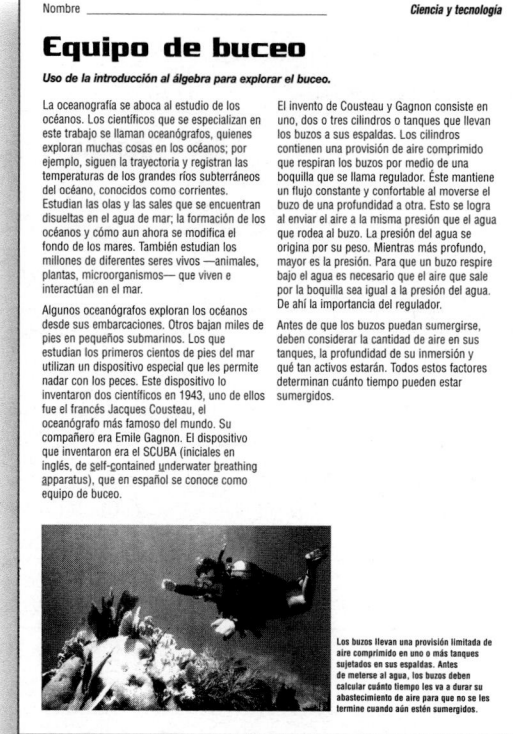

Respuestas adicionales

4. Las respuestas de los estudiantes pueden variar. Hay variables que deben considerarse; por ejemplo, la actividad física y la profundidad o la presión del agua, para que los buzos conozcan cuánto les durará el aire en una inmersión.

5. Permitió a los buzos moverse con más libertad bajo el agua. Antes del invento del equipo de buceo, los movimientos de los buzos estaban limitados por las mangueras de aire y cables de salvamento.

6. Peligros: "éxtasis de la profundidad" (narcosis de nitrógeno), parálisis o aeroembolias, envenenamiento por oxígeno. Prevención: la respiración de diferentes mezclas de gas, un ascenso lento.

BIBLIOGRAPHY

▶ FOR TEACHERS

Mount, Ellis and List, Barbara A. *Milestones in Science and Technology.* Phoenix, AZ: Oryx Press, 1994.

Discovery Box Series: Planets. New York, NY: Scholastic, 1996.

The Reader's Digest Illustrated Book of Dogs. Pleasantville, NY: Reader's Digest Association, 1993.

Spangler, David. *Math for Real Kids.* Glenview, IL: Good Year Books, 1997.

▶ FOR STUDENTS

The Times Atlas and Encyclopedia of the Sea. New York, NY: Harper & Row, 1990.

SECCIÓN 2C — Introducción al álgebra

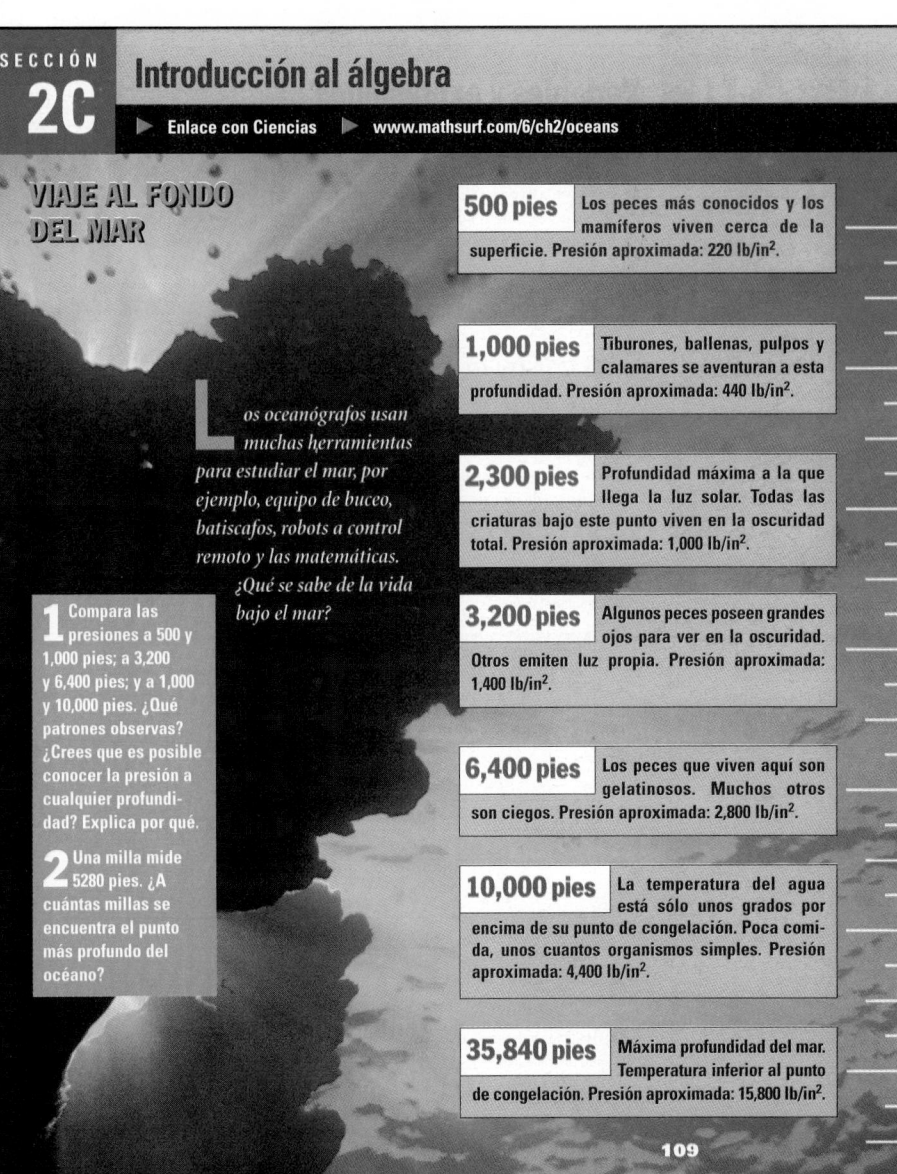

VIAJE AL FONDO DEL MAR

Los oceanógrafos usan muchas herramientas para estudiar el mar, por ejemplo, equipo de buceo, batiscafos, robots a control remoto y las matemáticas. ¿Qué se sabe de la vida bajo el mar?

1 Compara las presiones a 500 y 1,000 pies; a 3,200 y 6,400 pies; y a 1,000 y 10,000 pies. ¿Qué patrones observas? ¿Crees que es posible conocer la presión a cualquier profundidad? Explica por qué.

2 Una milla mide 5280 pies. ¿A cuántas millas se encuentra el punto más profundo del océano?

500 pies — Los peces más conocidos y los mamíferos viven cerca de la superficie. Presión aproximada: 220 lb/in².

1,000 pies — Tiburones, ballenas, pulpos y calamares se aventuran a esta profundidad. Presión aproximada: 440 lb/in².

2,300 pies — Profundidad máxima a la que llega la luz solar. Todas las criaturas bajo este punto viven en la oscuridad total. Presión aproximada: 1,000 lb/in².

3,200 pies — Algunos peces poseen grandes ojos para ver en la oscuridad. Otros emiten luz propia. Presión aproximada: 1,400 lb/in².

6,400 pies — Los peces que viven aquí son gelatinosos. Muchos otros son ciegos. Presión aproximada: 2,800 lb/in².

10,000 pies — La temperatura del agua está sólo unos grados por encima de su punto de congelación. Poca comida, unos cuantos organismos simples. Presión aproximada: 4,400 lb/in².

35,840 pies — Máxima profundidad del mar. Temperatura inferior al punto de congelación. Presión aproximada: 15,800 lb/in².

109

Where are we now?

In Section 2B, students used number sense to solve arithmetic problems.

They learned how to

- solve problems mentally.
- estimate sums and differences.
- estimate products and quotients.
- apply the order of operations when solving problems.

Where are we going?

In Section 2C, students will

- identify and extend number patterns.
- write expressions using variables.
- translate words into mathematical expressions.
- write and solve equations.

Tema: Buceo de profundidad

World Wide Web

Si su clase tiene acceso al World Wide Web, tal vez quiera usar la información que se encuentra en las direcciones Web indicadas. El enlace interdisciplinario se relaciona con los temas examinados en esta sección.

Acerca de esta página

Esta página introduce el tema de la sección —el buceo de profundidad— y comenta el estudio y exploración de los océanos.

Pregunte…

- ¿Alguna vez has nadado en el mar y visto algún pez o alguna otra forma de vida animal?
- ¿Has visitado un acuario para ver la vida vegetal y animal del mar?
- ¿Por qué aumenta la presión conforme una persona se sumerge?

Ampliación

La siguiente actividad no requiere de acceso al Web.

Ciencias

Investiga acerca de las profesiones relacionadas con el estudio del océano e informa tus resultados a la clase.

Respuestas de Preguntas

1. Si la profundidad es el doble, la presión será el doble; si la profundidad es diez veces mayor, la presión será diez veces mayor. Con este patrón sería posible predecir la presión a cualquier profundidad.

2. Respuesta posible: Alrededor de 7 millas de profundidad.

Asociación

En la página 127 los estudiantes determinarán el costo de la renta de equipo para la investigación del fondo marino.

Theme: Deep-sea Diving

World Wide Web

If your class has access to the World Wide Web, you might want to use the information found at the Web site addresses given. The interdisciplinary link relates to topics discussed in this section.

About the Page

This page introduces the theme of the section, deep-sea diving, and discusses the study and exploration of the ocean.

Ask …

- Did you ever go swimming in the ocean and see any fish or other animal life?
- Have you visited an aquarium to see the plant and animal life that lives in the sea?
- Why does pressure increase as you go deeper into the water?

Extension

The following activity does not require access to the World Wide Web.

Science

Investigate careers related to the study of the ocean and report your findings to the class.

Answers for Questions

1. If the depth is twice as deep, pressure is twice as much; if depth is ten times as deep, pressure is ten times as much. Using this pattern, it would be possible to predict the pressure at any depth.

2. Possible answer: It is about 7 miles deep.

Connect

On page 127, students will determine the cost of renting equipment for deep-sea research.

Lesson Organizer

Objectives

- Understand the difference between a variable and a constant.
- Evaluate expressions.

Vocabulary

- Variable, constant, expression

NCTM Standards

- 1–4, 9

Review

Evaluate each expression.

1. $4 + 3 \times 10$ 34
2. $25 - 6 \div 3$ 23
3. $6^2 + 14 - 7 \times 2$ 36
4. $(7 - 3)^2 + 1$ 17

Available on Daily Transparency 2-10

► Repaso

Evalúa cada expresión.

1. $4 + 3 \times 10$ 34
2. $25 - 6 \div 3$ 23
3. $6^2 + 14 - 7 \times 2$ 36
4. $(7 - 3)^2 + 1$ 17

Introduce

Explore

The Point

Students examine a situation involving selling price, cost, and profit to note patterns and see the need for variables.

Ongoing Assessment

Some students may compute profit by subtracting the processing cost from the value of the gold without noticing that they can simply multiply the number of building-size volumes by 150.

For Groups That Finish Early

Describe the patterns you found in the chart.

Follow Up

Ask students to share their responses to Step 2. Be sure to probe for alternative ways of finding the number in the third column.

1 Introducción

Investigar

Objetivo

Los estudiantes examinan una situación que incluye el precio de venta, costo y ganancia para observar patrones y comprender la necesidad de las variables.

Evaluación continua

Algunos estudiantes pueden calcular la ganancia al restar del valor del oro el costo del procesamiento, sin darse cuenta de que basta con multiplicar por 150 los volúmenes del tamaño de un edificio.

Para los grupos que terminen antes

Describe los patrones que hallaste en la tabla.

Seguimiento

Pida a los estudiantes que compartan sus respuestas del paso 2. Asegúrese de que busquen formas alternativas para hallar el número en la tercera columna.

2-10 Variables y expresiones

► Enlace con la lección Has aprendido a trabajar con expresiones aritméticas como 3×25, en donde ambos números son conocidos. En esta lección aprenderás a trabajar con expresiones en las cuales algún número es desconocido. ◄

Vas a aprender...

- la diferencia entre una variable y una constante.
- a evaluar expresiones.

...cómo se usa

Los contadores utilizan variables para representar cuánto ganará cierta inversión en un plazo determinado.

Vocabulario

variable

constante

expresión

Investigar Operaciones y patrones

Administra tu propia mina

El mar es como una mina en cuyas aguas el oro está disuelto. Por ejemplo, un volumen de agua de mar del tamaño de un edificio de 30 pisos contiene aproximadamente $400 de oro disuelto. Imagínate que has inventado una manera de recuperar el oro contenido en un volumen de agua del tamaño de un edificio y que el costo de procesamiento es de $250.

1. Completa la tabla para mostrar cuánto dinero puedes ganar al procesar oro del agua del mar.

Número de volúmenes del tamaño de un edificio	Valor del oro	Costo de procesamiento	Ganancia
1	$400	$250	$150
2			
3			
4			
5			
10			
20			
50			
100			

2. ¿Cómo hallaste los valores para la segunda columna?, ¿para la tercera? y ¿para la cuarta?

3. Halla los valores de cada columna para 1 millón de volúmenes de agua del tamaño de un edificio.

110 *Capítulo 2 • Asociación entre aritmética y álgebra*

MEETING INDIVIDUAL NEEDS

Resources

2-10 Practice
2-10 Reteaching
2-10 Problem Solving
2-10 Enrichment
2-10 Daily Transparency
      Problem of the Day
      Review
      Quick Quiz
Technology Master 9

Recursos

2-10 Práctica
2-10 Práctica adicional
2-10 Resolución de problemas
2-10 Actividad de enriquecimiento
Tecnología 9

Learning Modalities

Verbal Nonsense words can be used to represent a variable. This helps students understand that they can call the variable anything they want.

Visual Use visual examples of situations that involve expressions such as finding number of hands in a class by doubling the number of people in the class.

Modos de aprendizaje

Verbal Use palabras arbitrarias para representar algunas variables. Así, los estudiantes comprenderán que pueden asignar a las variables el nombre que prefieran.

Visual Use ejemplos visuales de situaciones que impliquen el uso de expresiones. Por ejemplo, para calcular cuántas manos hay en la clase, duplique el número de estudiantes en el salón.

Challenge

Write and evaluate expressions with two operations, such as $2x + 3$. This combines the work with variables with the work done previously with order of operations.

Desafío

Escribe y evalúa expresiones con dos operaciones ($2x + 3$, por ejemplo). Esto les permitirá combinar el uso de las variables con sus conocimientos sobre el orden de las operaciones.

Una **variable** es una cantidad que puede cambiar o variar. La temperatura del agua es una variable porque cambia de una hora a otra. Los matemáticos usan letras para representar variables.

Una cantidad que no cambia es una **constante** . La temperatura de congelación del agua al nivel del mar es una constante: siempre es de 32 grados Fahrenheit.

Una **expresión** es un enunciado matemático que contiene constantes, variables y símbolos de operaciones. Hay diferentes maneras de representar distintas operaciones.

Suma	Resta	Multiplicación	División
$8 + x$	$8 - x$	$8x$	$\frac{8}{x}$

Si conoces los valores de una variable, puedes calcular la expresión al remplazar la variable por cada valor. Esto se conoce como sustitución de una variable por un valor.

Ejemplos

Halla el valor numérico de la expresión cuando $x = 1, 2$ y 3.

1 $x + 5$

x	x + 5
1	$1 + 5 = 6$
2	$2 + 5 = 7$
3	$3 + 5 = 8$

2 $11 - x$

x	11 − x
1	$11 - 1 = 10$
2	$11 - 2 = 9$
3	$11 - 3 = 8$

3 $4x$

x	4x
1	$4 \times 1 = 4$
2	$4 \times 2 = 8$
3	$4 \times 3 = 12$

4 $\frac{12}{x}$

x	$\frac{12}{x}$
1	$12 \div 1 = 12$
2	$12 \div 2 = 6$
3	$12 \div 3 = 4$

> **Enlace con Tecnología**
> Las teclas de la calculadora usan variables para representar el número en la pantalla. Por ejemplo, la tecla $\boxed{x^2}$ elevará al cuadrado el número en la pantalla.

Haz la prueba

Evalúa la expresión cuando $x = 3, 4$ y 5.

a. $7x$ 21, 28, 35   **b.** $15 - x$ 12, 11, 10   **c.** $\frac{60}{x}$ 20, 15, 12   **d.** $x + 23$ 26, 27, 28

MATH EVERY DAY

> **Problema del día**
>
> El perímetro de una habitación rectangular es 78 pies. Uno de sus lados mide 21 pies. ¿Cuánto miden los otros lados? 18 ft, 18 ft y 21 ft

Problem of the Day

The perimeter of a rectangular room is 78 feet. One side measures 21 feet. What do the other sides measure? 18 ft, 18 ft, 21 ft

Available on Daily Transparency 2-10

An Extension is provided in the transparency package.

Dato del día

El punto de mayor profundidad en el océano, la fosa de las Marianas, es más de 6,000 pies mayor que la altura del monte Everest.

Fact of the Day

The deepest place in the ocean, the Marianas trench, is more than 6,000 feet deeper than Mount Everest is high.

Estimation

Estimate.

1. $52,023,445 \div 51,212$ 1000
2. $711 \times 3,013$ 2,100,000
3. $41,923 \div 867$ 50

Cálculo aproximado

Haz un cálculo aproximado.

1. $52,023,445 \div 51,212$ 1000
2. $711 \times 3,013$ 2,100,000
3. $41,923 \div 867$ 50

Respuestas de Investigar

1. Véase la página C2.

2. Al multiplicar 400 por el número de volúmenes del tamaño de un edificio; Al multiplicar 250 por el número de volúmenes del tamaño de un edificio; Al restar al valor del oro el costo de procesamiento, o multiplicar 150 por el número de volúmenes del tamaño de un edificio.

3. Número de volúmenes
   1,000,000

   Valor del oro
   400,000,000

   Costo de procesamiento
   250,000,000

   Ganancia
   150,000,000

Answers for Explore

1. See page C2.

2. Multiplied 400 by the Number of Building-Size Volumes; multiplied 250 by the Number of Building-Size Volumes; subtracted the Processing Cost from the Value of the Gold or multiplied 150 times the Number of Building-Size Volumes.

3. Number of Volumes
   1,000,000

   Value of Gold
   400,000,000

   Processing Cost
   250,000,000

   Profit
   150,000,000

---

2 Enseñanza

Aprender

Ejemplos adicionales

Evalúa las expresiones cuando $x = 1, 2$ y 3.

1.

x	7 + x
1	8
2	9
3	10

2.

x	15 − x
1	14
2	13
3	12

3.

x	8x
1	8
2	16
3	24

4.

x	$\frac{18}{x}$
1	18
2	9
3	6

Teach

Learn

Alternate Examples

Evaluate each expression for $x = 1, 2,$ and 3.

1.

x	7 + x
1	8
2	9
3	10

2.

x	15 − x
1	14
2	13
3	12

3.

x	8x
1	8
2	16
3	24

4.

x	$\frac{18}{x}$
1	18
2	9
3	6

Assignment Guide

- Basic 1–39 odds, 40–42, 45–53 odds
- Average 1, 15–43, 45–54
- Enriched 1, 15–44, 45–53 odds

Practice and Assess

Check

Answers for Check Your Understanding

1. Using a variable allows you to write and evaluate expressions.
2. Answers may vary.

Exercise Notes

■ **Exercises 3–14**

Error Prevention Point out that only the variable is replaced by a number; the signs between variables are operation signs that do not change.

3 Práctica y evaluación

Comprobar

Respuestas de Comprobar tu comprensión

1. Usar una variable permite escribir y evaluar expresiones.
2. Las respuestas pueden variar.

Notas sobre los ejercicios

■ **Ejercicios 3–14**

Prevención de errores Señale que sólo la variable se remplaza por un número; los signos entre las variables son signos de operación que no cambian.

Comprobar Tu comprensión

1. ¿Cuál es la ventaja de usar una variable para representar un número?
2. Proporciona tres ejemplos de constantes y tres de variables. Explica tu respuesta.

2-10 Ejercicios y aplicaciones

Práctica y aplicación

1. **Para empezar** Establece si la cantidad debe representarse con una variable o con una constante.

   a. Número de días de enero
   b. Precio de una calculadora
   c. Número de estudiantes en una escuela
   d. Número de pulgadas en un pie
   e. Número de personas en un estado
   f. Número de jirafas en una manada

      a. Constante   b. Variable   c. Variable
      d. Constante   e. Variable   f. Variable

2. Completa la tabla.

x	$x+1$	$2x$	$18 \div x$	$x-1$
1	$1+1=2$	$2 \times 1 = 2$	$18 \div 1 = 18$	$1-1=0$
2	$2+1=3$	$2 \times 2 = 4$	$18 \div 2 = 9$	$2-1=1$
3	$3+1=4$	$2 \times 3 = 6$	$18 \div 3 = 6$	$3-1=2$

Encuentra el valor numérico de cada expresión cuando $x = 2$, 3 y 4.

3. $x+7$ — 9, 10, 11
4. $12-x$ — 10, 9, 8
5. $6x$ — 12, 18, 24
6. $\frac{24}{x}$ — 12, 8, 6
7. $12+x$ — 14, 15, 16
8. $6x$ — 12, 18, 24
9. $8x$ — 16, 24, 32
10. $x-1$ — 1, 2, 3
11. $15+x$ — 17, 18, 19
12. $11x$ — 22, 33, 44
13. $\frac{36}{x}$ — 18, 12, 9
14. $\frac{x}{1}$ — 2, 3, 4

Evalúa cada expresión cuando $x = 3$, 5 y 9.

15. $20-x$ — 17, 15, 11
16. $9x$ — 27, 45, 81
17. $\frac{45}{x}$ — 15, 9, 5
18. $36x$ — 108, 180, 324
19. $x+3$ — 6, 8, 12
20. $x+12$ — 15, 17, 21
21. x — 3, 5, 9
22. $\frac{135}{x}$ — 45, 27, 15
23. $x+x$ — 6, 10, 18
24. $1x$ — 3, 5, 9
25. x^2 — 9, 25, 81
26. x^3 — 27, 125, 729

Halla el valor numérico de cada expresión si $x = 2$, 4 y 7.

27. $\frac{56}{x}$ — 28, 14, 8
28. $x-2$ — 0, 2, 5
29. $3x$ — 6, 12, 21
30. $\frac{28}{x}$ — 14, 7, 4
31. $5x$ — 10, 20, 35
32. $8x$ — 16, 32, 56
33. $4x$ — 8, 16, 28
34. $16-x$ — 14, 12, 9
35. $27+x$ — 29, 31, 34
36. $39+x$ — 41, 43, 46
37. $x+12$ — 14, 16, 19
38. $\frac{x}{1}$ — 2, 4, 7

PRACTICAR 2-10

Reteaching

Activity

Materials: Envelopes, unit squares made from construction paper

- Use an envelope marked with the letter *x* to represent the variable and unit squares for the number.
- Evaluate each expression for *x* = 3, 6, and 10 by putting 3, 6, and then 10 squares in the envelope.

  1. $x+2$ 5, 8, 12
  2. $x+6$ 9, 12, 16
  3. $x+5$ 8, 11, 15

- To evaluate an expression such as $2x$ for *x* = 3, 6, and 10, mark 2 envelopes with *x* and put 3, 6, and then 10 squares in each envelope.
- Evaluate each expression for *x* = 3, 6, and 10.

  4. $4x$ 12, 24, 40
  5. $7x$ 21, 42, 70
  6. $5x$ 15, 30, 50

Práctica adicional

Actividad

Materiales: Sobres, cuadrados de unidades hechos con cartulina

- Usa un sobre marcado con la letra *x* para representar la variable y los cuadrados de unidades para representar el número.
- Coloca 3, 6 y después 10 cuadrados en el sobre para evaluar cada expresión cuando *x* = 3, 6 y 10.

  1. $x+2$ 5, 8, 12
  2. $x+6$ 9, 12, 16
  3. $x+5$ 8, 11, 15

- Para evaluar una expresión como $2x$ cuando *x* = 3, 6 y 10, marca 2 sobres con una *x* y coloca 3, 6 y después 10 cuadrados en cada sobre.
- Evalúa cada expresión cuando *x* = 3, 6 y 10.

  4. $4x$ 12, 24, 40
  5. $7x$ 21, 42, 70
  6. $5x$ 15, 30, 50

PRACTICE

Nombre _____

Práctica 2-10

Variables y expresiones

1. Para completar la tabla evalúa cada expresión cuando $x = 2$, 3 y 4.

x	$x+5$	$17-x$	$9x$	$\frac{144}{x}$	$x \times 7$	x^2	$5x$
2	7	15	18	72	14	4	10
3	8	14	27	48	21	9	15
4	9	13	36	36	28	16	20

2. Para completar la tabla evalúa cada expresión cuando $x = 3$, 5 y 9.

x	$16+x$	$x-3$	$12 \times x$	$90 \div x$	$20x$	$100-x$	$x+x$
3	19	0	36	30	60	97	1
5	21	2	60	18	100	95	1
9	25	6	108	10	180	91	1

3. Para completar la tabla evalúa cada expresión cuando $x = 2$, 4 y 7.

x	$x+43$	$30-x$	$x \times x$	$x \times 10$	$2x$	$\frac{12}{x}$	x^3
2	45	28	4	20	4	56	8
4	47	26	16	40	8	28	64
7	50	23	49	70	14	16	343

Completa la tabla.

4. Los estadounidenses consumen 90 acres de pizza diarios.

Número de días	Número de acres de pizza
1	90
2	180
3	270
4	360
d	90d

5. Las pelotas de tenis se venden en paquetes de tres.

Número de pelotas	Número de paquetes
30	10
72	24
378	126
999	333
t	$t/3$

RETEACHING

Nombre _____

Práctica adicional 2-10

Variables y expresiones

Una **variable** es una cantidad que puede cambiar o variar. Los matemáticos suelen usar letras para representar variables.

Una cantidad que no cambia es una **constante**.

Una **expresión** es un enunciado matemático que incluye constantes, variables y símbolos de operaciones. Hay diferentes formas de representar operaciones distintas. He aquí cuatro ejemplos.

Suma:	$x+6$	*x* es la variable.	6 es la constante.
Resta:	$91-x$	*x* es la variable.	91 es la constante.
Multiplicación:	$3x$ ó $3 \times x$	*x* es la variable.	3 es la constante.
División:	$12 \div x$ ó $\frac{12}{x}$	*x* es la variable.	12 es la constante.

Si conoces los valores de la variable, puedes evaluar la expresión al remplazar la variable con su valor. Esto se conoce como *sustitución de un valor por la variable.*

▶ **Ejemplo**

Evalúa $2x$ cuando $x = 4$, 6 y 8.

$2x$ significa "2 por *x*". Para evaluar la expresión necesitas sustituir un valor por *x*.

Si $x = 4$, sustituye 4 por *x*. Puedes hacer una tabla para evaluar la expresión con diferentes valores de *x*.

x	$2x$
4	$2 \times 4 = 8$
6	$2 \times 6 = 12$
8	$2 \times 8 = 16$

Por tanto, $2x = 8$ si $x = 4$, $2x = 12$ si $x = 6$, y $2x = 16$ si $x = 8$.

Haz la prueba Evalúa $x+12$ cuando $x = 2$, 5 y 10.

a. Sustituye 2 por *x*. Resuelve: $2+12 = $ ___14___
b. Sustituye 5 por *x*. Resuelve: $5+12 = $ ___17___
c. Sustituye 10 por *x*. Resuelve: $10+12 = $ ___22___

Evalúa cada expresión cuando $x = 2$, 5 y 10.

d. $6x$ — 12, 30, 60
e. $x-1$ — 1, 4, 9
f. $50 \div x$ — 25, 10, 5
g. $27+x$ — 29, 32, 37
h. $16-x$ — 14, 11, 6
i. $\frac{100}{x}$ — 50, 20, 10

Completa cada tabla.

39. Historia En 1776 había 13 estrellas en cada bandera de Estados Unidos.

Número de banderas	Número de estrellas
1	
2	
3	
4	
w	

40. Ciencias Una ballena azul adulta consume 9000 libras de alimento al día. RGP

Cantidad de alimento (lb)	Número de días
63,000	
81,000	
126,000	
f	

41. **Para la prueba** Escoge la expresión que generaría los datos de la tabla. **A**

Ⓐ $b + 6$ Ⓑ $4b$
Ⓒ $2b$ Ⓓ $b - 8$

b	Datos
2	8
4	10
6	12

Resolución de problemas y razonamiento

42. Explica el significado de $7x$ y cómo evaluarías esta expresión si $x = 3$ y $x = 4$.

43. Razonamiento crítico Relaciona la situación con la expresión correcta.

a. Dedos en t manos (incluidos los pulgares)   **i.** $t - 5$

b. Precio de t disco compacto con un cupón de descuento de $5   **ii.** $5t$

c. Precio de t suéter con un impuesto de $5   **iii.** $t + 5$

44. Comunicación ¿Cuál de las siguientes expresiones tendrá siempre la misma solución, sin importar qué valor le des a x? Explica tu razonamiento.
$x + 3$, $5 - x$, $0x$

Repaso mixto

Haz un cálculo aproximado de las siguientes operaciones. *[Lección 2-6]* Respuestas posibles:

45. $1567 + 5408$ **7000**   **46.** $21,805 + 79,502$ **102,000**   **47.** $45,405 - 9,826$ **35,000**

48. $4305 - 1875$ **2000**   **49.** $3615 + 2778$ **6400**   **50.** $31,618 - 17,611$ **14,000**

Escoge los números que son divisibles entre el primero, sin que quede residuo. *[Curso anterior]*

51. 8 (28, 64, 8, 739, 384, 502) **64, 8, 384**   **52.** 4 (26, 552, 450, 482, 116, 74) **552, 116**

53. 6 (17, 24, 30, 51, 67, 74) **24, 30**   **54.** 9 (21, 37, 45, 55, 82, 93) **45**

2-10 • Variables y expresiones **113**

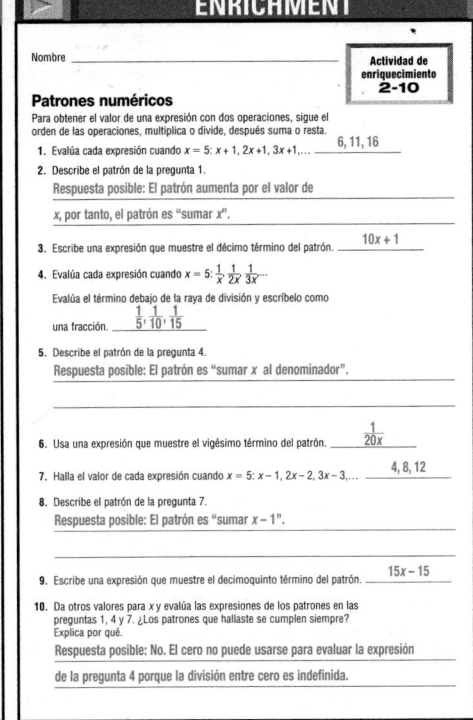

Respuestas de Ejercicios

39. Número de estrellas: 13, 26, 39, 52, $13w$

40. Número de días: 7, 9, 14, $f \div 9000$

42. $7x$ es lo mismo que $7 \times x$. El valor de $7x$ para $x = 3$ es $7 \times 3 = 21$ y para $x = 4$ es $7 \times 4 = 28$.

43. a. ii
   b. i
   c. iii

44. Cero multiplicado por x resultará siempre 0, porque cualquier número multiplicado por 0 es siempre 0.

Evaluación adicional

Progreso Trabaja en grupos pequeños para que, por escrito, expliquen cómo calcularon las cantidades de cada columna de la tabla de **Investigar**.

▶ **Prueba rápida**

Evalúa cada expresión con el valor dado para la variable.

1. $\frac{80}{a}$, $a = 2$ 40

2. $30 - b$, $b = 4$ 26

3. $7c$, $c = 8$ 56

4. $d + 13$, $d = 5$ 18

Exercise Answers

39. Number of stars: 13, 26, 39, 52, $13w$

40. Number of days: 7, 9, 14, $f \div 9000$

42. $7x$ is the same as $7 \times x$. Value of $7x$ for $x = 3$ is $7 \times 3 = 21$ and for $x = 4$ is $7 \times 4 = 28$.

43. a. ii
   b. i
   c. iii

44. Zero times x will always result in 0 because any number multiplied by 0 is always 0.

Alternate Assessment

Performance Work in small groups to write explanations of how you calculated the entries in each column of the table in **Explore**.

Quick Quiz

Evaluate each expression for the given value of the variable.

1. $\frac{80}{a}$, $a = 2$ 40

2. $30 - b$, $b = 4$ 26

3. $7c$, $c = 8$ 56

4. $d + 13$, $d = 5$ 18

Available on Daily Transparency 2-10

Objective

- Translate phrases and situations into mathematical expressions.

Vocabulary

- Sum, difference, product, quotient

NCTM Standards

- 1–4, 9, 12

Review

Give words that suggest each operation.

Possible answers are given.

1. **Add** Plus, more than, increased by.

2. **Subtract** Minus, less, less than, take away.

3. **Multiply** Times, product of.

4. **Divide** Divide by, divide into, quotient of.

Available on Daily Transparency 2-11

► Repaso

Señala las palabras que sugiere cada operación.

Se dan las respuestas posibles.

1. **Suma** Más, más que, incrementado en.

2. **Resta** Menos, menor, menor que, quitar.

3. **Multiplicación** Por, producto de.

4. **División** Dividir entre, dividido en, cociente de.

Introduce

Explore

The Point

Students create word problems to match each of the four arithmetic operations.

Ongoing Assessment

There may be a great deal of variance in the quality of the problems written by students; encourage students to elaborate upon the situations in order to improve their problems.

For Groups That Finish Early

Exchange your problems with another group and check that you agree that the problems match the solutions.

Answers for Explore

1. Possible answers: Mary had 15 CDs. Bob gave her 13 more. How many CDs did she have in total?

1 Introducción

Investigar

Objetivo

Los estudiantes crean problemas verbales que se relacionan con las cuatro operaciones aritméticas.

Evaluación continua

La calidad de los problemas creados por los estudiantes puede ser bastante diversa; anímelos a trabajar sobre las situaciones analizadas para mejorar el desarrollo de los problemas.

Para los grupos que terminen antes

Intercambia tus problemas con otro grupo y comprueba que esté de acuerdo en que los problemas se relacionan con las respuestas.

Respuestas de Investigar

1. Respuestas posibles: Mary tenía 15 CD. Bob le dio 13 más. ¿Cuántos CD tenía en total?

Vas a aprender...

- a transformar enunciados y situaciones en expresiones matemáticas.

...cómo se usa

Las expresiones permiten a los veterinarios comparar las tasas de crecimiento de los animales.

Vocabulario

- suma
- diferencia
- producto
- cociente

No te olvides

Los números que multiplicas para obtener un producto se llaman *factores* del producto.
[Página 78]

► **Enlace con la lección** Como ya sabes evaluar expresiones, ahora aprenderás a transformar problemas que se expresan en forma verbal, a un lenguaje en que emplees constantes, variables y expresiones. ◄

Investigar Escritura de expresiones

Las historias del señor Ree

La noche anterior, el señor Ree preparó una prueba que consistía en cuatro problemas expresados en forma verbal. Estaba tan cansado cuando terminó, que por error tiró los problemas al cesto de basura. A la mañana siguiente sólo pudo encontrar las soluciones:

$15 + 13 = 28$ $140 - 60 = 80$ $12 \times 5 = 60$ $48 \div 4 = 12$

1. Para cada solución, redacta un problema cuya respuesta sea ésa. No puedes usar las palabras *suma*, *resta*, *multiplica* o *divide*, o cualquier derivado de estas palabras. En lugar de esto, piensa en una situación que te lleve de manera natural al empleo de cada operación.

2. Comparte tus problemas con los compañeros de clase. Ayuda a tu profesor a reunir una lista de situaciones en las cuales puedas usar cada operación aritmética.

Aprender Escritura de expresiones

Algunas palabras en español pueden traducirse en operaciones matemáticas específicas.

Palabra	Definición	Expresión numérica	Expresión variable
Suma	El resultado de la suma de números	$3 + 5$	$6 + x$
Diferencia	El resultado de la resta de números	$8 - 24$	$y - 10$
Producto	El resultado de la multiplicación de números	2×9	$5b$
Cociente	El resultado de la división de números	$20 \div 5$	$\frac{a}{2}$

► MEETING INDIVIDUAL NEEDS

Resources

2-11 Practice
2-11 Reteaching
2-11 Problem Solving
2-11 Enrichment
2-11 Daily Transparency
         Problem of the Day
         Review
         Quick Quiz

Recursos

2-11 Práctica
2-11 Práctica adicional
2-11 Resolución de problemas
2-11 Actividad de enriquecimiento

Learning Modalities

Verbal When students are translating English phrases into algebraic expressions, have them work in pairs, read the phrase aloud, discuss the meaning of the phrase, and then write the appropriate expression.

Musical Have different students make up songs that illustrate the ways in which different operations can be expressed using words.

English Language Development

Have students create an expression file. Laminate cards so students can write on them with grease pencils. On one side of a card, have students write word expressions such as 3 *times a number*. On the other side of the card, have them write the mathematical expression 3*n*.

Have students add new vocabulary to their reference book.

Modos de aprendizaje

Verbal Cuando sea necesario convertir frases escritas en expresiones algebraicas, los estudiantes deberán trabajar por parejas para leer cada frase en voz alta, analizar su significado y escribir la expresión correspondiente.

Musical Anime a los estudiantes a escribir canciones para ilustrar de qué manera pueden expresarse las operaciones matemáticas con palabras.

Desarrollo del lenguaje

Los estudiantes deben crear un archivo de expresiones. Déles algunas tarjetas y creyones. En un lado de las tarjetas, los estudiantes deberán escribir expresiones como ésta: *un número multiplicado por* 3. En el lado opuesto deberán escribir la expresión correspondiente: 3*n*.

Pídales que incluyan el vocabulario nuevo en su cuaderno de referencias.

---

24. Literatura El submarino imaginario de Julio Verne, el *Nautilus*, viajó 20,000 leguas bajo el mar. Sea *m* leguas igual a 1 milla, ¿cuántas millas viajó el *Nautilus*? $\frac{20,000}{m}$

25. Geografía El lago Michigan cubre cerca de 22,278 millas cuadradas. El lago Iliamna, en Alaska, cubre sólo *m* millas. ¿Cuánto más grande es el lago Michigan? $22{,}278 - m$ millas cuadradas

26. Para la prueba En un día de campo treinta y seis personas compartieron por igual una sandía que pesaba *p* libras. Escoge la expresión que muestre la cantidad que cada persona compartió. **B**

Ⓐ $\frac{36}{p}$ Ⓑ $\frac{p}{36}$

Ⓒ $p \times 36$ Ⓓ $36p$

Carmen Lomas Garza, "Sandia/Watermelon" 1986. Técnica: Gouache. Colección de Dudley D.Brooks y Tomas Ybarra-Frausto, New York, NY.

Resolución de problemas y razonamiento

27. Elige una operación (suma, resta, multiplicación o división) y describe tres situaciones que requieran de esa operación.

28. Comunicación Redacta, para cada expresión, una situación que la describa.

$n - 60;\ 60m;\ \frac{60}{n};\ n + 60$

29. Razonamiento crítico Escribe una expresión para el perímetro de cada cuadrado.

 a. 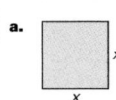 **b.** 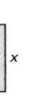 **c.**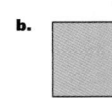

Repaso mixto

Haz un cálculo aproximado de las siguientes operaciones. *[Lección 2-7]* Respuestas posibles:

30. 103×64 ≈6400   **31.** $63{,}880{,}204 \div 80{,}129$ ≈800   **32.** 8212×779 ≈6,400,000   **33.** 495×508 ≈250,000

34. $52{,}305 \div 4{,}967$ ≈10   **35.** $112{,}635 \div 52{,}175$ ≈2   **36.** 633×490 ≈300,000   **37.** $123 \div 41$ ≈3

Realiza estas divisiones. *[Curso anterior]*

38. $154 \div 7$ **22**   **39.** $1464 \div 12$ **122**   **40.** $627 \div 33$ **19**   **41.** $20{,}097 \div 63$ **319**

42. $210 \div 5$ **42**   **43.** $624 \div 8$ **78**   **44.** $2470 \div 10$ **247**   **45.** $56{,}316 \div 13$ **4332**

RESOLVER PROBLEMAS 2-11

Notas sobre los ejercicios

■ Ejercicio 26

Para la prueba A los estudiantes puede parecerles en verdad difícil decidir qué número es el divisor. Pídales que sustituyan una constante —2 ó 4— por la variable en cada problema para que puedan decidir.

■ Ejercicio 29

Resolución de problemas Ten en cuenta En este problema los estudiantes no necesitan simplificar sus expresiones. Por ejemplo, en el inciso *c*, algunos pueden escribir $4(x + 3)$, mientras que otros pueden escribir $x + 3 + x + 3 + x + 3 + x + 3$. Rara vez escribirán $4x + 12$.

Respuestas de Ejercicios

27. Las respuestas pueden variar.

28. Las respuestas pueden variar.

29. a. $x + x + x + x$, ó $4x$

   b. $x + 2 + x + 2 + x + 2 + x + 2$, ó $4x + 8$

   c. $x + 3 + x + 3 + x + 3 + x + 3$, ó $4x + 12$

Evaluación adicional

Portafolio Selecciona algunos problemas que hayas escrito en esta lección para incluirlos en tu portafolio y explica por qué los escogiste y qué aprendiste al resolverlos.

Exercise Notes

■ Exercise 26

Test Prep Students may have considerable difficulty deciding which number is the divisor. Have them substitute a constant such as 2 or 4 for the variable in each problem in order to decide.

■ Exercise 29

Problem-Solving Tip Students do not need to simplify their expressions for this problem. Some may write $4(x + 3)$, for example, while others may write $x + 3 + x + 3 + x + 3 + x + 3$. Only rarely will a student write $4x + 12$.

Exercise Answers

27. Answers may vary.

28. Answers may vary.

29. a. $x + x + x + x$, or $4x$

   b. $x + 2 + x + 2 + x + 2 + x + 2$, or $4x + 8$

   c. $x + 3 + x + 3 + x + 3 + x + 3$, or $4x + 12$

Alternate Assessment

Portfolio Select some of the problems you have written in this lesson to include in your portfolio, explaining why you have selected them and what you learned from doing the problems.

➤ Prueba rápida

Escribe cada frase como una expresión.

1. 10 más que *a* $a + 10$

2. El producto de 7 por *y* $7y$

3. 15 dividido entre *c* $\frac{15}{c}$

4. 45 menos *d* $45 - d$

Quick Quiz

Write each phrase as an expression.

1. 10 more than *a* $a + 10$

2. The product of 7 and *y* $7y$

3. 15 divided by *c* $\frac{15}{c}$

4. *d* less than 45 $45 - d$

Available on Daily Transparency 2-11

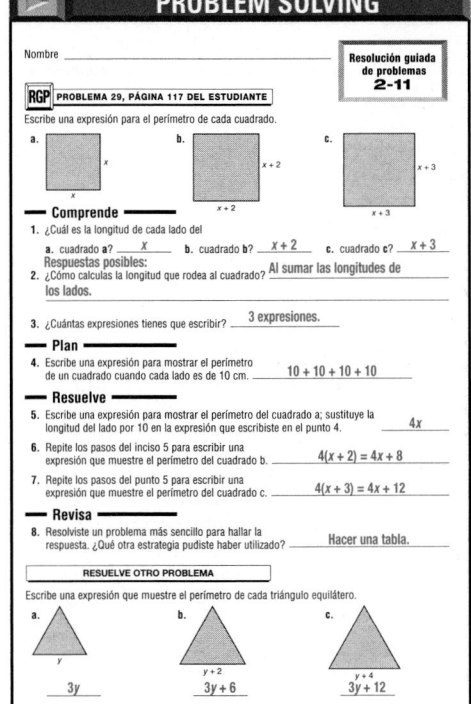

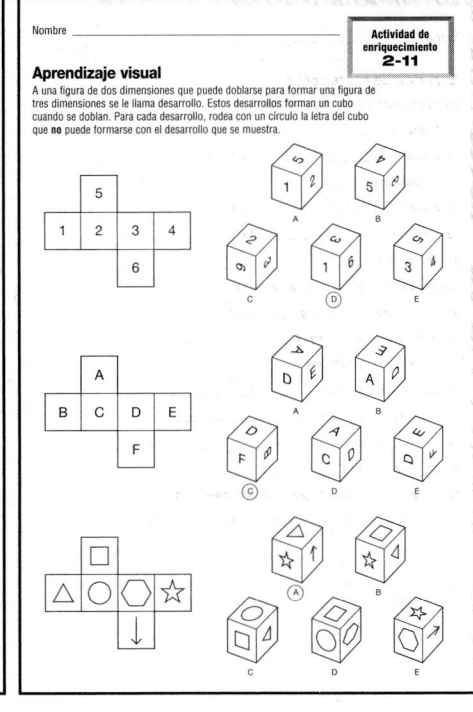

2-12
Lesson Organizer

Objectives
- Understand what an equation is.
- Determine if an equation is true or false.

Vocabulary
- Equation

NCTM Standards
- 1–4, 9

Review

Evaluate each expression.

1. $8 - 2 \times 3$ 2
2. $(4 + 5) \div 3$ 3
3. $2^3 + 1$ 9
4. $3 \times 4 - 15 \div 3$ 7

Available on Daily Transparency 2-12

▶ Repaso

Evalúa las expresiones.

1. $8 - 2 \times 3$ 2
2. $(4 + 5) \div 3$ 3
3. $2^3 + 1$ 9
4. $3 \times 4 - 15 \div 3$ 7

Introduce

Explore

The Point

Students work backward to determine how many of each type of fish were in the tank before changes were made.

Ongoing Assessment

Some students may have difficulty isolating the relevant information for each question. Point out that Steps 1–4 each use information from one of the bullets.

For Groups That Finish Early

Pairs of students may switch problems with each other and discuss the solutions. They may also write their problems on the board or on a transparency for class discussion.

1 Introducción

Investigar

Objetivo

Los estudiantes empiezan por el final para determinar cuántos peces de cada tipo había en el estanque antes de que se hicieran los cambios.

Evaluación continua

A algunos estudiantes se les dificulta distinguir la información relevante de cada pregunta. Señale que cada uno de los pasos 1–4 usa información de uno de los incisos del listado.

Para los grupos que terminen antes

Forme parejas de estudiantes para que intercambien problemas y comenten las soluciones. También pueden escribir sus problemas en la pizarra o en una transparencia para analizarlos en clase.

2-12   Uso de ecuaciones

Vas a aprender...

- qué es una ecuación.
- a determinar si una ecuación es verdadera o falsa.

...cómo se usa

Los meteorólogos utilizan ecuaciones para pasar de grados Fahrenheit a grados de Celsius.

Vocabulario
ecuación

▶ **Enlace con Ciencias**

Los peces que viven a profundidades de una milla poseen características excepcionales que les permiten sobrevivir. Por ejemplo, tienen cuerpos aplanados y brillan en la oscuridad.

▶ **Enlace con la lección**   En la lección anterior aprendiste a escribir expresiones en donde se desconocía la respuesta final. Ahora aprenderás a escribir expresiones cuya respuesta sea conocida. ◀

Investigar   Uso de ecuaciones

¡Tanques para las anémonas!

El lunes por la tarde, cuatro empleados del Acuario de la Bahía hicieron estos cambios en el acuario central.

- León triplicó el número de estrellas de mar; ahora son 30.
- Val sacó 4 rayas y quedan 7.
- Rico agregó 5 peces piedra, por lo que ahora son 13.
- Wendy sacó la mitad de las anguilas y quedan 10.

La lista proporciona el número de ejemplares de cada especie el lunes por la mañana, antes de que se hiciera cualquier cambio.

1. ¿Cuál es el número de estrellas de mar? ¿Cómo lo sabes?
2. ¿Cuál es el número de rayas? ¿Cómo lo sabes?
3. ¿Cuál es el número de peces piedra? ¿Cómo lo sabes?
4. ¿Cuál es el número de anguilas? ¿Cómo lo sabes?
5. Escoge alguna especie y escribe una pregunta parecida a éstas. Intercambia preguntas con un compañero y analiza las respuestas.

Lunes por la mañana
8
10
55
20
13
11
7

118   Capítulo 2 • Asociación entre aritmética y álgebra

MEETING INDIVIDUAL NEEDS

Resources

2-12	Practice
2-12	Reteaching
2-12	Problem Solving
2-12	Enrichment
2-12	Daily Transparency
	Problem of the Day
	Review
	Quick Quiz

Interactive CD-ROM Lesson

Recursos

2-12	Práctica
2-12	Práctica adicional
2-12	Resolución de problemas
2-12	Actividad de enriquecimiento

Esta lección en el CD-ROM interactivo

Learning Modalities

Logical Have students work with a partner to think of problems that could be solved by writing an equation. Students should share some of their situations with the class, and the rest of the class should determine the equation being described.

Visual Have students use squares of construction paper to represent the different fish in **Explore**. Use a different color for each type of fish.

Modos de aprendizaje

Lógico En parejas, los estudiantes deberán escribir problemas que puedan resolverse mediante una ecuación. Pídales que compartan el trabajo con sus compañeros para que estos definan la ecuación descrita.

Visual Los estudiantes pueden usar cuadrados de cartulina para representar los peces de **Investigar**. Dígales que usen un color diferente para cada tipo de pez.

Inclusion

Materials: Balance scale, paper clips

Students may benefit from using a balance scale to illustrate solving simple equations. Write the equation $x + 9 = 21$ on the chalkboard. Model the equation by placing 9 clips on one side of the scale and 21 on the other. Have students balance the scale, thus determining the value of x. Continue the activity with similar problems.

Inclusión

Materiales: Balanza, sujetapapeles

La balanza permitirá que los estudiantes ilustren con mayor facilidad la resolución de ecuaciones sencillas. Escriba la ecuación $x + 9 = 21$ en la pizarra. Ponga 9 sujetapapeles en un extremo de la balanza y 21 en el otro. Los estudiantes deberán equilibrar los extremos de la balanza para determinar el valor de x. Repita la actividad con problemas similares.

Aprender | Uso de ecuaciones

Una **ecuación** es un enunciado matemático que utiliza un signo de igualdad, =, para mostrar que dos expresiones son iguales. Una ecuación puede ser verdadera o falsa.

$5 + 7 = 12$ es verdadera.	$16 - 6 = 12$ es falsa.
$30 \div 5 = 6$ es verdadera.	$3 \times 5 = 35$ es falsa.

Una ecuación con una variable puede ser también verdadera o falsa, dependiendo del valor de la variable.

Si $x = 5$, entonces $x + 6 = 11$ es verdadera.   Si $x = 12$, entonces $x + 6 = 11$ es falsa.

Ejemplos

¿Cuál es la ecuación verdadera para el valor dado de la variable?

1 $5y = 40$, $y = 8$

$5 \times 8 \stackrel{?}{=} 40$ Sustituye 8 en *y*.

$40 = 40$ Multiplica.

La ecuación es verdadera.

2 $r + 20 = 35$, $r = 10$

$10 + 20 \stackrel{?}{=} 35$ Sustituye 10 en *r*.

$30 \neq 35$ Haz la suma.

Puesto que $10 + 20$ no es igual a 35, la ecuación es falsa.

Haz la prueba

¿Es verdadera la ecuación para el valor dado de la variable?

a. $\frac{30}{z} = 3$, $z = 6$ **No** **b.** $h - 12 = 24$, $h = 12$ **No** **c.** $5 + d = 5$, $d = 0$ **Sí**

Al igual que las expresiones, las ecuaciones pueden usarse para elaborar modelos de situaciones reales. Por ejemplo, la profundidad máxima que se sugiere para el buceo deportivo es de 130 pies. Si te sumerges *d* pies y te faltan 50 pies antes de llegar al límite, puedes expresar esto como $d + 50 = 130$.

▶ **Enlace con Ciencias**

La depresión más grande de la Tierra es la fosa de Mariana, en el océano Pacífico. Está a más de 10 kilómetros bajo el nivel del mar. El punto más alto, el Everest, está a menos de 9 kilómetros sobre el nivel del mar.

Comprobar | Tu comprensión

1. ¿Cuál es la diferencia entre una ecuación y una expresión?

2. ¿Toda ecuación tiene una variable? Justifica tu respuesta.

2-12 • Uso de ecuaciones **119**

MATH EVERY DAY

▶ **Problema del día**

En el café Dino's las mesas son cuadradas y tienen lugar para 4 personas. Supónte que un grupo de 50 personas hicieron una reservación. ¿Cuántas mesas deben unirse para que todos se sienten juntos?
24 mesas

Problem of the Day

At Dino's Cafe, Dino can seat 4 people at each square table. A group of 50 people reserved one long table for a celebration. How many square tables would Dino need to push together to seat all these people? 24 tables

Available on Daily Transparency 2-12

An Extension is provided in the transparency package.

Dato del día

En Estados Unidos hay 55 especies de peces, 12 especies de caracoles marinos, 50 especies de ostras y 10 especies de crustáceos en peligro de extinción.

Fact of the Day

In the United States there are 55 species of fish, 12 species of snails, 50 species of clams, and 10 species of crustaceans on the endangered list.

Estimation

Estimate.

1. $35,670 \div 5800$ 6
2. $44,500 + 155,200$
   200,000
3. $302 \times 19,734$
   6,000,000

Cálculo aproximado

Haz un cálculo aproximado.

1. $35,670 \div 5800$ 6
2. $44,500 + 155,200$
   200,000
3. $302 \times 19,734$
   6,000,000

Respuestas de Investigar

1. 10; "El triple" significa que multiplicó el número de estrellas por 3 para obtener 30.

2. 11; "Sustrajo 4" significa que a 11 rayas restó 4 y quedaron 7.

3. 8; Tuvo que sumar 5 peces piedra a 8 para obtener 13.

4. 20; "Le quitó la mitad" significa que dividió 20 entre 2 para obtener 10 anguilas.

5. Las respuestas pueden variar.

2 Enseñanza

Aprender

Pida a los estudiantes que den un ejemplo de una ecuación falsa. Asegúrese de que incluyan ejemplos como $3 + 4 = 5$.

Ejemplos adicionales

1. Si $a = 12$, ¿$3a = 36$ es verdadera?

   $3 \times 12 \stackrel{?}{=} 36$

   Sustituye 12 por *a* y multiplica.

   $36 = 36$

   La ecuación es verdadera.

2. Si $m = 20$, ¿$45 - m = 10$ es verdadera?

   $45 - 20 \stackrel{?}{=} 10$

   Sustituye 20 por *m* y resta.

   $25 \neq 10$

   Puesto que $25 \neq 10$, la ecuación es falsa.

3 Práctica y evaluación

Comprobar

Puede ser útil pedir a los estudiantes que inventen sus propios ejemplos de ecuaciones y expresiones antes de responder estas preguntas.

Respuestas de Comprobar tu comprensión

1. Respuestas posibles: Las expresiones no contienen signos de igualdad; Las ecuaciones sí contienen signos de igualdad.

2. No; $2 \times 5 = 10$ es una ecuación.

Answers for Explore

1. 10; "Tripled" means he multiplied the number of sea stars by 3 to get 30.

2. 11; "Removed 4" means she subtracted 4 bat rays from 11, leaving 7.

3. 8; He had to add 5 rockfish to 8 to get 13 of them.

4. 20; "Took out half" means she divided 20 by 2 to get 10 wolf eels.

5. Answers may vary.

Teach

Learn

Ask students for an example of a false equation. Be sure that they include examples like $3 + 4 = 5$.

Alternate Examples

1. Is $3a = 36$ true for $a = 12$?

   $3 \times 12 \stackrel{?}{=} 36$

   Substitute 12 for *a*. Multiply.

   $36 = 36$

   The equation is true.

2. Is $45 - m = 10$ true for $m = 20$?

   $45 - 20 \stackrel{?}{=} 10$

   Substitute 20 for *m*. Subtract.

   $25 \neq 10$

   Since $25 \neq 10$, the equation is false.

Practice and Assess

Check

It may be helpful to have students generate their own examples of equations and expressions before answering these questions.

Answers for Check Your Understanding

1. Possible answers: An expression does not contain an equal sign; An equation does contain an equal sign.

2. No; $2 \times 5 = 10$ is an equation.

Assignment Guide

- **Basic** 1–10, 20–22, 26–30, 34–58 evens
- **Average** 1, 11–19, 22–28 evens, 29, 32–58 evens
- **Enriched** 3–23 odds, 24–32, 33–47 odds, 49–58

Exercise Notes

■ Exercises 2–19

Remind students that $5k$ is the same as $5 \times k$ and $24 \div x$ is the same as $\frac{24}{x}$.

■ Exercises 20–27

Error Prevention Students may give an answer different from that given in the answer key. If the equation is equivalent to the one in the key, then it should be considered acceptable. Students need to understand that there is often more than one way to write an equation.

Notas sobre los ejercicios

■ Ejercicios 2–19

Recuerde a los estudiantes que $5k$ es lo mismo que $5 \times k$, y que $24 \div x$ es lo mismo que $\frac{24}{x}$.

■ Ejercicios 20–27

Prevención de errores Los estudiantes pueden obtener una respuesta diferente de la que se proporciona en la clave de respuestas. Si la ecuación es equivalente a la de la clave, entonces debe tomarse por buena. Los estudiantes también deben comprender que a menudo hay más de una forma de escribir una ecuación.

Práctica y aplicación

1. **Para empezar** Establece si la ecuación es verdadera o falsa.

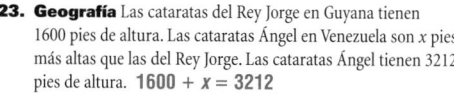
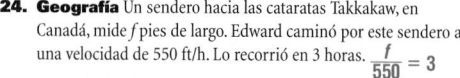

a. $3 + 10 \stackrel{?}{=} 13$ V **b.** $16 - 12 \stackrel{?}{=} 6$ F **c.** $12 + 5 \stackrel{?}{=} 18$ F **d.** $16 - 12 \stackrel{?}{=} 4$ V **e.** $63 + 3 \stackrel{?}{=} 69$ F

f. $20 \times 6 \stackrel{?}{=} 130$ F **g.** $15 \div 3 \stackrel{?}{=} 5$ V **h.** $27 \div 9 \stackrel{?}{=} 4$ F **i.** $6 \times 16 \stackrel{?}{=} 96$ V **j.** $3 \times 7 \stackrel{?}{=} 21$ V

¿Es verdadera la ecuación para el valor dado de la variable?

2. $8 + r = 17, r = 9$ Sí   **3.** $16 - x = 7, x = 12$ No   **4.** $w - 23 = 2, w = 19$ No

5. $5h = 25, h = 5$ Sí   **6.** $s + 45 = 52, s = 7$ Sí   **7.** $10y = 30, y = 3$ Sí

8. $\frac{15}{q} = 5, q = 5$ No   **9.** $22y = 24, y = 2$ No   **10.** $\frac{w}{12} = 2, w = 24$ Sí

11. $12 \times t = 48, t = 4$ Sí   **12.** $v - 13 = 16, v = 29$ Sí   **13.** $9 \times 3l = 28, l = 3$ No

14. $\frac{14}{u} = 25, u = 7$ No   **15.** $45m = 3, m = 1$ No   **16.** $\frac{0}{n} = 0, n = 30$ Sí

17. $\frac{e}{3} = 7, e = 21$ Sí   **18.** $\frac{42}{p} = 24, p = 2$ No   **19.** $1k = 2, k = 2$ Sí

Escribe una ecuación para cada situación.

20. María tenía f naranjas y regaló 1 a Byron, así que le quedaron 3 naranjas. $f - 1 = 3$

21. Jarrod compró 12 bocadillos y los compartió por igual entre p personas. A cada una le tocaron 3 bocadillos. $\frac{12}{p} = 3$

22. Nigel tiene 2 camisas verdes, b camisas azules y 3 camisas blancas. En total tiene 8 camisas. $2 + b + 3 = 8$

23. **Geografía** Las cataratas del Rey Jorge en Guyana tienen 1600 pies de altura. Las cataratas Ángel en Venezuela son x pies más altas que las del Rey Jorge. Las cataratas Ángel tienen 3212 pies de altura. $1600 + x = 3212$

24. **Geografía** Un sendero hacia las cataratas Takkakaw, en Canadá, mide f pies de largo. Edward caminó por este sendero a una velocidad de 550 ft/h. Lo recorrió en 3 horas. $\frac{f}{550} = 3$

25. Mona compró \$84 en accesorios de computación y pagó d dólares de impuestos. El total fue de \$88. $84 + d = 88$

26. Sheena compró r rollos de película a \$4 cada rollo y pagó \$60. $4r = 60$

Cataratas Ángel, Venezuela

120 *Capítulo 2 • Asociación entre aritmética y álgebra*

PRACTICE

Nombre _____

Práctica 2-12

Uso de ecuaciones

¿El valor que se da a la variable hace verdadera la ecuación?

1. $x + 5 = 17, x = 22$ Falso   **2.** $3 - y = 1, y = 2$ Verdadero

3. $4x = 24, x = 6$ Verdadero   **4.** $g - 7 = 11, g = 18$ Verdadero

5. $s \div 7 = 3, s = 21$ Verdadero   **6.** $u + 12 = 31, u = 20$ Falso

7. $h - 13 = 21, h = 34$ Verdadero   **8.** $64 \div n = 16, n = 8$ Falso

9. $20 \times t = 300, t = 160$ Falso   **10.** $18 - c = 10, c = 8$ Verdadero

11. $m + 40 = 92, m = 50$ Falso   **12.** $x + 5 = 15, x = 75$ Verdadero

13. $3k = 27, k = 9$ Verdadero   **14.** $z - 9 = 61, z = 52$ Falso

15. $12 + v = 21, v = 7$ Falso   **16.** $5w = 20, w = 4$ Verdadero

17. $n - 6 = 24, n = 18$ Falso   **18.** $k \div 8 = 9, k = 56$ Falso

19. $m + 12 = 61, m = 49$ Verdadero   **20.** $j + 17 = 86, j = 79$ Falso

Escribe una ecuación para cada situación.

21. Jim tenía 18 discos compactos y compró x más. Después tenía 21 discos. $18 + x = 21$

22. Rolando horneó 4 hogazas de pan, cada una con un peso de w oz. El peso total era de 80 oz. $4w = 80$

23. Verónica tenía m canicas. Le dio 5 a Marco y le quedaron 12 canicas. $m - 5 = 12$

24. El tiempo que se da para comer en la escuela Eisenhower es por lo general de 35 minutos. El jueves se dio a los estudiantes t minutos extra, por lo que tuvieron 55 minutos para la comida. $35 + t = 55$

25. Stella repartió un mazo de 52 cartas para hacer h manos. Cada mano tenía 13 cartas. $52 \div h = 13$

26. **Profesiones** El ejecutivo promedio quema alrededor de 105 calorías por hora de trabajo, lo cual equivale a c calorías más que el promedio de las secretarias, quienes queman 88 calorías por hora. $105 = 88 + c$

27. **Ciencias sociales** Cada uno de los 50 estados de EE UU tiene s senadores. Hay 100 senadores en Estados Unidos. $50s = 100$

RETEACHING

Nombre _____

Práctica adicional 2-12

Uso de ecuaciones

Una **ecuación** es un enunciado matemático que emplea el signo de igualdad, $=$, para mostrar que dos expresiones son iguales. Una ecuación puede ser verdadera o falsa. Por ejemplo, $13 + 12 = 25$ es verdadera porque ambos lados tienen el mismo valor, mientras que $85 - 21 = 82$ es falsa puesto que los dos lados de la ecuación **no** tienen el mismo valor.

Una ecuación con una variable también puede ser verdadera o falsa, según los valores de la variable.

— **Ejemplo** —

¿Es verdadera la ecuación para el valor que se da a la variable?

a. $4y = 24, y = 6$

$4 \times 6 \stackrel{?}{=} 24$ Sustituye 6 por y.

$24 = 24$ Haz la multiplicación.

Puesto que ambos lados de la ecuación tienen el mismo valor, la ecuación es verdadera.

b. $8 + a = 10, a = 3$

$8 + a \stackrel{?}{=} 10$ Sustituye 3 por a.

$11 \neq 10$ Realiza la suma.

Puesto que ambos lados de la ecuación **no** tienen el mismo valor, la ecuación es falsa.

Haz la prueba

¿Es verdadera la ecuación para el valor de la variable: $28 + x = 7, x = 4$?

a. ¿Qué valor se sustituirá por x? 4

b. Escribe la ecuación y sustituye por el valor de x. $28 \div 4 = 7$

c. ¿Es verdadera o falsa la ecuación que escribiste en el punto b? Verdadera.

¿Es verdadera la ecuación para el valor dado de la variable?

d. $k + 65 = 100, x = 25$ No.   **e.** $9y = 72, y = 8$ Sí.

f. $56 - j = 40, j = 20$ No.   **g.** $\frac{s}{5} = 5, r = 15$ Sí.

h. $2w = 60, w = 30$ Sí.   **i.** $p - 6 = 6, p = 22$ No.

j. $7 \times b = 49, b = 7$ Sí.   **k.** $m + 4 = 2, m = 10$ No.

l. $40 + q = 60, q = 25$ No.   **m.** $16 - h = 7, h = 9$ Sí.

Reteaching

Activity

Materials: Number cubes

- Write an equation with a variable, such as $4 + x = 10$.
- Toss the number cubes and state whether the sum of the numbers tossed makes the equation true or false.
- For example, if the equation is $4 + x = 10$ and a sum of 7 is tossed, then the equation is false.
- Repeat this until you have written ten equations.

Práctica adicional

Actividad

Materiales: Dados

- Escribe una ecuación con una variable, por ejemplo: $4 + x = 10$.
- Tira los dados y determina si la suma de los números que cayeron hace verdadera o falsa la ecuación.
- Por ejemplo, si la ecuación es $4 + x = 10$ y obtienes una suma de 7, entonces la ecuación es falsa.
- Repite el ejercicio hasta que hayas escrito diez ecuaciones.

27. Súper Deportes vende un bate de béisbol Grand Slam en \$75. El mismo bate está de oferta en El Marcador por b. Puedes ahorrar \$26 dólares si compras el bate en El Marcador. $75 - b = 26$

28. **Para la prueba** Diana cortó una naranja en s rebanadas iguales. Ella se comió 6 rebanadas y le sobraron 2. Escoge la ecuación que expresa de manera adecuada el problema. **B**

Ⓐ $s + 6 = 2$ Ⓑ $s - 6 = 2$ Ⓒ $6s = 2$ Ⓓ $6 - s = 2$

Resolución de problemas y razonamiento

29. Escoge una estrategia Franz y Jenna construyeron una casa rectangular en un árbol. Las paredes norte y sur medían cada una f pies de largo. Las paredes este y oeste medían $f + 2$ pies de largo. El perímetro de la casa del árbol era de 24 pies. ¿Tenía la pared norte 6 pies de largo? Explica tu respuesta.

> **Resolución de problemas**
> ## ESTRATEGIAS
> • Busca un patrón
> • Organiza la información en una lista
> • Haz una tabla
> • Prueba y comprueba
> • Empieza por el final
> • Usa el razonamiento lógico
> • Haz un diagrama
> • Simplifica el problema

30. Razonamiento crítico Para una ecuación de suma como $2 + x = 5$, ¿cuántos valores harán esta ecuación verdadera? Explica tu razonamiento.

31. En tu diario Explica por qué una ecuación puede ser verdadera o falsa, pero una expresión no es ni verdadera ni falsa. Ofrece ejemplos para tu respuesta.

32. Comunicación Juan dice que $x \times 0 = 4$ siempre será falso, no importa el valor que le des a la variable. ¿Estás de acuerdo? Justifica tu respuesta.

Repaso mixto

Con los mismos números, escribe cada ecuación de multiplicación como una ecuación de división. *[Curso anterior]*

33. $555 \div 111 = 5$ **34.** $1200 \div 30 = 40$ **35.** $1536 \div 48 = 32$ **36.** $616 \div 8 = 77$
$5 \times 111 = 555$ $40 \times 30 = 1200$ $32 \times 48 = 1536$ $77 \times 8 = 616$

37. $42 \times 13 = 546$ **38.** $31 \times 31 = 961$ **39.** $23 \times 86 = 1978$ **40.** $18 \times 98 = 1764$
$546 \div 13 = 42$ $961 \div 31 = 31$ $1978 \div 86 = 23$ $1764 \div 98 = 18$

Con los mismos números, escribe cada ecuación de división como una ecuación de multiplicación. *[Curso anterior]*

41. $64 \div 8 = 8$ **42.** $2100 \div 700 = 3$ **43.** $32 \div 4 = 8$ **44.** $99 \div 9 = 11$
$8 \times 8 = 64$ $3 \times 700 = 2100$ $4 \times 8 = 32$ $9 \times 11 = 99$

45. $3528 \div 56 = 63$ **46.** $4402 \div 71 = 62$ **47.** $1044 \div 12 = 87$ **48.** $2025 \div 45 = 45$
$63 \times 56 = 3528$ $62 \times 71 = 4402$ $87 \times 12 = 1044$ $45 \times 45 = 2025$

Halla el valor numérico de la expresión cuando $x = 1, 2$ y 3. *[Lección 2-10]*

49. $12 + x$ 13; 14; 15   **50.** $3x$ 3; 6; 9   **51.** $\frac{36}{x}$ 36; 18; 12   **52.** $x - 1$ 0; 1; 2   **53.** $6x$ 6; 12; 18

54. $7x$ 7; 14; 21   **55.** $\frac{30}{x}$ 30; 15; 10   **56.** $8 - x$ 7; 6; 5   **57.** $x + 7$ 8; 9; 10   **58.** $5x$ 5; 10; 15

Notas sobre los ejercicios

■ Ejercicio 29

Resolución de problemas Ten en cuenta No se espera en este punto que los estudiantes sepan sumar polinomios. Sí, en cambio, que puedan empezar por el final, sustituir 6 por f y comparar los lados para darse cuenta de que el perímetro no puede ser tan pequeño como 24 pies.

Respuestas de Ejercicios

29. No; Tenía 5 pies de largo.

30. Sólo $x = 3$ hará que la ecuación sea verdadera.

31. Respuesta posible: Una ecuación es verdadera o falsa para un valor dado de la variable porque el signo de igualdad exige que los dos lados de la ecuación sean iguales. Una expresión no tiene un signo de igualdad, por tanto, no exige nada.

32. Sí; 4 dividido entre cualquier número nunca da cero.

Evaluación adicional

Tal vez quiera usar el *Diario interactivo CD-ROM* con esta evaluación.

En tu diario Describe las diferencias entre una ecuación y una expresión. Tu descripción debe incluir ejemplos de cada una.

Exercise Notes

■ Exercise 29

Problem-Solving Tip Students are not expected to know how to add polynomials here. Instead they can work backward and substitute 6 for f and compare sides to realize that the perimeter cannot be as small as 24 feet.

Exercise Answers

29. No; It is 5 feet long.

30. Only $x = 3$ will make the equation true.

31. Possible answer: An equation is true or false for a given value of the variable because the equal sign is making a claim that the two sides of the equation are equal. An expression does not have an equal sign, so is not making any claim.

32. Yes; 4 divided by any number is never zero.

Alternate Assessment

You may want to use the *Interactive CD-ROM Journal* with this assessment.

Journal Describe the difference between an equation and an expression. Your description should include examples of each.

▶ Prueba rápida

1. ¿Es verdadera o falsa la ecuación $7 \times 8 = 55$? Falsa. $7 \times 8 = 56$.

2. Si $x = 3$, ¿$8 - x = 5$ es verdadera? Explica tu respuesta. Sí. $8 - 3 = 5$.

3. Escribe una ecuación que exprese lo siguiente: Sharon hizo d galletas para vender en la escuela. Puso 3 galletas en cada bolsa y tiene 50 bolsas en total. ¿Cuántas galletas hizo Sharon? $d \div 3 = 50$ ó $3 \times 50 = d$

▶ Quick Quiz

1. Is the equation $7 \times 8 = 55$ true or false? False. $7 \times 8 = 56$.

2. Is $8 - x = 5$ true for $x = 3$? Explain your answer. Yes. $8 - 3 = 5$.

3. Write an equation for the following situation: Sharon made d cookies for the bake sale at school. She put 3 cookies in a bag. She has 50 bags in all. How many cookies did Sharon make? $d \div 3 = 50$ or $3 \times 50 = d$

Available on Daily Transparency 2-12

▶ PROBLEM SOLVING

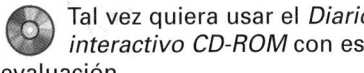

Nombre _____

Resolución guiada de problemas 2-12

RGP PROBLEMA 29, PÁGINA 121 DEL ESTUDIANTE

Franz y Jenna construyeron una casa rectangular en un árbol. Las paredes norte y sur medían cada una f pies de largo. Las paredes este y oeste medían $f + 2$ pies de largo. El perímetro de la casa del árbol era de 24 pies. ¿Tenía la pared norte 6 pies de largo? Explica tu respuesta.

— Comprende —

1. ¿Cómo hallas el perímetro de una figura rectangular?
Al sumar las longitudes de los cuatro lados.

2. ¿Cuál es el perímetro de la casa del árbol?   24 pies.

3. ¿Cuáles son las dimensiones de la casa del árbol? f pies por $(f + 2)$ pies

— Plan —

4. Escribe una ecuación que muestre el perímetro de la casa del árbol.
Respuesta posible: $4f + 4 = 24$

— Resuelve —

5. Sustituye 6 por f en tu ecuación. Si la pared norte mide 6 pies de longitud, ¿cuál es el perímetro de la casa del árbol?   28 pies.

6. ¿Pudo haber tenido la casa del árbol una pared norte de 6 pies de longitud? Explica tu respuesta.
No. Si la pared norte tiene 6 pies, entonces la pared adjunta sería de 8 pies. Por tanto, el perímetro sería de 28 pies. $28 \neq 24$.

— Revisa —

7. ¿Qué otra estrategia podrías utilizar para resolver el problema?
Dibujar un diagrama; Marcar las longitudes de los lados y sumar.

RESUELVE OTRO PROBLEMA

El Hot Shot Club colocó un borde alrededor de la pizarra de avisos del pasillo. Usaron 32 pies de papel crepé. El ancho de la pizarra de avisos es de w pies. La longitud es de $w + 4$ pies. ¿El ancho de la pizarra de avisos es de 6 pies de longitud? Explica tu respuesta.
Sí. Como el perímetro es de $4w + 8$, se sustituye 6 por w.
$w = 32$, que es la longitud dada.

▶ ENRICHMENT

Nombre _____

Actividad de enriquecimiento 2-12

Tomar decisiones

Imagina que te ofrecen estas oportunidades. ¿Cuál escogerías? Explica por qué harías cada elección y muestra una ecuación, patrón numérico u otra explicación matemática que apoye tu decisión.

1. ¿Cuál recibirías? ¿Por qué?
   a. Una moneda de un centavo el primer día, dos monedas de un centavo el segundo, cuatro el tercero, ocho el cuarto y así sucesivamente para treinta días.
   b. Un dólar diario durante un mes.
   Respuesta posible: La opción a, que tiene un saldo mucho mayor;
   Opción a, $0.01 + 0.02 + 0.04 + ... = 10,737,418.23$;
   Opción b, $1 + 1 + 1 + ... = 30$.

2. Imagina que le estuvieras pagando dinero a un amigo. ¿Cambiarías eso tu respuesta a la pregunta 1? ¿Por qué?
   Respuesta posible: Sí. La opción b sería mejor porque se pagaría menos dinero.

3. Imagina que ganas una rifa en la que se te paga dinero por treinta días. Tienes dos opciones, a o b. El primer día se da 1 dólar. ¿Cuál opción escogerías? ¿Por qué?
   a. La cantidad que recibirás se duplicará cada dos días.
   b. La cantidad que recibirás se triplicará cada cuatro días.
   Respuesta posible: La opción a, que tiene un saldo mucho mayor;
   Patrón de la opción a: 1, 1, 2, 2, 4, 4,... Las ganancias son iguales a \$65,534.
   Patrón de la opción b: 1, 1, 1, 1, 3, 3, 3, 3, 9, 9, 9, 9,... Las ganancias son iguales a \$8746.

4. Redacta un problema análogo al de esta página. Intercambia tus notas con un compañero de clase y traten de resolver los problemas de cada cual.
   Revise el trabajo de los estudiantes.

Objective

- Find the value of the variable that makes an equation true.

NCTM Standards

- 1–4, 9

Review

Find the next three numbers in each pattern.

1. 4, 7, 10, 13, 16, …
   19, 22, 25

2. 2400, 1200, 600, …
   300, 150, 75

3. 975, 964, 953, 942, …
   931, 920, 909

Available on Daily Transparency 2-13

► Repaso

Encuentra los siguientes tres números de cada patrón.

1. 4, 7, 10, 13, 16, …
   19, 22, 25

2. 2400, 1200, 600, …
   300, 150, 75

3. 975, 964, 953, 942, …
   931, 920, 909

.

Introduce

Explore

The Point

Students evaluate expressions and then reverse the process. They develop their own methods for solving the equations and explain these methods.

Ongoing Assessment

Ask students to share how they found the values in the top row in Step 2. Ask students to look for alternative ways to do the problems. Stress that there is no one "right" way to do these problems.

Answers for Explore

1. 0; 2; 3; 7
2. 3; 7; 14; 21
3. $\frac{24}{x}$
4. Explanations may involve using subtraction.

1 Introducción

Investigar

Objetivo

Los estudiantes evalúan las expresiones y después invierten el proceso. Desarrollan sus propios métodos para resolver ecuaciones y los explican.

Evaluación continua

Anime a los estudiantes a que compartan con sus compañeros la manera como hallaron los valores de la hilera superior del paso 2. Indíqueles que busquen formas alternativas para resolver los problemas. Subraye que no existe una forma "correcta" —sino varias— para resolver estos problemas.

Respuestas de Investigar

1. 0; 2; 3; 7
2. 3; 7; 14; 21
3. $\frac{24}{x}$
4. Las explicaciones pueden incluir el uso de la resta.

2-13 Resolución de ecuaciones

Vas a aprender…

■ a encontrar el valor de la variable que hace verdadera una ecuación.

…cómo se usa

Los diseñadores de patinetas utilizan ecuaciones para determinar cuánto peso puede soportar una patineta.

▶ **Enlace con la lección** Has aprendido a determinar si el valor dado a una variable hace verdadera una ecuación. Ahora aprenderás a hallar el valor que hace verdadera una ecuación. ◄

Investigar Resolución de ecuaciones

El valor de las tablas

1. Copia la tabla y evalúa la expresión con los valores dados.

x	3	5	6	10
x − 3				

2. Copia la tabla y encuentra los valores de las variables que satisfacen los valores de la expresión.

x				
2x	6	14	28	42

3. Encuentra la expresión faltante de la tabla.

x	1	2	3	4
?	24	12	8	6

4. Explica cómo hallaste los valores faltantes de cada tabla.

Aprender Resolución de ecuaciones

Muchas situaciones de la vida cotidiana que implican ecuaciones con variables no te dan un valor para comprobar la ecuación. A veces necesitas encontrar el valor exacto que hará que una ecuación sea verdadera. Esto se conoce como resolver la ecuación.

122 *Capítulo 2 • Asociación entre aritmética y álgebra*

► MEETING INDIVIDUAL NEEDS

Resources

2-13	Practice
2-13	Reteaching
2-13	Problem Solving
2-13	Enrichment
2-13	Daily Transparency
	Problem of the Day
	Review
	Quick Quiz

Technology Master 10
Chapter 2 Project Master
Wide World of Mathematics Middle School: The Census

Recursos

2-13	Práctica
2-13	Práctica adicional
2-13	Resolución de problemas
2-13	Actividad de enriquecimiento

Tecnología 10

Wide World of Mathematics Middle School: The Census

Learning Modalities

Visual Some students think that the variable has to be on the left side of an equation. Include examples with the variable on the right, such as 14 = x − 3.

Logical Challenge students to develop strategies for solving more complex equations, such as 2x + 1 = 7.

Kinesthetic Use algebra tiles or a balance scale to model and solve equations.

Modos de aprendizaje

Visual Algunos estudiantes creen que las variables siempre se escriben en el extremo izquierdo de las ecuaciones. Muéstreles casos con la variable en el extremo derecho (14 = x − 3, por ejemplo).

Lógico Pídales que desarrollen estrategias de resolución de ecuaciones más complejas (2x + 1 = 7, por ejemplo) como desafío.

Cinestésico Use mosaicos de álgebra o una balanza para representar y resolver diversas ecuaciones.

Inclusion

Be creative in testing students. Most students need extra time to do their best. Watch to see that students do not get stuck on a single question they cannot answer.

It is also important to provide enough space for answering questions. This will help to avoid spatial confusion.

Inclusión

Sea creativo al evaluar a los estudiantes. Muchos necesitan tiempo adicional para responder mejor. Supervíselos para evitar que dediquen demasiado tiempo a una pregunta que no puedan responder.

También es importante que las preguntas tengan espacio suficiente para escribir las respuestas. Esto evitará confusiones.

La comprensión numérica puede ayudarte a resolver ecuaciones. Piensa en las ecuaciones como preguntas donde la variable se lee: "¿Qué número?" Así, $z + 5 = 7$ puede leerse como "¿Qué número más 5 es igual a 7?" Usa el cálculo mental para responder la pregunta.

Ejemplos

Resuelve cada ecuación.

1 $w + 13 = 20$

$w + 13 = 20$	Se lee como "¿Qué número más 13 es igual a 20?"
$7 + 13 = 20$	Usa el cálculo mental.
$20 = 20$ ✓	Comprueba que la ecuación sea verdadera.

w es igual a 7.

2 $x - 10 = 14$

$x - 10 = 14$	Se lee como "¿Qué número menos 10 es igual a 14?"
$24 - 10 = 14$	Usa el cálculo mental.
$14 = 14$ ✓	Comprueba que la ecuación sea verdadera.

x es igual a 24.

3 $9y = 180$

$9y = 180$	Se lee como "¿Qué número multiplicado por 9 es igual
$9 \times 20 = 180$	a 180?". Usa el cálculo mental.

y es igual a 20.

4 Karen dividió su tiempo de buceo en períodos de 25 minutos. Fueron 4 períodos. ¿Cuántos minutos buceó?

$\frac{z}{25} = 4$	Escribe una ecuación.
$\frac{z}{25} = 4$	Se lee como "¿Qué número dividido entre 25 es igual a 4?"
$\frac{100}{25} = 4$	Usa el cálculo mental.

Buceó durante 100 minutos.

¿LO SABÍAS?

Debajo de la superficie del mar hay corrientes similares a un río. Por eso los buzos necesitan nadar para poder permanecer en un mismo lugar.

Haz la prueba

Resuelve. **a.** $a + 7 = 22$ **b.** $b - 12 = 51$ **c.** $5c = 110$ **d.** $\frac{d}{4} = 12$
$a = 15$ $b = 63$ $c = 22$ $d = 48$

Comprobar Tu comprensión

1. ¿Puede x tener cualquier valor en $x + 5$? ¿Puede x tener cualquier valor en $x + 5 = 7$? Explica tu respuesta.

2. ¿Cómo puedes usar el cálculo mental para resolver una ecuación?

2-13 • Resolución de ecuaciones **123**

MATH EVERY DAY

► **Problema del día**

Supónte que estás parado al otro lado de este vitral. Dibuja cómo se ve desde ese lado.

Respuesta:

Problem of the Day

Suppose you were standing on the other side of this stained glass window. Draw the way it would appear to you.

Answer:

Available on Daily Transparency 2-13

An Extension is provided in the transparency package.

Dato del día

La profundidad promedio en el Océano Pacífico es 12,921 pies y 11,730 pies en el Océano Atlántico.

Fact of the Day

The average depth of the Pacific Ocean is 12,921 feet and the average depth of the Atlantic Ocean is 11,730 feet.

Mental Math

Do these mentally.

1. $45 + 55 + 179$ 279
2. 900×400 360,000
3. 29×6 174
4. 32×7 224

Cálculo mental

Realiza estos cálculos en forma mental.

1. $45 + 55 + 179$
   279
2. 900×400
   360,000
3. 29×6 174
4. 32×7 224

---

2 Enseñanza

Aprender

Ejemplos adicionales

Resuelve cada ecuación.

1. $6 + k = 28$. Se lee: "¿6 más qué número es igual a 28?"

 $6 + \mathbf{22} = 28$

 $28 = 28$ √

 k es igual a 22.

2. $y - 15 = 50$. Se lee: "¿Qué número menos 15 es igual a 50?"

 $\mathbf{65} - 15 = 50$ √

 $50 = 50$

 y es igual a 65.

3. $7d = 42$. Se lee: "¿Qué número multiplicado por 7 es igual a 42?"

 $7 \times \mathbf{6} = 42$

 $42 = 42$ √

 d es igual a 6.

4. $\frac{x}{8} = 11$. Se lee: "¿Qué número dividido entre 8 es igual a 11?"

 $\frac{\mathbf{88}}{8} = 11$

 $11 = 11$ √

 x es igual a 88.

3 Práctica y evaluación

Comprobar

Con las preguntas de esta sección los estudiantes aumentan su conocimiento sobre las diferencias entre las expresiones y las ecuaciones.

Respuestas de Comprobar tu comprensión

1. Sí; Puede usarse cualquier valor de sustitución en $x + 5$ o en $x + 5 = 7$. Sin embargo, en $x + 5 = 7$ cierto valor de x dará una ecuación verdadera, mientras que otros darán una ecuación falsa.

2. Respuesta posible: Puedes sustituir un valor en la variable y después usar el cálculo mental para ver si el resultado es una ecuación verdadera.

Teach

Learn

Alternate Examples

Solve each equation.

1. $6 + k = 28$. Read as "6 plus what number equals 28?"

 $6 + \mathbf{22} = 28$

 $28 = 28$ √

 k is equal to 22.

2. $y - 15 = 50$. Read as "What number minus 15 equals 50?"

 $\mathbf{65} - 15 = 50$ √

 $50 = 50$

 y is equal to 65.

3. $7d = 42$. Read as "7 times what number equals 42?"

 $7 \times \mathbf{6} = 42$

 $42 = 42$ √

 d is equal to 6.

4. $\frac{x}{8} = 11$. Read as "What number divided by 8 equals 11?"

 $\frac{\mathbf{88}}{8} = 11$

 $11 = 11$ √

 x is equal to 88.

Practice and Assess

Check

The questions in this section continue to develop students' understanding of the difference between expressions and equations.

Answers for Check Your Understanding

1. Yes; Any value can be substituted in $x + 5$ or in $x + 5 = 7$. However, for $x + 5 = 7$, some values of x will result in a true equation, some in a false equation.

2. Possible answer: You can substitute a value for the variable and then use mental math to see if the result is a true equation.

Assignment Guide

- **Basic** 1–5, 11–20, 19–37 odds, 38, 42, 44–49
- **Average** 2–20 evens, 21–37 odds, 38–48 evens
- **Enriched** 1–10, 18–43, 45–49 odds

Exercise Notes

■ Exercises 1–10

Students may take two very different approaches to these problems. Some students will solve the problems and then decide whether the answer is greater or less than 6. Others will substitute 6 in for the variable and see whether the left side of the equation is too big or too small.

Notas sobre los ejercicios

■ Ejercicios 1–10

Los estudiantes pueden seguir dos métodos muy diferentes en estos problemas. Algunos los resolverán y después decidirán si la respuesta es mayor o menor que 6. Otros sustituirán el 6 por la variable y verán si el lado izquierdo de la ecuación es demasiado grande o demasiado pequeño.

2-13 Ejercicios y aplicaciones

Práctica y aplicación

Para empezar Usa el cálculo mental para determinar si el valor de la variable debe ser mayor o menor que 6.

1. $r + 5 = 10$ **Menor**
2. $q - 3 = 6$ **Mayor**
3. $12 - w = 8$ **Menor**
4. $3r = 6$ **Menor**
5. $6 \times t = 24$ **Menor**
6. $\frac{28}{i} = 7$ **Menor**
7. $p - 16 = 32$ **Mayor**
8. $12 + d = 29$ **Mayor**
9. $\frac{f}{7} = 14$ **Mayor**
10. $g \times 10 = 80$ **Mayor**

Halla el valor de x para que la ecuación sea verdadera.

11. $x + 7 = 9$ $x = 1, 2, 3,$ ó 4 **2**
12. $x - 5 = 4$ $x = 7, 8, 9,$ ó 10 **9**
13. $2x = 16$ $x = 2, 4, 6,$ ó 8 **8**
14. $x - 3 = 2$ $x = 5, 6, 7,$ ó 8 **5**
15. $3 + 5 = x$ $x = 2, 5, 8,$ ó 15 **8**
16. $\frac{x}{2} = 6$ $x = 2, 4, 6,$ ó 12 **12**
17. $\frac{x}{5} = 2$ $x = 5, 10, 15,$ ó 20 **10**
18. $\frac{18}{x} = 3$ $x = 6, 12, 15,$ ó 18 **6**

Encuentra los valores de la variable que satisfarán los valores de las siguientes expresiones.

19.

n	$n - 12$
22	10
26	14
31	19
43	31

20.

n	$\frac{n}{12}$
120	10
168	14
228	19
372	31

Resuelve las ecuaciones.

21. $5j = 30$ $j = 6$
22. $12 + l = 18$ $l = 6$
23. $9k = 54$ $k = 6$
24. $z + 3 = 37$ $z = 34$
25. $19 - v = 13$ $v = 6$
26. $8b = 64$ $b = 8$
27. $\frac{72}{n} = 9$ $n = 8$
28. $\frac{m}{4} = 21$ $m = 84$
29. $z - 38 = 42$ $z = 80$
30. $d + 4 = 37$ $d = 33$
31. $\frac{100}{g} = 20$ $g = 5$
32. $5p = 150$ $p = 30$
33. $21 + k = 30$ $k = 9$
34. $w - 30 = 80$ $w = 110$
35. $\frac{r}{2} = 84$ $r = 168$
36. $37 - x = 15$ $x = 22$

37. **Para la prueba** Escoge el valor correcto para x si $12x = 120$. **B**

Ⓐ 0 Ⓑ 10 Ⓒ 100 Ⓓ 1000

124 Capítulo 2 • Asociación entre aritmética y álgebra

PRACTICAR 2-13

Reteaching

Activity

Materials: Balance scale, paper clips

- Use paper clips to model the equation $x + 12 = 20$
- Put 12 paperclips on the left and 20 on the right. How many clips do you need to add on the left to balance the scale?
  $8 + 12 = 20$ So $x = 8$.

Try these:

1. $s + 4 = 11$ $s = 7$
2. $12 - p = 7$ $p = 5$
3. $3w = 18$ Think: "I need to put 3 equal groups of clips on the left to balance 18." $w = 6$
4. $5y = 35$ $y = 7$
5. $4t = 16$ $t = 4$
6. $8x = 40$ $t = 5$

Práctica adicional

Materiales: Balanza, sujetapapeles

- Usa varios sujetapapeles para representar la ecuación $x + 12 = 20$
- Coloca 12 sujetapapeles a la izquierda y 20 a la derecha. ¿Cuántos sujetapapeles necesitas sumar del lado izquierdo para equilibrar la balanza?
  $8 + 12 = 20$. Por tanto $x = 8$.

Haz la prueba:

1. $s + 4 = 11$ $s = 7$
2. $12 - p = 7$ $p = 5$
3. $3w = 18$ Piensa: "Necesito formar tres grupos iguales de sujetapapeles a la izquierda para equilibrar la balanza con 18." $w = 6$
4. $5y = 35$ $y = 7$
5. $4t = 16$ $t = 4$
6. $8x = 40$ $t = 5$

PRACTICE

Nombre _____

Práctica 2-13

Resolución de ecuaciones

Encuentra el valor de x que hace verdadera la ecuación.

1. $\frac{s}{7} = 4$; $x = 28, 35, 42$ ó 49 $x = 28$
2. $x - 6 = 13$; $x = 18, 19, 20$ ó 21 $x = 19$
3. $5x = 45$; $x = 6, 7, 8$ ó 9 $x = 9$
4. $x + 8 = 17$; $x = 8, 9, 10$ ó 11 $x = 9$

Encuentra el valor de la variable que dará como resultado el valor dado de la expresión.

5.

u	$u + 16$
2	18
15	31
48	64
84	100

6.

k	$6k$
4	24
7	42
10	60
15	90

Resuelve las siguientes ecuaciones.

7. $x + 7 = 30$ $x = 23$
8. $m - 10 = 7$ $m = 17$
9. $\frac{s}{8} = 13$ $s = 104$
10. $11t = 88$ $t = 8$
11. $d - 12 = 69$ $d = 81$
12. $21 + g = 42$ $g = 21$
13. $7u = 35$ $u = 5$
14. $n + 7 = 8$ $n = 56$
15. $b - 7 = 24$ $b = 31$

Escribe una ecuación para cada situación y después resuélvela.

16. Los tres álbumes más vendidos de todos los tiempos son *Thriller* de Michael Jackson (24 millones de copias), *Rumours* de Fleetwood Mac (17 millones) y *Boston* de Boston (*b* millones de copias). Entre los tres álbumes vendieron un total de 56 millones de copias. ¿Cuántos millones de *Boston* se vendieron?

$24 + 17 + b = 56$; 15 millones de copias

17. La sección principal del Centro para las Artes Mel Mello tiene 9 filas de c sillas. En total en esta sección hay 126 sillas. ¿Cuántas sillas tiene cada fila?

$9c = 126$; 14 sillas

RETEACHING

Nombre _____

Práctica adicional 2-13

Resolución de ecuaciones

A veces necesitas encontrar el valor exacto que hará que la ecuación sea verdadera. Esto se conoce como *solución de la ecuación*.

Piensa en las ecuaciones como preguntas donde la variable se lee como: "¿Qué número?" Por ejemplo, $a + 3 = 10$ puede leerse como: "¿Qué número más 3 es igual a 10?" Usa el cálculo mental para responder la pregunta.

— Ejemplo

Resuelve $y - 8 = 7$.

Paso 1: "¿Qué número menos 8 es igual a 7?" $y - 8 = 7$
Paso 2: Usa el cálculo mental. $15 - 8 = 7$
Paso 3: Revisa si la ecuación es verdadera. $7 = 7$

En la ecuación $y - 8 = 7$, y es igual a 15.

Haz la prueba

Resuelve $a + 5 = 12$.

a. ¿Qué número más 5 es igual a 12? **7** por tanto, $a =$ **7**
b. Muestra que la ecuación es verdadera. **12 = 12**

Resuelve $3x = 18$.

c. ¿Qué número multiplicado por 3 es igual a 18? **6** por tanto, $x =$ **6**
d. Muestra que la ecuación es verdadera. **18 = 18**

Resuelve $m \div 3 = 20$.

e. ¿Qué número dividido entre 3 es igual a 20? **60** por tanto, $m =$ **60**
f. Muestra que la ecuación es verdadera. **20 = 20**

Resuelve cada ecuación.

g. $y + 15 = 50$ $y =$ **35**
h. $b - 4 = 8$ $b =$ **12**
i. $\frac{m}{6} = 2$ $m =$ **12**
j. $3 \times c = 27$ $c =$ **9**
k. $28 - p = 19$ $p =$ **9**
l. $t + 8 = 26$ $t =$ **18**
m. $11s = 110$ $s =$ **10**
n. $81 \div k = 9$ $k =$ **9**
o. $17 + r = 40$ $r =$ **23**
p. $h \div 3 = 12$ $h =$ **36**

Escribe una ecuación para cada situación y resuélvela.

38. Geografía Los tres primeros países productores de oro generan 1171 toneladas métricas. África del Sur produce 584 toneladas, Australia 256 toneladas y Estados Unidos u toneladas. ¿Cuánto produce Estados Unidos?

39. El submarino francés *Nautile* puede sumergirse hasta 20,000 pies. Si se sumerge a x ft/h, tarda 20 horas en llegar a la profundidad máxima. ¿Qué tan rápido se sumerge para alcanzar esa profundidad?

40. Geografía El desierto más grande del mundo es el del Sahara, que cubre 3,500,000 millas cuadradas. El segundo desierto más grande, el Australiano, mide d millas cuadradas, 2,030,000 menos que el Sahara. ¿Cuánto mide el desierto Australiano?

Resolución de problemas y razonamiento

41. Razonamiento crítico Si la profundidad media del océano Ártico se triplica, el resultado es de 114 metros mayor que 3000 metros. La ecuación $3x - 114 = 3000$ muestra esta situación. Encuentra la profundidad media del océano Ártico. **1038 m**

42. Comunicación Jamie quería utilizar su calculadora para hallar el valor de x expresado en $56x + 716 = 5140$. Describe cómo hacerlo.

43. Razonamiento crítico Supónte que $a + b = 10$. Si el valor de a se incrementa en 2, ¿cómo debe cambiar el valor de b para que la ecuación siga siendo verdadera? **Debe decrementarse en 2.**

Repaso mixto

Escribe, con los mismos números, cada ecuación de suma como una ecuación de resta. *[Curso anterior]*

44. $22 + 8 = 30$
$30 - 22 = 8$

45. $49 + 151 = 200$
$200 - 151 = 49$

46. $25 + 34,567,890 = 34,567,915$
$34,567,915 - 34,567,890 = 25$

Escribe, con los mismos números, cada ecuación de resta como una ecuación de suma. *[Curso anterior]*

47. $53 - 10 = 43$
$43 + 10 = 53$

48. $163 - 57 = 106$
$106 + 57 = 163$

49. $180,000 - 21,000 = 159,000$
$159,000 + 21,000 = 180,000$

El proyecto en marcha

Para cada uno de tus seis métodos, revisa tus cálculos acerca de cuánto puedes viajar en 24 horas. Evalúa si tus cálculos son razonables. Para cualquier respuesta ilógica, ¿cómo podrías ajustarla para que tuviera sentido?

Resolución de problemas

Comprende
Planea
Resuelve
Revisa

Notas sobre los ejercicios

■ Ejercicios 44–46

Los estudiantes pueden tener respuestas alternativas que sean correctas. Cerciórese de que comprueben las respuestas correctas.

Respuestas de Ejercicios

38. $584 + 256 + u = 1171$; EE UU produce 331 toneladas.

39. $20x = 20,000$; Se sumerge a 1000 ft/h.

40. $3,500,000 - 2,030,000 = d$; El desierto australiano tiene 1,470,000 mi².

42. Respuesta posible: Jamie podría intentar con diferentes valores de x hasta obtener la ecuación verdadera.

Evaluación adicional

Progreso Construye un cuadro sinóptico de lo que has aprendido sobre ecuaciones.

Exercise Notes

■ Exercises 44–46

Students may have alternative responses that are correct. Be sure all correct responses are validated.

Project Progress

You may want to have students use Chapter 2 Project Master.

Exercise Answers

38. $584 + 256 + u = 1171$; The U.S. produces 331 tonnes.

39. $20x = 20,000$; It must dive at 1000 ft/hr.

40. $3,500,000 - 2,030,000 = d$; The Australian Desert is 1,470,000 mi².

42. Possible answer: She could try different values of x until she got a true equation.

Alternate Assessment

Performance Create a visual overview, such as a word map, of what you have learned about equations.

➤ Prueba rápida

Resuelve las ecuaciones.

1. $8 + a = 19$ $a = 11$

2. $b - 11 = 9$ $b = 20$

3. $\frac{c}{7} = 4$ $c = 28$

4. $9d = 54$ $d = 6$

Quick Quiz

Solve each equation.

1. $8 + a = 19$ $a = 11$

2. $b - 11 = 9$ $b = 20$

3. $\frac{c}{7} = 4$ $c = 28$

4. $9d = 54$ $d = 6$

Available on Daily Transparency 2-13

Nombre _____

Resolución guiada de problemas **2-13**

RGP PROBLEMA 38, PÁGINA 125 DEL ESTUDIANTE

Escribe una ecuación para la situación y resuélvela.

Los tres primeros países productores de oro generan 1171 toneladas métricas. África del Sur produce 584 toneladas, Australia 256 toneladas y Estados Unidos u toneladas. ¿Cuánto produce Estados Unidos?

— Comprende —

1. Rodea con un círculo las toneladas de oro producidas por cada país.

2. ¿Cuántas toneladas se producen en los tres países? __1171 toneladas.__

— Plan —

3. ¿Qué operación usarías para hallar el número total de toneladas producidas por los tres países? __La suma.__

4. Escribe una expresión que muestre el número de toneladas producidas por los tres países. __$584 + 256 + u$__

— Resuelve —

5. Escribe la ecuación que muestra la producción de oro de los tres países. Usa tu respuesta del punto 4 como un lado de la ecuación.

__$584 + 256 + u = 1171$__

6. ¿Cuánto oro producen África del Sur y Australia? __840 toneladas.__

7. Sustituye el total de toneladas que producen África del Sur y Australia para los dos valores de la ecuación. Luego reescribe la ecuación.

__$840 + u = 1171$__

8. Resuelve la ecuación. ¿Cuánto produce Estados Unidos? __331 toneladas.__

— Revisa —

9. ¿Cómo puedes comprobar tu respuesta para saber si es correcta?

Respuesta posible: Se suma la respuesta a las toneladas producidas por

África del Sur y Australia para ver si la suma es 1171.

RESUELVE OTRO PROBLEMA

Escribe y resuelve una ecuación. Cierto año, Ghana produjo 26 toneladas de oro, México produjo 9 y China produjo g toneladas. Juntos produjeron 155 toneladas. ¿Cuánto produjo China?

$26 + 9 + g = 155$; 120 toneladas.

Nombre _____

Actividad de enriquecimiento **2-13**

Razonamiento crítico

Cuando una ecuación tiene dos variables, puedes hallar valores diferentes para las variables y seguir teniendo una ecuación verdadera.

1. Completa la tabla para $f - 2 = g$. Escoge cualquier valor para f y g que haga verdadera la ecuación.

f	g
2	0
6	4
10	8

2. Analiza la tabla. ¿Qué pasa con el valor de g cuando f aumenta 4 unidades?

El valor de g aumenta 4 unidades.

3. Imagina que la ecuación se reescribe como $f - g = 2$. ¿Qué crees que pasará con el valor de g cuando f aumente 4 unidades para que la ecuación siga siendo verdadera? Explica tu razonamiento.

Respuesta posible: g aumenta 4 unidades; la diferencia será siempre de 2.

4. Imagina que la ecuación se reescribe como $g + 2 = f$. ¿Qué crees que pasará con el valor de g cuando f aumente cuatro unidades para que la ecuación siga siendo verdadera? Explícate.

Respuesta posible: g aumenta 4 unidades; la diferencia debe ser de 2.

5. ¿En qué se parecen las ecuaciones de las preguntas 2, 3 y 4? ¿En qué se diferencian?

Respuesta posible: Tienen las mismas variables y constantes;

las mismas relaciones entre variables; diferentes operaciones.

6. Imagina que $j \div k = 2$. Si el valor de j se divide a la mitad, ¿qué debe suceder con el valor de k para que la ecuación siga siendo verdadera? __dividir k a la mitad.__

7. ¿Qué otras ecuaciones puedes escribir con las mismas variables y números que en la pregunta 6? ¿Qué crees que debe suceder con el valor de k cuando el valor de j se divida a la mitad de manera que cada una de tus nuevas ecuaciones siga siendo verdadera? Explica tu razonamiento.

Respuesta posible: $j \div 2 = k$, $2k = j$; Puesto que las ecuaciones están

relacionadas, los valores de las variables tendrán los mismos cambios.

Technology

Using a Spreadsheet
• Using Guess and Check

The Point

Students see how spreadsheets can be used to solve systems of equations.

Materials

Spreadsheet software

Resources

Interactive CD-ROM
Spreadsheet/Grapher Tool

About the Page

If students are not familiar with spreadsheets:

- Discuss how to enter and use formulas.
- Mention that on some spreadsheets a formula is preceded by "+" instead of "=".
- Point out how to substitute values for variables and where the result will appear.

Ask …

- What happens when 50 and 25 are entered for *x* and *y*? The computer calculates $x - y$ and xy and then enters 25 in cell B4, and 1250 in cell B5.

- In Step 4, explain why you would not enter $x = 15$ and $y = 10$. $15 - 10$ is not equal to 25.

Answers for Try It

a. $x = 30$ and $y = 6$

b. $x = 24$ and $y = 1$

On Your Own

For the third question, you may want to discuss when it may not be faster to use a spreadsheet.

Answers for On Your Own

- So that the $\times$ for multiplication is not confused with the letter x or the variable *x*.

- If the difference of *x* and *y* is 25, you need to change both *x* and *y* so that the difference stays correct.

- Answers may vary.

Uso de la hoja de cálculo
• Prueba y comprueba

Objetivo

Los estudiantes ven cómo pueden utilizarse las hojas de cálculo para resolver sistemas de ecuaciones.

Materiales

Software de hoja de cálculo

Recursos

CD-ROM interactivo
Hoja de cálculo/Herramienta para graficar

Acerca de esta página

Si los estudiantes no están familiarizados con las hojas de cálculo:

- Comente con ellos cómo introducir y usar fórmulas.

- Mencione que en algunas hojas de cálculo antes de una fórmula va "+" en lugar de "=".

- Señale cómo deben sustituirse valores por variables y dónde debe aparecer el resultado.

Pregunte…

- ¿Qué sucede cuando se introducen 50 y 25 en lugar de *x* y *y*? La computadora efectúa $x - y$ y xy, y después introduce 25 en la celda B4 y 1250 en la celda B5.

- En el paso 4, explica por qué no se introduciría $x = 15$ y $y = 10$. $15 - 10$ no es igual a 25.

Respuestas de Inténtalo

a. $x = 30$ y $y = 6$

b. $x = 24$ y $y = 1$

Por tu cuenta

En la tercera pregunta tal vez quiera examinar cuándo no sería más rápido usar una hoja de cálculo.

Respuestas de Por tu cuenta

- Para que la $\times$ de la multiplicación no se confunda con la letra x o la variable *x*.

- Si la diferencia de *x* y *y* es 25, se debe cambiar *x* y *y* para que la diferencia siga siendo correcta.

- Las respuestas pueden variar.

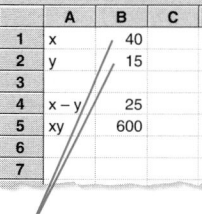

TECNOLOGÍA

Uso de la hoja de cálculo

Prueba y comprueba

Problema: ¿Qué valores de *x* y *y* harán estas dos ecuaciones verdaderas al mismo tiempo: $x - y = 25$ y $xy = 150$?

Puedes usar tu hoja de cálculo para establecer dos fórmulas que te ayudarán a emplear el método de "prueba y comprueba" para encontrar los valores.

	A	B	C
1	x		
2	y		
3			
4	x − y		
5	xy		
6			
7			

1 Introduce, como se muestra, la información en la hoja de cálculo.

	A	B	C
1	x	50	
2	y	25	
3			
4	x − y	25	
5	xy	1250	
6			
7			

2 En la celda B4 introduce la fórmula =B1−B2. En la celda B5 introduce la fórmula =B1*B2.

	A	B	C
1	x	40	
2	y	15	
3			
4	x − y	25	
5	xy	600	
6			
7			

3 Para *x*, introduce valores en la celda B1, y para *y* en la celda B2, de manera que la respuesta para $x - y$ sea 25.

	A	B	C
1	x	30	
2	y	5	
3			
4	x − y	25	
5	xy	150	
6			
7			

4 Cambia tus valores de *x* y *y* hasta que $x - y = 25$ y *xy* sea 150. Si la respuesta para *xy* es muy alta, escoge valores menores para *x* y *y*. Si la respuesta para *xy* es muy pequeña, elige valores más grandes.

Solución: La respuesta es $x = 30$ y $y = 5$.

INTÉNTALO

a. Halla la solución para $x + y = 36$ y $\frac{x}{y} = 5$.

b. Encuentra una solución para $xy = 24$ y $\frac{x}{y} = 24$.

POR TU CUENTA

▶ ¿Por qué crees que la fórmula de la multiplicación utiliza un "*" y no una "×" como signo de multiplicar?

▶ Cuando vas de una respuesta incorrecta a una mejor, ¿por qué es importante cambiar los valores de las variables *x* y *y*?

▶ ¿Es más fácil hallar una solución para *x* y *y* con una hoja de cálculo o sin ella? Explica tu respuesta.

126

El 23 de enero de 1960, Jacques Piccard y Donald Walsh usaron un vehículo submarino llamado batiscafo para descender cerca de 7 millas en la parte más profunda del océano Pacífico. Su inmersión fue la más profunda realizada hasta entonces por algún ser humano. Estas aventuras son peligrosas y costosas. En la actualidad, la mayor parte de la investigación de las profundidades del mar se realiza con robots llamados ROV (por sus siglas en inglés, "remotely operated vehicles"), que significa "vehículos operados a control remoto".

Viaje al fondo del mar

El temible pejesapo habita a una profundidad aproximada de 3000 pies. Un equipo de investigación oceanográfica quiere rentar un ROV e intentar tomar fotografías de este pez. El costo por rentar el ROV-1 es el número de minutos más $545. El costo por rentar el ROV-2 es de $5 por minuto. El equipo dispone de fondos limitados y debe encontrar el mejor trato posible.

1. Para cada ROV, escribe una expresión que puedas utilizar para determinar el costo total de la renta por *x* minutos.

2. Haz una tabla que muestre el costo total de cada ROV por 30 minutos, 60 minutos, 90 minutos y así hasta 240 minutos (4 horas).

3. ¿Cuál ROV debe rentar el equipo? Explica tu razonamiento.

4. Imagínate que el equipo tuviera exactamente $3000 para gastar en la renta del ROV. ¿Cuánto tiempo podrían rentar cada ROV?

5. Un pejesapo nadó hasta el ROV y el equipo tomó excelentes fotografías. El tiempo total de renta del ROV fue de 127 minutos. El coordinador del proyecto estaba contento de saber que el equipo había pagado la menor renta posible. ¿Cuál ROV rentó la expedición? Justifica tu respuesta.

127

Viaje al fondo del mar

Objetivo
En *Viaje al fondo del mar*, de la página 109, los estudiantes comentaron el estudio y la exploración del océano. Ahora compararán los precios de renta de un ROV, un vehículo que se utiliza en la investigación del fondo marino.

Acerca de esta página

• Antes de que los estudiantes comiencen a hacer la tabla de costos para cada ROV, pídales que predigan cuál será el ROV más económico.

• A los estudiantes puede parecerles útil hacer las tablas antes de escribir una expresión.

• Sugiérales que las tablas estén una junto a la otra para que puedan comparar de manera más fácil los costos.

• Examine los costos entre los dos ROV conforme aumenta el tiempo que se utilizan.

Evaluación continua
Compruebe que los estudiantes hayan escrito las expresiones y hecho correctamente las tablas para las preguntas 1 y 2 antes de completar la página.

Ampliación

Al siguiente día el equipo usó un ROV por 5 horas. ¿Cuánto habría costado rentar el ROV-1? ¿Cuánto el ROV-2? En general, ¿cuándo es más barato rentar el ROV-1? ¿Cuándo es más barato rentar el ROV-2?
$845; $1500; Cuando se renta por períodos largos; Cuando se renta por períodos cortos.

Journey to the Bottom of the Sea

The Point

In *Journey to the Bottom of the Sea* on page 109, students discussed the study and exploration of the ocean. Now they will compare the rates for renting ROVs to use in deep-sea research.

About the Page

• Before students begin to generate the table of costs for each ROV, ask them to guess which ROV will be the most economical.

• Students may find it helpful to make the tables before they write an expression.

• Suggest that students create the tables side-by-side so they can more easily compare the costs.

• Discuss the varying costs between the two ROVs as the time utilized increases.

Ongoing Assessment

Check that students have written the expressions and made the tables for Questions 1 and 2 correctly before they complete the page.

Extension

The next day the team used an ROV for 5 hours. What would it have cost to rent ROV-1? ROV-2? In general, when is it cheaper to rent ROV-1? When is it cheaper to rent ROV-2?
$845; $1500; When you are renting for longer periods of time; When you are renting for shorter periods of time.

Respuestas de Asociación

1. ROV-1: $x + 545$; ROV-2: $5x$

2.

ROV \ Min.	30	60	90	120	150	180	210	240
ROV-1	$575	605	635	665	695	725	755	785
ROV-2	$150	300	450	600	750	900	1050	1200

3. Respuesta posible: Si se renta por 2 horas o menos, el ROV-2 sería la elección más económica. Si se renta por 2.5 horas o más, el ROV-1 sería la mejor elección. Si se renta entre 2 y 2.5 horas, se debe hacer un cálculo exacto para determinar qué renta es la más económica.

4. ROV-1: 2455 min; ROV-2: 600 min.

5. El ROV-2, porque cuesta $635 por 127 minutos. El ROV-1 costaría $672.

Answers for Connect

1. ROV-1: $x + 545$; ROV-2: $5x$

2.

3. Possible answer: If renting 2 hours or less, ROV-2 would be the best choice. If renting 2.5 hours or more, ROV-1 would be. If renting between 2 and 2.5 hours, make an exact computation to determine which rental is best.

4. ROV-1: 2455 min; ROV-2: 600 min.

5. The ROV-2, because it cost $635 for 127 minutes. The ROV-1 would cost $672.

Review Correlation

Item(s)	Lesson(s)
1, 2	2-10
3–7	2-11
8–11	2-6, 2-7
12–15	2-8
16–22	2-12
23–26	2-13
27	2-2
28–29	2-12

Test Prep

Test-Taking Tip

Tell students they should look for the easiest questions on a test, and work these first. These problems should be considered easy by most students since they are to evaluate the expression for each value of x until a true statement results.

Correlación de repaso

Punto(s)	Lección(es)
1, 2	2-10
3–7	2-11
8–11	2-6, 2-7
12–15	2-8
16–22	2-12
23–26	2-13
27	2-2
28–29	2-12

Para la prueba

Sugerencias para la prueba

Diga a los estudiantes que deben buscar las preguntas más fáciles de la prueba, y resolverlas primero. Los estudiantes deben considerar estos problemas como fáciles, pues sólo tienen que dar valores a x en la expresión hasta que el resultado sea un enunciado verdadero.

Sección 2C • Repaso

REPASO 2C

Establece si la cantidad debe representarse mediante una variable o una constante.

1. La altura del monte McKinley Constante
2. El valor de un antiguo libro de caricaturas Variable

Escribe la situación como una expresión.

3. d dividida entre 4 $\frac{d}{4}$
4. 16 menos que g $g - 16$
5. m veces 16 $16m$
6. 4 sumado a h $h + 4$
7. La familia Carson distribuyó equitativamente d dólares entre 17 asociaciones de caridad. $\frac{d}{17}$

Haz un cálculo aproximado de las siguientes expresiones. Respuestas posibles:

8. $35{,}677 + 23{,}898$ 60,000
9. 21×451 9000
10. $5302 - 3926$ 1400
11. $6022 \div 99$ 60

Simplifica estas operaciones.

12. $3 + 7 \times 2$ 17
13. $14 \div 2 + 10$ 17
14. $3 + 5^2$ 28
15. $(10 + 12) \times 10$ 220

16. $t + 6, t = 7$ 13
17. $\frac{24}{b}, b = 6$ 4
18. $8w, w = 9$ 72
19. $j - 11, j = 23$ 12

¿Es verdadera esta ecuación para los valores dados de la variable?

20. $\frac{14}{q} = 2, q = 7$ Sí
21. $9y = 24, y = 2$ No
22. $w - 1 = 13, w = 13$ No

Resuelve las siguientes ecuaciones.

23. $6 + x = 28$ $x = 22$
24. $\frac{x}{5} = 15$ $x = 75$
25. $9x = 45$ $x = 5$
26. $x - 3 = 27$ $x = 30$

27. **Geografía** El puente del estuario de Humber, en el Reino Unido, tiene 4626 pies de longitud. Redondea esta cifra al millar más cercano. 5000 pies

---

Para la prueba

Puedes resolver las ecuaciones mediante la sustitución de los valores dados, para ver cuál valor hace verdadera la ecuación.

28. Halla el valor de x que hace verdadera la ecuación: $\frac{x}{4} = 6$ C
   Ⓐ 2   Ⓑ 10
   Ⓒ 24   Ⓓ 4096

29. Encuentra el valor de x que hace verdadera la ecuación: $\frac{48}{x} = 8$ D
   Ⓐ 40   Ⓑ 384
   Ⓒ 8   Ⓓ 6

128 Capítulo 2 • Asociación entre aritmética y álgebra

Resources

Practice Masters
   Section 2C Review
Assessment Sourcebook
   Quiz 2C
   TestWorks
   Test and Practice Software

PRACTICE

Nombre _____   Práctica

Sección 2C • Repaso

Indica si la cantidad debe representarse como una variable o como una constante.

1. El tiempo que te toma recorrer 500 yardas Variable
2. El número de segundos en una semana Constante

Escribe la frase como una expresión algebraica.

3. x menos 5 $x - 5$
4. 12 más que p $p + 12$
5. el producto de 11 por g $11g$
6. 16 dividido entre d $16 \div d$

Escribe una expresión algebraica para responder cada pregunta.

7. Rhonda tiene u discos compactos y cada disco incluye 10 canciones. ¿Cuál es el número total de canciones de su colección? $10u$
8. Max mide 48 in. Nell es n in. más bajo que Max. ¿Cuánto mide Nell? $48 - n$

¿Es verdadera la ecuación para el valor dado de la variable?

9. $x + 17 = 23, x = 4$ Falso
10. $15p = 105, p = 7$ Verdadero
11. $42 - k = 19, k = 23$ Verdadero
12. $\frac{12}{m} = 3, m = 36$ Falso

Resuelve las siguientes operaciones.

13. $p - 11 = 38$ $p = 49$
14. $16z = 48$ $z = 3$
15. $u + 9 = 64$ $u = 55$
16. $7j = 84$ $j = 12$
17. $\frac{t}{5} = 7$ $t = 35$
18. $6r = 150$ $r = 25$

19. Haz una tabla arborescente con los datos que muestran los ingresos de los diez actores y actrices mejor pagados de 1990. *[Lección 1-6]*

Artista	$ millones	Artista	$ millones
Sean Connery	28	Eddie Murphy	25
Tom Cruise	18	Arnold Schwarzenegger	30
Harrison Ford	13	Sylvester Stallone	24
Michael J. Fox	22	Meryl Streep	9
Mel Gibson	9	Bruce Willis	28

tallo	hoja
0	9 9
1	3 8
2	2 4 5 8 8
3	0

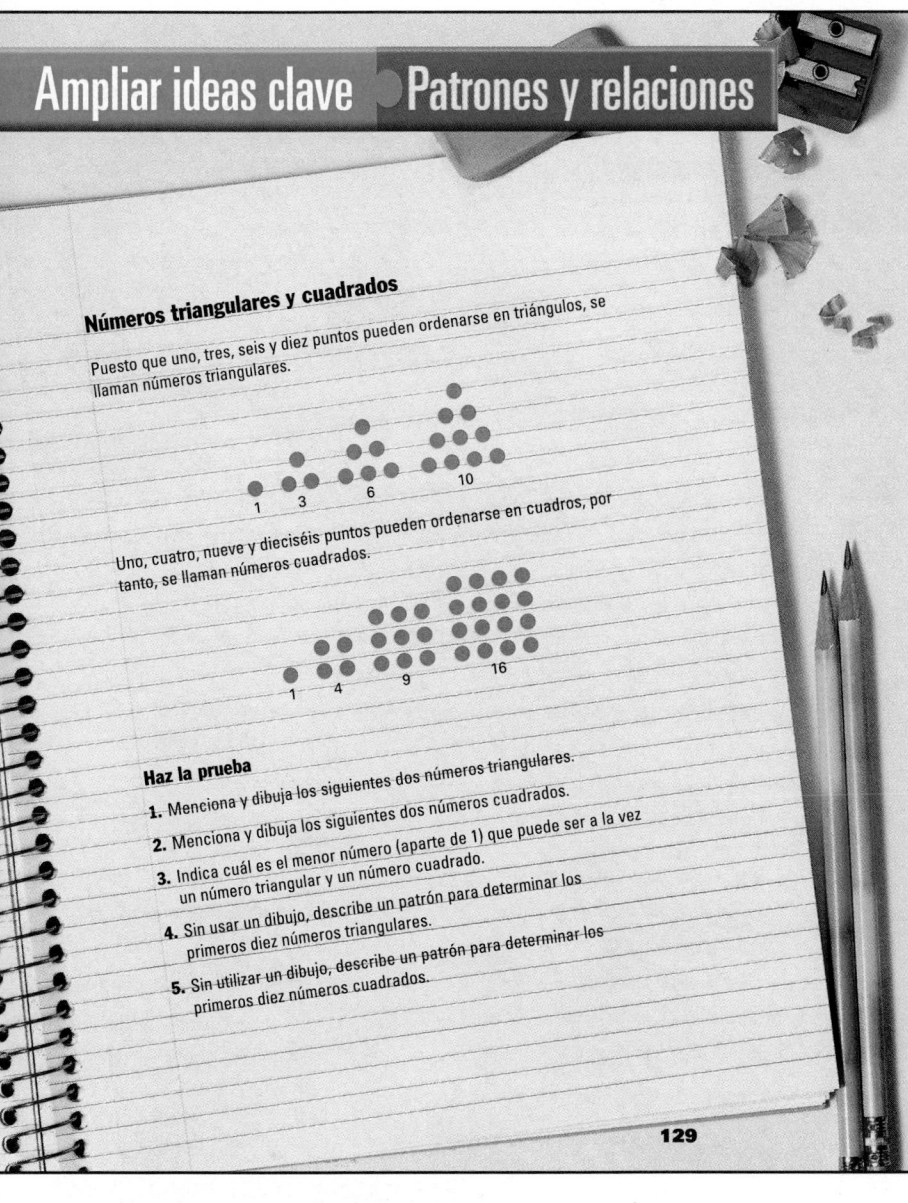

Números triangulares y cuadrados

Puesto que uno, tres, seis y diez puntos pueden ordenarse en triángulos, se llaman números triangulares.

Uno, cuatro, nueve y dieciséis puntos pueden ordenarse en cuadros, por tanto, se llaman números cuadrados.

Haz la prueba

1. Menciona y dibuja los siguientes dos números triangulares.
2. Menciona y dibuja los siguientes dos números cuadrados.
3. Indica cuál es el menor número (aparte de 1) que puede ser a la vez un número triangular y un número cuadrado.
4. Sin usar un dibujo, describe un patrón para determinar los primeros diez números triangulares.
5. Sin utilizar un dibujo, describe un patrón para determinar los primeros diez números cuadrados.

129

Números triangulares y cuadrados

Objetivo

Los estudiantes usan el álgebra para buscar patrones que determinen los números triangulares y cuadrados.

Acerca de esta página

- Los estudiantes tal vez quieran usar algo tangible, como fichas, para ayudarse a determinar los patrones. Anímelos a que lo hagan.

- Observe que los triángulos formados por los números triangulares son equiláteros, esto es, cada lado tiene el mismo número de puntos.

Pregunte…

- ¿Qué es un número triangular?
  Un número que puede representarse con un triángulo de puntos. Hay un punto en la primera fila, y cada fila subsecuente tiene un punto más que la fila que la precede.

- ¿Qué es un número cuadrado?
  Un número que puede representarse con una ordenación cuadrada de puntos.

Ampliación

Trata de descubrir un patrón o relaciones entre los números triangulares y los números cuadrados. Dos números triangulares consecutivos, combinados, forman un número cuadrado.

Triangular and Square Numbers

The Point

Students use algebra to look for patterns determining triangular and square numbers.

About the Page

- Students may want to use something tangible, such as counters, to help themselves determine the patterns. This should be encouraged.

- Note that the triangles formed by triangular numbers are equilateral —that is, each side has the same number of dots.

Ask …

- What is a triangular number?
  A number that can be represented by a triangle of dots. There is one dot in the first row, and each succeeding row has one more dot than the preceding row.

- What is a square number?
  A number that can be represented by a square array of dots.

Extension

Try to discover a pattern or relationship between triangular numbers and square numbers. Two consecutive triangular numbers, when combined, form a square number.

Respuestas de Haz la prueba

1.

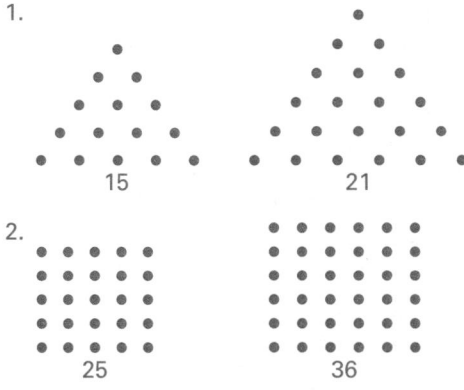

15   21

2.

25   36

3. 36

4. Primero se suma 2, luego se suma 3, después se suma 4, etcétera.

5. El primer número cuadrado es 1^2, el segundo es 2^2, el tercero es 3^2, y así continúan.

Answers for Try It

1.

15   21

2.

25   36

3. 36

4. First add 2, then add 3, then add 4, and so on.

5. The first square number is 1^2, the second is 2^2, the third is 3^2, and so on.

129

Chapter 2 Summary and Review

Review Correlation

Item(s)	Lesson(s)
1, 2	2-1
3	2-2
4, 5	2-3
6–9	2-4
10–13	2-5
14	2-6
15	2-7
16, 17	2-8
18, 19	2-9
20, 21	2-10
22	2-11
23	2-12
24	2-13

For additional review, see page 663.

Answers for Review

1. Thousands
2. Twenty-nine million, one hundred fifty-eight thousand, six hundred forty-seven
3. a. 29,160,000
   b. 29,000,000
4. 129,058,647 $<$ 129,186,000
5. 4,067,338; 4,567,238; 40,098,001
6. Base: 5; exponent: 9
7. $7 \times 7 \times 7$
8. 8^2
9. a. 16
   b. 8
   c. 10,000
   d. 9
   e. 121

Correlación de repaso

Punto(s)	Lección(es)
1, 2	2-1
3	2-2
4, 5	2-3
6–9	2-4
10–13	2-5
14	2-6
15	2-7
16, 17	2-8
18, 19	2-9
20, 21	2-10
22	2-11
23	2-12
24	2-13

Para un repaso adicional, véase la página 663.

Respuestas de Repaso

1. Millares
2. Veintinueve millones, ciento cincuenta y ocho mil, seiscientos cuarenta y siete
3. a. 29,160,000
   b. 29,000,000
4. 129,058,647 $<$ 129,186,000
5. 4,067,338; 4,567,238; 40,098,001
6. Base: 5; exponente: 9
7. $7 \times 7 \times 7$
8. 8^2
9. a. 16
   b. 8
   c. 10,000
   d. 9
   e. 121

Capítulo 2 • Resumen y Repaso

Organizador gráfico

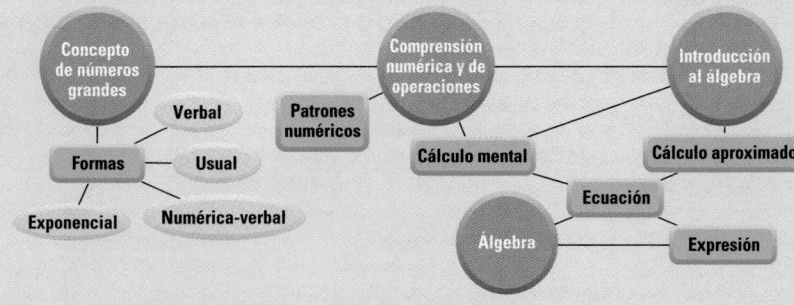

Sección 2A Concepto de números grandes

Resumen

- El valor de cada dígito en un número está en una tabla de **valor posicional**.
- Los números pueden escribirse en forma usual, en forma verbal o en forma numérica-verbal.
- Dos o más números usados como multiplicadores se llaman **factores**.
- En la **notación exponencial**, un **exponente** expresa cuántas veces se usa la **base** como factor.

Repaso

1. Halla el valor posicional de 6 en 336,870.
2. Escribe en forma verbal 29,158,647.
3. Redondea 29,158,647 al valor posicional que se pide:
   a. a decenas de millar   b. a millones
4. Usa $>$ o $<$ para comparar 129,058,647 con 129,186,000.
5. Ordena de menor a mayor: 4,567,238; 40,098,001; 4,067,338
6. Indica cuál es la base y cuál es el exponente de 5^9.
7. Escribe 7^3 en notación multiplicativa.
8. Escribe 8 elevado al cuadrado en notación exponencial.
9. Escribe cada uno en forma usual:
   a. 42   b. 2 elevado al cubo   c. 10^4 d. 9^1 e. 11 a la segunda potencia

130 *Capítulo 2 • Asociación entre aritmética y álgebra*

Resources

Practice Masters
   Cumulative Review
   Chapters 1–2

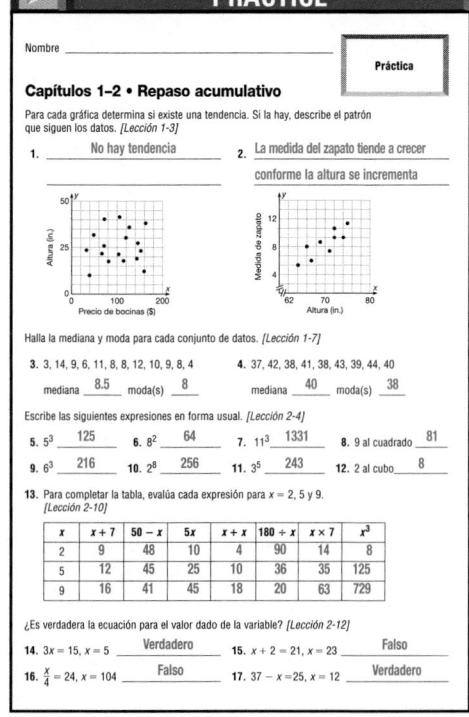

Sección 2B Comprensión numérica y de operaciones

Resumen

- Los patrones, los números compatibles, la compensación y la propiedad distributiva pueden usarse para resolver problemas en forma mental.

- Cuando no es necesaria una respuesta exacta, puedes utilizar el cálculo aproximado por los primeros dígitos, la agrupación, el redondeo y los números compatibles para calcular la respuesta.

- Emplear el orden correcto de las operaciones ayuda a obtener la misma respuesta.

Repaso

Usa el cálculo mental para resolver cada problema.

10. $48 + 52 + 220 + 80$

11. 6×204

12. 900×1000

13. $420,000 \div 600$

14. Utiliza el cálculo aproximado por los primeros dígitos para hallar la respuesta:

    a. $681 - 357$ **b.** $8564 + 2312$

15. Haz un cálculo aproximado con el uso de números compatibles.

    a. $442 \div 92$ **b.** 73×12

Usa el orden de las operaciones para resolver cada problema.

16. $44 \div 4 - 2$

17. $(6 + 7) \times 9^2 \div 3$

Halla los siguientes tres números de cada patrón.

18. $64, 57, 50, 43, 36, \ldots$

19. $36, 51, 66, 81, 96, 111, \ldots$

Sección 2C Introducción al álgebra

Resumen

- Una **variable** es una cantidad que puede cambiar o variar.

- Una **expresión** incluye constantes, variables y símbolos de operaciones.

- Una **ecuación** muestra que dos expresiones son iguales.

Repaso

20. Evalúa $6x$ cuando $x = 2, 3$ y 4.

21. Evalúa $11 - x$ cuando $x = 7, 8$ y 9.

22. Escribe una expresión para el cociente de m y 11.

23. ¿Es la ecuación $4x + 3 = 31$ verdadera cuando $x = 7$? ¿Y cuando $x = 9$?

24. Encuentra el valor de x.   **a.** $x - 8 = 53$ **b.** $\frac{x}{4} = 29$

Respuestas de Repaso

10. 400

11. 1224

12 900,000

13. 700

14. a. 320

    b. 11,000

15. a. 5

    b. 700 ó 750

16. 9

17. 351

18. 29, 22, 15

19. 126, 141, 156

20. 12, 18, 24

21. 4, 3, 2

22. $\frac{m}{11}$ ó $\frac{11}{m}$

23. Sí; No

24. 61; 116

Answers for Review

10. 400

11. 1224

12 900,000

13. 700

14. a. 320

    b. 11,000

15. a. 5

    b. 700 or 750

16. 9

17. 351

18. 29, 22, 15

19. 126, 141, 156

20. 12, 18, 24

21. 4, 3, 2

22. $\frac{m}{11}$ or $\frac{11}{m}$

23. Yes; No

24. 61; 116

Assessment Correlation

Item(s)	Lesson(s)
1	2-4
2	2-6
3	2-3
4	2-2
5	2-10
6	2-8
7, 8	2-10
9	2-4
10, 13	2-5
14–16	2-7
17, 18	2-9
19, 20	2-11
21–24	2-13

Answers for Assessment

1. a. 100,000

   b. 100 thousand

2. ≈ 120

3. $1{,}027{,}974 > 1{,}006{,}877$

4. 34,600

5. 2, 4, 6

6. 35,000

7. 3, 4, 5

8. 24, 25, 26

9. No; 5^2 is 5×5 or 25; 5×2 is 10.

10. Round 49 to 50, multiply 50×2 and get 100. Then subtract 2 from 100 and get 98.

11. Divide 48 by 6 and get 8. Subtract one zero from 2 zeros and add a zero to the end of 8 to get 80.

12. Subtract 6 from 76 and get 70. Add 70 to 17 and get 87.

13. Multiply 4×200 and get 800. Multiply 4×6 and get 24. Add 800 and 24 and get 824.

14. 12,000

15. 9

16. 6

17. 36, 48, 62

18. 5, 2, 7

19. $4m$

20. $B - 1600$

21. 120

22. 5

23. 12

24. 49

Correlación de evaluación

Punto(s)	Lección(es)
1	2-4
2	2-6
3	2-3
4	2-2
5	2-10
6	2-8
7, 8	2-10
9	2-4
10, 13	2-5
14–16	2-7
17, 18	2-9
19, 20	2-11
21–24	2-13

Respuestas de Evaluación

1. a. 100,000

   b. 100 mil

2. ≈ 120

3. $1{,}027{,}974 > 1{,}006{,}877$

4. 34,600

5. 2, 4, 6

6. 35,000

7. 3, 4, 5

8. 24, 25, 26

9. No; 5^2 es 5×5 ó 25; 5×2 es 10.

10. Se redondea 49 a 50, se multiplica 50×2 y se obtiene 100. Después a 100 se le resta 2 para obtener 98.

11. Se divide 48 entre 6 y se obtiene 8. A 2 ceros se le resta un cero, y se pone un cero después de 8 para obtener 80.

12. A 76 se le resta 6 para obtener 70. Se suma 70 a 17 y se obtiene 87.

13. Se multiplica 4×200 y se obtiene 800. Se multiplica 4×6 y se obtiene 24. Se suma 800 a 24 y se obtiene 824.

14. 12,000

15. 9

16. 6

17. 36, 48, 62

18. 5, 2, 7

19. $4m$

20. $B - 1600$

21. 120

22. 5

23. 12

24. 49

Capítulo 2 • Evaluación

1. **a.** Escribe 10^5 en forma usual. **b.** Escribe 10^5 en forma numérica-verbal.

2. Un filatelista contó 31 estampillas neozelandesas, 36 canadienses, 33 francesas y 28 británicas. Calcula el número total aproximado de estampillas que tenía.

3. Usa $>$ o $<$ para comparar el censo de Dallas en 1990 (1,006,877) con el censo de Detroit (1,027,974).

4. Redondea 34,578 a las centenas.

5. Halla el valor de $2m$ cuando $m = 1, 2$ y 3.

6. Calcula el producto de 35 por 10 al cubo.

7. Halla el valor de $m - 2$ cuando $m = 5, 6$ y 7.

8. Evalúa $m + 19$ cuando $m = 5, 6$ y 7.

9. ¿5^2 es lo mismo que 5×2? Explica tu respuesta.

Explica cómo resolverías cada problema por medio del cálculo mental.

10. 49×2 11. $4800 \div 60$ 12. $76 + 17 - 6$ 13. 4×206

Da una respuesta aproximada.

14. 286×43 15. $35{,}782 \div 3{,}939$ 16. $426 \div 69$

Para cada patrón, halla los siguientes tres números.

17. $6, 8, 12, 18, 26, \ldots$ 18. $10, 7, 4, 9, 6, 3, 8, \ldots$

Escribe una expresión para cada situación.

19. El perímetro de la caja.

20. El submarino A se sumergió 1600 pies menos que el submarino B. ¿A qué profundidad se sumergió el submarino A?

Halla el valor de la variable que hace verdadera la ecuación.

21. $\dfrac{d}{6} = 20$ 22. $c + 32 = 37$ 23. $9y = 108$ 24. $y - 7 = 42$

Tarea para evaluar el progreso

No todas las ideas matemáticas que encuentras en este capítulo se muestran en el organizador gráfico de la página 130. Revisa tu organizador. Amplíalo incluyendo cuando menos otras diez ideas que hayas utilizado para resolver problemas de este capítulo. Marca tus nuevas ideas en forma correcta. Asegúrate de que todo lo que incluyas en tu organizador gráfico esté interrelacionado con la resolución de problemas.

132 *Capítulo 2 • Asociación entre aritmética y álgebra*

Performance Task Key

See performance assessment key on page 63.

Resources
Assessment Sourcebook
Chapter 2 Tests
Forms A and B (free response)
Form C (multiple choice)
Form D (performance assessment)
Form E (mixed response)
Form F (cumulative chapter test)
TestWorks Test and Practice Software
Home and Community Connections
Letter Home for Chapter 2 in English and Spanish

Suggested Scoring Rubric

4
- At least ten ideas have been added and labeled correctly.
- New ideas are extensions of the original ideas.

3
- At least eight ideas have been added and correctly labeled.
- Most new ideas are extensions of the original ideas.

2
- At least five ideas have been added and correctly labeled.
- Few new and original ideas are connected in any meaningful way.

1
- Less than five ideas have been added and correctly labeled.
- Student has difficulty connecting new and original ideas in any meaningful way.

Capítulos 1–2 • Repaso acumulativo
Para la prueba

Elección múltiple

Escoge la respuesta adecuada.

1. Escoge el número mayor. *[Lección 2-3]*
- Ⓐ 207,135,528
- Ⓑ 271,105,528
- Ⓒ 271,130,528
- Ⓓ 207,150,528

2. Para los datos 25, 22, 24, 20, 29, 21, 36, 23, 25, ¿cuál es el valor más pequeño: la media, la mediana, la moda o el valor extremo? *[Lección 1-9]*
- Ⓐ media
- Ⓑ mediana
- Ⓒ moda
- Ⓓ valor extremo

3. Calcula 224 × 4. *[Lección 2-5]*
- Ⓐ 886
- Ⓑ 8816
- Ⓒ 844
- Ⓓ 896

4. Jessie ha empezado a hacer sentadillas. Si hace 2 el primer día y cada día hace 2 veces más que el anterior, ¿cuántas hará el tercer día? *[Lección 2-4]*
- Ⓐ 2^6
- Ⓑ 2^3
- Ⓒ 2^5
- Ⓓ 3^2

5. ¿Cuántas veces aparece 26 en los datos? *[Lección 1-6]*
- Ⓐ 2
- Ⓑ 5
- Ⓒ 3
- Ⓓ No se encuentra

Tallo	Hoja
0	1 2 6 6 6 7
1	0 6 7 8 8
2	5 6 6 7 7 8

6. Escoge el siguiente número del patrón. 180, 173, 184, 177, 188,… *[Lección 2-9]*
- Ⓐ 200
- Ⓑ 181
- Ⓒ 196
- Ⓓ 234

7. Escoge el mejor cálculo aproximado para 4,235 + 9,608 + 9,342. *[Lección 2-6]*
- Ⓐ 13,800
- Ⓑ 22,400
- Ⓒ 20,700
- Ⓓ 23,000

8. ¿Qué intervalo sería más apropiado para la escala de una gráfica de barras con estos datos? Automóviles, 175; camiones, 290; vans, 98, y jeeps, 60. *[Lección 1-5]*
- Ⓐ 25
- Ⓑ 32
- Ⓒ 70
- Ⓓ 55

9. Simplifica $14 + (9 - 3)2 \div 2$. *[Lección 2-8]*
- Ⓐ 32
- Ⓑ 25
- Ⓒ 17
- Ⓓ Ninguno

10. Redondea tres millones, seiscientos ochenta y cuatro al millar más cercano. *[Lección 2-2]*
- Ⓐ 3,684,000
- Ⓑ 3,006,840
- Ⓒ 3,001,000
- Ⓓ 3,000,684

11. Aproxima $472 \div 63$. *[Lección 2-7]*
- Ⓐ 7
- Ⓑ 10
- Ⓒ 41
- Ⓓ 80

12. El perro de Manuel tiene una camada de cachorros. Regaló tres y le quedaron dos. Elige la ecuación que modele el problema. *[Lección 2-12]*
- Ⓐ $p = 3 - 2$
- Ⓑ $2 - p = 3$
- Ⓒ $p - 3 = 2$
- Ⓓ $3 - p = 2$

13. En una pictografía, cada símbolo de pez representa 5 millones de peces. ¿Cuántos millones de peces representan 7 símbolos? *[Lección 1-1]*
- Ⓐ 7.5 millones
- Ⓑ 35 millones
- Ⓒ 12 millones
- Ⓓ Ninguno

14. Evalúa la expresión $\frac{144}{x}$ cuando $x = 2, 3$ y 4. *[Lección 2-10]*
- Ⓐ 146, 147, 148
- Ⓑ 72, 46, 36
- Ⓒ 142, 141, 140
- Ⓓ 72, 48, 36

15. Escoge el valor correcto para x si $8x = 120$. *[Lección 2-13]*
- Ⓐ 960
- Ⓑ 128
- Ⓒ 15
- Ⓓ 12

Capítulos 1–2 • Repaso acumulativo **133**

Acerca de las pruebas de elección múltiple

El Repaso acumulativo que está al final de los capítulos 2, 4, 6, 8, 10 y 12 puede usarse como preparación para las pruebas estandarizadas.

A veces los estudiantes no logran resultados tan buenos en las pruebas estandarizadas como los que obtienen en otro tipo de exámenes. Puede haber varias razones para ello, relacionadas tal vez con el formato y el contenido de las pruebas.

• Formato
Los estudiantes suelen tener una experiencia limitada en las pruebas de elección múltiple. Algunas preguntas son más difíciles porque las opciones confunden al estudiante.

• Contenido
Una prueba estandarizada abarca un rango más amplio de contenido que el que normalmente se cubre en un examen, y el relativo énfasis que se pone en varias áreas puede ser diferente del que se ha dado en clase. Algunas preguntas pueden evaluar las aptitudes generales o las destrezas mentales, y no incluir preguntas específicas de contenido matemático.

Es importante no permitir que las diferencias entre las pruebas estandarizadas y otro tipo de exámenes influyan de manera negativa en los estudiantes haciéndoles perder la confianza en sí mismos.

Respuestas

1. C
2. B
3. D
4. B
5. A
6. B
7. D
8. A
9. D
10. C
11. A
12. C
13. B
14. D
15. C

About Multiple-Choice Tests

The Cumulative Review found at the end of Chapters 2, 4, 6, 8,10, and 12 can be used to prepare students for standardized tests.

Students sometimes do not perform as well on standardized tests as they do on other tests. There may be several reasons for this related to the format and content of the test.

• Format
Students may have limited experience with multiple-choice tests. For some students, such tests are harder because having options may be confusing.

• Content
A standardized test covers a broader range of content than normally covered on a test, and the relative emphasis given to various strands may be different than given in class. Some questions may assess general aptitude or thinking skills and not include specific pieces of mathematical content.

It is important to not let the differences between standardized tests and other tests shake your student's confidence.

Answers

1. C
2. B
3. D
4. B
5. A
6. B
7. D
8. A
9. D
10. C
11. A
12. C
13. B
14. D
15. C

▶ OVERVIEW

Decimales
Decimals

Section 3A

Decimal Concepts: Students learn to name and write numbers using decimal notation. They learn the rules for rounding, comparing, and ordering decimals, and how to express numbers in scientific notation.

3-1
Notación decimal

3-1
Decimal Notation

3-2
Redondeo de decimales

3-2
Rounding Decimals

3-3
Comparación y ordenación de decimales

3-3
Comparing and Ordering Decimals

3-4
Notación científica

3-4
Scientific Notation

Section 3B

Adding and Subtracting with Decimals: Students learn to estimate solutions to problems involving decimals. They add and subtract decimals and learn to solve addition and subtraction equations involving decimals.

3-5
Cálculo aproximado con decimales

3-5
Estimating with Decimals

3-6
Suma y resta de números decimales

3-6
Adding and Subtracting Decimal Numbers

3-7
Resolución de ecuaciones con decimales: Suma y resta

3-7
Solving Decimal Equations: Addition and Subtraction

Section 3C

Multiplying and Dividing with Decimals: Students learn to multiply and divide with decimals and where to place the decimal point in the solution. Students use mental math to solve multiplication and division equations involving decimals.

3-8
Multiplicación de un número cabal por un decimal

3-8
Multiplying a Whole Number by a Decimal

3-9
Multiplicación de un decimal por otro decimal

3-9
Multiplying a Decimal by a Decimal

3-10
División entre un número cabal

3-10
Dividing by a Whole Number

3-11
División entre decimales

3-11
Dividing by a Decimal

3-12
Resolución de ecuaciones con decimales: Multiplicación y división

3-12
Solving Decimal Equations: Multiplication and Division

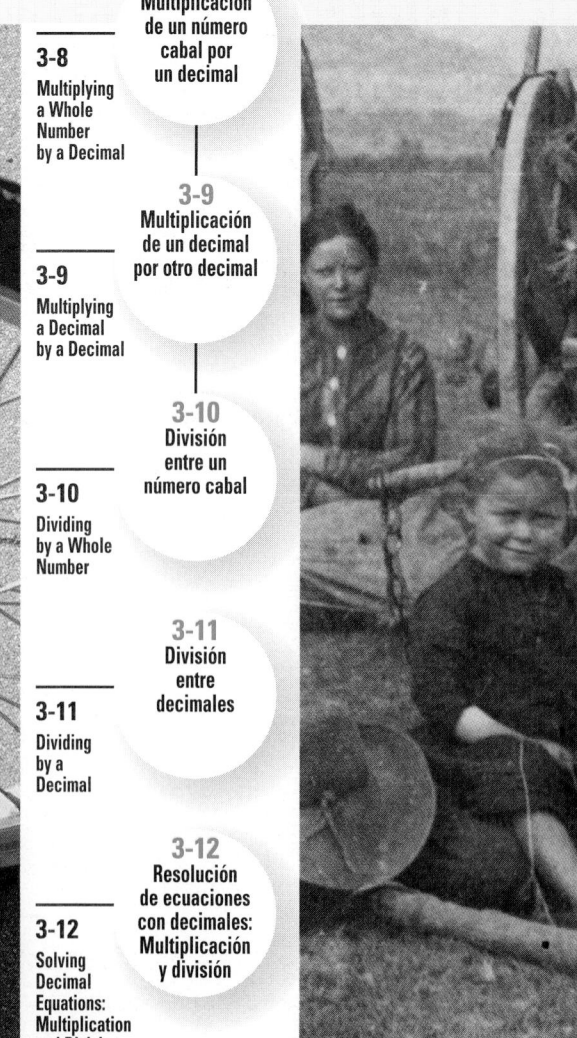

▶ **Curriculum Standards**

pages

S 1	**Problem Solving**	Skills and Strategies	136, 156, 172, 180, 194, 198
T		Applications	140–141, 145–146, 151–152, 155–156, 157, 162–163, 167–168, 171–172, 173, 179–180, 183–184, 188–189, 193–194, 197–198, 199
A		Exploration	138, 142, 148, 153, 160, 164, 169, 176, 181, 185, 190, 195
N 2	**Communication**	Oral	137, 144, 150, 161, *163*, 166, 170, *175*, 178, 182, *184*, 187, 192, 196
D		Written	136, *141*, 146, *152*, *156*, 163, 168, *172*, *180*, 184, 189, 194, 198
A		Cooperative Learning	*138, 142, 148, 153, 160, 164, 166, 169, 176, 181, 185, 190, 195*
R 3	**Reasoning**	Critical Thinking	141, 146, 152, 156, 163, 168, 172, 180, 184, 189, 194
D 4	**Connections**	Mathematical	See Standards 5–7, 9, 10, 12, 13 below.
		Interdisciplinary	Social Studies 134, *178*; Literature 135, 148; Geography *159*, *175*; Science 135, *137*, 139, 140, 143, *144*, 145, 149, *150*, 151, 153, 155, 198; History 140, *175*, 177, 178, 180, *183*, 191, 194, 196, *198*; Health 141, 163, 184, 188, *192*, 193; Sports 134, 141, *187*; Career 172; Consumer *159, 192*; Social Science 156
		Technology	138, 147, 153, 154, *155*, *159*, 167, 182, 186
		Cultural	134, 159, 160, 165, *166*, 167
5	**Number and Number Relationships**		138–146, 162
6	**Number Systems and Number Theory**		148–156, 171
7	**Computation and Estimation**		*139*, 145, *149*, *154*, 160–168, *170*, 176–194
8	**Patterns and Functions**		201
9	**Algebra**		169–172, 195–198
10	**Statistics**		151, 186
12	**Geometry**		169, 171, 174
13	**Measurement**		142, 145, 146, 158, *167*, 174, 184, 189

Italic type indicates Teacher Edition reference.

Focus on Pacing

Mathematical thinking takes place in an environment that allows adequate time for students to puzzle and think. Teachers should

- provide the time necessary to explore sound mathematics and grapple with significant ideas and problems.

- allow students to be stuck.

▶ **Assessment Standards**

Focus on Coherence

Performance The Coherence Standard requires that assessment activities be matched to the skill or concept which is to be assessed. Performance assessment activities can be created which offer students an opportunity to demonstrate their knowledge individually or as part of a group. In Chapter 3, the teacher is asked to assess

- the student's ability to estimate with decimals.

- a group's conclusions about rounding decimals as an indicator of its members' abilities.

 ▶ **For the Teacher**

- **Teacher Resource Planner CD-ROM**
  Use the teacher planning CD-ROM to view resources available for Chapter 3. You can prepare custom lesson plans or use the default lesson plans provided.

 • **World Wide Web**
  Visit **www.teacher.mathsurf.com** for links to lesson plans from teachers and other professionals, NCTM information, and other sites.

 • **TestWorks**
  TestWorks provides ready-made tests and can create custom tests and practice worksheets.

 ▶ **For the Student**

- **Interactive CD-ROM**
  Lesson 3-9 has an *Interactive CD-ROM Lesson*. The *Interactive CD-ROM Journal* and *Interactive CD-ROM Spreadsheet/Grapher Tool* are also used in Chapter 3.

 • **Wide World of Mathematics**
  Lesson 3-3 Middle School: In 0.01 Second
  Lesson 3-4 Middle School: Hubble Telescope

 • **World Wide Web**
  Use with Chapter and Section Openers; Students can go online to the Scott Foresman-Addison Wesley Web site at **www.mathsurf.com/6/ch3** to collect information about chapter themes.

 ▶ **For the Parent**

- **World Wide Web**
  Parents can use the Web site at **www.parent.mathsurf.com.**

STANDARDIZED - TEST CORRELATION

SECTION 3A

LESSON	OBJECTIVE	ITBS Form M	CTBS 4th Ed.	CAT 5th Ed.	SAT 9th Ed.	MAT 7th Ed.	Your Form
3-1	• Write numbers in decimal notation.	X	X	X	X		
	• Represent decimal numbers using a grid model.			X		X	
3-2	• Round decimal numbers.		X			X	
	• Measure length with a metric ruler.						
3-3	• Compare and order decimals.	X		X	X	X	
3-4	• Represent numbers in scientific notation.						

SECTION 3B

LESSON	OBJECTIVE	ITBS Form M	CTBS 4th Ed.	CAT 5th Ed.	SAT 9th Ed.	MAT 7th Ed.	Your Form
3-5	• Estimate sums, differences, products, and quotients with decimals.				X	X	
3-6	• Add and subtract with decimals.	X	X	X	X	X	
3-7	• Solve equations that involve adding and subtracting decimals.			X	X	X	

SECTION 3C

LESSON	OBJECTIVE	ITBS Form M	CTBS 4th Ed.	CAT 5th Ed.	SAT 9th Ed.	MAT 7th Ed.	Your Form
3-8	• Multiply a whole number by a decimal.	X	X	X	X	X	
3-9	• Multiply a decimal times a decimal.	X		X	X	X	
3-10	• Divide a decimal number by a whole number.	X	X	X	X	X	
3-11	• Divide decimal numbers by decimal numbers.				X	X	
3-12	• Solve decimal equations with multiplication and division.				X	X	
	• Solve equations using inverse operations.					X	

Key: ITBS - Iowa Test of Basic Skills; CTBS - Comprehensive Test of Basic Skills; CAT - California Achievement Test; SAT - Stanford Achievement Test; MAT - Metropolitan Achievement Test

ASSESSMENT PROGRAM

► **Traditional Assessment**

QUICK QUIZZES	SECTION REVIEW	CHAPTER REVIEW	CHAPTER ASSESSMENT FREE RESPONSE	CHAPTER ASSESSMENT MULTIPLE CHOICE	CUMULATIVE REVIEW
TE: pp. 141, 146, 152, 156, 163, 168, 172, 180, 184, 189, 194, 198	SE: pp. 158, 174, 200 *Quiz 3A, 3B, 3C	SE: pp. 202–203	SE: p. 204 *Ch. 3 Tests Forms A, B, E	*Ch. 3 Tests Forms C, E	SE: p. 205 *Ch. 3 Test Form F; Quarterly Test Ch. 1–3

► **Alternate Assessment**

INTERVIEW	JOURNAL	ONGOING	PERFORMANCE	PORTFOLIO	PROJECT	SELF
TE: p. 184	SE: pp. 141, 146, 156, 163, 168, 184, 189, 194, 198 TE: pp. 136, 141, 152, 156, 180, 194, 198	TE: pp. 138, 142, 148, 153, 160, 164, 169, 176, 181, 185, 190, 195	SE: pp. 204, 205 TE: pp. 146, 163 *Ch. 3 Tests Forms D, E	TE: pp. 168, 189	SE: pp. 152, 163, 189 TE: p. 135	TE: p. 172

*Tests and quizzes are in *Assessment Sourcebook*. Test Form E is a mixed response test.
Forms for Alternate Assessment are also available in *Assessment Sourcebook*.

 TestWorks: Test and Practice Software

REGULAR PACING

Day	5 classes per week
1	Chapter 3 Opener; Problem Solving Focus
2	Section **3A** Opener; Lesson **3-1**
3	Lesson **3-2**; Technology
4	Lesson **3-3**
5	Lesson **3-4**
6	**3A** Connect; **3A** Review
7	Section **3B** Opener; Lesson **3-5**
8	Lesson **3-6**
9	Lesson **3-7**
10	**3B** Connect; **3B** Review
11	Section **3C** Opener; Lesson **3-8**
12	Lesson **3-9**
13	Lesson **3-10**
14	Lesson **3-11**
15	Lesson **3-12**
16	**3C** Connect; **3C** Review; Extend Key Ideas
17	Chapter 3 Summary and Review
18	Chapter 3 Assessment Cumulative Review, Chapters 1–3

▶ BLOCK SCHEDULING OPTIONS

Block Scheduling for Complete Course

Chapter 3 may be presented in

- twelve 90-minute blocks
- fifteen 75-minute blocks

Each block consists of a combination of

- Chapter and Section Openers
- Explores
- Lesson Development
- Problem Solving Focus
- Technology
- Extend Key Ideas
- Connect
- Review
- Assessment

For details, see *Block Scheduling Handbook*.

Block Scheduling for Interdisciplinary Course

Each block integrates math with another subject area.

In Chapter 3, interdisciplinary topics include

- Spiders
- Currency
- Oregon Trail

Themes for Interdisciplinary Team Teaching 3A, 3B, and 3C are

- Spiders
- Food for Thought
- Prescription Decoders

For details, see *Block Scheduling Handbook*.

Block Scheduling for Lab-Based Course

In each block, 30–40 minutes is devoted to lab activities including

- Explores in the Student Edition
- Connect pages in the Student Edition
- Technology options in the Student Edition
- Reteaching Activities in the Teacher Edition

For details, see *Block Scheduling Handbook*.

Block Scheduling for Course with *Connected Mathematics*

In each block, investigations from **Connected Mathematics** replace or enhance the lessons in Chapter 3.

Connected Mathematics topics for Chapter 3 can be found in

- *Bits and Pieces I*
- *Bits and Pieces II*

For details, see *Block Scheduling Handbook*.

BOLETÍN INTERDISCIPLINARIO

INTERDISCIPLINARY BULLETIN BOARD

Preparación

Divida un cartel en varias secciones para representar diversas competencias de pista y campo.

Procedimiento

- Investiga en equipo varios récords de competencias de pista y campo que se expresen con decimales (salto de altura, salto de longitud y salto con garrocha, así como lanzamiento de disco, martillo o jabalina).

- Investiga el récord mundial de cada competencia para hombres y mujeres (en caso de existir ambas categorías), además de la fecha en que se estableció.

- Debes ilustrar cada competencia con un dibujo e incluir los datos que investigaste.

Set Up

Prepare a bulletin board with sections for various track-and-field events.

Procedure

- Work in group to research world track-and-field records expressed as decimals for events such as the high jump, long jump, pole vault, discus throw, hammer throw, and javelin throw.

- Find out the men's and women's world record for an event, if both exist, and the date(s) a record was set.

- Draw the event on the bulletin board with appropriate information listed with it.

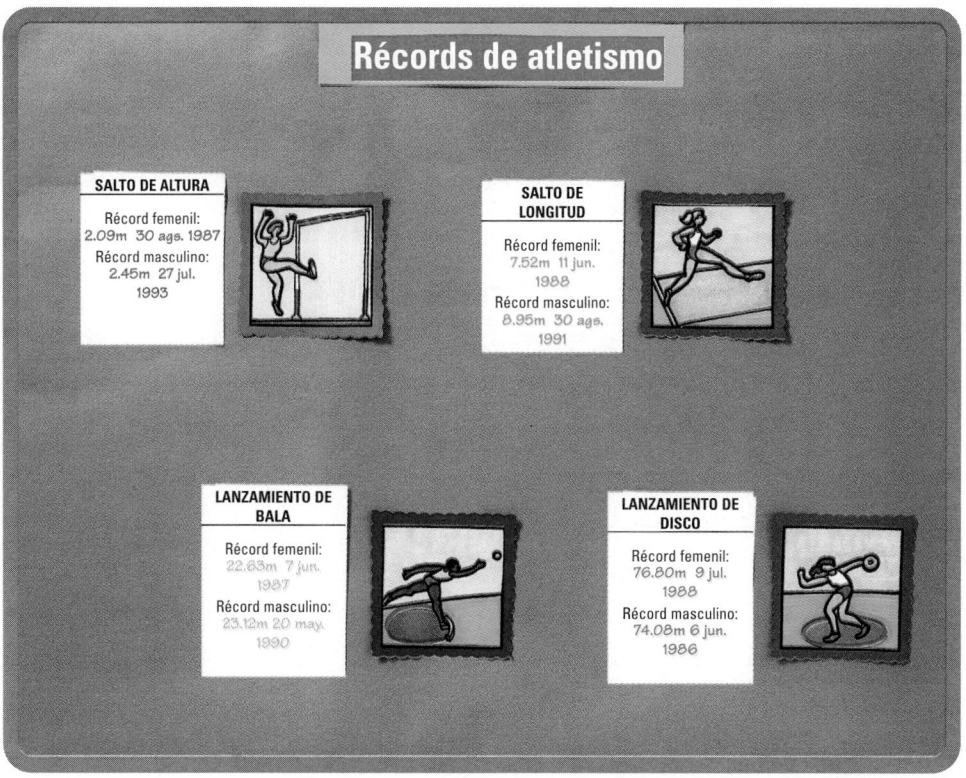

The information on these pages shows how decimals are used in real-life situations.

World Wide Web

If your class has access to the World Wide Web, you might want to use the information found at the Web site addresses given.

Extensions

The following activities do not require access to the World Wide Web.

Entertainment

Have students investigate Olympic records in the 100-meter dash since 1988 to find out if Carl Lewis's Olympic record still stands. In 1992, Linford Christie won in 9.96 sec and in 1996, Donovan Baily won in 9.84 sec., breaking Lewis's record.

People of the World

Ask students to find an example of the use of commas instead of decimal points in a foreign newspaper or magazine to share with the class.

Social Studies

Use these questions for discussion: Why is zero so important? How do we use it?

Science

Have students investigate major earthquakes that have occurred around the world.

Arts & Literature

Ask students to explain why O. Henry's statement creates a problem. Ask them to give some penny amounts that would be possible. It is impossible to have $1.87 in change with exactly 60 pennies. The number of pennies would have to have either a 2 or a 7 in the ones place.

La información de estas páginas muestra cómo se usan los números decimales en situaciones de la vida real.

World Wide Web

Si su clase tiene acceso al World Wide Web, tal vez desee utilizar la información que se encuentra en las direcciones Web indicadas.

Ampliación

Las siguientes actividades no requieren de acceso al Web.

Entretenimiento

Pida a los estudiantes que investiguen las marcas olímpicas de los 100 metros planos desde 1988, para determinar si aún sigue vigente la marca olímpica de Carl Lewis. En 1992 Linford Christie ganó con un tiempo de 9.96 s; en 1996 Donovan Baily ganó en 9.84 s y rompió la marca de Lewis.

Alrededor del mundo

Pida a los estudiantes que encuentren un ejemplo del uso de las comas en lugar de los puntos decimales en un periódico o revista extranjero para que lo compartan con la clase.

Ciencias sociales

Use estas preguntas para comentarlas: ¿Por qué es tan importante el cero? ¿Cómo se usa?

Ciencias

Indique a los estudiantes que investiguen cuáles son los terremotos más importantes que han ocurrido en el mundo.

Arte y Literatura

Anime a los estudiantes a explicar por qué la afirmación de O. Henry suscita un serio problema. Pídales que den algunas cantidades de monedas de un centavo que sean posibles. Es imposible tener $1.87 de cambio con exactamente 60 monedas de un centavo. Así, el número de monedas de un centavo deberá tener un 2 o un 7 en la posición de las unidades.

3 Decimales

Enlace con Entretenimiento
www.mathsurf.com/6/ch3/ent

Enlace con Ciencias sociales
www.mathsurf.com/6/ch3/social

Ciencias sociales

La cultura azteca fue una de las primeras que utilizaron el número 0. Sin este dígito, el actual sistema decimal no sería posible.

Alrededor del mundo

En Europa se usa una coma en lugar del punto decimal. El número que en Estados Unidos se expresa como 42.37, en Europa sería 42,37.

Entretenimiento

En 1988 Carl Lewis ganó la medalla olímpica de oro en los 100 metros planos, al recorrerlos en 9.92 segundos.

134

TEACHER TALK

Meet Alma Ramírez

Oakland Charter Academy
Oakland, California

When introducing decimals, I find it useful to cut cord, string, and ribbon into one-meter strips and tape them around the room. I have students estimate where the 0.5 meter mark should be, the 0.25 meter mark, the 0.05 meter mark, and so on. I have students label these points. These points become constant reference points as students move from ordering and comparing decimals to adding and subtracting decimals.

The strips allow students to develop an intuitive sense of the relative magnitude of decimals. For example, they can readily see that 0.05 is less than 0.5 and that 0.5 is the same as 0.50 because both 0.5 and 0.50 equal $\frac{1}{2}$. Relating decimals to metric measurements provides students with a real-world application of decimals.

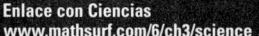

Arte y Literatura

En *The Gift of the Magi*, O. Henry afirmó: "Un dólar y ochenta y siete centavos. Eso era todo. Y sesenta centavos de estos eran monedas de un centavo". Nunca explicó cómo era posible esto.

Ciencias

La escala de Richter emplea decimales para medir la magnitud de los terremotos. Un temblor de 1.3 se puede registrar, pero no es perceptible. Uno de 6.1 destruye edificios. Los terremotos por arriba de 7.9 causan destrucción total.

IDEAS CLAVE DE MATEMÁTICAS

Los números decimales pueden usarse para describir números que se encuentran entre los números cabales.

Los valores decimales, como los décimos y los centésimos, describen cantidades que son más pequeñas que 1.

Del mismo modo que los números cabales, los números decimales pueden redondearse al valor posicional más cercano.

Al igual que los números cabales, los números decimales pueden sumarse y restarse cuando los puntos decimales de los números están alineados.

Puedes multiplicar y dividir números decimales como si fueran números cabales, pero necesitas fijarte muy bien dónde se coloca el punto decimal en la respuesta.

PROYECTO DEL CAPÍTULO

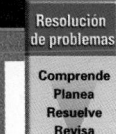

Resolución de problemas

Comprende
Planea
Resuelve
Revisa

En este proyecto, podrás analizar cuánto tiempo dedicas a tus actividades escolares después de clases en un período determinado. Para empezar, lista las actividades que realizas. Haz un cálculo aproximado del tiempo que dedicas a cada actividad por semana.

135

PROJECT ASSESSMENT

You may choose to use this project as a Performance Assessment for the chapter.

Performance Assessment Key

Level 4 Full Accomplishment

Level 3 Substantial Accomplishment

Level 2 Partial Accomplishment

Level 1 Little Accomplishment

Suggested Scoring Rubric

4
- Demonstrates good organizational and estimation skills in documenting information.
- Clearly displays information in a bar graph.

3
- Adequately organizes and estimates documented information.
- Displays data in an appropriate graph.

2
- Attempts to organize and estimate documented information.
- Attempts to display data in a graph.

1
- Information is not well organized and estimates are not reasonable.
- Has difficulty choosing appropriate graph on which to display data.

Proyecto del capítulo

Los estudiantes reúnen datos sobre el tiempo que requieren para realizar sus actividades escolares y analizan qué parte de su tiempo dedican a esas actividades en un período determinado.

Introducción del proyecto
- Analice con los estudiantes las actividades que realizan después de clases. Ayúdelos a listarlas por categorías como tareas del hogar y tareas escolares.

- Ayude a los estudiantes a crear un formato para listar sus actividades en orden, a fin de organizar la información asociada.

- Explíqueles cómo hacer un cálculo aproximado del tiempo que dedican cada semana a las actividades de cada categoría de la lista.

El proyecto en marcha
Sección A, página 152 Los estudiantes registran las actividades que realizan después de clases y el tiempo que les dedican.

Sección B, página 163 Los estudiantes ordenan sus actividades por categorías y hallan el tiempo que dedican a cada categoría.

Sección C, página 189 Los estudiantes presentan una gráfica de barras con los datos que reunieron sobre las actividades que realizan después de clases.

Chapter Project

Students collect data on the time they spend on after-school activities and analyze the amount of time spent over a certain period.

Resources

Chapter 3 Project Master

Introduce the Project

- Discuss the activities students take part in after school. Help students list these items in categories such as school-related and family-related.

- Help students create a form on which they can list their activities in order to help them record the activities in an orderly way.

- Discuss how to estimate how much time they spend each week on each category in their list.

Project Progress

Section A, page 152 Students keep a record of activities they do after school and how much time they spend.

Section B, page 163 Students arrange their activities in categories and find the total time in each category.

Section C, page 189 Students display collected data on a bar graph to summarize their after-school activities.

Community Project

A community project for Chapter 3 is available in *Home and Community Connections*.

Cooperative Learning

You may want to use Teaching Tool Transparency 1: Cooperative Learning Checklist with **Explore** and other group activities in this chapter.

Reading the Problem

The Point

Students focus on understanding the information in the problem without actually solving the problem.

Resources

Teaching Tool Transparency 18: Problem-Solving Guidelines

Interactive CD-ROM Journal

About the Page

Using the Problem-Solving Process

Talk about suggestions for reading a problem:

- Read the problem two or three times before beginning.
- Determine what the problem is about.
- Determine what the problem is asking.

Answers for Problems

1. a. Cats and homes in America

   b. How many homes are there in America?

   c. 57 million

   d. 186 homes

   e. Possible answer: Question: Are there more homes with cats or without? Answer: Without.

2. a. Registered dogs in the American Kennel Club.

   b. Was the combined number of Dalmatians, Dachshunds, and Pomeranians greater than or less than the number of Labrador Retrievers?

   c. 42,621

   d. Dachshunds

   e. Possible answer: Question: How many more Labrador Retrievers were there than Dalmatians? Answer: 83,772

Journal

Write a paragraph explaining the importance of reading a problem carefully before trying to solve it.

Leer el problema

Objetivo

Los estudiantes se concentran en comprender la información del problema sin resolverlo.

Recursos

 Diario interactivo CD-ROM

Acerca de esta página

Uso del proceso de resolución de problemas

Hable de las sugerencias para leer un problema:

- Lee el problema dos o tres veces antes de comenzar.
- Determina de qué trata el problema.
- Determina lo que pregunta el problema.

Respuestas de Problemas

1. a. Los gatos y los hogares en Estados Unidos

   b. ¿Cuántos hogares hay en Estados Unidos?

   c. 57 millones

   d. 186 hogares

   e. Respuesta posible: Pregunta: ¿Existen más hogares con gatos o sin gatos? Respuesta: Sin gatos.

2. a. Los perros registrados en el American Kennel Club.

   b. ¿Fue mayor o menor el número combinado de dálmatas, salchicha y pomeranos que el número de labradores?

   c. 42,621

   d. Salchicha

   e. Respuesta posible: Pregunta: Con relación a los dálmatas, ¿cuántos más labradores había? Respuesta: 83,772

En tu diario

Explica por escrito la importancia de leer cuidadosamente un problema antes de intentar resolverlo.

Resolución de problemas

Comprende
Planea
Resuelve
Revisa

Leer el problema

Cuando tratas de comprender un problema y no puedes lograrlo, a veces resulta más conveniente responder preguntas sencillas acerca del problema. Reflexionar en la información que se da puede ayudarte a determinar una nueva estrategia para resolver problemas.

Enfoque en la resolución de problemas

Lee cada problema y responde las preguntas correspondientes.

❶ De acuerdo con la Asociación Médica Veterinaria, 31 de cada 100 hogares en Estados Unidos tienen gatos como mascotas. El número promedio de gatos por hogar es de 2. Si se calculan aproximadamente 57,000,000 de gatos como mascota en Estados Unidos, ¿cuántos hogares hay en el país?

a. ¿De qué se trata el problema?

b. ¿Qué es lo que se pregunta?

c. ¿Cuántos gatos como mascota hay en Estados Unidos?

d. Si un vecindario promedio tuviera 600 hogares, ¿cuántos tendrían gatos?

e. Escribe una pregunta sobre el tema y luego contéstala.

❷ Un año, el American Kennel Club tenía registrados 126,393 perros labradores. Tenía también 42,621 dálmatas, 46,129 perros salchicha y 39,947 perros pomeranos. ¿Era el número combinado de dálmatas, salchicha y pomeranos mayor o menor que el número de perros labradores?

a. ¿De qué se trata el problema?

b. ¿Qué es lo que se pregunta?

c. ¿Cuántos dálmatas estaban registrados?

d. ¿Había más salchicha o más pomeranos?

e. Escribe una pregunta sobre el tema y luego contéstala.

136

Additional Problem

In 1991 the U.S. Government spent $1,651,000 to save the Puerto Rican parrot, $1,629,000 to save a species of culthroat trout, and $1,524,000 on the black-footed ferret. The same year they spent $4,624,000 on the Florida panther. Did the government spend as much on saving the panther as on the other three species combined?

1. What is the problem about? The amount of money spent to save four endangered species.

2. What is the problem asking for? A comparison of the amount spent on three species to the amount spent on the panther.

3. How would you solve this problem? Add the numbers $1,651,000, $1,629,000, and $1,524,000 and compare the sum to $4,624,000.

Problema adicional

En 1991 el gobierno de Estados Unidos gastó $1,651,000 para salvar al loro puertorriqueño, $1,629,000 en una especie de trucha y $1,524,000 en el hurón de pie negro. El mismo año el gobierno gastó también $4,624,000 para salvar a la pantera de Florida. ¿Gastó el gobierno tanto en salvar a la pantera como en las otras tres especies juntas?

1. ¿De qué se trata el problema? De la cantidad de dinero gastado para salvar a cuatro especies en peligro de extinción.

2. ¿Qué pide el problema? Comparar la cantidad gastada en las tres especies con la cantidad gastada en la pantera.

3. ¿Cómo resolverías este problema? Al sumar $1,651,000, $1,629,000 y $1,524,000, y comparar esta suma con $4,624,000.

Section 3A
Decimal Concepts

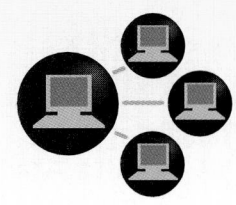

Visit **www.teacher.mathsurf.com** for links to lesson plans from teachers and other professionals, NCTM information, and other sites.

LESSON PLANNING GUIDE

▶ **Student Edition** ▶ **Ancillaries**

LESSON		MATERIALS	VOCABULARY	DAILY	OTHER
	Chapter 3 Opener				Ch. 3 Project Master Ch. 3 Community Project Teaching Tool Trans. 1
	Problem Solving Focus				Teaching Tool Trans. 18 *Interactive CD-ROM Journal*
	Section 3A Opener				
3-1	Decimal Notation	calculator		3-1	Teaching Tool Trans. 4, 11, 12 Lesson Enhancement Trans. 8
3-2	Rounding Decimals	meter stick, masking tape, cotton balls, spreadsheet software		3-2	Teaching Tool Trans. 16 Technology Master 11
	Technology				*Interactive CD-ROM Spreadsheet/Grapher Tool*
3-3	Comparing and Ordering Decimals			3-3	Teaching Tool Trans. 5 Lesson Enhancement Trans. 9 Technology Master 12 Ch. 3 Project Master *WW Math*—Middle School
3-4	Scientific Notation	scientific calculator	scientific notation	3-4	Teaching Tool Trans. 23 Technology Master 13 *WW Math*—Middle School
	Connect				Interdisc. Team Teaching 3A
	Review				Practice 3A; Quiz 3A; *TestWorks*

SKILLS TRACE

LESSON	SKILL	FIRST INTRODUCED			DEVELOP	PRACTICE/ APPLY	REVIEW
		GR. 4	GR. 5	GR. 6			
3-1	Identifying decimal place values.	✗			pp. 138–139	pp. 140–141	pp. 158, 202, 219
3-2	Rounding decimals.	✗			pp. 142–144	pp. 145–146	pp. 168, 202, 292
3-3	Comparing and ordering decimals.	✗			pp. 148–150	pp. 151–152	pp. 172, 202, 224
3-4	Using scientific notation.			✗ p. 153	pp. 153–154	pp. 155–156	pp. 180, 200, 202, 214, 354

CONNECTED MATHEMATICS

Investigation 6 in the unit *Bits and Pieces I (Understanding Rational Numbers)*, from the **Connected Mathematics** series, can be used with Section 3A.

Math and Science/Technology

(Worksheet pages 13–14: Teacher pages T13–T14)

In this lesson, students apply decimal concepts to very small objects.

Nombre _____ *Ciencia y tecnología*

OBJETOS FUERTES EN EMPAQUES PEQUEÑOS

Aplicación de conceptos decimales en objetos muy pequeños.

En general las arañas tienen mala fama. Porque la mayoría son venenosas y muchas personas les tienen miedo. Esto es comprensible pero un tanto lamentable. Las arañas también hacen mucho bien. La araña de rueda panameña, por ejemplo, come en promedio 1.63 insectos diarios, es decir, alrededor de 600 insectos al año. Multiplica esto por los millones de arañas de rueda que viven en Panamá y podrás apreciar su importancia para mantener el equilibrio de la naturaleza.

Una araña deberá, desde luego, atrapar a su presa antes de comérsela. Las arañas hacen esto de diversas formas. Las que tú conoces atrapan a sus víctimas, o presas, con los hilos pegajosos de su telaraña.

La telaraña está formada por una seda que la araña fabrica en su cuerpo. Usan órganos que se llaman hileras para tejer la seda. Estas hileras se encuentran en la parte posterior del abdomen de las arañas; suelen poseer de dos a seis hileras. La seda líquida, fabricada en las glándulas de seda en el abdomen de la araña, se alimenta hacia las hileras. Algunos tipos de seda líquida se endurecen afuera del cuerpo de la araña. Otros tipos producen hilos viscosos. Ambos pueden atrapar insectos. Hasta los insectos grandes pueden verse atrapados en las redes de una telaraña porque sus hilos son muy resistentes. Si bien una hebra puede medir sólo 0.00002 mm de diámetro, onza por onza, es más resistente que el acero. La seda de las arañas es tan resistente que sin duda es la fibra natural más fuerte conocida por el hombre.

Hay muchas cosas, además de las telarañas, que son muy pequeñas pero en verdad fuertes. Piensa en una hebra de cabello humano. Si lo jalas, generalmente no se rompe; se arranca de raíz. Las alas de las mariposas son delgadísimas como el papel, pero lo bastante resistentes como para transportar el peso de la mariposa de flor en flor.

Las arañas pueden comerse con toda tranquilidad a un insecto enredado en la seda increíblemente resistente de la telaraña.

Nombre _____ *Ciencia y tecnología*

La siguiente tabla contiene algunos de los objetos más pequeños de la naturaleza.

Objeto	Tamaño aproximado en milímetros
araña más pequeña del mundo	0.5
araña viuda negra	12.5
telaraña (diámetro)	0.00002
polilla más pequeña del mundo (envergadura)	1.975
ala de una mariposa (grosor)	0.038
pulga de un perro	2.5
garrapata de un perro	5.0
hormiga carpintera	12.5
diámetro de un cabello humano	0.078

1. ¿Cuáles objetos de la tabla miden menos de un milímetro?

La araña más pequeña del mundo,
el diámetro de la telaraña,
grosor del ala de una mariposa,
el diámetro promedio del cabello
humano.

2. Escribe en forma verbal la medida del diámetro de la telaraña.

Dos cienmilésimos
de un milímetro.

3. Para apreciar qué tan delgada es la telaraña, determina cuántas hebras de telaraña —una junto a otra— se necesitarían para igualar un milímetro.

50,000

4. ¿Por qué es importante que los científicos sean capaces de trabajar con valores muy pequeños?

Los científicos necesitan
medir el peso, tamaño,
cantidad u otras características
de objetos muy pequeños
de la naturaleza.
Esto incluye células,
moléculas y átomos.

5. ¿Qué te dice la información de esta lección sobre el tamaño y la resistencia?

Las respuestas de los
estudiantes pueden variar. Pueden
decir que los objetos no necesitan
ser muy grandes para ser muy
resistentes, o que los pequeños
pueden ser muy resistentes.

6. En estos momentos la telaraña no tiene mucho valor, pero todo tipo de sedas usadas en las telas son valiosas. Investiga para saber de dónde se obtiene esta seda, qué características tiene y cómo se usa en la industria textil. Escribe un informe con tus resultados.

BIBLIOGRAPHY

FOR TEACHERS

Burril, Gail and John C. *Data Analysis and Statistics Across the Curriculum.* Reston, VA: NCTM, 1992.

Cassutt, Michael. *Who's Who in Space.* New York, NY: Macmillan, 1993.

Shaw, Jean. *From the File Treasury.* Reston, VA: NCTM, 1991.

Spangler, David. *Math for Real Kids.* Glenview, IL: Good Year Books, 1997.

FOR STUDENTS

Arnold, Caroline. *The Olympic Summer Games.* New York, NY: Watts, 1991.

Booth, Basil. *Earthquakes and Volcanoes.* New York, NY: New Discovery Books, 1992.

Dineen, Jacqueline. *The Aztecs.* New York, NY: New Discovery Books, 1992.

Hanna, Jack. *Jungle Jack Hanna's Pocketful of Bugs.* New York, NY: Scholastic/Cartwheel Books, 1996.

Conceptos sobre decimales

▶ Enlace con Ciencias   ▶ www.mathsurf.com/6/ch3/spiders

Cuesta una pata y una pata…
y una pata… y otra pata…

"¿Hola? Sí, quisiera comprar tres rosas chilenas de $15 cada una, dos claveles peruanos de $35 cada uno, azahares de Togo por $16 y un nomeolvides común de $75. El total debe ser $206, antes del impuesto sobre ventas."

Esta es una orden extraña y cara a una florería. Pero, créanlo o no, no fue una orden de flores. ¡Fue una orden de tarántulas!

Para algunas personas, las tarántulas y otras arañas son criaturas temibles que deben evitarse. Para otros, las arañas son animales fascinantes que tienen hábitos de caza y apareamiento tan variados como los de cualquier especie.

Las personas que estudian a las arañas se llaman aracnólogos. Gastan miles de dólares y horas en estudiar estas maravillas de ocho patas.

Las matemáticas juegan un papel importante en el trabajo de un aracnólogo. Las arañas son criaturas pequeñas. Cuando estudias y describes arañas, necesitas usar números pequeños y precisos. Las matemáticas te proporcionan estos números.

1 ¿Cómo calcularías el costo aproximado del pedido?

2 Si tuvieras $100 y sólo pudieras escoger un tipo de tarántulas, ¿cual sería el mayor número de tarántulas que podrías comprar?

3 ¿Por qué necesitas usar números pequeños cuando estudias las arañas?

137

Where are we now?

In Grade 5, students

- worked with tenths, hundredths, and thousandths.
- explored equivalent decimals.
- located decimals on a number line.
- explored comparing and ordering decimals.

Where are we going?

In Section 3A, students will

- name and write numbers in decimal notation.
- round decimals.
- measure with a metric ruler.
- compare and order decimals.
- write numbers in scientific notation.

Tema: Arañas

World Wide Web

Si su clase tiene acceso al World Wide Web, tal vez quiera usar la información que se encuentra en la dirección Web indicada. El enlace interdisciplinario relaciona los temas examinados en esta sección.

Acerca de esta página

Esta página introduce el tema de la sección, arañas, y comenta la necesidad de usar números pequeños y exactos para describir estas pequeñas criaturas.

Pregunte…

- ¿Por qué crees que las arañas tejen telarañas? Usan su telaraña para atrapar insectos que después les sirven de alimento.

- ¿Qué son las tarántulas? Grandes arañas originarias del suroeste de Estados Unidos y de América Central y del Sur.

Ampliación

La siguiente actividad no requiere de acceso al Web.

Ciencias

La gente cree que las arañas son insectos, pero los científicos las clasifican como *arácnidos*, los cuales se diferencian de manera notable de los insectos. Haz una lista de las diferencias entre arañas e insectos. Respuestas posibles: Las arañas tienen 8 patas y no tienen alas o antenas; Los insectos tienen 6 patas y poseen alas y antenas.

Respuestas de Preguntas

1. Respuesta posible: Los claveles peruanos valen $70. Los nomeolvides comunes cuestan alrededor de $70. Los azahares de Togo valen aproximadamente $70. Las rosas chilenas cuestan alrededor de $70. 3 × 70 = 210.

2. Respuesta posible: Las rosas chilenas son las más económicas, ya que cuestan $15 cada una. Eso significa que se pueden comprar 6 rosas chilenas y sobraría dinero para pagar el impuesto.

3. Respuesta posible: Se necesitan números pequeños para hacer mediciones precisas.

Asociación

En la página 157 los estudiantes van a usar números decimales para comparar y contrastar la longitud de las arañas.

Theme: Spiders

World Wide Web

If your class has access to the World Wide Web, you might want to use the information found at the Web site address given. The interdisciplinary link relates to topics discussed in this section.

About the Page

This page introduces the theme of the section, spiders, and discusses the need for small and precise numbers when describing small creatures.

Ask …

- Why do you think spiders spin webs? Webs are used to catch insects for food.

- What are tarantulas? Large spiders native to Southwestern United States and South and Central America.

Extension

The following activity does not require access to the World Wide Web.

Science

People think spiders are insects, but scientists classify spiders as *arachnids* which differ from insects in many ways. List ways in which spiders and insects differ. Possible answers: Spiders have 8 legs, no wings or antenna; Insects have 6 legs, wings and antenna.

Answers for Questions

1. Possible answer: The 2 Peruvian pinktoes are $70. The common bluebloom is about $70. The Togo starbust and the 3 Chilean roses are about $70. 3 × 70 = $210.

2. Possible answer: The Chilean roses are the cheapest at $15 each. You could get 6 roses with money left for tax.

3. Possible answer: Small numbers are needed to make accurate measurements.

Connect

On page 157, students will use decimals to compare and contrast the length of spiders.

Lesson Organizer

Objectives

- **Write numbers in decimal notation.**
- **Represent decimal numbers using a grid model.**

Materials

- **Explore: Calculator**

NCTM Standards

- **1–6**

Review

State the value of 6 in each of these numbers.

1. 3462 *tens*

2. 611 *hundreds*

3. Write 15,705 in word form.
   fifteen thousand, seven hundred five

Available on Daily Transparency 3-1

► Repaso

Indica el valor posicional del 6 en cada uno de estos números.

1. 3462 *decenas*

2. 611 *centenas*

3. Escribe en forma verbal 15,705.
   Quince mil, setecientos cinco

Introduce

Explore

You may wish to use Teaching Tool Transparency 4: Place-Value Charts and Lesson Enhancement Transparency 8 with **Explore**.

The Point

Students complete the place-value chart to discover the connection between place values less than one and decimal notation.

Ongoing Assessment

Make sure students recognize the relationship between the place values of each column.

Answers for Explore

1. Row 2: $\frac{100}{1}$, $\frac{10}{1}$, $\frac{1}{1}$, $\frac{1}{10}$, $\frac{1}{100}$;
   Row 3: 100.; 10.; 1.; 0.1; 0.01

2. Row 1: 1 ÷ 1000; Row 2: $\frac{1}{1000}$;
   Row 3: 0.001

3. They represent parts of a whole.

4. Similar: Use same numbers; Different: Numbers on left are larger values than numbers on right.

1 Introducción

Investigar

Objetivo

Los estudiantes completan la tabla de valor posicional para descubrir la relación entre los valores posicionales menores de uno y la notación decimal.

Evaluación continua

Asegúrese de que los estudiantes reconozcan la relación entre los valores posicionales de cada columna.

Respuestas de Investigar

1. Hilera 2: $\frac{100}{1}$, $\frac{10}{1}$, $\frac{1}{1}$, $\frac{1}{10}$, $\frac{1}{100}$;
   Hilera 3: 100.; 10.; 1.; 0.1; 0.01

2. Hilera 1: 1 ÷ 1000; Hilera 2: $\frac{1}{1000}$;
   Hilera 3: 0.001

3. Representan partes de un todo.

4. Semejanzas: Usan los mismos números; Diferencias: Los números de la izquierda son valores mayores que los de la derecha.

Vas a aprender…

- a escribir números en notación decimal.
- a representar números decimales con ayuda de una cuadrícula.

…cómo se usa

Los sismólogos utilizan números decimales para describir la cantidad de energía liberada en un terremoto. Las medidas se obtienen de los sismógrafos y se expresan en cantidad de energía.

► **Enlace con la lección** En el capítulo 2 aprendiste cómo llamar y escribir números cabales. Ahora aplicarás estos conocimientos en los números que no son cabales, en especial aquellos entre 0 y 1. ◄

Investigar Notación decimal

¿Cómo se llama ese lugar?

Materiales: Calculadora

	Centenas	Decenas	Unidades		
Forma aritmética	100 ÷ 1	10 ÷ 1	1 ÷ 1	1 ÷ 10	1 ÷ 100
Forma de fracción	$\frac{100}{1}$				
Forma de la calculadora					

1. Usa una calculadora y lo que sabes sobre patrones para completar la tabla.

2. Añade una columna a la derecha de la tabla y llénala para completar el patrón.

3. Los nombres de las tres columnas a la derecha son "décimos", "centésimos" y "milésimos". Explica las razones para estos nombres.

4. ¿En qué se parecen las columnas que están a la derecha de las "unidades" y las columnas que están a la izquierda de las "unidades"? ¿En qué difieren?

Aprender Notación decimal

El sistema de valor posicional de unidades, decenas, centenas, millares y demás te permite escribir cualquier número cabal por medio de dígitos del 0 al 9. Para escribir números que estén entre números cabales, usa el punto decimal y los valores posicionales que son más pequeños que las unidades.

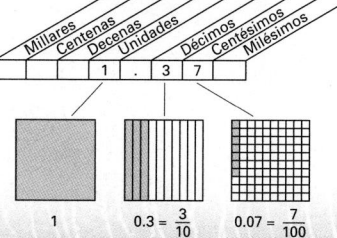

$$1 \qquad 0.3 = \frac{3}{10} \qquad 0.07 = \frac{7}{100}$$

▷ MEETING INDIVIDUAL NEEDS

Resources

3-1 Practice
3-1 Reteaching
3-1 Problem Solving
3-1 Enrichment
3-1 Daily Transparency
  Problem of the Day
  Review
  Quick Quiz
Teaching Tool Transparencies 4, 11, 12
Lesson Enhancement Transparency 8

Recursos

3-1 Práctica
3-1 Práctica adicional
3-1 Resolución de problemas
3-1 Actividad de enriquecimiento

Learning Modalities

Visual Have students make a large place-value chart for the bulletin board. Have them extend the chart to include both very large and very small place values.

Kinesthetic Have students use place-value blocks to represent various decimals.

Modos de aprendizaje

Visual Invite a los estudiantes a elaborar un esquema de valor posicional para exhibirlo en el tablero de anuncios. Pídales que incluyan valores posicionales muy grandes y pequeños.

Cinestésico Sugiera a los estudiantes que deberán usar bloques de valor posicional para representar varios decimales.

English Language Development

Watch for students who do not hear the difference between "tens" and "tenths" or between "hundreds" and "hundredths" when the words are spoken. Point out that the words sound almost the same but have different though related meanings.

Ask students to provide examples of decimal notation from their native countries. Elicit their prior knowledge about decimals, pointing out that in most countries, all measurements are based on a decimal system.

Desarrollo del lenguaje

Corrija a los estudiantes que no detectan la diferencia al pronunciar en inglés las palabras "tens" y "tenths" o "hundreds" y "hundredths". Explíqueles que estas palabras tienen un sonido similar, pero tienen distinto significado.

Los estudiantes que hablen otro idioma deben buscar ejemplos de notación decimal en su lengua natal. Para activar sus conocimientos previos, explíqueles que en la mayoría de los países, las mediciones se basan en el sistema decimal.

Ejemplos

1 ¿Qué número decimal representa la cuadrícula?

2 Dibuja una cuadrícula que represente 0.7.

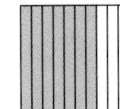

La cuadrícula representa 0.32.

3 Escribe uno y veintiún milésimos en forma decimal.

Uno y veintiún milésimos = 1.021

4 Una tarántula del desierto mide 6.94 cm de largo. Escribe esto en forma verbal.

6.94 = seis y noventa y cuatro centésimos.

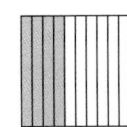

▶ **Enlace con Ciencias**

Las tarántulas del desierto rara vez muerden a la gente. Su veneno no es más peligroso que el piquete de una abeja.

Haz la prueba

¿Qué número decimal representa cada cuadrícula?

a. 0.81   **b.** 0.4

Representa en forma de cuadrícula. **c.** 0.2   **d.** 0.13

Escribe en forma verbal. **e.** 3.051 **f.** 0.171 **g.** 0.47 **h.** 8.1

Escribe en forma usual. **i.** nueve centésimos 0.09

j. dos y ciento un milésimos 2.101

Sugerencia

Todos los valores posicionales menores que uno tienen nombres terminados en *ésimo(s)*.

Comprobar Tu comprensión

1. ¿Cuántos décimos hay en una unidad?, ¿cuántos centésimos? y ¿cuántos milésimos?

2. ¿Cuántos centésimos hay en un décimo?

3. ¿Por qué se relaciona el sistema monetario estadounidense con un sistema decimal?

3-1 • Notación decimal **139**

MATH EVERY DAY

▶ **Problema del día**

Claude tiene 3 pelucas, cuatro pares de gafas y dos bigotes diferentes. ¿Cuántas combinaciones de disfraces puede hacer? 24 disfraces

Problem of the Day

Claude has 3 wigs, 4 sets of eyeglasses, and 2 sets of mustaches. How many different disguises can he make using these items? 24 disguises

Available on Daily Transparency 3-1

An Extension is provided in the transparency package.

Dato del día

Algunas tarántulas de América del Sur llegan a medir 7 pulgadas, casi el tamaño de tu mano, incluidos los dedos.

Fact of the Day

Some tarantulas that live in South America grow about 7 inches across—almost as big as your hand, fingers and all.

Estimation

Estimate.

1. 123,432 + 505,339 600,000
2. 7,819,119 + 6,999,999 15,000,000
3. 789 + 912 1700
4. 34,566 + 57,987 90,000

Cálculo aproximado

Haz un cálculo aproximado.

1. 123,432 + 505,339 600,000
2. 7,819,119 + 6,999,999 15,000,000
3. 789 + 912 1700
4. 34,566 + 57,987 90,000

---

2 Enseñanza

Aprender

Ejemplos adicionales

1. ¿Qué número decimal representa la cuadrícula?

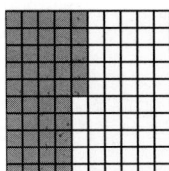

La cuadrícula representa el 0.45.

2. Dibuja una cuadrícula que represente el 0.6.

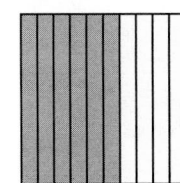

3. Escribe en forma numérica dos enteros y seis milésimos.

Dos enteros y seis milésimos = 2.006.

4. La longitud del ganador de salto de longitud fue de 8.95 m. Escribe en forma verbal esta distancia.

8.95 = ocho enteros y noventa y cinco centésimos.

Respuestas de Haz la prueba

c. **d.**

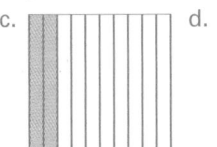 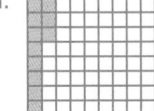

e. Tres y cincuenta y un milésimos

f. Ciento setenta y un milésimos

g. Cuarenta y siete centésimos

h. Ocho enteros y un décimo

---

3 Práctica y evaluación

Comprobar

Respuestas de Comprobar tu comprensión

1. 10 décimos; 100 centésimos; 1000 milésimos

2. 10 centésimos

3. Respuesta posible: Porque usa valores posicionales con base en 100 centavos de dólar.

Teach

Learn

You may wish to use Teaching Tool Transparencies 11: 10 × 10 Grids and 12: Tenths Grids with this lesson.

Alternate Examples

1. What decimal number does the grid represent?

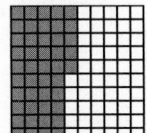

The grid represents 0.45.

2. Draw a grid to represent 0.6.

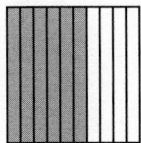

3. Write two and six thousandths in number form.
Two and six thousandths = 2.006.

4. A winning long jump measured 8.95 m. Write this in word form.

8.95 = eight and ninety-five hundredths.

Answers for Try It

c. **d.**

e. three and fifty-one thousandths

f. one hundred seventy-one thousandths

g. forty-seven hundredths

h. eight and one tenth

Practice and Assess

Check

Answers for Check Your Understanding

1. 10 tenths; 100 hundredths; 1000 thousandths

2. 10 hundredths

3. Possible answer: Because it uses place values based on 100 cents to the dollar.

Lección 3-1 **139**

Assignment Guide

■ Basic 1–22, 29–31, 35–37, 42–45

■ Average 1–22, 29–31, 35–49 odds

■ Enriched 1–29 odds, 30–34, 36–48 evens

Exercise Answers

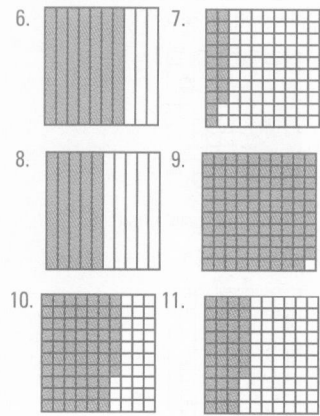

Respuestas de Ejercicios

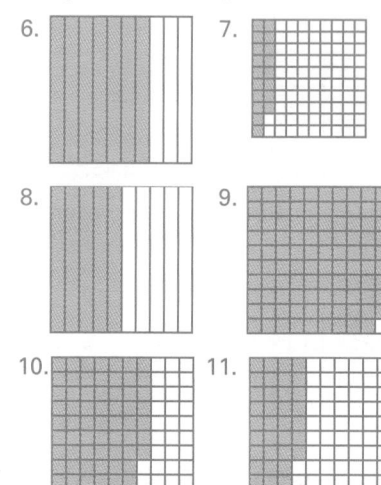

3-1 Ejercicios y aplicaciones

Práctica y aplicación

1. | Para empezar | Escribe cada fracción como un decimal.

a. $\frac{6}{10}$ 0.6 **b.** $\frac{43}{100}$ 0.43 **c.** $\frac{312}{1000}$ 0.312 **d.** $\frac{9}{10}$ 0.9 **e.** $\frac{97}{1000}$ 0.097 **f.** $\frac{8}{100}$ 0.08

¿Qué número decimal representa cada cuadrícula?

2. 0.80

3. 0.78

4. 0.37

5. 2.45

Dibuja una cuadrícula para representar cada decimal.

6. 0.7 **7.** 0.18 **8.** 0.5 **9.** 0.99 **10.** 0.67 **11.** 0.37

En los ejercicios 12–17 escribe el número como un decimal.

12. cincuenta y un centésimos 0.51

13. uno y sesenta y siete milésimos 1.067

14. tres y cuarenta y dos centésimos 3.42

15. ocho centésimos 0.08

16. ciento sesenta y siete centésimos 0.167

17. dos décimos 0.2

18. Historia Los antiguos griegos descubrieron que la estatura de una persona, medida del piso a la cintura, es de aproximadamente sesenta y dos centésimos de su estatura total. Escribe este número como un decimal. 0.62

19. Ciencias La longitud media de un ácaro es de quince milésimos de pulgada. Escribe este número como decimal. 0.015

20. Ciencias La Tierra gira alrededor del Sol una vez cada trescientos sesenta y cinco y veinticuatro centésimos de día. Escribe este número como decimal. 365.24

PRACTICAR 3-1

140 *Capítulo 3 • Decimales*

Reteaching

Activity

Materials: Tenths grids, 10 × 10 grids

• Use tenths grids and 10 × 10 grids to represent 0.8 and 0.08.

• Place the 10 × 10 grid on top of the tenths grid to see what fractional part of the whole each represents. Which is larger? 0.8

• Use the grids to show two ways to represent 0.20. 20 squares on the 10 × 10 grid or 2 strips on the tenths grid.

Práctica adicional

| Actividad |

Materiales: Cuadrículas de décimos, cuadrículas de 10 × 10

• Usa cuadrículas de 10 × 10 para representar 0.8 y 0.08.

• Usa cuadrículas de 10 × 10 sobre las cuadrículas de décimos para ver qué parte fraccional del entero representa cada una. ¿Cuál es mayor? 0.8

• Usa las cuadrículas para mostrar dos formas de representar 0.20. 20 cuadros en la cuadrícula de 10 × 10 o 2 tiras en la cuadrícula de décimos.

PRACTICE

Nombre _____

Práctica 3-1

Notación decimal

¿Qué número decimal representa cada cuadrícula?

1. 0.3 **2.** 0.14 **3.** 0.48

Sombrea la cuadrícula para representar el número decimal que se te indica.

4. 0.9 **5.** 0.35 **6.** 0.72

En los ejercicios 7–9 escribe el número como un decimal.

7. seis décimos 0.6 **8.** dieciséis centésimos 0.17 **9.** dos y seis centésimos 2.06

En los ejercicios 10–13 escribe el número decimal en forma verbal.

10. 0.63 sesenta y tres centésimos **11.** 7.8 siete y ocho décimos

12. 0.012 doce milésimos **13.** 0.09 nueve centésimos

14. Los estadounidenses consumen en promedio tres y treinta y seis centésimos de libra de crema de cacahuate cada año. Escribe este número como un decimal. 3.36

15. Una persona de 150 libras contiene 97.5 libras de oxígeno y 0.165 libras de sodio. Escribe ambos números decimales en forma verbal.
Noventa y siete y cinco décimos; ciento sesenta y cinco milésimos

RETEACHING

Nombre _____

Práctica adicional 3-1

Notación decimal

Puedes usar lo que conoces sobre el valor posicional para entender los números decimales. Hay muchas formas de representar números. Una es por medio de una cuadrícula. Otra manera es usar números y una tercera es mediante palabras. Una tabla de valores posicionales como la de la derecha puede ayudarte a entender los decimales.

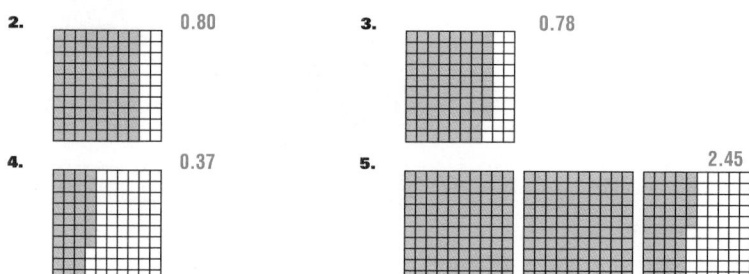

Millares	Centenas	Unidades	Décimos	Centésimos	Milésimos
		1	2	9	

Forma de cuadrícula: ⟶

Forma numérica: 1.29

Forma verbal: uno y veintinueve centésimos.

— Ejemplo 1 —

Escribe el número decimal representado por la cuadrícula.

La cuadrícula está dividida en 10 secciones, por tanto, cada sección representa un décimo. Cinco secciones están sombreadas, así que la cuadrícula representa 0.5.

Haz la prueba Escribe el número decimal representado por la cuadrícula.

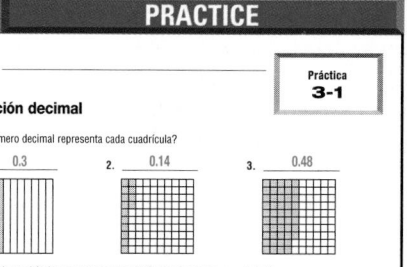

a. 1.25 **b.** 2.3

— Ejemplo 2 —

Escribe cuatro y trescientos once milésimos como un decimal.

Sabes que el punto decimal se lee como "y", por lo que el decimal es 4.311.

Haz la prueba Escribe cada número como un decimal.

c. doce centésimos 0.12 **d.** ocho décimos 0.8

e. tres y cuatrocientos noventa y siete milésimos 3.497

f. cinco y veintiséis centésimos 5.26

g. seis y cuarenta y tres centésimos 6.43

h. dos y ochocientos setenta y cuatro milésimos 2.874

Escribe el decimal en forma verbal.

21. 0.67   **22.** 0.075   **23.** 8.611   **24.** 5.09   **25.** 12.006   **26.** 0.4

27. Deportes En 1988 Florence Griffith-Joyner rompió el récord mundial en los 100 metros planos con un tiempo de 10.49 segundos. Escribe este tiempo en forma verbal.
Diez y cuarenta y nueve centésimos

28. Salud Dieciocho galletas contienen 0.5 gramos de grasa saturada y 1.5 gramos de grasa no saturada. Escribe ambos números decimales en forma verbal.
Cinco décimos; uno y cinco décimos

29. [Para la prueba] Escoge la forma decimal correcta para dos y veintinueve centésimos. **B**

Ⓐ 229.00   Ⓑ 2.29
Ⓒ 2.029   Ⓓ 0.229

Resolución de problemas y razonamiento

30. Comunicación Dibuja una cuadrícula que represente 0.4. Después dibuja otra cuadrícula que represente 0.40. Explica las semejanzas y diferencias entre las dos.

31. Razonamiento crítico Jarvis formó un número de cuatro dígitos con 0, 3, 6 y 8. El número era menor que 5 pero mayor que 1. ¿Cuál podría ser este número? Explica tu respuesta.

32. [En tu diario] ¿Por qué una tabla de valor posicional no tiene una columna de "unésimos"?

33. Razonamiento crítico ¿Cuántos números hay entre 1.01 y 1.10? Explica tu razonamiento.

Repaso mixto

Para cada conjunto de datos haz una tabla de frecuencia y un diagrama de puntos. *[Lección 1-4]*

34. 3, 4, 7, 9, 10, 4, 6, 3, 10, 3, 6, 5, 12, 3, 5, 8, 7

35. 20, 50, 70, 80, 40, 100, 30, 60, 70, 70, 70, 80, 30, 20, 50, 10, 50

Evalúa cada expresión para los valores dados de la variable. *[Lección 2-10]*

36. $g + 13$; $g = 2, 3, 4$ *15; 16; 17*
37. $d - 10$; $d = 21, 18, 15$ *11; 8; 5*
38. $3k$; $k = 4, 6, 10$ *12; 18; 30*
39. $\frac{r}{2}$; $r = 2, 16, 22$ *1; 8; 11*
40. $5p$; $p = 2, 6, 7$ *10; 30; 35*
41. $20 - b$; $b = 3, 5, 19$ *17; 15; 1*

Simplifica las siguientes expresiones. *[Curso anterior]*

42. $286 + 312$ *598*   **43.** $618 - 202$ *416*   **44.** 200×317 *63,400*   **45.** $606 \div 202$ *3*

46. $792 + 488$ *1280*   **47.** $931 - 575$ *356*   **48.** 497×101 *50,197*   **49.** $956 \div 478$ *2*

3-1 • Notación decimal **141**

RESOLVER PROBLEMAS 3-1

Respuestas de Ejercicios

21. Sesenta y siete centésimos

22. Setenta y cinco milésimos

23. Ocho y seiscientos once milésimos

24. Cinco y nueve centésimos

25. Doce y seis milésimos

26. Cuatro décimos

30.

Semejanzas: El área iluminada es del mismo tamaño; Diferencias: 0.40 está hecho de cuadrados.

31. 3.608 es menor que 5 y mayor que 1; También serviría cualquier número con un 3 en el lugar de las unidades, pero sin un valor posicional mayor.

32. La columna de los "unésimos" es la misma que la de las unidades.

33. Una cantidad infinita; Los números decimales pueden continuar de manera indefinida.

34–35. Véase la página C2.

Evaluación adicional

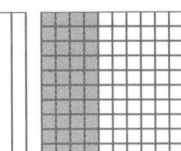 Tal vez quiera usar el *Diario interactivo CD-ROM* con esta evaluación.

En tu diario Explica por escrito por qué 0.0001 y 0.001 representan números diferentes, y por qué 0.1 y 0.10 representan el mismo número.

Exercise Answers

21. Sixty-seven hundredths

22. Seventy-five thousandths

23. Eight and six hundred eleven thousandths

24. Five and nine hundredths

25. Twelve and six thousandths

26. Four tenths

30.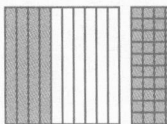

Similar: Colored area is the same size; Different: 0.40 is made up of squares.

31. 3.608 is less than 5 and greater than 1; Any number with 3 in the ones place and with no higher place value would work.

32. The "oneths" column is the same as the ones column.

33. Infinitely many; Decimals can go on forever.

34–35. See page C2.

Alternate Assessment

You may want to use the *Interactive CD-ROM Journal* with this assessment.

Journal Write a paragraph explaining why 0.0001 and 0.001 represent different numbers, yet 0.1 and 0.10 represent the same number.

▶ Prueba rápida

1. ¿Qué número representa la cuadrícula?

0.38

2. Escribe en forma numérica seis y treinta y un mil milésimos. 6.031

3. Escribe en forma verbal 625.40.
Seiscientos veinticinco y cuarenta centésimos.

Quick Quiz

1. What number does the grid represent?

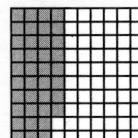

0.38

2. Write six and thirty-one thousandths in number form.
6.031

3. Write 625.40 in word form. six hundred twenty-five and forty hundredths

Available on Daily Transparency 3-1

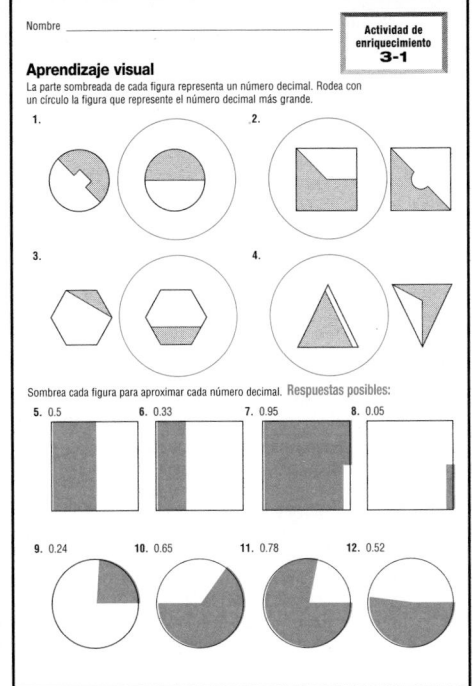

▶ **PROBLEM SOLVING**

Nombre _____

[Resolución guiada de problemas 3-1]

[RGP] **PROBLEMA 31, PÁGINA 141 DEL ESTUDIANTE**

Jarvis formó un número de cuatro dígitos con 0, 3, 6 y 8. El número era menor que 5 pero mayor que 1. ¿Cuál podría ser este número? Explica tu respuesta.

— Comprende —

1. ¿Cuántos dígitos habrá en el número de Jarvis? *4 dígitos.*

2. Subraya la clave que te ayuda a hallar el primer dígito.

— Plan —

3. ¿Es el número de Jarvis un número cabal o un número decimal? Explica por qué.
Decimal, porque debe tener tres dígitos a la derecha del punto decimal.

— Resuelve —

4. Escribe el primer dígito de un número formado con el 0, 3, 6 y 8 en la primera caja de la derecha. Explica cómo lo sabes. [3][ ][ ][ ]
Es el único dígito que se halla entre 1 y 5.

5. Escribe los dígitos restantes de todas las formas que puedas.
3.068, 3.086, 3.608, 3.680, 3.806, 3.860

6. Observa todas las formas de tu lista del punto 5. ¿El orden de los tres dígitos que restan modifica el número de manera que sea menor que 5 o mayor que 1? Explica tu respuesta.
No, todos los decimales están entre 1 y 5.

— Revisa —

7. ¿Cuál estrategia puedes usar para estar seguro de que has hecho una lista de todos los números posibles que cumplen con este criterio?
Respuesta posible: Organizar la información en una lista.

[RESUELVE OTRO PROBLEMA]

Agatha formó un número de cinco dígitos con el 0, 3, 5, 8 y 9. El número es mayor que 39 y menor que 53. El dígito de los milésimos es 3 veces el dígito de los décimos. ¿Qué número formó Agatha? *50.389*

▶ **ENRICHMENT**

Nombre _____

[Actividad de enriquecimiento 3-1]

Aprendizaje visual
La parte sombreada de cada figura representa un número decimal. Rodea con un círculo la figura que representa el número decimal más grande.

1.   2.

3.   4.

Sombrea cada figura para aproximar cada número decimal. Respuestas posibles:

5. 0.5   **6.** 0.33   **7.** 0.95   **8.** 0.05

9. 0.24   **10.** 0.65   **11.** 0.78   **12.** 0.52

Lección 3-1   **141**

3-2

Lesson Organizer

Objectives

- **Round decimal numbers.**
- **Measure length with a metric ruler.**

Materials

- **Explore: Meter stick, masking tape, cotton balls**

NCTM Standards

- **1–5, 7, 13**

Review

Round 46,037 to the place indicated.

1. tens 46,040

2. hundreds 46,000

3. thousands 46,000

Would you estimate the length of each item in meters or centimeters?

4. pencil centimeters

5. height of door meters

Available on Daily Transparency 3-2

▶ Repaso

Redondea 46,037 al valor posicional indicado.

1. decenas 46,040

2. centenas 46,000

3. millares 46,000

¿En qué medirías la longitud de cada objeto: metros o centímetros?

4. lápiz centímetros

5. altura de la puerta metros

Introduce

Explore

You may wish to use Teaching Tool Transparency 16: Rulers with this lesson.

The Point

Students play a game to connect the process of rounding to the idea of closest number.

Ongoing Assessment

Students may need assistance in seeing the area on the ruler that produces numbers closer to 0.5 than to either 0 or 1.

1 Introducción

Investigar

Objetivo

Los estudiantes juegan a relacionar el proceso de rendondeo con el concepto del número más cercano.

Evaluación continua

Los estudiantes pueden necesitar ayuda para observar la parte de la regla que produce números más cercanos a 0.5 que a 0 ó a 1.

3-2 Redondeo de decimales

Vas a aprender...

- a redondear números decimales.
- a medir la longitud con una regla métrica.

...cómo se usa

Los arquitectos usan las medidas en decimales cuando dibujan planos.

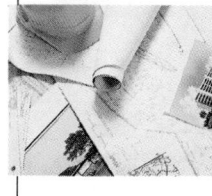

▶ Enlace con la lección En el capítulo anterior redondeaste números cabales para calcular respuestas aproximadas. Puedes redondear decimales con el mismo propósito. ◀

Cuando mides distancias, con frecuencia es útil redondear decimales. Tres unidades que a menudo se usan para medir distancias son el metro, el centímetro y el milímetro. El metro (m) es más o menos la distancia que hay del piso a la perilla de una puerta. Un centímetro (cm) es $\frac{1}{100}$ de un metro. Un milímetro (mm) es $\frac{1}{1000}$ de un metro.

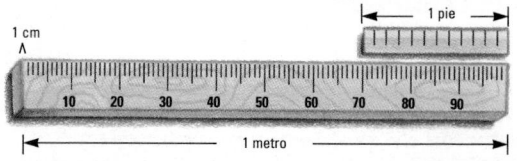

Investigar   Redondeo de decimales   **(DES: Did You Know?)**

Lanzamiento acertado

Materiales: Regla de un metro, cinta adhesiva, bolas de algodón

Para el siguiente juego, forma equipos de 2 a 4 personas.

1. Pega una cinta adhesiva de un metro de largo sobre el piso. Marca con un 0 un extremo y con un 1 la otra punta.

2. Ponte de pie en la punta marcada con 0. Calcula si una bola de algodón que lances caerá cerca del 0 o del 1. Lanza la bola. Anótate un punto si tu cálculo fue correcto. Túrnense y cada quien haga un cálculo aproximado cada vez.

3. Con un metro dibuja nueve líneas en la cinta para dividirla en diez secciones iguales. Marca cada nueva línea con un número decimal (0.1, 0.2, 0.3 hasta 0.9). Vuelvan a jugar, pero esta vez calculen hasta el décimo más cercano. Anota un punto por cada aproximación correcta.

4. ¿En cuál juego ganaste más puntos? ¿Por qué?

5. ¿Cuál sería más fácil: un juego donde tuvieras que atinarle al 0.5 o uno donde tuvieras que atinarle a un número más cercano a 0.5 que a 0 o a 1? ¿Por qué?

142 Capítulo 3 • Decimales

MEETING INDIVIDUAL NEEDS

Resources

3-2 Practice
3-2 Reteaching
3-2 Problem Solving
3-2 Enrichment
3-2 Daily Transparency
       Problem of the Day
       Review
       Quick Quiz
Teaching Tool Transparency 16
Technology Master 11

Recursos

3-2 Práctica
3-2 Práctica adicional
3-2 Resolución de problemas
3-2 Actividad de enriquecimiento
Tecnología 11

Learning Modalities

Logical Have students write a list of steps to follow in rounding a decimal to a given place value. If they know about flowcharting, have them make a flowchart.

Visual Have students make a bulletin board display of several different objects that are not the same length but which have the same length when rounded to the nearest centimeter.

Kinesthetic Before you begin **Explore**, you may wish to identify how a meter stick can be divided into ten 10 dm sections, 100 cm sections, and 1000 mm sections. Have students measure the length of their math book in decimeters, centimeters, and millimeters to familiarize them with using a meter stick.

English Language Development

Some students will be confused by the use of the *word rounding*. They might think it is related to circles. Stress that a rounded number is less precise than the original number.

Modos de aprendizaje

Lógico Anime a los estudiantes a listar los pasos necesarios para redondear un decimal a un valor posicional determinado. Pídales que hagan un diagrama de flujo si ya aprendieron a hacerlo.

Visual Los estudiantes pueden exhibir en el tablero de anuncios diversos objetos cuya longitud sea diferente en apariencia, pero igual cuando su medida se redondea al centímetro más cercano.

Cinestésico Antes de iniciar las actividades de **Investigar**, es recomendable que identifique la manera de dividir una regla de un metro en 10 dm, 100 cm y 1000 mm. Anime a los estudiantes a medir sus libros de matemáticas en decímetros, centímetros y milímetros para familiarizarse con el uso de la regla de un metro.

Desarrollo del lenguaje

Algunos estudiantes se confunden al usar la palabra *redondeo*. Muchos de ellos la asocian con los círculos. Recuérdeles que el redondeo de números produce números menos precisos que los originales.

Recuerda que puedes *redondear* los números cuando quieres una respuesta aproximada, o cuando no necesitas una medida tan precisa como la que te dan.

Para redondear un número, fíjate en el dígito que está a la derecha de la posición que quieres redondear. Si el dígito es mayor o igual a 5, redondea hacia arriba. Si es menor que 5, redondea hacia abajo.

No te olvides

El redondeo es un método para encontrar el cálculo aproximado que esté más *cercano* al valor posicional dado. **[Página 71]**

Ejemplos

1 Una escala en un portaobjetos de microscopio le permite a un biólogo calcular longitudes hasta el centésimo de centímetro más cercano. Un huevo de araña mide 0.1347 cm de longitud. Halla el cálculo aproximado del biólogo para la longitud del huevo.

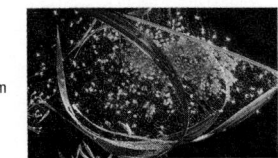

0.1 3 47   Encuentra el valor posicional.
  ↑ centésimos

0.1 3 47   Observa el dígito de la derecha. Si es mayor o igual a 5, suma 1 al dígito del valor posicional. Si es menor que 5, déjalo como está.

0.13   Ignora los dígitos que estén a la derecha del valor posicional.

La longitud es de aproximadamente 0.13 cm.

▶ Enlace con Ciencias

Aunque las arañas son animales invertebrados (carecen de espina dorsal), no son insectos. Pertenecen a una clase particular llamada "arácnidos".

2 El promedio de bateo de un jugador se redondea al milésimo más cercano. En 1924 Rogers Hornsby, del equipo St. Louis Cardinals, logró el promedio más alto de bateo de la historia moderna: 0.4235074. ¿Cuál fue su promedio redondeado al milésimo más cercano?

   ↓ Esta es la posición de los milésimos.

0.42 3 5074
   ↑ El dígito que está a la derecha es igual o mayor que 5.
   Suma 1 a la posición de los milésimos.

El promedio de bateo de Hornsby fue de 0.424.

Haz la prueba

Redondea a la posición indicada.

a. 0.846, a décimos   **b.** 7.045, a centésimos   **c.** 3.461825, a milésimos
     0.8   7.05   3.462

d. Una araña escupidora es capaz de lanzar un chorro de una sustancia pegajosa a una presa que se encuentra a 1.905 cm de distancia. ¿Cuál es la distancia redondeada al décimo más cercano? **1.9**

MATH EVERY DAY

▶ Problema del día

Los artesanos iraníes son conocidos por su habilidad en el tejido, ya que elaboran hermosos tapetes en sus propias casas o en pequeños talleres. Imagina que un tapete persa tiene dos secciones: la primera mide 25 pulgadas; la segunda mide lo mismo que la primera, más la mitad de la longitud del tapete entero. ¿Cuánto mide el tapete?

Sea x = longitud del tapete

$25 + 25 + \frac{1}{2}x = x$

El tapete mide 100 pulgadas (8 pies y 4 pulgadas)

Problem of the Day

Iranian craftsmen, known for their artistry, make Persian rugs in their homes or in small shops. Suppose one section of a 2-section Persian rug is 25 inches long. The other section of the rug is as long as the first section plus half the rug's entire length. How long is the rug?

Let x = length of entire rug

$25 + 25 + \frac{1}{2}x = x$

100 inches, or 8 ft 4 inches long

An Extension is provided in the transparency package.

Available on Daily Transparency 3-2

Dato del día

Las arañas pueden vivir casi en cualquier lugar donde encuentren alimento: pantanos, desiertos, bosques y hasta muy cerca de la cima del monte Everest.

Fact of the Day

Spiders are found almost anywhere they can find food. Spiders live in swamps, deserts, woods, and even under water and near the top of Mount Everest.

Mental Math

Find each sum mentally.

1. $\frac{1}{2} + \frac{1}{2}$ 1   2. $\frac{2}{3} + \frac{1}{3}$ 1
3. $\frac{3}{4} + \frac{1}{4}$ 1   4. $\frac{3}{5} + \frac{2}{5}$ 1

Cálculo mental

Haz estas sumas en forma mental

1. $\frac{1}{2} + \frac{1}{2}$ 1
2. $\frac{2}{3} + \frac{1}{3}$ 1
3. $\frac{3}{4} + \frac{1}{4}$ 1
4. $\frac{3}{5} + \frac{2}{5}$ 1

Para los grupos que terminen antes

¿Cuál sería más fácil? ¿Un juego donde tuvieras que atinarle a un número más cercano a 0.5 que al 0 ó al 1, o uno donde tuvieras que atinarle a un número más cercano a 0.8 que al 1? El segundo juego sería más fácil porque el área de éxito es mayor que en el primer juego.

Seguimiento

Anime a los estudiantes a expresar en forma oral los resultados de sus experimentos.

Respuestas de Investigar

1–3. Las respuestas pueden variar.

4. Respuesta posible: Primero se redondea; Es más fácil adivinar correctamente.

5. Respuesta posible: Segundo juego; Hay un área mayor para atinarle.

2 Enseñanza

Aprender

Ejemplos adicionales

1. El insecto caballo de palo mide 8.74 cm de longitud. Redondea esta longitud al décimo de centímetro más cercano.

   8.74

   8. 7 4

   8.7

   La longitud es como de 8.7 cm.

2. El tiempo promedio de un velocista después de diez pruebas en los 100 metros planos es de 10.196 segundos. Redondea este tiempo al centésimo más cercano.

   10.1 9 6

   El tiempo del velocista es de aproximadamente 10.20 segundos.

For Groups That Finish Early

Which would be easier, a game where you had to hit a number closer to 0.5 than to either 0 or 1, or one where you had to hit a number closer to 0.8 than to 1? The second game would be easier because the area for success is greater than that for the first game.

Follow Up

Have students share the results of their experiments orally.

Answers for Explore

1–3. Answers may vary.

4. Possible answer: First round; It is easier to guess correctly.

5. Possible answer: Second game; There is a larger area to hit.

Teach

Learn

Alternate Examples

1. The green walkingstick insect measures 8.74 cm in length. Round this length to the nearest tenth of a centimeter.

   8.74

   8. 7 4

   8.7

   The length is approximately 8.7 cm.

2. A sprinter's average time over ten trials in the Olympic 100-meter dash is 10.196 seconds Round the time to the nearest hundredth.

   10.1 9 6

   The sprinter's time is approximately 10.20 seconds.

Alternate Examples

3. Estimate the length of this piece of chalk to the nearest centimeter and then measure to the nearest tenth of a centimeter.

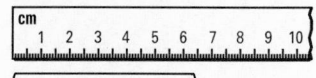

The edge of the chalk is between the 6 mark and 7 mark. To the nearest centimeter, the chalk is 6 cm long.

The edge of the chalk is between the 6.3 mark and the 6.4 mark, but closer to the 6.4 mark. To the nearest tenth of a centimeter, the chalk is 6.4 cm long.

Practice and Assess

Check

Be sure students understand the connection between rounding and measuring to the nearest unit of measure. Point out that when the digit to the right of the place value is 5 or greater, this is comparable to a measurement mark being halfway or more between two markings on a measuring instrument.

Answers for Check your Understanding

1. Possible answer: If the object measures to less than halfway to the next centimeter measure, then round down. If the object measures to halfway or more to the next centimeter, round up.

2. Possible answer: The rounding process is the same, but when rounding to thousands the decision is based on the number in the hundreds place and when rounding to thousandths the decision is based on the number in the ten-thousandths place.

Ejemplos adicionales

3. Calcula la longitud aproximada de este pedazo de tiza y después mídelo al centímetro y al décimo de centímetro más cercanos.

La punta de la tiza está entre la marca del 6 y la del 7. Redondeada al centímetro más cercano, la tiza mide 6 cm de longitud.

La punta de la tiza está entre la marca del 6.3 y la del 6.4, pero más cerca de 6.4. Redondeada al décimo de centímetro más cercano, la tiza mide 6.4 cm de longitud.

3 Práctica y evaluación

Comprobar

Asegúrese de que los estudiantes comprendan la relación entre el redondeo y la medición a la unidad de medida más cercana. Señale que cuando el dígito de la derecha del valor posicional es 5 o mayor, es comparable a una marca que se encuentra a la mitad o más entre dos marcas de un instrumento de medición.

Respuestas de Comprobar tu comprensión

1. Respuesta posible: Si el objeto mide menos de la mitad de la medida hacia el siguiente centímetro, se redondea hacia abajo. Si el objeto mide la mitad o más del siguiente centímetro, se rendondea hacia arriba.

2. Respuesta posible: El proceso de redondeo es el mismo, pero cuando se redondea a millares, la decisión se basa en el número de la posición de las centenas, y cuando se redondea a milésimos, la decisión se basa en el número que se halla en la posición de los diezmilésimos.

Usa una regla métrica para medir la longitud de un objeto en centímetros. La mayoría de los objetos no tiene una medida exacta, por lo que las medidas en centímetros casi siempre se redondean al centímetro más cercano o al décimo de centímetro más cercano.

Ejemplo 3

¿Cuál es la longitud aproximada del lápiz al centímetro más cercano y al décimo de centímetro más cercano?

En una regla, las divisiones numeradas representan centímetros. La punta del lápiz está entre la marca del 10 y el 11, y está más cerca de la marca del 11. Si se redondea al centímetro más cercano, el lápiz mide 11 cm de largo.

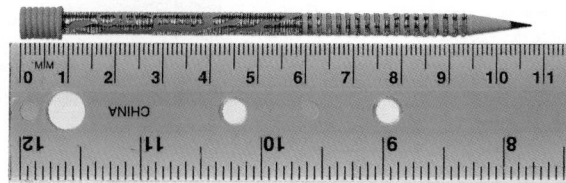

Resolución de problemas
TEN EN CUENTA

Cuando midas con una regla, asegúrate de que una orilla del objeto que mides esté alineada con la marca del 0 en la regla.

En una regla, cada centímetro se divide en diez secciones, cada una de las cuales representa un décimo de centímetro. La punta del lápiz está entre la marca del 10.7 y el 10.8, pero está más cerca de la marca del 10.7. Si se redondea al décimo de centímetro más cercano, el lápiz mide 10.7 cm de largo.

Haz la prueba

a. Calcula la longitud aproximada de la araña al centímetro más cercano y mídelo al décimo de centímetro más cercano. 3 cm; 2.7 cm

b. Calcula la longitud aproximada de la barra de "Comprobar Tu comprensión" hasta el centímetro más cercano. 13 cm

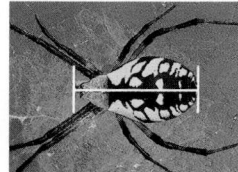

Comprobar Tu comprensión

1. ¿Cómo queda la medida aproximada cuando se redondea al centímetro más cercano?

2. ¿En qué se parecen el redondeo a millares y el redondeo a milésimos? ¿En qué se diferencian?

144 *Capítulo 3 • Decimales*

MEETING MIDDLE CLASSROOM NEEDS

Tips from Middle School Teachers

I have students look for various numbers in newspaper or magazine articles and then have them discuss whether they think the numbers are rounded or precise. Then I have students prepare a display of the articles and headlines using precise numbers and another display showing uses of rounded numbers. I ask students to describe any patterns they notice regarding when and how precise and rounded numbers are used.

Sugerencias de los maestros

En esta lección suelo pedir a los estudiantes que busquen diversos números en los diarios o revistas para analizarlos con la clase y determinar si son precisos o se han redondeado. Después los invito a hacer dos carteles, uno con los números precisos y otro con los números redondeados. Por último, les pido que describan los patrones formados por los números, ya sean precisos o redondeados.

Team Teaching

Work with a physical education teacher or a baseball or softball coach to discuss how batting averages are computed. It may be helpful if students can work with actual data from some recent games.

Enseñanza en equipo

Trabaje con el maestro de educación física o un entrenador de béisbol o softbol para analizar de qué manera se calculan los promedios de bateo. Es recomendable que los estudiantes usen datos reales de algunos juegos recientes.

Science Connection

After a spider catches its prey, it injects digestive enzymes into the prey's body. These enzymes turn the prey's tissues to liquid. The spider feeds by sucking out the liquid.

Asociación con Ciencias

Cuando una araña atrapa a su presa, le inyecta una dosis de enzimas digestivas. La función de estas enzimas es transformar los tejidos de la presa en líquidos. Una vez hecho esto, la araña puede alimentarse con los líquidos producidos.

3-2 Ejercicios y aplicaciones

Práctica y aplicación

1. | Para empezar | Redondea al número cabal más cercano.

a. 0.78 1   **b.** 2.65 3   **c.** 3.34 3   **d.** 0.11 0   **e.** 1.49 1   **f.** 2.22 2

Redondea al valor posicional subrayado.

2. 10.6<u>7</u>4 10.67   **3.** 5.<u>8</u>1 5.8   **4.** 56.0<u>9</u>8 56.10   **5.** 0.47<u>1</u>5 0.472   **6.** 1<u>1</u>.99 12   **7.** 4.<u>3</u>45 4.3

8. 904.8<u>4</u>6 904.8   **9.** 0.1<u>0</u>02 0.100   **10.** 0.2<u>8</u>02 0.280   **11.** 33.4<u>5</u>6 33.5   **12.** 8.9<u>2</u>8 8.93   **13.** 16.1<u>2</u>87 16.13

14. 4.<u>0</u>02 4.0   **15.** 7.3<u>0</u>06 7.30   **16.** 26.9<u>0</u>3 26.90   **17.** 8<u>8</u>.3 88   **18.** 4.<u>6</u>7 4.7   **19.** 7.<u>3</u>42 7.3

20. 52.<u>0</u>9 52.1   **21.** 8.<u>2</u>03 8.2   **22.** 7.3<u>9</u>21 7.392   **23.** 0.7<u>8</u>93 0.7893   **24.** 3.0<u>1</u>91 3.019   **25.** 56.<u>8</u>2 60

26. Ciencias La araña marina más grande que se ha encontrado medía 75 cm de longitud de pata a pata. En tanto que la más pequeña mide sólo 0.1 cm. Redondea la longitud de la araña marina más pequeña al centímetro más cercano. **0 cm**

27. Cálculo aproximado Jonathan descubrió en la entrada de su casa una fila de hormigas. Cada una mide cerca de 0.93 de longitud y él cree que hay casi 1000 hormigas. Calcula de qué largo aproximado es la fila. **1000 cm**

28. | Para la prueba | Redondea 182.9807 al centésimo más cercano. Elige la respuesta correcta. **A**

ⓐ 182.98   ⓑ 182.981   ⓒ 183   ⓓ 200

Medición Calcula la altura aproximada de cada objeto al centímetro más cercano y mídelo al décimo de centímetro más cercano.

29. 2 cm; 2.3 cm   **30.** 3 cm; 2.9 cm   **31.** 5 cm; 5.4 cm

32. 4 cm; 3.7 cm

33. 2 cm; 2.5 cm

Assignment Guide

- **Basic** 1–20, 26–40 evens, 41, 43
- **Average** 1–20, 26, 28, 29–39 odds, 40–44
- **Enriched** 3–27 odds, 28–44 evens

Notas sobre los ejercicios

■ **Ejercicio 9**

| Prevención de errores | Algunos estudiantes pueden escribir 0.1 en lugar de 0.100. Recuérdeles que aunque ambos números son iguales, el segundo indica que el número se redondeó a milésimos mientras que el primero indicaría que el número se redondeó a décimos.

Exercise Notes

■ **Exercise 9**

Error Prevention Some students may write 0.1 instead of 0.100. Remind them that even though both numbers are equal, the second indicates the number was rounded to thousandths while the first would indicate the number was rounded to tenths.

PRACTICE

| Práctica **3-2** |

Redondeo de decimales

Redondea al valor posicional subrayado.

1. 42.<u>4</u> 42   **2.** 7.<u>7</u>961 7.8   **3.** 96.0<u>8</u> 96.1   **4.** 13.20<u>9</u>3 13.209

5. 1.8<u>8</u> 1.9   **6.** 3.<u>2</u>92 3.3   **7.** 2<u>7</u>.27 27   **8.** 19<u>1</u>.8 192

9. 796.8<u>4</u> 796.8   **10.** 8.<u>4</u>65 8   **11.** 59.3<u>0</u>5 59.3   **12.** 8.0<u>9</u>4 8.09

Calcula la longitud aproximada de cada objeto al centímetro y al milímetro más cercano.

13. cm más cercano: ≈ 5   mm más cercano: ≈ 4.9

14. cm más cercano: ≈ 6   mm más cercano: ≈ 5.8

15. cm más cercano: ≈ 4   mm más cercano: ≈ 3.7

16. cm más cercano: ≈ 6   mm más cercano: ≈ 5.9

17. Medición Un litro es igual a 1.0567 cuartos. Redondea este valor al centésimo de cuarto más cercano. **1.06 cuartos**

18. La casa de Colleen está construida con ladrillos que miden como 20.955 cm de largo y ella cree que cada hilera de una pared mide alrededor de 60 ladrillos de largo. Calcula la longitud de la pared. **Respuesta posible: Alrededor de 1260 cm ó 12.6 m**

RETEACHING

| Práctica adicional **3-2** |

Redondeo de decimales

Puedes *redondear* números para calcular respuestas. Para redondear un número, observa el dígito a la derecha del lugar al que quieres redondear. Si el dígito es mayor que o igual a 5, redondéalo hacia arriba. Si es menor que 5, redondéalo hacia abajo.

— Ejemplo 1 —

Redondea 34.0592 al centésimo más cercano.

Paso 1: Halla el valor posicional.

Paso 2: Observa el dígito a la derecha.

Paso 3: Si este dígito es mayor que o igual a 5, redondea hacia arriba. Si es menor que 5, redondea hacia abajo.

Paso 4: Ignora los dígitos de la derecha.

El 5 está en la posición de los centésimos.

El dígito es 9.

El 9 es mayor que 5, por tanto, redondea hacia arriba.

El número redondeado es 34.06.

Al redondear al centésimo más cercano, 34.0592 queda como 34.06.

Haz la prueba Redondea 0.241 al décimo más cercano.

a. El dígito de los décimos es ___2___ Subráyalo.

b. El dígito a la derecha del dígito de los décimos es ___4___

c. ¿El dígito es mayor o igual a 5? ___No.___

d. Escribe el número redondeado. Ignora los dígitos a la derecha de los décimos. ___0.2___

Redondea a la posición dada.

e. 4.652, décimos ___4.7___   **f.** 19.304, centésimos ___19.30___

— Ejemplo 2 —

¿Cuál es la longitud del borrador al centímetro y al milímetro más cercanos?

El extremo del borrador está entre la marca 5.5 y la 6. Usa 5.7 como una aproximación.

Al centímetro más cercano, el borrador mide 6.0 cm. Al milímetro más cercano, mide 5.7 cm.

Haz la prueba Calcula la longitud del clip al

g. centímetro más cercano. ___5.0 cm___

h. milímetro más cercano. ___4.9 cm___

Práctica adicional

| Actividad |

Materiales: Regla de un metro

- Trabaja en grupos de tres o cuatro.

- Localiza la marca de 23 cm en una regla de un metro. ¿La marca está más cerca de 20 cm o de 30 cm? **De 20 cm**

- Localiza 23.7 cm en una regla de un metro. ¿La marca está más cerca de 23 cm o de 24 cm? **De 24 cm**

- Usa una regla de un metro para redondear las siguientes medidas al centímetro más cercano.

  1. 37.6 cm 38 cm
  2. 40.1 cm 40 cm
  3. 53.2 cm 53 cm
  4. 10.9 cm 11 cm
  5. 52.7 cm 53 cm
  6. 26.4 cm 26 cm

Reteaching

Activity

Materials: Meter stick

- Work in groups of three or four.

- Locate the mark for 23 cm on a meter stick. Is the mark closer to 20 cm or 30 cm? 20 cm

- Locate 23.7 cm on a meter stick. Is it closer to 23 cm or 24 cm? 24 cm

- Use a meter stick to round the following measurements to the nearest centimeter.

  1. 37.6 cm 38 cm
  2. 40.1 cm 40 cm
  3. 53.2 cm 53 cm
  4. 10.9 cm 11 cm
  5. 52.7 cm 53 cm
  6. 26.4 cm 26 cm

Exercise Answers

36. Possible answer: 1.462

37. To the right of the 9 is a 5, so the 9 becomes a 10 and 4.9 rounds to 5.0.

38. No; 5.9999999 rounded to the ten millionths place is 5.9999999.

39. Measuring instruments cannot be completely accurate; Measuring instruments aren't all the same.

40. Possible answers: Wendell could have rounded 3.4682 to tenths; Terry could have rounded to thousandths.

41–42. See page C2.

Alternate Assessment

Performance Finishing times for the medal winners in the Men's 400-meter at the 1996 Summer Olympic Games are given. Work in groups and discuss whether the medal results would have been any different if the times had been rounded to the nearest tenth of a second.

Gold Medal: Michael Johnson, USA, 43.49 sec.

Silver: Medal: Roger Black, Britain, 44.41 sec.

Bronze Medal: Davis Kamoga, Uganda, 44.53 sec. Results would have been the same: 43.5, 44.4, 44.5.

Respuestas de Ejercicios

36. Respuesta posible: 1.462

37. A la derecha del 9 está un 5, por tanto, el 9 se convierte en 10 y 4.9 se redondea a 5.0.

38. No; 5.9999999 redondeado a la posición de los diezmillonésimos es 5.9999999.

39. Los instrumentos de medición no pueden ser completamente exactos; No todos los instrumentos de medición son iguales.

40. Respuestas posibles: Wendell pudo haber redondeado 3.4682 a décimos; Terry pudo haber redondeado a milésimos.

41–42. Véase la página C2.

Evaluación adicional

Progreso Se proporcionan los tiempos de los medallistas en los 400 metros planos para varones en los Juegos Olímpicos de 1996. Trabaja en grupos y comenta si los resultados serían diferentes si los tiempos se hubieran redondeado al décimo de segundo más cercano.

Medalla de oro: Michael Johnson, EE UU, 43.49 s.

Medalla de plata: Roger Black, Gran Bretaña, 44.41 s.

Medalla de bronce: Davis Kamoga, Uganda, 44.53 s. Los resultados serían iguales: 43.5, 44.4, 44.5.

Quick Quiz

Round the scores for the following 1996 Women's Summer Olympic Individual Gymnastic Events to the nearest hundredth and nearest tenth.

1. Balance Beam: Shannon Miller, USA, 9.862; Lilia Podkopayeva, Ukraine, 9.825; Gina Gogean, Romania, 9.787 9.86, 9.9; 9.83, 9.8; 9.79, 9.8

2. Floor Exercises: Lilia Podkopayeva, Ukraine, 9.887; Simona Amanar, Romania, 9.850; Dominique Dawes, USA, 9.837 9.89 9.9; 9.85, 9.9; 9.84, 9.8

Available on Daily Transparency 3-2

► Prueba rápida

Redondea las calificaciones, al décimo y al centésimo más cercanos, de las siguientes pruebas de gimnasia individual femenil en los Juegos Olímpicos de 1996.

1. Viga de equilibrio: Shannon Miller, EE UU, 9.862; Lilia Podkopayeva, Ucrania, 9.825; Gina Gogean, Rumania, 9.787 9.86, 9.9; 9.83, 9.8; 9.79, 9.8

2. Ejercicios de piso: Lilia Podkopayeva, Ucrania, 9.887; Simona Amanar, Rumania, 9.850; Dominique Dawes, EE UU, 9.837 9.89 9.9; 9.85, 9.9; 9.84, 9.8

Medición Calcula la longitud aproximada de cada objeto al centímetro y al milímetro más cercanos.

34. 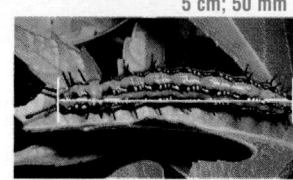 5 cm; 50 mm

35.  6 cm; 58 mm

Resolución de problemas y razonamiento

36. **Razonamiento crítico** Forma un decimal con los dígitos 1, 2, 4, 6 y 8, de manera que el decimal se redondee —si es que se redondea— al décimo más cercano, pero que se quede igual si se redondea al centésimo más cercano. Tienes que usar los cinco dígitos.

37. **Comunicación** Explica por qué 4.95 redondeado al décimo más cercano es 5.0.

38. **Comunicación** Carlos dice que el número 5.9999999 se va a redondear para dar como resultado la misma respuesta, no importa qué valor posicional escojas para redondear. ¿Está en lo correcto? Explica por qué.

39.  ¿Por qué una medida es siempre un cálculo aproximado?

40. **Razonamiento crítico** Wendell y Terry redondearon, cada quien por su cuenta, el número 3.4682. Wendell dice que redondeó el número hacia arriba, y Terry dice que redondeó el número hacia abajo. ¿Hasta qué valor posicional pudo haber redondeado Wendell? ¿Y hasta cuál Terry? Explica tu respuesta.

Repaso mixto

Para cada conjunto de datos dibuja una gráfica de barras. *[Lección 1-5]*

41. **Número de latas de jugo vendidas**

Manzana	28
Uva	24
Naranja	37
Arándano	21

42. **Número de teléfonos en la casa**

Ninguno	1
Uno	4
Dos	12
Tres o más	6

Para cada situación escribe una expresión. *[Lección 2-11]*

43. Elaine comió 12 galletas y luego comió k más. ¿Cuántas galletas se comió? $12 + k$

44. Carlos trabajó cinco días. Ganó w dólares cada día. ¿Cuántos dólares ganó? $5w$

146 *Capítulo 3 • Decimales*

RESOLVER PROBLEMAS 3-2

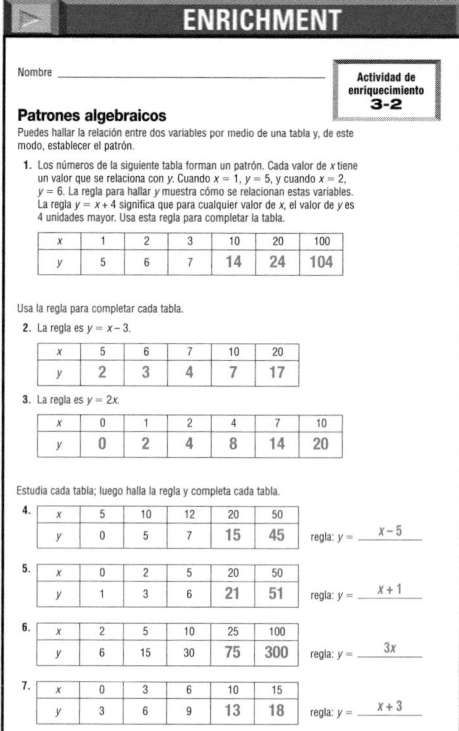

► PROBLEM SOLVING

Nombre _____

Resolución guiada de problemas 3-2

RGP PROBLEMA 40, PÁGINA 146 DEL ESTUDIANTE

Wendell y Terry redondearon, cada quien por su cuenta, el número 3.4682. Wendell dice que redondeó el número hacia arriba, y Terry dice que redondeó el número hacia abajo. ¿Hasta qué valor posicional pudo haber redondeado Wendell? Explica tu respuesta.

— **Comprende** —

1. Subraya la información que necesitas.

— **Plan** —

2. ¿Cuándo se redondea un número? Cuando el dígito a la derecha del valor posicional que se va a redondear es mayor que o igual a 5.

— **Resuelve** —

3. ¿Redondearías cada número hacia arriba o hacia abajo cuando redondeas a
   a. la posición de las unidades? Abajo
   b. la posición de los décimos? Arriba
   c. la posición de los centésimos? Arriba
   d. la posición de los milésimos? Abajo

4. Wendell redondeó hacia arriba. Haz una lista de los valores posicionales a los que pudo haber redondeado. Explica tu respuesta. Décimos o centésimos (3.5 ó 3.47); 6 y 8 son mayores que 5.

5. Terry redondeó hacia abajo. Haz una lista de los valores posicionales a los que pudo haber redondeado. Explica tu respuesta. Unidades o milésimos (3 ó 3.468); 4 y 2 son menores que 5.

— **Revisa** —

6. ¿Por qué no comprobaste los diezmilésimos como valor posicional? Respuesta posible: No hay dígito a su derecha.

[RESUELVE OTRO PROBLEMA]

Casey y Jenna redondearon el número 42.185. Casey redondeó hacia arriba y Jenna redondeó hacia abajo. ¿A qué valor posicional pudo haber redondeado el número Casey? ¿Y Jenna? Explica por qué.
Casey: décimos y centésimos (42.2 ó 42.19); 8 y 5 son iguales a o mayores que 5. Jenna: decenas o unidades (40 ó 42); 2 y 1 son menores que 5.

► ENRICHMENT

Nombre _____

Actividad de enriquecimiento 3-2

Patrones algebraicos

Puedes hallar la relación entre dos variables por medio de una tabla y, de este modo, establecer el patrón.

1. Los números de la siguiente tabla forman un patrón. Cada valor de x tiene un valor que se relaciona con y. Cuando $x = 1$, $y = 5$, y cuando $x = 2$, $y = 6$. La regla para hallar y muestra cómo se relacionan estas variables. La regla $y = x + 4$ significa que para cualquier valor de x, el valor de y es 4 unidades mayor. Usa esta regla para completar la tabla.

x	1	2	3	10	20	100
y	5	6	7	14	24	104

Usa la regla para completar cada tabla.

2. La regla es $y = x - 3$.

x	5	6	7	10	20
y	2	3	4	7	17

3. La regla es $y = 2x$.

x	0	1	2	4	7	10
y	0	2	4	8	14	20

Estudia cada tabla; luego halla la regla y completa cada tabla.

4.
x	5	10	12	20	50
y	0	5	7	15	45

regla: $y = x - 5$

5.
x	0	2	5	20	50
y	1	3	6	21	51

regla: $y = x + 1$

6.
x	2	5	10	25	100
y	6	15	30	75	300

regla: $y = 3x$

7.
x	0	3	6	10	15
y	3	6	9	13	18

regla: $y = x + 3$

TECNOLOGÍA

Uso de la hoja de cálculo • Formato de números decimales

Problema: Dados los siguientes datos, ¿cuál es el promedio de clientes por día redondeado al número cabal más cercano?

Puedes usar la hoja de cálculo para analizar grandes cantidades de datos y puedes utilizarlas también para presentar la información como tú quieras que se vea.

1 Introduce la información del número de clientes a los que se les dio servicio en un puesto de hot dogs; hazlo tal como se muestra en la hoja de cálculo:

	A	B	C	D	E	F	G
1		Lun	Mar	Miér	Jue	Vier	
2	8:00 – 10:00	23	36	67	90	35	
3	10:00 – 12:00	25	4	78	21	47	
4	12:00 – 2:00	79	67	89	87	14	
5	2:00 – 4:00	2	43	55	43	56	
6	4:00 – 6:00	15	56	90	53	23	
7	6:00 – 8:00	45	32	66	14	23	
8							
9	Promedio						
10							

2 En la celda B9 introduce la fórmula = average(B2:B7). Esto calculará el promedio del lunes.

	A	B	C	D	E	F	G
1		Lun	Mar	Miér	Jue	Vier	
2	8:00 – 10:00	23	36	67	90	35	
3	10:00 – 12:00	25	4	78	21	47	
4	12:00 – 2:00	79	67	89	87	14	
5	2:00 – 4:00	2	43	55	43	56	
6	4:00 – 6:00	15	56	90	53	23	
7	6:00 – 8:00	45	32	66	14	23	
8							
9	Promedio	32	40	74	51	33	
10							

3 Copia la fórmula a lo largo de la hilera hasta la columna F.

4 Utiliza el comando para dar formato a los promedios y no mostrar posiciones después del decimal.

Solución: Los promedios, redondeados al número cabal más cercano, son: 32, 40, 74, 51 y 33.

INTÉNTALO

a. Si la información fuera de onzas de catsup usadas, podrías mostrarla hasta el décimo más cercano. Da formato a los promedios para mostrar los décimos.

b. Si la información fuera sobre dinero cobrado, podrías obtenerla hasta el centésimo más cercano. Da formato a los promedios para mostrar los centésimos.

POR TU CUENTA

▶ Menciona una situación donde sea razonable redondear un número hasta el milésimo más cercano.

▶ Si en una hoja de cálculo un número es 700, ¿puedes decir en qué posición se ha redondeado?

▶ ¿Qué otro tipo de formatos numéricos existen en una hoja de cálculo?

147

Uso de la hoja de cálculo • Formato de números decimales

Objetivo

Los estudiantes investigan cómo los diferentes tipos de formato son apropiados para las hojas de cálculo con diferentes tipos de datos.

Materiales

Software de hoja de cálculo

Recursos

CD-ROM interactivo
Hoja de cálculo/Herramienta para graficar

Acerca de esta página

• La fórmula que se proporciona "= promedio (B2:B7)" tal vez tenga que adaptarse a su software particular.

• La característica "copiar" es muy eficiente para repetir la misma fórmula dentro de otras celdas. Note que la hoja de cálculo ajusta automáticamente la fórmula para que encaje en la celda correspondiente de la fórmula original.

Pregunte...

• ¿Qué fórmula necesita introducirse para calcular el promedio? Las respuestas pueden variar según el software.

• ¿Cómo formateas la hoja de cálculo para mostrar diferentes cantidades de posiciones decimales? Las respuestas pueden variar según el software.

Respuestas de Inténtalo

a. 31.5, 39.7, 74.2, 51.3, 33.0

b. $31.50, $39.67, $74.17, $51.33, $33.00

Por tu cuenta

Para la segunda pregunta, tal vez quiera que los estudiantes hagan una lista de varios ejemplos para fundamentar sus respuestas.

Respuestas de Por tu cuenta

• Respuesta posible: Un experimento con mediciones muy precisas.

• No; Por ejemplo, el número original podría ser 749, 688, 700.34, ó 700.04.

• Respuesta posible: Los números pueden estar en negrillas o subrayados, o pueden tener signos de dinero o de porcentaje.

Using a Spreadsheet • Formatting Decimal Data

The Point

Students explore how different types of formatting are appropriate for spreadsheets with different types of data.

Materials

Spreadsheet software

Resources

*Interactive CD-ROM
Spreadsheet/Grapher Tool*

About the Page

• The given formula "= average (B2:B7)" may have to be adapted to your particular software.

• The "copy" feature is very efficient for repeating the same formula into other cells. Note that the spreadsheet automatically adjusts the formula to match the corresponding cells in the original formula.

Ask ...

• What formula needs to be entered in order to calculate the average? Answers may vary depending on the software.

• How do you format the spreadsheet to show different numbers of decimal places? Answers may vary depending on the software.

Answers for Try It

a. 31.5, 39.7, 74.2, 51.3, 33.0

b. $31.50, $39.67, $74.17, $51.33, $33.00

On Your Own

For the second question, you might have students list several examples to support their answers.

Answers for On Your Own

• Possible answer: An experiment with very precise measurements.

• No; For example, the original number could have been 749, 688, 700.34, or 700.04.

• Possible answer: Numbers can be bold or underlined, or made to look like money or percents.

Objective

- Compare and order decimals.

NCTM Standards

- 1–4, 6, 7

Review

Write each number as a fraction and as a decimal.

1. Twenty-seven hundredths $\frac{27}{100}$; 0.27

2. Three tenths $\frac{3}{10}$; 0.3

3. Forty-eight thousandths $\frac{48}{1000}$; 0.048

4. Two and one hundred six thousandths $2\frac{106}{1000}$; 2.106

Available on Daily Transparency 3-3

▶ **Repaso**

Escribe cada número como una fracción y como un decimal.

1. Veintisiete centésimos $\frac{27}{100}$; 0.27

2. Tres décimos $\frac{3}{10}$; 0.3

3. Cuarenta y ocho milésimos $\frac{48}{1000}$; 0.048

4. Dos y ciento seis milésimos $2\frac{106}{1000}$; 2.106

Introduce

Explore

The Point

Students compare decimal numbers to develop an intuitive idea that a number with more digits isn't necessarily a larger number.

Ongoing Assessment

As students attempt to use their knowledge of place value, be alert to those who might be misled by the number of decimal places to the right of the decimal point.

For Groups That Finish Early

Explain how your group decided to order the labels as they did.

1 Introducción

Investigar

Objetivo

Los estudiantes comparan los números decimales para desarrollar la idea intuitiva de que un número con más dígitos no es, necesariamente, un número mayor.

Evaluación continua

Conforme los estudiantes tratan de usar sus conocimientos del valor posicional, esté pendiente de aquellos que puedan equivocarse en el número de posiciones decimales a la derecha del punto decimal.

Para los grupos que terminen antes

Explica de qué manera tu grupo decidió ordenar las marcas como se muestra en tu trabajo.

3-3 Comparación y ordenación de decimales

Vas a aprender...

■ a comparar y ordenar decimales.

...cómo se usa

Los jueces deportivos deben comparar los tiempos de las carreras en decimales, para determinar quién fue el ganador.

▶ **Enlace con la lección** Sabes cómo comparar y ordenar números grandes. Puedes usar métodos similares para comparar y ordenar números decimales. ◀

Investigar Comparación y ordenación de decimales

El sistema Dewey

Las bibliotecas usan el sistema decimal Dewey para clasificar los libros que no son de ficción. Los libros se ordenan según su número decimal Dewey. Estos libros están en el orden correcto, pero sus números de colocación se les han caído.

 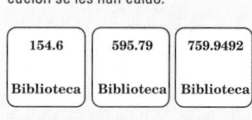 

154.6	595.79	759.9492
Biblioteca	Biblioteca	Biblioteca

595.1	595.4	796.357	912	341.23	796.48
Biblioteca	Biblioteca	Biblioteca	Biblioteca	Biblioteca	Biblioteca

1. Relaciona cada número de colocación con el libro correcto.

2. Explica cómo decidiste cuál número de colocación se relaciona con cada libro.

3. Si se clasificara un nuevo libro entre *Las Naciones Unidas* y *Sueños y algo más*, ¿cuál sería su número decimal Dewey?

▶ **Enlace con Literatura**

El sistema decimal Dewey clasifica todos los temas en diez categorías: referencia, psicología, religión, ciencias sociales, lenguaje, ciencia pura, ciencia aplicada, arte, literatura e historia.

Aprender Comparación y ordenación de decimales

Cuando *agregas* ceros a la derecha del número decimal, no cambias el valor del número.

$$4.37 = 4.370 = 4.3700 = 4.37000$$

Los decimales son fáciles de comparar cuando tienen el mismo número de dígitos después del punto decimal. Agregar ceros puede simplificar esta comparación.

148 *Capítulo 3 • Decimales*

▶ **MEETING INDIVIDUAL NEEDS**

Resources

3-3 Practice
3-3 Reteaching
3-3 Problem Solving
3-3 Enrichment
3-3 Daily Transparency
  Problem of the Day
  Review
  Quick Quiz
Teaching Tool Transparency 5
Lesson Enhancement Transparency 9
Technology Master 12
Chapter 3 Project Master
Wide World of Mathematics
Middle School: In 0.01 Second

Recursos

3-3 Práctica
3-3 Práctica adicional
3-3 Resolución de problemas
3-3 Actividad de enriquecimiento
Tecnología 12

Wide World of Mathematics
Middle School: In 0.01 Second

Learning Modalities

Visual Students may find it easier to understand that annexing zeros doesn't change the value of the number if they represent equivalent numbers such as $\frac{3}{10}$ and $\frac{30}{100}$ on a 10×10 grid.

Social Have students work in groups of three or four to discuss the method they used to answer Step 2 of **Explore**.

Modos de aprendizaje

Visual Algunos estudiantes sólo comprenden que la adición de ceros no cambia el valor de un número si representan números equivalentes ($\frac{3}{10}$ y $\frac{30}{100}$, por ejemplo) en una cuadrícula de 10×10.

Social Forme grupos de dos o tres estudiantes para que analicen el método usado en el inciso 2 de **Investigar**.

English Language Development

Some students may be confused by the use of the word *ordering*. They may relate it to ordering from a catalog or ordering at a restaurant. Point out that ordering numbers means to list them from least to greatest or from greatest to least. Also point out that three or more numbers *are ordered*, but two numbers are *compared*. Students may not understand the idiom "Doing It by the Book." Ask other students to explain its meaning.

Desarrollo del lenguaje

Explique a los estudiantes que las *ordenaciones* representan listas de números organizados de menor a mayor o viceversa. Indique que tres o más números se *ordenan*, pero dos números se *comparan*.

Quizá algunos estudiantes no comprendan el modismo "hacerlo al pie de la letra". Quienes lo comprendan pueden explicarlo a los que no lo saben.

Ejemplos

1 Compara 0.5 y 0.07.

0.50 ☐ 0.07   Agrega ceros.

0.5 > 0.07

2 Compara 32.207 y 32.3.

32.207 ☐ 32.300   Agrega ceros.

32.207 < 32.3

Haz la prueba

Utiliza > y < para comparar los pares de decimales.

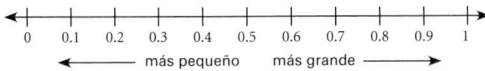

a. 2.8 > 2.45   **b.** 0.67 > 0.067   **c.** 12.71 > 12.2   **d.** 5 < 5.2

Si tienes que ordenar varios números decimales, es más rápido si usas una recta numérica que si agregas ceros.

En una recta numérica mientras más hacia la derecha se encuentre el número, es más grande. Mientras más hacia la izquierda se encuentre, es más pequeño.

```
|---|---|---|---|---|---|---|---|---|---|
0  0.1 0.2 0.3 0.4 0.5 0.6 0.7 0.8 0.9  1
   ← más pequeño      más grande →
```

Ejemplo 3

Cada pata de araña está formada por siete segmentos. Kim midió las longitudes de los segmentos de una pata de araña cazadora dorada. Ordena estas longitudes de menor a mayor.

Longitud de segmento (cm)		
0.9	0.881	0.804
0.892	0.87	
0.85	0.876	

En una recta numérica el intervalo de 0 a 1 puede dividirse en décimos, centésimos y, si es necesario, en milésimos. Después, cada valor decimal puede localizarse.

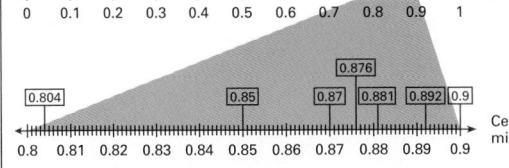

Décimos

Centésimos y milésimos

Las longitudes de los segmentos, de menor a mayor, son: 0.804, 0.85, 0.87, 0.876, 0.881, 0.892 y 0.9.

Haz la prueba

Ordena de menor a mayor 1.74, 1.08, 1.009, 1.725, 1.6
   1.009, 1.08, 1.6, 1.725, 1.74

▶ Enlace con Ciencias

Al contrario de la mayoría de las arañas, la cazadora dorada no teje una telaraña como trampa. En lugar de esto, camina despacio en busca de su presa.

3-3 • Comparación y ordenación de decimales **149**

MATH EVERY DAY

▶ Problema del día

Mavis tiene varias instrucciones para buscar un tesoro escondido. Para empezar, Mavis les dijo a sus compañeros que buscaran en su libro de matemáticas las páginas opuestas cuyo producto fuera 86,730. ¿En qué páginas se encuentra la primera pista? 294 y 295

An Extension is provided in the transparency package.

Problem of the Day

Mavis devised several treasure hunt clues. To begin the hunt, Mavis told each person to look in their math book between facing pages whose product was 86,730. Between what pages will each person find the first clue? 294 and 295

Available on Daily Transparency 3-3

Dato del día

El terremoto más fuerte que ha habido en Estados Unidos alcanzó 8.4 grados en la escala de Richter y ocurrió en 1964, cerca de Prince William Sound, Alaska.

Fact of the Day

The strongest earthquake in the United States, measuring 8.4 on the Richter Scale, occurred near Prince William Sound, Alaska, in 1964.

Estimation

Do these mentally.

1. 8 + 8 + 8 + 8 + 8 + 8 + 8 56
2. 9 + 9 + 9 + 9 + 9 + 9 + 9 + 9 72
3. 12 + 12 + 12 + 12 + 12 60
4. 25 + 25 + 25 + 25 + 25 + 25 150

Cálculo aproximado

Haz estos cálculos en forma mental.

1. 8 + 8 + 8 + 8 + 8 + 8 + 8 56
2. 9 + 9 + 9 + 9 + 9 + 9 + 9 + 9 72
3. 12 + 12 + 12 + 12 + 12 60
4. 25 + 25 + 25 + 25 + 25 + 25 150

Respuestas de Investigar

1. *Sueños y algo más*: 154.6; *Las Naciones Unidas*: 341.23; *Las sanguijuelas*: 595.1; *Arácnidos*: 595.4; *Abejas asesinas*: 595.79; *Van Gogh*: 759.9492; *Lo mejor del béisbol*: 796.357; *Juegos Olímpicos*: 796.48; *Atlas mundial*: 912.

2. Respuesta posible: Al ordenar de menor a mayor los decimales Dewey.

3. Cualquier número entre 154.6 y 341.23.

2 Enseñanza

Aprender

Ejemplos adicionales

1. Compara 0.3 y 0.06.

   Agrega ceros.

   0.30 ☐ 0.06

   0.3 > 0.06

2. Compara 25.309 y 25.6.

   Agrega ceros.

   25.309 ☐ 25.**6**00

   25.309 < 25.6

3. En la clase de ciencias Héctor midió las siguientes longitudes: 0.35, 0.339, 0.368, 0.348, 0.36, 0.364 y 0.4. Ordena las longitudes de menor a mayor.

   Décimos

   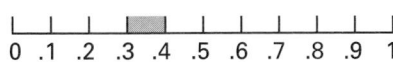
   ```
   |--|--|--|--|--|--|--|--|--|--|
   0 .1 .2 .3 .4 .5 .6 .7 .8 .9  1
   ```

   Centécimos y milécimos

   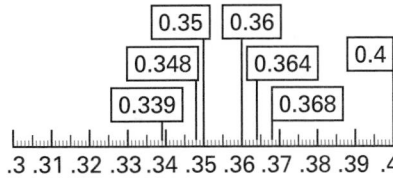

   En una recta numérica el intervalo de 0 a 1 puede dividirse en décimos, centésimos y milésimos. Después podrás localizar cada valor decimal.

   Las longitudes, de menor a mayor, son 0.339, 0.348, 0.35, 0.36, 0.364, 0.368 y 0.4.

Answers for Explore

1. *The Mystery of Dreams*: 154.6; *The United Nations*: 341.23; *Those Amazing Leeches*: 595.1; *Spiders and Their Kin*: 595.4; *Killer Bees*: 595.79; *Van Gogh*: 759.9492; *Baseball's Greatest Games*: 796.357; *The Olympic Games*: 796.48; *Goode's World Atlas*: 912.

2. Possible answer: Order the Dewey decimal numbers from least to greatest.

3. Any number between 154.6 and 341.23.

Teach

Learn

You may wish to use Teaching Tool Transparency 5: Number Lines or Lesson Enhancement Transparency 9 with **Example 3**.

Alternate Examples

1. Compare 0.3 and 0.06.

   Annex zeros.

   0.30 ☐ 0.06

   0.3 > 0.06

2. Compare 25.309 and 25.6.

   Annex zeros.

   25.309 ☐ 25.**6**00

   25.309 < 25.6

3. In science class Hector measured the following lengths: 0.35, 0.339, 0.368, 0.348, 0.36, 0.364, and 0.4. Order the lengths from least to greatest.

   Tenths

   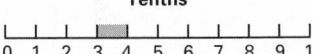
   ```
   |--|--|--|--|--|--|--|--|--|--|
   0 .1 .2 .3 .4 .5 .6 .7 .8 .9  1
   ```

   Hundredths and Thousandths

   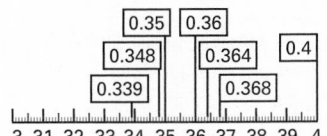

   On a number line, the interval from 0 to 1 can be divided into tenths, hundredths, and thousandths. Then, each decimal value can be located.

   The lengths from least to greatest are 0.339, 0.348, 0.35, 0.36, 0.364, 0.368, and 0.4.

What Do You Think?

Students use two different methods to solve a problem. One method uses the annexing of zeros to compare and order the numbers. The other method uses a number line to order the numbers. Students can decide which of the two correct methods is easier for them.

Answers for What Do You Think?

1. Answers may vary.
2. No; On a number line the thousandths would be hard to draw.

Practice and Assess

Check

Be sure students remember that as they move from left to right in a decimal numeral, each place has $\frac{1}{10}$ the value of previous place. When comparing decimals such as 0.4 and 0.35, the 4 and the 3 each represents tenths so 0.4 is larger than 0.35.

Answers for Check Your Understanding

1. 0.35 only has 3 in the tenths place.
2. Possible answers: 1.522, 1.523
3. The digit on the left; It represents the greatest place value.

Los estudiantes usan dos métodos diferentes para resolver un problema. Un método agrega ceros para comparar y ordenar los números. El otro emplea una recta numérica para ordenar los números. Los estudiantes pueden decidir cuál de los dos métodos correctos es más fácil para ellos.

Respuestas de ¿Qué crees tú?

1. Las respuestas pueden variar.
2. No; En una recta numérica sería difícil dibujar los milésimos.

3 Práctica y evaluación

Comprobar

Asegúrese de que los estudiantes recuerden que conforme se mueven de izquierda a derecha en un número decimal, cada lugar tiene $\frac{1}{10}$ del valor posicional anterior. Cuando comparan decimales como 0.4 y 0.35, el 4 y el 3 representan décimos, por lo que 0.4 es mayor que 0.35.

Respuestas de Comprobar tu comprensión

1. 0.35 sólo tiene 3 en la posición de los décimos.
2. Respuestas posibles: 1.522, 1.523
3. El dígito de la izquierda; Representa el mayor valor posicional.

¿QUÉ CREES TÚ?

Maritess y Aaron quieren ordenar estos terremotos según su medida en la escala de Richter.

Terremotos del mundo		
1755	Lisboa, Portugal	8.75
1906	San Francisco, EE UU	8.3
1950	Assam, India	8.7
1977	Indonesia	8
1985	Ciudad de México	8.1

Maritess piensa...

Voy a agregar ceros y a comparar los números.

$$8.75 = 8.75$$
$$8.3 = 8.30$$
$$8.7 = 8.70$$
$$8 = 8.00$$
$$8.1 = 8.10$$

El orden es 8, 8.1, 8.3, 8.7, 8.75.

Aaron piensa...

Voy a localizar las medidas en una recta numérica.

8 8.1 8.2 8.3 8.4 8.5 8.6 8.7 8.8 8.9 9

El orden es 8, 8.1, 8.3, 8.7, 8.75.

¿Qué crees tú?

1. ¿Cuál método preferirías usar? ¿Por qué?
2. ¿Serían buenos ambos métodos si las medidas incluyeran milésimos? Explica tu respuesta.

Comprobar Tu comprensión

1. Si 35 es mayor que 4, ¿por qué 0.4 es mayor que 0.35?
2. Señala dos números que estén entre 1.52 y 1.53.
3. Se te dan dos números decimales y debes determinar cuál es mayor. ¿Cuál parte del número es la primera que debes revisar? ¿Por qué?

MEETING MIDDLE SCHOOL CLASSROOM NEEDS

Tips from Middle School Teachers

I like to have students visit a grocery store and make a list of the weights and prices of several comparable items such as boxes of cereal or cans of soup. Then I have them order these weights from least to greatest and see whether the prices also are in the same order.

Sugerencias de los maestros

En esta lección suelo pedir a los estudiantes que vayan a una tienda de abarrotes y listen los pesos y precios de varios artículos que puedan comparar como el cereal o la sopa enlatada. Después les pido que ordenen los datos de menor a mayor y vean si los precios muestran el mismo orden.

Team Teaching

Work with a school librarian to discuss the Dewey Decimal System for coding library books.

Enseñanza en equipo

Trabaje con el bibliotecario de la escuela para analizar con la clase el sistema decimal Dewey, usado en la clasificación de libros.

Science Connection

A trap-door spider doesn't make a web. The spider hides inside a burrow it has lined with silk. It lures its prey into the burrow and then closes the trap door. The prey can't climb out up the smooth, silk-lined walls of the burrow.

Asociación con Ciencias

Las arañas tramperas no tejen telarañas. Se ocultan en una pequeña madriguera que ellas mismas elaboran, jalan a la presa hacia el interior y cierran la abertura. Las presas mueren al no poder trepar las resbalosas paredes de la madriguera.

3-3 Ejercicios y aplicaciones

Práctica y aplicación

1. **Para empezar** Agrega ceros a los números para que tengan el mismo número de dígitos después del punto decimal.

   a. 0.276 y 0.28   **b.** 1.45 y 1.3492   **c.** 1.67 y 1.679   **d.** 0.3 y 0.4783
       0.280   1.4500   1.670   0.3000

Utiliza >, < ó = para comparar cada par de números.

2. $0.193 > 0.187$ **3.** $7.32 > 7.320$ **4.** $52.1 < 52.16$ **5.** $2.1 > 1.94$

6. $5.07 < 5.16$ **7.** $8.600 = 8.6$ **8.** $21.7 > 21.07$ **9.** $3.04 < 3.1$

10. $66.77 < 67.77$ **11.** $34.21 < 35.19$ **12.** $98.23 < 98.3$ **13.** $6.9 < 6.96$

14. $4.6 = 4.60$ **15.** $5.03 < 5.30$ **16.** $30.1 < 30.11$ **17.** $0.02 < 0.20$

Ciencias Usa la gráfica para resolver los ejercicios 18–20. Las longitudes de las arañas son: 0.872, 0.989, 0.83, 0.746 y 0.675 pulgadas (no están ordenadas).

18. ¿De qué longitud es la araña seda dorada? 0.989 in.

19. ¿De qué longitud es la araña blindada? 0.675 in.

20. ¿De qué longitud es la araña lobo? 0.83 in.

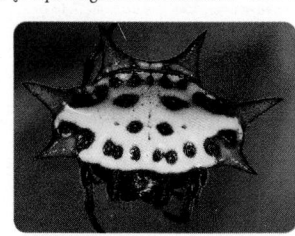

Araña tejedora

Longitud de cinco arañas

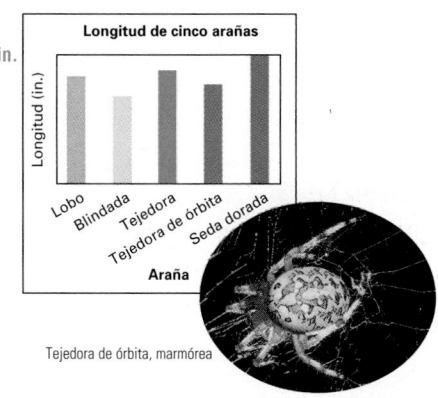

Tejedora de órbita, marmórea

Ordena de menor a mayor.

21. 27.948, 27.939, 27.946   27.939, 27.946, 27.948
22. 0.53, 0.534, 0.538   0.53, 0.534, 0.538
23. 1.23, 2.64, 1.5   1.23, 1.5, 2.64
24. 11.066, 11.0666, 11.66   11.066, 11.0666, 11.66
25. 2.96, 2.84, 3.02   2.84, 2.96, 3.02
26. 0.1147, 0.217, 0.1146   0.1146, 0.1147, 0.217
27. 31.7, 31.07, 3.107, 30.17, 310.7   3.107, 30.17, 31.07, 31.7, 310.7
28. 2.12, 2.22, 1.22, 1.21, 2.21, 1.11   1.11, 1.21, 1.22, 2.12, 2.21, 2.22

3-3 Exercises and Applications

Assignment Guide

■ Basic 1–25, 29, 30, 31–39 odds

■ Average 2–30, 32–38 evens

■ Enriched 10–35, 37–39 odds

Notas sobre los ejercicios

■ **Ejercicios 18–20**

Ampliación Halla las longitudes de la araña tejedora y de la tejedora de órbita. 0.872 in; 0.746 in.

■ **Ejercicios 22–24, 26–27**

Prevención de errores Algunos estudiantes usan los decimales como si fueran números cabales y tan sólo comparan los dígitos. Recuérdeles que agreguen ceros después de los puntos decimales para que los números tengan la misma cantidad de dígitos después del punto decimal.

Exercise Notes

■ **Exercises 18–20**

Extension Find the lengths of the web-weaving and the orb weaver spider. 0.872 in.; 0.746 in.

■ **Exercises 22–24, 26–27**

Error Prevention Some students treat decimals as if they are whole numbers and simply compare digits. Remind them to annex zeros after the decimal points so that the numbers have the same number of digits after the decimal point.

PRACTICE

Nombre _____

Práctica 3-3

Comparación y ordenación de decimales

Para los ejercicios 1–15, compara por medio de >, < o =.

1. 0.387 ◯ 0.378   **2.** 4.8 ◯ 4.83   **3.** 12.75 ◯ 12.749

4. 8.32 ◯ 8.23   **5.** 23.65 ◯ 22.66   **6.** 7.382 ◯ 7.823

7. 32.8 ◯ 32.80   **8.** 61.23 ◯ 63.21   **9.** 89.6 ◯ 89.06

10. 5.36 ◯ 6.35   **11.** 2.75 ◯ 2.750   **12.** 11.53 ◯ 11.503

13. 38.97 ◯ 39.87   **14.** 64.381 ◯ 64.38   **15.** 12.46 ◯ 12.48

Usa la gráfica para resolver los ejercicios 16–18.

Precipitación mensual en Londres, Reino Unido

16. ¿Cuál mes tiene la mayor cantidad de precipitación pluvial? Octubre

17. ¿Cuál mes tiene la menor cantidad de precipitación pluvial? Abril

18. ¿Cuáles meses tienen la misma cantidad de lluvia? Enero y julio

Ordena estas series de menor a mayor.

19. 21.600, 21.006, 21.060   21.006, 21.060, 21.600

20. 38.88, 38.888, 38.8   38.8, 38.88, 38.888

21. 8.23, 8.132, 8.123, 8.213   8.123, 8.132, 8.213, 8.23

22. 6.578, 5.687, 5.678, 5.876   5.678, 5.687, 5.876, 6.578

23. En 1994 una dracma griega valía $0.0041220; una lira italiana, $0.0006207; un peso mexicano, $0.0002963, y un won sudcoreano, $0.0012447. Ordena en forma ascendente el valor de estas monedas. Peso, lira, won, dracma

24. Ciencias Un huevo de un colibrí vervain pesa 0.0132 oz y otro de un colibrí costa pesa 0.017. ¿Cuál huevo pesa menos? El de colibrí vervain

---

RETEACHING

Nombre _____

Práctica adicional 3-3

Comparación y ordenación de decimales

Para comparar dos decimales, escribe los decimales de manera que ambos tengan el mismo número de dígitos después del punto decimal. Recuerda: escribir o añadir ceros a la derecha de un decimal no altera su valor.

— Ejemplo 1

Usa > o < para comparar 0.08 y 0.6.

Paso 1: Añade un cero a 0.6 de manera que ambos decimales tengan el mismo número de dígitos después del punto decimal.   0.08

Paso 2: Para comparar los valores posicionales empieza con el dígito de la izquierda. Los dígitos de las unidades son iguales. Compara los dígitos de los décimos.   0.60

Puesto que 0 es menor que 6, entonces 0.08 < 0.6.

Haz la prueba Usa > o < para comparar 3.409 y 3.48.

  a. ¿Cuántos dígitos hay después del punto decimal en 3.409?   3 dígitos.

  b. Escribe 3.48 con el mismo número de dígitos después del punto decimal.   3.480

  c. Para comparar, empieza con los dígitos de las unidades. 3.409 ⎯ < ⎯ 3.48

Usa > o < a comparar cada par de números.

  d. 2.33 ⎯ > ⎯ 2.033   **e.** 41.039 ⎯ < ⎯ 41.05   **f.** 0.479 ⎯ > ⎯ 0.45

— Ejemplo 2

Ordena de menor a mayor: 0.72, 0.227, 1.07.

Escribe los números de tal manera que cada uno tenga el mismo número de posiciones decimales.

    0.72 = 0.720
    0.227 = 0.227
    1.07 = 1.070

Para comparar los números empieza con los dígitos a la izquierda.

    1 > 0
    7 > 2

Los números, ordenados de menor a mayor, son 0.227, 0.72, 1.07.

Haz la prueba Ordena de menor a mayor.

  g. 3.04, 0.304, 0.34   0.304, 0.34, 3.04

  h. 0.205, 0.6, 0.46   0.205, 0.46, 0.6

  i. 0.98, 0.908, 0.98   0.098, 0.908, 0.98

  j. 23.04, 32.40, 32.04   23.04, 32.04, 32.40

  k. 11.011, 10.101, 10.011   10.011, 10.101, 11.011

Práctica adicional

Actividad

Materiales: Cuadrículas de 10 × 10

• Trabaja en grupos de tres o cuatro. Usa cuadrículas de 10 × 10 para representar los siguientes números decimales: 0.30, 0.06, 0.27.

• Ordénalos del más al menos sombreado y lee los nombres de los números en orden. 0.30, 0.27, 0.06

• Repite el proceso con cada grupo de decimales.

1. 0.46, 0.40, 0.61
  0.61, 0.46, 0.40

2. 0.72, 0.65, 0.67
  0.72, 0.67, 0.65

3. 0.09, 0.90, 0.95
  0.95, 0.90, 0.09

4. 0.11, 0.08, 0.81
  0.81, 0.11, 0.08

Reteaching

Activity

Materials: 10 × 10 Grids

• Work in groups of three or four. Use 10 × 10 grids to represent the following decimals: 0.30, 0.06, 0.27.

• Put them in order from most shaded to least shaded and read the names of the numbers in order. 0.30, 0.27, 0.06

• Repeat the process for each group of decimals.

1. 0.46, 0.40, 0.61
  0.61, 0.46, 0.40

2. 0.72, 0.65, 0.67
  0.72, 0.67, 0.65

3. 0.09, 0.90, 0.95
  0.95, 0.90, 0.09

4. 0.11, 0.08, 0.81
  0.81, 0.11, 0.08

Project Progress

You may want to have students use Chapter 3 Project Master.

Exercise Answers

32. Possible answer: Slower time: 25.694 seconds; Faster time: 25.685 seconds. 25.685 will round up to 25.69 and 25.694 will round down to 25.69.

33. Possible answer: 8.743; Annex a zero to 8.75. Then pick a number between 8.739 and 8.750.

34. If Joel annexed zeros, he would see that 7.49 is less than 7.60.

35.
Stem	Leaf
3	0 2 2 6
4	2 4 7 8 9
5	0 1 1 2
6	0 1 1 3 8

36.
Stem	Leaf
0	3 4 4 6 6 7 7 7 8 9
1	0 0 0 1 1 1 1 2 3 3 3 6 9

Alternate Assessment

You may want to use the *Interactive CD-ROM Journal* with this assessment.

Journal Tell if 0.45 or 0.54 is larger. Explain your reasoning using a variety of methods, including pictures, grid models, number lines, and place-value charts.

El proyecto en marcha

Tal vez quiera que los estudiantes usen el Proyecto del capítulo 3.

Respuestas de Ejercicios

32. Respuesta posible: Tiempo más lento: 25.694 segundos; Tiempo más rápido: 25.685 segundos. 25.685 se redondeará a 25.69 y 25.694 se redondeará a 25.69.

33. Respuesta posible: 8.743; Se agrega un cero a 8.75. Después se escoge un número entre 8.739 y 8.750.

34. Si Joel agregó ceros, puede verse que 7.49 es menor que 7.60.

35.
Tallo	Hoja
3	0 2 2 6
4	2 4 7 8 9
5	0 1 1 2
6	0 1 1 3 8

36.
Tallo	Hoja
0	3 4 4 6 6 7 7 7 8 9
1	0 0 0 1 1 1 1 2 3 3 3 6 9

Evaluación adicional

Tal vez quiera usar el *Diario interactivo CD-ROM* con esta evaluación.

En tu diario Indica qué número es mayor: 0.45 ó 0.54. Utiliza diferentes métodos para explicar tu razonamiento; puedes incluir dibujos, cuadrículas, rectas numéricas y tablas de valores posicionales.

Quick Quiz

In 1–4, which pairs are the same?

1. 0.07, 0.7   not the same

2. 0.43, 0.34   not the same

3. 0.8, 0.80   same

4. 0.13, 0.31   not the same

5. The finishing times for the fastest women swimmers in the 100 m Butterfly Stroke at the 1996 Summer Olympics are: Liu Limin, China, 59.14 sec.; Angel Martino, USA, 59.23 sec.; Amy van Dyken, USA, 59.13 sec. Who won the gold, silver, and bronze medals? Gold: Van Dyken; Silver: Limin; Bronze: Martino

Available on Daily Transparency 3-3

▶ Prueba rápida

En los incisos 1–4, ¿cuáles pares son iguales?

1. 0.07, 0.7   no son iguales

2. 0.43, 0.34   no son iguales

3. 0.8, 0.80   son iguales

4. 0.13, 0.31   no son iguales

5. Los tiempos de las nadadoras más rápidas en 100 m de estilo mariposa en los Juegos Olímpicos de 1996 son: Liu Limin, China, 59.14 s; Angel Martino, EE UU, 59.23 s; Amy van Dyken, EE UU, 59.13 s. ¿Quién ganó la medalla de oro, y quiénes la plata y la de bronce? Oro: Van Dyken; Plata: Limin; Bronce: Martino

---

29. **Para la prueba** Escoge el conjunto de números donde el valor de cada número decimal es el mismo. **A**

Ⓐ 0.5, 0.50, 0.500   Ⓑ 0.50, 0.05, 0.5   Ⓒ 0.005, 0.050, 0.0500

30. **RGP** La tabla muestra los tiempos de una prueba de natación. ¿Quién llegó primero, segundo y tercero? **Primero Raúl, segundo Josh, tercero Gabe**

Nadador	Tiempo (s)
Gabe	32.01
Raúl	31.84
Josh	31.92

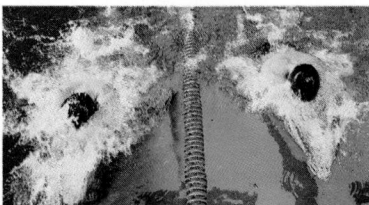

31. La entrenadora midió la zancada de carrera de sus corredoras de medio fondo. La zancada de Sue fue de 1.34 m, la de Ángela de 1.41 m y la de Temeca de 1.4 m. La entrenadora escogió a las dos corredoras de zancada más larga para la competencia de 800 metros. ¿A quiénes escogió? **Ángela y Temeca**

Resolución de problemas y razonamiento

32. **Razonamiento crítico** El tiempo de Letti en los 50 metros estilo libre se cronometró hasta milésimos, pero se redondeó a 25.69 segundos. Escribe el tiempo más lento que se redondearía a 25.69. Escribe un tiempo más rápido que se redondearía a 25.69. Explica tus respuestas.

33. **Comunicación** Escribe un número que se encuentre en la posición de los milésimos y que esté entre 8.75 y 8.739. Explica cómo escogiste el número.

34. **Comunicación** Joel dice que 7.49 es mayor que 7.6 porque 49 es mayor que 6. Explica por qué la afirmación de Joel es incorrecta.

Repaso mixto

Haz una tabla arborescente con los siguientes datos. *[Lección 1-6]*

35. 51, 42, 68, 32, 60, 61, 36, 49, 30, 47, 48, 61, 32, 44, 50, 52, 63, 51

36. 7, 9, 10, 13, 12, 11, 6, 4, 7, 3, 6, 10, 13, 16, 13, 11, 10, 7, 11, 8, 4, 11, 19

Establece si cada ecuación es verdadera para el valor dado. *[Lección 2-12]*

37. $4x = 28; x = 7$ **Verdadera**

38. $25 - y = 20; y = 15$ **Falsa**

39. $12 + p = 20; p = 16$ **Falsa**

El proyecto en marcha

Empieza a llevar un registro de todas las actividades que haces después de la escuela. Para cada actividad anota qué hiciste y cuánto tiempo le invertiste.

Resolución de problemas
Comprende
Planea
Resuelve
Revisa

RESOLVER PROBLEMAS 3-3

152 Capítulo 3 • Decimales

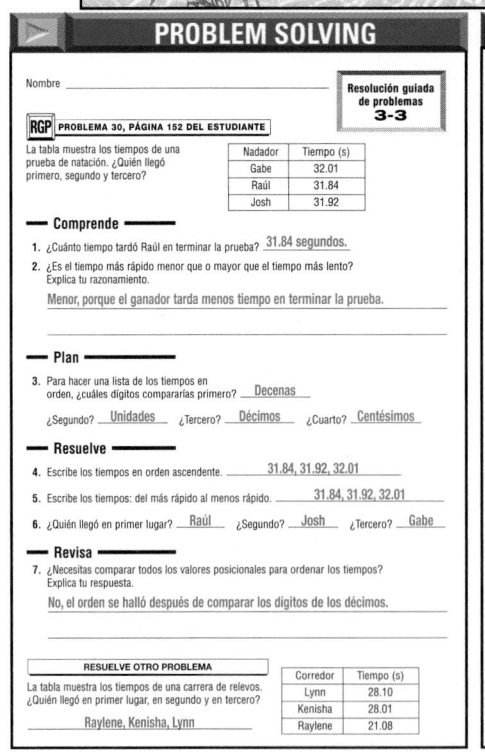

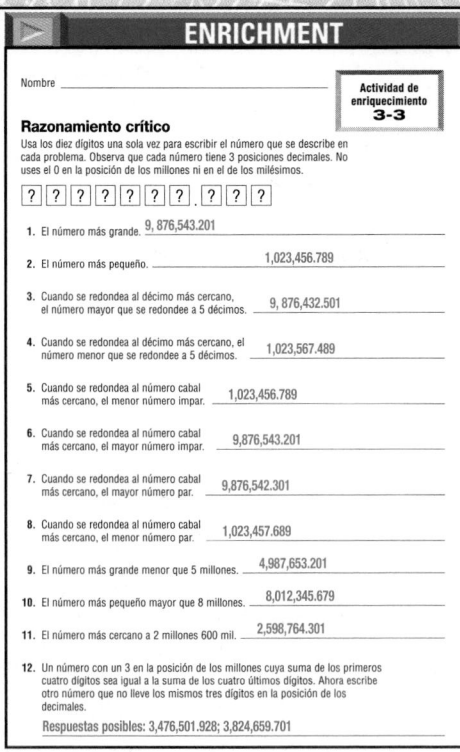

Notación científica

▶ **Enlace con la lección** Ya sabes que los números pueden ser demasiado grandes o demasiado pequeños. Ahora aprenderás cómo usar los exponentes que estudiaste en el capítulo anterior, para hacer más fácil la escritura de números. ◀

Recuerda que un *exponente* te dice cuántas veces un número, la *base*, se ha utilizado como factor.

$8 \times 8 \times 8 \times 8 \times 8 = 8^5$

Base: 8   **Exponente:** 5
Se lee: "8 a la quinta *potencia*".

Investigar | Notación científica

Demasiados ceros   **Materiales:** Calculadora científica

1. Copia la tabla siguiente. Continúa la tabla para los exponentes pares de 10, desde el 2 hasta el 16. Usa $\boxed{y^x}$ para encontrar cómo representa en forma exponencial los números dados la calculadora. Ejemplo: para encontrar 10^2, utiliza 10 $\boxed{y^x}$ 2 $\boxed{=}$.

Notación exponencial	Número de factores de 10	Representación de la calculadora	Número de ceros en forma usual
10^2	2	100	2
10^4	4	10000	4

2. ¿Cómo se relaciona el número de ceros con el exponente?

3. ¿Por qué la calculadora no despliega 10^{12} como 1,000,000,000,000?

4. ¿Cómo desplegaría una calculadora el número 100,000,000,000,000,000,000?

Aprender | Notación científica

Las arañas aparecieron hace 350,000,000 de años. Puede ser difícil trabajar con números como 350,000,000 por tener tantos ceros. Los científicos emplean la **notación científica** como una manera más fácil de escribir estos números. Un número en notación científica se escribe como el producto de un número mayor o igual a 1 y menor a 10 y una potencia de 10.

3-4 • Notación científica **153**

Vas a aprender...

■ a representar números en notación científica.

...cómo se usa

Los químicos utilizan la notación científica para describir cuántas células se reproducen en un período determinado.

Vocabulario

notación científica

▶ **Enlace con Ciencias**

La aracnofobia es el temor a las arañas.

MEETING INDIVIDUAL NEEDS

Recursos

3-4 Práctica
3-4 Práctica adicional
3-4 Resolución de problemas
3-4 Actividad de enriquecimiento
Tecnología 13

Wide World of Mathematics
Middle School: Hubble Telescope

Resources

3-4 Practice
3-4 Reteaching
3-4 Problem Solving
3-4 Enrichment
3-4 Daily Transparency
   Problem of the Day
   Review
   Quick Quiz
Teaching Tool Transparency 23
Technology Master 13
Wide World of Mathematics
Middle School: Hubble Telescope

Modos de aprendizaje

Social Forme parejas para que los estudiantes con mejor comprensión de la notación científica ayuden a quienes tienen dificultades para manejar el concepto.

Cinestésico Anime a los estudiantes a usar una calculadora científica para convertir números convencionales a notación científica. Si sus calculadoras son diferentes, pídales que muestren a los demás cómo se despliega la misma cantidad en cada calculadora.

Learning Modalities

Social Have students work in pairs to allow students with a better understanding of scientific notation to help students who still are having trouble with the concept.

Kinesthetic Have students use scientific calculators to change various numbers to scientific notation. If students have different models of scientific calculators, have them share how scientific notation is displayed on their particular model of scientific calculator.

Desafío

Haz un mapa del sistema solar y muestra las distancias tanto en forma usual como en notación científica.

Challenge

Make a map of our solar system showing various distances in both standard form and scientific notation.

Lesson Organizer

Objective
■ **Represent numbers in scientific notation.**

Vocabulary
■ **Scientific notation**

Materials
■ **Explore: Scientific calculator**

NCTM Standards
■ **1–4, 6**

▶ **Repaso**

Completa los siguientes ejercicios:

1. $476 \times$ _____ $= 4,760,000$ 10,000

2. _____ $\times 3.25 = 325$ 100

Usa exponentes para escribir las siguientes expresiones:

3. $6 \times 6 \times 6$ 6^3

4. $a \times a \times a \times a \times a$ a^5

Review

Complete the following:

1. $476 \times$ _____ $= 4,760,000$
   10,000

2. _____ $\times 3.25 = 325$ 100

Write using exponents:

3. $6 \times 6 \times 6$ 6^3

4. $a \times a \times a \times a \times a$ a^5

Available on Daily Transparency 3-4

---

1 Introducción

Investigar

Objetivo
Para investigar la notación científica, los estudiantes usan patrones generados por una calculadora con tecla de exponentes.

Evaluación continua
Los estudiantes pueden necesitar ayuda para usar su calculadora y para interpretar lo que aparece en la pantalla. Los distintos tipos de calculadoras expresan la notación científica de maneras diferentes.

Para los grupos que terminen antes
Multiplica 2.3 por potencias de diez del 2 al 5, y anota las respuestas. Describe cualquier patrón que encuentres.

Respuestas de Investigar en la siguiente página.

Introduce

Explore

You may wish to use Teaching Tool Transparency 23: Scientific Calculator

The Point

Students explore scientific notation by studying patterns generated with a calculator's exponent key.

Ongoing Assessment

Students may need assistance in using their calculator and in interpreting the display. Different calculators will express scientific notation in a variety of ways.

For Groups That Finish Early

Multiply 2.3 by powers of ten from 2 to 5, and record the answers. Describe any patterns you notice.

Answers for Explore on next page.

1.

10^6	6	1000000	6
10^8	8	1. 08	8
10^{10}	10	1. 10	10
10^{12}	12	1. 12	12
10^{14}	14	1. 14	14
10^{16}	16	1. 16	16

2. They are the same.

3. The number is too large for the calculator screen.

4. Possible answer: 1. 20

Teach

Learn

Alternate Examples

1. Write 4.217×10^6 in standard form.

   The exponent is 6. The decimal in the decimal number must be moved 6 places to the right. $4.217 \times 10^6 = 4{,}217{,}000$

2. Write 53,000,000 in scientific notation.

   $53{,}000{,}000 = 5.3 \times ?$

   The first factor must be a number with one digit to the left of the decimal. For 53,000,000, the first factor is 5.3

   The second factor is a power of 10. The exponent equals the number of places the decimal point moves to the left. For 53,000,000, it moves 7 places. The power of 10 is 10^7. $53{,}000{,}000 = 5.3 \times 10^7$.

Practice and Assess

Check

Answers for Check Your Understanding

1. Yes; $10 \times 10 \times 10 = 1000$

2. Advantages: Shorter, easier to use with big numbers; Disadvantage: It is more difficult to understand the value of the number.

Respuestas de Investigar

1.

10^6	6	1000000	6
10^8	8	1. 08	8
10^{10}	10	1. 10	10
10^{12}	12	1. 12	12
10^{14}	14	1. 14	14
10^{16}	16	1. 16	16

2. Son iguales.

3. El número es demasiado grande para caber en la pantalla de la calculadora.

4. Respuesta posible: 1. 20

2 Enseñanza

Aprender

Ejemplos adicionales

1. Escribe en forma usual 4.217×10^6.

   El exponente es 6. El punto decimal en el número debe recorrerse 6 posiciones a la derecha. $4.217 \times 10^6 = 4{,}217{,}000$

2. Escribe en notación científica 53,000,000.

   $53{,}000{,}000 = 5.3 \times ?$

   El primer factor debe ser un número con un dígito a la izquierda del punto decimal. En 53,000,000 el primer factor es 5.3.

   El segundo factor es una potencia de 10. El exponente es igual al número de posiciones que el punto decimal se recorrió a la izquierda. En 53,000,000 se recorre 7 lugares. La potencia de 10 es 10^7. $53{,}000{,}000 = 5.3 \times 10^7$.

3 Práctica y evaluación

Comprobar

Respuestas de Comprobar tu comprensión

1. Sí; $10 \times 10 \times 10 = 1000$

2. Ventajas: Más corta, más sencilla de usar con números grandes; Desventajas: El valor del número es más difícil de comprender.

Para convertir un número en notación científica a la forma usual, mueve el punto decimal a la derecha tantas posiciones como la potencia a la que está elevado el número.

Notación científica — Forma usual

$3.5 \times 10^8 = 350{,}000{,}000$ ← 3.5 con punto decimal movido 8 posiciones a la derecha.

Para convertir un número en forma usual a notación científica, escribe el número como el producto de dos factores.

- El primer factor es un número mayor o igual a 1 y menor a 10.
- El segundo factor es una potencia de 10 en forma exponencial.

Forma usual — Notación científica

$26{,}800 = 2.68 \times 10^4$

número con un dígito antes del punto decimal ↑   ↑ potencia de 10 en forma exponencial

Ejemplos

1 Escribe 5.133×10^7 en forma usual.

El exponente es 7. El punto decimal en el número debe moverse 7 posiciones a la derecha. $5.133 \times 10^7 = 51{,}330{,}000$

2 Escribe 437,000,000 en notación científica.

$437{,}000{,}000 = 4.37 \times ?$ Escribe el factor decimal.

El primer factor debe ser un número con un dígito a la izquierda del punto decimal. Para 437,000,000, el primer factor es 4.37.

El segundo factor es una potencia de 10. El exponente es igual al número de posiciones que se mueve el punto decimal hacia la izquierda. Para 437,000,000 se mueve 8 posiciones. La potencia de 10 es 10^8. $437{,}000{,}000 = 4.37 \times 10^8$

Haz la prueba

Escribe las expresiones en forma usual.   a. 3×10^4 30,000   b. 9.062×10^{10} 90,620,000,000

Escribe las cifras en notación científica.   c. 52,000 5.2×10^4 d. 1,740,000,000 1.74×10^9

La mayoría de las calculadoras muestra la notación científica con una E (para el exponente) en lugar de una potencia de 10. Por ejemplo, 7.55 E 14 tiene el mismo significado que 7.55×10^{14}, o 755,000,000,000,000.

PISTA

Muchas calculadoras tienen la tecla "EE" que permite poner números en notación científica. Introduce el primer factor, después presiona [EE] y luego el exponente. Por ejemplo, 3.2×10^5 sería

[3] [.] [2] [EE] [5].

154   Capítulo 3 • Decimales

MATH EVERY DAY

► Problema del día

Norm estudia 1 minuto más cada noche. Después de 6 noches, Norm ha estudiado 315 minutos. ¿Cuántos minutos estudió la primera noche? 50 minutos

Problem of the Day

Norm increases his study time by 1 minute each night. At the end of 6 nights, he has studied a total of 315 minutes. How many minutes did he study the first night? 50 minutes

Available on Daily Transparency 3-4

An Extension is provided in the transparency package.

Dato del día

Plutón, el planeta más distante del sistema solar, está a como 5.9×10^9 ó 5,900,000,000 km del Sol.

Fact of the Day

Pluto, the outermost planet, is 5.9×10^9 or 5,900,000,000 kilometers from the sun.

Estimation

Estimate.

1. $\frac{1}{2}$ of 49   25

2. $\frac{1}{3}$ of 16   5

3. $\frac{1}{4}$ of 78   20

4. $\frac{1}{5}$ of 99   20

Cálculo aproximado

Haz un cálculo aproximado.

1. $\frac{1}{2}$ de 49   25

2. $\frac{1}{3}$ de 16   5

3. $\frac{1}{4}$ de 78   20

4. $\frac{1}{5}$ de 99   20

Comprobar Tu comprensión

1. ¿Es 10^3 igual a 1000? Explica por qué.

2. ¿Qué ventajas tiene la notación científica sobre la notación usual? ¿Cuáles son las desventajas?

3-4 Ejercicios y aplicaciones

Práctica y aplicación

1. **Para empezar** Escribe el exponente que falta.

     a. $47,000 = 4.7 \times 10\,?$ 4   **b.** $800,000 = 8 \times 10\,?$ 5   **c.** $5380 = 5.38 \times 10\,?$ 3

Escribe cada número en forma usual.

   2. 8.3×10^3 8300   3. 7.5×10^4 75,000   4. 6.7×10^6 6,700,000   5. 2×10^5 200,000

   6. 6.89×10^4 68,900   7. 8.89×10^6 8,890,000   8. 2.3×10^2 230   9. 2.459×10^{12} 2,459,000,000,000

   10. 1.02×10^2 11. 4.456×10^{11} 12. 2.405×10^{14} 13. 6.9×10^9

   14. 7×10^{12} 15. 3.7×10^5 16. 2.33×10^4 17. 5.7×10^7

18. **Ciencias** Una persona adulta tiene 5×10^{13} células. Escribe este número en forma usual. 50,000,000,000,000

19. **Ciencias** Los científicos creen que puede haber 3.5×10^4 especies de arañas. Escribe este número en forma usual. 35,000

20. **Ciencias** Las arañas hembras grandes pueden poner 2×10^3 huevos a la vez. Escribe este número en forma usual. 2000

Escribe cada número en notación científica.

   21. 5,000 5×10^3 22. 3,200 3.2×10^3 23. 160,000 1.6×10^5 24. 4,700,000 4.7×10^6

   25. 7,900,000,000 7.9×10^9 26. 99,000,000,000 9.9×10^{10} 27. 51 millones 5.1×10^7 28. 3 mil millones 3×10^9

   29. 6 billones 6×10^{12} 30. 47,000 4.7×10^4 31. 500 5×10^2 32. 32,000,000 3.2×10^7

33. **Ciencias** En algunas especies, las arañas recién nacidas viajan a otras áreas utilizando sus telarañas como paracaídas. Los marineros que se encuentran a más de 12,000,000 de pies mar adentro han visto estas arañas "voladoras". Escribe el número en notación científica. 1.2×10^7

PRACTICAR 3-4

Assignment Guide

■ Basic 1–12, 18–28, 35–37, 40–46 evens

■ Average 1–18, 20–29, 35–40, 41–45 odds

■ Enriched 1–35 odds, 37–46

Notas sobre los ejercicios

■ **Ejercicios 22–26**

Prevención de errores Los estudiantes pueden suponer que en notación científica la potencia de 10 se relaciona con el número de ceros de la cifra. Subraye que la potencia de diez se relaciona más bien con el número de posiciones que se recorrerá el punto decimal.

Respuestas de Ejercicios

10. 102

11. 445,600,000,000

12. 240,500,000,000,000

13. 6,900,000,000

14. 7,000,000,000,000

15. 370,000

16. 23,300

17. 57,000,000

Exercise Notes

■ **Exercises 22–26**

Error Prevention Students may assume that the power of 10 for scientific notation matches the number of zeros in the numeral. Stress that the power of ten matches the number of places that the decimal point will move.

Exercise Answers

10. 102

11. 445,600,000,000

12. 240,500,000,000,000

13. 6,900,000,000

14. 7,000,000,000,000

15. 370,000

16. 23,300

17. 57,000,000

PRACTICE

Nombre _____

Práctica 3-4

Notación científica

Para los ejercicios 1–13 escribe el número en forma usual.

  1. 2.87×10^2 287   2. 3.982×10^4 39,820   3. 5.843×10^5 584,300   4. 8.95×10^3 8,950

  5. 5.47×10^6 5,470,000   6. 4.638×10^4 46,380   7. 7.140×10^3 7,140   8. 1.457×10^5 145,700

  9. 8.292×10^7 82,920,000   10. 1.419×10^9 1,419,000,000   11. 9.47×10^5 947,000

  12. 4.5185×10^{11} 451,850,000,000   13. 6.09577×10^{13} 60,957,700,000,000

14. **Geografía** El área de Arabia Saudita es alrededor de 7.57×10^5 millas cuadradas. Escribe este número en forma usual. 757,000

En los ejercicios 15–29 escribe el número en notación científica.

  15. 38,700 3.87×10^4 16. 16 mil millones 1.6×10^{10} 17. 8 millones 8×10^6

  18. 6,540 6.54×10^3 19. 60,000 6×10^4 20. 43,950 4.395×10^4

  21. 85 billones 8.5×10^{13} 22. 682,300 6.823×10^5 23. 2,137,000 2.137×10^6

  24. 238,000,000 2.38×10^8 25. 560,000,000 5.6×10^8 26. 341,700,000 3.417×10^8

  27. 4,382,000,000,000 4.382×10^{12} 28. 5,863,000,000,000 5.863×10^{12} 29. 493,000,000,000 4.93×10^{11}

30. **Astronomía** El Sol está aproximadamente a 149,597,900 km de la Tierra. Escribe este número en notación científica. 1.495979×10^8

RETEACHING

Nombre _____

Práctica adicional 3-4

Notación científica

La **notación científica** es una forma muy fácil de escribir números demasiado grandes y demasiado pequeños. Un número en notación científica se escribe como el producto de un número entre 1 y 10 y una potencia de 10. Escribe la potencia de 10 con exponentes, 10 es la base y el exponente es el número de veces que 10 es factor.

— Ejemplo 1 —

Escribe 4.2×10^7 en forma usual.

La potencia de 10 indica cuántas posiciones debe moverse el punto decimal. Mueve el punto decimal a la derecha 7 posiciones. $4.2 \times 10^7 = 42,000,000$ 7 posiciones

Por tanto, $4.2 \times 10^7 = 42,000,000$.

Haz la prueba Escribe 6.12×10^9 en forma usual.

   a. ¿Cuántas posiciones a la *derecha* se moverá el punto decimal?   9 posiciones.

   b. $6.12 \times 10^9 =$ 6,120,000,000

Escribe cada número en forma usual.

   c. 5.6×10^7 56,000,000   **d.** 1.82×10^6 1,820,000

— Ejemplo 2 —

Escribe 7,089,000 en notación científica.

Escribe 7,089,000 como un producto de dos números. El primer factor es un número decimal con un dígito antes del punto. Para escribir este número, mueve el punto decimal a la izquierda 6 posiciones.   7,089,000   6 posiciones

El segundo factor es una potencia de 10. El exponente es el número de posiciones que se movió el punto decimal. 10^6

Por tanto, $7,089,000 = 7.089 \times 10^6$.

Haz la prueba Escribe 908,000 en notación científica.

   e. ¿Cuántas posiciones a la *izquierda* se moverá el punto decimal?   5 posiciones.

   f. ¿Cuál es el primer factor?   9.08   **g.** ¿Y cuál el segundo? 10^5

   h. $908,000 =$ 9.08×10^5

Escribe cada número en notación científica.

   i. 423,000,000 4.23×10^8 **j.** 50,600,000 5.06×10^7

   k. 120,000, 1.2×10^5 **l.** 90,060,000,000 9.006×10^{10}

Práctica adicional

Actividad

Materiales: Calculadora

• Multiplica 7.3 por 10, después oprime $=$ para obtener 73.

• Para seguir multiplicando por 10, oprime el signo $=$ diez veces y apunta los resultados. A continuación se muestran las primeras tres hileras:

   7.3 $\times$ 10 $=$ 73

   $7.3 \times 10^1 = 73$

   7.3 $\times$ 10 $\times$ 10 $=$ 730

   $7.3 \times 10^2 = 730$

   7.3 $\times$ 10 $\times$ 10 $\times$ 10 $=$ 7300

   $7.3 \times 10^3 = 7300$

• Comenta los patrones que observas cuando multiplicas por potencias de 10. Se agregan ceros y el punto decimal se mueve hacia la derecha el mismo número de posiciones que la potencia de 10 usada.

Reteaching

Activity

Materials: Calculator

• Multiply 7.3 by 10, then press $=$ to get 73 as the result.

• Continue to multiply by 10 by pressing the $=$ sign 10 times and record the results. The first three rows follow:

   7.3 $\times$ 10 $=$ 73

   $7.3 \times 10^1 = 73$

   7.3 $\times$ 10 $\times$ 10 $=$ 730

   $7.3 \times 10^2 = 730$

   7.3 $\times$ 10 $\times$ 10 $\times$ 10 $=$ 7300

   $7.3 \times 10^3 = 7300$

• Discuss the patterns that you see when you multiply by powers of 10. You must annex zeros and the decimal point moves to the right the same number of places as the power of 10.

Exercise Notes

■ Exercise 34

Social Science In 1995, the worldwide life expectancy at birth for males was 61 years and for females was 64 years.

Exercise Answers

37. The first factor must be a number greater than or equal to 1 and less than 10.

38. Since there is one non-zero digit to the immediate right of the 4, it's one less than the exponent.

Alternate Assessment

You may want to use the *Interactive CD-ROM Journal* with this assessment.

Journal Make an entry in your journal explaining why the decimal point moves when converting numbers from standard form to scientific notation, and vice versa.

Quick Quiz

Write in standard form.

1. 6.8×10^4 68,000

2. 2.073×10^9 2,073,000,000

Write in scientific notation.

3. 450,000 4.5×10^5

4. 603,800,000 6.038×10^8

Available on Daily Transparency 3-4

Notas sobre los ejercicios

■ Ejercicio 34

Ciencias sociales En 1995 la expectativa de vida para los hombres era de 61 años y para las mujeres de 64.

Respuestas de Ejercicios

37. El primer factor debe ser un número mayor o igual a 1, pero menor que 10.

38. Puesto que hay un dígito diferente de cero inmediatamente a la derecha del 4, éste es uno menos que el exponente.

Evaluación adicional

Tal vez quiera usar el *Diario interactivo CD-ROM* con esta evaluación.

En tu diario Explica por qué el punto decimal se mueve cuando se convierten números de forma usual a notación científica y viceversa.

▶ Prube rápida

Escribe en forma usual los siguientes números.

1. 6.8×10^4 68,000

2. 2.073×10^9 2,073,000,000

Escribe en notación científica los siguientes números.

3. 450,000 4.5×10^5

4. 603,800,000 6.038×10^8

---

34. **Ciencias sociales** De acuerdo con el *Almanaque Mundial*, había 5.7 mil millones de personas en la Tierra en 1995. Escribe este número en notación científica. 5.7×10^9

35. **Para la prueba** Escoge la notación científica correcta para 58,000,000. D

Ⓐ 5.8×10^5 Ⓑ 58×10^5 Ⓒ 5.8×10^6 Ⓓ 5.8×10^7

36. **Ciencias** Completa la siguiente tabla.

Planeta	km al Sol en notación científica	km al Sol en forma usual	km al Sol en forma numérica-verbal
Mercurio	5.8×10^7	58,000,000	58 millones
Venus	1.1×10^8	110,000,000	110 millones
Tierra	1.5×10^8	150,000,000	150 millones
Marte	2.3×10^8	230,000,000	230 millones

Resolución de problemas y razonamiento

37. **Comunicación** Explica por qué la notación científica correcta para 361,000 es 3.61×10^5 y no 361×10^3.

38. ¿Cómo se relaciona el número de ceros de 45,000,000,000 con el exponente de 4.5×10^{10}?

39. **Razonamiento crítico** ¿Cuál sería la forma usual de 3.65×10^0? Justifica tu respuesta. $3.65; 10^0 = 1$

40. **Escoge una estrategia** En 1993, la Oficina Postal de Estados Unidos imprimió un gran número de estampillas de Elvis Presley. En notación científica, el exponente es 8. El factor decimal tiene tres dígitos, todos nones. Es mayor que 5.13, menor que 5.19 y todos los dígitos son diferentes. ¿Cuántas estampillas de Elvis Presley se imprimieron en 1993? 5.17×10^8

Resolución de problemas

ESTRATEGIAS

• Busca un patrón
• Organiza la información en una lista
• Haz una tabla
• Prueba y comprueba
• Empieza por el final
• Usa el razonamiento lógico
• Haz un diagrama
• Simplifica el problema

Repaso mixto

Halla la mediana y la moda de los siguientes datos. *[Lección 1-7]*
mediana: 7; modas: 5, 7, 8

41. Número de minutos empleados para lavarse los dientes: 5, 7, 5, 3, 12, 8, 6, 8, 10, 11, 7

42. Número de estudiantes zurdos en cada clase: 3, 0, 2, 1, 1, 0, 2, 2, 0, 2
mediana: 1.5; moda: 2

Resuelve las siguientes ecuaciones. *[Lección 2-13]*

43. $5h = 50$ 10 44. $m - 13 = 20$ 33 45. $20 + k = 32$ 12 46. $\frac{36}{b} = 6$ 6

Elvis Presley
Graceland Mansion
3764 Elvis Presley Blvd.
Memphis, TN 38116

RESOLVER PROBLEMAS 3-4

▷ PROBLEM SOLVING

Nombre _____

Resolución guiada de problemas 3-4

RGP **PROBLEMA 40, PÁGINA 156 DEL ESTUDIANTE**

En 1993, la Oficina Postal de Estados Unidos imprimió un gran número de estampillas de Elvis Presley. En notación científica, el exponente es 8. El factor decimal tiene tres dígitos, todos nones. Es mayor que 5.13, menor que 5.19 y todos los dígitos son diferentes. ¿Cuántas estampillas de Elvis Presley se imprimieron en 1993?

— Comprende —

1. ¿Qué se te pide que halles? Cuántas estampillas de Elvis se emitieron en 1993.

2. ¿Cómo se debe escribir el número de estampillas? b
   a. En forma usual   b. En notación científica

— Plan —

3. Escribe el número de estampillas en potencias de 10. 10^8

4. Los dígitos del factor decimal son impares.
   ¿Cuáles dígitos podrían incluirse en el factor decimal? 1, 3, 5, 7, 9

5. El factor decimal está entre 5.13 y 5.19. ¿Cuál dígito está
   a. en la posición de las unidades? 5   b. en la posición de los décimos? 1
   c. Puesto que ningún dígito puede repetirse en la respuesta, ¿cuál dígito puede usarse en la posición de los centésimos? 7

— Resuelve —

6. Combina la información que hallaste en los puntos 4 y 5 para escribir un enunciado que exprese cuántas estampillas con la efigie de Elvis se emitieron en 1993.
   Se emitieron 5.17×10^8 estampillas de Elvis en 1993.

— Revisa —

7. ¿Cuál estrategia utilizaste para hallar tu respuesta? El razonamiento lógico.

RESUELVE OTRO PROBLEMA

Un número en notación científica tiene sólo dígitos que son múltiplos de 3, excepto para la base de 10 en la potencia de diez. Cada dígito se usa sólo una vez y el número es el más grande posible. ¿Cuál es el número?
6.3×10^9

▷ ENRICHMENT

Nombre _____

Actividad de enriquecimiento 3-4

Tomar decisiones

Cuando haces una compra, con frecuencia tienes que decidir entre darle al empleado el importe exacto o recibir cambio.

1. Un cajero sólo tiene billetes de un dólar, monedas de veinticinco y de diez centavos. Haz una lista de todas las formas en las que puedes recibir $2.50 en cambio.

$1.00	$0.25	$0.10	$1.00	$0.25	$0.10	$1.00	$0.25	$0.10
2	2	0	1	2	10	0	8	5
2	0	5	1	0	15	0	4	15
1	6	0	0	10	0	0	0	25
1	4	5	0	2	20			

2. ¿Cuál de las combinaciones de la pregunta 1 te dará el menor número de monedas? ¿Cuál te dará el mayor número de monedas?
   2 billetes de un dólar y 2 monedas de veinticinco centavos;
   25 monedas de diez centavos.

3. Si tuvieras que elegir, ¿por qué querrías que te devolvieran la mayor cantidad posible de monedas como parte de tu cambio?
   Respuesta posible: Se puede necesitar el cambio para las máquinas de monedas,
   para pagar el autobús o para los juegos de video.

4. Si tuvieras que elegir, ¿por qué pagarías una compra con el cambio exacto?
   Respuesta posible: No se quiere llevar monedas
   en el bolsillo.

5. Si fueras a recibir cambio de un billete de diez dólares, ¿cuál sería la mejor combinación de billetes y monedas para ti? Explica por qué.
   Respuesta posible: Un billete de cinco dólares, cuatro billetes de un dólar y
   cuatro monedas de veinticinco centavos para tener cambio para comprar
   juego de las máquinas de monedas y pagarle a un amigo.

En esta sección has aprendido a utilizar los decimales para escribir números entre dos números cabales, así como números en notación científica. Ahora usarás estos conocimientos para desarrollar un plan para una exhibición de arañas.

Cuesta una pata y una pata… y una pata… y otra pata…

El zoológico local organiza una nueva exhibición de arañas. El veterinario del zoológico quiere que le ayudes a organizar una exhibición de tejedoras de órbita. La mayoría de estas arañas teje telarañas en forma de espiral en líneas de soporte que se alargan desde el centro. La tabla presenta una lista con información de seis tipos de tejedoras de órbita, originarias de América del Norte.

Nombre de la araña	Hábitat	Longitud del cuerpo de los machos (cm)	Longitud del cuerpo de las hembras (cm)
Araña de establo	Establos, cuevas y minas	3.81	4.445
Araña trébol	Praderas y bosques	1.17	3.556
Araña de jardín	Jardines	2.413	3.175
Tejedora de órbita marmórea	Praderas y arbustos	2.405	3.558
Araña de seda dorada	Bosques sombreados y pantanos	1.016	5.969
Argiope plateada	Campos y jardines	1.143	3.56

1. Ordena las arañas por a) longitud del macho y b) longitud de la hembra.

2. Escoge una araña. Si los machos se formaran uno tras otro, ¿cuánto ocuparían de un metro? ¿Y cuánto ocuparían las hembras? Explica cómo hiciste este cálculo aproximado.

3. El veterinario espera que 4.5×10^4 personas visiten la exhibición durante el primer año. El aracnólogo del equipo espera a 2.3×10^5 personas. ¿Quién espera más personas? Explica tu respuesta.

157

Cuesta una pata y una pata… y una pata… y otra pata...

Objetivo
En *Cuesta una pata y una pata… y una pata… y otra pata...*, de la página 137, los estudiantes aprendieron algunas cosas de las arañas. Ahora van a comparar y ordenar las longitudes de las arañas.

Acerca de esta página

- Recuerde a los estudiantes que el punto decimal separa la parte entera de la parte decimal, y que ésta representa valores entre 0 y 1.

- Recuérdeles también que comparen el valor posicional de cada dígito en el número decimal cuando ordenen las arañas por longitud.

- Compruebe que los estudiantes sepan a cuántos centímetros equivale un metro.

Evaluación continua
Compruebe que los estudiantes hayan ordenado los números en forma correcta en la pregunta 1.

Ampliación

Pida a los estudiantes que revisen la exactitud de sus cálculos aproximados en la pregunta 2. Forme parejas de estudiantes e indíqueles que:

- escojan una araña de la lista.

- redondeen su longitud al décimo más cercano.

- midan y recorten cuidadosamente un pedazo de papel del tamaño de su araña.

- usen este papel como unidad de medida en una regla de un metro para determinar cuántas arañas de esa variedad pueden acomodarse en la regla.

Anime a cada pareja a compartir sus resultados con la clase.

It Costs an Arm and a Leg … and a Leg … and a Leg …

The Point

In It Costs an Arm and a Leg … and a Leg … and a Leg … on page 137, students learned about spiders. Now they will compare and order the lengths of spiders.

About the Page

- Remind students that the decimal point separates the whole number from the decimal part of the number which represents values between 0 and 1.

- Remind students to compare the place value of each digit in the decimal number when they are ordering the spiders by length.

- Check that students know how many centimeters equal one meter.

Ongoing Assessment

Check that students have ordered the numbers correctly in Question 1.

Extension

Ask students to check the accuracy of their estimates in Question 2. Have pairs of students

- select one spider on the list.

- round its length to the nearest tenth.

- carefully measure and cut a piece of paper the length of their spider.

- use that paper as the unit of measure on a meter stick to determine how many spiders of that variety will fit on the meter stick.

Have each pair of students report their results to the class.

Respuestas de Asociación

1. a. De la más pequeña a la más grande: Seda dorada, argiope plateada, trébol, tejedora de órbita marmórea, de jardín o de establo.

   b. De la más pequeña a la más grande: Jardín, trébol, tejedora de órbita marmórea, argiope plateada, de establo, seda dorada.

2. Respuestas posibles: Araña de establo: 25 machos, 25 hembras; Mediante el redondeo.

3. El aracnólogo; $4.5 \times 10^4 = 45,000$; $2.3 \times 10^5 = 230,000$.

Answers for Connect

1. a. From shortest to longest: Golden-silk, silver argiope, shamrock, marbled orb weaver, garden, barn.

   b. From shortest to longest: Garden, shamrock, marbled orb weaver, silver argiope, barn, golden-silk.

2. Possible answers: Barn spider: 25 males, 25 females; Used rounding.

3. Arachnologist; $4.5 \times 10^4 = 45,000$; $2.3 \times 10^5 = 230,000$.

Review Correlation

Item(s)	Lesson(s)
1–4	3-1
5–12	3-2
13–26	3-4
27	3-2

Test Prep

Test-Taking Tip

Tell students to read the entire multiple-choice question carefully before answering. This question gives information that is very helpful in selecting the correct answer.

Answers for Review

13. a. KB: 1000; MB: 1,000,000; GB: 1,000,000,000

    b. 2.4×10^9

Correlación de repaso

Punto(s)	Lección(es)
1–4	3-1
5–12	3-2
13–26	3-4
27	3-2

Para la prueba

Sugerencia para la prueba

Pida a los estudiantes que lean con cuidado la pregunta de elección múltiple antes de responderla. Esta pregunta ofrece información útil para escoger la respuesta correcta.

Respuestas de Repaso

13. a. KB: 1000; MB: 1,000,000; GB: 1,000,000,000

    b. 2.4×10^9

Sección 3A • Repaso

REPASO 3A

Escribe cada cantidad como un decimal.

1. $\frac{7}{10}$ 0.7   2. $\frac{49}{100}$ 0.49   3. veintiséis y cinco décimos 26.5   4. sesenta y tres centésimos 0.63

Medición Mide cada longitud al décimo de centímetro más cercano.

5. 1.7 cm   6. 4.3 cm

Redondea al valor posicional subrayado.

7. 0.1̲4 0.1   8. 0.35̲1 0.35   9. 2.41̲7 2.42   10. 0.081̲3 0.081   11. 6.9̲68 7.0   12. 1.982̲7 1.983

13. **Tecnología** La memoria de las computadoras se mide en bytes. Las tres medidas usuales son kilobytes (KB: 10^3 bytes), megabytes (MB: 10^6 bytes) y gigabytes (GB: 10^9 bytes).

    a. Escribe cada medida de bytes en forma usual.

    b. La computadora Cray tiene 2.4 gigabytes de memoria. Escribe el número en notación científica.

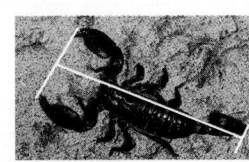

Computadora Cray

Escribe cada número en forma usual.

14. 7×10^3 7000   15. 1.2×10^8 120,000,000   16. 2.92×10^5 292,000   17. 5.6×10^5 560,000   18. 1×10^{11} 100,000,000,000

Escribe cada número en notación científica.

19. 45 mil millones 4.5×10^{10} 20. 480,000 4.8×10^5 21. 6,780,000 6.78×10^6 22. 63 billones 6.3×10^{13}
23. 60,000,000 6×10^7 24. 320,000 3.2×10^5 25. 56,900 5.69×10^4 26. 41 mil 4.1×10^4

Para la prueba

Recuerda que en notación científica un número con exponente grande es mayor que uno con exponente pequeño.

27. ¿Cuál de los siguientes enunciados es verdadero? A

    Ⓐ $3.4 \times 10^5 > 4.7 \times 10^3$ Ⓑ $3.4 \times 10^5 = 4.7 \times 10^3$ Ⓒ $3.4 \times 10^5 < 4.7 \times 10^3$

158 *Capítulo 3 • Decimales*

Resources

Practice Masters
    Section 3A Review

Assessment Sourcebook
    Quiz 3A

TestWorks
Test and Practice Software

PRACTICE

Nombre _____   Práctica

Sección 3A • Repaso

Escribe cada número como un decimal.

1. $\frac{27}{100}$ 0.27   2. $\frac{63}{1000}$ 0.063   3. ocho y siete décimos 8.7

Mide cada objeto al centímetro más cercano.

4. 3 cm   5. 5 cm

Redondea al valor posicional subrayado.

6. 3.8̲75 3.88   7. 6̲.241 6   8. 9.31̲6 9.32   9. 2.1̲49 2.1

10. **Salud** Una persona normal produce suficiente saliva en su vida como para llenar una alberca: alrededor de 1.2×10^6 oz fl. Escribe este número en forma usual. 1,200,000 oz fl.

Escribe los números en forma usual.

11. 3.89×10^4 38,900   12. 7.13×10^2 713   13. 8.3×10^5 830,000

Escribe cada número en notación científica.

14. 7 mil millones 7×10^9 15. 6,510,000 6.51×10^6

16. **Ciencias** El diagrama de puntos muestra la duración (en días) de cada misión en transbordador espacial comandada por cualquier país de 1988 a 1990. *[Lección 1-9]*

    a. Halla la media, mediana y moda(s) de los datos.
       media 13.89   mediana 6   moda(s) 4 y 6

    b. ¿Afectó el valor extremo a la media? Sí

17. Lance gana $80 al día en su trabajo. Si trabajó 200 días el año pasado, ¿cuánto ganó? *[Lección 2-5]* $16,000

Section 3B

Adding and Subtracting with Decimals

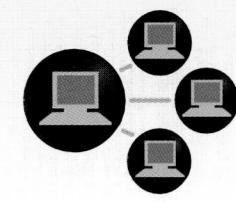

Visit **www.teacher.mathsurf.com** for links to lesson plans from teachers and other professionals, NCTM information, and other sites.

LESSON PLANNING GUIDE

▶ **Student Edition**

▶ **Ancillaries***

LESSON	MATERIALS	VOCABULARY	DAILY	OTHER
Section 3B Opener				
3-5 Estimating with Decimals			3-5	Ch. 3 Project Master
3-6 Adding and Subtracting Decimal Numbers	10 x 10 grids, colored pencils		3-6	Teaching Tool Trans. 11
3-7 Solving Decimal Equations: Addition and Subtraction			3-7	Teaching Tool Trans. 2, 3 Technology Master 14
Connect				Interdisc. Team Teaching 3B
Review				Practice 3B; Quiz 3B; *TestWorks*

* Daily Ancillaries include Practice, Reteaching, Problem Solving, Enrichment, and Daily Transparency. Teaching Tool Transparencies are in *Teacher's Toolkits*. Lesson Enhancement Transparencies are in *Overhead Transparency Package*.

SKILLS TRACE

LESSON	SKILL	FIRST INTRODUCED			DEVELOP	PRACTICE/ APPLY	REVIEW
		GR. 4	GR. 5	GR. 6			
3-5	Estimating with decimals.	✗			pp. 160–161	pp. 162–163	pp. 174, 184, 203, 232
3-6	Adding and subtracting decimals.	✗			pp. 164–166	pp. 167–168	pp. 174, 189, 203, 236
3-7	Solving decimal equations using addition and subtraction.			✗ p. 169	pp. 169–170	pp. 171–172	pp. 174, 194, 203, 258

CONNECTED MATHEMATICS

Investigation 6 in the unit *Bits and Pieces II (Using Rational Numbers)*, from the **Connected Mathematics** series, can be used with Section 3B.

Math and Social Studies

(Worksheet pages 15–16: Teacher pages T15–T16)

In this lesson, students add and subtract decimals to compare past and present food prices.

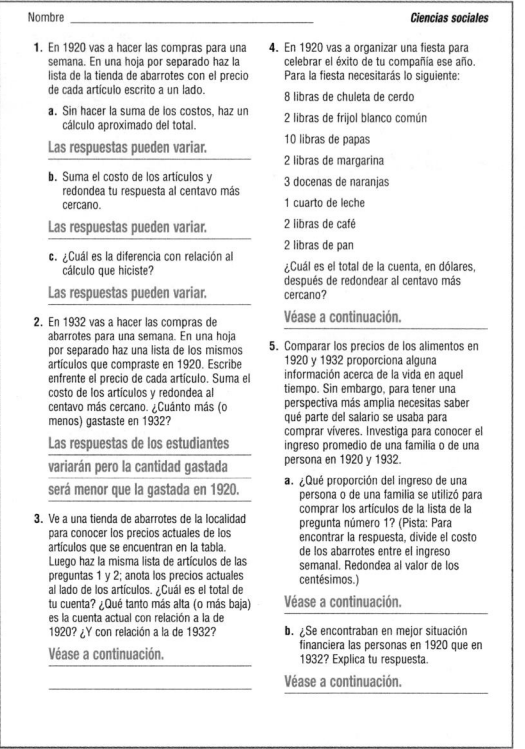

Respuestas adicionales

3. Los totales variarán pero serán mayores para 1920 que para 1932. Revise que los estudiantes hayan proporcionado una lista completa de los artículos en la tabla con los precios actuales; una lista de abarrotes que es igual a la lista para las preguntas 1 y 2; un total para la cuenta actual de abarrotes; y la diferencia entre el total actual y los totales de 1920 y 1932.

4. 42.3 + 42.3 + 42.3 + 42.3 + 42.3 + 42.3 + 42.3 + 42.3 + 11.4 + 11.4 + 63.0 + 42.3 + 42.3 + 63.2 + 63.2 + 63.2 + 16.7 + 47.0 + 47.0 + 11.5 + 11.5 = 832.1 ÷ 100 = \$8.32

5. a. La respuesta serán dos decimales que puedan compararse.

   b. Mejor en 1920, porque una proporción menor del ingreso se gastaba en comprar víveres.

BIBLIOGRAPHY

FOR TEACHERS

Burril, Gail and John C. *Data Analysis and Statistics Across the Curriculum*. Reston, VA: NCTM, 1992.

Cassutt, Michael. *Who's Who in Space*. New York, NY: Macmillan, 1993.

Shaw, Jean. *From the File Treasury*. Reston, VA: NCTM, 1991.

Spangler, David. *Math for Real Kids*. Glenview, IL: Good Year Books, 1997.

FOR STUDENTS

The World Almanac and Book of Facts. Mahwah, NJ: Funk & Wagnalls, 1996.

SECCIÓN 3B — Suma y resta con decimales

▶ Enlace con Geografía ▶ Enlace con Consumo ▶  www.mathsurf.com/6/ch3/currency

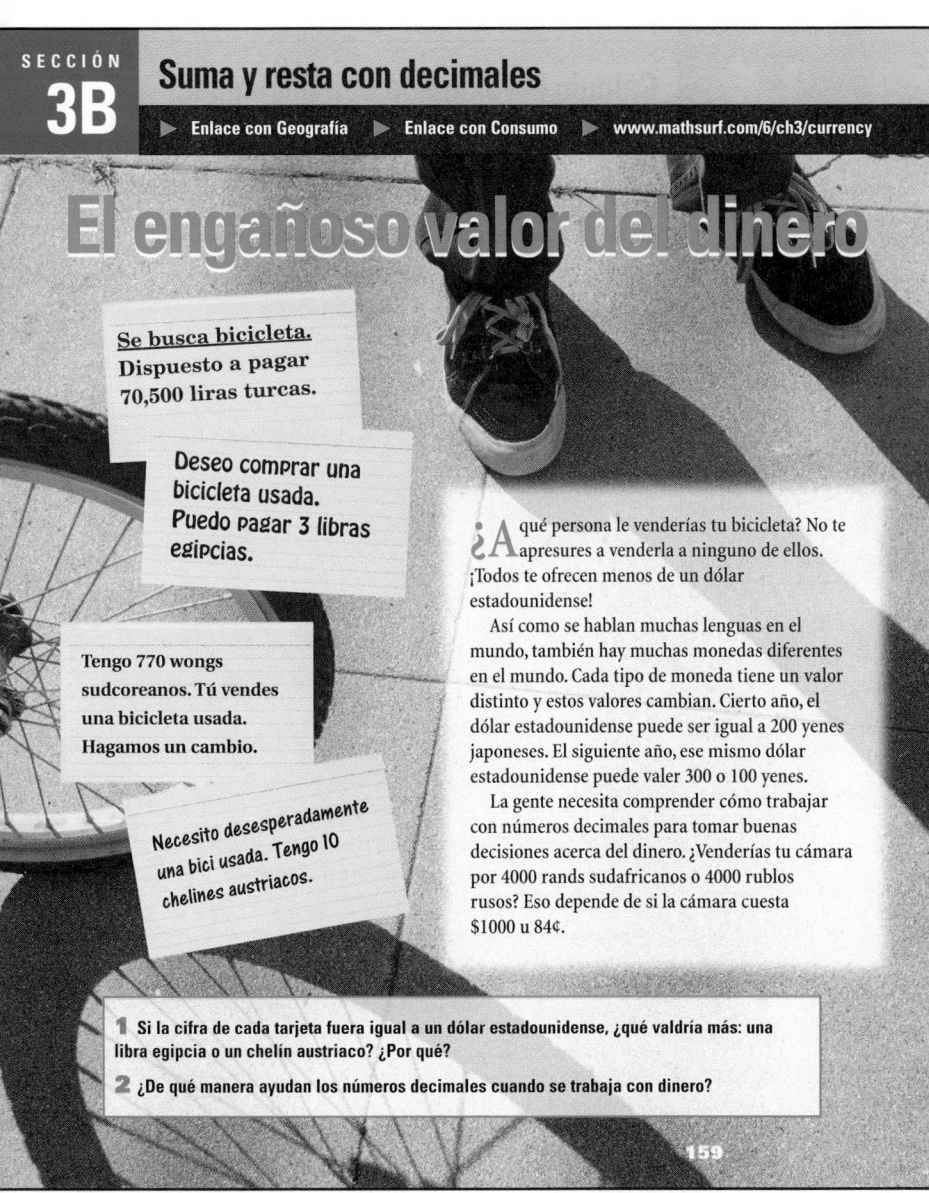

El engañoso valor del dinero

Se busca bicicleta. Dispuesto a pagar 70,500 liras turcas.

Deseo comprar una bicicleta usada. Puedo pagar 3 libras egipcias.

Tengo 770 wongs sudcoreanos. Tú vendes una bicicleta usada. Hagamos un cambio.

Necesito desesperadamente una bici usada. Tengo 10 chelines austriacos.

¿A qué persona le venderías tu bicicleta? No te apresures a venderla a ninguno de ellos. ¡Todos te ofrecen menos de un dólar estadounidense!

Así como se hablan muchas lenguas en el mundo, también hay muchas monedas diferentes en el mundo. Cada tipo de moneda tiene un valor distinto y estos valores cambian. Cierto año, el dólar estadounidense puede ser igual a 200 yenes japoneses. El siguiente año, ese mismo dólar estadounidense puede valer 300 o 100 yenes.

La gente necesita comprender cómo trabajar con números decimales para tomar buenas decisiones acerca del dinero. ¿Venderías tu cámara por 4000 rands sudafricanos o 4000 rublos rusos? Eso depende de si la cámara cuesta $1000 u 84¢.

1 Si la cifra de cada tarjeta fuera igual a un dólar estadounidense, ¿qué valdría más: una libra egipcia o un chelín austriaco? ¿Por qué?

2 ¿De qué manera ayudan los números decimales cuando se trabaja con dinero?

159

Where are we now?

In Section 3A, students learned to

- name and write numbers between 0 and 1.
- round decimals.
- measure with a metric ruler.
- compare and order decimals.
- write numbers in scientific notation.

Where are we going?

In Section 3B, students will

- estimate sums, differences, products, and quotients with decimals.
- add and subtract decimals.
- solve addition and subtraction equations involving decimals.

Tema: Monedas

World Wide Web

Si su clase tiene acceso al World Wide Web, tal vez desee utilizar la información que se encuentra en la dirección Web indicada. Los enlaces interdisciplinarios relacionan los temas examinados en esta sección.

Acerca de esta página

Esta página presenta el tema de la sección, monedas, y comenta la paridad de otras monedas con relación al dólar estadounidense.

Pregunte…

- ¿Por qué es importante conocer las monedas de otros países?
- ¿Cómo puedes hallar el precio de un artículo en dólares estadounidenses cuando compras con moneda de otro país?

Ampliación

Las siguientes actividades no requieren de acceso al Web.

Geografía

Los periódicos publican a menudo tablas de paridad cambiaría. Selecciona un país y sigue la paridad de su moneda durante una o dos semanas. Informa tus observaciones.

Consumo

Cada país tiene su propia moneda. Elige un país y describe su moneda. Presenta tus resultados en un cartel.

Respuestas de Preguntas

1. Respuesta posible: Una libra egipcia, porque equivale alrededor de la tercera parte de un dólar, mientras que el chelín austriaco equivale a una décima parte de un dólar.

2. Respuesta posible: Con frecuencia el dinero se expresa en forma decimal.

Asociación

En la página 173, los estudiantes usarán la información que se proporciona en una tabla de paridad cambiaria para convertir unidades monetarias de un país en unidades de otro país.

Theme: Currency

World Wide Web

If your class has access to the World Wide Web, you might want to use the information found at the Web site address given. These interdisciplinary links relate to topics discussed in this section.

About the Page

This page introduces the theme of the section, currency, and discusses the varying value of foreign currency when compared to the American dollar.

Ask …

- Why is it important to know the currency of other countries?
- How can you find the value of an item in American dollars when you are spending the currency of another country?

Extensions

The following activities do not require access to the World Wide Web.

Geography

Newspapers print exchange rate tables. Choose a country and follow the value of that currency for a week or two. Report your findings.

Consumer

Each country has its own currency. Select a country and describe its money. Present your findings on a poster.

Answers for Questions

1. Possible answer: An Egyptian pound, because it would be about one third of a dollar, while an Austrian shilling is about one-tenth.

2. Possible answer: Money is often in decimal form.

Connect

On page 173, students will use information given on an exchange rate table to convert money from the units of one country to those of another.

Lesson Organizer

Objective
- Estimate sums, differences, products, and quotients with decimals.

NCTM Standards
- 1–5, 7

Review	► Repaso
Round to the nearest tenth.	Redondea al décimo más cercano.
1. 34.572 34.6	1. 34.572 34.6
2. 0.139 0.1	2. 0.139 0.1
3. 5.97 6.0	3. 5.97 6.0
Round to the nearest whole number.	Redondea al número cabal más cercano.
4. 142.6408 143	4. 142.6408 143
5. 0.49 0	5. 0.49 0

Available on Daily Transparency 3-5

Introduce

Explore

The Point

Students use menu prices and intuitive rounding techniques to determine if certain combinations of foods can be purchased for the dollar amount given.

Ongoing Assessment

Check to see if students are applying the rounding techniques learned earlier in a consistent manner.

For Groups That Finish Early

Review your estimates and give a rationale for your decision.

Answers for Explore

1. A. Yes
   B. No
   C. No
   D. No
2. Answers may vary.

1 Introducción

Investigar

Objetivo
Los estudiantes usan los precios del menú y las técnicas de redondeo para determinar si ciertas combinaciones de comidas pueden comprarse con la cantidad en dólares que se proporciona.

Evaluación continua
Compruebe que los estudiantes apliquen de manera consistente las técnicas de redondeo que aprendieron.

Para los grupos que terminen antes
Revisa tus cálculos y justifica tu decisión.

Respuestas de Investigar

1. A. Sí
   B. No
   C. No
   D. No
2. Las respuestas pueden variar.

Cálculo aproximado con decimales

Vas a aprender...
- cómo hacer cálculos aproximados de sumas, restas, productos y cocientes con decimales.

...cómo se usa

Los diseñadores de telas utilizan el cálculo aproximado cuando compran materiales.

► **Enlace con la lección** En el capítulo anterior usaste varios métodos para calcular sumas, restas, productos y cocientes aproximados con números enteros. Ahora aplicarás esos mismos métodos para hacer cálculos aproximados con decimales. ◄

Investigar Cálculo aproximado con decimales

Miso, Dal y pay de manzana

Este es un menú para una noche internacional en la escuela intermedia North Side:

1. Determina si puedes comprar cada comida por el precio dado. No puedes usar papel y lápiz ni una calculadora. En lugar de eso, haz una suma aproximada. No hay propinas ni impuestos.

   A. Sopa Miso, dal, lasaña, pay de manzana: $11
   B. Ensalada tabouli, zucchini relleno, sauerbraten: $7
   C. Rollos chinos, mole con pollo, halava: $8
   D. Ensalada tabouli, hojas de parras rellenas, lasaña, pastel: $10

2. Para cada comida establece si estás "seguro", "casi seguro" o "no estás seguro" de que puedes tomar la decisión correcta.

Aprender Cálculo aproximado con decimales

Puedes usar el *redondeo* para calcular sumas y restas con decimales. Muchas veces la gente redondea valores decimales al número cabal más cercano. Si se quiere ser más exacto, se redondea al décimo más cercano.

► MEETING INDIVIDUAL NEEDS

Resources
3-5 Practice
3-5 Reteaching
3-5 Problem Solving
3-5 Enrichment
3-5 Daily Transparency
   Problem of the Day
   Review
   Quick Quiz
Chapter 3 Project Master

Recursos
3-5 Práctica
3-5 Práctica adicional
3-5 Resolución de problemas
3-5 Actividad de enriquecimiento

Learning Modalities

Verbal Have students explain how they determine compatible numbers when estimating products and quotients of decimals.

Individual In their journals, have students list some cases in their experience where they might need to estimate with decimals. To get students started, ask if any of them have ever had to figure the amount of tip on a restaurant bill.

English Language Development

In discussing compatible numbers, you may want to point out that the word compatible can be used to describe people who get along well together. Likewise, compatible numbers work well together because they involve known multiplication or division facts.

Modos de aprendizaje

Verbal Anime a los estudiantes a explicar la manera de determinar la compatibilidad de los números en las multiplicaciones y divisiones con decimales.

Individual Los estudiantes deben incluir en sus diarios experiencias personales en las que hayan hecho cálculos aproximados con decimales. Para ayudarlos a empezar la lista, pregúnteles si han calculado las propinas que dejan en los restaurantes.

Desarrollo del lenguaje

Cuando analice los números compatibles, explique a los estudiantes que el término *compatible* describe grupos de personas que se llevan bien. Por tanto, los números compatibles son aquellos que funcionan bien con otros porque implican operaciones comunes de multiplicación o división.

Ejemplo 1

Mientras estaba de vacaciones en Australia, Tanya vio un cartel de $4.50 y una camisa de $14.95 que quería comprar. Tenía $20. ¿Era suficiente?

$4.50 → $5.00
$14.95 → $15.00   } Redondea cada número al dólar más cercano.
        $20.00   Haz la suma.

El costo era de cerca de $20. Como Tanya redondeó hacia arriba, la suma real es menor que el cálculo. Tanya tuvo suficiente dinero para comprar el cartel y la camisa.

También puedes usar el redondeo para hallar un producto o un cociente con decimales. No siempre los números redondeados son más fáciles de usar que los números originales.

$36.95 \div 7.39 = ?$
↓   ↓
$37 \div 7 = ?$

Por esta razón, con frecuencia los *números compatibles* funcionan mejor para calcular productos y cocientes con decimales.

Ejemplos

2 Haz un cálculo aproximado de 9.88×23.15.

$9.88 → 10$
$23.15 → 23$ } Escoge números compatibles para multiplicarse.

$10 \times 23 = 230$

3 Haz un cálculo aproximado de $\$158.75 \div \$28.95$.

$158.75 → 150$
$28.95 → 30$ } Escoge números compatibles para dividirsa.

$\$150 \div \$30 = 5$

No te olvides

Los números compatibles son números que se relacionan con facilidad, por ejemplo: 75 + 25 ó 4 × 100. [Página 86]

Haz la prueba

Calcula de manera aproximada cada suma, resta, producto o cociente.

Respuestas posibles:

a. $\$14.63 + \$19.26$ **b.** $58.37 - 22.84$ **c.** 67.52×9.18 **d.** $47.13 \div 6.4$

$\$34$ 35 630 8

Comprobar | Tu comprensión

1. ¿Cómo puedes decidir si un cálculo aproximado con decimales es alto o bajo?

2. Algunos problemas con números decimales requieren de una respuesta exacta. Para otros, un cálculo aproximado es suficiente. Menciona ejemplos de cada uno.

3-5 • Cálculo aproximado con decimales   **161**

MATH EVERY DAY

▶ Problema del día

Carly quiere dibujar un triángulo con tres puntos de este círculo. ¿Cuántos triángulos puede trazar con los puntos del círculo?

20 triángulos; Si los puntos del círculo se designan con las letras A-F, los triángulos pueden ser: *ABC,ABD, ABE, ABF, ACD, ACE, ACF, ADE, ADF, AEF, BCD, BCE, BCF, BDE, BDF, BEF, CDE, CDF, CEF y DEF.*

Problem of the Day

Carly drew a triangle using three points on the circle as vertices. How many triangles in all can she draw that will have their vertices on the points of the circle?

20 triangles; If the six points are labeled A–F, these triangles can be formed: *ABC, ABD, ABE, ABF, ACD, ACE, ACF, ADE, ADF, AEF, BCD, BCE, BCF, BDE, BDF, BEF, CDE, CDF, CEF, DEF.*

An Extension is provided in the transparency package.

Available on Daily Transparency 3-5

Dato del día

En 1995 había 5,845,268,648 billetes de un dólar y 2,334,235,253 billetes de cien dólares en circulación.

Fact of the Day

In 1995, there were 5,845,268,648 one-dollar bills and 2,334,235,253 one-hundred-dollar bills in circulation.

Mental Math

Find each sum mentally.

1. 80 + 80 + 80 + 80 320
2. 70 + 70 + 70 + 70 + 70 + 70 420
3. 900 + 900 + 900 + 900 3600
4. 150 + 150 + 150 + 150 600

Cálculo mental

Haz estas sumas en forma mental.

1. $80 + 80 + 80 + 80$
320

2. $70 + 70 + 70 + 70 + 70 + 70$ 420

3. $900 + 900 + 900 + 900$ 3600

4. $150 + 150 + 150 + 150$ 600

---

2 Enseñanza

Aprender

Ejemplos adicionales

1. En un juego de béisbol, Juan decidió comprar una camisa de $12.95 y una gorra de $5.75. ¿Es suficiente con $20 para comprarlas?

   Redondea cada número al dólar más cercano.

   $12.95 → 13.00$

   $5.75 → \underline{6.00}$

   19.00

   El costo total fue como de $19. Puesto que Juan redondeó hacia arriba, tenía suficiente dinero para comprar la camisa y la gorra.

2. Haz un cálculo aproximado de 88.2×1.8.

   Escoge números compatibles para multiplicar.

   $88.2 → 90$
   $1.8 → 2$

   $90 \times 2 = 180$

3. Haz un cálculo aproximado de $\$402.13 \div \$83.02$.

   Escoge números compatibles para dividir.

   $402.13 → 400$
   $83.02 → 80$

   $\$400 \div \$80 = \$5$

3 Práctica y evaluación

Comprobar

Respuestas de Comprobar tu comprensión

1. Al observar si los números se redondean hacia arriba o hacia abajo.

2. Respuesta posible: Se necesitan números exactos cuando se compran comestibles. Los cálculos aproximados son aceptables cuando se debe decidir si se tiene suficiente dinero para pagar las compras.

Teach

Learn

Alternate Examples

1. At a baseball game, Juan decided to buy a shirt for $12.95 and a cap for $5.75. Was $20 enough to purchase them?

   Round each number to the nearest dollar.

   $12.95 → 13.00$

   $5.75 → \underline{6.00}$

   19.00

   The total cost was about $19. Since Juan rounded up, he had enough to buy the shirt and cap.

2. Estimate 88.2×1.8.

   Choose numbers compatible for multiplying.

   $88.2 → 90$
   $1.8 → 2$

   $90 \times 2 = 180$

3. Estimate $\$402.13 \div \$83.02$.

   Choose numbers compatible for dividing.

   $402.13 → 400$
   $83.02 → 80$

   $\$400 \div \$80 = \$5$

Practice and Assess

Check

Answers for Check Your Understanding

1. Keep track of whether you round the numbers up or down.

2. Possible answer: Exact numbers are needed when paying for groceries. Estimated numbers are acceptable when deciding if you have enough money to pay for purchases.

Assignment Guide

■ Basic 1–35 odds, 36, 42–51

■ Average 6–36, 38–42, 45–51 odds

■ Enriched 8–38 evens, 40–43, 44–50 evens

Exercise Notes

■ Exercise 36

Test Prep If students selected D, they rounded the first number to 700 and the second to 25. Point out that rounding to the nearest hundred is not necessary because 675 and 25 are numbers that can be added mentally, and 700 is very close to the actual sum.

Notas sobre los ejercicios

■ Ejercicio 36

Para la prueba Si los estudiantes escogieron D, significa que redondearon el primer número a 700 y el segundo a 25. Señale que no es necesario redondear a la centena más cercana porque 675 y 25 son números que pueden sumarse en forma mental, y que 700 está muy cerca de la suma real.

Reteaching

Activity

Materials: Index cards

• Work in pairs. Use at least 12 index cards. On each card, write an amount in dollars and cents.

• Pick two cards at a time.

• Estimate the sum of the two amounts. Then estimate the difference of the two amounts.

• Replace the cards, reshuffle, and take turns so that each partner has several turns.

Práctica adicional

Actividad

Materiales: Tarjetas

• Trabaja en parejas. Usa por lo menos 12 tarjetas. En cada una escribe una cantidad en dólares y centavos.

• Escoge dos cartas a la vez.

• Haz un cálculo aproximado de la suma de esas dos cantidades. Después haz un cálculo aproximado de la resta de esos dos valores.

• Regresa las cartas, revuélvelas y túrnate con tu compañero para que cada uno tenga varias oportunidades.

Práctica y aplicación

1. [Para empezar] Escoge el cálculo aproximado más apropiado.

   a. 5.417×8.53; 40 ó 50 **40 ó 50**
   b. $124.93 \div 5.17$; 20 ó 25 **25**
   c. $39.76 - 30.02$; 10 ó 15 **10**
   d. $0.53 + 3.6029$; 5 ó 7 **5**

Calcula de manera aproximada cada suma, resta, producto o cociente. Respuestas posibles:

2. $31.27 + 18.52$ **$50**
3. $5.93 - 3.68$ **$2**
4. 4.98×9 **$45**
5. $39.43 \div 8$ **5**
6. $10.581 - 1.203$ **10**
7. $6.53 + 2.48$ **9**
8. $15.391 - 8.67$ **6**
9. 62.3×4.9 **300**
10. 27.32×4.09 **120**
11. 7.84×28 **$240**
12. $30.49 \div 4.7$ **6**
13. $31.23 \div 5.1$ **6**
14. $35.617 + 0.816$ **37**
15. $89.632 - 47.32$ **43**
16. 14.32×2.26 **28**
17. $36.26 + 36.7$ **73**
18. $8.47 - 1.26$ **$7**
19. 1.628×82.09 **164**
20. $23.42 + 89.67$ **113**
21. 27.83×62.9 **1800**
22. $65.298 + 14.83$ **80**
23. $102.36 \div 48.2$ **$2**
24. $63.501 - 3.999$ **60** **8100**
25. $37.32 \div 5.99$ **6**
26. $0.756 + 63.5$ **65**
27. 93.278×86.059
28. $12.89 - 10.432$ **3**
29. 45.01×16.3 **900**
30. $67.8425 + 13.67$ **82**
31. $321.8 \div 28.45$ **11**
32. $19.59 - 5.95$ **$14**
33. $54.69 \div 11.9$ **5**

Comprensión numérica Usa la ilustración para resolver los ejercicios 34 y 35.

34. ¿Alrededor de cuántos discos compactos podrías comprar con $40? ¿Y con sólo $20? **2; 1**

35. Cierta semana la tienda vendió 35 copias de "Cry of the loons". Calcula cuánto recaudó aproximadamente la tienda por esas ventas. **Cerca de $700**

36. [Para la prueba] Escoge el mejor cálculo aproximado de $675.324 + 24.9645$. **C**

   Ⓐ 675 Ⓑ 699
   Ⓒ 700 Ⓓ 725

37. Una receta requiere de 18.5 onzas de piña. Raphael tenía tres y media latas de 5.4 onzas. ¿Tenía suficiente piña para la receta? **Sí**

38. Karima tenía $50. Vio un abrigo de $34.99 y un par de zapatos de $17.45. ¿Tenía suficiente dinero para los dos artículos? **No**

Nombre _____

Práctica 3-5

Cálculo aproximado con decimales

Haz un cálculo aproximado de cada suma, diferencia, producto o cociente.

1. $3.68 + 1.75$ ≈ 6
2. 38.73×7.9 ≈ 312
3. $12.837 - 2.14$ ≈ 11
4. $63.917 \div 7.6$ ≈ 8
5. $13.6875 + 7.94$ ≈ 22
6. $18.374 - 8.47$ ≈ 10
7. 31.27×5.837 ≈ 186
8. $75.59 \div 4.23$ ≈ 19
9. $81.238 + 61.59$ ≈ 143
10. $163.94 - 39.4$ ≈ 125
11. 8.47×7.31 $\approx \$56$
12. $15.83 + 3.57$ ≈ 4
13. $8.743 + 9.14$ ≈ 18
14. $28.6 - 13.14$ ≈ 16
15. 8.138×7.2 ≈ 56
16. $39.61 + 4.83$ ≈ 8
17. $3.941 + 14.83$ ≈ 19
18. $68.1 - 15.23$ ≈ 53
19. 3.6×5.12 ≈ 20
20. $96.3 \div 6.41$ ≈ 16
21. $1.09 + 3.06$ ≈ 4
22. $53.82 - 16.24$ $\approx \$38$
23. 18.39×1.94 ≈ 36
24. $56.43 \div 13.8$ ≈ 4
25. $8.3 + 12.741$ ≈ 21
26. $38.89 - 15.63$ ≈ 23
27. 21.4×5.2 ≈ 105
28. $196.4 \div 6.9$ ≈ 28
29. $37.14 + 9.3$ ≈ 46
30. $103.45 - 23.2$ ≈ 80
31. 9.74×39.1 ≈ 390
32. $35.74 + 5.63$ ≈ 6

33. Vas a una venta de garaje donde todos los libros cuestan $0.35.

   a. ¿Alrededor de cuántos libros podrías comprar con $10.00? Como 30

   b. Miguel compró 18 libros. ¿Aproximadamente cuánto pagó? Como $6.00

34. Tonja tiene 3 perros que son como del mismo tamaño. Si los perros pesan un total de 83.4 lb, calcula el peso aproximado de cada perro. Como 28 lb

35. Fred quiere comprar un disco compacto de $15.95 y un libro de $9.35. Tiene $24.00. ¿Tiene suficiente dinero para comprar los dos artículos? No

---

Nombre _____

Práctica adicional 3-5

Cálculo aproximado con decimales

Dos maneras de hacer cálculos aproximados con decimales son el *redondeo* y los *números compatibles*. A menudo los números compatibles son mejores para calcular de manera aproximada productos y cocientes.

— Ejemplo 1 —

Usa el redondeo para calcular la suma: $12.89 + 14.29$.

Redondea cada número al dólar más cercano; observa el primer dígito a la derecha del punto decimal.

   $12.89 \rightarrow \$13.00$
   $+ 14.29 \rightarrow + 14.00$
   $\$27.00$

Realiza la suma.

La suma aproximada es $27.00.

Haz la prueba Usa el redondeo para calcular la diferencia: $124.772 - 49.55$.

   a. Redondea al número cabal más cercano. 124.777 **125** 49.55 **50**

   b. Resta para calcular la diferencia aproximada. **75**

Usa el redondeo para hacer un cálculo aproximado de la suma o la diferencia.

   c. $23.78 + 79.82$ **$104**
   d. $72.089 + 11.78$ **84**
   e. $54.88 - 23.40$ **$32**
   f. $188.36 - 59.99$ **128**

— Ejemplo 2 —

Usa números compatibles para calcular $239.15 \div 33.7$.

Busca números que estén cerca de los originales y que sean fáciles de dividir en forma mental.

   $239.15 \div 33.7$
   ↓ ↓
   $240 \div 30 = 8$

Haz la división.

El cálculo aproximado del cociente es 8.

Haz la prueba Usa números compatibles para calcular 88.23×91.009. Respuestas posibles:

   g. ¿Cuáles dos números son fáciles de multiplicar? 90 y 90

   h. Multiplica los números compatibles para calcular 88.23×91.009. 8100

Usa números compatibles para calcular cada producto o cociente.

   i. 48.23×5.45 **250**
   j. 74.87×8.75 **630**
   k. $65.04 \div 7.83$ **8**
   l. $129.49 \div 11.24$ **10**
   m. 37.8×8.9 **360**
   n. $519.9 \div 90.6$ **6**

39. Salud El papá de Carlos usa un podómetro para determinar qué tan lejos camina. Caminó 16.4 km en 5 días. Calcula cuánto caminó aproximadamente cada día.

Resolución de problemas y razonamiento

40. Razonamiento crítico Joe usó el cálculo aproximado para resolver estos problemas. Para cada uno explica cómo pudo haber llegado a este resultado.

  a. $0.78 + 0.39 \approx 1.2$

  b. $0.45 \times 0.6 \approx 0.24$

  c. $\$21.16 - \$12.41 \approx \$10$

41. Comunicación Bev calculó que $71.69 \div 8.51$ era alrededor de 9. Escribe una nota a Bev para explicarle por qué 9 no es una buena respuesta. ¿Cuál sería una mejor?

42. Razonamiento crítico Compraste cuatro pantalones del mismo precio. Al redondear, tu cálculo del costo total fue de $40, antes del impuesto.

  a. Si redondeaste al dólar más cercano, ¿cuál es el precio máximo para cada pantalón? Explica tu razonamiento.

  b. Si redondeaste al dólar más cercano, ¿cuál es el precio mínimo? Explica por qué.

43. Describe una situación en que se maneje dinero y donde tenga más sentido redondear hacia arriba que hacia abajo. Luego describe una situación análoga donde tenga más sentido redondear hacia abajo.

Repaso mixto

Halla la media de cada conjunto de datos. [Lección 1-8]

44. 135, 136, 132, 137, 130, 131, 135   **45.** 72, 68, 55, 62, 70, 69, 57, 72

Escribe cada fracción como un decimal. [Lección 3-1]

46. $\frac{78}{100}$ **47.** $\frac{32}{100}$ **48.** $\frac{3}{10}$ **49.** $\frac{789}{1000}$ **50.** $\frac{560}{1000}$ **51.** $\frac{5}{100}$

El proyecto en marcha

Lleva un registro de tus actividades y agrúpalas en categorías. Por ejemplo, podrías tener una categoría para "tareas". Suma el total de tiempo invertido en cada categoría.

Resolución de problemas

Comprende
Planea
Resuelve
Revisa

RESOLVER PROBLEMAS 3-5

3-5 · Cálculo aproximado con decimales   **163**

Notas sobre los ejercicios

■ Ejercicio 39

Ampliación La respuesta está entre 3 y 4 km. Si 16.4 se redondea a 15, el cálculo aproximado será de 3 km. Si 16.4 se redondea a 20, el cálculo aproximado será de 4 km. Indica si el número exacto estará más cerca de 3 o de 4, y justifica tu razonamiento.

Respuestas de Ejercicios

42. Respuestas posibles: a. $10.49, $10.50 se redondearían a $11 por par, o sea $44; b. $9.50, $9.49 se redondearían a $9 por par, o sea $36.

43. Respuestas posibles: Redondeo hacia arriba: Tener suficiente dinero para pagar la cena; Redondeo hacia abajo: Calcular la menor cantidad que puede costar algo.

Evaluación adicional

Progreso Plantee a los estudiantes este problema. Mary dice que 72×0.45 da una respuesta cercana a 35. Indica si estás de acuerdo o en desacuerdo con la conclusión de Mary y por qué. Da varios ejemplos para ilustrar tu razonamiento.

Exercise Notes

■ Exercise 39

Extension The answer is between 3 and 4 km. If 16.4 is rounded to 15, the estimate will be 3 km. If 16.4 is rounded to 20, the estimate will be 4 km. Tell whether the exact answer will be closer to 3 or 4 and explain your reasoning.

Project Progress

You may want to have students use Chapter 3 Project Master.

Exercise Answers

42. Possible answers: a. $10.49, $10.50 would round to $11 per pair, or $44; b. $9.50, $9.49 would round to $9 per pair, or $36.

43. Possible answers: Round up: To bring enough money to pay for dinner; Round down: To figure out the least amount something might cost.

Alternate Assessment

Performance Present the following problem to students. Mary says that 72×0.45 will give an answer close to 35. Explain if you agree or disagree with Mary's conclusion. Give several examples to illustrate your thinking.

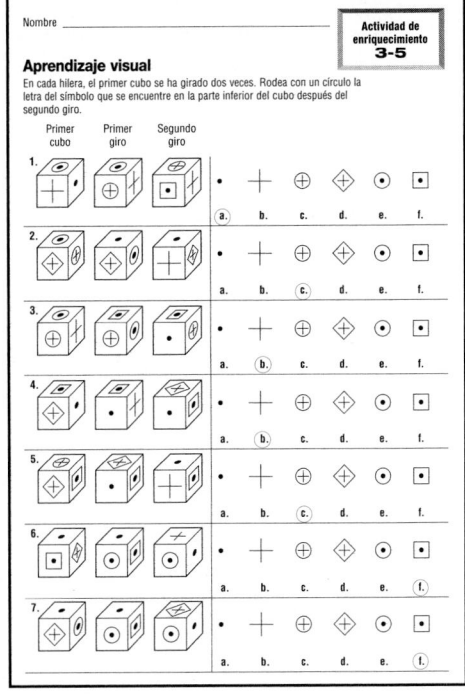

▶ **PROBLEM SOLVING**

Nombre _____

Resolución guiada de problemas 3-5

RGP PROBLEMA 42, PÁGINA 163 DEL ESTUDIANTE

Compraste cuatro pantalones del mismo precio. Al redondear, tu cálculo del costo total fue de $40, antes del impuesto.

a. Si redondeaste al dólar más cercano, ¿cuál es el precio máximo para cada pantalón? Explica tu razonamiento.

b. Si redondeaste al dólar más cercano, ¿cuál es el precio mínimo? Explica por qué.

— **Comprende** —
1. Subraya la información que necesitas.
2. Para hacer un cálculo aproximado vas a redondear hasta el ____dólar____ más cercano.

— **Plan** —
3. Cada pantalón cuesta la misma cantidad. ¿Cuál es el costo aproximado para cada pantalón? ____$10____
4. Para hallar el precio máximo, ¿vas a buscar un número que se redondee hacia arriba o hacia abajo hasta el 10? Explica tu respuesta. ____Que se redonde____ hacia abajo. Es mayor que un número redondeado hacia arriba hasta el 10.

— **Resuelve** —
5. ¿Cuál es el precio máximo de cada pantalón? ____$10.49____
6. ¿Cuál es el precio mínimo de cada pantalón? ____$9.50____

— **Revisa** —
7. Escribe enunciados numéricos para comprobar tus respuestas. 10.49 + 10.49 + 10.49 + 10.49 ≈ 41.96 ≈ 40; 9.50 + 9.50 + 9.50 + 9.50 = 38 ≈ 40

RESUELVE OTRO PROBLEMA

Compraste tres discos compactos del mismo precio. Con base en el redondeo, tu cálculo aproximado del costo total fue de $36 antes del impuesto. Si redondeaste al dólar más cercano, ¿cuál es el precio máximo de cada disco compacto?, ¿y cuál es el precio mínimo? Explica tus respuestas.

Precio máximo: $12.49; Precio mínimo: $11.50;

Los costos deben redondearse a $12 porque 36 ÷ 3 = 12.

▶ **ENRICHMENT**

Nombre _____

Actividad de enriquecimiento 3-5

Aprendizaje visual

En cada hilera, el primer cubo se ha girado dos veces. Rodea con un círculo la letra del símbolo que se encuentre en la parte inferior del cubo después del segundo giro.

Primer cubo   Primer giro   Segundo giro

Evaluación adicional (continuación)

▶ **Prueba rápida**

Haz un cálculo aproximado de cada suma, diferencia, producto o cociente.

1. $48.23 + $11.67 $60

2. $31.39 − $19.95 $10

3. 47.8×8.4 400

4. $62.9 \div 7.1$ 9

Quick Quiz

Estimate each sum, difference, product, or quotient.

1. $48.23 + $11.67 $60

2. $31.39 − $19.95 $10

3. 47.8×8.4 400

4. $62.9 \div 7.1$ 9

Available on Daily Transparency 3-5

Lesson Organizer

Objective

- Add and subtract with decimals.

Materials

- Explore: 10 x 10 Grids, colored pencils

NCTM Standards

- 1–4, 7, 13

Review

Add.

1. 235 + 45 + 9 289
2. 8900 + 138 + 89 + 6 9133
3. 58,000 + 9000 + 50 + 8 67,058
4. 60,000 − 499 59,501
5. 100,000 − 5884 94,116
6. Jesse added 2222 and 222 and got 4442. What mistake did he probably make? He wrote 222 under 2222, but placed it in the wrong position so he did not add corresponding place values.

► Repaso

Suma.

1. 235 + 45 + 9 289
2. 8900 + 138 + 89 + 6 9133
3. 58,000 + 9000 + 50 + 8 67,058
4. 60,000 − 499 59,501
5. 100,000 − 5884 94,116
6. Jesse sumó 2222 y 222 y obtuvo 4442. ¿En qué se equivocó? Escribió 222 debajo de 2222, pero colocó el número en la posición equivocada, así que no sumó con los valores posicionales correspondientes.

Available on Daily Transparency 3-6

Introduce

Explore

You may wish to use Teaching Tool Transparency 11: 10 × 10 Grids with **Explore**.

The Point

Students use models to explore how adding and subtracting decimals is similar to adding and subtracting whole numbers.

Ongoing Assessment

Some students might try to color both the tenths and the hundredths for the first number before going to the second number. This makes the coloring process harder to understand.

For Groups That Finish Early

Make up other examples you could model on the grid.

1 Introducción

Objetivo

Los estudiantes usan modelos para investigar en qué se parecen la suma y resta de números decimales a la suma y resta de números cabales.

Evaluación continua

Algunos estudiantes pueden sombrear los décimos y centésimos del primer número antes de pasar al segundo número. Esto dificulta la comprensión del proceso de sombrear.

Para los grupos que terminen antes

Escribe otros ejemplos que puedas representar en tu cuadrícula.

Suma y resta de números decimales

Vas a aprender...

■ a sumar y restar con decimales.

...cómo se usa

Los pilotos tienen que sumar decimales para determinar qué tan alto van volando.

► **Enlace con la lección** En la lección anterior encontraste soluciones aproximadas para problemas con decimales. Ahora calcularás sumas y restas exactas. ◄

Investigar | Suma y resta de números decimales

Contradanza

Materiales: Cuadrículas de centenas, lápices de colores

Suma de decimales

- Colorea los décimos para el primer número.
- Colorea los décimos para el segundo número.
- Colorea los centésimos para el primer número.
- Colorea los centésimos para el segundo número.
- Describe el número representado en la cuadrícula.

$$0.14$$
$$+ 0.67$$
$$0.81$$

1. Haz un modelo para estos problemas.

   a. 0.35 + 0.42 **b.** 0.63 + 0.20 **c.** 0.16 + 0.77 **d.** 0.85 + 0.07

Resta de decimales

- Colorea el primer número.
- Sobre el primer número representa, por medio de cruces, el segundo número.
- Describe la cantidad de cuadros coloreados sin tachar.

$$0.75$$
$$- 0.36$$
$$0.39$$

2. Haz un modelo para estos problemas.

   a. 0.68 − 0.27 **b.** 0.93 − 0.40
   c. 0.52 − 0.19 **d.** 0.88 − 0.49

3. En el problema 0.07 + 0.03 = 0.10, ambos sumandos tienen centésimos. ¿Por qué cuando los sumas no hay centésimos?

4. En el problema 0.52 − 0.08 = 0.44, ¿cómo puedes restar ocho centésimos del primer número, si éste sólo tiene un "2" en la posición de los centésimos?

164 Capítulo 3 • Decimales

► MEETING INDIVIDUAL NEEDS

Resources

3-6 Practice
3-6 Reteaching
3-6 Problem Solving
3-6 Enrichment
3-6 Daily Transparency
   Problem of the Day
   Review
   Quick Quiz
Teaching Tool Transparency 11

Recursos

3-6 Práctica
3-6 Práctica adicional
3-6 Resolución de problemas
3-6 Actividad de enriquecimiento

Learning Modalities

Visual Have students make models similar to the ones in **Explore** to show addition and subtraction of decimals. Have them display the models on a bulletin board.

Kinesthetic Have students use manipulative materials such as place-value blocks to represent addition and subtraction of decimals.

Modos de aprendizaje

Visual Anime a los estudiantes a crear modelos de sumas y restas similares a los que usaron en **Investigar**. Dígales que los exhiban en el tablero de anuncios.

Cinestésico Sugiera a los estudiantes que usen objetos manipulables (bloques de valor posicional, por ejemplo) para representar las sumas y restas de decimales.

Inclusion

When writing exercises, have students turn their papers sideways so that the lines can be used to separate columns. Then have them circle the operation sign to check that they are doing the right step.

Inclusión

Cuando los estudiantes resuelvan los ejercicios, pídales que den vuelta a la hoja y usen las líneas como separación entre columnas. Después deberán rodear con un círculo el signo de la operación para asegurarse de que hacen el cálculo correcto.

Aprender | Suma y resta de números decimales

Cuando sumes debes estar seguro de que sumas décimos con décimos, centésimos con centésimos, etc. Para ello, alinea los puntos decimales y después suma como si se tratara de números cabales.

Ejemplo 1

Suma 1.7 y 2.49.

Haz un cálculo aproximado: 2 + 2 = 4.

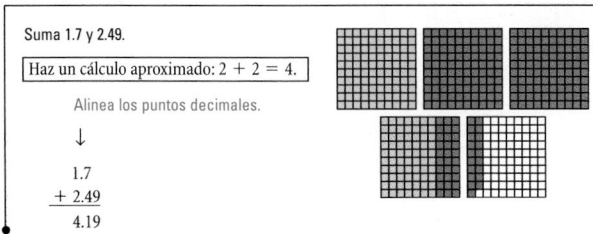

Alinea los puntos decimales.
↓
```
  1.7
+ 2.49
  4.19
```

Haz lo mismo cuando restes decimales. Alinea los puntos decimales y después resta como si fueran números cabales. Agrega ceros si, después del punto decimal, el segundo número tiene más dígitos que el primero.

Ejemplo 2

En el Reino Unido se usa una moneda decimal basada en la *libra* (£). Paul tiene £1.8; Edmund tiene sólo £1.38. ¿Cuántas libras más tiene Paul?

Resta para hallar la diferencia.

Aproxima a los décimos: 1.8 – 1.4 = 0.4.

Alinea los puntos decimales.
↓
```
  1.80      Agrega ceros.
− 1.38
  0.42
```

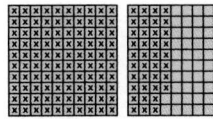

Paul tiene £0.42 más que Edmund.

No te olvides

Al agregar ceros a la derecha de un número decimal no cambias el valor del número.

[Página 148]

Haz la prueba

Halla las siguientes sumas o restas.

a. 4.631 + 3.986   **b.** 8.592 − 4.635   **c.** 5.6 + 1.973   **d.** 7.3 − 4.45
     8.617   3.957   7.573   2.85

3-6 • Suma y resta de números decimales **165**

MATH EVERY DAY

▶ Problema de día

Supónte que un comerciante sólo tiene pesas de 2, 4 y 5 libras para equilibrar su balanza. ¿Cómo puede calcular el peso de 3 libras de nueces?

Respuesta posible: Debe colocar la pesa de 2 libras en un extremo de la balanza y la pesa de 5 libras en el otro extremo. Después debe agregar nueces en el primer extremo hasta equilibrar la balanza.

Problem of the Day

A merchant has only a 2-lb, a 4-lb, and a 5-lb weight to use on his balance scale. How can he measure 3 lb of pecans to sell to his customer?

Possible answer: Use the 2-lb weight on one side of the scale and the 5-lb weight on the other side. Then add pecans to the 2-lb side until the scale balances.

Available on Daily Transparency 3-6

An Extension is provided in the transparency package.

Dato del día

En 1970, un dólar estadounidense costaba 2.3959 libras en el Reino Unido. En 1996, un dólar estadounidense sólo costaba 0.6051 libras en el Reino Unido.

Fact of the Day

In 1970, one U.S. dollar equaled 2.3959 United Kingdom pounds. In 1996, one U.S. dollar was equal to 0.6051 of a U.K. pound.

Estimation

Estimate.

1. 213 ÷ 71   3
2. 415 ÷ 59   7
3. 538 ÷ 59   9
4. 245 ÷ 48   5

Cálculo aproximado

Haz un cálculo aproximado.

1. 213 ÷ 71   3
2. 415 ÷ 59   7
3. 538 ÷ 59   9
4. 245 ÷ 48   5

Respuestas de Investigar

1. a. 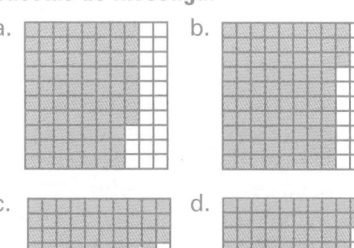 b.

   c. d.

2. a. 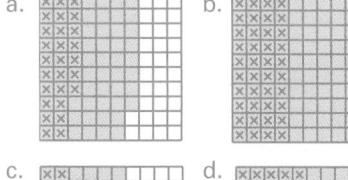 b.

   c. d.

   c. 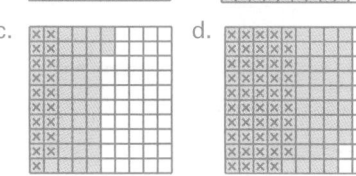 d.

3. Porque hay 10 centésimos, lo cual es lo mismo que 1 décimo.

4. Se puede pedir prestado un décimo de los cinco décimos y convertir el décimo en diez centésimos.

---

2 Enseñanza

Aprender

Ejemplos adicionales

1. Suma 3.8 y 6.87.

   Haz un cálculo aproximado:
   4 + 7 = 11

   ```
     3.8
   + 6.87
    10.67
   ```

2. En un experimento científico una planta creció 6.4 cm y otra creció 4.32 cm. Con relación a la segunda planta, ¿cuántos centímetros más creció la primera?

   Resta para hallar la diferencia.

   Haz un cálculo aproximado con décimos: 6.4 − 4.3 = 2.1

   ```
     6.40
   − 4.32
     2.08
   ```

   La primera planta creció 2.08 cm más que la segunda.

Answers for Explore

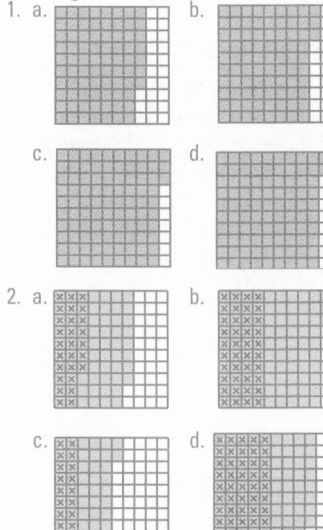

1. a. b.

   c. d.

2. a. b.

   c. d.

3. There are 10 hundredths, which is the same as 1 tenth.

4. You can borrow one tenth from the five tenths and convert the tenth into ten hundredths.

Teach

Learn

Alternate Examples

1. Add 3.8 and 6.87.

   Estimate: 4 + 7 = 11

   ```
     3.8
   + 6.87
    10.67
   ```

2. In a science experiment one plant grew 6.4 cm and another grew 4.32 cm. How much more did the first plant grow?

   Subtract to find the difference.

   Estimate to tenths:
   6.4 − 4.3 = 2.1

   ```
     6.40
   − 4.32
     2.08
   ```

   The first plant grew 2.08 cm more than the second.

What Do You Think?

Students see two methods of solving a problem. One method involves subtraction of decimals. The other method involves estimation. Students can decide which of the two methods is easier for them.

Answers for What Do You Think?

1. Answers will vary.
2. She rounded up only a small amount in each case.

Practice and Assess

Check

Point out that when adding or subtracting whole numbers, digits with the same place value are added or subtracted. Explain that a decimal point is usually not inserted after the last digit, but that it could be.

Remind students that when they add and subtract with money, the decimal point must be vertically aligned.

Answers for Check Your Understanding

1. Possible answer: Each number must be added or subtracted from its same place value.
2. After adding, subtract one of the numbers from the answer and you should get the other number. After subtracting, add the second number to the answer and you should get the first number.

Los estudiantes observan dos métodos para resolver un problema. Un método incluye la resta de decimales. El otro incluye el cálculo aproximado. Los estudiantes pueden decidir cuál de estos métodos es más sencillo para ellos.

Respuestas de ¿Qué crees tú?

1. Las respuestas pueden variar.
2. Ella redondeó hacia arriba sólo una pequeña cantidad en cada caso.

3 Práctica y evaluación

Comprobar

Señale que cuando se suman o restan números cabales, deben sumarse o restarse los dígitos según el valor posicional. Explique que por lo general no se coloca un punto decimal después del último dígito, aunque esto puede hacerse.

Recuérdeles que cuando sumen o resten dinero, el punto decimal debe alinearse en forma vertical.

Respuestas de Comprobar tu comprensión

1. Respuesta posible: Cada número debe sumarse o restarse con el mismo valor posicional.
2. Después de sumar, se debe restar a la respuesta uno de los sumandos para obtener el otro sumando. Después de restar, se suma el segundo número (sustraendo) y la diferencia para obtener el primer número (minuendo).

Si quisieras revisar la respuesta de un problema de resta de decimales puedes sumar el segundo número del problema de la resta a la respuesta. Así, la suma debe ser igual al primer número.

El Centro de Deportes en Vancouver, Canadá, vende juegos de croquet marca Crown en $34.70. El Club Atlético los vende en $49.85. En un anuncio del Centro de Deportes éste afirma que ellos están por debajo del precio del Club Atlético por $25. Van y Lauren quieren saber si esta afirmación es correcta.

Van piensa...

Voy a restar.

$$49.85$$
$$-\ 34.70$$
$$15.15$$

La afirmación es falsa.

Lauren piensa...

Voy a calcular por medio del redondeo: 49.85 lo redondeo a 50 y 34.70 a 35.

50 − 35 = 15. Mi cálculo está cerca de la diferencia real. La afirmación es incorrecta.

¿Qué crees tú?

1. ¿Cuál método usarías para verificar la afirmación? ¿Por qué?
2. ¿Cómo supo Lauren que su cálculo estaba cerca de la diferencia real?

Comprobar Tu comprensión

1. ¿Por qué es importante alinear el punto decimal cuando sumas o restas números decimales?
2. ¿Cómo puedes comprobar si has sumado o restado correctamente números decimales?

MEETING MIDDLE SCHOOL CLASSROOM NEEDS

Tips from Middle School Teachers

Students have a more intuitive feel for money situations than for abstract decimals. When possible, I try to relate decimal situations to money.

Cooperative Learning

Have students form groups to research other types of currencies such as the peso, the franc, and the rupee.

Cultural Connection

Some students may have used a currency other than U.S. currency. Have these students bring examples of foreign coins and currencies to class and discuss the similarities and differences of these currencies.

Sugerencias de los maestros

Los estudiantes muestran mayor intuición al manejar valores monetarios que valores abstractos. Siempre que puedo, relaciono el uso de los decimales con el dinero.

Aprendizaje en equipo

Los estudiantes deberán formar equipos e investigar diversas monedas extranjeras como el peso, el franco o los rublos.

Asociación con Cultura

Quizá algunos estudiantes hayan usado monedas extranjeras. Pídales que consigan ejemplos de diferentes países para analizar las semejanzas y diferencias entre los mismos.

3-6 Ejercicios y aplicaciones

Práctica y aplicación

1. [Para empezar] Escoge la ecuación que modela la cuadrícula.

a.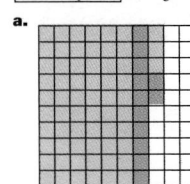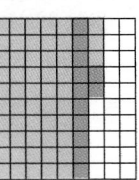

i. 0.63 + 0.12 = 0.75

ii. 0.63 + 0.21 = 0.51

b.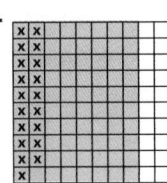

i. 0.80 − 0.28 = 0.99

ii. 0.80 − 0.19 = 0.61

c.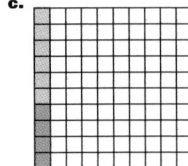

i. 0.06 + 0.04 = 0.10

ii. 0.06 + 0.04 = 1.00

Simplifica las siguientes expresiones.

2. 3.56 + 8.75

3. 94.716 − 47.81

4. 34.982 − 8.52

5. 8.2 + 0.2

6. 7.5 − 0.492

7. $25 − $13.75

8. 23.05 + 67.06

9. 12.904 + 13

10. 3.06 + 4.902

11. 78.234 − 12.0056

12. 14 − 7.95

13. 0.001 + 0.06

14. 3.2 − 1.2

15. $38 − $27.99

16. 74.008 + 1.021

17. 11.6 + 2.78

18. 54.81 + 54.81

19. 506 − 63.8178

20. 60.49 − 44.72

21. 34.8 + 6.89

22. 700.01 − 34.906

23. 93.952 − 89.005

24. 7960 + 3245

25. 10.678 + 5

26. $4.26 + $32.07 + $0.52

27. 6.3 + 7.23 + 29.1

28. 50 + 2.852 + 13.6

29. $72.61 + $1.45 + $2.51

30. 4.5 + 2.78 + 30.01

31. 7.8 + 80 + 16.87

32. Consumo Cierto día, 1 yen japonés se cotizó en 0.0098 dólares estadounidenses. Ese mismo día, una corona sueca tenía un valor de 0.1297 dólares estadounidenses.

a. ¿Cuánto más valía la corona que el yen?

b. Ese mismo día, 1 baht tailandés se cotizó en 0.0398 dólares estadounidenses. ¿Cuánto es, en dólares estadounidenses, la suma de un baht más un yen?

33. [Para la prueba] Sam tiene 0.25 tazas de leche, 0.333 tazas de agua y 0.01 tazas de vainilla. Cuando mezcla estos ingredientes, ¿cuánto líquido tiene?

ⓐ 0.359 de taza   ⓑ 1.143 tazas   ⓒ 0.55 de taza   ⓓ 0.593 de taza

PRACTICAR 3-6

3-6 • Suma y resta de números decimales **167**

Assignment Guide

■ **Basic** 1–31 odds, 32–33, 38–39, 42–47

■ **Average** 2–32 evens, 33–35, 37–47 odds

■ **Enriched** 5–31 odds, 32–37, 38–46 evens

Notas sobre los ejercicios

■ **Ejercicios 6–7, 11–12, 15, 19, 22**

[Prevención de errores] Esté pendiente de quienes simplemente "bajan" los números que sobran del sustraendo. Recuérdeles que deben agregar ceros al número de arriba (minuendo) para que ambas cifras tengan el mismo número de posiciones decimales.

A menudo este error es menos común cuando un signo de dólares se agrega antes del punto decimal. Tal vez quiera usar los ejercicios 7 y 15 como ejemplos antes de asignar los ejercicios.

Exercise Notes

■ **Exercises 6–7, 11–12, 15, 19, 22**

Error Prevention Watch for students who simply "bring down" the extra bottom numbers from the subtrahend. Remind them to annex zeros in the top number so that both numbers have the same number of decimal places.

This error is usually less common when a dollar sign is added before the decimal number. You may wish to use Exercises 7 and 15 as examples before assigning the exercises.

Nombre _____

Práctica **3-6**

Suma y resta de números decimales

Simplifica las siguientes expresiones.

1. 2.84 + 1.9   4.74

2. 3.824 − 1.73   2.094

3. 9.876 + 1.349   11.225

4. 8.67 − 4.21   4.46

5. $3.87 + $12.43 $16.30

6. 21.874 − 3.69   18.184

7. 5.3 + 8.49   13.79

8. 24.3 − 7.631   16.669

9. 5.87 + 9.321   15.191

10. 8.743 − 2.38   6.363

11. 5.61 + 21.379   26.989

12. 5.3 − 2.1483   3.1517

13. 9.6413 − 2.14   7.5013

14. 8.365 + 9.3   17.665

15. 12.67 − 10   2.67

16. 43 + 5.374   48.374

17. 39.74 − 5.678   34.062

18. 21.473 + 8.2   29.673

19. 193.8 − 21.73   172.07

20. $84.67 + $91.49 $176.16

21. 36.04 + 9.87   45.91

22. 56.583 − 39.42   17.163

23. $48.43 − $27.62 $20.81

24. 394.2 + 7.165   401.365

25. 2.375 + 6.841 + 9.3894   18.6054

26. 8.23 + 12.7 + 6.74 + 9.32   36.99

27. 7.124 + 8.1 + 9.32 + 7   31.544

28. 9.45 + 6.38 + 7.42 + 21.63   44.88

29. Tres lagartijas que pesan 1.57 oz, 1.438 oz y 1.6412 oz están en una jaula. ¿Cuál es el peso de las tres lagartijas?   4.6492 oz

30. Ciencias El movimiento de rotación de Júpiter es de 9.925 h mientras que el de Saturno es de 10.673 h. ¿Cuánto más dura el movimiento de rotación de Saturno que el de Júpiter?   0.748 h

---

Nombre _____

Práctica adicional **3-6**

Suma y resta de números decimales

Cuando sumes o restes decimales, primero alinea los puntos decimales y añade ceros si es necesario. Después suma o resta como si fueran números cabales.

— Ejemplo 1

Suma 1.4 y 1.63. Usa los modelos si prefieres.

Alinea los puntos decimales. Añade ceros para que ambos números tengan el mismo número de dígitos a la derecha del punto decimal.

   1.40
+ 1.63

Para sumar, empieza por los centésimos.   3.03

La suma de 1.4 y 1.63 es 3.03.

Haz la prueba Realiza la suma. Usa los modelos si prefieres.

a. 0.59 + 0.6   1.19

b. 1.2 + 0.23   1.43

c. 2.026 + 0.42   2.446

d. 0.713 + 6.8   7.513

— Ejemplo 2

Resta 1.7 − 0.34. Usa los modelos si prefieres.

Alinea los puntos decimales. Añade ceros para que ambos números tengan el mismo número de dígitos a la derecha del punto decimal.

   1.70
− 0.34

Para restar, empieza por los centésimos.   1.36

La diferencia entre 1.7 y 0.34 es 1.36.

Haz la prueba Realiza la resta. Usa los modelos si prefieres.

e. 1.06 − 0.8   0.26

f. 1.9 − 1.49   0.41

g. 72 − 13.409   58.591

h. 32.4 − 0.481   31.919

Práctica adicional

[Actividad]

Materiales: Regla de un metro o de centímetros

• Trabaja en grupos de tres. Mide, al milímetro más cercano, cuando menos cinco objetos diferentes del salón.

• Usa los resultados del paso 1 para hallar la longitud total de todos los objetos que mediste.

• Halla la diferencia entre la medida mayor y la menor.

Reteaching

Activity

Materials: Meter stick or centimeter ruler

• Work in groups of three. Measure at least five different objects in your classroom to the nearest tenth of a centimeter.

• Use the results from step 1 to find the total length of all the objects you measured.

• Find the difference between the largest and smallest measurements.

Exercise Notes

■ Exercise 34

Extension Some students may have model trains. If possible, have them bring examples to class. Use the trains to illustrate the various gauges.

■ Exercises 38–41

Extension Make stem and leaf diagrams of the data.

Exercise Answers

35. Possible answers: a. The first three; b. 13.34 min; c. 1.66 min; d. 4

36. Possible answers: 1.5432 and 0.6789

37. Similar: Addition and subtraction rules are the same; Different: Decimal numbers have a decimal point.

38. With outlier: mean 55, median 46.5, modes 45 and 50; Without outlier: mean 46.429, median 46, modes 45 and 50.

39. With outlier: mean 26.5, median 20.5, modes 19 and 20. Without outlier: mean 20.571, median 20, modes 19 and 20.

40. With outlier: mean 11.667, median 11, modes 10 and 11; Without outlier: mean 10.875, median 11, modes 10 and 11.

41. With outlier: mean 34.333, median 38, mode 35; Without outlier: mean 38.375, median 38.5, mode 35.

Alternate Assessment

Portfolio Pick out several exercises from your homework that you think best exemplify the concepts of this lesson.

Quick Quiz

Simplify.

1. 4.07 + 8.45   12.52

2. 2.34 + 7.984   10.324

3. $20 − $1.95 $18.05

4. 0.529 − 0.32   0.209

5. 409 − 76.456   332.544

Available on Daily Transparency 3-6

Notas sobre los ejercicios

■ Ejercicio 34

Ampliación Tal vez algunos estudiantes tengan trenes de juguete. Si es posible, pídales que traigan ejemplos a la clase. Use los trenes para mostrar los diferentes anchos de vía.

■ Ejercicios 38–41

Ampliación Realiza tablas arborescentes con los datos.

Respuestas de Ejercicios

35. Respuestas posibles: a. Las primeras tres; b. 13.34 min; c. 1.66 min; d. 4

36. Respuestas posibles: 1.5432 y 0.6789

37. Semejanzas: Las reglas para sumar y restar son iguales; Diferencias: Los números decimales tienen un punto decimal.

38. Con valor extremo: media 55, mediana 46.5, modas 45 y 50; Sin valor extremo: media 46.429, mediana 46, modas 45 y 50.

39. Con valor extremo: media 26.5, mediana 20.5, modas 19 y 20. Sin valor extremo: media 20.571, mediana 20, modas 19 y 20.

40. Con valor extremo: media 11.667, mediana 11, modas 10 y 11; Sin valor extremo: media 10.875, mediana 11, modas 10 y 11.

41. Con valor extremo: media 34.333, mediana 38, moda 35; Sin valor extremo: media 38.375, mediana 38.5, moda 35.

Evaluación adicional

Portafolio Escoge los ejercicios de tus tareas que ejemplifiquen mejor los conceptos de esta lección.

▶ Prueba rápida

Simplifica.

1. 4.07 + 8.45   12.52

2. 2.34 + 7.984   10.324

3. $20 − $1.95 $18.05

4. 0.529 − 0.32   0.209

5. 409 − 76.456   332.544

34. Los modelos de trenes vienen en varios tamaños. El ancho de vía de la medida G es de 5.3975 cm; la medida O es de 3.175 cm y la N es de 0.79375 cm.

   a. ¿Cuánto más ancha es la medida G que la O?

   b. ¿Cuanto más ancha es la medida O que la N?

Resolución de problemas y razonamiento

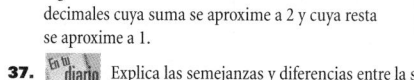

35. **Razonamiento crítico** Tu amigo y tú ganaron un concurso de radio y serán por un rato los DJ de la estación. Deben programar un segmento de 15 minutos de música continua con las canciones de la lista. No se pueden dejar más de 2 minutos al final del segmento.

   a. ¿Cuáles canciones escogerías?

   b. ¿Cuánto tiempo durarían las canciones?

   c. ¿Cuánto tiempo te queda al final del segmento?

   d. ¿Cuál es el número máximo de canciones que podrías escoger para tocar en 15 minutos?

36. **Razonamiento crítico** Usa cada uno de los dígitos del 0 al 9 sólo una vez. Forma dos números decimales cuya suma se aproxime a 2 y cuya resta se aproxime a 1.

37. Explica las semejanzas y diferencias entre la suma y la resta de números cabales y la de números decimales.

Repaso mixto

Halla la media, mediana y moda con el valor extremo y sin él. *[Lección 1-9]*

38. 45, 46, 47, 42, 45, 50, 50, 115

39. 23, 68, 19, 22, 19, 20, 21, 20

40. 10, 10, 10, 12, 12, 11, 11, 11, 18

41. 42, 38, 39, 40, 41, 37, 2, 35, 35

Redondea al valor posicional indicado. *[Lección 3-2]*

42. 0.273, a centésimos

43. 5.998, a milésimos

44. 62.73, a décimos

45. 34.5, a unidades

46. 2.006, a centésimos

47. 0.156, a décimos

168   Capítulo 3 • Decimales

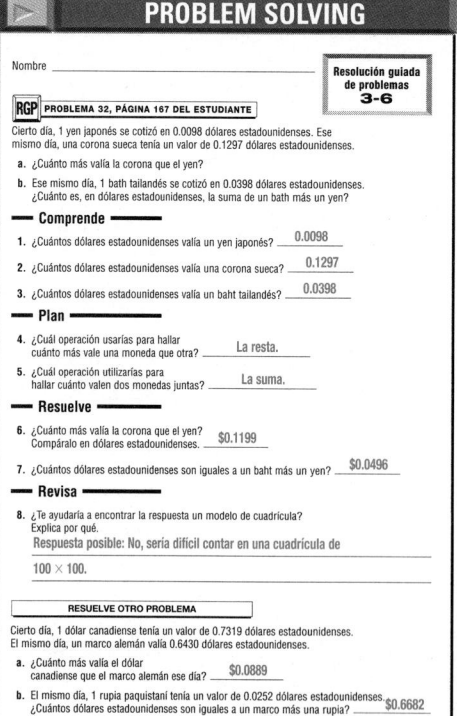

Resolución de ecuaciones con decimales: Suma y resta

3-7

▶ **Enlace con la lección** | Has usado el cálculo mental para resolver ecuaciones con números cabales. Ahora utilizarás el mismo método para resolver ecuaciones de suma y resta con decimales. ◀

Vas a aprender…

■ a resolver ecuaciones que implican suma y resta de decimales.

…cómo se usa

Los gerentes de tiendas utilizan ecuaciones con decimales para determinar cuánto restar del precio de un artículo que está rebajado.

3 por $1.99

Investigar | Longitudes que faltan

¿Dónde están todos...?

Estos dibujos muestran las medidas de dos lados de un triángulo. También se da el perímetro del triángulo.

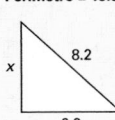

Perímetro = 19.8
x, 8.2, 6.2

Perímetro = 16.2
4.5, x, 6.7

Perímetro = 19.3
x, 4.0, 8.2

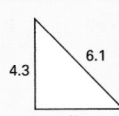

Perímetro = 14.7
4.3, 6.1, x

Perímetro = 23.3
x, 11.5, 5.8

Perímetro = 27.6
9.0, x, 10.8

Valor de x   5.0   4.3   6.0   5.4   7.1   7.8

1. Relaciona cada dibujo con el valor correcto de x.

2. Escoge un dibujo y escribe una ecuación que lo describa; usa la suma.

3. Escoge un diagrama diferente y escribe una ecuación que lo describa; usa la resta.

4. ¿Puede describirse cada dibujo tanto con una ecuación de suma como con una de resta? Explica tu respuesta.

MEETING INDIVIDUAL NEEDS

Recursos

3-7 Práctica
3-7 Práctica adicional
3-7 Resolución de problemas
3-7 Actividad de enriquecimiento
Tecnología 14

Resources

3-7 Practice
3-7 Reteaching
3-7 Problem Solving
3-7 Enrichment
3-7 Daily Transparency
  Problem of the Day
  Review
  Quick Quiz
Teaching Tool Transparencies 2, 3
Technology Master 14

Modos de aprendizaje

Cinestésico Anime a los estudiantes a usar sus calculadoras para resolver y comprobar los ejercicios de esta lección.

Social Los estudiantes deberán resolver los ejercicios de la lección en parejas. Pídales que traduzcan los símbolos a palabras al tiempo que resuelven las ecuaciones.

Learning Modalities

Kinesthetic Have students use calculators as an aid for solving and checking equations in this lesson.

Social Have students work together in pairs to solve the equations in this lesson. Encourage them to translate from symbols to words as they solve the equations.

Desafío

Pida a los estudiantes que resuelvan este problema:

Un lápiz y un cuaderno cuestan $1 en total. El cuaderno cuesta $0.90 más que el lápiz. ¿Cuánto cuesta cada objeto? El cuaderno cuesta $0.95; El lápiz cuesta $0.05

Challenge

Have students solve the following problem:

Together a pencil and a notebook cost $1. The notebook costs $0.90 more than the pencil. How much does each cost? Notebook, $0.95; Pencil, $0.05

Lesson Organizer

Objective

■ **Solve equations that involve adding and subtracting decimals.**

NCTM Standards

■ **1–4, 6, 7, 9, 12**

▶ **Repaso**

Resuelve.

1. $x + 10 = 38$ $x = 28$

2. $a - 7 = 17$ $a = 24$

3. $y + 215 = 325$ $y = 110$

4. $w + 50 = 900$ $a = 850$

Review

Solve.

1. $x + 10 = 38$ $x = 28$

2. $a - 7 = 17$ $a = 24$

3. $y + 215 = 325$ $y = 110$

4. $w + 50 = 900$ $w = 850$

Available on Daily Transparency 3-7

---

1 Introducción

Investigar

Objetivo
Para hallar el lado que falta de un triángulo, cuando se conoce el perímetro, los estudiantes practican la suma y resta con decimales.

Evaluación continua
Siga con atención a los estudiantes que suman todas las medidas cuando escriben una ecuación de suma. Por ejemplo, para el primer triángulo pueden escribir $x = 6.2 + 8.2 + 19.8$. Explíqueles que la distancia total, 19.8, es la suma de los tres lados.

Para los grupos que terminen antes
Escribe otra ecuación que pudiera usarse para hallar el perímetro de cada triángulo.

Respuestas de Investigar

1. a. 5.4; b. 5.0; c. 7.1; d. 4.3; e. 6.0; f. 7.8

2. Respuesta posible: D: $4.3 + 6.1 + x = 14.7$

3. Respuesta posible: C: $19.3 - x = 12.2$

4. Sí; La suma y la resta son operaciones opuestas.

Introduce

Explore

The Point
Students practice decimal addition and subtraction by finding the missing side of a triangle when the perimeter is known.

Ongoing Assessment
Watch for students who add all the given measurements when they write an addition equation. For example, for the first triangle they might write $x = 6.2 + 8.2 + 19.8$. Explain that the total distance, 19.8, is the sum of the three sides.

For Groups That Finish Early
Write another equation that could be used to find the perimeter of each triangle.

Answers for Explore

1. a. 5.4; b. 5.0; c. 7.1; d. 4.3; e. 6.0; f. 7.8

2. Possible answer: D: $4.3 + 6.1 + x = 14.7$

3. Possible answer: C: $19.3 - x = 12.2$

4. Yes; Addition and subtraction are the opposites of each other.

Teach

Learn

Some students may need some extra help in translating equations into words. Remind them that a variable can be read as "What number."

Alternate Examples

1. Solve $x + 3.8 = 8.9$

   $\mathbf{5.1} + 3.8 = 8.9$

   $8.9 = 8.9 \checkmark$

   The value of x is 5.1

2. A gas tank holds 15 gallons. When Sarah filled the tank, only 13.4 gallons were needed. How much gas was in the tank before she filled it?

   Let g = the gas in the tank before it was filled.

   $g + 13.4 = 15.$

   $\mathbf{1.6} + 13.4 = 15$

   $15 = 15 \checkmark$

   There were 1.6 gallons in the tank.

Practice and Assess

Check

Answers for Check Your Understanding

1. Yes, the equations are equivalent.

2. Possible answer: After 2.5 gallons of gas were used, 15.3 gallons were left. How much gas was there at the beginning?

---

2 Enseñanza

Algunos estudiantes pueden necesitar más ayuda para expresar en forma verbal las ecuaciones. Recuérdeles que una variable puede leerse como la frase "qué número".

Ejemplos adicionales

1. Resuelve $x + 3.8 = 8.9$

   $\mathbf{5.1} + 3.8 = 8.9$

   $8.9 = 8.9 \checkmark$

   El valor de x es 5.1

2. Un tanque de gasolina contiene 15 galones. Cuando Sarah llenó el tanque, sólo se necesitaron 13.4 galones. ¿Cuánta gasolina había en el tanque antes de que lo llenara?

   Sea g = gasolina en el tanque antes de llenarse.

   $g + 13.4 = 15.$

   $\mathbf{1.6} + 13.4 = 15$

   $15 = 15 \checkmark$

   Había 1.6 galones en el tanque.

3 Práctica y evaluación

Comprobar

Respuestas de Comprobar tu comprensión

1. Sí, las ecuaciones son equivalentes.

2. Respuesta posible: Después de usar 2.5 galones de gasolina, quedaron 15.3 galones. ¿Cuánta gasolina había en un principio?

Aprender Resolución de ecuaciones de suma y resta

Recuerda que puedes resolver ecuaciones de suma y resta con números cabales por medio del cálculo mental. También pueden resolverse ecuaciones con decimales de la misma forma.

Ejemplos

1 Resuelve $x + 2.3 = 3.4$.

$x + 2.3 = 3.4$	Se lee: "¿Qué número más 2.3 es igual a 3.4?"
$\mathbf{1.1} + 2.3 = 3.4$	Usa el cálculo mental.
$3.4 = 3.4 \checkmark$	Comprueba que la ecuación sea verdadera.

El valor de x es 1.1.

2 Jean planeó una caminata por la vereda del monte Lobo. El primer día caminó 8 millas. El segundo llegó al final de la vereda, donde un letrero indicaba que la vereda tenía 10.6 millas de largo. ¿Cuánto caminó el segundo día?

Sea x = la distancia que caminó Jean el segundo día.

$8 + x = 10.6$	Se lee como: "¿Qué número más 8 es igual a 10.6?"
$8 + \mathbf{2.6} = 10.6$	Usa el cálculo mental.
$10.6 = 10.6 \checkmark$	Comprueba que la ecuación sea verdadera.

Jean caminó 2.6 millas el segundo día.

Resolución de problemas
TEN EN CUENTA

También puedes resolver el problema si usas la resta y empiezas por el final. ¿Cuánto es $10.6 - 8$?

Haz la prueba

Resuelve cada ecuación.

a. $x + 9.4 = 19.5$ $x = 10.1$

b. $n - 0.5 = 10.1$ $n = 10.6$

c. $j + 7.1 = 12.2$ $j = 5.1$

d. $p - 2.0 = 0.2$ $p = 2.2$

Comprobar Tu comprensión

1. ¿Resolverías $4.3 + x = 7.7$ de la misma manera que $x + 4.3 = 7.7$?

2. Redacta un problema de la realidad expresado por $n - 2.5 = 15.3$.

170 Capítulo 3 • Decimales

MATH EVERY DAY

▶ Problema del día

Para unir todos los fragmentos, Cindy debe abrir y cerrar cuatro eslabones. ¿Cómo puede unir los fragmentos con tres eslabones?

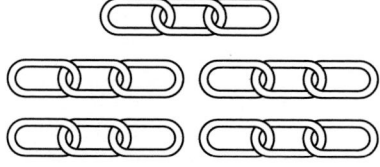

Podría abrir y cerrar los tres eslabones de un fragmento y usarlos para unir las demás cadenas.

Problem of the Day

Cindy can join these links into one long chain by opening and closing 4 links. How can she join the chains using only 3 links?

Cindy can open all the links on one small chain and use them to join the other small chains.

Available on Daily Transparency 3-7

An Extension is provided in the transparency package.

Dato del día

Para seguir el Sendero de los Apalaches, los excursionistas deben pasar por 14 estados, desde Maine hasta Georgia y recorrer más de 165,000 acres.

Fact of the Day

Hikers can follow the Appalachian Trail through 14 states from Maine to Georgia, across more than 165,000 acres.

Estimation

Is each sum less than or greater than 100?

1. $46 + 52 + 75$ >
2. $35 + 31 + 29$ <
3. $41 + 9 + 45$ <
4. $27 + 27 + 27$ <

Cálculo aproximado

¿Son estas sumas mayores o menores que 100?

1. $46 + 52 + 75$ >
2. $35 + 31 + 29$ <
3. $41 + 9 + 45$ <
4. $27 + 27 + 27$ <

3-7 Ejercicios y aplicaciones

Práctica y aplicación

1. **Para empezar** Establece si cada ecuación es verdadera o falsa cuando $h = 1.4$.

   a. $h - 1.3 = 0.1$ T   **b.** $h + 2.4 = 4.0$ F   **c.** $0.6 + h = 2.0$ T   **d.** $5.8 - h = 3.4$ F

Resuelve cada ecuación.

2. $11.6 - b = 8.3$ $b = 3.3$

3. $0.12 + d = 0.52$ $d = 0.4$

4. $\$75.40 + n = \$100$ $n = \$24.60$

5. $x + 5.7 = 13.8$ $x = 8.1$

6. $y - 10.1 = 60$ $y = 70.1$

7. $u + \$12.60 = \$14.97$ $u = \$2.37$

8. $25.001 - n = 24$ $n = 1.001$

9. $w + 7.4 = 35.6$ $w = 28.2$

10. $p - 4.01 = 15.08$ $p = 19.09$

11. $1.12 + a = 2.34$ $a = 1.22$

12. $0.06 - v = 0.02$ $v = 0.04$

13. $c + 14.99 = 15.01$ $c = 0.02$

14. $e + 4.35 = 10.5$ $e = 6.15$

15. $\$16.75 + f = \$20$ $f = \$3.25$

16. $g + 8.7 = 10.1$ $g = 1.4$

17. $i - 42.7 = 45$ $i = 87.7$

18. $j + 0.088 = 0.099$ $j = 0.011$

19. $m - 0.035 = 0.053$ $m = 0.088$

20. $r + 32.45 = 62.78$ $r = 30.33$

21. $3.43 - w = 1.11$ $w = 2.32$

22. $k + \$66.45 = \$76.90$ $k = \$10.45$

23. $100.7 - z = 40.7$ $z = 60$

24. $l - 682 = 0.251$ $l = 682.251$

25. $t + 1.33 = 2$ $t = 0.67$

Geometría Dado el perímetro de las figuras, encuentra la longitud del lado desconocido.

26. Perímetro: 25.5 m $y = 9.7$

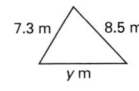

7.3 m 8.5 m

y m

27. Perímetro: 40 cm $g = 12.1$

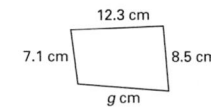

12.3 cm

7.1 cm 8.5 cm

g cm

28. **Comprensión de operaciones** Jorge ganó un premio en efectivo en un concurso. Donó la mitad del dinero a su tropa de Boy Scouts. Después gastó \$19.49 en un juego de computadora y guardó el resto, \$30.51, en su cuenta de ahorros. ¿Cuánto dinero ganó? **\$100**

29. **Para la prueba** Escoge el valor correcto para x: $x + 2.91 = 4.01$. **A**

  Ⓐ 1.1   Ⓑ 2.9

  Ⓒ 2.11   Ⓓ 6.92

PRACTICAR 3-7

Assignment Guide

- Basic 1–27 odds, 28–29, 33, 36–42 evens
- Average 7–27 odds, 28–31, 33–41 odds
- Enriched 11–27 odds, 28–35, 36–42 evens

Notas sobre los ejercicios

■ **Ejercicios 4, 7, 15, 22**

Ampliación Escribe problemas de la vida real que puedan representarse mediante estas ecuaciones.

■ **Ejercicio 29**

Para la prueba Si los estudiantes escogieron D, significa que sumaron 2.91 y 4.01 en lugar de restarle a 4.01 el valor de 2.91. Subraye la importancia de revisar qué tan razonable es una respuesta.

Exercise Notes

■ **Exercises 4, 7, 15, 22**

Extension Make up real-world problems that could be modeled by these equations.

■ **Exercise 29**

Test Prep If students selected D, they added 2.91 and 4.01 instead of subtracting 2.91 from 4.01. Stress the importance of checking the reasonableness of an answer.

Práctica adicional

Actividad

Materiales: Catálogos, periódicos

- Trabaja en grupos de tres. Usa anuncios de un catálogo o un periódico para hallar los artículos que te gustaría comprar.

- Haz una lista de los artículos con sus precios. No enseñes tu lista a tus compañeros.

- Dos personas de tu grupo deben decir el precio de un artículo de su propia lista.

- Una tercera persona deberá hallar el precio total de los dos artículos más el de un artículo de su propia lista. No deberá decir el precio de su artículo.

- Trabajen juntos para escribir una ecuación que represente cómo encontrar el costo del tercer artículo. Resuelvan la ecuación.

- Comprueba que la solución sea el precio del artículo de la tercera persona.

- Repite la actividad con diferentes precios y haz turnos para ser la persona que no dice el precio de su artículo.

Reteaching

Activity

Materials: Catalogs, newspapers

- Work in groups of three. Use catalog or newspaper advertisements to find items you would like to buy.

- Make a list of the items and their prices. Do not show your list to the other people in you group.

- Have two people in your group tell the price of one item on their list.

- Have the third person find the total price of an item on his or her list and the two other items, without telling the price of his or her item.

- Work together to write an equation that models how to find the cost of the third item. Solve the equation.

- Check that the solution is the price of the third person's item.

- Repeat the activity using different prices and taking turns being the person who doesn't tell the price of the item selected.

PRACTICE

Nombre _____

Práctica 3-7

Resolución de ecuaciones con decimales: Suma y resta

Resuelve las siguientes ecuaciones.

1. $h + 3.6 = 8.6$ $h = \underline{5}$

2. $b - 7 = 12.3$ $b = \underline{19.3}$

3. $9 + t = 12.4$ $t = \underline{3.4}$

4. $10 - a = 3.4$ $a = \underline{6.6}$

5. $r + 2.2 = 5.7$ $r = \underline{3.5}$

6. $n - 6.2 = 11.4$ $n = \underline{17.6}$

7. $8 + j = 15.34$ $j = \underline{7.34}$

8. $14.3 - g = 6.3$ $g = \underline{8}$

9. $m + 7.3 = 9.1$ $m = \underline{1.8}$

10. $d - 10.3 = 1.8$ $d = \underline{12.1}$

11. $6.3 + t = 10.5$ $t = \underline{4.2}$

12. $3.9 - c = 3.1$ $c = \underline{0.8}$

13. $q + \$18.3 = \$20$ $q = \underline{\$1.7}$

14. $k - 5.1 = 2.9$ $k = \underline{8}$

15. $3.89 + x = 5.2$ $x = \underline{1.31}$

16. $18.4 - u = 9.6$ $u = \underline{8.8}$

17. $e + 2.7 = 10$ $e = \underline{7.3}$

18. $r - 7.5 = 3.1$ $r = \underline{10.6}$

19. $5.62 + p = 5.99$ $p = \underline{0.37}$

20. $8.3 - y = 2.7$ $y = \underline{5.6}$

Geometría Dada la distancia que rodea a la figura, halla la longitud del lado desconocido.

21. Distancia total: 31.9 cm $w = \underline{12.4\ cm}$

10.8 cm 8.7 cm

22. Distancia total: 62.5 m $v = \underline{21.9\ m}$

9.1 m 18.1 m 13.4 m

23. Ayer Stephanie gastó \$38.72 en comprarse zapatos y \$23.19 en software para computadora. Cuando terminó sus compras tenía \$31.18. ¿Cuánto dinero tenía antes de ir de compras?   \$93.09

24. El propietario de una tienda de discos usados compró un disco compacto en \$4.70 y lo vendió en \$9.45. Escribe y resuelve una ecuación para encontrar la ganancia. $\$4.70 + p = \$9.45; p = \$4.75$

RETEACHING

Nombre _____

Práctica adicional 3-7

Resolución de ecuaciones con decimales: Suma y resta

Puedes resolver ecuaciones de suma y resta con decimales por medio del cálculo mental. Puedes empezar también por el final para despejar la variable.

— Ejemplo

Resuelve $x + 5.3 = 6.6$.

Paso 1: Piensa: ¿Qué número sumado a 5.3 es igual a 6.6? $x + 5.3 = 6.6$

Paso 2: Usa el cálculo mental. $1.3 + 5.3 = 6.6$

Paso 3: Revisa que la ecuación sea verdadera. $6.6 = 6.6$✓

También puedes comenzar por el final para encontrar el valor de x.

Cuando comienzas por el final, partes de la respuesta. Para llegar al principio, puedes restar el sumando conocido. Esto te dará la misma respuesta. $6.6 - 5.3 = 1.3$

En la ecuación $x + 5.3 = 6.6$, x es igual a 1.3.

Haz la prueba Resuelve $a - 5.2 = 3.1$.

a. ¿Qué número menos 5.2 es igual 3.1? $\underline{8.3}$ por tanto, $a = \underline{8.3}$

b. Muestra que la ecuación es verdadera. $\underline{8.3 - 5.2 = 3.1}$

Resuelve $0.5 + b = 2.3$.

c. ¿Qué número más 0.5 es igual a 2.3? $\underline{1.8}$ por tanto, $b = \underline{1.8}$

d. Muestra que la ecuación es verdadera. $\underline{0.5 + 1.8 = 2.3}$

Resuelve $8.6 - c = 4.3$.

e. ¿Qué número restado de 8.6 es igual a 4.3? $\underline{4.3}$ por tanto, $c = \underline{4.3}$

f. Muestra que la ecuación es verdadera. $\underline{8.6 - 4.3 = 4.3}$

Resuelve las siguientes ecuaciones.

g. $d + 1.8 = 2.9$ $d = \underline{1.1}$

h. $2.9 + e = 3.5$ $e = \underline{0.6}$

i. $\$1.95 + f = \$2.15$ $f = \underline{\$0.20}$

j. $g + \$0.75 = \$1.00$ $g = \underline{\$0.25}$

k. $h - 2.4 = 2.1$ $h = \underline{4.5}$

l. $0.35 - j = 0.25$ $j = \underline{0.1}$

m. $k - 0.12 = 0.24$ $k = \underline{0.36}$

n. $0.45 - y = 0.44$ $y = \underline{0.01}$

Exercise Notes

■ Exercise 35

Problem-Solving Tip You may wish to use Teaching Tool Transparencies 2 and 3: Guided Problem Solving, pages 1–2.

Exercise Answers

30. $\$66.75 - \$46.25 = p$; $p = \$20.50$
31. $\$26.49 + \$18.50 = s$; $s = \$44.99$
33. a. 6

    b. $x + 12.8 = 18.8$
    $x + 16 = 22$
    $x + 19.2 = 25.2$

    c. Possible answer:
    $x + 1.1 = 9.1$
    $x + 1.2 = 9.2$
    $x + 1.3 = 9.3$

39. Five hundred sixty billion, three hundred twenty-six million, seven hundred thousand
40. Four million, nine hundred eighty-three thousand, two hundred twenty-eight
41. Two trillion, eight hundred ninety-two billion, three hundred sixty-two thousand, four hundred twenty-one
42. Seven hundred sixty-three thousand, two hundred eighteen

Alternate Assessment

Self Assessment Make a list of any equations you solved incorrectly in this lesson. Write a sentence or two explaining your error, followed by the correct solution.

Quick Quiz

Solve.

1. $m + 3.1 = 7.5$ 4.4
2. $y - 5.9 = 10$ 15.9
3. $2.25 + x = 5.55$ 3.3
4. $50.9 - x = 30.9$ 20

Available on Daily Transparency 3-7

Respuestas de Ejercicios

30. $\$66.75 - \$46.25 = p$; $p = \$20.50$
31. $\$26.49 + \$18.50 = s$; $s = \$44.99$
33. a. 6

    b. $x + 12.8 = 18.8$
    $x + 16 = 22$
    $x + 19.2 = 25.2$

    c. Respuesta posible:
    $x + 1.1 = 9.1$
    $x + 1.2 = 9.2$
    $x + 1.3 = 9.3$

39. Quinientos sesenta mil trescientos veintiséis millones, setecientos mil
40. Cuatro millones, novecientos ochenta y tres mil, doscientos veintiocho
41. Dos billones, ochocientos noventa y dos mil millones, trescientos sesenta y dos mil, cuatrocientos veintiuno
42. Setecientos sesenta y tres mil, doscientos dieciocho

Evaluación adicional

Autoevaluación Haz una lista con algunas ecuaciones que hayas resuelto incorrectamente en esta lección. Escribe una o dos oraciones en donde expliques tu error, y luego la solución correcta.

Prueba rápida

Resuelve.

1. $m + 3.1 = 7.5$ 4.4
2. $y - 5.9 = 10$ 15.9
3. $2.25 + x = 5.55$ 3.3
4. $50.9 - x = 30.9$ 20

Profesiones Cuando una tienda compra algo en cierto precio y luego lo vende a un precio más alto, la diferencia de precios se llama *ganancia*. Para los ejercicios 30 y 31 escribe y resuelve una ecuación para las situaciones dadas.

30. El propietario de una tienda obtuvo una chamarra en $\$46.25$ y la vendió en $\$66.75$. ¿Cuál fue su ganancia?
31. Un par de zapatos tenis le costaron a la propietaria de la tienda $\$26.49$. Ella quiere obtener una ganancia de $\$18.50$. ¿Cuál debe ser el precio de venta?

Resolución de problemas y razonamiento

32. **Razonamiento crítico** En West Lafayette la multa por exceso de velocidad, en dólares, es de $\$32.62 + x$, donde x son las millas por hora en que se excedió el límite de velocidad.

    a. ¿Cuál es la multa por ir a 38.6 mi/h en una zona escolar cuyo límite de velocidad es de 25 mi/h? $\$46.22$

    b. A Ed lo multaron con $\$50.50$ por exceso de velocidad en esta zona escolar. ¿A qué velocidad iba? 42.88 mi/h

33. **Comunicación** Estudia los patrones:

    $x + 3.2 = 9.2$
    $x + 6.4 = 12.4$
    $x + 9.6 = 15.6$

    a. ¿Cuál es el valor de x?
    b. ¿Cuáles son las siguientes tres ecuaciones en el patrón?
    c. Usa la suma de decimales y $x = 8$ para inventar tu propio patrón.

34. **Razonamiento crítico** Maurice tiene 30 metros de vallas para construir un cerco rectangular donde pueda correr su perro. Por la forma de su patio, el ancho sólo puede ser de 3.75 m. ¿Cuál es la longitud máxima del cerco? 11.25 m

35. **Escoge una estrategia** Brandi, Molly y Leah tienen un total de $\$4.25$. Brandi tiene un dólar más que Molly y tiene el doble que Leah. ¿Cuánto dinero tiene cada niña?
Brandi: $\$2.10$;
Molly: $\$1.10$;
Leah: $\$1.05$

> Resolución de problemas
> **ESTRATEGIAS**
> • Busca un patrón
> • Organiza la información en una lista
> • Haz una tabla
> • Prueba y comprueba
> • Empieza por el final
> • Usa el razonamiento lógico
> • Haz un diagrama
> • Simplifica el problema

Repaso mixto

Ordena estas series de menor a mayor. *[Lección 3-3]*

36. 4.663, 4.664, 4.65   4.65, 4.663, 4.664
37. 0.123, 0.672, 1.784   0.123, 0.672, 1.784
38. 32.5, 32.67, 32.495   32.495, 32.5, 32.67

Escribe cada número en forma verbal. *[Lección 2-1]*

39. 560,326,700,000
40. 4,983,228
41. 2,892,000,362,421
42. 763,218

RESOLVER PROBLEMAS 3-7

172   *Capítulo 3 • Decimales*

> **PROBLEM SOLVING**

Nombre _____

> Resolución guiada de problemas
> 3-7

RGP **PROBLEMA 28, PÁGINA 171 DEL ESTUDIANTE**

Jorge ganó un premio en efectivo en un concurso. Donó la mitad del dinero a su tropa de Boy Scouts. Después gastó $19.49 en un juego de computadora y guardó el resto, $30.51, en su cuenta de ahorros. ¿Cuánto dinero ganó?

— Comprende —

1. ¿Qué se te pide hallar? Cuánto dinero ganó Jorge.
2. ¿Qué fue lo primero que hizo Jorge con su premio? Dio la mitad a su tropa de Boy Scouts.
3. ¿Cuáles fueron las otras dos cosas que hizo Jorge con su premio? Gastó $19.49 en un juego de computadora y ahorró $30.51.

— Plan —

4. ¿Cuál estrategia usarías para hallar la respuesta? a
    a. Empieza por el final   b. Busca un patrón   c. Haz una tabla
5. Jorge donó la mitad de su premio a los Boy Scouts. ¿Qué fracción gastó en las otras dos cosas? La mitad.
6. ¿Cuál es la primera operación que utilizarías? La suma.

— Resuelve —

7. ¿Cuánto dinero tenía Jorge antes de que comprara el juego? $50
8. ¿Cuánto dinero ganó Jorge en el concurso? $100

— Revisa —

9. ¿Qué otras estrategias podrías usar para hallar la respuesta? Respuesta posible: Los métodos de probar y comprobar y simplificar el problema.

RESUELVE OTRO PROBLEMA

Héctor recibió cierta cantidad de dinero en su cumpleaños. Gastó $14.30 en un disco compacto y donó $25.00 para una obra de caridad. Guardó la mitad de lo que le sobró en su cuenta de ahorros. Le quedaron $17.85. ¿Cuánto dinero recibió en su cumpleaños? $75

> **ENRICHMENT**

Nombre _____

> Actividad de enriquecimiento
> 3-7

Razonamiento crítico

Usa tu comprensión numérica para completar cada problema.

1. Resuelve cada ecuación. Después escribe tus respuestas dentro de los círculos para que las diferencias entre cualesquiera dos círculos de una hilera sean iguales.

    a. $g + 1.8 = 4.2$ $g = 2.4$
    b. $h - 0.5 = 9.7$ $h = 10.2$
    c. $5.9 + k = 6.8$ $k = 0.9$
    d. $m + 1.819 = 6.519$ $m = 4.7$
    e. $15.1 - r = 8.9$ $r = 6.2$
    f. $s - 2.5 = 0.4$ $s = 2.9$
    g. $10.2 - t = 3.5$ $t = 6.7$
    h. $8.1 + w = 14.5$ $w = 6.4$

Respuesta posible: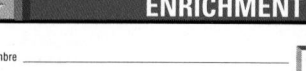

2. Resuelve cada ecuación. Después escribe tus respuestas dentro de los círculos para que las sumas de dos círculos cualesquiera de una hilera sean iguales.

    a. $x + 4.3 = 6.5$ $x = 2.2$
    b. $y - 1.4 = 1.9$ $y = 3.3$
    c. $12.1 - a = 8$ $a = 4.1$
    d. $5.6 - z = 2.8$ $z = 2.8$
    e. $b + 12.5 = 13.4$ $b = 0.9$
    f. $c - 2.9 = 1.7$ $c = 4.6$
    g. $7.8 + d = 9.5$ $d = 1.7$
    h. $e + 10.6 = 11.0$ $e = 0.4$

Respuesta posible:

En esta sección has visto que muchos países emplean diferentes tipos de moneda. Para pasar de un tipo de moneda a otro, necesitas saber el *tipo de cambio*. Vas a tener la oportunidad de usar tipos de cambio (y tus conocimientos sobre decimales) para preparar un viaje a cinco naciones.

El engañoso valor del dinero

	País	Moneda	Valor en dólares estadounidenses ($)	Número de unidades compradas con un dólar estadounidense
	Bélgica	Franco	0.03258	30.693
	Chile	Peso	0.00243	410.80
	China	Yuan	0.12038	8.3071
	Colombia	Peso	0.00096	1046.50
	India	Rupia	0.02802	35.695
	Indonesia	Rupia	0.00043	2340.70
	Irlanda	Punt	1.62054	0.61708
	Nigeria	Naira	0.01264	79.10
	Pakistán	Rupia	0.02807	35.6189
	Suiza	Franco	0.82816	1.2075

1. De la tabla escoge cinco países que te gustaría visitar.

2. Tu plan es gastar 200 dólares estadounidenses en cada país. Calcula la cantidad aproximada de dinero de cada país que obtendrás a cambio de tus 200 dólares estadounidenses.

3. Después de tu viaje, te sobran 3 monedas (unidades) de cada país que vas a cambiar por dólares estadounidenses. Para cada país, establece cuánto valen las 3 monedas en dólares estadounidenses. Redondea al centavo más cercano.

4. ¿Cuánto gastaste de los $1000 con que empezaste?

173

El engañoso valor del dinero

Objetivo
En *El engañoso valor del dinero*, de la página 159, los estudiantes conocieron las diferentes monedas que se usan en el mundo. Ahora van a utilizar una tabla de paridad cambiaria para comparar las monedas extranjeras con el dólar estadounidense.

Acerca de esta página

• Examine las columnas 3 y 4 para que los estudiantes comprendan lo que cada una representa y cómo se usa la tabla para comparar monedas extranjeras con el dólar estadounidense.

• Sugiérales que antes de efectuar el cálculo, redondeen, al número cabal más cercano, el número de unidades que comprarán con un dólar estadounidense.

• Dígales que los bancos y las casas de cambio cobran un porcentaje por cambiar monedas. En estos problemas dicho porcentaje no se incluye.

Evaluación continua
Compruebe que los estudiantes hayan calculado correctamente la cantidad de la pregunta 2 y que también hayan determinado la cantidad correcta en la pregunta 3.

Ampliación

Pida a los estudiantes que resuelvan este problema. En un viaje a Bélgica encuentras algo que te gustaría comprarle a tu mamá. El precio es de 350 francos. Usa la información de la tabla para calcular su costo en dólares estadounidenses. Alrededor de $11

Respuestas de Asociación:

1. Respuesta posible: China, Chile, Nigeria, India, Bélgica.

2. Respuesta posible: China 1,600 yuanes; Chile 82,000 pesos; Nigeria 16,000 nairas; India 7,000 rupias; Bélgica 6,000 francos.

3. Respuesta posible: China $0.36; Chile $0.01; Nigeria $0.04; India $0.08; Bélgica $0.10.

4. Respuesta posible: $997.41

Getting Your Money's Worth

The Point
In *Getting Your Money's Worth* on page 159, students were introduced to the different types of money used throughout the world. Now they will use a foreign exchange rate table to compare foreign currency to the U.S. dollar.

About the Page

• Discuss columns 3 and 4 so that students understand what each represents and how the table is used to compare foreign currency to the U.S. dollar.

• Suggest that students round the number of units one U.S. dollar will buy to the nearest whole number before they estimate.

• Tell students that banks and currency exchanges charge a fee to exchange currency. In these problems, the fees are not included.

Ongoing Assessment

Check that students have estimated the amount of money correctly in Question 2 and determined the correct amount of money in Question 3.

Extension

Have students solve the following problem. On a visit to Belgium you see a gift you would like to purchase for your mother. The price is 350 francs. Use the information on the table to estimate its cost in U. S. dollars. About $11

Answers for Connect:

1. Possible answer: China, Chile, Nigeria, India, Belgium.

2. Possible answer: China 1,600 yuan; Chile 82,000 pesos; Nigeria 16,000 naira; India 7,000 rupees; Belgium 6,000 francs.

3. Possible answer: China $0.36; Chile $0.04; Nigeria $0.04; India $0.08; Belgium $0.10.

4. Possible answer: $997.41

Review Correlation

Item(s)	Lesson(s)
1–3	3-5
4–10	3-1
11–16	3-6
17–19	3-7
20	3-6

Test Prep

Test-Taking Tip

Tell students that a good night's rest the night before a test helps them to concentrate and do their best work. In this problem, the numbers differ by the placement of a decimal point, a difference that can be easily missed by a tired student.

Correlación de repaso

Punto(s)	Lección(es)
1–3	3-5
4–10	3-1
11–16	3-6
17–19	3-7
20	3-6

Para la prueba

Sugerencia para la prueba

Diga a los estudiantes que un descanso nocturno antes del día de la prueba les ayudará a concentrarse y hacer un mejor trabajo. En este problema, los números se diferencian por la colocación del punto decimal, una diferencia que un estudiante cansado podría pasar por alto.

Medición Calcula el diámetro aproximado hasta el décimo de centímetro más cercano.

1. 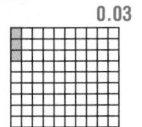 2.7 cm 2. 2.9 cm 3. 3.3 cm

Escribe cada número en forma decimal.

4. treinta y cinco centésimos **0.35**   5. dos y cinco décimos **2.5**   6. sesenta y cuatro milésimos **0.064**

7. **0.88**   8. **0.64**   9. **0.03**   10. **0.9**

Simplifica las siguientes expresiones.

11. $4.5 + 23.9$ **28.4**   12. $8.65 - 4.2$ **4.45**   13. $3.05 + 2.111$ **5.161**   14. $6.01 - 2.222$ **3.788**

Geometría Encuentra el perímetro de la figura.

15. **13.776 cm**
4.75 cm   3.9 cm
5.126 cm

16. **55.6 m**
12.3 m
17.6 m
15.9 m
9.8 m

Resuelve las ecuaciones.

17. $x - 7.2 = 16.85$ $x =$ **24.05**   18. $y + 12.52 = 19.37$ $y =$ **6.85**   19. $9.8 + n = 27.3$ $n =$ **17.5**

Para la prueba

El cálculo aproximado te puede ayudar tanto a confirmar que has resuelto de manera correcta el problema, como a eliminar las respuestas que no sean razonables.

20. Escoge la respuesta correcta para $9.56 + 5.77$. **C**

ⓐ 0.1533   ⓑ 1.533   ⓒ 15.33   ⓓ 153.3

REPASO 3B

174 *Capítulo 3 • Decimales*

Resources

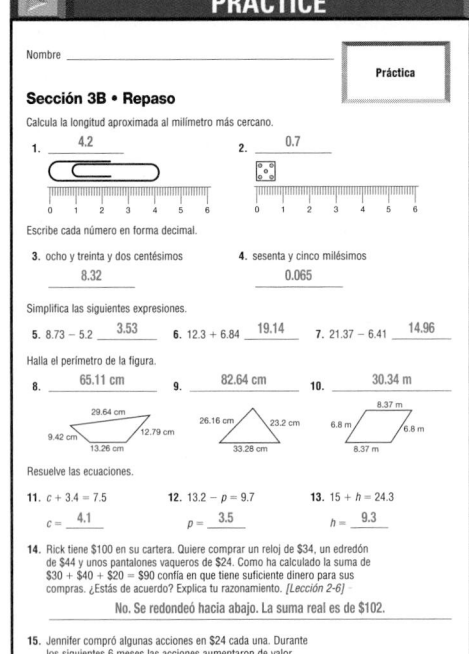

PRACTICE

Nombre _____

Práctica

Sección 3B • Repaso

Calcula la longitud aproximada al milímetro más cercano.

1. **4.2**   2. **0.7**

Escribe cada número en forma decimal.

3. ocho y treinta y dos centésimos **8.32**   4. sesenta y cinco milésimos **0.065**

Simplifica las siguientes expresiones.

5. $8.73 - 5.2$ **3.53**   6. $12.3 + 6.84$ **19.14**   7. $21.37 - 6.41$ **14.96**

Halla el perímetro de la figura.

8. **65.11 cm**   9. **82.64 cm**   10. **30.34 m**

Resuelve las ecuaciones.

11. $c + 3.4 = 7.5$ $c =$ **4.1**   12. $13.2 - p = 9.7$ $p =$ **3.5**   13. $15 + h = 24.3$ $h =$ **9.3**

14. Rick tiene $100 en su cartera. Quiere comprar un reloj de $34, un edredón de $44 y unos pantalones vaqueros de $24. Como ha calculado la suma de $30 + $40 + $20 = $90 confía en que tiene suficiente dinero para sus compras. ¿Estás de acuerdo? Explica tu razonamiento. *[Lección 2-6]*
   No. Se redondeó hacia abajo. La suma real es de $102.

15. Jennifer compró algunas acciones en $24 cada una. Durante los siguientes 6 meses las acciones aumentaron de valor mensualmente en $3 cada una. ¿Cuánto valía cada acción después de 6 meses que las adquirió? *[Lección 2-9]*
   $42

Visit **www.teacher.mathsurf.com** for links to lesson plans from teachers and other professionals, NCTM information, and other sites.

LESSON PLANNING GUIDE

▶ Student Edition

▶ Ancillaries*

LESSON		MATERIALS	VOCABULARY	DAILY	OTHER
	Section 3C Opener				
3-8	Multiplying a Whole Number by a Decimal	10 x 10 grids, colored pencils		3-8	Teaching Tool Trans. 11 Lesson Enhancement Trans. 10
3-9	Multiplying a Decimal by a Decimal	10 x 10 grids, colored pencils		3-9	Teaching Tool Trans. 11 *Interactive CD-ROM Lesson*
3-10	Dividing by a Whole Number	tenths grids	dividend, divisor, quotient	3-10	Teaching Tool Trans. 12 Ch. 3 Project Master
3-11	Dividing by a Decimal	tenths grids		3-11	Teaching Tool Trans. 12
3-12	Solving Decimal Equations: Multiplication and Division			3-12	Teaching Tool Trans. 2, 3 Technology Master 15
	Connect				Lesson Enhancement Trans. 11 Interdisc. Team Teaching 3C
	Review				Practice 3C; Quiz 3C; *TestWorks*
	Extend Key Ideas				
	Chapter 3 Summary and Review				
	Chapter 3 Assessment				Ch. 3 Tests Forms A–F *TestWorks*; Ch. 3 Letter Home
	Cumulative Review, Chapters 1–3				Cumulative Review Ch. 1–3 Quarterly Test Ch. 1–3

* Daily Ancillaries include Practice, Reteaching, Problem Solving, Enrichment, and Daily Transparency. Teaching Tool Transparencies are in *Teacher's Toolkits*. Lesson Enhancement Transparencies are in *Overhead Transparency Package*.

SKILLS TRACE

LESSON	SKILL	FIRST INTRODUCED			DEVELOP	PRACTICE/ APPLY	REVIEW
		GR. 4	GR. 5	GR. 6			
3-8	Multiplying whole numbers by decimals.		✗		pp. 176–178	pp. 179–180	pp. 198, 200, 203, 439
3-9	Multiplying two decimals.		✗		pp. 181–182	pp. 183–184	pp. 200, 203, 274, 447
3-10	Dividing decimals by whole numbers.		✗		pp. 185–187	pp. 188–189	pp. 200, 203, 452
3-11	Dividing decimals by decimals.			✗ p. 190	pp. 190–192	pp. 193–194	pp. 200, 203, 284, 452
3-12	Solving decimal equations using multiplication and division.			✗ p. 195	pp. 195–196	pp. 197–198	pp. 200, 203, 292

CONNECTED MATHEMATICS

Investigation 6 in the unit *Bits and Pieces II (Using Rational Numbers)*, from the **Connected Mathematics** series, can be used with Section 3C.

Math and Science/Technology

(Worksheet pages 17–18: Teacher pages T17–T18)

In this lesson, students use decimals to prepare prescriptions.

Nombre _____ *Ciencia y tecnología*

Decodificadores de recetas médicas

Uso de números decimales para preparar recetas médicas.

Los farmacéuticos hacen mucho más que leer las recetas médicas y contar pastillas. Observa el siguiente ejemplo referente a las obligaciones del farmacéutico para que descubras cómo los números decimales son parte importante en el trabajo de éste.

Una receta prescrita por un médico dice que un niño pequeño debe recibir 0.33 partes de una cucharadita de cierto medicamento cuatro veces al día durante diez días. El farmacéutico debe usar sus destrezas matemáticas para preparar la receta en forma correcta.

Primero, el farmacéutico recuerda que hay cinco mililitros en una cucharadita. Así pues, multiplica 5×0.33 para encontrar cuántos mililitros hay en 0.33 partes de una cucharadita. La respuesta es 1.65 mililitros. Como el niño necesita tomar la medicina cuatro veces al día, el farmacéutico multiplica 4×1.65. La respuesta es 6.6 mililitros. Por último, el farmacéutico multiplica 10×6.6 porque el niño necesita tomar la medicina durante diez días. La respuesta es 66 mililitros. El farmacéutico entonces llena un frasco con 66 mililitros del medicamento líquido.

Los farmacéuticos son miembros de la profesión médica. Trabajan con los médicos para establecer qué cantidad de una medicina ayudará más al paciente. Muchos detalles deben tomarse en cuenta: edad, peso y otros medicamentos que quizá esté tomando el paciente.

En Estados Unidos, las personas interesadas en convertirse en farmacéuticos asisten a una universidad durante cinco años. Toman muchas materias, incluidas las matemáticas. Una de las cosas que deben saber hacer con exactitud es la conversión de una medida en otra, porque a menudo los médicos escriben recetas de diferentes formas. La siguiente tabla contiene ejemplos de las conversiones que hacen los farmacéuticos todos los días. Usa la tabla para ayudarte a resolver los problemas de esta sección.

Conversiones comunes usadas por los farmacéuticos

20 gotas	1 mililitro (mL)
1 cucharadita (tsp)	5 mL
1 cucharada (tbs)	15 mL
1 onza fluida (oz)	30 mL

1. a. Un niño tiene una infección en el oído. Su médico le prescribió un antibiótico líquido y dio instrucciones de que se usara durante 7 días aunque en apariencia la infección haya desaparecido. La receta dice que cada dosis debe ser de 6.25 mL. El farmacéutico llena un frasco con 150 mL del antibiótico. ¿Cuántas dosis hay en el frasco?

150 mL ÷ 6.25 mL/dosis =

24 dosis

b. Si la madre del niño le administra 3 dosis al día durante 7 días, ¿cuántos mililitros del antibiótico recibirá el niño?

6.25 mL/dosis $\times$ 3 dosis/día

$\times$ 7 días = 131.25 mL

Nombre _____ *Ciencia y tecnología*

c. ¿Por qué crees que el médico dijo que el antibiótico debería tomarse durante 7 días aunque en apariencia haya desaparecido la infección?

Véase a continuación.

2. Un paciente tiene una infección en los ojos y el oculista le prescribe gotas durante 7 días. El paciente usará un total de 8 gotas al día. ¿Cuántos mililitros de medicina necesitará en total el paciente?

(8 gotas/día $\times$ 7 días) ÷

20 gotas/mL = 2.8 mL

3. a. Un adolescente padece de acné. El dermatólogo le prescribe tres frascos pequeños de crema. Antes de que el farmacéutico pueda llenar cada frasco de crema, deberá prepararla mezclando 3 mL de alcohol etílico con un medicamento en polvo utilizado para el tratamiento del acné. Después debe mezclar la solución con un tipo de gel y poner la mezcla en el frasco. Si se necesitan 23.3 g de polvo para preparar un frasco de crema, ¿cuántos gramos usará para preparar los tres frascos de crema?

3×23.3 g = 69.9 g

b. ¿Cuántos mililitros de alcohol etílico necesitará para preparar los tres frascos?

3 mL $\times$ 3 frascos = 9 mL

4. ¿Para qué le sirven al farmacéutico sus conocimientos sobre decimales?

Véase a continuación.

5. a. Un farmacéutico lee en la etiqueta de un medicamento que el paciente con una infección en la garganta necesita tomar diariamente 1.5 cucharaditas de un antibiótico por cada 2.5 kg de peso. El farmacéutico prepara el medicamento para un niño que pesa 15 kg. ¿Cuántas cucharaditas necesitará diariamente el niño?

(15 kg ÷ 2.5 kg) $\times$

1.5 tsp/día = 9 tsp por día

b. El niño deberá tomar la medicina durante 7 días. ¿Cuántos mililitros pondrá el farmacéutico en el frasco del medicamento?

(9 tsp/día $\times$ 5 mL/tsp) $\times$

7 días = 315 mL

6. Una niña tenía una ligera alergia a la penicilina, así que el doctor le prescribe 0.75 oz de otro medicamento para contrarrestar esta alergia. ¿Cuántos mililitros de la medicina debe dar el farmacéutico a la niña?

0.75 oz $\times$ 30 mL/oz =

22.5 mL

7. Las etiquetas de medicinas, vitaminas, cosméticos y los envases de los alimentos con frecuencia muestran los porcentajes de los ingredientes. Como porcentaje significa "por cien", un porcentaje puede convertirse fácilmente en un decimal. Por ejemplo, 75% = 0.75. Lee las etiquetas de productos que contengan porcentajes, conviértelos en decimales y elabora una gráfica circular para comparar las cantidades de cada ingrediente. ¿Cuál ingrediente se encuentra en mayor cantidad?

Véase a continuación.

Respuestas adicionales

1. c. Quizá ciertos gérmenes aún pueden estar vivos y provocar una recaída.

4. Las respuestas de los estudiantes pueden variar. Algunos pueden sugerir que los farmacéuticos tienen que convertir una medida en otra, tienen que mezclar medicamentos y tienen que dividir las medicinas. Con frecuencia estos trabajos incluyen decimales.

7. Las respuestas pueden variar. El ingrediente más común es un vehículo o excipiente como el agua, alcohol o almidón.

BIBLIOGRAPHY

▷ FOR TEACHERS

Burril, Gail and John C. *Data Analysis and Statistics Across the Curriculum*. Reston, VA: NCTM, 1992.

Cassutt, Michael. *Who's Who in Space*. New York, NY: Macmillan, 1993.

Shaw, Jean. *From the File Treasury*. Reston, VA: NCTM, 1991.

Spangler, David. *Math for Real Kids*. Glenview, IL: Good Year Books, 1997.

▷ FOR STUDENTS

Rubel, David. *The United States in the 19th Century*. New York, NY: Scholastic Timelines, 1996.

Sendero de angustias

Imagina que tu familia viaja de Missouri a Oregon.

"Papá, ¿cuánto falta para llegar a Oregon?"

"Como dos meses."

"¿Podemos viajar dentro del auto hoy?"

"Creo que no. Si hacemos eso, ¿dónde pondríamos nuestras cosas?"

"Ya no tenemos comida."

"Si camináramos más rápido, llegaríamos a la siguiente tienda mañana. Pide a tu mamá una bebida de vinagre."

"Dejamos a mamá en Nebraska cuando enfermó."

¿Te parece ésta una conversación extraña? Si remplazas la palabra "auto" por "carreta", podría ser una conversación ordinaria entre los pioneros del Sendero de Oregon.

En el siglo XIX más de 250 mil personas viajaron por este peligroso sendero hacia el oeste de Estados Unidos. Padecieron enfermedades y soportaron el riguroso clima mientras atravesaban este sendero de 2000 millas, sólo con su carreta y una yunta de bueyes. Por fortuna, aquellos pioneros disponían de una herramienta avanzada: las matemáticas.

1 ¿Qué elementos matemáticos se usan en la actualidad para planear un viaje por todo el país?

2 Si un pionero logró recorrer el Sendero de Oregon en cinco meses, ¿qué distancia viajó cada semana? ¿Y cada día?

3 ¿Cómo podían las matemáticas ayudar a los pioneros en el siglo XIX?

175

Where are we now?

In Section 3B, students learned how to

• estimate sums, differences, products, and quotients with decimals.

• add and subtract decimals.

• solve addition and subtraction equations involving decimals.

Where are we going?

In Section 3C, students will

• multiply and divide using decimals.

• use mental math to solve multiplication and division equations with decimals.

• solve decimal equations with multiplication and division.

Tema: El Sendero de Oregon

World Wide Web

Si su clase tiene acceso al World Wide Web, tal vez desee utilizar la información que se encuentra en la dirección Web indicada. Los enlaces interdisciplinarios relacionan los temas examinados en esta sección.

Acerca de esta página

Esta página presenta el tema de la sección, el Sendero de Oregon, y comenta los problemas enfrentados por los pioneros que se aventuraron por este sendero.

Pregunte…

• ¿Crees que podrías haber sobrevivido al viaje por el Sendero de Oregon?

• ¿Qué clase de comida crees que llevaban?

Ampliación

Las siguientes actividades no requieren de acceso al Web.

Historia

El viaje por el Sendero de Oregon era una prueba de fortaleza y valor. Investiga los problemas que enfrentaron estos pioneros y comparte tus resultados con la clase.

Geografía

El Sendero de Oregon fue el camino más largo durante la expansión al oeste de Estados Unidos. Determina la ruta y los estados por los que pasaba. Dibuja en un mapa el Sendero de Oregon.

Respuestas de Preguntas

1. Respuestas posibles: La distancia en millas entre ciudades, el dinero necesario para alimentación y hospedaje, el tiempo de viaje.

2. Respuestas posibles: Es necesario viajar alrededor de 100 millas por semana, es decir, alrededor de 20 millas diarias.

3. Respuesta posible: Las matemáticas se usaron para calcular las distancias y el racionamiento de comida.

Asociación

En la página 199, los estudiantes calcularán el tiempo y las millas conforme planean una excursión.

Theme: The Oregon Trail

World Wide Web

If your class has access to the World Wide Web, you might want to use the information found at the Web site address given. The interdisciplinary links relate to topics discussed in this section.

About the Page

This page introduces the theme of the section, the Oregon Trail, and discusses the problems faced by the pioneers traveling the trail.

Ask …

• Do you think you could have survived the trip over the Oregon Trail?

• What kind of food do you think they had?

Extensions

The following activities do not require access to the World Wide Web.

History

Travel on the Oregon Trail was a test of strength and endurance. Research the problems faced by these pioneers and report your findings to the class.

Geography

The Oregon Trail was the longest of the great overland routes used in the westward expansion of the United States. Determine the route and the states through which it passed. Draw the Oregon Trail on a map.

Answers for Questions

1. Possible answers: Miles between cities, money for food and lodging, travel time.

2. Possible answers: He or she would travel about 100 miles per week or about 20 miles per day.

3. Possible answer: Mathematics was used to figure distances and food rationing.

Connect

On page 199, students will compute time and mileage as they plan a backpacking trip.

Lesson Organizer

Objective

■ Multiply a whole number by a decimal.

Materials

■ Explore: 10 × 10 Grids, colored pencils

NCTM Standards

■ 1–4, 7

Review

Name a product of two numbers that equals each sum.

1. 2 + 2 + 2 + 2   4 × 2

2. 7 + 7 + 7   3 × 7

3. 6 + 6 + 6 + 6 + 6   5 × 6

4. 5 + 5 + 5 + 5 + 5 + 5   6 × 5

▶ Repaso

Menciona un producto de dos números que sea igual a cada suma.

1. 2 + 2 + 2 + 2   4 × 2

2. 7 + 7 + 7   3 × 7

3. 6 + 6 + 6 + 6 + 6   5 × 6

4. 5 + 5 + 5 + 5 + 5 + 5   6 × 5

Introduce

Explore

You may wish to use Teaching Tool Transparency 11: 10 × 10 Grids with **Explore**.

The Point

Students model multiplication of whole numbers by decimals to see how decimal multiplication is like whole number multiplication.

Ongoing Assessment

Check that students understand that they first color the tenths as many times as the whole number, and then the hundredths as many times as the whole number.

For Groups That Finish Early

Find other pairs of factors that have the same product as Step1a.
Possible answers: 5 × 0.12, 6 × 0.10, 3 × 0.20, 4 × 0.15

Answers for Explore

1. a.
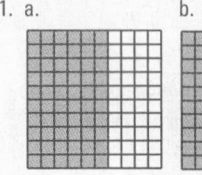
   b.
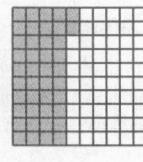

1 Introducción

Investigar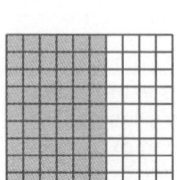

Objetivo

Los estudiantes representan la multiplicación de números cabales por decimales para ver en qué se parece la multiplicación de decimales a la multiplicación de números cabales.

Evaluación continua

Cerciórese de que los estudiantes comprendan que primero tienen que colorear los décimos tantas veces como indica el número cabal, y después los centésimos también tantas veces como indica el número cabal.

Para los grupos que terminen antes

Halla otro par de factores que tenga el mismo producto que el inciso 1a.
Respuestas posibles: 5 × 0.12, 6 × 0.10, 3 × 0.20, 4 × 0.15

Respuestas de Investigar

1. a.

   b.

3-8 Multiplicación de un número cabal por un decimal

Vas a aprender...

■ a multiplicar un número cabal por un decimal.

...cómo se usa

Los ingenieros civiles multiplican por decimales para encontrar cuánto peso puede soportar un puente.

▶ **Enlace con la lección** Como ya sabes multiplicar números cabales y sumar decimales, es tiempo de aprender a multiplicar un número cabal por un decimal. ◀

Investigar | Multiplicación de un número cabal por un decimal

¡Tú también puedes ser un estudiante modelo!

Materiales: Cuadrículas de centenas, lápices de colores

Multiplicación de un número cabal por un decimal

• Colorea los décimos del número decimal. Repítelo tantas veces como el número cabal.

$$0.41 \times 3$$

• Colorea los centésimos del número decimal. Repítelo tantas veces como el número cabal.

• Describe el número modelado en la cuadrícula.

1. Haz un modelo para estos problemas.

   a. 2 × 0.30   b. 3 × 0.14   c. 4 × 0.44   d. 6 × 0.27
   e. 7 × 0.09   f. 5 × 0.20   g. 9 × 0.22   h. 0 × 0.68

2. Cuando multiplicas un número cabal por un decimal menor que uno con décimos pero sin centésimos, ¿tu respuesta incluye décimos? ¿Y centésimos? ¿Por qué?

3. Cuando multiplicas un número cabal por un decimal menor que uno con centésimos pero sin décimos, ¿tu respuesta incluye décimos? ¿Y centésimos? ¿Por qué?

4. Cuando multiplicas un decimal por un número cabal, ¿tu respuesta es mayor o menor que el número cabal?

Aprender | Multiplicación de un número cabal por un decimal

Recuerda que la multiplicación es una suma repetida. La multiplicación de un número cabal por un decimal es lo mismo que sumar, de manera repetida, el decimal tantas veces como indica el número cabal.

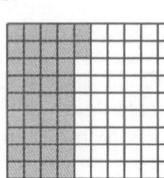 **176** Capítulo 3 • Decimales

---

▶ MEETING INDIVIDUAL NEEDS

Resources

3-8 Practice
3-8 Reteaching
3-8 Problem Solving
3-8 Enrichment
3-8 Daily Transparency
   Problem of the Day
   Review
   Quick Quiz
Teaching Tool Transparency 11
Lesson Enhancement Transparency 10

Recursos

3-8 Práctica
3-8 Práctica adicional
3-8 Resolución de problemas
3-8 Actividad de enriquecimiento

Learning Modalities

Visual Have students make other models similar to the ones in **Explore** to show multiplication of whole numbers by decimals. You may wish to have students color in each set of tenths or hundredths in a different color or with a different pattern. Have them display the models on a bulletin board.

Kinesthetic Have students use play money, including coins as well as paper money. Then have them work together to model multiplication of amounts in dollars and cents by whole numbers.

Modos de aprendizaje

Visual Anime a los estudiantes a crear modelos de multiplicación de números cabales parecidos a los que usaron en **Investigar**. Sugiérales que coloreen de colores diferentes las decenas y centenas o usen patrones distintos. Pídales que peguen los modelos en el tablero de anuncios.

Cinestésico Dé a los estudiantes dinero de juguete (billetes y monedas). Luego pídales que trabajen en equipos para representar multiplicaciones de dólares y centavos por números cabales.

Inclusion

Some students may have difficulty transferring their knowledge of whole numbers to their work with decimals. Continue to point out the similarities as you work through the exercises.

Inclusión

A algunos estudiantes se les dificulta aplicar sus conocimientos sobre los números cabales en las operaciones con decimales. Enfatice las semejanzas durante la resolución de los ejercicios.

Ejemplo 1

Multiplica 2.5 × 3.

Una manera de hallar el producto es sumar tres veces 2.5:

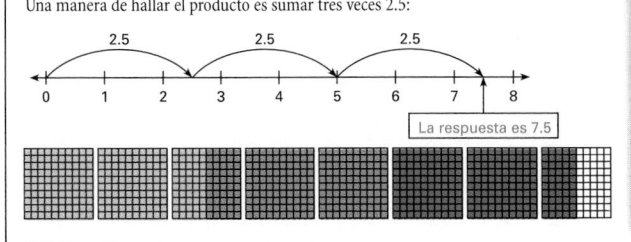

La respuesta es 7.5

2.5 × 3 = 7.5

Puedes usar la aritmética para multiplicar un número cabal por un decimal. Multiplica como si estuvieras multiplicando dos números cabales. Luego, cuenta el número de dígitos que hay después del punto decimal en el factor decimal. La respuesta debe tener el mismo número de dígitos después del punto decimal que el factor decimal.

$$
\begin{array}{r}
43 \\
\times\, 0.27 \\
\hline
301 \\
86 \\
\hline
11.61
\end{array}
$$

> **CÁLCULO MENTAL**
>
> También puedes usar la propiedad distributiva. Suma los números cabales tres veces: 2 + 2 + 2 = 6. Suma las partes decimales tres veces: 0.5 + 0.5 + 0.5 = 1.5. Suma 6 más 1.5 para obtener 7.5.

Ejemplo 2

En el Sendero de Oregon, cada miembro de la familia que tuviera más de 10 años tenía derecho a una ración de 1.5 tazas de frijoles al día. Cuando la familia Conyers viajó a través del sendero en 1852, sus siete miembros eran mayores de 10. ¿Cuántas tazas de frijoles comía la familia al día?

$$
\begin{array}{r}
1.5 \\
\times\, 7 \\
\hline
105
\end{array}
$$
Multiplica como si fueran números cabales.

Hay un dígito después del punto decimal en el factor decimal, 1.5.

El producto deberá tener un dígito después del punto → 10.5.

La familia comía 10.5 tazas de frijoles al día.

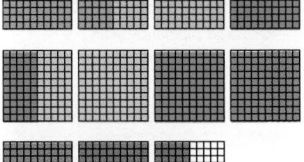

> ► **Enlace con Historia**
>
> La gente siempre estaba buscando formas más rápidas de viajar al oeste. Durante la fiebre del oro de California, en 1849, algunas personas tomaron barcos para cruzar el golfo de México hasta el istmo de Panamá. Cruzaban este trecho hasta llegar al océano Pacífico y de ahí tomaban otro barco hasta California.

3-8 • Multiplicación de un número cabal por un decimal **177**

MATH EVERY DAY

► Problema del día

Chim tiene 10 monedas, pero ninguna de ellas es de cincuenta centavos. Chim puede pagar el precio exacto de cualquier artículo entre $0.01 y $0.99. ¿Qué tipos de monedas tiene? 3 de veinticinco centavos, 2 de diez centavos, 1 de cinco centavos y 4 de un centavo.

Problem of the Day

Chim has 10 coins, but none of them are half-dollar coins. He can pay the exact price for any purchase from $0.01 to $0.99. What coins does Chim have? 3 quarters, 2 dimes, 1 nickel, 4 pennies

Available on Daily Transparency 3-8

An Extension is provided in the transparency package.

Dato del día

En la primavera de 1804, Lewis y Clark partieron de St. Louis, Missouri rumbo a Oregon, acompañados de 32 hombres. Ellos llegaron a Oregon en la primavera de 1805.

Fact of the Day

Lewis and Clark left St. Louis, Missouri, for Oregon with 32 men in the spring of 1804. They did not arrive in Oregon until the spring of 1805.

Mental Math

Do these mentally.

1. 1 × 8 × 1 × 2   16
2. 2 × 5 × 25 × 4   1000
3. 2 × 50 × 6 × 8   4800
4. 4 × 50 × 25 × 2   10,000

Cálculo mental

Haz estos cálculos en forma mental.

1. 1 × 8 × 1 × 2   16
2. 2 × 5 × 25 × 4   1000
3. 2 × 50 × 6 × 8   4800
4. 4 × 50 × 25 × 2   10,000

Respuestas de Investigar

c.

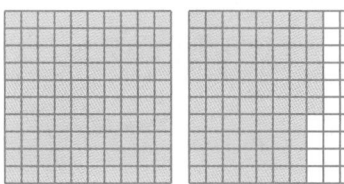

d.

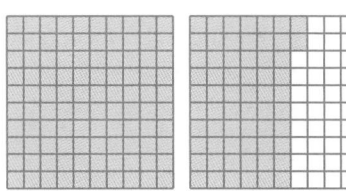

e.   f.

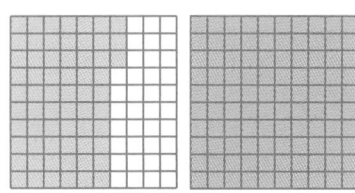

g.

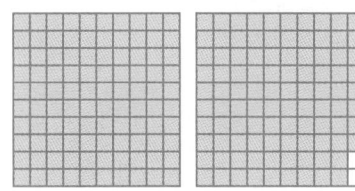

h.

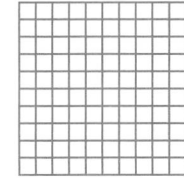

2. Puede tener décimos; No tendrá centésimos.

3. Puede tener ambos.

4. Menor

2 Enseñanza

Aprender

Ejemplos adicionales

1. Multiplica 3.2 × 3.
   Suma tres veces 3.2:
   3.2 + 3.2 + 3.2 = 9.6
   3.2 × 3 = 9.6.

2. Todos los días pasean a un perro 1.2 millas. ¿Cuántas millas pasean al perro en 7 días?

$$
\begin{array}{r}
1.2 \\
\times\, 7 \\
\hline
8.4
\end{array}
$$

Lo pasean 8.4 millas en 7 días.

Answers for Explore

c.

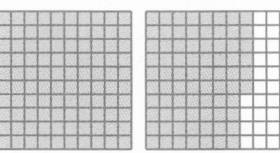

d.

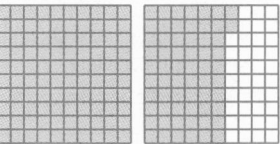

e.   f.

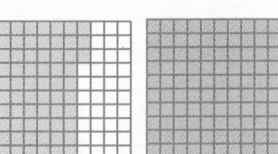

g.

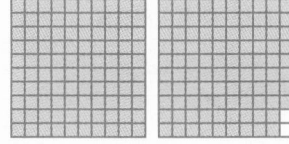

h.

2. It might have tenths; It will not have hundredths.

3. It might have both.

4. Smaller

Teach

Learn

You may wish to use Lesson Enhancement Transparency 10 with **Example 1**.

Alternate Examples

1. Multiply 3.2 × 3.
   Add 3.2 three times:
   3.2 + 3.2 + 3.2 = 9.6
   3.2 × 3 = 9.6.

2. Each day a dog is walked 1.2 miles. How many miles is the dog walked in 7 days?

$$
\begin{array}{r}
1.2 \\
\times\, 7 \\
\hline
8.4
\end{array}
$$

The dog is walked 8.4 miles in 7 days.

Lección 3-8   177

3. Multiply 7.82 × 39.

Estimate: 7.82 × 39 ≈ 8 × 40
= 320

```
   7.82
×    39
  7038
  2346
 304.98
```

4. Find the cost of 1000 photocopies costing $0.08 a piece.

0.08 × 1000 = ?

Annex zeros and move decimal point three places to the right

0.**080** = 80

The cost is $80.

Practice and Assess

Check

Answers for Check Your Understanding

1. 5 × 0.03 = 0.15 and 5 × 0.003 = 0.015. So 5 × 0.03 > 5 × 0.003.

2. 1

Ejemplos adicionales

3. Multiplica 7.82 × 39.

Haz un cálculo aproximado: 7.82 × 39 ≈ 8 × 40 = 320

```
   7.82
×    39
  7038
  2346
 304.98
```

4. Halla el costo de 1000 fotocopias cuyo precio unitario es de $0.08.

0.08 × 1000 = ?

Agrega ceros y mueve el punto decimal tres posiciones a la derecha.

0.**080** = 80

El costo es de $80.

3 Práctica y evaluación

Comprobar

Respuestas de Comprobar tu comprensión

1. 5 × 0.03 = 0.15 y 5 × 0.003 = 0.015. Por tanto 5 × 0.03 > 5 × 0.003.

2. 1

Ejemplo 3

Multiplica 4.71 × 23.

> Haz un cálculo aproximado: 4.71 × 23 ≈ 5 × 25 = 125

```
    4.71
×    23
  1413
   942
 10833
```

Puesto que hay dos dígitos después del punto decimal en el factor decimal 4.7̲1̲, el producto es 108.3̲3̲. El cálculo de 125 confirma que esto es razonable.

Usa estos atajos para multiplicar un número por 10, 100 ó 1000:

- Para multiplicar por 10, mueve el punto decimal una posición a la derecha.
- Para multiplicar por 100, mueve el punto decimal dos posiciones a la derecha.
- Para multiplicar por 1000, mueve el punto decimal tres posiciones a la derecha.

Quizá necesites agregar ceros al número si no hay posiciones suficientes para mover el punto decimal a la derecha.

No te olvides

Si agregas ceros al final de un decimal, no alteras su valor.
[Página 148]

▶ Enlace con Historia

En el siglo XIX, enviar cartas por el Pony Express resultaba muy caro. Costaba $10 enviar una carta de una onza. Por el mismo precio, podías comprar 100 libras de tocino.

Ejemplo 4

Los jinetes del Pony Express llevaban el correo en una bolsa de cuero llamada *mochila*. Por lo general, un jinete llevaba cerca de 1000 cartas y cada una pesaba 0.6 onzas. Halla el peso de la correspondencia dentro de la mochila.

0.6 × 1000 = ?

↓ Agrega ceros para que puedas mover el punto decimal.
0.600 = 600

↑ Mueve el punto decimal tres posiciones a la derecha.

El peso era como de 600 onzas.

Haz la prueba

Realiza las multiplicaciones.

a. 1.2 × 4   **b.** 0.6 × 7   **c.** 9.813 × 12   **d.** 0.62 × 100
   4.8   4.2   117.756   62

Comprobar | Tu comprensión

1. ¿Cuál es mayor, 5 × 0.03 ó 5 × 0.003? Explica por qué.

2. Un número tiene tres posiciones después del punto decimal. Si multiplicas el número por 100, ¿cuántas posiciones decimales tendrá el producto?

178   *Capítulo 3 • Decimales*

▷ MEETING MIDDLE SCHOOL CLASSROOM NEEDS

Tips from Middle School Teachers

I like to use catalogs of various types. They can be used in a variety of situations involving operations with decimals. Catalogs of specific interest to students are sports, music, clothing, and holiday catalogs. Ask students to bring to class any catalogs they might receive in the mail.

Sugerencias de los maestros

Me gusta usar diferentes catálogos. Estos sirven como material de apoyo en muchas situaciones relacionadas con el uso de decimales. Los temas más interesantes para los estudiantes son: deportes, música, ropa y viajes. Pida a los estudiantes que traigan los catálogos que reciben por correo.

Team Teaching

Work with a science teacher. Discuss why decimals are so useful when using the metric system.

Enseñanza en equipo

Trabaje con el maestro de ciencias. Comenten por qué los decimales son tan útiles al usar el sistema métrico decimal.

Social Studies Connection

On April 3, 1860, the Pony Express began fast overland mail service between Missouri and California, nearly 2,000 miles. Riders changed horses every 7 to 20 miles. Delivery took 8 to 10 days. The service ended when the telegraph line to California was completed in October 1861.

Asociación con Ciencias Sociales

El 3 de abril de 1860, el servicio postal Pony Express inauguró los envíos urgentes entre Missouri y California, con una ruta de aproximadamente 2,000 millas. Los jinetes cambiaban de caballo cada 7 a 20 millas. Las entregas solían demorar entre 8 y 10 días. Este servicio concluyó al crearse las líneas telegráficas en octubre de 1861.

3-8 Ejercicios y aplicaciones

Práctica y aplicación

1. [Para empezar] Escoge la ecuación que exprese el modelo de la cuadrícula.

a.
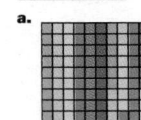
i. $6 \times 0.16 = 0.96$
ii. $5 \times 0.16 = 0.80$

b.
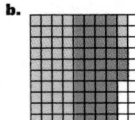
i. $2 \times 0.19 = 0.38$
ii. $2 \times 0.43 = 0.86$

c.
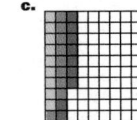
i. $3 \times 0.09 = 0.27$
ii. $6 \times 0.03 = 0.18$

Coloca un punto decimal en cada respuesta para que la ecuación sea verdadera.

2. $76.89 \times 23 = 176847$ 1768.47
3. $4 \times 8.53 = 3412$ 34.12
4. $5.6 \times 72 = 4032$ 403.2
5. $3.004 \times 8 = 24032$ 24.032
6. $9 \times 3.33 = 2997$ 29.97
7. $14 \times 62.345 = 87283$ 872.83

Haz las siguientes multiplicaciones.

8. 10×3.578 35.78
9. 100×3.578 357.8
10. 1000×3.578 3578
11. 8.7×6 52.2
12. 13.9×7 97.3
13. 143×6.1 872.3
14. 448×0.2 89.6
15. $\$86.15 \times 7$ $603.05
16. $\$6.85 \times 19$ $130.15
17. 415×0.031 12.865
18. 5.283×46 243.018
19. 8.07×10 80.7
20. 100×74.4 7440
21. 3.85×1000 3850
22. 10×0.059 0.59
23. $\$25.39 \times 100$ $2539

El Sendero de Oregon

24. En 1843 en Independence, Missouri, Teresa compró 6 barras de chocolate para su familia. Cada barra pesaba 0.8 onzas. ¿Cuántas onzas compró?   4.8

25. En 1847 en St. Joseph, Missouri, Reuben vendió bushels de manzanas deshidratadas a $1.50 cada bushel. ¿Cuánto costarían 4 bushels? $6

PRACTICE

Nombre _____

Práctica 3-8

Multiplicación de un número cabal por un decimal

Coloca un punto decimal en la respuesta para que la igualdad se cumpla.

1. $12 \times 8.76 = 1\ 0\ 5\ \_\ 1\ 2$
2. $4.67 \times 7 = 3\ 2\ \_\ 6\ 9$
3. $3.375 \times 8 = 2\ 7\ \_\ 0\ 0\ 0$
4. $7 \times 2.831 = 1\ 9\ \_\ 8\ 1\ 7$
5. $9.26 \times 15 = 1\ 3\ 8\ \_\ 9\ 0$
6. $2.36 \times 21 = 4\ 9\ \_\ 5\ 6$
7. $10 \times 4.63 = 4\ 6\ \_\ 3\ 0$
8. $17 \times 9.37 = 1\ 5\ 9\ \_\ 2\ 9$
9. $5.63 \times 8 = 4\ 5\ \_\ 0\ 4$
10. $7.41 \times 16 = 1\ 1\ 8\ \_\ 5\ 6$
11. $1.01 \times 7 = 7\ \_\ 0\ 7$
12. $3.94 \times 4 = 1\ 5\ \_\ 7\ 6$

Realiza las siguientes multiplicaciones.

13. 2.76×10 27.6
14. 2.76×100 276
15. 2.76×1000 2,760
16. 8.137×20 162.74
17. 61×4.731 288.591
18. 15.167×15 227.505
19. 6×26.34 158.04
20. 18.5×3 55.5
21. 10×18.438 184.38
22. $\$3.94 \times 5$ $19.70
23. 31.2×1000 31,200
24. 4×16.81 67.24
25. 2×18.3876 36.7752
26. 13×5.61 72.93
27. 6.25×12 75
28. 4.39×10 43.9
29. 4.161×5 20.805
30. $8 \times \$11.72$ $93.76
31. 14×31.347 438.858
32. 17.4×9 156.6
33. 17×3.17 53.89
34. 5.631×11 61.941
35. 1000×9.34 9,340
36. 8×3.812 30.496

37. Una lata contiene 0.17 kg de puré de tomate. ¿Cuánto puré de tomate habrá en 8 latas?   1.36 kg

38. En un día normal, Cheryl trabaja 8 horas a razón de $7.61 por hora. También debe comprar comida por $5.43. ¿Cuánto tiene al final del día? $55.45

RETEACHING

Nombre _____

Práctica adicional 3-8

Multiplicación de un número cabal por un decimal

Cuando multiplicas un número cabal por un número decimal, multiplica como si fueran dos números cabales. Luego cuenta el número de dígitos después del punto en los factores. Escribe la respuesta con el mismo número de posiciones decimales después del punto decimal.

— Ejemplo —

Multiplica 0.45×3.

Una forma de hallar un producto es usar la suma repetida.

Una segunda forma de encontrar el producto es seguir los pasos de multiplicación de dos números cabales.

Cuenta el número de dígitos después del punto decimal de cada factor. Hay dos dígitos luego del punto decimal en 0.45. No hay dígitos después del punto decimal en 3.

0.45 ← 2 posiciones decimales
× 3 ← 0 posiciones decimales

Haz la multiplicación.

1.35 ← 2 posiciones decimales

Coloca el punto decimal. Como los dos factores tienen un total de dos dígitos después del punto decimal, el producto tendrá también dos dígitos después del punto decimal.

Por tanto, $0.45 \times 3 = 01.35$.

Haz la prueba Multiplica 12.79×5.

a. El factor decimal es   12.79
b. ¿Cuántas posiciones decimales habrá en la respuesta?   2 posiciones decimales.
c. ¿Cuál es el producto?   63.95

Realiza las siguientes multiplicaciones.

d. 32.4×6 194.4
e. 5.6×4 22.4
f. 324×0.28 90.72
g. 25.98×12 311.76
h. 1.65×10 16.5
i. 1.11×34 37.74
j. 25×5.7 142.5
k. 8.111×9 72.999
l. 18×1.41 25.38
m. 6×3.422 20.532
n. 1.02×6 6.12
o. 9×20.4 183.6

Assignment Guide

- Basic 1–24, 27, 30–42 evens
- Average 2–28, 31–41 odds
- Enriched 8–32, 34–42 evens

Notas sobre los ejercicios

■ **Ejercicios 2–7**

Prevención de errores Observe a los estudiantes que cuentan las posiciones decimales antes del punto decimal para colocar el punto. Por ejemplo, en el ejercicio 2 pudieron haber escrito 17.6847 en vez de 1768.47. Recuérdeles que tienen que contar las posiciones decimales después del punto decimal.

■ **Ejercicio 24**

Ampliación Calcula el peso de varios caramelos y después encuentra el peso en onzas de 6 de esos caramelos.

Exercise Notes

■ **Exercises 2–7**

Error Prevention Watch for students who count decimal places before the decimal point to determine where to place the decimal point. For example, in Exercise 2, they would write 17.6847 instead of 1768.47. Remind them to count decimal places after the decimal point.

■ **Exercise 24**

Extension Find the weights of several common candy bars and then find the weight in ounces for 6 such bars.

Práctica adicional

Actividad

Materiales: Periódicos

- Trabaja en parejas. Usa anuncios de periódicos para hacer una lista del costo de los artículos que necesitarías si tuvieras que comprar refrigerios para organizar una fiesta en la clase.

- Después decide cuántos artículos de cada tipo necesitas y determina el costo total de cada artículo. Por ejemplo: 3 latas de limonada a $1.49 cada una costarían $3 \times 1.49 = \$4.47$.

- Halla el costo total de los artículos para la fiesta.

Reteaching

Activity

Materials: Newspapers

- Work in pairs. Use newspaper advertisements. Make a list of costs of several items that you would need to buy if you were purchasing refreshments for a class party.

- Then decide the quantity of each item you would need to buy and determine the total cost for that item. For example, 3 cans of lemonade at $1.49 each would cost $3 \times 1.49 = \$4.47$.

- Find the total cost for the party.

Exercise Answers

29. Yes, he only needs $16.20.

31. $231 \times 6 = 1386$, $23.1 \times 6 = 138.6$, $2.31 \times 6 = 13.86$; As the decimal moves in the first factor, it moves in the answer.

32. Possible answer: Add $2.75 + 2.75 + 2.75 + 2.75 + 2.75 + 2.75$ and explain that multiplication is the same as repeated addition.

35. 5540

36. 79,200,000

37. 14,200

38. 13,970,000,000

39. 928,000

40. 7,000,000,000,000

41. 1,932,000

42. 254,000,000

Alternate Assessment

You may want to use the *Interactive CD-ROM Journal* with this assessment.

Journal Describe a situation that would require multiplying a decimal by a whole number and then show how you would carry out the computation.

Quick Quiz

Multiply.

1. 10×5.67 56.7

2. 1000×5.67 5670

3. 5.18×5 25.9

4. 3.124×14 43.736

Available on Daily Transparency 3-8

Respuestas de Ejercicios

29. Sí, sólo necesita $16.20.

31. $231 \times 6 = 1386$, $23.1 \times 6 = 138.6$, $2.31 \times 6 = 13.86$; Como el punto decimal del primer factor se mueve, también se mueve el punto decimal de la respuesta.

32. Respuesta posible: Se suma $2.75 + 2.75 + 2.75 + 2.75 + 2.75 + 2.75$ y se explica que la multiplicación es lo mismo que la suma repetida.

35. 5540

36. 79,200,000

37. 14,200

38. 13,970,000,000

39. 928,000

40. 7,000,000,000,000

41. 1,932,000

42. 254,000,000

Evaluación adicional

Tal vez quiera usar el *Diario interactivo CD-ROM* con esta evaluación.

En tu diario Describe una situación donde deba multiplicarse un decimal por un número cabal; después demuestra cómo harías las operaciones.

► Prueba rápida

Multiplica.

1. 10×5.67 56.7

2. 1000×5.67 5670

3. 5.18×5 25.9

4. 3.124×14 43.736

---

26. **Historia** La sal era algo muy valioso para los viajeros del Sendero de Oregon. Mejoraba el sabor de la comida y se guardaba en poco espacio. De acuerdo con la gráfica, ¿cuánta sal usó la familia Olsen el 4 de julio? **0.07 lb**

Sal usada al inicio de julio

(gráfica: Sal usada (lb) vs. Fecha de julio)

27. [Para la prueba] Escoge la respuesta correcta para 5.69×29. **C**

Ⓐ 1.6501   Ⓑ 16.501
Ⓒ 165.01   Ⓓ 16,501

28. **Historia** Una carreta en el Sendero de Oregon promediaba una distancia de 17.3 millas diarias a través de las llanuras. ¿Qué distancia recorría en una semana? **121.1 millas**

Resolución de problemas y razonamiento

29. **Razonamiento crítico** Jamie quiere comprar 5.4 pies de madera para hacer un librero. La madera cuesta $3 el pie y Jamie tiene $17.50. ¿Tiene suficiente dinero para comprar la madera que necesita? Explica tu respuesta.

30. **Escoge una estrategia**
Andrea toma 54.3 onzas de leche a la semana. También bebe una lata de 6 onzas de jugo de naranja y 8 vasos de agua. Si toma 544.3 onzas de líquido a la semana y cada vaso de agua es de la misma medida, ¿cuál es la capacidad de cada vaso de agua? **8 onzas**

Resolución de problemas
ESTRATEGIAS
- Busca un patrón
- Organiza la información en una lista
- Haz una tabla
- Prueba y comprueba
- Empieza por el final
- Usa el razonamiento lógico
- Haz un diagrama
- Simplifica el problema

31. **Comunicación** Compara los productos de 231×6, 23.1×6 y 2.31×6. Explica dónde va el punto decimal en cada respuesta.

32. **Comunicación** En tus travesías por el sendero conociste a alguien que nunca aprendió a multiplicar. Te quiere comprar 6 ruedas de carreta en $2.75 cada una. ¿Cómo le explicarías que $6 \times \$2.75 = \$16.50$?

Repaso mixto

Ordena cada conjunto de números de menor a mayor. *[Lección 2-3]*

33. 34,890,000; 34,891,000; 34,790,001
34,790,001; 34,890,000; 34,891,000

34. 784,983; 784,982; 785,984
784,982; 784,983; 784,984

Escribe cada número en forma usual. *[Lección 3-4]*

35. 5.54×10^3 36. 7.92×10^7 37. 1.42×10^4 38. 1.397×10^{10}

39. 9.28×10^5 40. 7×10^{12} 41. 1.932×10^6 42. 2.54×10^8

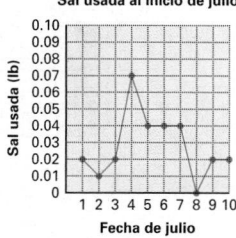

180   Capítulo 3 • Decimales

RESOLVER PROBLEMAS 3-8

PROBLEM SOLVING

Nombre _____

Resolución guiada de problemas 3-8

[RGP] **PROBLEMA 30, PÁGINA 180 DEL ESTUDIANTE**

Andrea toma 54.3 onzas de leche a la semana. También bebe una lata de 6 onzas de jugo de naranja y 8 vasos de agua al día. Si toma 544.3 onzas de líquido a la semana y cada vaso de agua es de la misma medida, ¿cuál es la capacidad de cada vaso de agua?

— Comprende —

1. ¿Qué se te pide que halles? Cuántas onzas hay en un vaso.

2. Rodea con un círculo los datos que se dan de onzas por semana.

3. Subraya los datos que se dan en onzas por día.

— Plan —

4. ¿Cómo hallarías cuánto bebe Andrea en una semana cuando se te da la cantidad que bebe diario? Al multiplicar por 7.

5. ¿Cuántos vasos de agua bebe diarios? 8 vasos

6. ¿Cuántos vasos de agua toma cada semana? 56 vasos

7. ¿Cuántas onzas de jugo de naranja bebe cada semana? 42 oz

— Resuelve —

8. ¿Cuántas onzas de leche y jugo toma cada semana? 96.3 oz

9. Resta para hallar cuántas onzas de agua bebe cada semana. 448 oz

10. Divide entre 56 para hallar cuántas onzas le caben a cada vaso de agua. 8 oz

— Revisa —

11. ¿Cómo puedes empezar por el final para comprobar tu respuesta? Al multiplicar 8 oz por 7; multiplicar 56 por 8; y sumar: 448 + 42 + 54.3 = 544.3; 544.3 oz

RESUELVE OTRO PROBLEMA

Kelsey gana $65.30 a la semana trabajando en una tienda de abarrotes y $5 diarios por pasear al perro del vecino. También cuida a su hermano 2 horas cada día. Si ella gana $128.30 semanales, ¿cuánto gana por cada hora que cuida a su hermano? $2

ENRICHMENT

Nombre _____

Actividad de enriquecimiento 3-8

Patrones numéricos

En una progresión aritmética el cambio entre cada término, o número, es el mismo. En la siguiente progresión aritmética se suma 0.6 a cada término para obtener el siguiente término.

0.4, 1.0, 1.6, 2.2, 2.8, 3.4,…

Para hallar el décimo término en esta progresión, suma el primer término y nueve veces el cambio entre los términos adyacentes de la progresión. Así, para la progresión anterior, harías el siguiente cálculo:

$0.4 + 9(0.6) = 0.4 + 5.4 = 5.8$

El décimo término de la progresión es 5.8.

Puedes escribir esto como la fórmula $x = a + (n - 1)d$, donde x es el término que quieres hallar, a es el primer término, n es la posición del término que quieres hallar y d es el cambio entre términos. Esta fórmula puede usarse para hallar cualquier término en esta progresión aditiva.

Halla el cambio, el décimo y el quincuagésimo término en cada progresión aritmética.

	Cambio	Décimo término	Quincuagésimo término
1. 1.2, 1.7, 2.2,…	+ 0.5	5.7	25.7
2. 0.2, 0.6, 1.0,…	+ 0.4	3.8	19.8
3. 1.3, 1.8, 2.3,…	+ 0.5	5.8	25.8
4. 4.8, 6.2, 7.6,…	+ 1.4	17.4	73.4
5. 10.1, 19.2, 28.3,…	+ 9.1	92	456
6. 0.05, 0.14, 0.23,…	+ 0.09	0.86	4.46
7. 1.06, 1.28, 1.5,…	+ 0.22	3.04	11.84
8. 15, 16.6, 18.2,…	+ 1.6	29.4	93.4
9. 8.8, 15.1, 21.4,…	+ 6.3	65.5	317.5
10. 6.1, 8.3, 10.5,…	+ 2.2	25.9	113.9
11. 9.4, 10.1, 10.8,…	+ 0.7	15.7	43.7
12. 26.53, 29.70, 32.87,…	+ 3.17	55.06	181.86

Multiplicación de un decimal por otro decimal

▶ Enlace con la lección En la lección anterior multiplicaste un número cabal por un decimal. En ésta, multiplicarás un decimal por otro decimal mediante el mismo método para colocar el punto decimal en un producto. ◀

3-9

Vas a aprender...
■ a multiplicar un número decimal por otro número decimal.

...cómo se usa
Los bomberos multiplican decimales para determinar cuánta agua puede lanzar una manguera a una presión dada durante un lapso determinado.

Investigar | **Multiplicación de un decimal por otro decimal**

En busca de los centésimos

Materiales: Cuadrículas de centenas, lápices de colores

Multiplicación de un decimal por otro decimal

- Colorea el primer número en forma vertical.
- Colorea el segundo número en forma horizontal.
- Describe la sección de la cuadrícula en donde los dos números se traslapan.

$$\begin{array}{r} 0.3 \\ \times\ 0.4 \\ \hline 0.12 \end{array}$$

1. Haz un modelo para estos problemas.

   a. 0.3×0.2 b. 0.6×0.6 c. 0.8×0.3 d. 0.4×0.7

   e. 0.9×0.5 f. 0.5×0.2 g. 0.7×0.1 h. 0.6×0.0

2. Si multiplicas dos decimales que sólo llegan a décimos, ¿tu respuesta sólo llegará a décimos? Justifica tu razonamiento.

3. Cuando multiplicas dos números decimales comprendidos entre cero y uno, ¿el resultado es mayor que ambos, menor que ambos, o mayor que uno y menor que otro?

Aprender | **Multiplicación de un decimal por otro decimal**

La multiplicación de un decimal por otro decimal es muy parecida a la multiplicación de un decimal por un número cabal. Se multiplican los dos números como si fueran números cabales. El producto de una multiplicación de decimales debe tener el mismo número de posiciones decimales que la suma del número de posiciones decimales de los dos factores.

$$\begin{array}{r} 4.3 \\ \times\ 2.7 \\ \hline 3\ 0\ 1 \\ 8\ 6 \\ \hline 11.6\ 1 \end{array}$$

MEETING INDIVIDUAL NEEDS

Recursos
3-9 Práctica
3-9 Práctica adicional
3-9 Resolución de problemas
3-9 Actividad de enriquecimiento
 Lección en el CD-ROM interactivo

Resources
3-9 Practice
3-9 Reteaching
3-9 Problem Solving
3-9 Enrichment
3-9 Daily Transparency
    Problem of the Day
    Review
    Quick Quiz
Teaching Tool Transparency 11
Interactive CD-ROM Lesson

Modos de aprendizaje

Visual Fomente la creatividad de los estudiantes al representar los decimales en **Investigar**. Por ejemplo, sugiérales que coloreen el primer número con un patrón de olas y el segundo con un patrón de peces. Al sobreponerlos, se formará un patrón de peces que nadan en las olas. Pídales que exhiban sus diagramas en el tablero de anuncios.

Social Los estudiantes deberán completar por parejas los ejercicios de **Investigar** para que uno de ellos sombree el primer número en forma vertical y el segundo sombree el otro número de manera horizontal.

Learning Modalities

Visual Encourage students to be creative when shading the decimal models in **Explore**. For example, they might color the first number using a wave pattern and the second number using a fish pattern. The overlap would then show fish in waves. Have students display their diagrams on a bulletin board.

Social Have students complete **Explore** in pairs with one person shading the first number vertically and the other person shading the second number horizontally.

Desarrollo del lenguaje

Asegúrese de que los estudiantes comprendan qué representa la adición de ceros. Explíqueles que algunos edificios tienen anexos, es decir, pisos que se agregaron después de hacer la construcción original.

English Language Development

Be sure students understand what is meant by annexing zeros. Point out that buildings sometimes have annexes, that is, adjoining portions that were added after the original portion was built.

3-9

Lesson Organizer

Objective
■ **Multiply a decimal times a decimal.**

Materials
■ **Explore: 10 × 10 Grids, colored pencils**

NCTM Standards
■ **1–6, 13**

➤ **Repaso**

Redondea al número cabal más cercano para hacer un cálculo aproximado de cada producto.

1. 3.9×5.1 20

2. 7.88×8.01 64

3. 0.89×9.91 10

4. 5.78×3.1 18

Review

Round to the nearest whole number to estimate each product.

1. 3.9×5.1 20

2. 7.88×8.01 64

3. 0.89×9.91 10

4. 5.78×3.1 18

Available on Daily Transparency 3-9

---

1 Introducción

Investigar

Objetivo
Los estudiantes representan la multiplicación de decimales por decimales para comprender cómo se coloca el punto decimal en el producto.

Evaluación continua
En el inciso 1h, esté pendiente de quienes creen que el modelo muestra que la respuesta es 0.6, y no 0.

Para los grupos que terminen antes
¿En qué se diferenciaría el modelo de **Investigar** si se multiplicara un decimal mayor que 1 por un decimal menor que 1?

Respuestas de Investigar en la siguiente página.

Introduce

Explore

You may wish to use Teaching Tool Transparency 11: 10 × 10 Grids with **Explore**.

The Point

Students use a model for multiplying decimals by decimals to understand the placement of the decimal point in the product.

Ongoing Assessment

For Step 1h, watch for students who think that the model shows that the answer is 0.6 rather than 0.

For Groups That Finish Early

How would the model differ from those in **Explore** if you were multiplying a decimal greater than 1 by a decimal less than 1?

Answers for Explore on next page.

Answers for Explore

1. a.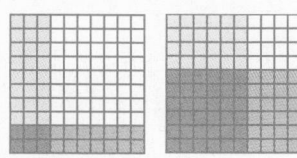
   b.

   c.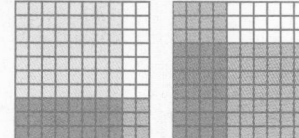
   d.

   e.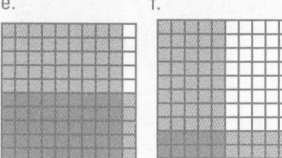
   f.

   g.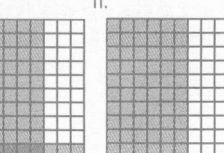
   h.

2. No, it could have hundredths;
   $0.5 \times 0.5 = 0.25$

3. Smaller than both.

Teach

Learn

Alternate Examples

1. Multiply: 6.7×4.2

   Estimate: $7 \times 4 = 28$

   $$\begin{array}{r} 6.7 \\ \times\ 4.2 \\ \hline 134 \\ 268\ \ \\ \hline 28.14 \end{array}$$

2. Multiply: 0.082×6.1

   Estimate: $0.08 \times 6 = 0.48$

   $$\begin{array}{r} 0.082 \\ \times\ 6.1 \\ \hline 82 \\ 492\ \ \\ \hline 0.5002 \end{array}$$

3. Multiply 38×0.1

   $38 \times 0.1 = 3.8$

4. Multiply 9×0.001

   $9 \times 0.001 = 0.009$

Respuestas de Investigar

1. a.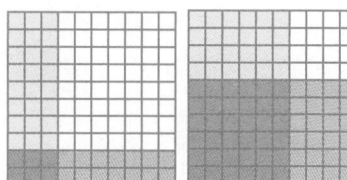
   b.

   c.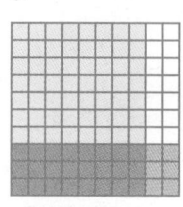
   d.

   e.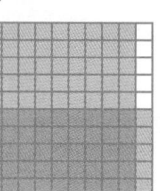
   f.

   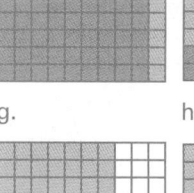

   g.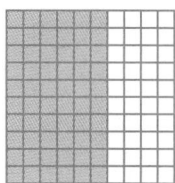
   h.

2. No, podría tener centésimos;
   $0.5 \times 0.5 = 0.25$

3. Menor que ambos.

2 Enseñanza

Aprender

Ejemplos adicionales

1. Multiplica: 6.7×4.2

   Haz un cálculo aproximado:
   $7 \times 4 = 28$

   $$\begin{array}{r} 6.7 \\ \times\ 4.2 \\ \hline 134 \\ 268\ \ \\ \hline 28.14 \end{array}$$

2. Multiplica: 0.082×6.1

   Haz un cálculo aproximado:
   $0.08 \times 6 = 0.48$

   $$\begin{array}{r} 0.082 \\ \times\ 6.1 \\ \hline 82 \\ 492\ \ \\ \hline 0.5002 \end{array}$$

3. Multiplica 38×0.1

   $38 \times 0.1 = 3.8$

4. Multiplica 9×0.001

   $9 \times 0.001 = 0.009$

Ejemplos

Sugerencia

En una prueba, hacer un cálculo aproximado te puede ayudar a determinar si tu respuesta es razonable.

1 Multiplica: 4.8×2.3

Aproxima: $5 \times 2 = 10$

$$\begin{array}{r} 4.8 \\ \times\ 2.3 \\ \hline 144 \\ 96\ \ \\ \hline 11.04 \end{array}$$

- 4.8 → 1 posición decimal
- × 2.3 → 1 posición decimal
- 11.04 → 2 posiciones decimales

2 Multiplica: 0.064×3.7

Aproxima: $0.06 \times 4 = 0.24$

$$\begin{array}{r} 0.064 \\ \times\ 3.7 \\ \hline 448 \\ 192\ \ \\ \hline 0.2368 \end{array}$$

- 0.064 → 3 posiciones decimales
- × 3.7 → 1 posición decimal
- 0.2368 → 4 posiciones decimales

Usa estos atajos para multiplicar un número por 0.1, 0.01 ó 0.001:

- Para multiplicar por 0.1, mueve el punto decimal una posición a la izquierda.
- Para multiplicar por 0.01, mueve el punto decimal dos posiciones a la izquierda.
- Para multiplicar por 0.001, mueve el punto decimal tres posiciones a la izquierda.

Quizá tengas que agregar ceros para poder mover el punto decimal.

$$\overset{\text{ceros agregados}}{5.47 \times 0.001 = 0.00547}$$

Ejemplos

PISTA

Si en una calculadora oprimes la tecla [.] antes de presionar cualquier tecla numérica, la calculadora automáticamente pondrá un 0 frente al punto decimal. Para registrar 0.1 sólo necesitas oprimir [.] y luego el 1.

3 Multiplica: 21×0.1

$21 \times 0.1 = 2.1$

4 Multiplica: 6×0.001

$6 \times 0.001 = 0.006$

Haz la prueba

Realiza las siguientes multiplicaciones.

a. 0.4×23.6 **9.44**   b. 52.4×2.8 **146.72**   c. 0.009×4.1 **0.0369**

d. 5677×0.01 **56.77**   e. 210×0.001 **0.21**   f. 6×0.1 **0.6**

Comprobar | Tu comprensión

1. ¿Cuál es mayor, 6.2×0.4 ó 6.2×0.04? Explica por qué.

2. Cuando multiplicas un número por 0.1, ¿el resultado será mayor o menor que el número? Justifica tu respuesta.

3. ¿En qué se asemeja la multiplicación de un decimal por otro decimal, a la multiplicación de dos números cabales?

182   Capítulo 3 • Decimales

MATH EVERY DAY

➤ Problema del día

Supónte que tienes cinco canicas. Cuatro de ellas pesan lo mismo. La otra es más pesada. ¿Cómo puedes usar una balanza sólo dos veces para saber cuál es la canica más pesada?

Se ponen dos canicas en cada extremo de la balanza. Si la balanza se muestra equilibrada, la canica más pesada es la que sobra. Si no están equilibradas, se pone una canica del par más pesado en cada extremo para saber cuál pesa más.

Problem of the Day

Suppose you have five marbles. Four of them weigh the same. One is heavier. How can you find the heavier marble by using a balance scale no more than two times?

Put two marbles on each side. If they balance, the marble left over is heavier. If they do not balance, put one marble from the heavier pair on each side of the balance scale to find which marble is heavier.

Available on Daily Transparency 3-9

An Extension is provided in the transparency package.

Dato del día

Un envase grande de palomitas con mantequilla puede tener 145 gramos de grasa, el equivalente de la grasa contenida en 8 hamburguesas.

Fact of the Day

A large bucket of buttered popcorn at a movie theater has as much as 145 grams of fat, almost as much fat as eight hamburgers.

Mental Math

Do these mentally.

1. 9×20 180
2. 30×80 2,400
3. 40×700 28,000
4. 900×900 810,000

Cálculo mental

Realiza estos cálculos en forma mental.

1. 9×20 180
2. 30×80 2,400
3. 40×700 28,000
4. 900×900 810,000

Práctica y aplicación

1. | Para empezar | Escoge la ecuación que exprese el modelo de la cuadrícula.

a.
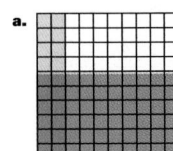

i. $0.2 \times 0.6 = 0.12$
ii. $0.3 \times 0.5 = 0.15$

b.
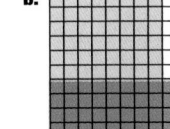

i. $0.8 \times 0.4 = 0.32$
ii. $0.8 \times 0.4 = 0.032$

c.
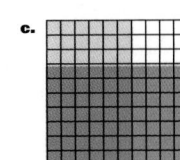

i. $0.6 \times 0.7 = 4.2$
ii. $0.6 \times 0.7 = 0.42$

Coloca el punto decimal en cada respuesta para que la ecuación sea verdadera.

2. $0.57 \times 0.102 = 05814$ 0.05814
3. $4.17 \times 0.23 = 09591$ 0.9591
4. $1.9 \times 13.2 = 2508$ 25.08

5. $1.567 \times 5.23 = 819541$ 8.19541
6. $4.09 \times 1.2 = 4908$ 4.908
7. $65.1 \times 65.1 = 423801$ 4238.01

Haz las siguientes multiplicaciones.

8. 0.1×75.4 7.54
9. 0.01×6.8 0.068
10. 0.001×265.3 0.2653
11. 0.65×0.01 0.0065

12. 97.8×0.1 9.78
13. 4.25×0.001 0.00425
14. 4.2×6.3 26.46
15. 5.8×6.7 38.86

16. 9.7×0.6 5.82
17. 5.4×4.3 23.22
18. 0.29×0.4 0.116
19. 1.3×0.42 0.546

20. 2.07×0.03 0.0621
21. 6.24×8.7 54.288
22. 0.08×6.5 0.52
23. 9.37×0.08 0.7496

24. 10.2×0.4 4.08
25. 0.31×2.5 0.775
26. 0.4×0.18 0.072
27. 0.92×4.6 4.232

Primero, haz un cálculo aproximado y después resuelve el problema.

28. En 1863 en el fuerte Kearny, Nebraska, la tela de algodón se vendía en $0.25 una yarda. La señora Parks compró 16.5 yardas para confeccionar ropa para su familia. ¿Cuánto gastó en tela? $4; $4.13

29. En 1863 en Chimney Rock, Nebraska, los emigrantes podían comprar arroz a $0.11 la libra. Al barril de los Wilson le cabían 19.25 libras. ¿Cuánto costaba llenar el barril? $2; $2.12

PRACTICAR 3-9

3-9 • Multiplicación de un decimal por otro decimal   **183**

PRACTICE

Nombre _____

Práctica **3-9**

Multiplicación de un decimal por otro decimal

Coloca un punto decimal en la respuesta para que la igualdad se cumpla.

1. $3.7 \times 19.8 = 7\,3{,}2\,6$
2. $5.7 \times 19.9 = 1\,1\,3{,}4\,3$
3. $2.9 \times 13.82 = 4\,0{,}0\,7\,8$
4. $10.2 \times 9.49 = 9\,6{,}7\,9\,8$
5. $12.14 \times 8 = 9\,7{,}1\,2$
6. $16.6 \times 7.1 = 1\,1\,7{,}8\,6$
7. $3.0 \times 5.18 = 1\,5{,}5\,4$
8. $10.9 \times 10.611 = 1\,1\,5{,}6\,5\,9\,9$

Realiza las siguientes multiplicaciones.

9. 9.031×0.5 4.5155
10. 0.01×9.1 0.091
11. 50.9×0.9 45.81
12. 0.6×0.07 0.042

13. 0.2×0.278 0.0556
14. 9.2×0.25 2.3
15. 5.6×4.8 26.88
16. 0.02×0.3 0.006

17. 0.6×0.005 0.003
18. 55.5×0.07 3.885
19. 3.0×38.8 11.64
20. 0.5×2.1 1.05

21. 0.01×7.3 0.073
22. 52.62×0.8 42.096
23. 0.42×0.2 0.084
24. 7.07×4.9 34.643

25. Una tienda naturista vende granola en $1.80 la libra. ¿Cuánto costarán 1.3 libras de granola? $2.34

26. Salud El brócoli crudo contiene 0.78 mg de hierro por taza. ¿Cuánto hierro hay en 2.3 tazas de brócoli?   1.794 mg

Compara las expresiones por medio de <, > o =.

27. 6.14×0.25 ◯ 61.4×2.5
28. 0.03×12.4 ◯ 0.3×1.24
29. 5.2×62.9 ◯ 0.52×6.29
30. 4.7×8.17 ◯ 4.7×81.7
31. 7.0×1.72 ◯ 0.07×172.0
32. 8.54×27.0 ◯ 85.4×2.7

33. Consumo Si la gasolina cuesta $1.539 por galón, ¿cuánto pagarías por 12.64 galones? (Redondea tu respuesta al centavo más cercano.) $19.45

RETEACHING

Nombre _____

Práctica adicional **3-9**

Multiplicación de decimales

Multiplica un número decimal por otro decimal como si los dos fueran números cabales. Después cuenta el número de dígitos a la derecha del punto decimal de cada factor decimal. Por último, escribe el producto. El producto debe tener el mismo número de dígitos a la derecha del punto decimal como números a la derecha del punto decimal haya en ambos factores. En algunos casos, debes agregar ceros para que tengas el número correcto de dígitos a la derecha del punto decimal.

— Ejemplo —

Multiplica: 0.31×0.18.

Cuenta el número de dígitos después del punto decimal de cada factor. Hay dos dígitos después del punto decimal en 0.31. También hay dos dígitos después del punto decimal en 0.18.

Haz la multiplicación.

Coloca el punto decimal. Los dos factores tienen un total de cuatro dígitos después del punto decimal, por tanto, el producto tendrá también cuatro dígitos después del punto decimal. Como sólo hay 3 dígitos en el producto, necesitas **agregar** un cero. Observa que se coloca otro cero antes del punto decimal.

Por tanto, $0.31 \times 0.18 = 0.0558$.

$$0.31 \leftarrow 2 \text{ posiciones decimales}$$
$$\times 0.18 \leftarrow 2 \text{ posiciones decimales}$$
$$\overline{248}$$
$$31$$
$$\overline{0.0558} \leftarrow 4 \text{ posiciones decimales}$$

Haz la prueba Multiplica: 2.08×0.4.

a. ¿Cuántas posiciones decimales hay en 2.08?   2 posiciones.
b. ¿Cuántas posiciones decimales hay en 0.4?   1 posición.
c. ¿Cuántas posiciones decimales debe haber en el producto?   3 posiciones.
d. ¿Cuál es el producto?   0.832

Realiza las siguientes multiplicaciones.

e. $\begin{array}{r}0.28\\ \times\ 3.2\\ \hline 0.896\end{array}$
f. $\begin{array}{r}0.183\\ \times\ 2.4\\ \hline 0.4392\end{array}$
g. $\begin{array}{r}15.21\\ \times\ 0.45\\ \hline 6.8445\end{array}$
h. $\begin{array}{r}5.07\\ \times\ 0.73\\ \hline 3.7011\end{array}$

i. 8.4×0.01 0.084
j. 1.4×0.001 0.0014
k. 0.94×0.001 0.00094
l. 0.001×0.001 0.000001
m. 300×0.002 0.6
n. 0.005×200 1

Assignment Guide

- **Basic** 2–26 evens, 29, 35, 37, 40–54 evens
- **Average** 1–37 odds, 38, 41–55 odds
- **Enriched** 8–26 evens, 29–39, 40–54 evens

3 Práctica y evaluación

Comprobar

Respuestas de Comprobar tu comprensión

1. $6.2 \times 0.4 = 2.48$ y $6.2 \times 0.04 = 0.248$, por tanto 6.2×0.4 es mayor.

2. Menor que el número; El punto decimal del número se mueve a la izquierda.

3. Las reglas para multiplicar son iguales.

Notas sobre los ejercicios

■ **Ejercicios 9, 13, 20, 26**

| Prevención de errores | Observe a los estudiantes que agregan ceros al final de los dígitos diferentes de cero, en lugar de incluirlos entre el punto decimal y los dígitos diferentes de cero. Subraye la importancia del cálculo aproximado para determinar si las respuestas son razonables.

■ **Ejercicios 28–29**

Historia Fort Kearney y Chimney Rock eran pequeños poblados en el Sendero de Oregon que seguían el curso del río Platte. El río Platte atraviesa todo el estado de Nebraska en dirección este-oeste.

Práctica adicional

| Actividad |

Materiales: Cuadrículas de 10 × 10

- Trabaja con un compañero. Usen cuadrículas de 10 × 10 para representar 2.4×0.3.

- Usa el método aplicado en **Investigar**. Esta vez, sin embargo, tendrás que usar tres cuadrículas de 10 × 10.

Practice and Assess

Check

Answers for Check Your Understanding

1. $6.2 \times 0.4 = 2.48$ and $6.2 \times 0.04 = 0.248$, so 6.2×0.4 is greater.

2. Less than; The decimal of the number moves to the left.

3. Multiplication rules are the same.

Exercise Notes

■ **Exercises 9, 13, 20, 26**

Error Prevention Watch for students who annex zeros at the end of the nonzero digits instead of between the decimal point and the nonzero digits. Stress the importance of estimation in determining if answers are reasonable.

■ **Exercises 28–29**

History Fort Kearney and Chimney Rock were settlements on the Oregon Trail, which followed the route of the Platte River. The Platte River cuts through the entire state of Nebraska in an east-west direction.

Reteaching

Activity

Materials: 10 ×10 Grids

- Work with a partner. Use 10 ×10 grids to model 2.4×0.3.

- Use the same method as in **Explore**. This time, however, you will have to use three 10 ×10 grids.

Exercise Notes

■ Exercise 34

Health Many food items give the grams of fat per serving, but the serving size does not always represent the typical amount eaten by some people.

■ Exercise 35

Test Prep If students selected D, they placed the decimal point as if they were adding the decimals. Remind them that estimation will help them place the decimal point correctly.

Exercise Answers

37. $0.4 \times 0.2 = 0.08$; The product should have the same number of decimal places as the sum of the number of decimal places in both factors.

38. Multiplying by 1000 makes the number 1000 times larger; Multiplying by 0.001 makes the number 1000 times smaller.

39. Possible answer: A bag of flour costs $0.49. How much do 3.5 bags cost?

Alternate Assessment

Interview Identify the errors in the following problems and arrive at a correct response for each.

1. $0.3 \times 0.7 = 2.1$
2. $5.25 \times 0.002 = 52.50$

Notas sobre los ejercicios

■ Ejercicio 34

Salud En muchos comestibles se indican los gramos de grasa por ración, pero el tamaño de las raciones no siempre representa la cantidad que consume cualquier persona.

■ Ejercicio 35

Para la prueba Si los estudiantes escogieron D, significa que colocaron el punto decimal como si estuvieran sumando los decimales. Recuérdeles que el cálculo aproximado les ayudará a colocar en forma correcta el punto decimal.

Respuestas de Ejercicios

37. $0.4 \times 0.2 = 0.08$; El producto debe tener el mismo número de posiciones decimales que la suma del número de posiciones decimales de ambos factores.

38. Multiplicar por 1000 hace que el número sea 1000 veces mayor; Multiplicar por 0.001 hace que el número sea 1000 veces menor.

39. Respuesta posible: Un paquete de harina cuesta $0.49. ¿Cuánto cuestan 3.5 paquetes?

Evaluación adicional

Entrevista Identifica los errores en los siguientes problemas y llega a una respuesta correcta en cada uno.

1. $0.3 \times 0.7 = 2.1$
2. $5.25 \times 0.002 = 52.50$

Usa $<$, $>$ o $=$ para comparar.

30. $79.1 \times 0.1 \boxed{>} 79.1 \times 0.01$ 31. $0.001 \times 12.5 \boxed{<} 0.01 \times 12.5$

32. $2.4 \times 0.134 \boxed{>} 0.24 \times 0.134$ 33. $15.2 \times 0.38 \boxed{=} 1.52 \times 3.8$

34. **Salud** Ava leyó en una envoltura que una barra de dulce tenía 12.5 g de grasa. Un gramo de grasa proporciona 9.4 calorías. ¿Cuántas calorías proporciona la grasa de una barra de este dulce? 117.5

35. **Para la prueba** El nuevo auto de Lyau promedió 27.3 millas por galón en su último viaje. Si al tanque de gasolina le caben 16.5 galones, ¿qué distancia puede recorrer con un tanque de gasolina? **C**
   Ⓐ 4.5 millas   Ⓑ 45.04 millas   Ⓒ 450.45 millas   Ⓓ 4504.5 millas

36. **Medición** Joel decidió que su cuerda para atar debería ser 42.6 veces más larga que el pedazo que se muestra aquí. ¿Qué longitud debería tener su cuerda?
   Alrededor de 289.68 cm

Resolución de problemas y razonamiento

37. **Razonamiento crítico** Explica por qué $0.4 \times 0.2 \neq 0.8$.

38. **Comunicación** Explica por qué al multiplicar números por 1000 el punto decimal se mueve a la derecha, y al multiplicar por 0.001 el punto decimal se desplaza a la izquierda.

39. En tu diario Imagina que estás en el Sendero de Oregon en 1845. Redacta un problema con el que podrías haberte enfrentado y que pudieras solucionar al multiplicar dos decimales.

Repaso mixto

Simplifica cada expresión; usa el orden correcto de las operaciones. *[Lección 2-8]*

40. $50 - 10 \div 2$ 45   41. $72 \div 9 - 1$ 7   42. $6 \times 5 \times 3$ 90   43. $4^2 \times 2 - 3$ 29

44. $3 \times (8 - 6)$ 6   45. $4 \div 2 - 0^6$ 2   46. $50 \div 10 \times 4$ 20   47. $(3 \times 4)^2 - 1$ 143

Haz un cálculo aproximado de cada suma, resta, producto o cociente. *[Lección 3-5]* Respuestas posibles:

48. $65.79 + 12.56$ 79   49. $7.67 - 5.33$ 3   50. 7.87×10.06 80   51. $12.29 \div 4.47$ 3

52. $72.593 + 3.485$ 76   53. $21.09 - 11.06$ 10   54. $55.88 \div 10.48$ 6   55. 9.5×3.667 40

RESOLVER PROBLEMAS 3-9

División entre un número cabal

► **Enlace con la lección** En la primera lección de esta sección, trabajaste con problemas de multiplicación que tienen respuestas decimales. Ahora aprenderás a resolver problemas de división que tienen respuestas decimales. ◄

Vas a aprender...

■ a dividir un número decimal entre un número cabal.

...cómo se usa

Los dietistas dividen números decimales para determinar la cantidad de proteínas que debe consumirse al día.

Investigar | División entre un número cabal

Pequeños fragmentos

Materiales: Listones divididos en décimos

División entre un número cabal

- Colorea el primer número.
- Divide el primer número en conjuntos iguales. El número de conjuntos debe ser igual al segundo número.
- Describe un conjunto en la cuadrícula.

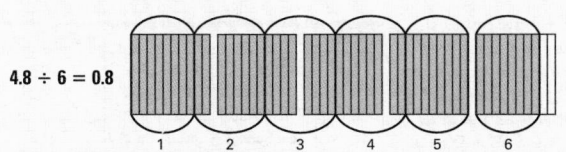

$4.8 \div 6 = 0.8$

1. Haz un modelo para estos problemas.

   a. $2.0 \div 5$ **b.** $2.1 \div 3$ **c.** $2.4 \div 4$ **d.** $3.5 \div 7$

2. ¿Tiene $2.4 \div 3$ la misma respuesta que $3 \div 2.4$? Explica tu respuesta.

3. ¿En qué se parece la división de un decimal entre un número cabal, a la división entre números cabales?

Aprender | División entre un número cabal

Cuando divides un número entre otro, el número que se divide se llama **dividendo**. El número entre el cual divides es el **divisor** y la respuesta es el **cociente**.

Cuando divides entre un número cabal, fraccionas el dividendo en grupos iguales o de igual tamaño.

Vocabulario

dividendo

divisor

cociente

Dividendo		Divisor		Cociente
12	÷	3	=	4

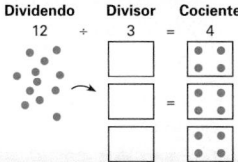

Fort Kearney

3-10 • División entre un número cabal **185**

MEETING INDIVIDUAL NEEDS

Recursos

3-10	Práctica
3-10	Práctica adicional
3-10	Resolución de problemas
3-10	Actividad de enriquecimiento

Resources

3-10	Practice
3-10	Reteaching
3-10	Problem Solving
3-10	Enrichment
3-10	Daily Transparency
	Problem of the Day
	Review
	Quick Quiz
	Teaching Tool Transparency 12
	Chapter 3 Project Master

Modos de aprendizaje

Visual Invite a los estudiantes a representar las divisiones en cuadrículas de 10 × 10 en lugar de usar cuadrículas de decenas.

Cinestésico Dé a los estudiantes dinero de juguete (monedas y billetes). Pídales que trabajen en equipos para dividir varias cantidades en partes iguales. Explíqueles que algunas cantidades no pueden dividirse en partes iguales.

Learning Modalities

Visual Have students use 10 × 10 grids instead of tenths grids to model division.

Kinesthetic Have students use play money, including coins as well as paper money. Have them work together to divide various amounts of money into equal amounts. Point out that some amounts cannot be split into equal amounts.

Desarrollo del lenguaje

Muchos estudiantes confunden las palabras *dividendo* y *divisor*. Explíqueles que el divisor es el número que divide. Por ejemplo, en la división $4\overline{)20.6}$, el divisor es el primer término; en la división $20.6 \div 4$, el divisor es el segundo término; en la fracción $\frac{20.6}{4}$, el divisor es el denominador.

Pídales que lean los problemas en voz alta y expliquen que el divisor es el número que sigue a la frase *dividido entre*. Identifique con claridad los términos de las ecuaciones que presente.

English Language Development

Students often confuse the words *dividend* and *divisor*. Stress that the divisor is the number they are dividing by. Point out that the divisor might appear first as in $4\overline{)20.6}$, second, as in $20.6 \div 4$, or in the denominator in fractional form, as in $\frac{20.6}{4}$.

Have students read division problems aloud and explain that the divisor is the number that follows the phrase *divided by*. Display division problems with each term clearly identified.

3-10

Lesson Organizer

Objective

■ **Divide a decimal number by a whole number.**

Vocabulary

■ **Dividend, divisor, quotient**

Materials

■ **Explore: Tenths grids**

NCTM Standards

■ **1–4, 7, 13**

► **Repaso**	**Review**
Haz un cálculo aproximado.	Estimate.
1. $36.7 \div 4$ 9	1. $36.7 \div 4$ 9
2. $148.9 \div 3$ 50	2. $148.9 \div 3$ 50
3. $478.9 \div 62$ 8	3. $478.9 \div 62$ 8
4. $415.8 \div 69$ 6	4. $415.8 \div 69$ 6

Available on Daily Transparency 3-10

1 Introducción

Investigar

Objetivo

Los estudiantes usan modelos para investigar el significado de dividir un número decimal entre un número cabal.

Evaluación continua

Observe a los estudiantes que responden sí en el inciso 2. Use números cabales para plantearles una pregunta semejante. ¿$8 \div 2$ es lo mismo que $2 \div 8$?

Para los grupos que terminen antes

¿Cómo puedes comprobar el resultado de un problema de división? Al multiplicar la respuesta por el número entre el que se está dividiendo (divisor). El resultado debe ser igual al número original (dividendo).

Respuestas de Investigar en la siguiente página.

Introduce

Explore

You may wish to use Teaching Tool Transparency 12: Tenths Grids with **Explore**.

The Point

Students use models to explore the meaning of dividing a decimal by a whole number.

Ongoing Assessment

Watch for students who answer yes for Step 2. Ask a similar question using whole numbers. Is $8 \div 2$ the same as $2 \div 8$?

For Groups That Finish Early

How can you check the answer to a division problem? Multiply the answer by the number you're dividing by. The result should equal the original number.

Answers for Explore on next page.

1. a.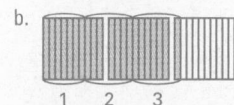

b.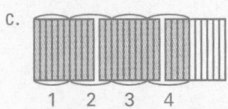

c.

d.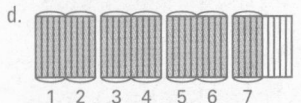

2. No; The conmutative property is only true for multiplication and addition.

3. Division rules are the same.

Teach

Learn

Alternate Examples

1. Divide: 161.28 ÷ 42.

   Estimate: 160 ÷ 40 = 4

   ```
        3.84
   42)161.28
      − 126
        352
      − 336
        168
      − 168
          0
   ```

2. Divide: 729.6 ÷ 8.

   Estimate: 720 ÷ 8 = 90

   ```
       91.2
   8)729.6
     −72
      09
     − 8
      16
     −16
       0
   ```

3. In four games of miniature golf, Jamie scored 91, 98, 101, and 86. Find her mean score for the four games.

   Total scores = 91 + 98 + 101 + 86 = 376

   Mean = 376 ÷ 4 = 94
   The mean score is 94.

Respuestas de Investigar

1. a.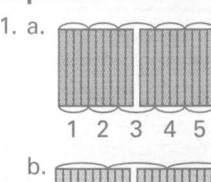

1 2 3 4 5

b.

1 2 3

c.

1 2 3 4

d.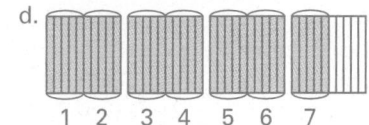

1 2 3 4 5 6 7

2. No; La propiedad conmutativa sólo es válida para la suma y la multiplicación.

3. Las reglas para dividir son iguales.

2 Enseñanza

Aprender

Ejemplos adicionales

1. Divide: 161.28 ÷ 42.

   Haz un cálculo aproximado:
   160 ÷ 40 = 4

   ```
        3.84
   42)161.28
      − 126
        352
      − 336
        168
      − 168
          0
   ```

2. Divide: 729.6 ÷ 8.

   Haz un cálculo aproximado:
   720 ÷ 8 = 90

   ```
       91.2
   8)729.6
     −72
      09
     − 8
      16
     −16
       0
   ```

3. En cuatro juegos de golfito, Jamie obtuvo 91, 98, 101 y 86. Halla la media de la puntuación para los cuatro juegos.

   Total de puntos = 91 + 98 + 101+ 86 = 376

   Media = 376 ÷ 4 = 94
   La puntuación media es de 94.

PISTA

A veces un cociente decimal es tan largo que la calculadora no puede mostrar todo el número. En este caso, la calculadora puede redondear el cociente para obtener un número con menos dígitos.

No te olvides

La media se obtiene al dividir la suma de un conjunto de números entre el número de elementos del conjunto.

[Página 47]

Cuando tienes un dividendo decimal, divide como si dividieras números cabales. Después coloca el punto decimal en el cociente, justo arriba del punto decimal del dividendo.

```
     2.53
27)68.31
   54
   143
   135
    81
    81
```

Ejemplos

1 Divide: 153.92 ÷ 32

Aproxima: 150 ÷ 30 = 5

```
     4.81
32)153.92
   128
   259
   256
    32
    32
```

2 Divide: 427.8 ÷ 6

Aproxima: 420 ÷ 6 = 70

```
    71.3
6)427.8
  42
  07
   6
  18
  18
```

3 En mayo de 1860, el jinete de Nevada "Pony Bob" Haslam montó cuatro caballos para lograr la carrera más larga de la historia del Pony Express. Encuentra la distancia media que recorrió cada caballo.

Caballo	De	A	Distancia (mi)
1	Friday's	Buckland's	60
2	Buckland's	Carson Sink	35
3	Carson Sink	Cold Springs	37
4	Cold Springs	Smith's Creek	30

Distancia total = 60 + 35 + 37 + 30 = 162.

Suma las distancias y divide el resultado entre 4 para encontrar la media.

Media = 162 ÷ 4

Aproxima: 160 ÷ 4 = 40

```
    40.5
4)162.0    ← Agrega un cero.
  16
  020
   20
```

La distancia media recorrida por cada caballo fue de 40.5 millas.

MATH EVERY DAY

► Problema del día

Copia la figura 1. Dí cómo puedes dividirla en dos para formar la figura 2.

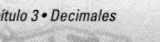

Figura 1   Figura 2

Problem of the Day

Copy the first figure. Show how you can cut it into two pieces to make it exactly fit the second figure.

Available on Daily Transparency 3-10

An Extension is provided in the transparency package.

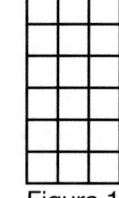

Dato del día

La ruta Pony Express contaba con 190 estaciones de relevo. Los jinetes sólo necesitaban alrededor de 2 minutos para cambiar de caballo en cada estación.

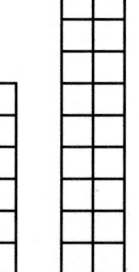

Fact of the Day

There were 190 relay stations along the Pony Express route. It took about 2 minutes to change horses at each station.

Mental Math

Do these mentally.

1. 100 × 100   10,000
2. 10 × 1000   10,000
3. 10,000 ÷ 1000   10
4. 100,000 ÷ 100   1000

Cálculo mental

Haz estos cálculos en forma mental.

1. 100 × 100   10,000
2. 10 × 1000   10,000
3. 10,000 ÷ 1000   10
4. 100,000 ÷ 100   1000

Utiliza estos atajos para dividir un número entre 10, 100 ó 1000:

- Para dividir entre 10, desplaza el punto decimal una posición a la izquierda.
- Para dividir entre 100, desplaza el punto decimal dos posiciones a la izquierda.
- Para dividir entre 1000, desplaza el punto decimal tres posiciones a la izquierda.

Recuerda que en la multiplicación por potencias de 10 menores de 1 (como 0.1, 0.01 y 0.001), el punto decimal también se mueve a la izquierda.

Ejemplo 4

La tabla presenta un cálculo aproximado de la población del mundo en los límites de un período de 100 años. ¿Cuál es el promedio anual del incremento de población?

$$\begin{array}{r} 6,261,000,000 \\ - 1,600,000,000 \\ \hline 4,661,000,000 \end{array}$$

Población mundial (aproximada)	
Año	Población
1900	1,600,000,000
2000	6,261,000,000

¿LO SABÍAS?

La población mundial aumenta de manera constante más rápido que 1 persona por segundo. En el tiempo que te toma leer esto, más de 25 bebés habrán nacido.

El incremento total en 100 años es, aproximadamente, de 4,661,000,000.

Para encontrar el promedio anual del incremento de población, divide entre 100:

$$4,661,000,000 \div 100 = 46610000.00$$

El promedio anual del incremento de población es, aproximadamente, de 46,610,000.

Haz la prueba

Realiza las siguientes divisiones.

a. $154.4 \div 8$ **19.3**   b. $20.47 \div 23$ **0.89**   c. $8.029 \div 74$ **0.1085**

d. $26.2 \div 100$ **0.262**   e. $3.012 \div 1000$ **0.003012**   f. $45 \div 10$ **4.5**

Comprobar Tu comprensión

1. Si divides un número con tres posiciones decimales entre un número cabal, ¿cuántas posiciones decimales quedan en la respuesta? Explica tu razonamiento.

2. Dividir entre 10 es lo mismo que multiplicar por 0.1. Proporciona otros dos pares de números en los que dividir entre uno de ellos sea lo mismo que multiplicar por el otro? Explica tu respuesta.

3. ¿Cómo puedes usar la multiplicación para verificar el cociente?

3-10 • División entre un número cabal **187**

Ejemplos adicionales

4. En 100 años la población de una ciudad aumentó de 8,000 a 152,000 habitantes. Suponiendo que la población aumentó a una tasa constante, ¿aproximadamente cuánto aumentó cada año?

$$\begin{array}{r} 152,000 \\ - 8,000 \\ \hline 144,000 \end{array}$$

El aumento total en 100 años fue de 144,000.

Divide 144,000 entre 100.

$144,000 \div 100 = 1,440.$

El incremento poblacional medio fue como de 1,440 habitantes al año.

3 Práctica y evaluación

Comprobar

Respuestas de Comprobar tu comprensión

1. Depende de los números, pero la respuesta debe tener cuando menos 3 posiciones decimales.

2. Dividir entre 100 es lo mismo que multiplicar por 0.01 y dividir entre 1000 es igual que multiplicar por 0.001

3. El cociente multiplicado por el divisor es igual al dividendo.

Alternate Examples

4. In 100 years the population of a city increased from 8,000 to 152,000. Assuming the population increased at a steady rate, by about how about much did it increase each year?

$$\begin{array}{r} 152,000 \\ - 8,000 \\ \hline 144,000 \end{array}$$

The total increase in 100 years was about 144,000.

Divide 144,000 by 100.

$144,000 \div 100 = 1,440.$

The mean annual population increase was about 1,440.

Practice and Assess

Check

Answers for Check Your Understanding

1. It depends on the numbers, but the answer will have at least 3 decimal places.

2. Dividing by 100 is the same as multiplying by 0.01 and dividing by 1000 is the same as multiplying by 0.001

3. The quotient multiplied by the divisor equals the dividend.

Assignment Guide

- Basic 1–7, 9–29 odds, 32–46 evens
- Average 2–34 evens, 37–49 odds
- Enriched 2–50 evens

Exercise Notes

■ Exercises 2–7

Error Prevention Check that students are able to answer these exercises correctly before moving on to Exercises 8–27.

■ Exercise 29

Health In pioneer times people were not aware of the ill effects of diets high in saturated fats. Lard is made from animal fat and is much higher in saturated fat per gram than many vegetable oils.

Notas sobre los ejercicios

■ Ejercicios 2–7

Prevención de errores Revise que los estudiantes sean capaces de responder correctamente estos ejercicios antes de llegar a los ejemplos 8-27.

■ Ejercicio 29

Salud En la época de los pioneros, la gente no se daba cuenta de los efectos negativos de las dietas altas en grasas saturadas. La manteca se extrae de la grasa animal y tiene mayor contenido de grasas saturadas (por gramo) que los aceites vegetales.

Reteaching

Activity

Materials: Newspapers, tenths grids

- Work in small groups. Find newspaper grocery advertisements that are selling items in quantity such as 3 cans of peaches selling for $2.19.
- Each person in the group should pick several such advertisements.
- Write division problems to find the cost of one item, such as 2.19 ÷ 3. Use tenths grids to model each problem.

Práctica adicional

Actividad

Materiales: Periódicos, cuadrículas de décimos

- Trabajen en grupos pequeños. Busca anuncios de abarrotes que vendan artículos en cantidades como 3 latas de duraznos por $2.19.
- Cada quien deberá escoger varios de estos anuncios.
- Escribe problemas de división para hallar el costo unitario de los artículos, por ejemplo, 2.19 ÷ 3. Usa cuadrículas de décimos para representar cada problema.

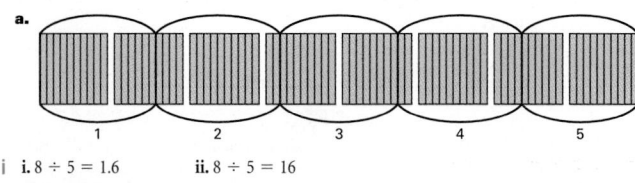

3-10 Ejercicios y aplicaciones

Práctica y aplicación

1. | Para empezar | Escoge la ecuación que corresponde al modelo.

a.
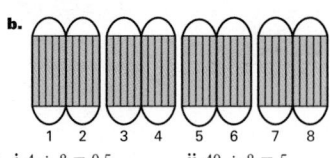

i. $8 \div 5 = 1.6$ ii. $8 \div 5 = 16$

b.

c.

i. $4 \div 8 = 0.5$ ii. $40 \div 8 = 5$ i. $3 \div 10 = 0.3$ ii. $30 \div 10 = 3$

Coloca el punto decimal en cada respuesta para que la ecuación sea verdadera.

2. $24.36 \div 6 = 406$ **4.06**   **3.** $287.63 \div 49 = 587$ **5.87**   **4.** $0.475 \div 5 = 095$ **0.095**

5. $99.4 \div 100 = 994$ **0.994**   **6.** $4.96 \div 10 = 0496$ **0.496**   **7.** $25.8 \div 1000 = 0258$ **0.0258**

Haz las siguientes divisiones.

8. $27.24 \div 6$ **4.54**   **9.** $13.932 \div 9$ **1.548**   **10.** $987.6 \div 12$ **82.3**   **11.** $133.414 \div 41$ **3.254**

12. $49.92 \div 16$ **3.12**   **13.** $0.104 \div 8$ **0.013**   **14.** $341.6 \div 56$ **6.1**   **15.** $2.856 \div 34$ **0.084**

16. $15.25 \div 61$ **0.25**   **17.** $9.92 \div 8$ **1.24**   **18.** $615.34 \div 10$ **61.534**   **19.** $945.25 \div 19$ **49.75**

20. $40.24 \div 8$ **5.03**   **21.** $382.092 \div 17$ **22.476**   **22.** $0.126 \div 7$ **0.018**   **23.** $56.88 \div 3$ **18.96**

24. $3.534 \div 6$ **0.589**   **25.** $2.035 \div 5$ **0.407**   **26.** $37.5 \div 3$ **12.5**   **27.** $4.69 \div 7$ **0.67**

28. A lo largo del Sendero de Oregon, el puesto de abastecimiento en el fuerte Laramie, en Wyoming, vendía una caja de cecina de 16 libras a $5.92. ¿Cuál era el costo por libra? **$0.37**

29. Salud Los emigrantes cocinaban con manteca en vez de aceite. Quince gramos de manteca tienen 141 calorías. ¿Cuántas calorías hay en 1 gramo? **9.4**

PRACTICE

Nombre _____

Práctica 3-10

División entre un número cabal

Coloca un punto decimal en la respuesta para que la igualdad se cumpla.

1. $37.164 \div 76 = 0.489$ **2.** $110.24 \div 32 = 3.445$ **3.** $41.34 \div 6 = 6.89$

4. $320.662 \div 67 = 4.786$ **5.** $143.68 \div 20 = 7.184$ **6.** $15.9 \div 3 = 5.3$

7. $6.3 \div 7 = 0.9$ **8.** $17.505 \div 3 = 5.835$ **9.** $6.532 \div 4 = 1.633$

Realiza las siguientes divisiones.

10. $33.628 \div 14$ **2.402**   **11.** $111.618 \div 39$ **2.862**   **12.** $22.8 \div 19$ **1.2**   **13.** $257.24 \div 59$ **4.36**

14. $162.5 \div 65$ **2.5**   **15.** $27.23 \div 7$ **3.89**   **16.** $16.668 \div 3$ **5.556**   **17.** $23.94 \div 63$ **0.38**

18. $190.4 \div 28$ **6.8**   **19.** $23.58 \div 20$ **1.179**   **20.** $20.305 \div 5$ **4.061**   **21.** $0.931 \div 19$ **0.049**

22. $90.034 \div 59$ **1.526**   **23.** $385.92 \div 48$ **8.04**   **24.** $179.8 \div 58$ **3.1**   **25.** $5.337 \div 3$ **1.779**

26. $36.11 \div 23$ **1.57**   **27.** $244.29 \div 51$ **4.79**   **28.** $150.92 \div 49$ **3.08**   **29.** $15.98 \div 47$ **0.34**

30. $503.7 \div 69$ **7.3**   **31.** $12.6 \div 42$ **0.3**   **32.** $4.14 \div 9$ **0.46**   **33.** $113.26 \div 14$ **8.09**

34. $465.272 \div 76$ **6.122**   **35.** $469.7 \div 61$ **7.7**   **36.** $8.6 \div 86$ **0.1**   **37.** $13.425 \div 15$ **0.895**

38. Keith pagó $24.57 por 9 videocasetes vírgenes. ¿Cuánto costó cada uno? **$2.73**

39. En 1988 un equipo de 32 buzos implantó una marca al recorrer, bajo el agua, 116.66 millas en un triciclo. Halla la media de la distancia recorrida por cada buzo. **3.645625**

RETEACHING

Nombre _____

Práctica adicional 3-10

División entre un número cabal

Cuando dividas un número decimal entre un número cabal, hazlo como si fueran números cabales. Después coloca el punto decimal en el cociente justo sobre el punto decimal del dividendo. A veces necesitarás agregar ceros al dividendo para que puedas dividir hasta que el residuo sea cero.

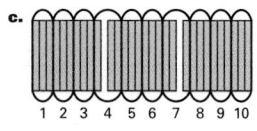

— Ejemplo —

Divide: $435 \div 50$.

Divide 435 entre 50. Escribe el cociente arriba del 5.

Halla $8 \times 50 = 400$. Resta de 435.

Escribe un 0 después del punto decimal en 435.

Divide 350 entre 50. Escribe el cociente sobre el 0.

Escribe el punto decimal del cociente sobre el punto decimal del dividendo.

Por tanto, $435 \div 50 = 8.7$.

Haz la prueba Divide $83.2 \div 4$.

a. Divide como si fueran números cabales. Muestra tu trabajo.

b. ¿Necesitarás agregar ceros al dividendo? _**No.**_

c. Escribe el cociente. Coloca tu punto decimal del cociente sobre el punto decimal del dividendo.

Haz la división y escribe tu respuesta sobre el dividendo.

d. $22.65 \div 3$ **7.55**   e. $376.15 \div 5$ **75.23**   f. $91.14 \div 7$ **13.02**   g. $2.172 \div 12$ **0.181**

h. $42.9 \div 6$ **7.15**   i. $1.04 \div 4$ **0.26**   j. $50.2 \div 8$ **6.275**   k. $114.9 \div 25$ **4.596**

30. En la compra de 30 barras de helado para sus compañeras, María gastó $13.50. ¿Cuánto le costó cada barra? **$0.45**

31. Medición La distancia entre el fuerte Boise, en Idaho, y la ciudad de Oregon es de 413 millas. En un mapa de un emigrante, la distancia era de 3 pulgadas. ¿Cuántas millas representa una pulgada en el mapa? **137.667 mi**

32. [Para la prueba] Escoge la respuesta correcta para 24.501 ÷ 3. **C**

    Ⓐ 0.0816   Ⓑ 0.816   Ⓒ 8.167   Ⓓ 81.67

Resolución de problemas y razonamiento

33.  Explica por qué si divides un número entre 100 es lo mismo que si multiplicaras por 0.01.

34. Razonamiento crítico En una competencia de gimnasia, Dominique obtuvo 9.5, 9.6, 9.5, 9.4, 9.7 y 9.6. Kim obtuvo 9.5, 9.4, 9.6, 9.7, 9.7 y 9.5. ¿Quién obtuvo la calificación promedio más alta? Explica cómo obtuviste la respuesta.

35. Razonamiento crítico En un problema de división de números cabales, tanto el divisor como el dividendo son números cabales. ¿Qué tipo de problemas de división de números cabales tienen como respuesta números cabales, y qué tipo de problemas de números cabales tienen como respuesta decimales?

36. Comunicación Imagínate que estás en el Sendero de Oregon en 1848. Inventa un problema que tuvieras que resolver mediante la división de un decimal entre un número cabal.

Dominique Dawes

Repaso mixto

Halla los siguientes tres números de cada patrón. [Lección 2-9]

37. 55, 60, 61, 66, 67, 72, … **73, 78, 79**
38. 2, 4, 8, 16, 32, … **64, 128, 256**
39. 38, 37, 35, 32, 28, … **23, 17, 10**
40. 31, 39, 30, 38, 29, 37, … **28, 36, 27**
41. 45, 42, 39, 36, … **33, 30, 27**
42. 79, 82, 86, 91, 97, … **104, 112, 121**

Simplifica estas expresiones. [Lección 3-6]

43. 49.02 + 3.05 **52.07**
44. 56.75 − 46.25 **10.5**
45. 0.267 − 0.26 **0.007**
46. 19.31 + 21.4 **40.71**
47. 6.98 − 3.45 **3.53**
48. $23.40 − $16.22 **$7.18**
49. 5.847 + 1.152 **6.999**
50. 14.23 + 6.28 **20.51**

El proyecto en marcha

Dibuja una gráfica de barras con los datos que has reunido de tus actividades. Decide qué escala utilizarás en la gráfica para mostrar los datos de manera más clara. Identifica bien cada barra y asegúrate de que la altura se relacione con la cantidad de tiempo que representa.

> **Resolución de problemas**
> Comprende
> Planea
> Resuelve
> Revisa

RESOLVER PROBLEMAS 3-10

Fort Kearney

3-10 • División entre un número cabal **189**

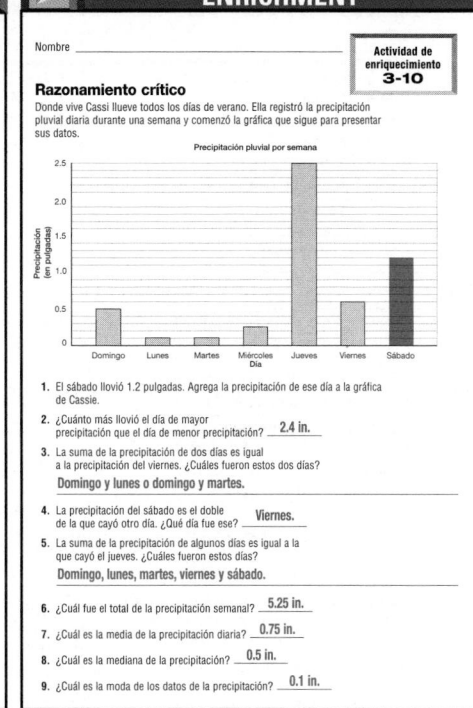
Notas sobre los ejercicios

■ **Ejercicio 32**

Para la prueba Recuerde a los estudiantes que un cálculo aproximado puede ser suficiente para hallar la respuesta correcta. La respuesta es C porque es la única opción que se aproxima a 8.

Respuestas de ejercicios

33. En ambas operaciones la respuesta equivale al número dado, pero el punto decimal se recorre dos posiciones a la izquierda.

34. Kim; El promedio de Dominique: 9.55, El promedio de Kim: 9.57

35. Respuesta posible: Las respuestas en números cabales se obtienen cuando el dividendo puede dividirse entre *n* grupos de igual tamaño en los que *n* actúa como divisor; Las respuestas en números decimales se obtienen cuando los grupos no pueden dividirse entre *n* grupos de igual tamaño.

36. Respuesta posible: El cocinero tiene 10.5 tazas de arroz. ¿Cuántas tazas recibe cada una de las seis personas?

Evaluación adicional

Portafolio Escoge uno o más ejemplos de tu trabajo para demostrar el concepto de división de un número decimal entre un número cabal.

Exercise Notes

■ **Exercise 32**

Test Prep Remind students that an estimate may be all they need to find the correct answer. The answer must be C because it is the only choice that is about 8.

Project Progress

You may want to have students use Chapter 3 Project Master.

Exercise Answers

33. For both operations, the answer is the given number with its decimal point moved two places to the left.

34. Kim; Dominique's average: 9.55, Kim's average: 9.57

35. Possible answer: Whole-number answers occur when the dividend can be divided into *n* equal-size groups, where *n* is the divisor; Decimal number answers occur when the groups cannot be divided into *n* equal-sized groups.

36. Possible answer: The cook has 10.5 cups of rice. How many cups does each of six people receive?

Alternate Assessment

Portfolio Select one or more examples of your work that demonstrate the concept of dividing a decimal number by a whole number.

> ► **Prueba rápida**
>
> Divide.
>
> 1. 7.8 ÷ 6 **1.3**
> 2. 57.6 ÷ 18 **3.2**
> 3. 18.8 ÷ 100 **0.188**
> 4. 2.045 ÷ 5 **0.409**

> ► **Quick Quiz**
>
> Divide.
>
> 1. 7.8 ÷ 6 **1.3**
> 2. 57.6 ÷ 18 **3.2**
> 3. 18.8 ÷ 100 **0.188**
> 4. 2.045 ÷ 5 **0.409**
>
> Available on Daily Transparency 3-10

Available as Daily Transparency 3-11

Objective

- Divide decimal numbers by decimal numbers.

Materials

- Explore: Tenths grids

NCTM Standards

- 1–4, 7

Review

Divide.

1. 63 ÷ 9 7

2. 630 ÷ 90 7

3. 6300 ÷ 900 7

4. 63000 ÷ 9000 7

5. What do you notice about the dividends and divisors in Exercises 1–4? Each succeeding dividend and divisor is 10 times as large as the preceding.

► Repaso

Divide.

1. 63 ÷ 9 7

2. 630 ÷ 90 7

3. 6300 ÷ 900 7

4. 63000 ÷ 9000 7

5. ¿Qué observas acerca de los dividendos y divisores en los ejercicios 1–4? El dividendo y el divisor subsecuentes son 10 veces mayores que los anteriores.

Introduce

Explore

The Point

Students use models to explore the meaning of dividing a decimal by a decimal.

Ongoing Assessment

Watch for students who draw the wrong conclusion when answering Step 2.

For Groups That Finish Early

Write at least two other problems similar to those in **Explore** and predict the answers.
Possible answers: 6.3 ÷ 0.7 = 9 or 3.6 ÷ 0.6 = 6

1 Introducción

Investigar

Objetivo
Los estudiantes usan modelos para investigar el significado de dividir un decimal entre otro decimal.

Evaluación continua
Corrija a los estudiantes que llegan a la conclusión equivocada cuando responden el inciso 2.

Para los grupos que terminen antes
Escribe por lo menos otros dos problemas parecidos a los de **Investigar** y predice las respuestas.
Respuestas posibles: 6.3 ÷ 0.7 = 9 ó 3.6 ÷ 0.6 = 6

3-11 División entre decimales

Vas a aprender...
- cómo dividir números decimales entre números decimales.

...cómo se usa
Los farmacéuticos dividen entre decimales para determinar cómo elaborar una receta médica.

► **Enlace con la lección** En la sección anterior dividiste un número decimal entre un número cabal. Ahora amplía este conocimiento al dividir entre un número decimal. ◄

Investigar División entre decimales

Más sobre la división

Materiales: Cuadrícula de décimos

División entre decimales

- Colorea el primer número.
- Divide el primer número en grupos. Cada grupo debe ser tan grande como el segundo número.
- Describe el número de grupos de la cuadrícula.

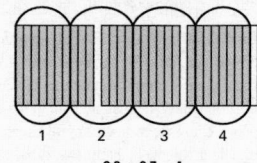

2.8 ÷ 0.7 = 4

1. Haz un modelo para estos problemas.

a. 3.0 ÷ 0.3 b. 4.5 ÷ 0.9 c. 4.2 ÷ 0.7 d. 3.6 ÷ 0.6
e. 2.4 ÷ 0.8 f. 2.5 ÷ 0.5 g. 2.6 ÷ 0.1 h. 1.2 ÷ 0.1

2. Cuando divides un número entre un decimal menor que 1, ¿la respuesta es menor o mayor que el dividendo?

3. En el problema 3.0 ÷ 0.6 = 5.0, ¿cuál número representa el número de grupos? ¿Cuál número representa el tamaño de los grupos?

Aprender División entre decimales

Dividir entre un decimal es como dividir entre un número cabal. Cuando divides entre un decimal, fraccionas el dividendo en grupos iguales o de igual tamaño.

El modelo ilustra el cociente de 2.5 ÷ 0.5. Hay 5 grupos de igual tamaño (0.5) en 2.5. Por tanto, 2.5 ÷ 0.5 = 5.

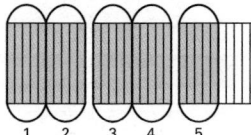

MEETING INDIVIDUAL NEEDS

Resources

3-11 Practice
3-11 Reteaching
3-11 Problem Solving
3-11 Enrichment
3-11 Daily Transparency
    Problem of the Day
    Review
    Quick Quiz
Teaching Tool Transparency 12

Recursos

3-11 Práctica
3-11 Práctica adicional
3-11 Resolución de problemas
3-11 Actividad de enriquecimiento

Learning Modalities

Visual Have students create a poster showing how to compute the unit price of an item for which the total price and total weight are known.

Social Have students work in small groups to model each problem in **Explore**. Have students take turns doing each part of process.

Modos de aprendizaje

Visual Anime a los estudiantes a crear un cartel que explique la manera de calcular el precio unitario de un artículo cuando se conoce el precio y peso totales.

Social Los estudiantes deben representar en parejas o grupos pequeños los problemas de **Investigar**. Pídales que se turnen para participar en cada parte del proceso.

Challenge

Gather information from car dealers on the predicted average miles per gallon for various new cars. Explain how you would determine whether these predicted mileages are reasonable. Also, give reasons why actual mileages might vary from predicted mileages.

Desafío

Investiga en las agencias de venta de autos el rendimiento en millas de los modelos nuevos por cada galón de combustible. Explica cómo determinaste si tales cifras son razonables o no. También explica por qué el rendimiento real puede variar del rendimiento ofrecido.

Un problema con un divisor decimal puede ser difícil de resolver. Sin embargo, puedes cambiar el problema a uno que no tenga divisor decimal. Observa que cuando multiplicas el dividendo y el divisor por el mismo número, el cociente no cambia.

Dividendo	÷	Divisor	=	Cociente
6	÷	2	=	3
Multiplica el dividendo y el divisor por 10 } 60	÷	20	=	3
Multiplica el dividendo y el divisor por 100 } 600	÷	200	=	3
Multiplica el dividendo y el divisor por 1000 } 6000	÷	2000	=	3

CÁLCULO MENTAL

Para multiplicar un número por 10, mueve el punto decimal una posición a la derecha.

Cuando tengas un divisor decimal, multiplica el divisor y el dividendo por una potencia de 10 que convierta al divisor en un número cabal.

$$2.618 \div 0.34 = 261.8 \div 34.$$

▶ **Enlace con Historia**

Los pioneros que no alcanzaban a cubrir el Sendero de Oregon antes del invierno, con frecuencia perecían a causa del terrible clima y la falta de alimento.

Ejemplos

1 Halla el cociente: 5.76 ÷ 1.6

$$5.76 \div 1.6 = 57.6 \div 16.$$ Multiplica el dividendo y el divisor por 10 para que el divisor sea un número cabal.

```
      3.6
16)57.6
   48
    96
    96
```
Haz la división.

El cociente es 3.6.

2 Los Caldwell viajaron por el Sendero de Oregon en 1870. Recorrieron 2212 millas en 126.4 días. Encuentra la distancia media recorrida por día.

Distancia media = $22120. \div 1264.$ Multiplica el dividendo y el divisor por 10 para que el divisor sea un número cabal.

```
        17.5
1264)22120.0
     1264
     9480
     8848
      6320
      6320
```
Haz la división.

La distancia media por día fue de 17.5 millas.

17.5 MILLAS POR DIA

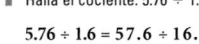
Fort Kearney

3-11 • División entre decimales **191**

MATH EVERY DAY

▶ **Problema del día**

Cada día, Irene recorre en bicicleta 2.5 kilómetros más que Yoki, y Kaneko recorre 0.7 kilómetros más que Irene. En total, las tres recorren 15 kilómetros diarios. ¿Cuánto recorre cada una en 5 días?

Irene: 28 kilómetros
Yoki: 15.5 kilómetros
Kaneko: 31.5 kilómetros

Problem of the Day

Each day, Irene rides her bicycle 2.5 kilometers farther than Yoki, and Kaneko rides her bicycle 0.7 more kilometers than Irene. Altogether they ride 15 kilometers each day. How far does each student ride her bicycle in 5 days?

Irene, 28 kilometers; Yoki, 15.5 kilometers; Kaneko, 31.5 kilometers

Available on Daily Transparency 3-11

An Extension is provided in the transparency package.

Dato del día

La construcción del ferrocarril transcontinental concluyó en 1869. En 1868 había 425 millas de vías. Cada día se tendió una cifra récord de 10 millas de vías.

Fact of the Day

The transcontinental railroad was finished in 1869. In 1868, 425 miles of track were laid. A record 10 miles were laid in one day.

Estimation

Estimate.

1. 4.5 × 4.5   25
2. 7.8 × 9.1   72
3. 12.1 × 4.3   48
4. 105.7 × 8.8   900

Cálculo aproximado

Haz un cálculo aproximado.

1. 4.5 × 4.5   25
2. 7.8 × 9.1   72
3. 12.1 × 4.3   48
4. 105.7 × 8.8   900

Respuestas de Investigar

1. Véase la página C2.
2. La respuesta es mayor.
3. 5.0 grupos; 0.6 en cada grupo

Answers for Explore

1. See page C2.
2. The answer is larger.
3. 5.0 groups; 0.6 in each group

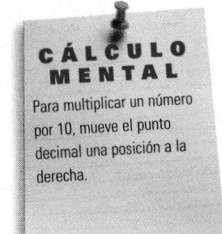

2 Enseñanza

Aprender

Ejemplos adicionales

1. Halla el cociente: 7.65 ÷ 1.7

   Multiplica el dividendo y el divisor por 10 para que el divisor sea un número cabal: 76.5 ÷ 17.

   ```
         4.5
   17)76.5
      68
      85
      85
       0
   ```

   El cociente es 4.5.

2. Un barco viajó 3111 millas en 127.5 horas. Halla la media de la distancia por hora.

   Media de la distancia = 3111 ÷ 127.5.

   3111 ÷ 127.5 = 31110. ÷ 1275.

   ```
           24.4
   1275)31110.0
        2550
        5610
        5100
        5100
        5100
          0
   ```

   La media de la distancia por hora fue de 24.4 millas.

Teach

Learn

Alternate Examples

1. Find the quotient: 7.65 ÷ 1.7

   Multiply dividend and divisor by 10 to make the divisor a whole number: 76.5 ÷ 17.

   ```
         4.5
   17)76.5
      68
      85
      85
       0
   ```

   The quotient is 4.5.

2. A ship traveled 3111 miles in 127.5 hours. Find the mean hourly distance.

   Mean distance = 3111 ÷ 127.5.

   3111 ÷ 127.5 = 31110. ÷ 1275.

   ```
           24.4
   1275)31110.0
        2550
        5610
        5100
        5100
        5100
          0
   ```

   The mean hourly distance was 24.4 miles.

What Do You Think?

Students see two methods of solving a problem. One method involves dividing to find the cost per ounce for a packaged mix. The other method involves multiplying the cost per ounce by the number of ounces needed.

Answers for What Do You Think?

1. Answers may vary.

2. Peter: Multiplying $0.22 by 32.5 should result in $7.15; Sonia: Dividing $7.80 by either number should result in the other number.

Practice and Assess

Check

You may need to remind students that they can multiply both dividend and divisor by the same nonzero number without affecting the answer.

Answers for Check Your Understanding

1. Possible answers: 200 ÷ 25; 2.0 ÷ 0.25

2. Possible answer: The larger the size of each group (divisor), the fewer groups you will have (quotient). The smaller the size of each group, the more groups you will have.

Los estudiantes observan dos métodos para resolver un problema. Uno incluye la división para hallar el costo por onza de un paquete de cereal. El otro incluye la multiplicación del costo (por onza) por el número de onzas que se necesitan.

Respuestas de ¿Qué crees tú?

1. Las respuestas pueden variar.

2. Peter: La multiplicación de $0.22 por 32.5 debe dar como resultado $7.15; Sonia: La división de $7.80 entre cualquiera de los números debe dar como resultado el otro número.

3 Práctica y evaluación

Comprobar

Tal vez necesite recordar a los estudiantes que pueden multiplicar el dividendo y el divisor por el mismo número diferente de cero sin que esto altere la respuesta.

Respuestas de Comprobar tu comprensión

1. Respuestas posibles: 200 ÷ 25; 2.0 ÷ 0.25

2. Respuesta posible: Mientras más grande sea el tamaño de cada grupo (divisor), menos grupos tendrá (cociente). Mientras menor sea el tamaño de cada grupo, más grupos tendrá.

Peter y Sonia querían comprar 30 onzas de "trail mix" para un paseo de 3 días. Estos se venden a $0.26 por onza, o en paquetes de 32.5 onzas a $7.15. ¿Cuál es la mejor compra?

Peter piensa...

Voy a dividir el costo del paquete entre el peso para determinar el precio de la onza.

$$7.15 \div 32.5 = 71.5 \div 325$$

$$325\overline{)71.50}$$
.22
650
650
650

Por paquete, la onza cuesta $0.22. Este es un precio más bajo por onza. El paquete es una mejor compra.

Sonia piensa...

Voy a calcular el costo de 30 onzas, pues conozco el precio de una onza.

$$\begin{array}{r} 0.26 \\ \times\ \ 30 \\ \hline 0 \\ +\ 780 \\ \hline 7.80 \end{array}$$

2 posiciones decimales

2 posiciones decimales

30 onzas costarían $7.80, que es más que el costo del paquete. El paquete es una mejor compra.

¿Qué crees tú?

1. ¿Cuál método sería más fácil si tuvieras que usar el cálculo mental? ¿Y con papel y lápiz? ¿Y con una calculadora?

2. ¿Cómo pudo haber verificado Peter que su aritmética estuviera bien? ¿Cómo pudo haber comprobado Sonia que su aritmética fuera correcta?

Comprobar Tu comprensión

1. Escribe dos problemas de división de decimales cuyo cociente sea igual a 20 ÷ 2.5.

2. ¿Por qué el resultado de un problema de división es menor que el dividendo si divides entre un número cabal, pero mayor si divides entre un decimal comprendido entre 0 y 1?

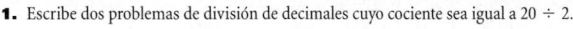
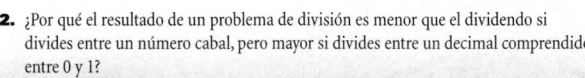

MEETING MIDDLE SCHOOL CLASSROOM NEEDS

Tips from Middle School Teachers

I find that some students understand why we multiply dividend and divisor by the same number when I write division problems in fraction form. Students are used to changing fractions by multiplying or dividing numerator and denominator by the same number.

Sugerencias de los maestros

He notado que algunos estudiantes sólo comprenden que el divisor y el dividendo deben multiplicarse por el mismo número cuando escribo la operación en forma fraccional. Esto se relaciona con el uso de fracciones, pues los estudiantes se acostumbraron a multiplicar por el mismo número los dos términos de las fracciones.

Consumer Connection

Students are often confronted with a decision like the one discussed in **What Do You Think?** Point out the importance of being able to decide which of two or more products is the best buy. Ask students to consider what other factors they should think about when deciding which product is the best buy. Explain that lowest cost is only one factor in determining which product is the best buy.

Asociación con Consumo

A menudo, los estudiantes deben tomar decisiones como la que se muestra en **¿Qué crees tú?** Explíqueles por qué es importante determinar la mejor opción de compra entre dos o más productos. Pídales que mencionen otros factores a considerar en este tipo de decisiones. Recuérdeles que el costo sólo es uno de los factores que determinan la mejor opción.

Health Connection

A generic drug is the same chemical as the brand-name version. The generic drug can cost 30% to 80% less than the name brand. About one-half of the drugs sold today can be bought in generic form.

Asociación con Salud

Los medicamentos genéricos contienen las mismas sustancias que los medicamentos comerciales. Sin embargo, los primeros son de 30 a 80 por ciento más económicos. Alrededor de la mitad de los medicamentos vendidos son de tipo genérico.

3-11 Ejercicios y aplicaciones

Práctica y aplicación

1. **Para empezar** Escoge la ecuación que represente al modelo.

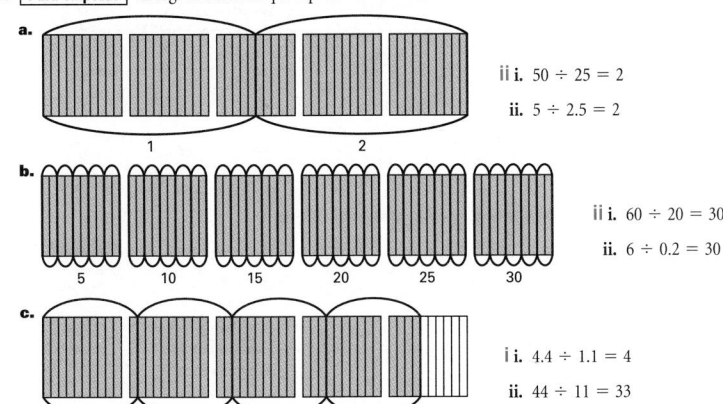

a.
ii **i.** $50 \div 25 = 2$
ii. $5 \div 2.5 = 2$

b.
ii **i.** $60 \div 20 = 30$
ii. $6 \div 0.2 = 30$

c.
i **i.** $4.4 \div 1.1 = 4$
ii. $44 \div 11 = 33$

Coloca el punto decimal en cada respuesta para hacer verdadera la ecuación. Agrega ceros si es necesario.

2. $10.58 \div 2.3 = 46$ **4.6**

3. $2.24 \div 0.8 = 28$ **2.8**

4. $6.12 \div 1.8 = 34$ **3.4**

5. $0.0036 \div 0.009 = 4$ **0.4**

6. $98.6 \div 2.9 = 34$ **34.0**

7. $45.505 \div 9.5 = 479$ **4.79**

Realiza las siguientes divisiones.

8. $0.685 \div 2.74$ **0.25** **9.** $9.483 \div 8.7$ **1.09** **10.** $0.8449 \div 0.71$ **1.19** **11.** $2.4 \div 0.3$ **8**

12. $0.104 \div 0.08$ **1.3** **13.** $0.427 \div 6.1$ **0.07** **14.** $0.804 \div 0.4$ **2.01** **15.** $5.49 \div 0.9$ **6.1**

16. $422.1 \div 60.3$ **7** **17.** $69.09 \div 7$ **9.87** **18.** $126.28 \div 8.2$ **15.4** **19.** $13.3666 \div 6.89$ **1.94**

20. $0.3321 \div 4.1$ **0.081** **21.** $50.4 \div 1.2$ **42** **22.** $6.89 \div 1.3$ **5.3** **23.** $2.59 \div 0.7$ **3.7**

24. $6.684 \div 0.06$ **111.4** **25.** $3.48 \div 5.8$ **0.6** **26.** $87.4 \div 0.38$ **230** **27.** $2.5 \div 0.005$ **500**

28. **Salud** Un farmacéutico tiene 808.4 g de medicina genérica. Debe llenar cápsulas con 37.6 g de esta medicina. ¿Cuántas cápsulas puede llenar? **21**

PRACTICAR 3-11

Assignment Guide

- **Basic** 1, 2–28 evens, 31–33, 38–54 evens

- **Average** 3–33 odds, 34, 37–53 odds

- **Enriched** 8–30 evens, 31–36, 38–54 evens

Notas sobre los ejercicios

■ **Ejercicios 9 y 13**

Prevención de errores Siga con atención a los estudiantes que para el ejercicio 9 dan como respuesta 1.9 en lugar de 1.09, y para el ejercicio 13 señalan que la respuesta es 0.7 en vez de 0.07. Recuérdeles que los ceros deben colocarse en el lugar indicado de cada cociente.

Exercise Notes

■ **Exercises 9 and 13**

Error Prevention Watch for students who give the answer for Exercise 9 as 1.9 instead of 1.09 and the answer for Exercise 13 as 0.7 instead of 0.07. Remind them that zeros must be inserted as placeholders in each quotient.

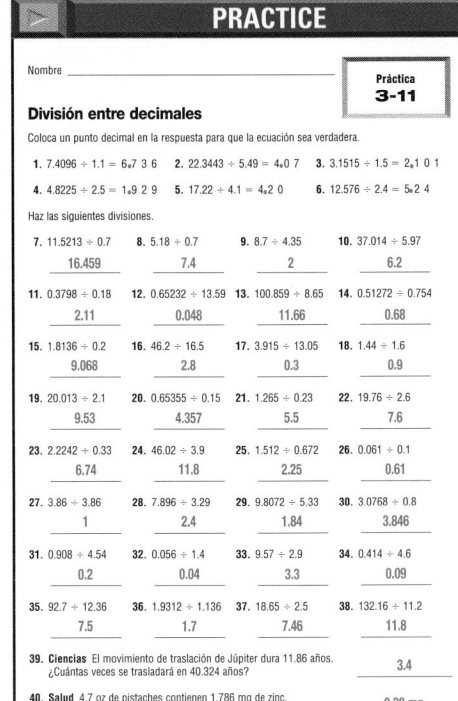

Práctica adicional

Actividad

Materiales: Periódicos

- Trabaja en grupos de tres. Recorta anuncios de periódicos que contengan el costo y el peso de los artículos.

- Revisa que el costo y el peso se muestren en números decimales.

- Divide el costo del artículo entre su peso para determinar el costo por onza.

- Por ejemplo, un anuncio dice que 14.25 onzas de totopos cuestan $1.99. Para hallar el costo por onza, se divide 1.99 entre 14.25.

- Haz una tabla que contenga el precio unitario de por lo menos seis artículos.

Reteaching

Activity

Materials: Newspapers

- Work in groups of three. Cut out advertisements from newspapers that contain the cost of items as well as the weight of the items.

- Check that both the cost and weight are decimal numbers.

- Divide the cost of the item by its weight to determine the cost per ounce.

- For example, tortilla chips were advertised at $1.99 for 14.25 ounces. The cost per ounce is found by dividing 1.99 by 14.25.

- Make a chart giving the unit price for at least six items.

Exercise Notes

■ Exercise 30

Consumer Point out that odometers measure to the nearest tenth of a mile and gasoline pumps measure to the nearest tenth of a gallon.

Exercise Answers

34. Dividing by a number greater than 1 will give you an answer smaller than the dividend. Dividing by a number less than 1 will give you an answer greater than the dividend.

35. Moves the decimal to the right; $5 \div 0.1 = 50; 5 \div 0.01 = 500,$ $5 \div 0.001 = 5000$

36. 0.0625, 0.03125, 0.015625; Divide by 2

37. $15 \times 15 \times 15$

38. $8 \times 8 \times 8 \times 2 \times 2 \times 2 \times 2$

39. $7 \times 7 \times 7 \times 8 \times 8$

40. 29×29

41. $34 \times 34 \times 34 \times 34 \times 34 \times 34 \times 34 \times 34 \times 34$

42. $6 \times 6 \times 6 \times 6 \times 6 \times 6 \times 6 \times 6 \times 6 \times 6 \times 6$

43. $1 \times 1 \times 1 \times 1 \times 1$

44. $2 \times 2 \times 2 \times 2 \times 2$

45. $3 \times 3 \times 3 \times 3 \times 3 \times 3$

46. $4 \times 4 \times 4 \times 4 \times 4 \times 4 \times 4 \times 4 \times 6 \times 6 \times 6 \times 6 \times 6 \times 6 \times 6$

47. $10 \times 10 \times 10 \times 10 \times 10 \times 10 \times 10 \times 10 \times 10$

48. $12 \times 12 \times 12 \times 12 \times 12$

Alternate Assessment

You may want to use the *Interactive CD-ROM Journal* with this assessment.

Journal Write a paragraph explaining how you know what number to multiply the dividend and divisor by when the divisor is a decimal.

Quick Quiz

Divide.

1. $2.436 \div 5.8$ 0.42

2. $1.224 \div 0.6$ 2.04

3. $3.5 \div 0.005$ 700

4. $3528 \div 9.8$ 360

Available on Daily Transparency 3-11

Notas sobre los ejercicios

■ Ejercicio 30

Consumo Diga a los alumnos que los odómetros miden al décimo de milla más cercano y las bombas de gasolina miden al décimo de galón más cercano.

Respuestas de Ejercicios

34. Al dividir entre un número mayor que 1 se obtendrá una respuesta menor que el dividendo. Al dividir entre un número menor que 1 se obtendrá una respuesta mayor que el dividendo.

35. Se mueve el punto decimal a la derecha;

$5 \div 0.1 = 50; 5 \div 0.01 = 500,$ $5 \div 0.001 = 5000$

36. 0.0625, 0.03125, 0.015625; Dividir entre 2

37. $15 \times 15 \times 15$

38. $8 \times 8 \times 8 \times 2 \times 2 \times 2 \times 2$

39. $7 \times 7 \times 7 \times 8 \times 8$

40. 29×29

41. $34 \times 34 \times 34 \times 34 \times 34 \times 34 \times 34 \times 34 \times 34$

42. $6 \times 6 \times 6 \times 6 \times 6 \times 6 \times 6 \times 6 \times 6 \times 6 \times 6$

43. $1 \times 1 \times 1 \times 1 \times 1$

44. $2 \times 2 \times 2 \times 2 \times 2$

45. $3 \times 3 \times 3 \times 3 \times 3 \times 3$

46. $4 \times 4 \times 4 \times 4 \times 4 \times 4 \times 4 \times 4 \times 6 \times 6 \times 6 \times 6 \times 6 \times 6$

47. $10 \times 10 \times 10 \times 10 \times 10 \times 10 \times 10 \times 10 \times 10$

48. $12 \times 12 \times 12 \times 12 \times 12$

Evaluación adicional

Tal vez quiera usar el *Diario interactivo CD-ROM* con esta evaluación.

En tu diario Explica por escrito cómo sabes por qué número debes multiplicar el dividendo y el divisor cuando el divisor es un decimal.

► Prueba rápida

Divide.

1. $2.436 \div 5.8$ 0.42

2. $1.224 \div 0.6$ 2.04

3. $3.5 \div 0.005$ 700

4. $3528 \div 9.8$ 360

---

29. **Historia** En la década de los cincuenta del siglo pasado, "Wind Wagon Thomas" inventó una carreta de viento que era mitad bote de velas y mitad carreta. Esta carreta de viento hubiera tardado 133.5 días en recorrer 1968.4 millas. ¿Cuál sería la velocidad aproximada de la carreta de viento? **14.74 millas por día**

30. Los Figueroa viajaron 501.5 millas con 15.4 galones de gasolina. ¿Cuál es el rendimiento de su auto en millas por galón; redondea al décimo más cercano? **32.6**

31. **Para la prueba** El tren de los Smith tenía cerca de 98.98 pies de longitud. Cada vagón tenía una longitud aproximada de 9.8 pies. Si los vagones viajaban uno tras otro, ¿cuántos vagones había en el tren? **A**

Ⓐ 10   Ⓑ 10.1   Ⓒ 11   Ⓓ 100

Resolución de problemas y razonamiento

32. **Razonamiento crítico** En el fuerte Hall, en Idaho, los emigrantes podían comprar 10 libras de velas por $2.50 o 100 libras de azúcar por $12.50. Por libra, ¿cuál artículo costaba menos? **Azúcar**

33. **Escoge una estrategia** Manuel contó las luces de los carros del desfile. Cada uno medía 36.4 pies de largo e iban unidos por el parachoques haciendo una fila de 5314.4 pies. Si había 150 luces en cada carro, ¿cuántas luces contó? **21,900**

34. **Explica** entre qué números puedes dividir para obtener un cociente menor que el dividendo, y entre qué números puedes dividir para obtener un cociente mayor que el dividendo.

Resolución de problemas ESTRATEGIAS
- Busca un patrón
- Organiza la información en una lista
- Haz una tabla
- Prueba y comprueba
- Empieza por el final
- Usa el razonamiento lógico
- Haz un diagrama
- Simplifica el problema

35. **Comunicación** Recuerda que al multiplicar por 0.1, 0.01 y 0.001 el punto se desplaza a la izquierda. Explica qué pasa cuando se divide entre 0.1, 0.01 y 0.001. Da un ejemplo de cada caso.

36. **Razonamiento crítico** Halla los siguientes tres números del patrón y explica cuál es ese patrón: 32, 16, 8, 4, 2, 1, 0.5, 0.25, 0.125, …

Repaso mixto

Escribe cada número en notación multiplicativa. *[Lección 2-4]*

37. 15^3 38. $8^3 \times 2^4$ 39. $7^3 \times 8^2$ 40. 29^2 41. 34^9 42. 6^{11}

43. 1^5 44. 2^5 45. 3^6 46. $4^8 \times 6^7$ 47. 10^9 48. 12^5

Resuelve las siguientes ecuaciones. *[Lección 3-7]*

49. $e + 4.5 = 12.6$ $e = 8.1$

50. $\$20 + f = \$22.55$ $f = \$2.55$

51. $3.9 = g + 2.7$ $g = 1.2$

52. $i - 98.6 = 38.3$ $i = 136.9$

53. $j + 0.5 = 1.8$ $j = 1.3$

54. $m - 0.056 = 0.077$ $m = 0.133$

194 Capítulo 3 • Decimales

RESOLVER PROBLEMAS 3-11

Resolución de ecuaciones con decimales: Multiplicación y división

▶ **Enlace con la lección** En la sección anterior usaste el cálculo mental para resolver ecuaciones de suma y resta que contenían decimales. Ahora utilizarás de nuevo el cálculo mental para resolver ecuaciones de multiplicación y división con decimales. ◀

Investigar | Ecuaciones de multiplicación y división

"¡Perdón, los carritos para hacer las compras no se han inventado todavía!"

La tabla muestra una lista de precios de artículos que los pioneros podían comprar en 1850 en Independence, Missouri, antes de emprender el Sendero de Oregon. La gente que se menciona en verdad viajó por este sendero.

- Sarah York dijo: "Yo compré 3 del mismo artículo por $9. El precio de cada artículo fue de v."

- Henderson Luelling dijo: "Yo compré 2 de los mismos artículos por $3.40. El precio de cada artículo fue de w."

- Narcissa Whitman dijo: "Yo pagué $0.75 por x libras de arroz."

- Peter Burnett dijo: "Yo compré 100 del mismo artículo por $15. El precio de cada artículo fue de y."

- Randolph Marcy dijo: "Yo pagué $18 por z yardas de tela."

ARTÍCULO	$COSTO
Frijoles	1.50/bushel
Frazada	1.70
Balde	0.30
Tela	0.25/yarda
Harina de maíz	0.17/lb
Harina de trigo	3.00/saco
Manteca	0.10/lb
Arroz	0.15/lb
Sal	0.02/lb
Tienda	15.00
Herramientas	4.50/juego

1. Escribe una ecuación que represente cada afirmación de los pioneros.

2. Para cada pionero, haz una lista que incluya el artículo comprado, el precio individual y cuántos artículos se compraron.

3. Redacta un problema en el que se mencione a un pionero del Sendero de Oregon y un precio de la tabla. Pide a un compañero que resuelva tu problema.

▶ MEETING INDIVIDUAL NEEDS

Recursos

3-12 Práctica
3-12 Práctica adicional
3-12 Resolución de problemas
3-12 Actividad de enriquecimiento
Tecnología 15

Resources

3-12 Practice
3-12 Reteaching
3-12 Problem Solving
3-12 Enrichment
3-12 Daily Transparency
    Problem of the Day
    Review
    Quick Quiz
Teaching Tool Transparencies 2, 3
Technology Master 15

Modos de aprendizaje

Lógico Use un diagrama de flujo para explicar las etapas de la multiplicación y división de ecuaciones con decimales.

Cinestésico Dé a los estudiantes dinero de juguete (incluya monedas) para representar situaciones que impliquen multiplicaciones y divisiones con decimales.

Learning Modalities

Logical Use a flowchart to show the steps involved in solving multiplication or division equations with decimals.

Kinesthetic Use play money, including coins, to represent various situations in which multiplication and division equations with decimals might occur.

Inclusión

Muestre a los estudiantes diversas ecuaciones sencillas antes de pedirles que escriban y resuelvan ejemplos por su cuenta. Recuérdeles que deben incluir el vocabulario en sus cuadernos de referencia.

Inclusion

Model many simple equations before asking students to write and solve equations. Remind students to add new vocabulary to their reference book.

Lesson Organizer

Objectives

- **Solve decimal equations with multiplication and division.**

NCTM Standards

- 1–4, 9

▶ Repaso

Resuelve las ecuaciones en forma mental.

1. $8m = 72$ $m = 9$

2. $6x = 24$ $x = 4$

3. $3m = 45$ $m = 15$

4. $\frac{y}{10} = 20$ $y = 200$

Review

Do these mentally.

1. $8m = 72$ $m = 9$

2. $6x = 24$ $x = 4$

3. $3m = 45$ $m = 15$

4. $\frac{y}{10} = 20$ $y = 200$

Available on Daily Transparency 3-12

---

1 Introducción

Investigar

Objetivo
Los estudiantes escriben y resuelven ecuaciones de multiplicación y división con decimales.

Evaluación continua
Observe a los estudiantes que plantean las ecuaciones de manera incorrecta. Por ejemplo, algunos pueden escribir la ecuación de Narcissa como $\$0.75x = 0.15$.

Para los grupos que terminen antes
¿Qué ecuación describiría la siguiente situación?: "Compré x baldes por $1.20." $0.30x = 1.20$ Usa la tabla para escribir otros enunciados semejantes y pide a otros miembros de tu grupo que escriban una ecuación para cada enunciado.

Respuestas de Investigar en la página siguiente.

Introduce

Explore

The Point
Students write and solve multiplication and division equations involving decimals.

Ongoing Assessment
Watch for students who set up equations incorrectly. For example, some might write $\$0.75x = 0.15$ as the equation for Narcissa.

For Groups That Finish Early
What equation would describe the following: "I bought x buckets for $1.20." $0.30x = 1.20$ Use the table to write other similar sentences and have other members in your group write an equation that would describe each sentence.

Answers for Explore on next page.

Answers for Explore

1. Sarah: $3v = \$9$; Henderson: $2w = \$3.40$; Narcissa: $\$0.75 \div x = \$0.15$; Peter: $100y = \$15$; Randolph: $\$18 \div z = \$0.25$

2. Sarah: Flour, $3, 3 sacks; Henderson: Blankets, $1.70, 2 blankets; Narcissa: Rice, $0.15, 5 lb; Peter: Rice, $0.15, 100 lb; Randolph: Cloth, $0.25, 72 yards

3. Possible answer: Narcissa Whitman said, "I bought 4 of the same item for $0.68. The price for each item was j."

Teach

Learn

Alternate Examples

1. Solve: $\frac{x}{6} = 0.7$

   Think of the numbers as whole numbers. Read as "What number divided by 6 equals 7?" Use mental math.

   $\frac{42}{6} = 7$.

   Since there is one digit after the decimal in 0.7, there should be one digit after the decimal in 4.2. So $x = 4.2$.

2. After a year Maria sold a book for 0.6 times what she paid for it. If she sold the book for $9.60, what did she originally pay for it?

   Let p = the original price of the book.

   $0.6p = 9.60$.

   Think of the numbers as whole numbers.

   $6p = 960$. Use mental math.

   $6 \times \mathbf{160} = 960$.

   There are two decimal places in 9.60 and only one in 0.6. There should be one decimal place in 16.0

   The original price of the book was $16.00.

Practice and Assess

Check

Answers for Check Your Understanding

1. Number sense helps you place the decimal point correctly.

2. Possible answer: I bought 0.5 lb of nuts for $3.50. What was the price per pound?

Respuestas de Investigar

1. Sarah: $3v = \$9$; Henderson: $2w = \$3.40$; Narcissa: $\$0.75 \div x = \$0.15$; Peter: $100y = \$15$; Randolph: $\$18 \div z = \$0.25$

2. Sarah: Harina, $3, 3 sacos; Henderson: Frazadas, $1.70, 2 frazadas; Narcissa: Arroz, $0.15, 5 lb; Peter: Arroz, $0.15, 100 lb; Randolph: Tela, $0.25, 72 yardas

3. Respuesta posible: Narcissa Whitman dijo: "Compré 4 artículos iguales por $0.68. El precio de cada artículo fue j."

2 Enseñanza

Aprender

Ejemplos adicionales

1. Resuelve: $\frac{x}{6} = 0.7$

   Considera los números como números cabales. Lee: ¿Qué número dividido entre 6 es igual a 7?" Usa el cálculo mental.

   $\frac{42}{6} = 7$.

   Puesto que hay un dígito después del decimal en 0.7, deberá haber un dígito después del decimal en 4.2. Por tanto, $x = 4.2$.

2. Después de un año María vendió un libro en 0.6 veces su precio original. Si vendió el libro en $9.60, ¿cuál era su precio original?

   Sea p = el precio original del libro.

   $0.6p = 9.60$.

   Piensa en los números como números cabales.

   $6p = 960$. Usa el cálculo mental.

   $6 \times \mathbf{160} = 960$.

   Hay dos posiciones decimales en 9.60 y sólo una en 0.6. Debería haber una posición decimal en 16.0.

   El precio original del libro era $16.00.

3 Práctica y evaluación

Comprobar

Respuestas de Comprobar tu comprensión

1. El cálculo mental ayuda a colocar correctamente el punto decimal.

2. Respuesta posible: Compré 0.5 lb de nueces por $3.50. ¿Cuál fue el precio por libra?

Aprender   Ecuaciones de multiplicación y división

Puedes multiplicar y dividir con decimales mediante el cálculo mental y la comprensión numérica. Usa el cálculo mental para determinar los dígitos de tu respuesta y utiliza la comprensión numérica para determinar dónde debe colocarse el punto decimal.

Ejemplos

1 Resuelve: $\frac{x}{3} = 0.5$

$\frac{x}{3} = 0.5 \rightarrow \frac{x}{3} = 5$ — Piensa en los decimales como números cabales. Se lee: "¿Qué número dividido entre 3 es igual a 5?"

$\frac{15}{3} = 5$ — Usa el cálculo mental.

$\frac{1.5}{3} = 0.5$ — Puesto que hay un dígito después del punto decimal en 0.5, debe haber un dígito después del punto decimal en 1.5.

x es igual a 1.5.

2 En el fuerte Laramie muchos emigrantes vendieron sus muebles por 0.2 veces lo que habían pagado por ellos, con la finalidad de aligerar sus carretas. Si una familia vendió un ropero por $3.80, ¿originalmente cuánto pagaron por él?

Sea p = el precio original del ropero.

$0.2p = 3.80 \rightarrow 2p = 380$ — Piensa en los decimales como números cabales. Se lee: "¿Qué número multiplicado por 2 es igual a 380?"

$2 \times \mathbf{190} = 380$ — Usa el cálculo mental.

$0.2 \times \mathbf{19.0} = 3.80$ — Hay dos posiciones decimales en 3.80 y una en 0.2. Debe haber una posición decimal en 19.0.

El precio original del ropero fue de $19.00.

Haz la prueba

Resuelve cada ecuación.

$j = 0.7$ $w = 6$ $t = 5.5$ $\frac{f}{0.7} = 0.49$

a. $3j = 2.1$ **b.** $0.4w = 2.4$ **c.** $\frac{t}{5} = 1.1$ **d.** $\frac{f}{0.7} = 0.7$

> **Enlace con Historia**
> Viajar por el Sendero de Oregon era muy caro. Poca gente pobre hizo el viaje porque no podían comprar provisiones.
>
> "Peregrinos en las llanuras", de Theo R, Davis.

Comprobar   Tu comprensión

1. ¿De qué manera te sirve el cálculo mental para resolver ecuaciones con decimales?

2. Piensa en un problema de la realidad cuya expresión sea $0.5x = 3.5$.

196   *Capítulo 3 • Decimales*

MATH EVERY DAY

▶ Problema del día

El sonido recorre 1 milla en aproximadamente 5 segundos. Si observas un relámpago y cuentas 22 segundos antes de escuchar su estruendo, ¿a qué distancia cayó el rayo? Escribe una ecuación que represente este problema y resuélvela.

Si x representa la distancia, entonces: $5x = 22$ ó $x = 22 \div 5$; El rayo cayó a 4.4 millas de distancia

Problem of the Day

Sound travels at a speed of about 1 mile in 5 seconds. If you see a streak of lightning and count off 22 seconds before you hear a clap of thunder, how far away was the lightning? Write an equation that represents this information. Solve the problem.

If x represents the distance from the lightning, then: $5x = 22$ or $x = 22 \div 5$; 4.4 miles

Available on Daily Transparency 3-12

An Extension is provided in the transparency package.

Dato del día

En 1848 había 800 habitantes en San Francisco. En 1850 la población había superado los 30,000 habitantes.

Fact of the Day

In 1848, the population of San Francisco was about 800. By 1850, it had grown to more than 30,000.

Mental Math

Find each product mentally.

1. $0 \times 10 \times 20$ 0
2. $4 \times 25 \times 16$ 1600
3. $7 \times 11 \times 100$ 7700
4. $4 \times 23 \times 25$ 2300

Cálculo mental

Halla cada producto en forma mental.

1. $0 \times 10 \times 20$ 0
2. $4 \times 25 \times 16$ 1600
3. $7 \times 11 \times 100$ 7700
4. $4 \times 23 \times 25$ 2300

3-12 Ejercicios y aplicaciones

Práctica y aplicación

1. [Para empezar] ¿Cuál de los valores para x hacen verdadera la ecuación?

   a. $0.024x = 24$; 0.001 ó 1000 **1000**   **b.** $\frac{450}{x} = 4.5$; 100 ó 1000 **100**

   c. $8.5 \div x = 85$; 0.1 ó 10 **0.1**   **d.** $78.34x = 7.834$; 1 ó 0.1 **0.1**

Resuelve las ecuaciones.

2. $0.5d = 0.045$ $d = 0.09$ **3.** $\frac{e}{3} = 0.07$ $e = 0.21$ **4.** $\frac{t}{9} = 0.07$ $t = 0.63$ **5.** $0.7r = 35$ $r = 50$

6. $0.9g = 72$ $g = 80$ **7.** $1.6w = 0.032$ $w = 0.02$ **8.** $\frac{p}{0.02} = 4.4$ $p = 0.088$ **9.** $\frac{s}{1.07} = 100$ $s = 107$

10. $9b = 8.1$ $b = 0.9$ **11.** $\frac{u}{1.5} = 30$ $u = 45$ **12.** $0.09k = 0.063$ $k = 0.7$ **13.** $\frac{q}{5} = 0.5$ $q = 2.5$

14. $\frac{p}{0.3} = 11$ $p = 3.3$ **15.** $0.6h = 3.6$ $h = 6$ **16.** $0.4m = 0.004$ $m = 0.01$ **17.** $0.8n = 0.056$ $n = 0.07$

18. $\frac{s}{0.07} = 0.4$ $s = 0.028$ **19.** $\frac{v}{6} = 0.3$ $v = 1.8$ **20.** $1.2z = 0.144$ $z = 0.12$ **21.** $8k = 0.64$ $k = 0.08$

22. $1.1a = 0.066$ $a = 0.06$ **23.** $\frac{j}{0.7} = 0.2$ $j = 0.14$ **24.** $\frac{f}{10} = 1.13$ $f = 11.3$ **25.** $\frac{u}{0.4} = 0.05$ $u = 0.02$

Para los ejercicios 26–31, establece una ecuación y resuélvela.

26. A lo largo del Sendero de Oregon, la familia Spikle dejó el fuerte Boise con 36 kilogramos (kg) de harina. La dividieron en bolsas de 0.6 kg. ¿Cuántas bolsas tenían? $0.6x = 36$; **60 bolsas**

27. La familia Carlson pasó varios días paseando por las montañas Rocosas. Diariamente caminaban 8.3 millas. Al final de sus vacaciones, habían caminado un total de 83 millas. ¿Cuántos días caminaron? $8.3d = 83$; **10 días**

28. Helen puso varias estampillas en un sobre grande. Colocó 6 estampillas de igual valor en el sobre. Las estampillas juntas valían $0.90. ¿Cuánto valía cada estampilla? $\frac{0.9}{6} = s$; **$0.15**

29. Un químico que realizaba un experimento tomó un paquete de sal y lo dividió en nueve paquetes menores. Cada uno pesaba 0.08 kilogramos. ¿Cuánta sal había en el paquete original? $\frac{t}{9} = 0.08$; **0.72 kg.**

PRACTICAR 3-12

Assignment Guide

■ **Basic** 1–25 odds, 26, 31–34, 36–44 evens

■ **Average** 3–31 odds, 32–38, 39–43 odds

■ **Enriched** 6–24 evens, 27–35, 36–44 evens

Notas sobre los ejercicios

■ **Ejercicios 2–25**

Prevención de errores Observe a los estudiantes que obtienen respuestas con los dígitos correctos, pero que no colocan bien el punto decimal. Recuérdeles que deben comprobar siempre sus respuestas cuando resuelvan ecuaciones.

Exercise Notes

■ **Exercises 2–25**

Error Prevention Watch for students who give answers with the correct digits but incorrectly place the decimal point. Remind them that they should always check their answers when they solve an equation.

PRACTICE

Nombre _____

Práctica **3-12**

Resolución de ecuaciones con decimales: Multiplicación y división

Resuelve cada ecuación.

1. $4n = 1.72$ $n = $ __0.43__
2. $\frac{d}{2.5} = 1.263$ $d = $ __3.1575__
3. $0.9g = 9.99$ $g = $ __11.1__
4. $1.9v = 9.025$ $v = $ __4.75__

5. $\frac{r}{0.8} = 11.279$ $r = $ __9.0232__
6. $\frac{n}{0.5} = 1.537$ $n = $ __0.7685__
7. $1.2k = 7.968$ $k = $ __6.64__
8. $\frac{s}{0.85} = 2.4$ $s = $ __2.04__

9. $8.3y = 28.967$ $y = $ __3.49__
10. $\frac{a}{5.5} = 6.25$ $a = $ __34.375__
11. $5.9c = 8.555$ $c = $ __1.45__
12. $\frac{x}{8.1} = 6.31$ $x = $ __51.111__

13. $8.5t = 77.18$ $t = $ __9.08__
14. $\frac{b}{3.5} = 6.5$ $b = $ __22.75__
15. $1.1s = 0.726$ $s = $ __0.66__
16. $\frac{w}{13} = 0.12$ $w = $ __1.56__

17. $0.1t = 1.1$ $t = $ __11__
18. $\frac{m}{6.7} = 1.57$ $m = $ __10.519__
19. $3.59p = 4.308$ $p = $ __1.2__
20. $\frac{k}{4.67} = 10.8$ $k = $ __50.436__

21. $0.15n = 1.3575$ $n = $ __9.05__
22. $\frac{d}{0.243} = 0.1$ $d = $ __0.0243__
23. $0.65p = 0.5395$ $p = $ __0.83__
24. $\frac{m}{3.902} = 5$ $m = $ __19.51__

25. $\frac{c}{0.35} = 2.76$ $r = $ __0.966__
26. $\frac{c}{4.1} = 5.48$ $c = $ __22.468__
27. $\frac{u}{6.9} = 10.3$ $u = $ __71.07__
28. $8.77m = 6.139$ $m = $ __0.7__

29. $2.94q = 7.35$ $q = $ __2.5__
30. $5.6t = 58.8$ $t = $ __10.5__
31. $0.8d = 9.816$ $d = $ __12.27__
32. $13.41w = 17.433$ $w = $ __1.3__

Para los ejercicios 33 y 34 escribe una ecuación y resuélvela.

33. Helen usó ayer un séptimo del aceite vegetal de su cocina. Si usó 2.43 oz, ¿cuánto aceite tenía en un principio? $\frac{x}{7} = 2.43$; $x = 17.01$ oz

34. Consumo En 1994 el impuesto sobre ventas de un artículo en Louisiana era 0.04 veces el precio del artículo. Si Tom pagó $1.09 de impuesto sobre ventas en la compra de una camisa, ¿cuál era el precio de la camisa? $0.04x = 1.09$; $x = 27.25

RETEACHING

Nombre _____

Práctica adicional **3-12**

Resolución de ecuaciones con decimales: Multiplicación y división

Puedes resolver ecuaciones de multiplicación y división por medio del cálculo mental y la comprensión numérica. Usa el cálculo mental para determinar los dígitos de la respuesta y la comprensión numérica para decidir dónde colocar el punto decimal.

— Ejemplo

Resuelve $4x = 3.6$.

Paso 1: Piensa en los números como número cabales. $4x = 3.6 \rightarrow 4x = 36$

Paso 2: Razona: ¿Qué número multiplicado por 4 es igual a 36? $4x = 36$

Paso 3: Usa el cálculo mental. $4 \times 9 = 36$

Paso 4: Determina dónde colocar el punto decimal. Hay una posición decimal en el producto, 3.6, por lo que debe haber una posición decimal en uno de los factores. Como no hay posición decimal en el factor conocido (4), debe haberla en el valor de x. Por tanto, $x = 0.9$.

Paso 5: Revisa que la ecuación sea verdadera. $4 \times 0.9 = 3.6$

En la ecuación $4x = 3.6$, x es igual a 0.9.

Haz la prueba Resuelve $a \div 6 = 0.04$.

a. Reescribe la ecuación con números cabales. __$a \div 6 = 4$__

b. ¿Qué número dividido entre 6 es igual a 4? __24__

c. El divisor, 6, es un número cabal y hay dos dígitos después del punto decimal en el cociente, 0.04. ¿Cuántos dígitos hay después del punto decimal del dividendo, a? __2 dígitos.__

d. $a = $ __0.24__

e. Muestra que la ecuación es verdadera. __$0.24 \div 6 = 0.04$__

Resuelve cada ecuación.

f. $2r = 1.4$ $r = $ __0.7__
g. $s \div 4 = 2.2$ $s = $ __8.8__

h. $\frac{b}{5} = 0.5$ $b = $ __2.5__
i. $0.7c = 0.49$ $c = $ __0.7__

j. $1.5d = 0.45$ $d = $ __0.3__
k. $n \div 3 = 1.2$ $n = $ __3.6__

l. $0.09c = 0.108$ $c = $ __1.2__
m. $\frac{g}{2} = 3.4$ $g = $ __6.8__

Práctica adicional

Actividad

Materiales: Fichas

- Trabaja con fichas para representar la solución de ecuaciones con números cabales, por ejemplo: $4x = 28$.

- Comenta cómo podrían usarse estas mismas ecuaciones para resolver ecuaciones decimales similares como $0.4x = 28$.

Reteaching

Activity

Materials: Counters

- Work with counters such as buttons or beans to model solving whole-number equations like $4x = 28$.

- Discuss how you could use these same equations to solve similar decimal equations like $0.4x = 28$.

Exercise Notes

■ Exercise 33

History The Santa Fe Trail was a trade route that extended from western Missouri to Santa Fe, New Mexico. It opened in 1821 and was in use until the Santa Fe Railroad opened in 1880.

Problem-Solving Tip You may wish to use Teaching Tool Transparencies 2 and 3: Guided Problem Solving, pages 1–2.

Exercise Answers

34. Possible answer: $0.6x = 7.2$
35. The x could have any value in $0.3x$; for $0.3x = 2.1$, only one value will make the equation true.

Alternate Assessment

You may want to use the *Interactive CD-ROM Journal* with this assessment.

Journal Write one or more paragraphs describing how solving equations in this lesson is similar to or different from solving equations in previous lessons.

Notas sobre los ejercicios

■ Ejercicio 33

Historia El Sendero de Santa Fe era una ruta comercial que se extendía desde el oeste de Missouri hasta Santa Fe, New Mexico. Comenzó a transitarse en 1821 y estuvo en uso hasta 1880 cuando se inauguró el ferrocarril de Santa Fe.

Respuestas de Ejercicios

34. Respuesta posible: $0.6x = 7.2$
35. La x puede tener cualquier valor en $0.3x$; en $0.3x = 2.1$, sólo un valor hace verdadera la ecuación.

Evaluación adicional

Tal vez quiera usar el *Diario interactivo CD-ROM* con esta evaluación.

En tu diario Describe en uno o más párrafos de qué manera la resolución de ecuaciones en esta lección es semejante o diferente de la resolución de ecuaciones en las lecciones anteriores.

---

30. **Ciencias** En un experimento de 2 semanas, una planta de maíz creció cuatro veces lo que una de frijol. Si la planta de maíz creció 6.0 cm, ¿cuánto creció la de frijol? $4b = 6.0$ cm; 1.5 cm

31. **RGP** Una carreta pesa 165.3 kg. Con pasajeros, la carreta pesa 465 kg. ¿Cuál es el peso de los pasajeros? $465 - x = 165.3$; 299.7 kg

32. **Para la prueba** Escoge el valor correcto de x si $\frac{x}{7} = 0.009$. **B**
   Ⓐ $x = 0.0063$ Ⓑ $x = 0.063$
   Ⓒ $x = 6.300$ Ⓓ Ninguna de las anteriores

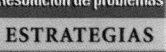

Resolución de problemas y razonamiento

33. **Escoge una estrategia** Los comerciantes usaban el tren de Santa Fe para llevar bienes manufacturados de la ciudad de Kansas a Santa Fe y regresaban con oro, plata, pieles y lana. Los vagones promediaban 6.5 millas por hora sobre la vía de 800 millas. Podían viajar 7 horas por día. ¿Cuántos días tardarían los comerciantes en hacer el viaje redondo desde la ciudad de Kansas? 36

34. **Comunicación** Escribe una ecuación que implique multiplicación o división de decimales, en donde la respuesta sea 12.

35.  Explica la diferencia entre la expresión $0.3x$ y $0.3x = 2.1$.

Resolución de problemas
ESTRATEGIAS
• Busca un patrón
• Organiza la información en una lista
• Haz una tabla
• Prueba y comprueba
• Empieza por el final
• Usa el razonamiento lógico
• Haz un diagrama
• Simplifica el problema

Repaso mixto

Usa una gráfica de calorías en cada comida para responder las siguientes preguntas. *[Lección 1-1]*

36. ¿Cuál es el número total de calorías de esta comida? 823

37. ¿Cuál parte de la comida tiene más calorías? Ensalada de pasta griega

38. ¿Cuántas calorías tienen la malteada y el postre? 385

Calorías en una comida

Malteada de mango colado 140 — Chocolate claro 245 — Ensalada de pollo 123 — Frijoles 35 — Ensalada de pasta griega 280

Realiza las siguientes multiplicaciones. *[Lección 3-8]*

39. 1.45×6 8.7
40. 4.07×3 12.21
41. 5×4.36 21.8
42. 83×1.2 99.6
43. 51×1.06 54.06
44. 3.8×5 19

RESOLVER PROBLEMAS 3-12

➤ **PROBLEM SOLVING**

Nombre _____

Resolución guiada de problemas 3-12

RGP PROBLEMA 31, PÁGINA 198 DEL ESTUDIANTE

Una carreta pesa 165.3 kg. Con pasajeros, la carreta pesa 465 kg. ¿Cuál es el peso de los pasajeros?

— Comprende —

1. ¿Cuánto pesa la carreta vacía? 165.3 kg
2. ¿Cuánto pesa con pasajeros? 465 kg

— Plan —

3. ¿Cuál operación usarías para hallar el peso de los pasajeros? La resta.
4. ¿Cuál enunciado numérico sería un buen cálculo aproximado para el peso de los pasajeros? a
   a. $500 - 200 = 300$ b. $500 \times 200 = 1000$ c. $500 + 200 = 700$

— Resuelve —

5. ¿Cuánto más pesa la carreta con pasajeros que vacía? 299.7 kg
6. Escribe un enunciado que muestre el peso de los pasajeros. Respuesta posible:
   El peso de los pasajeros es de 299.7 kg.

— Revisa —

7. Compara el peso que hallaste en el punto 5 con tu aproximación del punto 4. ¿Cómo puedes usar estas respuestas para ver si tu solución es correcta? Respuesta posible:
   El cálculo aproximado es de 300 y el peso es de 299.7. Ambas cantidades son aproximadamente iguales, por tanto, la respuesta es correcta.

8. Muestra otra forma de comprobar tu respuesta. $299.7 + 165.3 = 465$

RESUELVE OTRO PROBLEMA

Un perro pesa 84.8 kg. Si carga una mochila llena con latas de comida, el perro pesa alrededor de 100 kg. ¿Cuál es el peso de las latas de comida? 15.2 kg

---

➤ **ENRICHMENT**

Nombre _____

Actividad de enriquecimiento 3-12

Tomar decisiones

Muchos productos alimenticios se empacan en una gran variedad de tamaños. La siguiente lista indica los tamaños y costos de las bebidas de jugo de frutas en una tienda.

$1.92 una porción paquete múltiple (6 raciones) $1.12 un cuarto (4 raciones)
$2.16 dos cuartos (8 raciones) $3.52 un galón (6 raciones)

1. Escoge dos tamaños diferentes y señala cuál es la ventaja de comprar cada uno. Respuesta posible: Son convenientes raciones individuales en comidas para llevar;
   Los galones son mejores para grupos grandes.

2. ¿Cuál es el costo por ración de cada uno de los paquetes de jugo de frutas? ¿Cuál es el más económico?
   Individual: $0.32; Cuarto: $0.28; Dos cuartos: $0.27;
   Galón: $0.22; El galón es más económico.

3. Imagina que necesitas tener 22 raciones de bebida. ¿Cuál(es) tamaño(s) de recipientes comprarías? Explica por qué. Respuesta posible:
   Un galón y dos cuartos es una opción más barata,
   aunque sobrarían 2 raciones.

4. Escoge tu cereal favorito para el desayuno. Ve a la tienda de abarrotes y registra el número de onzas, el costo y el número de raciones de cada tamaño disponible. Después calcula el costo por cada ración. Revise las respuestas de los estudiantes.

Tamaño (en onzas)	Costo	Número de raciones	Costo por ración

5. ¿Cuál tamaño es más económico? Revise las respuestas de los estudiantes.

6. ¿Cuál tamaño de caja de cereal preferirías comprar? Explica por qué. Revise las respuestas de los estudiantes.

En esta sección has aprendido algo sobre el histórico Sendero de Oregon. En años recientes, se han trazado nuevos senderos para excursionistas y paseantes. Uno de los mejor conocidos es el Sendero John Muir, un camino de 209.8 millas a través de las montañas de la Sierra Nevada de California.

Sendero de angustias

Algunos de tus amigos y tú programan una excursión de 3 días por el Sendero de John Muir. Piensan caminar una de las dos secciones del sendero que se muestra en estos esquemas.

Del lago Dollar al lago Marjorie

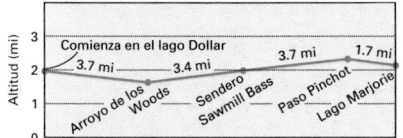

Del lago Lower Trinity al paso Lyell

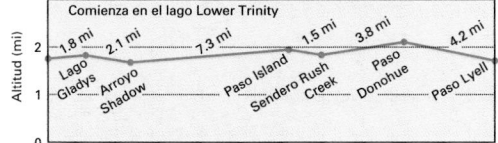

1. Halla la longitud de cada sendero. Después calcula cuánto tiempo te llevará caminar cada uno si tu promedio es de 2.4 mi/h.

2. Al caminar colina arriba o colina abajo se emplean tiempos distintos. Cada milla colina arriba le agrega 2.5 horas al tiempo que calculaste en la pregunta 1 y cada milla colina abajo agrega 1.5 horas. Usa la escala vertical para calcular las millas aproximadas de subida y de bajada de cada sección del sendero. Revisa el tiempo total en el sendero que calculaste en la pregunta 1.

3. Consideras descansar, en promedio, 0.25 horas por cada hora de camino. Revisa de nuevo tu tiempo total en el sendero, pero esta vez agrega el tiempo de descanso.

4. ¿Cuáles secciones del sendero escogerías para una excursión de 3 días? Justifica tu respuesta.

199

Sendero de angustias

Objetivo
En *Sendero de angustias*, de la página 175, los estudiantes conocieron el Sendero de Oregon. Ahora van a emplear sus destrezas en la multiplicación y división de decimales para calcular el tiempo que se tardaban en recorrer un sendero.

Acerca de esta página

- Examine el esquema del sendero para asegurarse de que los estudiantes comprendan lo que se muestra.

- Aclare el término *milla vertical*. Para ayudarlos a entender por qué se agrega tiempo cuando se viajan millas verticales, pregúnteles por qué caminar colina arriba o colina abajo les llevaría más o menos tiempo que caminar en terreno plano.

- Pregúnteles cuántos minutos descansan cada hora. 15 minutos

- Asegúrese de que los estudiantes hayan respondido correctamente la pregunta 1 antes de que continúen con su trabajo.

Evaluación continua
Pida a los estudiantes que expliquen cómo calcularon el tiempo de caminata de cada sendero.

Ampliación

Supónte que quisieras recorrer ambas secciones del sendero John Muir. Usa los tiempos que hallaste en la pregunta 3 para calcular aproximadamente cuántas horas te tomaría cubrir esa ruta.

Trials and Trails

The Point

In *Trials and Trails* on page 175, students were introduced to the Oregon Trail. Now they will apply their decimal multiplication and division skills by calculating the time involved when hiking on a trail.

Resources

Lesson Enhancement Transparency 11

About the Page

- Discuss the trail profiles to be sure students understand what is shown.

- Clarify the term *vertical mile*. To help students understand why time is added for traveling vertical miles, ask why hiking uphill or downhill would take more time than hiking on flat ground.

- Ask students how many minutes they are resting each hour. 15 minutes

- Be sure students have answered Question 1 correctly before they continue their work.

Ongoing Assessment

Have students explain how they have calculated the hiking time for each trail.

Extension

Suppose you wanted to hike both sections of the John Muir Trail. Use the trail times you found in Question 3 to estimate how many hours it would take.

Respuestas de Asociación

1. Lago Dollar a lago Marjorie: 12.5 mi, 5.2 h; Lago Lower Trinity al paso Lyell: 20.7 mi, 8.6 h

2. Lago Dollar a lago Marjorie: Hacia arriba 0.7 mi, hacia abajo 0.7 mi; Alrededor de 5.2 + 2.8 = 8.0 h; Hacia arriba 0.7 mi, hacia abajo 0.8 mi; Como 8.6 + 3.0 = 11.6 h

3. Lago Dollar Lake a lago Marjorie: 8.0 + 2.00 = 10 h; Lago Lower Trinity al paso Lyell: 11.6 + 2.90 h = 14.5 h

4. Respuesta posible: Del lago Lower Trinity al paso Lyell; Esta caminata tarda cerca de 5 h por día, lo cual es un tiempo razonable.

Answers for Connect

1. Dollar Lake to Lake Marjorie: 12.5 mi, 5.2 hr; Lower Trinity Lake to Lyell Pass: 20.7 mi, 8.6 hr

2. Dollar Lake to Lake Marjorie: Up 0.7 mi, down 0.7 mi; About 5.2 + 2.8 = 8.0 hr; Lower Trinity Lake to Lyell Pass: Up 0.7 mi, down 0.8 mi; About 8.6 + 3.0 = 11.6 hr

3. Dollar Lake to Lake Marjorie: 8.0 + 2.00 = 10 hr; Lower Trinity Lake to Lyell Pass: 11.6 + 2.90 hr = 14.5 hr

4. Possible answer: Lower Trinity Lake to Lyell Pass; This hike would involve about 5 hours of trail time per day, which is a reasonable amount.

3C Review

Review Correlation

Item(s)	Lesson(s)
1–8	3-4
9	3-8
10	3-11
11	3-8
12	3-9
13–20	3-6
21–22	3-11
23	3-9
24	3-11
25	3-10
26–30	3-12
31	3-2
32–33	3-12
34	3-8
35	3-10
36–37	3-6

Test Prep

Test-Taking Tip

Tell students to check for choices that can be immediately eliminated. In Exercise 36–37, answers C and D are obviously wrong because the whole number part of each choice is too large. Students are really left with a choice of only two answers, not four.

Correlación de repaso

Punto(s)	Lección(es)
1–8	3-4
9	3-8
10	3-11
11	3-8
12	3-9
13–20	3-6
21–22	3-11
23	3-9
24	3-11
25	3-10
26–30	3-12
31	3-2
32–33	3-12
34	3-8
35	3-10
36–37	3-6

Para la prueba

Sugerencia para la prueba

Sugiera a los estudiantes que revisen las opciones que pueden eliminarse de manera rápida. En los ejercicios 36 y 37, las respuestas C y D obviamente son incorrectas porque la parte del número cabal de cada opción es demasiado grande. Los estudiantes se quedarán con sólo dos alternativas de respuesta y no con cuatro.

REPASO 3C

Escribe el número en forma usual.

1. 5.6×10^6 5,600,000

2. 3.78×10^3 3780

3. 4×10^8 400,000,000

4. 7.3×10^{11} 730,000,000,000

5. 1.22×10^5 122,000

6. 1.6×10^{12} 1,600,000,000,000

7. 1.6×10^{10} 16,000,000,000

8. 3.94×10^7 39,400,000

Simplifica las siguientes expresiones.

9. 4.7×5 23.5

10. $2.4 \div 0.4$ 6

11. 625×0.4 250

12. 3.04×0.3 0.912

13. $12.6 + 8$ 20.6

14. $45.89 + 6.7$ 52.59

15. $80.05 - 20.03$ 60.02

16. $0.06 - 0.057$ 0.003

17. $6.73 - 4.69$ 2.04

18. $31.06 - 29$ 2.06

19. $167.55 + 143.2$ 310.75

20. $16.79 + 4.01$ 20.8

21. $259.2 \div 72$ 3.6

22. $3.68 \div 0.08$ 46

23. 6.65×0.42 2.793

24. $0.264 \div 0.24$ 1.1

25. Los estudiantes de la escuela intermedia Washington formaron un club de excursionismo. Los sábados caminaron 9.1 km, 8.3 km, 12.4 km, 9.6 km y 14.5 km. ¿Cuál fue la distancia promedio de caminata del club?   10.78 km

Resuelve las ecuaciones.

26. $1.2t = 3.6$ $t = 3$

27. $\frac{u}{6} = 0.7$ $u = 4.2$

28. $0.02b = 0.4$ $b = 20$

29. $0.11n = 5.5$ $n = 50$

30. $\frac{w}{2.5} = 40$ $w = 100$

31. $s - 7.91 = 16.4$ $s = 24.31$

32. $\frac{t}{0.08} = 200$ $t = 16$

33. $0.01v = 8.3$ $v = 830$

34. El río Mississippi tiene 2340 millas de largo y es 3.2 veces más largo que el río de la Plata. ¿Qué largo tiene el río de la Plata? Redondea al décimo de milla más cercano?   731.3 millas

35. Una tienda vende tarjetas del Sendero de Oregon; siete tarjetas cuestan $2.50. ¿Cuánto cuesta cada una? $0.36

Para la prueba

Determinar el número de posiciones decimales en la respuesta puede ayudarte a eliminar las respuestas incorrectas.

36. Resta: $72.967 - 12.973$ B

   Ⓐ 58.994   Ⓑ 59.994
   Ⓒ 589.94   Ⓓ 599.94

37. Suma: $32.409 + 3.864$ B

   Ⓐ 35.273   Ⓑ 36.273
   Ⓒ 70.049   Ⓓ 71.049

Resources

Practice Masters
   Section 3C Review

Assessment Sourcebook
   Quiz 3C

 TestWorks
   Test and Practice Software

PRACTICE

Nombre _____

Práctica

Sección 3C • Repaso

Simplifica estas expresiones.

1. 3×0.63 1.89

2. 0.016×0.02 0.00032

3. $205.65 \div 15$ 13.71

4. 26×0.009 0.234

5. $16.936 \div 73$ 0.232

6. 36×0.11 3.96

7. 0.05×4.9 0.245

8. $245.49 \div 30$ 8.183

9. 7×0.05 0.35

10. 0.07×0.845 0.05915

11. $140.6 \div 37$ 3.8

12. $27.216 \div 17.01$ 1.6

Escribe el número en forma usual.

13. 3.84×10^3 3,840

14. 1.789×10^5 178,900

15. 6.4432×10^6 6,443,200

16. 6.387×10^9 6,387,000,000

17. 8.3764×10^4 83,764

18. 4.3857×10^{10} 43,857,000,000

Resuelve cada ecuación.

19. $4.63a = 12.964$ $a =$ 2.8

20. $\frac{d}{6.21} = 8.9$ $d =$ 55.269

21. $5w = 15.05$ $w =$ 3.01

22. $\frac{k}{0.81} = 7.39$ $k =$ 5.9859

23. $1.4t = 0.0882$ $t =$ 0.063

24. $0.9w = 0.5634$ $w =$ 0.626

25. $10.6g = 1.166$ $g =$ 0.11

26. $\frac{t}{4.61} = 6.7$ $t =$ 30.887

27. Cinco manojos de brócoli pesan 0.94 lb, 1.27 lb, 0.83 lb, 1.07 lb y 0.98 lb. ¿Cuál es el promedio de estos pesos?   1.018 lb

28. Ciencias Una cabra vive en promedio 4 veces el tiempo de lo que vive una rata. La longevidad de una rata es de *t* años. Escribe una expresión que muestre cuánto vive una cabra.   4*t*

29. En 1974 el salario mínimo federal era de $2.00 por hora. Usa el cálculo mental para determinar cuánto se le pagaba a un trabajador de salario mínimo por laborar 38 horas. *[Lección 2-5]* $76.00

200

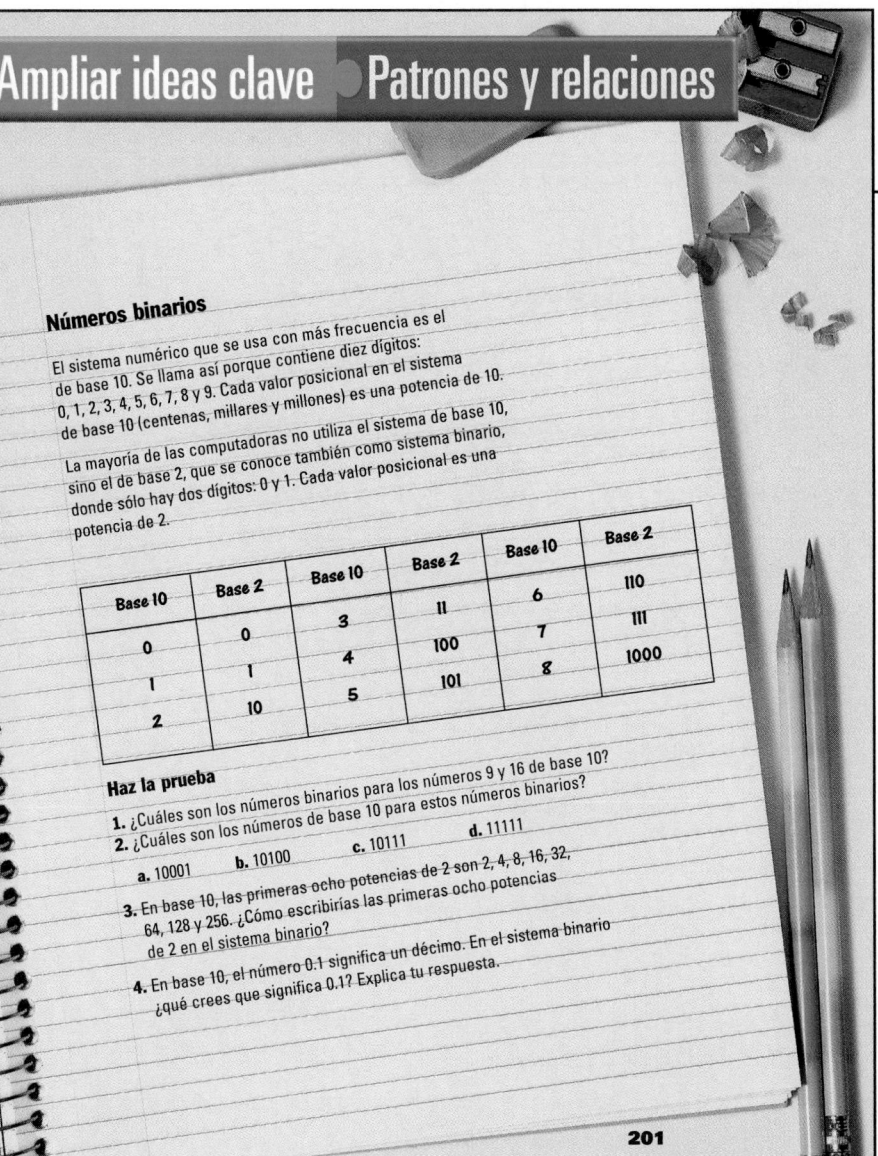

Números binarios

El sistema numérico que se usa con más frecuencia es el de base 10. Se llama así porque contiene diez dígitos: 0, 1, 2, 3, 4, 5, 6, 7, 8 y 9. Cada valor posicional en el sistema de base 10 (centenas, millares y millones) es una potencia de 10.

La mayoría de las computadoras no utiliza el sistema de base 10, sino el de base 2, que se conoce también como sistema binario, donde sólo hay dos dígitos: 0 y 1. Cada valor posicional es una potencia de 2.

Base 10	Base 2	Base 10	Base 2	Base 10	Base 2
0	0	3	11	6	110
1	1	4	100	7	111
2	10	5	101	8	1000

Haz la prueba

1. ¿Cuáles son los números binarios para los números 9 y 16 de base 10?
2. ¿Cuáles son los números de base 10 para estos números binarios?
   a. 10001   b. 10100   c. 10111   d. 11111
3. En base 10, las primeras ocho potencias de 2 son 2, 4, 8, 16, 32, 64, 128 y 256. ¿Cómo escribirías las primeras ocho potencias de 2 en el sistema binario?
4. En base 10, el número 0.1 significa un décimo. En el sistema binario ¿qué crees que significa 0.1? Explica tu respuesta.

201

Números binarios

Objetivo
A los estudiantes se les presentan los números binarios y la conversión entre números de base 10 y base 2.

Acerca de esta página

- Los estudiantes pueden aprovechar las tablas de valor posicional de base 10 y base 2. Señale las semejanzas en la estructura de las tablas.

- Para convertir un número binario a uno de base 10, es necesario multiplicar el valor posicional binario por el dígito de esa columna y sumar los productos.

- Las computadoras usan el sistema binario porque los dos dígitos pueden representarse con los interruptores "encendido" y "apagado".

Pregunte…

- ¿Cuáles son los valores posicionales de las columnas en un número binario? De derecha a izquierda: 1, 2, 4, 8, 16, 32, etcétera.

- ¿A qué número en base 10 corresponde el número binario 1101?
  $1(8) + 1(4) + 0(2) + 1(1) = 13$

Ampliación

Resuelve estos problemas de suma en base 2. Convierte a base 10 para comprobar tus respuestas.

1. **11001 + 1100**
   100101, 25 + 12 = 37

2. **101101 + 101101**
   1011010, 45 + 45 = 90

Respuestas de Haz la prueba

1. 1001, 1010, 1011, 1100, 1101, 1110, 1111, 10000.

2. a. 17, b. 20, c. 23, d. 31

3. 10, 100, 1000, 10000, 100000, 1000000, 10000000, 100000000.

4. En base 10, 0.1 es $\frac{1}{10}$, por tanto, en base 2, 0.1 es $\frac{1}{2}$.

Binary Numbers

The Point
Students are introduced to binary numbers and convert numbers between base 10 and base 2.

About the Page

- Students might benefit from seeing place-value charts in both base 10 and in base 2. Point out the similarities in the structure of the charts.

- To convert a binary number to a base-10 number, multiply the binary place value by the digit in that column and add the products.

- Computers use the binary system because the two digits can be represented by "on" and "off" switches.

Ask …

- What are the place values of the columns in a binary number? From right to left: 1, 2, 4, 8, 16, 32, and so on.

- What is the binary number 1101 as a number in base 10?
  $1(8) + 1(4) + 0(2) + 1(1) = 13$

Extension

Try these addition problems in base 2. Convert to base 10 to check your answers.

1. **11001 + 1100**
   100101, 25 + 12 = 37

2. **101101 + 101101**
   1011010, 45 + 45 = 90

Answers for Try It

1. 1001, 1010, 1011, 1100, 1101, 1110, 1111, 10000.

2. a. 17, b. 20, c. 23, d. 31

3. 10, 100, 1000, 10000, 100000, 1000000, 10000000, 100000000.

4. In base 10, 0.1 is $\frac{1}{10}$, so in base 2, 0.1 is $\frac{1}{2}$.

Review Correlation

Item(s)	Lesson(s)
1	3-1
2	3-2
3	3-3
4	3-4
5–6	3-5, 3-6
7	3-6
8	3-3, 3-6
9	3-6
10	3-7
11	3-5, 3-8
12	3-5, 3-10
13	3-5, 3-9
14	3-5, 3-11
15	3-9
16	3-8
17	3-10
18	3-12

For additional review, see page 664.

Answers for Review

1. a. 0.25
   b. 0.7
2. a. 5.6
   b. 0.8
3. a. >
   b. <
4. a. 71,600
   b. 395,000
5. ≈ 700; 729.36
6. ≈ 270; 262.277
7. 65.92
8. $(7.2 - 2.8) < 4.876$
9. 6.4 mm
10. a. $t = 4.6$
    b. $k = 13.5$
11. ≈ 120; 128.8
12. ≈ 13; 13.25
13. ≈ 1; 0.893
14. ≈ 2; 2.2
15. 0.04533
16. 751
17. 0.367
18. 3.1

Correlación de repaso

Punto(s)	Lección(es)
1	3-1
2	3-2
3	3-3
4	3-4
5–6	3-5, 3-6
7	3-6
8	3-3, 3-6
9	3-6
10	3-7
11	3-5, 3-8
12	3-5, 3-10
13	3-5, 3-9
14	3-5, 3-11
15	3-9
16	3-8
17	3-10
18	3-12

Para un repaso adicional, véase la página 664.

Respuestas de Repaso

1. a. 0.25
   b. 0.7
2. a. 5.6
   b. 0.8
3. a. >
   b. <
4. a. 71,600
   b. 395,000
5. ≈ 700; 729.36
6. ≈ 270; 262.277
7. 65.92
8. $(7.2 - 2.8) < 4.876$
9. 6.4 mm
10. a. $t = 4.6$
    b. $k = 13.5$
11. ≈ 120; 128.8
12. ≈ 13; 13.25
13. ≈ 1; 0.893
14. ≈ 2; 2.2
15. 0.04533
16. 751
17. 0.367
18. 3.1

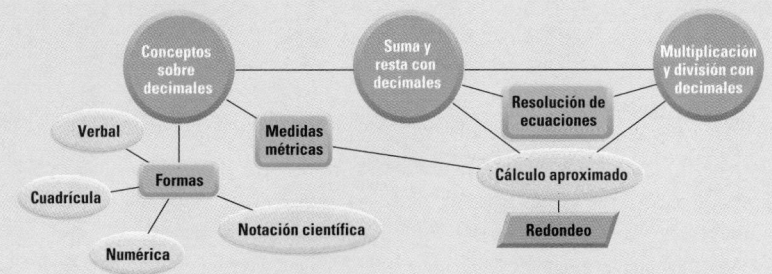

Capítulo 3 • Resumen y Repaso

Organizador gráfico

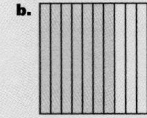

Sección 3A Conceptos sobre decimales

Resumen

- Los decimales pueden representarse en forma verbal, numérica o en cuadrícula.

- Los valores posicionales de los números decimales son como un espejo de los valores posicionales de los números cabales. Usa el valor posicional para escribir, ordenar y comparar números que estén entre dos números cabales.

- Agregar ceros o emplear una recta numérica puede ayudarte a ordenar y comparar decimales.

- La notación científica es una manera de escribir números grandes en forma abreviada. Un número en notación científica tiene dos factores: un número entre 1 y 10, y una potencia de 10.

Repaso

1. Muestra cada número en forma decimal.
   a. 25 centésimos
   b.

2. Redondea al décimo más cercano:
   a. 5.63   **b.** 0.77

3. Usa > o < para comparar:
   a. 2.31 ☐ 2.13   **b.** 0.08 ☐ 0.6

4. Escribe las expresiones en forma usual:
   a. 7.16×10^4 **b.** 3.95×10^5

202 *Capítulo 3 • Decimales*

Resources

Practice Masters
   Cumulative Review
   Chapters 1–3

Assessment Sourcebook
   Quarterly Test Chapters 1–3

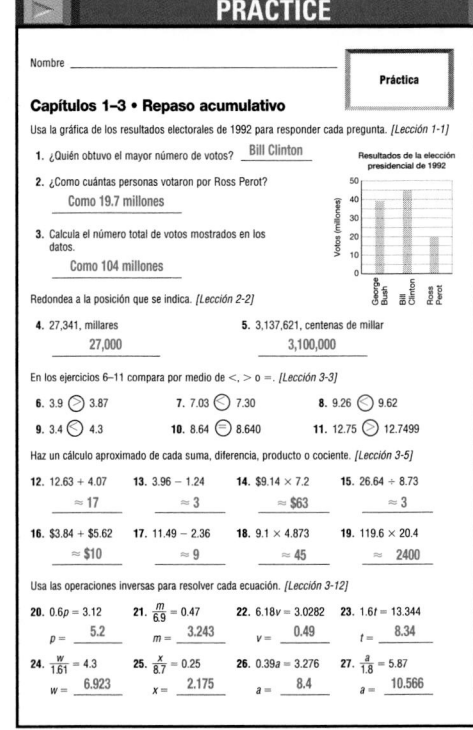

Sección 3B Suma y resta con decimales

Resumen

- Usa el redondeo y el cálculo mental para calcular sumas, restas, productos y cocientes aproximados con decimales.

- Antes de sumar o restar decimales, alinea los puntos decimales de los números. Esto te asegurará que los valores posicionales del primer número estén en línea con los mismos valores posicionales del segundo número.

Repaso

5. Aproxima y después suma $493.76 + 235.6$.

6. Aproxima y después resta $336.8 - 74.523$.

7. Suma $2.76 + 33.9 + 29.26$.

8. Compara $(7.2 - 2.8)$ con 4.876.

9. Una moneda de 25 centavos mide 24.3 mm de diámetro y una de 10 centavos mide 17.9 mm. ¿Por cuántos milímetros es mayor el diámetro de la moneda de 25 centavos?

10. Resuelve las siguientes ecuaciones.
   a. $t + 3.2 = 7.8$
   b. $k - 7 = 6.5$

Sección 3C Multiplicación y división con decimales

Resumen

- Para multiplicar con decimales, multiplícalos como si fueran números cabales. El número de dígitos después del punto decimal de la respuesta debe ser el mismo que el número total de dígitos después de los puntos decimales en los factores.

- Para dividir con decimales, multiplica el divisor y el dividendo por la potencia de 10 que convierta al divisor en un número cabal. Después divide y coloca un punto decimal en el cociente, justo sobre el punto decimal en el dividendo.

- Cuando multipliques por 10, 100 o 1000, o dividas entre 0.1, 0.01, 0.001, mueve el punto decimal el número apropiado de posiciones a la derecha.

- Cuando dividas entre 10, 100 o 1000, o multipliques por 0.1, 0.01, 0.001, mueve el punto decimal el número apropiado de posiciones a la izquierda.

Repaso

11. Aproxima y luego multiplica 2.3×56.

12. Aproxima y luego divide $53 \div 4$.

13. Aproxima y luego multiplica 0.47×1.9.

14. Aproxima y luego divide $11.22 \div 5.1$.

15. Multiplica 45.33×0.001.

16. Multiplica 7.51×100.

17. Divide $367 \div 1000$.

18. Resuelve $9m = 27.9$.

Chapter 3 Assessment

Assessment Correlation

Item(s)	Lesson(s)
1–2	3-1
3	3-3
4	3-2
5–6	3-4
7–10	3-5
11	3-6
12	3-9
13–14	3-11
15	3-7
16–17	3-12
18	3-6
19	3-9

Answers for Assessment

1. Ten thousandths

2. 300.36

3. 3.05, 3.33, 3.43, 3.76

4. Possible answers: 2.008 and 2.0082.

5. 1.03×10^5

6. 30,800,000,000,000 km

7. $\approx$ \$11; \$11.56

8. $\approx$ 8, 8.0177

9. $\approx$ 40; 44

10. $\approx$ 3; 2.604

11. 373.148 K

12. 0.00345

13. 87

14. 28

15. $m = 2.7$

16. $x = 1,000,000$

17. $a = 3$

18. 10.02

19. 4

Answer for Performance Task

60 books; A sketch may show books are stacked 10 deep in six stacks of books with three lengths of 20.7 cm along the 65.3 cm side of the carton and two book widths along the 55 cm side of the carton.

Correlación de evaluación

Punto(s)	Lección(es)
1–2	3-1
3	3-3
4	3-2
5–6	3-4
7–10	3-5
11	3-6
12	3-9
13–14	3-11
15	3-7
16–17	3-12
18	3-6
19	3-9

Respuestas de Evaluación

1. Los diezmilésimos

2. 300.36

3. 3.05, 3.33, 3.43, 3.76

4. Respuestas posibles: 2.008 y 2.0082.

5. 1.03×10^5

6. 30,800,000,000,000 km

7. $\approx$ \$11; \$11.56

8. $\approx$ 8, 8.0177

9. $\approx$ 40; 44

10. $\approx$ 3; 2.604

11. 373.148 K

12. 0.00345

13. 87

14. 28

15. $m = 2.7$

16. $x = 1,000,000$

17. $a = 3$

18. 10.02

19. 4

Respuestas de Tarea para evaluar el progreso

60 libros; Un dibujo puede mostrar que están acomodados en seis hileras de 10 libros cada una. A lo largo del lado de 65.3 cm caben tres longitudes de 20.7 cm; a lo largo del lado de 55 cm caben dos anchuras de 26.1 cm.

Capítulo 3 • Evaluación

1. ¿Qué valor posicional está a la izquierda de la posición de los cienmilésimos?

2. Escribe trescientos y treinta y seis centésimos en forma usual.

3. Una manera de medir los clavos es por su grosor. Ordena estos clavos de menor a mayor de acuerdo con su grosor en milímetros: 3.76, 3.05, 3.43 y 3.33.

4. Encuentra dos números entre 2.007 y 2.009.

5. Se calcula que hay 103,000 especies de abejas y avispas. Escribe este número en notación científica.

6. Un parsec es una unidad de distancia usada en astronomía que equivale a 3.08×10^{13} km. Escribe esta distancia en forma usual.

Haz un cálculo aproximado y después simplifica la respuesta.

7. \$17.32 − \$5.76   8. 4.9967 + 3.021   9. 382.8 ÷ 8.7   10. 2.8 × 0.93

11. Un tipo de escala mide la temperatura en unidades llamadas kelvins. El punto de ebullición del oro es de 1074 K, mientras que el punto de ebullición del agua es 700.852 K menor. Halla el punto de ebullición del agua.

Multiplica o divide.

12. 3.45×0.001 13. $0.87 \div 0.01$ 14. $7 \div 0.25$

Resuelve las siguientes ecuaciones.

15. $m + 4.2 = 6.9$ 16. $\frac{x}{100} = 10{,}000$ 17. $12.3a = 36.9$

Escribe una ecuación para cada ejercicio y resuélvela.

18. ¿Cuál es la diferencia en tamaño entre una rueda de 52.52 mm de diámetro y una de 42.5 mm de diámetro?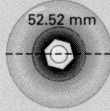

19. Una mariposa azul sonora mide 2.1 cm de largo. Una palomilla de esfinge ondulada mide 8.4 cm de largo. ¿Cuántas veces mayor es la palomilla que la mariposa?

Tarea para evaluar el progreso

Un libro de texto mide 20.7 cm de ancho, 26.1 cm de largo y 2.8 cm de espesor. ¿Cuál es el número más grande de libros que un departamento de envíos puede empacar en una caja de 55 cm de ancho, 65.3 cm de largo y 30 cm de espesor? Puedes dibujar gráficas para ayudarte a determinar cómo empacar los libros.

204   *Capítulo 3 • Decimales*

Resources

Assessment Sourcebook
Chapter 3 Tests
    Forms A and B (free response)
    Form C (multiple choice)
    Form D (performance assessment)
    Form E (mixed response)
    Form F (cumulative chapter test)
 TestWorks
    Test and Practice Software
Home and Community Connections
    Letter Home for Chapter 3 in English and Spanish

Capítulos 1–3 • Repaso acumulativo

Para la prueba

Evaluación del progreso

Escoge un problema.

Patrones del canguro

3.65	3.25	2.85	2.45
10.85			
		17.65	
25.25		24.45	

En la cuadrícula, los números en cada hilera forman patrones decimales. Para "saltar" de un número al siguiente, debes sumar o restar siempre el mismo número. Los números de cada columna también forman patrones decimales. Halla los patrones y completa los valores que faltan.

Posibilidades fotográficas

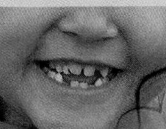

Escoge dos de las fotos. Escribe un problema breve acerca de cada una. En un problema deben usarse decimales. Cada problema debe relacionarse con el tema de la foto. Escribe ecuaciones para cada problema y resuélvelas.

Costos mundiales

Una cadena de comida rápida vende hamburguesas en varios países. El precio en dólares estadounidenses de una hamburguesa grande se halla en la lista de abajo.

Suiza	$4.80	Israel	$3.00
Suecia	$3.87	Dinamarca	$4.40
Alemania	$3.22	Francia	$3.41
Argentina	$3.00	Bélgica	$3.50

Construye una gráfica con los datos para ayudar a alguien a que compare visualmente los precios. Después redacta un párrafo que explique por qué crees que ese tipo de gráfica es el mejor para comparar los datos.

Un reto exponencial

Escribe cada uno de los números y expresiones que se muestran como un número en forma usual. Si sumas los números de cada hilera, ¿cuál tendrá la suma mayor?

Equipo	Vuelta 1	Vuelta 2	Vuelta 3
A	23×10^2	$6^2 - 3 + 5^3$	0.547×10^4
B	$15^3 + 5^2$	0.03×10^5	$3^3 - 4^2 + 24^1$
C	$7^6 \div 7$	7 elevado al cubo elevado al cuadrado	0.007×10^6

Capítulos 1–3 • Repaso acumulativo **205**

Acerca de Evaluación del progreso

Las opciones de Evaluación del progreso…

- proporcionan a los maestros medios alternativos para evaluar a los estudiantes.
- sirven de guía para diferentes modos de aprendizaje.
- permiten a los estudiantes que escojan un problema.

Los maestros pueden alentar a los estudiantes para que escojan el problema que represente un reto para ellos.

Modos de aprendizaje
Patrones del canguro **Social** Los estudiantes descubren patrones de números colocados en una cuadrícula para que completen los números que faltan.
Posibilidades fotográficas **Verbal** Basados en una fotografía, los estudiantes escriben y después resuelven un problema en forma verbal.
Costos mundiales **Visual** Los estudiantes grafican los precios de una hamburguesa en diferentes países y comentan cuál es la gráfica que muestra mejor la comparación de los precios.
Un reto exponencial **Individual** Los estudiantes usan el razonamiento crítico para escribir los números en forma usual y luego compararlos.

Performance Assessment Key

See key on page 135.

Suggested Scoring Rubric

Worldly Costs

4
- Accurately draws and labels bar graph.
- Clearly explains why bar graph is the best choice.

3
- Draws and labels bar graph.
- Provides explanation of why bar graph is the best choice.

2
- Attempts to record data in a graph so that prices can be compared visually.
- Unable to explain choice of graph.

1
- Fails to show data in a graph.
- Shows little understanding of how to choose a graph.

About Performance Assessment

The Performance Assessment options …

- provide teachers with an alternate means of assessing students.
- address different learning modalities.
- allow students to choose one problem.

Teachers may encourage students to choose the most challenging problem.

Learning Modalities

Kangaroo Patterns
Social Students discover patterns of numbers placed in a grid to fill in missing numbers in the grid.

Photo Possibilities
Verbal Students write and then solve a word problem based on a photograph.

Worldly Costs
Visual Students graph prices of a hamburger in different countries and discuss which graph best shows the comparison of prices.

An Exponential Challenge
Individual Students use critical thinking to write numbers in standard form and to compare numbers.

Respuestas de Evaluación

• **Patrones del canguro**
Valores que faltan en la Hilera 2: 10.45, 10.05, 9.65; Hilera 3: 18.05, 17.25, 16.85; Hilera 4: 24.85 y 24.05

• **Un reto exponencial**
Hilera A: 2300, 158, 5470 Suma: 7928; Hilera B: 3400, 3000, 35 Suma: 6435; Hilera C: 343, 49, 7000; Suma: 7392. La primera hilera tiene la suma mayor.

Answers for Assessment

• **Kangaroo Patterns**
Missing values in Row 2: 10.45, 10.05, 9.65; Row 3: 18.05, 17.25, 16.85; Row 4: 24.85 and 24.05

• **An Exponential Challenge**
Row A: 2300, 158, 5470 Sum: 7928; Row B: 3400, 3000, 35 Sum: 6435; Row C: 343, 49, 7000; Sum, 7392. The first row has the largest sum.

Photo Possibilities

4
- Writes two clear and reasonable word problems, one using decimals.
- Is able to write correct equations and solve them.

3
- Writes two word problems, one using decimals.
- Is able to write equations and show their solutions.

2
- Writes at least one clear word problem using decimals.
- Attempts to write and solve an equation for the word problem.

1
- Is unable to write a clear word problem.
- Is unable to write or solve an equation for the word problem.

Medición
Measurement

Section 4A

Units of Measurement: Students learn to find perimeter, convert units within the metric system, and use the customary system of measurement for length, weight, and capacity.

4-1 Perímetro

4-1 Perimeter

4-2 Conversiones en el sistema métrico

4-2 Converting in the Metric System

4-3 Uso de factores de conversión

4-3 Using Conversion Factors

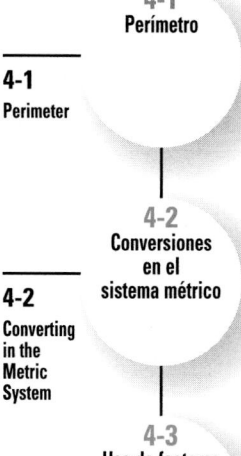

Section 4B

Area of Polygons: Students learn to find the area of squares, rectangles, parallelograms, and triangles.

4-4 Área de cuadrados y rectángulos

4-4 Area of Squares and Rectangles

4-5 Área de paralelogramos

4-5 Area of Parallelograms

4-6 Área de triángulos

4-6 Area of Triangles

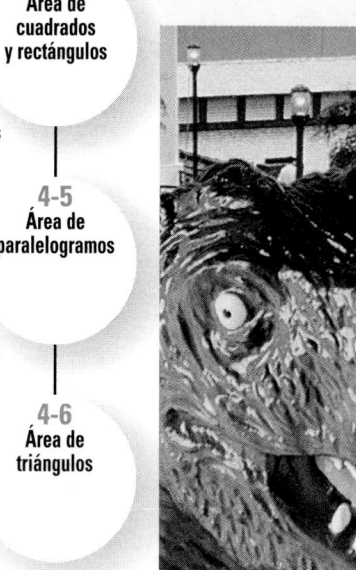
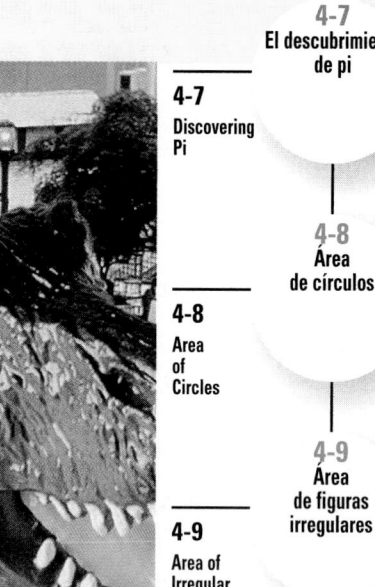

Section 4C

Circles: Students use π to calculate the circumference and the area of circles. Then they learn to find the area of irregular shapes.

4-7 El descubrimiento de pi

4-7 Discovering Pi

4-8 Área de círculos

4-8 Area of Circles

4-9 Área de figuras irregulares

4-9 Area of Irregular Figures

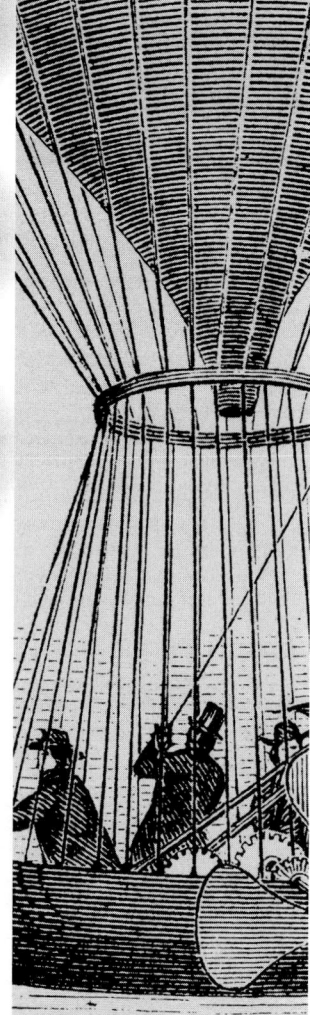

▶ Curriculum Standards

S T A N D A R D

			pages
1	**Problem Solving**	Skills and Strategies	208, 230, 236, 258
		Applications	213–214, 218–219, 223–224, 225, 231–232, 235–236, 240–241, 243, 248–249, 252–253, 257–258, 259
		Exploration	210, 215, 220, 228, 233, 237, 246, 250, 254
2	**Communication**	Oral	209, 213, 218, 222, 227, 230, 234, *236*, 239, 245, *249*, 251, *253*, 257
		Written	214, 219, 236, 241, 253, 258
		Cooperative Learning	*210, 215, 220, 222, 228, 233,* 237, *246, 250, 254, 256*
3	**Reasoning**	Critical Thinking	214, 219, 224, 232, 236, 241, 249, 253, 258
4	**Connections**	Mathematical	See Standards 5, 7, 8, 12, 13 below.
		Interdisciplinary	Science 206, *209,* 211, 216, *217,* 221, *239,* 245, 247, 253; History 216, 222, 223, 238, 244, 252; Health *212*; Career 218; Fine Arts 231; Geography 235, 258; Language 246, 255; Social Studies 206, *256*; Consumer *227*; Sports 207, *230*; Literature 206; Industry 209, *227,* 245
		Technology	*209,* 215, 220, 242, *245,* 246
		Cultural	207
5	**Number and Number Relationships**		223, 229, 248, 251, 260, 261
7	**Computation and Estimation**		*211,* 218, *221,* 232, *234, 251, 255*
8	**Patterns and Functions**		236
12	**Geometry**		210–214, 225, 228–259
13	**Measurement**		210–259

Italic type indicates Teacher Edition reference.

▶ Teaching Standards

Focus on Tools for Discourse

Teachers must value and encourage the use of a variety of tools rather than place excessive emphasis on conventional mathematical symbols. Teachers should

- sometimes allow students to select the tools they find most useful.

- sometimes specify tools to help students develop a repertoire of useful tools.

▶ Assessment Standards

Focus on Openness

Self Assessment In an open assessment, students and teachers communicate and build a common understanding of the performance criteria by which the students are to be judged. Self-assessment activities provide opportunities for students to measure their own progress against those criteria. In Chapter 4, students are asked to assess their understanding of

- the metric system.

- area of quadrilaterals.

TECHNOLOGY

▶ For the Teacher

- **Teacher Resource Planner CD-ROM**
  Use the teacher planning CD-ROM to view resources available for Chapter 4. You can prepare custom lesson plans or use the default lesson plans provided.

- **World Wide Web**
  Visit **www.teacher.mathsurf.com** for links to lesson plans from teachers and other professionals, NCTM information, and other sites.

- **TestWorks**
  TestWorks provides ready-made tests and can create custom tests and practice worksheets.

▶ For the Parent

- **World Wide Web**
  Parents can use the Web site at **www.parent.mathsurf.com.**

▶ For the Student

- **Interactive CD-ROM**
  Lesson 4-6 has an *Interactive CD-ROM Lesson*. The *Interactive CD-ROM Journal* and *Interactive CD-ROM Spreadsheet/Grapher Tool* are also used in Chapter 4.

- **Wide World of Mathematics**
  Lesson 4-1 Middle School: Student Engineers
  Lesson 4-4 Middle School: Huge Mall Opens

- **World Wide Web**
  Use with Chapter and Section Openers;
  Students can go online to the Scott Foresman-Addison Wesley Web site at **www.mathsurf.com/6/ch4** to collect information about chapter themes.

- **Jasper Woodbury Videodisc**
  Lesson 4-3: Journey to Cedar Creek

STANDARDIZED - TEST CORRELATION

SECTION 4A

LESSON	OBJECTIVE	ITBS Form M	CTBS 4th Ed.	CAT 5th Ed.	SAT 9th Ed.	MAT 7th Ed.	Your Form
4-1	• Find the perimeter of a geometric figure.		✗	✗	✗	✗	
4-2	• Measure using the metric system and convert units within the metric system.				✗	✗	
4-3	• Convert units within the customary system of measurement.			✗	✗	✗	

SECTION 4B

LESSON	OBJECTIVE	ITBS Form M	CTBS 4th Ed.	CAT 5th Ed.	SAT 9th Ed.	MAT 7th Ed.	Your Form
4-4	• Find the area of squares and rectangles.		✗	✗	✗	✗	
4-5	• Find the area of parallelograms.				✗		4,
4-6	• Find the area of a triangle.				✗		4, 11

SECTION 4C

LESSON	OBJECTIVE	ITBS Form M	CTBS 4th Ed.	CAT 5th Ed.	SAT 9th Ed.	MAT 7th Ed.	Your Form
4-7	• Find the circumference of a circle.		✗				
4-8	• Find the area of circles.		✗		✗		
4-9	• Find the area of irregular figures.			✗	✗		

Key: ITBS - Iowa Test of Basic Skills; CTBS - Comprehensive Test of Basic Skills; CAT - California Achievement Test; SAT - Stanford Achievement Test; MAT - Metropolitan Achievement Test

ASSESSMENT PROGRAM

► **Traditional Assessment**

QUICK QUIZZES	SECTION REVIEW	CHAPTER REVIEW	CHAPTER ASSESSMENT FREE RESPONSE	CHAPTER ASSESSMENT MULTIPLE CHOICE	CUMULATIVE REVIEW
TE: pp. 214, 219, 224, 232, 236, 241, 249, 253, 258	SE: pp. 226, 244, 260 *Quiz 4A, 4B, 4C	SE: pp. 262–263	SE: p. 264 *Ch. 4 Tests Forms A, B, E	*Ch. 4 Tests Forms C, E	SE: p. 265 *Ch. 4 Test Form F

► **Alternate Assessment**

INTERVIEW	JOURNAL	ONGOING	PERFORMANCE	PORTFOLIO	PROJECT	SELF
TE: pp. 236, 249, 253	SE: pp. 214, 219, 236, 241, 253, 258 TE: pp. 208, 214	TE: pp. 210, 215, 220, 228, 233, 237, 246, 250, 254	SE: p. 264 TE: pp. 224, 232 *Ch. 4 Tests Forms D, E	TE: p. 258	SE: pp. 214, 241, 249 TE: p. 207	TE: pp. 219, 241

*Tests and quizzes are in *Assessment Sourcebook*. Test Form E is a mixed response test. Forms for Alternate Assessment are also available in *Assessment Sourcebook*.

 TestWorks: Test and Practice Software

REGULAR PACING   BLOCK SCHEDULING OPTIONS

Day	5 classes per week
1	Chapter 4 Opener; Problem Solving Focus
2	Section **4A** Opener; Lesson **4-1**
3	Lesson **4-2**
4	Lesson **4-3**
5	**4A** Connect; **4A** Review
6	Section **4B** Opener; Lesson **4-4**
7	Lesson **4-5**
8	Lesson **4-6**; Technology
9	**4B** Connect; **4B** Review
10	Section **4C** Opener; Lesson **4-7**
11	Lesson **4-8**
12	Lesson **4-9**
13	**4C** Connect; **4C** Review; Extend Key Ideas
14	Chapter 4 Summary and Review
15	Chapter 4 Assessment Cumulative Review, Chapters 1–4

Block Scheduling for Complete Course

Chapter 4 may be presented in

- nine 90-minute blocks
- twelve 75-minute blocks

Each block consists of a combination of

- Chapter and Section Openers
- Explores
- Lesson Development
- Problem Solving Focus
- Technology
- Extend Key Ideas
- Connect
- Review
- Assessment

For details, see *Block Scheduling Handbook*.

Block Scheduling for Lab-Based Course

In each block, 30–40 minutes is devoted to lab activities including

- Explores in the Student Edition
- Connect pages in the Student Edition
- Technology options in the Student Edition
- Reteaching Activities in the Teacher Edition

For details, see *Block Scheduling Handbook*.

Block Scheduling for Interdisciplinary Course

Each block integrates math with another subject area.

In Chapter 4, interdisciplinary topics include

- Garbage
- Malls
- Inventions

Themes for Interdisciplinary Team Teaching 4A, 4B, and 4C are

- Measurements for Space Travel
- Area and the World's First Mall
- Houses with Circular Bases

For details, see *Block Scheduling Handbook*.

Block Scheduling for Course with *Connected Mathematics*

In each block, investigations from **Connected Mathematics** replace or enhance the lessons in Chapter 4.

Connected Mathematics topics for Chapter 4 can be found in

- *Covering and Surrounding*
- *Bits and Pieces I*

For details, see *Block Scheduling Handbook*.

BOLETÍN INTERDISCIPLINARIO

INTERDISCIPLINARY BULLETIN BOARD

Preparación

Prepare un cartel con varias secciones para incluir información sobre las construcciones de las culturas precolombinas.

Procedimiento

- Investiga en equipo el tipo de construcciones que edificaron las culturas precolombinas. Halla la base y la altura de cada estructura.

- Usa la siguiente escala para ilustrar las construcciones en el cartel: 1 cm ó 0.5 cm = 1 m.

- Escribe el nombre de cada estructura, así como las medidas que investigaste. Entre las estructuras más conocidas se incluyen: El Gran Templo del Montículo (en Spiro, OK), altura: 24 m, base: 55 m; La Pirámide del Sol (México), altura: 66 m, base: 214 m; La Casa de los Leños (NE, N. AM), altura: 6 m, base: 18 m; el Montículo de la Efigie (IL, IA, WI, MN), altura: 2 m, base: 100 m.

Set Up

Prepare a bulletin board with sections for various structures made by pre-Columbian cultures.

Procedure

- Work in groups to research structures made by pre-Columbian cultures. Find the length of the base and the height measurements of a structure.

- Draw the structure on the bulletin board with a scale of 1 cm or 0.5 cm = 1 m.

- Name each structure and give its actual base and height measurements. Possible structures and their measurements include: Great Temple Mound (Spiro, OK), 24 m height, 55 m base; Pyramid of the Sun (Mexico), 66 m height, 214 m base; Iroquoian long house (NE, N. AM), 6 m height, 18 m base; and Effigy mound (IL, IA, WI, MN), 2 m height; 100 m base.

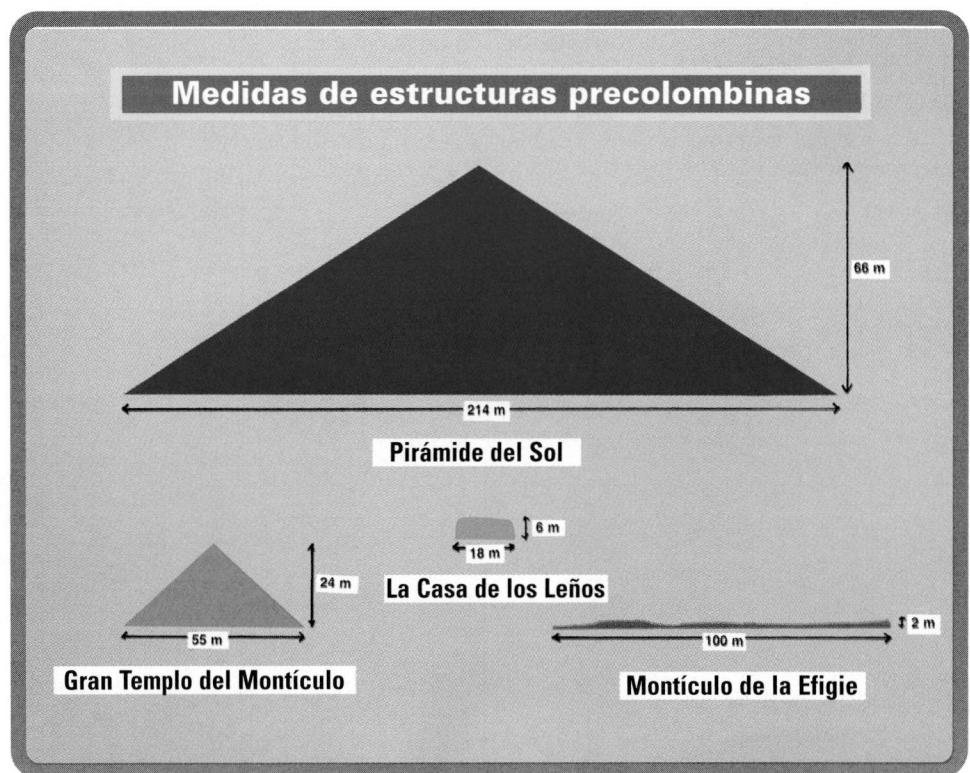

Medidas de estructuras precolombinas

Pirámide del Sol — 66 m, 214 m

La Casa de los Leños — 6 m, 18 m

Gran Templo del Montículo — 24 m, 55 m

Montículo de la Efigie — 2 m, 100 m

The information on these pages shows how measurement is used in real-life situations.

World Wide Web

If your class has access to the World Wide Web, you might want to use the information found at the Web site addresses given.

Extensions

The following activities do not require access to the World Wide Web.

Social Studies

Ask students to describe other measurement and calculating tools they know about. Talk about how each tool can be used to help with computations.

Arts & Literature

Ask students whether Jules Verne's statement would be correct at 41°F or at 23°F. Talk about why he might have given two temperatures that are not equal. It could be correct at 23°F, which is below the freezing point of water. He may have done the conversion incorrectly.

Science

Have students prepare a poster or notebook showing items that are about a meter, a gram, or a liter in size. Talk about why standardization of measurements is needed.

People of the World

Ask students to find out facts about the Great Wall of China.

Entertainment

Have students investigate the measurements of a standard football field, baseball diamond, tennis court, and ping-pong table.

Football: $120 \times 53\frac{1}{3}$ yd;

Baseball: 90 ft on a side;

Tennis: 120×60 ft;

Ping-pong: 9×5 ft.

La información de estas páginas muestra cómo se usa la medición en situaciones cotidianas.

World Wide Web

Si su clase tiene acceso al World Wide Web, tal vez desee utilizar la información que se encuentra en la dirección Web indicada.

Ampliación

Las siguientes actividades no requieren de acceso al Web.

Ciencias sociales

Pida a los estudiantes que describan otras medidas y herramientas de cálculo que conozcan. Explíqueles cómo cada herramienta puede usarse para ayudar a realizar los cálculos.

Arte y Literatura

Pregunte a los estudiantes si la afirmación de Julio Verne sería correcta a 41°F o a 23°F. Aventure alguna explicación de por qué dio dos temperaturas que no son iguales. Podría ser correcta a 23°F, que está por abajo del punto de congelación del agua. Se pudo haber hecho la conversión en forma incorrecta.

Ciencias

Pida a los estudiantes que preparen un cartel que muestre qué artículos miden cerca de un metro, pesan alrededor de un gramo, o su capacidad es aproximada a un litro. Comente por qué es necesaria la estandarización de las medidas.

Alrededor del mundo

Diga a los estudiantes que hallen información acerca de la Gran Muralla China.

Entretenimiento

Anime a los estudiantes para que investiguen las medidas de una cancha normal de fútbol americano, un diamante de béisbol, una cancha de tenis y una mesa de ping-pong.

Fútbol americano: $120 \times 53\frac{1}{3}$ yd;

Béisbol: 90 ft de lado;

Tenis: 120×60 ft;

Ping-pong: 9×5 ft.

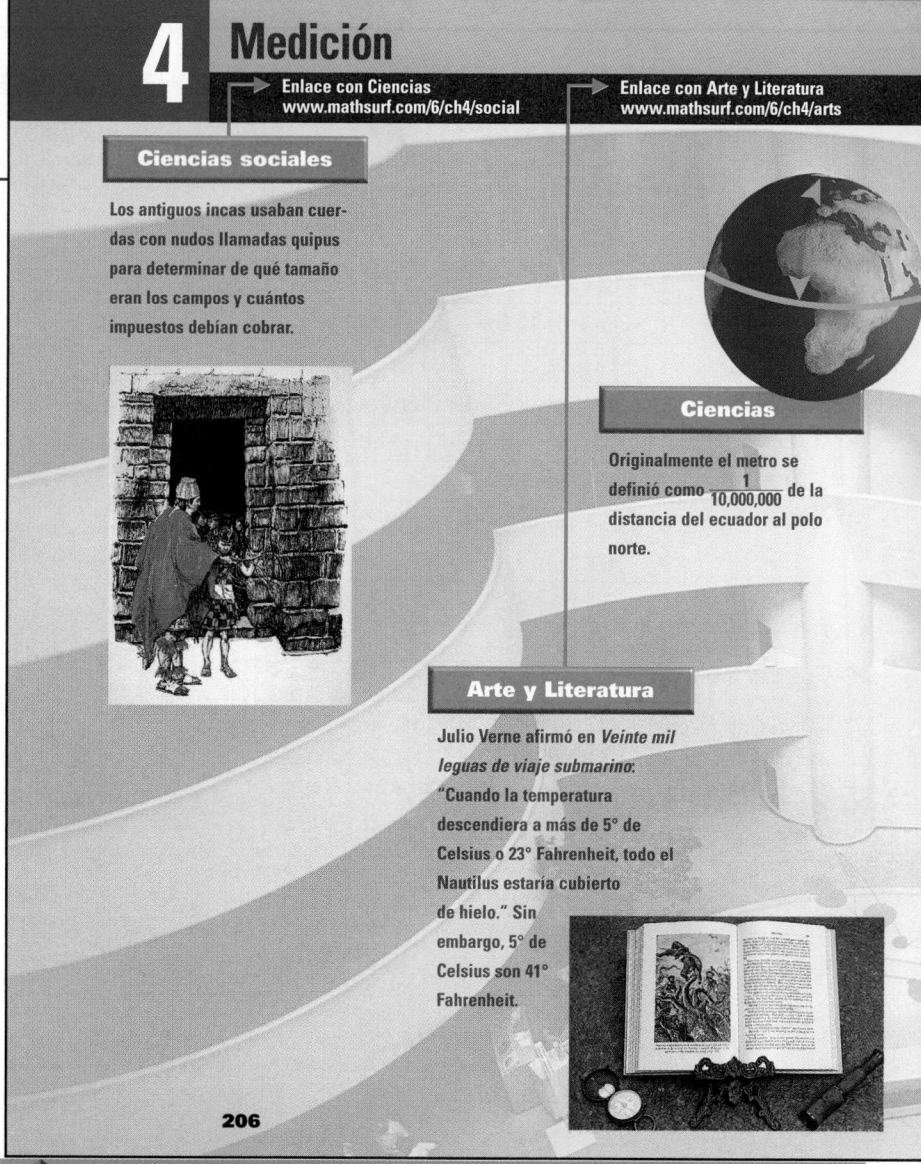

4 Medición

→ Enlace con Ciencias
www.mathsurf.com/6/ch4/social

→ Enlace con Arte y Literatura
www.mathsurf.com/6/ch4/arts

Ciencias sociales

Los antiguos incas usaban cuerdas con nudos llamadas quipus para determinar de qué tamaño eran los campos y cuántos impuestos debían cobrar.

Ciencias

Originalmente el metro se definió como $\frac{1}{10,000,000}$ de la distancia del ecuador al polo norte.

Arte y Literatura

Julio Verne afirmó en *Veinte mil leguas de viaje submarino*: "Cuando la temperatura descendiera a más de 5° de Celsius o 23° Fahrenheit, todo el Nautilus estaría cubierto de hielo." Sin embargo, 5° de Celsius son 41° Fahrenheit.

206

TEACHER TALK

Meet Susan Rhodes

Springfield Public Schools
Springfield, Illinois

I think it is essential that students have hands-on experiences to develop a true understanding of the concepts of perimeter, area, and volume. I have my students build miniature gift boxes about the size of single-serving cereal boxes, 7 cm × 10 cm × 4 cm. Students use centimeter grid paper to measure the correct sizes of the sides of the box and then cut the sides out of tag board. To incorporate the concept of perimeter, I have them trim the boxes with ribbon or heavy yarn.

As a challenge, I ask students to design as many different gift boxes as they can that will hold a certain number of cubic centimeters. Students are often surprised that boxes that look different have the same volume.

Entretenimiento

El área de una cancha normal de fútbol americano es de 57,600 ft². Ésta puede contener cerca de 7 diamantes de béisbol, 20 canchas de tenis o 1280 mesas de ping-pong.

Alrededor del mundo

La gran Muralla China, construida por los antiguos chinos, cubre un área tan grande que es visible desde el espacio.

IDEAS CLAVE DE MATEMÁTICAS

El sistema métrico y el sistema usual tienen diferentes tipos de unidades para medir longitud, masa, peso y capacidad.

El área de una figura es la cantidad de espacio que cubre la figura.

Puedes calcular las áreas de un cuadrado, rectángulo, paralelogramo o triángulo si conoces la base, la altura y la fórmula adecuada.

El área de un círculo puede determinarse por medio de un número especial conocido como π (pi).

PROYECTO DEL CAPÍTULO

Resolución de problemas

Comprende
Planea
Resuelve
Revisa

En este proyecto diseñarás un campo de golf en miniatura. Primero piensa en toda clase de formas y obstáculos que quieras poner en el campo de golf, para convertirlo en un reto para anotar un hoyo en uno.

207

PROJECT ASSESSMENT

You may choose to use this project as a performance assessment for the chapter.

Performance Assessment Key

Level 4 Full Accomplishment

Level 3 Substantial Accomplishment

Level 2 Partial Accomplishment

Level 1 Little Accomplishment

Suggested Scoring Rubric

4
- Design of golf course includes all required shapes as well as other interesting shapes and challenging obstacles.
- Measurements are realistic and all calculations are accurate.

3
- Design of golf course includes all required shapes and some obstacles.
- Measurements are reasonable and most calculations are accurate.

2
- Design of golf course includes most required shapes and few obstacles.
- Measurements are unrealistic and calculations are incomplete.

1
- Design of golf course includes some required shapes and no obstacles.
- Measurements and calculations are incorrect.

Proyecto del capítulo

Los estudiantes usan lo que han aprendido sobre medición para diseñar un campo de golf en miniatura.

Introducción del proyecto

- Describa los campos de golf en miniatura y, si es posible, muestre ilustraciones de ellos. Asegúrese de que los estudiantes comprendan en qué consiste este juego y cómo se juega.

- Pídales que describan algunas cosas que les gustaría ver en un campo de golf en miniatura.

- Indíqueles dónde pueden buscar información sobre campos de golf en miniatura.

El proyecto en marcha

Sección A, página 214 Los estudiantes hacen un boceto —con dimensiones razonables y formas interesantes— de los primeros cuatro hoyos de su campo de golf en miniatura.

Sección B, página 241 Los estudiantes revisan que los trayectos de algunos hoyos en su campo de golf tengan formas rectangulares y triangulares.

Sección C, página 249 Los estudiantes completan el diseño de su campo de golf en miniatura al incluir un círculo o parte de él en el trayecto del último hoyo. Después calculan el perímetro del último hoyo.

Chapter Project

Students use what they know about measurement to design a miniature golf course.

Resources

Chapter 4 Project Master

Introduce the Project

- Describe miniature golf courses and show pictures of such courses, if possible. Be sure students understand what is involved in the game and how it is played.

- Ask students to describe some of the kinds of things that they would like to see in a miniature golf course.

- Discuss where students could go to find information about miniature golf courses.

Project Progress

Section A, page 214 Students make a rough sketch, with reasonable dimensions and interesting shapes, of the first four holes of their miniature golf course.

Section B, page 241 Students check that some of the holes on their golf course use rectangular and triangular shapes.

Section C, page 249 Students complete the design of their miniature golf course by including a circle or part of a circle in the final golf hole. Then they calculate the perimeter of the final golf hole.

Community Project

A community project for Chapter 4 is available in *Home and Community Connections*.

Cooperative Learning

You may want to use Teaching Tool Transparency 1: Cooperative Learning Checklist with **Explore** and other group activities in this chapter.

Problem Solving Focus

Finding Unnecessary Information

The Point

Students focus on determining whether a problem has unnecessary information and, if so, which information is not needed.

Resources

Teaching Tool Transparency 18: Problem-Solving Guidelines

Interactive CD-ROM Journal

About the Page

Using the Problem-Solving Process

In order to solve a problem, students must be able to weed out the extraneous information and focus on the information needed to solve the problem. Discuss these suggestions for evaluating the given information:

- Read the problem two or three times before beginning.
- Decide what kind of information is needed to solve the problem.
- Analyze all the information given and eliminate unnecessary information.

Ask …

- How would you organize the information given in a problem to determine what is necessary and what is not?
- How do you know if you have unnecessary information?

Answers for Problems

1. All numerical information is necessary. Answer: 2 days
2. The diameters in kilometers are unnecessary. Answer: 20 miles
3. All numerical information is necessary. Answer: 30 days
4. The dates are not necessary. Answer: 21 orbits

Journal

Write a problem that has more information than needed. Give some suggestions for determining which information is not needed.

Identificar qué información no es necesaria

Objetivo

Los estudiantes se concentran en determinar si un problema contiene información superflua y, si es así, en identificar tal información.

Recursos

 Diario interactivo CD-ROM

Acerca de esta página

Uso del proceso de resolución de problemas

Para poder resolver un problema, los estudiantes deben ser capaces de identificar la información superflua y concentrarse en la información necesaria para resolverlo. Comente estas sugerencias para evaluar la información que se proporciona:

- Lee el problema dos o tres veces antes de comenzar.
- Decide qué clase de información es necesaria para resolver el problema.
- Analiza toda la información que se proporciona y elimina la que no es necesaria.

Pregunte…

- ¿Cómo organizarías la información de un problema para determinar qué es necesario y qué no lo es?
- ¿Cómo sabes si tienes información superflua?

Respuestas de Problemas

1. Toda la información numérica es necesaria. Respuesta: 2 días.
2. Los diámetros en kilómetros no son necesarios. Respuesta: 20 millas.
3. Toda la información numérica es necesaria. Respuesta: 30 días.
4. Las fechas no son necesarias. Respuesta: 21 vueltas

En tu diario

Escribe un problema que tenga información superflua. Indica qué información no es necesaria.

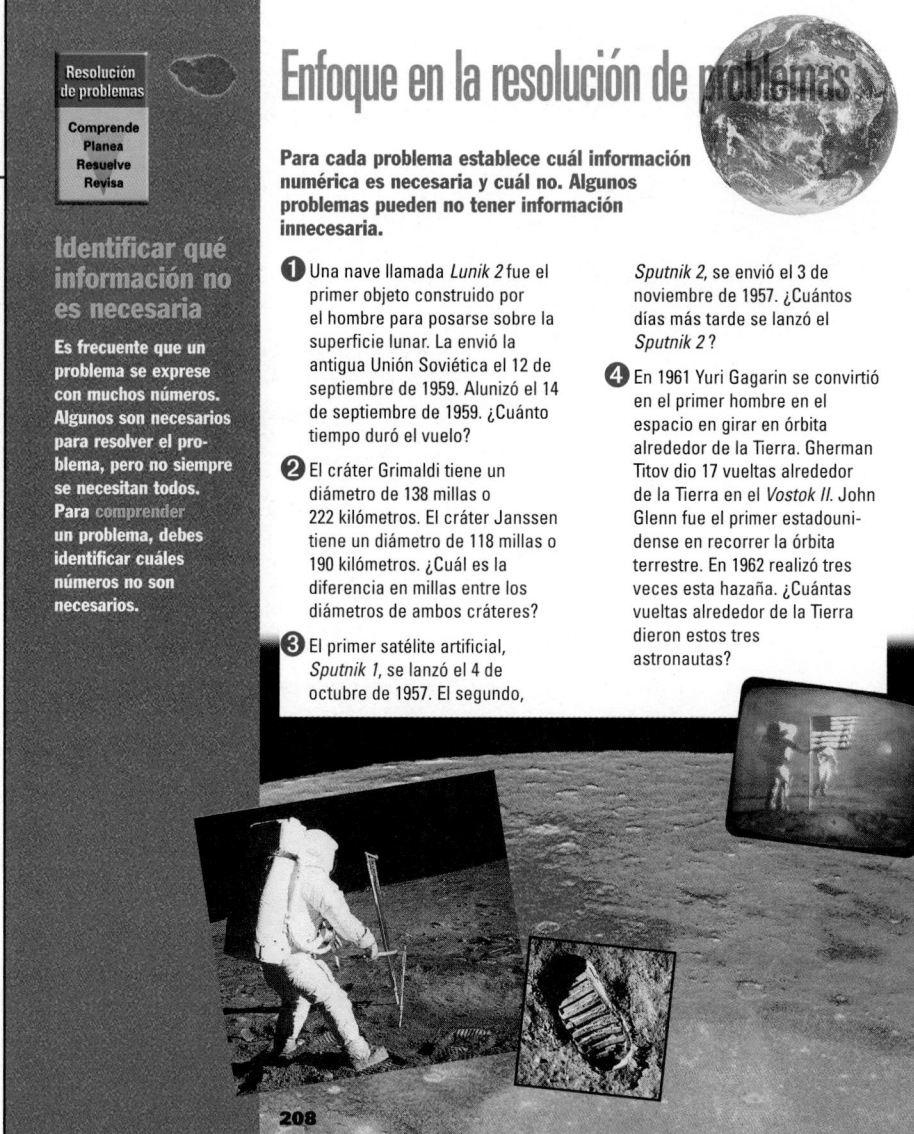

Resolución de problemas
Comprende
Planea
Resuelve
Revisa

Identificar qué información no es necesaria

Es frecuente que un problema se exprese con muchos números. Algunos son necesarios para resolver el problema, pero no siempre se necesitan todos. Para **comprender** un problema, debes identificar cuáles números no son necesarios.

Enfoque en la resolución de problemas

Para cada problema establece cuál información numérica es necesaria y cuál no. Algunos problemas pueden no tener información innecesaria.

1. Una nave llamada *Lunik 2* fue el primer objeto construido por el hombre para posarse sobre la superficie lunar. La envió la antigua Unión Soviética el 12 de septiembre de 1959. Alunizó el 14 de septiembre de 1959. ¿Cuánto tiempo duró el vuelo?

2. El cráter Grimaldi tiene un diámetro de 138 millas o 222 kilómetros. El cráter Janssen tiene un diámetro de 118 millas o 190 kilómetros. ¿Cuál es la diferencia en millas entre los diámetros de ambos cráteres?

3. El primer satélite artificial, *Sputnik 1*, se lanzó el 4 de octubre de 1957. El segundo, *Sputnik 2*, se envió el 3 de noviembre de 1957. ¿Cuántos días más tarde se lanzó el *Sputnik 2*?

4. En 1961 Yuri Gagarin se convirtió en el primer hombre en el espacio en girar en órbita alrededor de la Tierra. Gherman Titov dio 17 vueltas alrededor de la Tierra en el *Vostok II*. John Glenn fue el primer estadounidense en recorrer la órbita terrestre. En 1962 realizó tres veces esta hazaña. ¿Cuántas vueltas alrededor de la Tierra dieron estos tres astronautas?

208

Additional Problem

Kareem is planning a birthday party. He will invite 12 friends. The party will be held on Saturday afternoon. He has planned four games for the party. He plans to serve cake and ice cream. The cake will cost $8.95 and the ice cream will cost $4.98. He also is purchasing party favors that cost $22.50. About how much is he spending per person for the party? About $2.80

1. What is the problem about? Kareem's birthday party.
2. What is the problem asking for? The approximate cost for each person.
3. How many people are involved? 13, including Kareem.
4. What information is not needed to solve the problem? The day the party will be held and the number of games.

Problema adicional

Kareen piensa organizar una fiesta de cumpleaños. Invitará a 12 amigos. La fiesta será el sábado en la tarde. Tiene pensados cuatro juegos para la fiesta. Desea servir pastel y helado. El pastel costará $8.95 y el helado $4.98. También comprará regalos para la fiesta cuyo precio será de $22.50. ¿Aproximadamente cuánto gastará en la fiesta por persona? Alrededor de $2.80

1. ¿De qué trata el problema? De la fiesta de cumpleaños de Kareem.
2. ¿Qué pregunta el problema? El costo aproximado de la fiesta por persona.
3. ¿Cuánta gente estará invitada? 13, incluida Kareem.
4. ¿Qué información no es necesaria para resolver el problema? El día en que será la fiesta y el número de juegos.

Section 4A

Linear Measurements

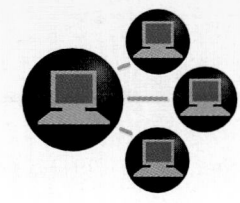

Visit **www.teacher.mathsurf.com** for links to lesson plans from teachers and other professionals, NCTM information, and other sites.

LESSON PLANNING GUIDE

▶ **Student Edition** ▶ **Ancillaries***

LESSON	MATERIALS	VOCABULARY	DAILY	OTHER
Chapter 4 Opener				Ch. 4 Project Master Ch. 4 Community Project Teaching Tool Trans. 1
Problem Solving Focus				Teaching Tool Trans. 18 *Interactive CD-ROM Journal*
Section 4A Opener				
4-1 Perimeter		perimeter	4-1	Lesson Enhancement Trans. 12 Ch. 4 Project Master *WW Math*–Middle School
4-2 Converting in the Metric System	calculator	metric system, meter, gram, liter, kilo-, centi-, milli-	4-2	Lesson Enhancement Transparencies 13, 14 Technology Master 16
4-3 Using Conversion Factors	calculator	inch, foot, yard, mile, ounce, pound, quart, gallon, conversion factor	4-3	Lesson Enhancement Trans. 15
Connect	ruler, colored pencils/pens			Lesson Enhancement Trans. 16 Interdisc. Team Teaching 4A
Review				Practice 4A; Quiz 4A; *TestWorks*

* Daily Ancillaries include Practice, Reteaching, Problem Solving, Enrichment, and Daily Transparency. Teaching Tool Transparencies are in *Teacher's Toolkits*. Lesson Enhancement Transparencies are in *Overhead Transparency Package*.

SKILLS TRACE

LESSON	SKILL	FIRST INTRODUCED			DEVELOP	PRACTICE/APPLY	REVIEW
		GR. 4	GR. 5	GR. 6			
4-1	**Finding perimeter.**	✗			pp. 210–212	pp. 213–214	pp. 262, 327, 456
4-2	**Converting between metric units.**			✗ p. 215	pp. 215–217	pp. 218–219	pp. 262, 369, 456
4-3	**Using conversion factors.**			✗ p. 220	pp. 220–222	pp. 223–224	pp. 262, 301, 374, 378, 386, 502

CONNECTED MATHEMATICS

The unit *Covering and Surrounding (2-D Measurement)* and Investigation 4 in the unit *Bits and Pieces I (Understanding Rational Numbers)*, from the **Connected Mathematics** series, can be used with Section 4A.

Math and Science/Technology
(Worksheet pages 19–20: Teacher pages T19–T20)

In this lesson, students convert measurements for space travel.

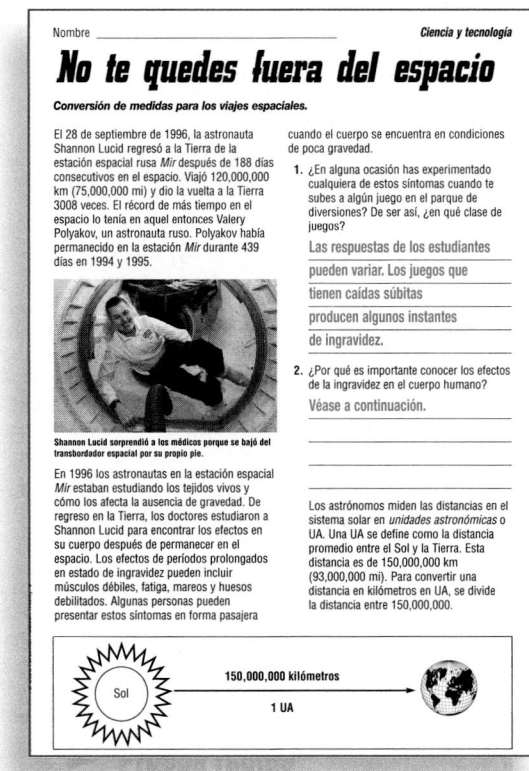

Nombre _____   *Ciencia y tecnología*

No te quedes fuera del espacio

Conversión de medidas para los viajes espaciales.

El 28 de septiembre de 1996, la astronauta Shannon Lucid regresó a la Tierra de la estación espacial rusa *Mir* después de 188 días consecutivos en el espacio. Viajó 120,000,000 km (75,000,000 mi) y dio la vuelta a la Tierra 3008 veces. El récord de más tiempo en el espacio lo tenía en aquel entonces Valery Polyakov, un astronauta ruso. Polyakov había permanecido en la estación *Mir* durante 439 días en 1994 y 1995.

Shannon Lucid sorprendió a los médicos porque se bajó del transbordador espacial por su propio pie.

En 1996 los astronautas en la estación espacial *Mir* estaban estudiando los tejidos vivos y cómo los afecta la ausencia de gravedad. De regreso en la Tierra, los doctores estudiaron a Shannon Lucid para encontrar los efectos en su cuerpo después de permanecer en el espacio. Los efectos de períodos prolongados en estado de ingravidez pueden incluir músculos débiles, fatiga, mareos y huesos debilitados. Algunas personas pueden presentar estos síntomas en forma pasajera

cuando el cuerpo se encuentra en condiciones de poca gravedad.

1. ¿En alguna ocasión has experimentado cualquiera de estos síntomas cuando te subes a algún juego en el parque de diversiones? De ser así, ¿en qué clase de juegos?

   Las respuestas de los estudiantes
   pueden variar. Los juegos que
   tienen caídas súbitas
   producen algunos instantes
   de ingravidez.

2. ¿Por qué es importante conocer los efectos de la ingravidez en el cuerpo humano?

   Véase a continuación.
   _____
   _____
   _____

Los astrónomos miden las distancias en el sistema solar en *unidades astronómicas* o UA. Una UA se define como la distancia promedio entre el Sol y la Tierra. Esta distancia es de 150,000,000 km (93,000,000 mi). Para convertir una distancia en kilómetros en UA, se divide la distancia entre 150,000,000.

Sol → 150,000,000 kilómetros → [Tierra]
1 UA

Nombre _____   *Ciencia y tecnología*

3. La tabla de esta página muestra la distancia media de cada planeta al Sol. Escribe el cálculo de conversión y luego obtén la UA para cada planeta. Se dan el cálculo de conversión y la UA para Mercurio. Toma en cuenta que la distancia media está dada en millones de kilómetros, por tanto, sólo divide 58 entre 150.

4. ¿Cuántas UA viajó Shannon Lucid en la estación *Mir*?

   120 ÷ 150 = 0.8; Shannon
   Lucid viajó 0.8 UA
   alrededor de la Tierra.

5. En una hoja por separado dibuja un modelo a escala del sistema solar, en unidades astronómicas, para mostrar la distancia relativa de cada planeta con respecto al Sol. Si usas la escala 1 cm = 1 UA, podrás trazar el sistema solar en una

cartulina. Con una escala de 1 cm = 1 UA, Mercurio se dibujaría a 0.4 cm, ó 4 mm, del Sol.

Véase a continuación.

6. a. Puesto que las UA son distancias medidas desde el Sol, muestra en el dibujo a escala qué tan lejos habría viajado Shannon Lucid si lo hubiera hecho en línea recta del Sol hacia el extremo más lejano del sistema solar.

   Véase a continuación.

   b. ¿Entre cuáles planetas se encontraría Shannon Lucid en el modelo?

   Shannon estaría
   entre Venus y
   la Tierra.

Planeta	Distancia media al Sol (en millones de km)	Cálculo de conversión (distancia del Sol ÷ 150)	UA (redondeada al décimo más cercano)
Mercurio	58	58 ÷ 150	0.4
Venus	108	108 ÷ 15	0.7
Tierra	150	150 ÷ 150	1
Marte	228	228 ÷ 150	1.5
Júpiter	778	778 ÷ 150	5.2
Saturno	1427	427 ÷ 150	9.5
Urano	2871	871 ÷ 150	9.1
Neptuno	4497	497 ÷ 150	0.0
Plutón	5914	914 ÷ 150	9.4

Respuestas adicionales

2. Las respuestas de los estudiantes pueden variar, pero se debe reconocer que esto afectará la duración de las exploraciones espaciales en el futuro, y que el conocimiento de los efectos prolongados de ingravidez puede ayudar a mejorar los tratamientos médicos y los procedimientos en la Tierra.

5. y 6.

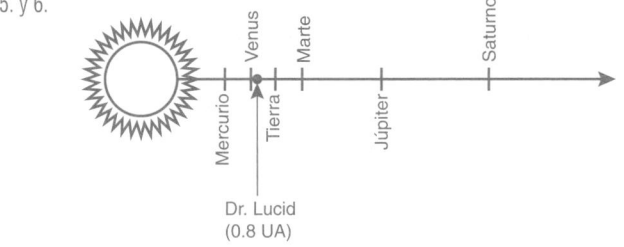

Dr. Lucid
(0.8 UA)

Nota: Si los estudiantes utilizan la escala dada, 1 cm = 1 UA, podría usar una hoja de papel de 30 × 45 cm (12 × 18 in.) porque la medida mayor es de 39.4 cm (alrededor de 15.75 pulgadas). Si desea una escala mayor, utilice una hoja de papel más grande o dibuje las distancias en el pizarrón.

BIBLIOGRAPHY

▷ FOR TEACHERS

Bonnet, Robert L. and Keen, G. Daniel. *Space & Astronomy: Forty-Nine Science Fair Projects.* Blue Ridge Summit, PA: Tab Books, 1992.

Couper, Heather. *The Space Atlas.* Fort Worth, TX: Harcourt Brace Jovanovich, 1992.

Parker, Steve. *The Random House Book of How Things Work.* New York, NY: Random House, 1991.

▷ FOR STUDENTS

The Earth Works Group. *50 Simple Things Kids Can Do to Recycle.* Berkeley, CA: Earthworks Press, 1994.

Foster, Joanna. *Cartons, Cans and Orange Peels.* New York, NY: Clarion Books, 1991.

Isaacson, Philip M. *Round Buildings, Square Buildings, and Buildings That Wiggle Like a Fish.* New York, NY: Knopf, 1990.

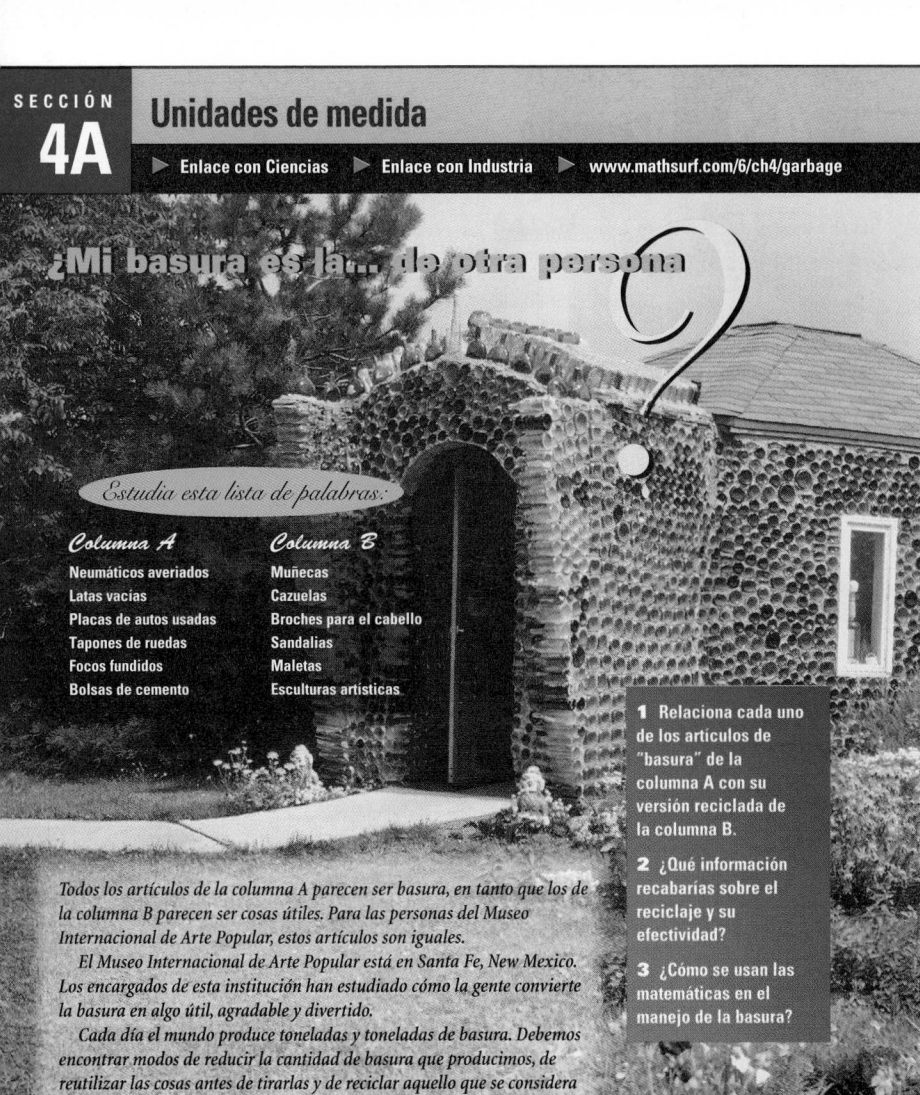

¿Mi basura es la... de otra persona?

Estudia esta lista de palabras:

Columna A
Neumáticos averiados
Latas vacías
Placas de autos usadas
Tapones de ruedas
Focos fundidos
Bolsas de cemento

Columna B
Muñecas
Cazuelas
Broches para el cabello
Sandalias
Maletas
Esculturas artísticas

1 Relaciona cada uno de los artículos de "basura" de la columna A con su versión reciclada de la columna B.

2 ¿Qué información recabarías sobre el reciclaje y su efectividad?

3 ¿Cómo se usan las matemáticas en el manejo de la basura?

Todos los artículos de la columna A parecen ser basura, en tanto que los de la columna B parecen ser cosas útiles. Para las personas del Museo Internacional de Arte Popular, estos artículos son iguales.

El Museo Internacional de Arte Popular está en Santa Fe, New Mexico. Los encargados de esta institución han estudiado cómo la gente convierte la basura en algo útil, agradable y divertido.

Cada día el mundo produce toneladas y toneladas de basura. Debemos encontrar modos de reducir la cantidad de basura que producimos, de reutilizar las cosas antes de tirarlas y de reciclar aquello que se considera basura. Quizá ya no tengamos tanto tiempo, pero sí tenemos algo de nuestro lado… ¡las matemáticas!

209

Where are we now?

In Section 3C, students solved equations using decimals.

They learned how to

- multiply and divide using decimals.
- use mental math to solve multiplication and division equations with decimals.
- solve decimal equations with multiplication and division.

Where are we going?

In Section 4A, students will

- use addition of whole numbers and decimals to find perimeter.
- use metric measure to find length.
- convert units within the metric system.
- use the customary system of measurement to find length, weight, and capacity.

Tema: La basura

World Wide Web

Si su clase tiene acceso al World Wide Web, tal vez quiera utilizar la información que se encuentra en la dirección Web indicada. Los enlaces interdisciplinarios relacionan los temas examinados en esta sección.

Acerca de esta página

Esta página presenta el tema de la sección —la basura— y se comentan las formas para reducir, reutilizar y reciclar la basura.

Pregunte…
- ¿En tu familia reciclan la basura?
- ¿Qué objetos cotidianos están hechos de productos reciclados?

Ampliación

Las siguientes actividades no requieren de acceso al Web.

Ciencias
La gente busca formas ecológicas de deshacerse de la basura. Investiga los usos de la basura reciclada.

Industria
Hay muchas compañías en la industria del reciclaje. Investiga e indentifica qué compañías de tu comunidad realizan actividades de reciclaje.

Respuestas de Preguntas
1. Neumáticos averiados: Sandalias; Latas vacías: Maletas; Placas de autos usadas: Cazuelas; Tapones de ruedas: Esculturas artísticas; Focos fundidos: Broches para el cabello; Bolsas de cemento: Muñecas.
2. Respuestas posibles: Libras de vidrio reciclado, porcentaje de vidrio reciclado, porcentaje de personas que lo reciclan.
3. Para calcular cantidades de basura; Determinar cómo transportarla o dónde ponerla.

Asociación

En la página 225 los estudiantes usarán sus conocimientos del perímetro para planear la ruta más corta para el camión.

Theme: Garbage

World Wide Web

If your class has access to the World Wide Web, you might want to use the information found at the Web site address given. The interdisciplinary links relate to topics discussed in this section.

About the Page

This page introduces the theme of the section, garbage, and discusses ways to reduce, reuse, and recycle garbage.

Ask …
- Does your family recycle?
- What do we use daily that is made from recycled products?

Extensions

The following activities do not require access to the World Wide Web.

Science
People are searching for ways to dispose of trash that do not harm the environment. Investigate uses of recycled trash.

Industry
Many companies are involved in recycling. Investigate and identify the companies in your community that are involved in recycling.

Answers for Questions
1. Broken tire treads: Sandals; Empty tin cans: Briefcases; Used license plates: Dust pans; Old hub caps: Artistic sculptures; Burned-out light bulbs: Headdress jewels; Cement bags: Dolls.
2. Possible answers: Pounds of glass recycled, percent of glass recycled, percent of people who recycle.
3. Calculating amounts of garbage; Determining how to move it or where to put it.

Connect

On page 225, students will use their knowledge of perimeter to plan an efficient truck route.

Lesson Organizer

Objective

- Find the perimeter of a geometric figure.

Vocabulary

- Perimeter

NCTM Standards

- 1–4, 7, 12, 13

Review

Find each sum.

1. 34.58 + 22.1 + 10 66.68

2. 22.01 + 3 + 5.3 30.31

3. 120 + 45.44 + 3.902 169.342

Available on Daily Transparency 4-1

► Repaso

Halla cada suma.

1. 34.58 + 22.1 + 10 66.68

2. 22.01 + 3 + 5.3 30.31

3. 120 + 45.44 + 3.902 169.342

Introduce

Explore

You may wish to use Lesson Enhancement Transparency 12 with **Explore**.

The Point

Students practice finding the total length of the sides of a polygon. Completing the table helps them to identify a pattern and use the pattern to solve the problem: What is the distance around a figure made up of 100 triangles?

Ongoing Assessment

Be sure that students include only the outside of each figure and not every side of each triangle.

For Groups That Finish Early

Make a similar table that starts with a square, each of whose sides measures 6 units, and gives the perimeter of one square, two squares together, three squares together, and so on. Perimeters for 1, 2, 3, 4, 5, 10, and 100 squares will be 24, 36, 48, 60, 72, 132, 1212.

1 Introducción

Investigar

Objetivo

Los estudiantes hallan la longitud total de los lados de un polígono. Completar la tabla les ayuda a identificar un patrón y a usarlo para resolver el problema: ¿Cuál es la distancia que rodea a una figura formada por 100 triángulos?

Evaluación continua

Cerciórese de que los estudiantes incluyan sólo la parte exterior de cada figura y no todos los lados de cada triángulo.

Para los grupos que terminen antes

Haz una tabla parecida que comience con un cuadrado cuyos lados midan 6 unidades e indica el perímetro de un cuadrado, de dos cuadrados juntos, de tres cuadrados juntos, etcétera. Los perímetros para 1, 2, 3, 4, 5, 10 y 100 cuadrados serán 24, 36, 48, 60, 72, 132, 1212.

4-1 Perímetro

Vas a aprender...

- a calcular el perímetro de una figura geométrica.

...cómo se usa

Los propietarios de casas calculan el perímetro cuando construyen una cerca para su patio.

Vocabulario

- perímetro

► **Enlace con la lección** Sabes cómo sumar decimales y números cabales. Ahora aplicarás esas destrezas para encontrar la longitud que rodea a las figuras geométricas. ◄

Investigar | Perímetro

Observación de las líneas laterales

El siguiente esquema se basa en una serie de triángulos con lados iguales de 4 unidades de largo. El esquema muestra una lista del perímetro de un triángulo, dos triángulos y así sucesivamente.

NÚMERO DE TRIÁNGULOS	DIBUJO	PERÍMETRO DE LA FIGURA
1	4 4 / 4	12
2	4 4 / 4	
3		
4		
5		
10	—	
100	—	

1. Copia y completa la tabla. No dibujes las dos últimas figuras.

2. El perímetro de un triángulo es de 12 unidades. ¿Por qué no aumenta esta medida otras 12 unidades cuando agregas un nuevo triángulo?

3. ¿Cuál sería el perímetro de las figuras, para las primeras cinco hileras, si la figura fuera un cuadrado que midiera 4 unidades por lado?

Aprender | Perímetro

El contorno de una figura se conoce como **perímetro**. Para determinar el perímetro de una figura geométrica, tienes que sumar las longitudes de cada lado.

210 *Capítulo 4 • Medición*

MEETING INDIVIDUAL NEEDS

Resources

4-1 Practice
4-1 Reteaching
4-1 Problem Solving
4-1 Enrichment
4-1 Daily Transparency
    Problem of the Day
    Review
    Quick Quiz
Lesson Enhancement
Transparency 12
Chapter 4 Project Master
Wide World of Mathematics
Middle School: Student Engineers

Learning Modalities

Verbal Have students research the meaning of the root words in perimeter: *peri* and *meter*.

Kinesthetic Have students outline a geometric figure on the floor with masking tape or string. Have them walk around the figure to "experience" perimeter.

Challenge

Have students use geoboards to find as many different-sized squares, rectangles, and triangles as they can. Have students make a list of the perimeters of each shape.

Recursos

4-1 Práctica
4-1 Práctica adicional
4-1 Resolución de problemas
4-1 Actividad de enriquecimiento
  Wide World of Mathematics
  Middle School: Student Engineers

Modos de aprendizaje

Verbal Los estudiantes deberán investigar el significado de las raíces en la palabra perímetro (*peri* y *metro*).

Cinestésico Haga que los estudiantes formen una figura con cinta adhesiva o cordón en el piso del salón. Después pídales que caminen alrededor de ella para "conocer" su perímetro.

Desafío

Anime a los estudiantes a usar tableros de geometría para hallar todos los cuadrados, rectángulos y triángulos de diferente tamaño que puedan. Pídales que listen el perímetro de cada figura.

Ejemplo 1

Halla el perímetro.

El perímetro es igual a

• 12.5 cm + 18.3 cm + 20 cm, ó 50.8 cm.

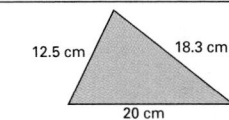

12.5 cm   18.3 cm
20 cm

A veces no se tienen todas las medidas de los lados de una figura. Puedes determinar la longitud del lado que falta al observar el lado opuesto.

No te olvides

Cuando sumes decimales, alinea los puntos decimales. Esto te ayuda a estar seguro de que sumas dígitos con el mismo valor posicional.

[Página 165]

Ejemplos

2 Antwon desea cercar su composta con malla de alambre. La cerca debe formar un rectángulo de 4 por 3 ft. ¿Cuánta malla de alambre necesita?

La fórmula para calcular el perímetro de un rectángulo es:

$p = 2l + 2w$

donde l representa la longitud del rectángulo y w representa su anchura.

$p = 2l + 2w = 2 \times 4 + 2 \times 3 = 8 + 6 = 14$ ft.

Antwon necesita 14 ft de malla de alambre.

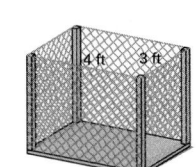

4 ft   3 ft

3 Halla el perímetro de la figura adjunta.

El lado inferior es igual a los dos lados superiores, así que $x = 8 + 15$ ó $x = 23$.

El lado más pequeño más 7 es igual a 10, así que $y + 7 = 10$ ó $y = 3$.

Perímetro = 15 + 3 + 8 + 10 + 23 + 7, es decir, 66.

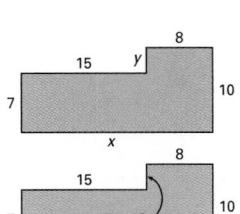

8
15   y
7   10
x

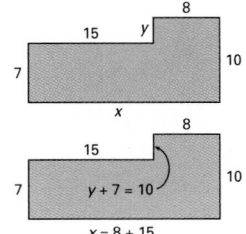

8
15
7   y + 7 = 10   10
x = 8 + 15

▶ **Enlace con Ciencias**

La composta permite que la basura orgánica como cáscaras y césped se descompongan rápida y naturalmente. Esto deja más espacio en los tiraderos de basura, para almacenar la basura que no se puede reciclar o degradar con rapidez.

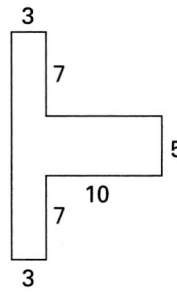

Haz la prueba

Halla cada perímetro.

a.

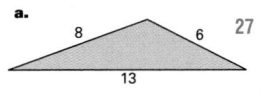

8   6   27
13

b.

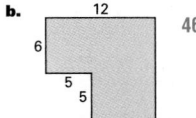

12
6   46
5
5

4-1 • Perímetro **211**

MATH EVERY DAY

▶ **Problema del día**

Cada una de las dos abuelas de Héctor tiene cuatro hijos. Cada hijo tiene a su vez cinco hijos. ¿Cuántos primos tiene Héctor? 30 primos; Cada abuela tiene 20 nietos, incluido Héctor y sus hermanos. Por tanto, 20 + 20 − 5 − 5 = 30

Problem of the Day

Each of Hector's two grandmothers has four children. Each of their children has five children. How many cousins does Hector have? 30 cousins; Each grandmother has 20 grandchildren including Hector and his siblings. So 20 + 20 − 5 − 5 = 30.

Available on Daily Transparency 4-1

An Extension is provided in the transparency package.

Dato del día

En 1965, los estadounidenses desecharon 38,000,000 de toneladas de papel y cartón. En 1993, esa cifra aumentó a 78,000,000 de toneladas.

Fact of the Day

In 1965, Americans discarded 38,000,000 tons of paper and paperboard. By 1993 the figure had more than doubled to almost 78,000,000 tons.

Estimation

Estimate.

1. 315 × 4.8 1500
2. 1,199 ÷ 203 6
3. 8,902 + 550 + 3,228 12,700
4. 20,888 − 3,231 17,700

Cálculo aproximado

Haz un cálculo aproximado.

1. 315 × 4.8 1500
2. 1,199 ÷ 203 6
3. 8,902 + 550 + 3,228 12,700
4. 20,888 − 3,231 17,700

Respuestas de Investigar

1. Hilera 2: 16
   Hilera 3: 20

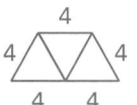
4
4   4
4   4

   Hilera 4: 24

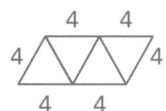
4   4
4   4
4   4

   Hilera 5: 28

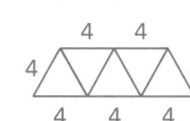
4   4
4   4
4   4   4

   Hilera 6: 48
   Hilera 7: 408

2. Algunos lados quedan dentro de la figura, por tanto, no se cuentan.

3. 16, 24, 32, 40, 48

2 Enseñanza

Aprender

Ejemplos adicionales

1. Halla el perímetro de un triángulo cuyos lados miden 3.4 cm, 4.6 cm y 7 cm.

   El perímetro es igual a 3.4 + 4.6 + 7 ó 15 cm.

2. Se construyó un jardín de forma rectangular con una longitud de 12 pies y un ancho de 8 pies. El jardín está rodeado por una cerca. ¿De qué largo es la cerca?

   Perímetro = 12 + 8 + 12 + 8 ó 40 ft

   La cerca es de 40 ft de longitud.

3. Encuentra el perímetro de la figura que se muestra.

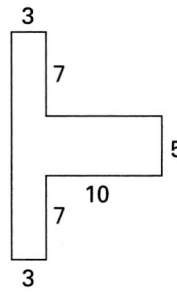

3
7
5
10
7
3

   El lado izquierdo es igual a la longitud de los otros tres lados verticales. 7 + 5 + 7 = 19

   El lado opuesto al 10 también mide 10.

   Perímetro = 3 + 7 + 10 + 5 + 10 + 7 + 3 + 19 ó 64

Answers for Explore

1. Row 2: 16
   Row 3: 20

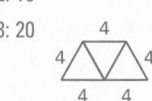
4
4   4
4   4

   Row 4: 24

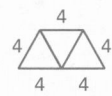
4
4   4
4   4

   Row 5: 28

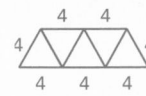
4   4
4   4
4   4   4

   Row 6: 48
   Row 7: 408

2. Some sides are inside so you don't count them.

3. 16, 24, 32, 40, 48

Teach

Learn

Alternate Examples

1. Find the perimeter of a triangle whose sides are 3.4 cm, 4.6 cm, and 7 cm long.

   The perimeter equals 3.4 + 4.6 + 7, or 15 cm.

2. A garden is built in the shape of a rectangle with a length of 12 feet and a width of 8 feet. The garden has a fence all around it. How long is the fence?

   Perimeter = 12 + 8 + 12 + 8, or 40 ft

   The fence is 40 ft long.

3. Find the perimeter of the figure shown.

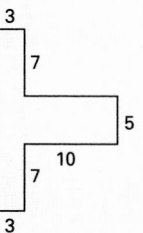

3
7
5
10
7
3

   The left side is equal to the length of the other three vertical sides. 7 + 5 + 7 = 19

   The side opposite the 10 is also 10.

   Perimeter = 3 + 7 + 10 + 5 + 10 + 7 + 3 + 19, or 64

What Do You Think?

Two different methods of finding the perimeter of a rectangle are presented. Students should discuss whether or not each method always works and why. Use of a calculator should be encouraged.

Answers for What Do You Think?

1. Answers may vary.
2. Larry writes down all 4 lengths; Catherine multiplies by 2.

Practice and Assess

Check

Students should understand that every polygon has a perimeter which can be found by adding the lengths of all the sides of the figure. They should also understand that sometimes shortcuts can be found for calculating perimeter.

Answers for Check Your Understanding

1. $P = 4s$; There are 4 equal sides on a square, so multiply the length of one side by 4.
2. Possible answer: No; The sides of the first shape could be longer.

Se presentan dos métodos diferentes para hallar el perímetro de un rectángulo. Los estudiantes deben comentar si cada método funciona o no funciona siempre y por qué. Se les debe animar para que usen una calculadora.

Respuestas de ¿Qué crees tú?

1. Las respuestas pueden variar.
2. Larry escribe las 4 longitudes; Catherine multiplica por 2.

3 Práctica y evaluación

Comprobar

Los estudiantes deben comprender que cada polígono tiene un perímetro que puede hallarse si se suman todos los lados de la figura. También deben comprender que a veces hay atajos para calcular el perímetro.

Respuestas de Comprobar tu comprensión

1. $P = 4s$; Hay 4 lados iguales en un cuadrado, por tanto, la longitud de uno de los lados debe multiplicarse por 4.
2. Respuesta posible: No; Los lados de la primera figura deben ser más largos.

Larry y Catherine corren varias vueltas alrededor del patio de la escuela. El patio mide 290 pies de largo y 150 de ancho. Quieren saber en cuántas vueltas completarán 5280 pies (1 milla).

Larry piensa...

Voy a dibujar la figura del patio y rotular sus cuatro lados.

P = largo + ancho + largo + ancho

$P = 290 + 150 + 290 + 150$

$P = 880$

El perímetro del patio es de 880 pies.

$5280 ÷ 880 = 6$

Se requieren 6 vueltas para completar una milla.

Catherine piensa...

Sumaré el largo y el ancho del rectángulo. Sé que hay dos largos y dos anchos, así, multiplicaré la suma por 2 para encontrar el perímetro.

Perímetro = $2 × (290 + 150)$
= $2 × (440)$
= 880

El perímetro del patio es de 880 pies.

$5280 ÷ 880 = 6$

Se requieren 6 vueltas para completar una milla.

¿Qué crees  ?

1. ¿Cuál método preferirías usar si las longitudes fueran decimales?
2. ¿De qué manera cada método evita caer en el error de considerar sólo un largo y un ancho?

212 Capítulo 4 • Medición

MEETING MIDDLE SCHOOL CLASSROOM NEEDS

Tips From Middle School Teachers

I ask my students to find the perimeter of something at home. They bring in their answers, and we try to guess what they measured. If they made a mistake, either in measuring or adding, it can be really difficult to identify the object. This activity demonstrates the importance of measuring carefully.

Sugerencias de los maestros

Siempre pido a los estudiantes que hallen el perímetro de algún objeto en casa. Cuando entregan su trabajo, la clase trata de adivinar qué objeto midieron. Si cometen errores al sumar o medir, es difícil identificar el objeto. Esta actividad les muestra la importancia de hacer las mediciones con atención.

Team Teaching

Ask other teachers on your team to point out situations in which perimeter is used, such as putting up a fence for a dog run, putting in a baseboard in a room, deciding how much framing material is needed for a picture, or buying fringe for a bedspread.

Enseñanza en equipo

Pida a los demás maestros que muestren situaciones basadas en el uso de un perímetro, como la instalación de una cerca, la colocación del zoclo en una habitación, el cálculo del material necesario para fabricar el marco de una pintura o el encaje necesario para el borde de un cubrecama.

Health Connection

Reaction time is the amount of time needed to move or to react to something. A person can reduce reaction time by practicing responding to the stimulus. Fast reaction time is important in most sports. Fast reaction time can also help in avoiding accidents.

Asociación con Salud

El tiempo de reacción es el lapso necesario para que una persona se mueva o responda ante una acción determinada. Una persona puede reducir su tiempo de reacción si practica la respuesta al estímulo correspondiente. Tener un tiempo rápido de reacción es muy importante en los deportes. Esta habilidad también ayuda a evitar accidentes.

Comprobar | Tu comprensión

1. Escribe una fórmula para hallar el perímetro de un cuadrado en el que *s* represente la longitud de un lado. Explica tu fórmula.

2. Si una figura tiene un perímetro más grande que otra, ¿debe tener la primera figura más lados que la segunda? Explica tu razonamiento.

4-1 Ejercicios y aplicaciones

Práctica y aplicación

Para empezar Usa el cálculo mental para encontrar cada perímetro.

1. 40 cm, 50 cm, 50 cm, 40 cm **180 cm**

2. 18 in., 12 in., 10 in. **40 in.**

3. 25 in., 25 in., 25 in., 25 in. **100 in.**

4. 65 yd, 35 yd, 35 yd, 65 yd **200 yd**

Halla cada perímetro.

5. 2 cm, 2 cm **8 cm**

6. 16 ft, 22 ft **76 ft**

7. 6 in., 5 in., 5 in. **16 in.**

8. 0.3 km, 0.1 km, 0.19 km, 0.2 km **0.98 km**

Encuentra la longitud de cada lado desconocido.

9. 15 in., *a*, *b*, 16 in., 7 in., 18 in. *a* = 9 in.; *b* = 3 in.

10. *c*, 30, 25, *e*, 20, 50, 70, *d* *c* = 20; *d* = 50; *e* = 25

11. *f*, 21 mm, *g*, 22 mm, 5 mm, 34 mm *f* = 12 mm; *g* = 26 mm

12. Kristin quiere poner basura orgánica en una composta. [RGP] Puso estacas en una superficie triangular que tiene dos lados de 6 y 8 pies. Si el perímetro de la figura es de 21 pies, ¿qué longitud tiene el tercer lado? **7 pies**

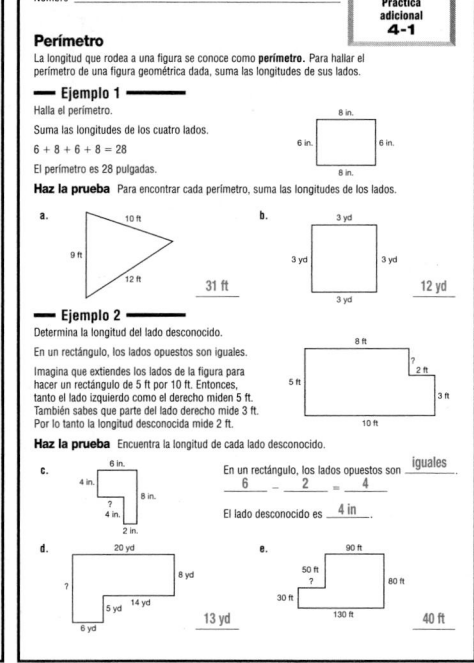

4-1 • Perímetro **213**

Assignment Guide

- Basic 1–13, 15, 18, 21–24
- Average 1–15, 18–28 evens
- Enriched 1–19, 20–28 evens

Notas sobre los ejercicios

■ **Ejercicios 9–11**

Prevención de errores Si los estudiantes no obtienen la respuesta correcta, recuérdeles que deben hallar las longitudes de los lados que faltan en cada figura, y no el perímetro.

Exercise Notes

■ **Exercises 9–11**

Error Prevention If students are not getting the correct answer, remind them that they are to find the lengths of the missing sides, not the perimeter, of each figure.

PRACTICE

Nombre _____

Práctica 4-1

Perímetro

Halla el perímetro.

1. 20 cm, 4 cm, 6 cm

2. 36 ft, 9 ft, 12 ft, 15 ft

3. 12 m, 3 m, 3 m

4. 3.5 mi, 1.4 mi, 0.35 mi

5. 18 in., 4 in., 4 in., 2 in., 5 in.

6. 44 km, 11 m, 3 m, 3 m, 4 m, 4 m, 8 km

Determina la longitud de los lados desconocidos.

7. *a* = **2 cm** *b* = **4 cm**

8. *c* = **8 in.** *d* = **28 in.**

9. *x* = **3 ft** *y* = **2 ft**

10. *p* = **3 m** *q* = **6 m**

11. *f* = **21 cm** *g* = **12 cm**

12. *t* = **5 mi** *u* = **4 mi**

13. La base triangular de un rascacielos tiene un perímetro de 89 m. Si dos lados tienen longitudes de 30 m y 35 m, ¿cuál es la longitud del tercer lado? **24 m**

RETEACHING

Nombre _____

Práctica adicional 4-1

Perímetro

La longitud que rodea a una figura se conoce como **perímetro**. Para hallar el perímetro de una figura geométrica dada, suma las longitudes de sus lados.

— **Ejemplo 1** —

Halla el perímetro.

Suma las longitudes de los cuatro lados.

6 + 8 + 6 + 8 = 28

El perímetro es 28 pulgadas.

Haz la prueba Para encontrar cada perímetro, suma las longitudes de los lados.

a. 10 ft, 9 ft, 12 ft **31 ft**

b. 3 yd **12 yd**

— **Ejemplo 2** —

Determina la longitud del lado desconocido.

En un rectángulo, los lados opuestos son iguales.

Imagina que extiendes los lados de la figura para hacer un rectángulo de 5 ft por 10 ft. Entonces, tanto el lado izquierdo como el derecho miden 5 ft. También sabes que parte del lado derecho mide 3 ft. Por lo tanto la longitud desconocida mide 2 ft.

Haz la prueba Encuentra la longitud de cada lado desconocido.

c. En un rectángulo, los lados opuestos son **iguales**
6 − 2 = 4
El lado desconocido es **4 in**

d. 20 yd, 8 yd, 5 yd, 14 yd **13 yd**

e. 90 ft, 50 ft, 80 ft, 30 ft, 130 ft **40 ft**

Práctica adicional

Actividad

Materiales: Mosaicos de unidades o cuadrados de 1 × 1

- Acomoda los mosaicos en tres hileras de cinco para formar un rectángulo. Halla el perímetro. **16**

- Mueve un mosaico de manera que su lado quede alineado con otro mosaico. Ya no será un rectángulo. Halla el perímetro de la nueva figura. Las respuestas pueden variar.

- Repite el paso anterior 2 veces más. Encuentra el perímetro de cada figura. Las respuestas pueden variar.

- ¿Cuál es el perímetro mínimo que se puede obtener con 15 mosaicos? **16** ¿Cuál es el perímetro máximo? **32**

Reteaching

Activity

Materials: Unit tiles or 1 × 1 squares

- Arrange the tiles in three rows of five to make a rectangle. Find the perimeter. **16**

- Move one tile so that its side lines up with another tile. You will not have a rectangle any more. Find the perimeter of the new shape. Answers may vary.

- Repeat Step 2 three more times. Find the perimeter of each figure. Answers may vary.

- What is the smallest perimeter you can have with 15 tiles? **16** What is the largest perimeter? **32**

■ Exercise 13

Test Prep Students may choose C if they subtract 7 from 13, the length of the base. Point out that the unknown side is horizontal, but the side with length 7 is not. Explain that figures on tests are often not drawn to scale and that answers should not be based on what appears to be correct from looking at a figure.

■ Exercise 14

Error Prevention If students have difficulty with this problem, suggest that they draw a diagram to help them.

Project Progress

You may want to have students use Chapter 4 Project Master.

Exercise Answers

15. Sketches may vary; Perimeter of shapes must be 36 ft.

16. Yes; Doubling all the lengths will double the perimeter.

17. Subtract 7 in. and 9 in. from 30 in. to get 14 in.

Alternate Assessment

You may want to use the *Interactive CD-ROM Journal* with this assessment.

Journal Write a definition of perimeter and explain how to find the perimeter of a geometric figure. Your explanation should include three examples of when you would need to use perimeter.

Quick Quiz

1. Find the perimeter of a square whose side is 5 cm long. 20 cm

2. Find the perimeter of a triangle with sides of 6 m, 8 m, and 10 m. 24 m

3. Find the perimeter of a rectangular-shaped window that is 6 ft high by 3.5 ft wide. 19 ft

Available on Daily Transparency 4-1

Notas sobre los ejercicios

■ Ejercicio 13

Para la prueba Los estudiantes pueden escoger la letra C, si a 13 —la longitud de la base— le restaron 7. Señale que el lado desconocido es horizontal, pero el lado que tiene la longitud de 7 no es horizontal. Explique que en la mayoría de las pruebas, las figuras no se dibujan a escala y que las respuestas no deben basarse en una simple apreciación.

■ Ejercicio 14

Prevención de errores Si los estudiantes tienen alguna dificultad con este problema, sugiéreles que dibujen un diagrama para entenderlo.

Respuestas de Ejercicios

15. Los dibujos pueden variar; El perímetro de las figuras debe ser de 36 ft.

16. Sí; Al duplicar todas las longitudes se duplicará también el perímetro.

17. A 30 in. se le restan 7 in. y 9 in. para obtener 14 in.

Evaluación adicional

Tal vez quiera usar el *Diario interactivo CD-ROM* con esta evaluación.

En tu diario Escribe una definición de perímetro y explica cómo hallar el perímetro de una figura geométrica. Tu explicación debe incluir tres ejemplos en los que sea necesario usar el perímetro.

▶ Prueba rápida

1. Halla el perímetro de un cuadrado cuyos lados miden 5 cm cada uno. 20 cm

2. Determina el perímetro de un triángulo cuyos lados son de 6 m, 8 m y 10 m. 24 m

3. Encuentra el perímetro de una ventana de forma rectangular que mide 6 ft de altura por 3.5 ft de anchura. 19 ft.

---

13. **Para la prueba** Si el perímetro de esta figura es de 48 mm, ¿qué longitud tiene el lado desconocido? A
   Ⓐ 3 mm Ⓑ 5 mm Ⓒ 6 mm Ⓓ Ninguna de las anteriores

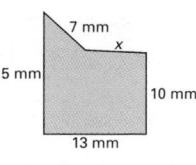

14. Los diamantes de las canchas de béisbol de las ligas mayores tienen 90 pies entre base y base y los de las ligas menores tienen 60 pies. Halla, para los dos diamantes, la diferencia de distancias recorridas cuando un bateador conecta un cuadrangular. 120 pies

Resolución de problemas y razonamiento

15. **Razonamiento crítico** Los estudiantes de la escuela intermedia Twin Creeks construyeron un jardín rectangular. Se usaron treinta y seis pies de material decorativo para el contorno. Dibuja dos posibles figuras para el jardín y explícalas.

16. Si el largo y el ancho de un rectángulo se duplican, ¿se duplica también el perímetro? Explica tu razonamiento.

17. **Comunicación** Explica los pasos que se necesitan para encontrar el lado desconocido de un triángulo si los otros dos lados son de 7 y 9 pulgadas, y el perímetro es de 30 pulgadas.

Repaso mixto

Usa la gráfica del tiempo de reacción en los ejercicios 18–20. *[Lección 1-1]*

18. ¿A qué edad el tiempo de reacción es más lento en las mujeres? ¿Y en los hombres? **60; 60**

19. ¿Cuál es la diferencia entre los tiempos de reacción de un hombre y una mujer a los 50 años? **90 milisegundos**

20. ¿Cuál crees que será el tiempo de reacción para una mujer a los 70 años de edad? **Como 500 milisegundos**

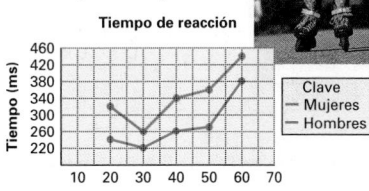

Escribe las cantidades en notación científica. *[Lección 3-4]*

21. 56,000 5.6×10^4
22. 72,300,000 7.23×10^7
23. 2 billones 2×10^{12}
24. 6 mil 6×10^3
25. 1,600 1.6×10^3
26. 48 mil millones 4.8×10^{10}
27. 94,560,000 9.456×10^7
28. 874,870,000,000 8.7487×10^{11}

El proyecto en marcha

Realiza bosquejos de los primeros hoyos de golf. Traza formas interesantes, caprichosas, pero utiliza lados rectos. Mide con una regla los perímetros en cm. Si 1 cm = 2 pies, ¿tienen tus dibujos una medida razonable?

Resolución de problemas
Comprende
Planea
Resuelve
Revisa

214 Capítulo 4 • Medición

▷ PROBLEM SOLVING

Nombre _____

Resolución guiada de problemas 4-1

RGP **PROBLEMA 12, PÁGINA 213 DEL ESTUDIANTE**

Kristin quiere poner basura orgánica en una composta. Puso estacas en una superficie triangular que tiene dos lados de 6 y 8 pies. Si el perímetro de la figura es de 21 pies, ¿qué longitud tiene el tercer lado?

— Comprende —
1. ¿Qué se te pide que encuentres? La longitud del tercer lado.
2. ¿Cuáles son las longitudes de los dos lados? 6 y 8 pies.
3. ¿Cuál es el perímetro? 21 pies
4. ¿Cómo hallas el perímetro de un triángulo? Al sumar las longitudes de los 3 lados.

— Plan —
5. Escribe una ecuación de suma que te ayude a resolver el problema. Sea s = la longitud del lado que desconoces. $6 + 8 + s = 21$
6. ¿Cuál de los siguientes es un rango razonable para la longitud del tercer lado? b
   a. Menos de 5 pies   b. Entre 5 y 10 pies   c. Más de 10 pies

— Resuelve —
7. Resuelve la ecuación. ¿Cuál es la longitud del lado desconocido? 7 pies
8. Escribe un enunciado que describa el tamaño y la forma de la composta. Respuesta posible: La composta es un triángulo con lados que miden 6, 7 y 8 pies.

— Revisa —
9. Escribe una ecuación de resta que pudiera usarse para hallar la longitud del tercer lado. Respuesta posible: $21 - 6 - 8 = s$

RESUELVE OTRO PROBLEMA

Kristin preparó un área rectangular en la tierra que tiene un lado que mide 6 pies. Si el perímetro de la figura es de 28 pies, ¿cuánto miden los otros lados?
6, 8 y 8 pies.

▷ ENRICHMENT

Nombre _____

Actividad de enriquecimiento 4-1

Patrones geométricos

Ya aprendiste que el perímetro es la longitud que rodea a una figura. Observa cómo varía el perímetro de un rectángulo cuando cambias las longitudes de sus lados.

1. ¿Cuál es el perímetro del rectángulo? 12 ft
2. Si cada lado se duplica, escribe la longitud de cada lado del rectángulo.
3. Halla el perímetro del nuevo rectángulo. 24 ft
4. ¿Qué sucede con el perímetro del rectángulo si la longitud de cada lado se duplica? También se duplica.
5. Si cada lado se triplica, escribe la longitud de cada lado del rectángulo.
6. Halla el perímetro del nuevo rectángulo. 36 ft
7. ¿Qué sucede con el perímetro del rectángulo si la longitud de cada lado se triplica? También se triplica.
8. Si cada lado se divide entre dos, escribe la longitud de cada lado del rectángulo.
9. Halla el perímetro del nuevo rectángulo. 6 ft
10. ¿Qué sucede con el perímetro del rectángulo si cada lado se divide entre dos? También se divide entre dos.
11. ¿Qué sucede con el perímetro de un rectángulo cuando cada lado se multiplica por el mismo factor? El perímetro se multiplica por el mismo factor.
12. ¿Crees que la relación será la misma si la longitud de cada lado aumenta 2 unidades? Da un ejemplo para confirmar o rechazar tu teoría. No, el rectángulo anterior tendría un perímetro de 20 unidades, o sea, 8 unidades mayor que el rectángulo original.

Conversiones en el sistema métrico

4-2

▶ **Enlace con la lección** Sabes que el sistema decimal se basa en el 10. Ahora usarás las medidas métricas, que también están basadas en el 10. ◀

Investigar | Conversiones en el sistema métrico

Superpotencias de 10

Materiales: Calculadora

1. Copia y completa el cuadro con ayuda de una calculadora.

÷ 1000	÷ 100	÷ 10	Unidad base	× 10	× 100	× 1000
	0.05	0.5	5	50	500	
		1.7	17	170		
			2.1			
			0.55			
			36.7			

2. Si éstas fueran las siguientes tres hileras del cuadro, ¿cuáles serían los valores de *a*, *b* y *c*? Explica tu respuesta.

÷ 1000	÷ 100	÷ 10	Unidad base	× 10	× 100	× 1000
	0.0045				*a*	
b				270		
	0.00021					*c*

3. ¿Cómo podrías completar el cuadro sin usar una calculadora?

4. Si los números 0.034 y 34,000 estuvieran en la misma hilera, ¿cuántas columnas habría entre ellos? ¿Cómo lo sabes?

Aprender | Conversión en el sistema métrico

El **sistema métrico** es un sistema de medidas usado para describir la longitud, el peso y el tamaño de cualquier objeto. La unidad base para medir la longitud es el **metro** ; para medir la masa es el **gramo** y para medir el volumen es el **litro** .

4-2 • Conversiones en el sistema métrico **215**

Vas a aprender...

■ a medir por medio del sistema métrico y a convertir las unidades dentro de ese sistema.

...cómo se usa

Los cirujanos dentistas convierten unidades en el sistema métrico cuando seleccionan su instrumental para hacer endodoncias.

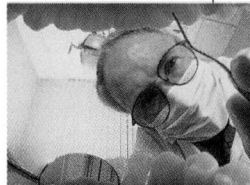

Vocabulario

sistema métrico

metro

gramo

litro

kilo-

centi-

mili-

Recursos

4-2 Práctica
4-2 Práctica adicional
4-2 Resolución de problemas
4-2 Actividad de enriquecimiento
Tecnología 16

Modos de aprendizaje

Verbal Los estudiantes deberán investigar el origen de los prefijos usados en el sistema métrico decimal.

Lógico Quizá sea conveniente que los estudiantes usen los prefijos (kilo-, hecto-, deca-, deci-, centi- o mili-) como encabezados de las columnas. Pídales que empiecen con las unidades dadas y cuenten cuántas posiciones se desplaza el punto a la izquierda o a la derecha.

Desarrollo del lenguaje

Algunos estudiantes pueden estar más familiarizados con el sistema métrico porque su uso es muy común fuera de Estados Unidos. Anímelos a compartir con la clase lo que saben y si es posible, a dar ejemplos de los usos más comunes de cada medida.

Resources

4-2 Practice
4-2 Reteaching
4-2 Problem Solving
4-2 Enrichment
4-2 Daily Transparency
      Problem of the Day
      Review
      Quick Quiz
Lesson Enhancement
Transparencies 13, 14
Technology Master 16

Learning Modalities

Verbal Have students research the origins of the prefixes used in the metric system.

Logical Students may find it useful to write out the prefixes (kilo-, hecto-, deka-, deci-, centi-, milli-) as headings for columns. They can start with the units they are given and count how many places left or right they need to move the decimal point.

English Language Development

Some students may be more familiar with the metric system because of its common use outside the United States. Encourage these students to share their knowledge of the metric system with the class, perhaps giving examples of how each measure is commonly used.

4-2
Lesson Organizer

Objective

■ **Measure using the metric system and convert units within that system.**

Vocabulary

■ **Metric system, meter, gram, liter, kilo-, centi-, milli-**

Materials

■ **Explore: Calculator**

NCTM Standards

■ **1–4, 7, 13**

▶ **Repaso**

Escribe cada fracción como un número decimal.

1. $\frac{3}{10}$ 0.3

2. $\frac{53}{100}$ 0.53

3. $\frac{289}{1000}$ 0.289

Review

Write each fraction as a decimal.

1. $\frac{3}{10}$ 0.3

2. $\frac{53}{100}$ 0.53

3. $\frac{289}{1000}$ 0.289

Available on Daily Transparency 4-2

---

1 Introducción

Investigar

Objetivo
Los estudiantes dividen y multiplican una serie de números por 10, 100 y 1000.

Evaluación continua
Compruebe que los estudiantes que necesitan usar una calculadora completen la tabla hilera por hilera y no columna por columna. Esto les permitirá observar cómo "se mueve" el punto decimal conforme los números se dividen o se multiplican por una potencia de 10.

Para los grupos que terminen antes
Añade una columna para multiplicar por 10,000 y otra para dividir entre 10,000.
× 10,000 columna: 50,000; 170,000; 21,000; 5500; 367,000.
÷10,000 columna: 0.0005; 0.0017; 0.00021; 0.000055; 0.00367.

Respuestas de Investigar en la siguiente página.

Introduce

Explore

You may wish to use Lesson Enhancement Transparencies 13 and 14 with **Explore**.

The Point

Students multiply and divide a series of numbers by 10, 100, and 1000.

Ongoing Assessment

Check that students who need to use a calculator are completing the table row-by-row rather than column-by-column. This will help them see how the decimal point "moves" as numbers are divided or multiplied by powers of 10.

For Groups That Finish Early

Add a column for × 10,000 and one for ÷ 10,000.
× 10,000 column: 50,000; 170,000; 21,000; 5500; 367,000.
÷ 10,000 column: 0.0005; 0.0017; 0.00021; 0.000055; 0.00367.

Answers for Explore on next page.

Answers for Explore

1. Row 1: 0.005; 5000

   Row 2: 0.017; 0.17; 1700; 17,000

   Row 3: 0.0021; 0.021; 0.21; 21; 210; 2100

   Row 4: 0.00055, 0.0055; 0.055; 5.5; 55; 550

   Row 5: 0.0367; 0.367; 3.67; 367; 3670; 36,700

2. $a = 4.5$; $b = 0.027$; $c = 21$; Multiply or divide by the appropriate power of 10.

3. Possible answer: For each column to the left of the number, move decimal point one place to the left: For each column to the right of the number, move decimal point one place to the right.

4. 5; The decimal moved 6 places so there would be 5 columns between the numbers.

Teach

Learn

Students may be interested to know that the metric system is the system used in almost every country in the world. Ask them if they can provide examples of metric measurements used in the United States.

Alternate Examples

1. Complete. Use the abbreviation for the most appropriate metric unit.
   Mass of a 12-year-old boy:

   40 _____

   Since mass is being measured, the metric unit should be based on a gram. Since a boy weighs about the same as 40 cantaloupes, the appropriate unit is kilograms, which is abbreviated kg. The mass is 40 kg.

Respuestas de Investigar

1. Hilera 1: 0.005; 5000

   Hilera 2: 2: 0.017; 0.17; 1700; 17,000

   Hilera 3: 0.0021; 0.021; 0.21; 21; 210; 2100

   Hilera 4: 0.00055, 0.0055; 0.055; 5.5; 55; 550

   Hilera 5: 0.0367; 0.367; 3.67; 367; 3670; 36,700

2. $a = 4.5$; $b = 0.027$; $c = 21$
   Se multiplica o divide entre la potencia de diez apropiada.

3. Respuesta posible: Por cada columna a la izquierda del número, se mueve el punto decimal una posición a la izquierda; Por cada columna a la derecha del número, se mueve el punto decimal una posición a la derecha.

4. 5; El punto decimal se movió 6 posiciones, por tanto, habrá 5 columnas entre los números.

2 Enseñanza

Aprender

A los estudiantes puede interesarles saber que el sistema métrico se usa en casi todos los países del mundo. Pídales que den ejemplos de medidas métricas usadas en Estados Unidos.

Ejemplos adicionales

1. Completa. Usa la abreviatura de la unidad métrica más apropiada.
   Masa de un niño de 12 años:

   40 _____

   Puesto que lo que se mide es la masa, la unidad métrica debe basarse en un gramo. Ya que el niño pesa casi lo mismo que 40 melones, la unidad apropiada es el kilogramo, cuya abreviatura es kg. La masa es de 40 kg.

El sistema métrico usa también prefijos para describir cantidades que son mucho mayores o menores que la unidad base. Los prefijos más utilizados son **kilo-**, que significa 1000; **centi-**, que significa $\frac{1}{100}$; y **mili-**, que significa $\frac{1}{1000}$.

	Nombre	Abreviatura	Número de unidades base	Comparación aproximada
Longitud	Kilómetro	km	1000	9 campos de fútbol americano
	Metro	m	1	La mitad de la altura de una puerta
	Centímetro	cm	$\frac{1}{100}$	La medida de una uva pasa
	Milímetro	mm	$\frac{1}{1000}$	Ancho de un punto al final de una oración
Masa	Kilogramo	kg	1000	Masa de un melón
	Gramo	g	1	Masa de una uva pasa
Volumen	Litro	L	1	Mitad de una botella de bebida gaseosa
	Mililitro	mL	$\frac{1}{1000}$	Mitad de un gotero

Los prefijos te permiten escoger una unidad conveniente cuando algo es demasiado grande o demasiado pequeño para que sea medido en metros, gramos o litros.

Ejemplo 1

Completa el espacio en blanco con la abreviatura de la unidad métrica más apropiada.

Altura de una botella tamaño individual: 17 _____

Puesto que se mide la longitud (altura), la unidad base debe ser el metro. Como la botella equivale a cerca de la altura de 17 uvas pasas, la unidad apropiada es el centímetro, que se abrevia como cm. Por tanto, la altura es de 17 cm.

Haz la prueba

Completa los espacios en blanco con la abreviatura de la unidad métrica más apropiada.

a. Longitud de una ruta de maratón: 42 <u>km</u>

b. Anchura de una uña del pulgar: 1.5 <u>cm</u>

c. Peso de un perro: 15 <u>kg</u>

d. Cantidad de agua en una pecera pequeña: 2 <u>L</u>

216 Capítulo 4 • Medición

MATH EVERY DAY

▶ Problema del día

Nancy plantó 3 hileras de cactus. Cada hilera mide 4 ft. ¿Cuántos cactus puede plantar si la separación entre ellos es de 8 in.? Pista: Hay un cactus al inicio y al final de cada hilera. 21 cactus

Problem of the Day

Nancy plants 3 rows of cacti. Each row is 4 ft long. How many can she plant if the cacti in each row are 8 inches apart? Hint: There will be a plant at the beginning and at the end of each row. 21 plants

Available on Daily Transparency 4-2

An Extension is provided in the transparency package.

Dato del día

En 1975, los estadounidenses reciclaron 100,000 toneladas de aluminio. Para 1993, esa cifra se había multiplicado por 10, es decir, 1,000,000 de toneladas.

Fact of the Day

In 1975, Americans recycled about 100,000 tons of aluminum. By 1993, 10 times as much, 1,000,000 tons, was being recycled.

Mental Math

Do these mentally.

1. 51×6 306
2. $612 \div 6$ 102
3. $475 + 56 + 25$ 556
4. $702 - 299$ 403

Cálculo mental

Haz estos cálculos en forma mental.

1. 51×6 306
2. $612 \div 6$ 102
3. $475 + 56 + 25$ 556
4. $702 - 299$ 403

Para convertir una unidad en el sistema métrico, multiplica o divide por una potencia de 10. La tabla que sigue muestra una lista de las potencias de 10 que se usan para la conversión de unidades.

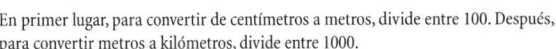

÷ 1000	÷ 100	÷ 10	Unidad base	× 10	× 100	× 1000
Kilo-	Hecto-	Deca-	Metro	Deci-	Centi-	Mili-
			Gramo			
			Litro			
× 1000	× 100	× 10	Unidad base	÷ 10	÷ 100	÷ 1000

¿LO SABÍAS?

Algunas medidas métricas tienen nombres pero rara vez se utilizan. Por ejemplo, el hectómetro, que equivale a 100 metros, el decámetro, que equivale a 10 metros, y el decímetro, que equivale a 0.1 de metro.

Ejemplos

2 La carrera de carriolas de Danville tiene 5 km de largo. ¿A cuántos metros equivale esta distancia?

La primera unidad dada es kilómetros. Para convertir de kilómetros a metros, multiplica por 1000.

5 km × 1000 = 5000 m

3 60,000 cm = _____ km

En primer lugar, para convertir de centímetros a metros, divide entre 100. Después, para convertir metros a kilómetros, divide entre 1000.

60,000 cm ÷ 100 = 600 m

600 m ÷ 1000 = 0.6 km

No te olvides

Un atajo para multiplicar por 1000 es mover el punto decimal tres posiciones a la derecha. **[Página 178]** Un atajo para dividir entre 1000 es mover el punto decimal tres posiciones a la izquierda.
[Página 187]

Haz la prueba

Realiza las siguientes conversiones.

a. 7.36 km = _7360_ m   **b.** 0.008 L = _8_ mL   **c.** 325 g = _0.325_ kg

La comprensión numérica te ayuda a determinar si una conversión es razonable. Cuando conviertes a una unidad mayor, la respuesta se hace menor. Cuando conviertes a una unidad menor, la respuesta se hace mayor. Por ejemplo, si tienes una distancia dada en milímetros, necesitarás menos centímetros para representar la misma distancia.

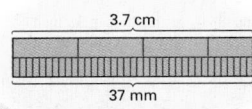
3.7 cm
37 mm

Ejemplos adicionales

2. La distancia hasta la siguiente salida de la carretera es de 1.6 km. ¿A cuántos metros equivale esto?

La primera unidad que se proporciona es kilómetros. Para convertir de kilómetros a metros, multiplica por 1000.

1.6 km × 1000 = 1600 m

3. 1340 mL = _____ kL

Primero, para convertir mililitros a litros, divide entre 1000. Después, para convertir litros a kilolitros, divide otra vez entre 1000.

1340 ÷ 1000 = 1.34 L

1.34 L ÷ 1000 = 0.00134 kL

Alternate Examples

2. The distance to the next exit on the freeway is 1.6 km. How many meters is this?

The first unit given is kilometers. To convert from kilometers to meters, you multiply by 1000.

1.6 km × 1000 = 1600 m

3. 1340 mL = _____ kL

First, to convert from milliliters to liters, you divide by 1000. Then, to convert liters to kiloliters, you divide by 1000.

1340 ÷ 1000 = 1.34 L

1.34 L ÷ 1000 = 0.00134 kL

MEETING MIDDLE SCHOOL CLASSROOM NEEDS

Sugerencias de los maestros

Me gusta instalar centros de medición de longitud, peso/masa y capacidad. En cada centro, los estudiantes cuentan con hojas de instrucciones, diversos objetos que pueden medir y las herramientas necesarias, como reglas, cintas métricas, balanzas y recipientes. Las instrucciones indican que deben escoger un objeto, hacer un cálculo aproximado, medirlo y comparar la aproximación con la medida real. He observado que conforme los estudiantes practican la medición de objetos, las medidas se muestran cada vez más precisas.

Tips from Middle School Teachers

I like to set up length, weight/mass, and capacity centers. At each center I provide instruction sheets, a variety of objects to measure, and appropriate measuring tools such as rulers, tape measures, balance scales, and beakers. The instruction sheet asks students to select an object from the center, estimate its measure in the given unit, measure it, and compare the estimate to the actual measurement. As students continue to estimate and measure objects, I find that their estimates get closer to the actual measure.

Enseñanza en equipo

Trabaje con el maestro de nutrición o salud para ayudar a los estudiantes a leer los datos nutrimentales de las etiquetas. Pídales que observen las unidades métricas que expresan las cantidades de carbohidratos, potasio y sodio, por ejemplo.

Team Teaching

Work with the foods teacher or the health teacher to help students read nutrition labels on food. Have them note the metric units used for such items as amounts of carbohydrates, protein, and sodium.

Asociación con Ciencias

El sistema métrico se conoce como SI o Sistema Internacional, ya que se originó en el *Système International d'Unités*, establecido en Francia. En él, la medida del metro se define como la distancia que recorre la luz en el vacío en $\frac{1}{299,792,458}$ de segundo.

Science Connection

The metric system is also know as SI, or International System, from the French *Système International d'Unités*. The meter is defined as the distance light travels in a vacuum in $\frac{1}{299,792,458}$ of a second.

Assignment Guide

- Basic 1–12, 18–25, 30–33, 35, 38–52 evens
- Average 1–27 odds, 29–35, 39–51 odds
- Enriched 1–27 odds, 28–36, 38–52 evens

Practice and Assess

Check

Answers for Check Your Understanding

1. Similarities: They're both 1000 times the base unit; They have different base units: Kilograms measure weight, while kilometers measure distance.

2. Yes; Milliliters and liters have the same base unit; No; Milligrams and meters don't have the same base unit.

3 Práctica y evaluación

Comprobar

Respuestas de Comprobar tu comprensión

1. Semejanzas: Ambos son 1000 veces la unidad base; Diferencias: Tienen diferentes unidades base: Los kilogramos miden peso en tanto que los kilómetros miden distancia.

2. Sí; Los mililitros y los litros tienen la misma unidad base; No; Los miligramos y los metros no tienen la misma unidad base.

Comprobar Tu comprensión

1. ¿En qué se parecen los kilómetros y los kilogramos? ¿En qué son diferentes?

2. ¿Se puede convertir cualquier medida de mililitros a litros? ¿Se puede convertir cualquier medida de miligramos a metros? Explica tu respuesta.

4-2 Ejercicios y aplicaciones

Práctica y aplicación

Para empezar Para cada par de medidas, escoge la mayor.

1. 1 metro, 1 kilómetro **1 kilómetro**
2. 1 kilogramo, 1 gramo **1 kilogramo**
3. 1 centímetro, 1 metro **1 metro**
4. 1 litro, 1 mililitro **1 litro**
5. 1 centímetro, 1 milímetro **1 centímetro**
6. 1 kilómetro, 1 milímetro **1 kilómetro**

Menciona una unidad métrica apropiada en los ejercicios 7–12.

7. El peso de un estudiante de sexto grado **Kilogramo**
8. Cantidad de agua en una alberca **Litro**
9. Distancia de New York a Washington, DC **Kilómetro**
10. Cantidad de agua en una gota de lluvia **Mililitro**
11. Peso de una lata de aluminio **Gramo**
12. Altura de una pila de periódicos leídos en un mes **Metro**

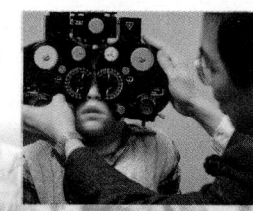

Realiza las siguientes conversiones.

13. $90 \text{ g} = \square \text{ kg}$ **0.09**
14. $32.6 \text{ mm} = \square \text{ m}$ **0.0326**
15. $0.1 \text{ L} = \square \text{ mL}$ **100**
16. $5.3 \text{ m} = \square \text{ mm}$ **5300**
17. $7.88 \text{ mL} = \square \text{ L}$ **0.00788**
18. $1 \text{ m} = \square \text{ cm}$ **100**
19. $0.0042 \text{ kg} = \square \text{ g}$ **4.2**
20. $3 \text{ L} = \square \text{ mL}$ **3000**
21. $5 \text{ g} = \square \text{ kg}$ **0.005**
22. $25 \text{ kg} = \square \text{ g}$ **25,000**
23. $13.1 \text{ cm} = \square \text{ mm}$ **131**
24. $8 \text{ mL} = \square \text{ L}$ **0.008**
25. $2.67 \text{ km} = \square \text{ cm}$ **267,000**
26. $18 \text{ cm} = \square \text{ m}$ **0.18**
27. $42.9 \text{ kg} = \square \text{ g}$ **42,900**

28. **Profesiones** ¿Cuál unidad de medida (milímetros o metros) emplearía un optometrista para medir los ojos de los pacientes? **Milímetros**

29. **Cálculo aproximado** Una persona debe beber ocho vasos de agua al día. Calcula si esto es más o menos que un litro. **Más**

218 Capítulo 4 • Medición

Reteaching

Activity

Materials: Index cards or pieces of paper, tape

- Make a visual display of the metric units for length, mass, and volume. Write each metric unit on an index card or piece of paper.

- Arrange the units of length, mass, and volume in decreasing order, such as kilometers, meters, centimeters, and so on.

- Tape the cards to the chalkboard in the correct order. There should be three columns of units.

- Next to the cards draw arrows and indicate the operation, such as "× 10" or "÷ 10," needed to make the conversion from larger units to smaller units and vice versa.

- Practice making conversions from one metric unit to another.

Práctica adicional

Actividad

Materiales: Tarjetas, cinta adhesiva

- Presenta las unidades métricas de longitud, masa y volumen. Escribe cada unidad métrica en una tarjeta o en una hoja.

- Ordena en forma descendente las unidades de longitud, masa y volumen, por ejemplo: kilómetros, metros, centímetros, etcétera.

- En el orden correcto, pega las tarjetas en la pizarra. Debe haber tres columnas de unidades.

- A un lado de las tarjetas dibuja flechas que indiquen la operación —como "×10" o "÷10"— que se necesita hacer para convertir unidades mayores en unidades menores y viceversa.

- Para practicar, haz conversiones de una unidad métrica a otra.

PRACTICE

Nombre _____ | Práctica 4-2

Conversiones en el sistema métrico

Para los ejercicios 1–10 menciona alguna unidad métrica apropiada para medir lo que se indica.

1. El peso de una calculadora — Respuesta posible: Gramos
2. La estatura de una mujer — Respuesta posible: Centímetros
3. La cantidad de gasolina en un auto — Respuesta posible: Litros
4. La distancia de Hong Kong a Beijing, China — Respuesta posible: Kilómetros
5. El peso de un sujetapapeles — Respuesta posible: Gramos
6. La longitud de un avión — Respuesta posible: Metros
7. La cantidad de café en una taza — Respuesta posible: Mililitros
8. El peso de un perro labrador — Respuesta posible: Kilogramos
9. El ancho de una carta de baraja — Respuesta posible: Centímetros
10. La cantidad de pegamento usado para reparar un plato — Respuesta posible: Mililitros

Realiza las siguientes conversiones.

11. $4 \text{ m} = $ **400** cm
12. $39 \text{ g} = $ **0.039** kg
13. $87 \text{ cm} = $ **0.87** m
14. $2.7 \text{L} = $ **2,700** mL
15. $4.3 \text{ km} = $ **4,300** m
16. $14.2 \text{ g} = $ **14,200** mg
17. $538 \text{ mL} = $ **0.538** L
18. $3.7 \text{ g} = $ **0.0037** kg
19. $7.4 \text{ m} = $ **0.0074** km
20. $21 \text{ cm} = $ **210** mm
21. $42 \text{ m} = $ **0.042** km
22. $0.8 \text{ km} = $ **80,000** cm
23. $43 \text{ mm} = $ **4.3** cm
24. $8.26 \text{ kg} = $ **8260** g
25. $2.3 \text{ m} = $ **230,000** cm

26. **Ciencias** Un tornado se desplaza como 64,400 metros en una hora. Convierte esta distancia a kilómetros. **64.4 km**

27. **Geografía** Kazajstán tiene alrededor de 2,320 km de litorales. Convierte esta distancia a milímetros. **2,320,000,000 mm**

28. Una avioneta Cessna 185 vuela un promedio de 208 km en una hora. ¿Cuántos metros puede volar dicha avioneta en una hora? **208,000 m**

RETEACHING

Nombre _____ | Práctica adicional 4-2

Conversiones en el sistema métrico

El **sistema métrico** es un sistema de medición usado para describir la longitud, peso y tamaño de algo. El sistema métrico utiliza **prefijos** para describir cantidades que son mucho mayores o mucho menores que la unidad base. Las unidades base para medir longitud, masa y volumen se muestran en la siguiente tabla. Los prefijos más usados son **kilo-**, que significa 1000; **centi-**, que significa $\frac{1}{100}$; **mili-**, que significa $\frac{1}{1000}$.

Para **convertir** una unidad en el sistema métrico, necesitas multiplicar o dividir entre una potencia de 10. La siguiente tabla muestra una lista de las potencias de 10 empleadas en la conversión. Cuando conviertes a una unidad mayor, tus respuestas se hacen más chicas, y al convertir a una unidad menor, tus respuestas se hacen mayores. Por ejemplo, si te dan una distancia en milímetros, tendrá menos centímetros igualar esa misma distancia.

× 1000	× 100	× 10	unidad base	× 10	× 100	× 1000
kilo-	hecto-	deca-	metro gramo litro	deci-	centi-	mili-
÷ 1000	÷ 100	÷ 10	unidad base	÷ 10	÷ 100	÷ 1000

— Ejemplo —

Convierte 34,000 mililitros a litros.

Vas a convertir de una unidad menor a otra unidad mayor, por tanto, debes dividir. Observa la tabla de conversión para hallar el divisor. Cuando conviertas de mililitros a litros, divide entre 1000. $34,000 ÷ 1,000 = 34$

Así pues, 34,000 mililitros = 34 litros.

Haz la prueba Realiza las siguientes conversiones.

a. 16 gramos = ? miligramos

¿Vas a convertir de una unidad menor a otra mayor o viceversa? **De una unidad mayor a una menor.**

¿Vas a multiplicar o a dividir? **Multiplicar.**

¿Qué número vas a multiplicar o a dividir? **1000**

16 gramos = **16,000** miligramos

b. 6 metros = **600** centímetros
c. 162 kilogramos = **162,000** gramos
d. 4000 mililitros = **4** litros
e. 25,000 mililitros = **25** metros
f. 35,000 metros = **35** kilómetros
g. 4000 litros = **4,000,000** mililitros

---

30. Una persona genera 163,300 gramos de desperdicios al año. Convierte esta cantidad a kilogramos. **163.3**

31. **Para la prueba** En los Juegos Olímpicos de Verano de 1996, Michael Johnson rompió un récord mundial de carreras con un tiempo de 19.32 segundos. ¿Cuál distancia crees que haya corrido?
Ⓐ 2 metros   Ⓑ 200 metros
Ⓒ 200 litros   Ⓓ 20 kilómetros

B

32. Los periódicos forman la mayor parte de la basura en los tiraderos. Una pila de 30.48 cm de periódicos pesa alrededor de 15.87 kg. Convierte las medidas a metros y gramos. **0.3048 m; 15,870 g**

Resolución de problemas y razonamiento

RESOLVER PROBLEMAS 4-2

Resolución de problemas
TEN EN CUENTA
Dibuja un diagrama.

33. **Comunicación** Encuentra el perímetro de un cuadrado cuyos lados son de 12 cm; expresa el perímetro en milímetros, centímetros y metros. Explica tu razonamiento.

34. **En tu diario** Describe una situación en la que usarías litros y otra en la cual utilizarías mililitros. Explica por qué cada medida es apropiada.

35. **Razonamiento crítico** Robert y su nieta Bailey construyeron una casa de muñecas. La superficie de dicha casa era un rectángulo de 1.86 m por 95 cm. ¿Cuál era el perímetro de la casa de muñecas de Bailey? Explica cómo obtuviste tu respuesta.

36. **Razonamiento crítico** Como parte de un experimento de estadística, siete estudiantes midieron la distancia aproximada alrededor de una moneda. Halla la medida promedio redondeada a centésimos de centímetro. Explica tu razonamiento.

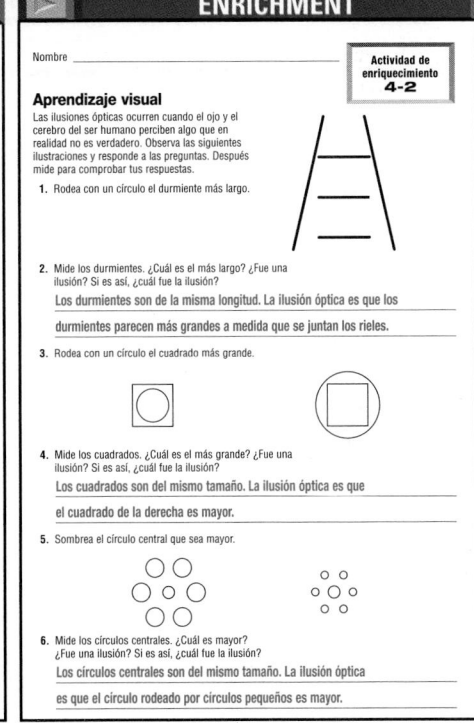

Jon	3.6 cm
Diane	34.2 mm
Wu-Lin	3.4 cm
Shelly	3.8 cm
Truc	37.5 mm
Mary	32.1 mm
Jason	3.5 cm

Repaso mixto

38. 8,000,000,000,000
39. 45,000,000,000

Escribe las cantidades en forma usual. *[Lección 2-1]*

37. ciento tres **103**   **38.** 8 billones   **39.** 45 mil millones   **40.** dos mil, cinco **2005**

41. cuarenta y cinco mil seiscientos doce **45,612**   **42.** un millón sesenta y un mil veintidós **1,061,022**

Escribe cada fracción como un decimal. *[Lección 3-1]*

43. $\frac{55}{100}$ **0.55**   **44.** $\frac{2}{10}$ **0.2**   **45.** $\frac{67}{1000}$ **0.067**   **46.** $\frac{532}{1000}$ **0.532**   **47.** $\frac{4}{10}$ **0.4**

48. $\frac{9}{10}$ **0.9**   **49.** $\frac{2}{100}$ **0.02**   **50.** $\frac{10}{10}$ **1.0**   **51.** $\frac{8}{1000}$ **0.008**   **52.** $\frac{99}{100}$ **0.99**

4-2 • Conversiones en el sistema métrico **219**

PROBLEM SOLVING

Nombre _____

Resolución guiada de problemas 4-2

RGP PROBLEMA 35, PÁGINA 219 DEL ESTUDIANTE

Robert y su nieta Bailey construyeron una casa de muñecas. La superficie de dicha casa era un rectángulo de 1.86 m por 95 cm. ¿Cuál era el perímetro de la casa de muñecas de Bailey? Explica cómo obtuviste tu respuesta.

— Comprende —
1. ¿Qué se te pide que halles?   El perímetro de la casa de muñecas.
2. ¿Cuál es el tamaño y la forma de la casa?   1.86 m por 95 cm; rectángulo.
3. ¿Cómo hallarías el perímetro de la casa? Respuesta posible: Al sumar las longitudes de los cuatro lados.

— Plan —
4. Ambas dimensiones deberían estar en las mismas unidades. ¿Qué harías para convertir metros a centímetros?   Multiplicar por 100.
5. ¿A cuántos centímetros equivale 1.86 metros?   186 centímetros.

— Resuelve —
6. Halla, en centímetros, el perímetro de la casa.   562 centímetros.
7. Explica cómo hallaste la respuesta.   Se convierte a una medida y después se suma para hallar el perímetro.

— Revisa —
8. ¿De qué otra forma podrías hallar el perímetro de la casa de muñecas?   Respuesta posible: Se convierte de cm a m y después se encuentra el perímetro.

RESUELVE OTRO PROBLEMA

Allan y Yolanda construyeron un librero. La base del librero es un rectángulo de 1.5 m por 62 cm. ¿Cuál es el perímetro de la base del librero? 424 cm ó 4.24 m; se convierte a unidades equivalentes de medida y después se calcula el perímetro.

ENRICHMENT

Nombre _____

Actividad de enriquecimiento 4-2

Aprendizaje visual

Las ilusiones ópticas ocurren cuando el ojo y el cerebro del ser humano perciben algo que en realidad no es verdadero. Observa las siguientes ilustraciones y responde a las preguntas. Después mide para comprobar tus respuestas.

1. Rodea con un círculo el durmiente más largo.

2. Mide los durmientes. ¿Cuál es el más largo? ¿Fue una ilusión? Si es así, ¿cuál fue la ilusión? Los durmientes son de la misma longitud. La ilusión óptica es que los durmientes parecen más grandes a medida que se juntan los rieles.

3. Rodea con un círculo el cuadrado más grande.

4. Mide los cuadrados. ¿Cuál es el más grande? ¿Fue una ilusión? Si es así, ¿cuál fue la ilusión? Los cuadrados son del mismo tamaño. La ilusión óptica es que el cuadrado de la derecha es mayor.

5. Sombrea el círculo central que sea mayor.

6. Mide los círculos centrales. ¿Cuál es mayor? ¿Fue una ilusión? Si es así, ¿cuál fue la ilusión? Los círculos centrales son del mismo tamaño. La ilusión óptica es que el círculo rodeado por círculos pequeños es mayor.

Notas sobre los ejercicios

■ Ejercicios 7 y 11

Prevención de errores Los estudiantes pueden confundirse por el uso del "peso" en estos ejercicios, pues el gramo es una unidad de masa. Tal vez sea conveniente decirles que el peso de algo puede medirse en gramos y en libras.

■ Ejercicio 31

Para la prueba Si los estudiantes escogen la letra A, muéstreles un metro para convencerlos de que no es la elección correcta. Si los estudiantes eligen la letra D, recuérdeles que los kilómetros equivalen más o menos a $\frac{1}{2}$ milla. Por tanto, 20 km es una distancia que no podría recorrerse en 19.32 segundos.

Respuestas de Ejercicios

33. 480 mm; 48 cm; 0.48 m. Respuesta posible: Se halla el perímetro en centímetros y después se convierte. 12 cm = 120 mm = 0.12 m.

34. Respuesta posible: Se usan litros para calcular el volumen del agua en una alberca; Se usan mililitros para calcular la cantidad de medicina que diariamente se le da a un niño.

35. 562 cm; Se convierte a una sola unidad, después se suman las dimensiones y se duplica la suma.

36. 3.53 cm; Se convierten todas las medidas a cm y después se encuentra el promedio.

Evaluación adicional

Autoevaluación Identifica lo que te parece más fácil y más difícil cuando trabajas con el sistema métrico.

Exercise Notes

■ Exercises 7 and 11

Error Prevention Students may be confused by the use of "weight" in these exercises since gram is a unit of mass. You may wish to tell them that the weight of something or someone can be measured in grams as well as pounds.

■ Exercise 31

Test Prep If students select A, show them a meter stick to convince them that this is not the correct choice. If students select D, remind them that kilometers are often compared to $\frac{1}{2}$ miles. Therefore, 20 km is an unrealistic distance to run in 19.32 seconds.

Exercise Answers

33. 480 mm; 48 cm; 0.48 m. Possible answer: Find the perimeter in centimeters, then convert. 12 cm = 120 mm = 0.12 m.

34. Possible answer: Use liters to calculate volume of water in a swimming pool; Use milliliters to calculate the amount of medicine to give a child per day.

35. 562 cm; Convert to one measurement, then add the dimensions and double the sum.

36. 3.53 cm; Convert all measurements to cm, then find the average.

Alternate Assessment

Self Assessment Identify what you find the easiest and what you find the most difficult about working with the metric system.

▶ Prueba rápida

Señala una unidad de medición apropiada para cada inciso.

1. Peso de una manzana   gramos
2. Altura de una jirafa   metros
3. Cantidad de jugo en un envase   litros

Convierte:

4. 0.53 kg = _____ g   530
5. 56 mm = _____ m   0.056

▶ Quick Quiz

Name an appropriate unit of measure for each item.

1. Weight of an apple   grams
2. Height of a giraffe   meters
3. Amount of juice in a carton   liters

Convert:

4. 0.53 kg = _____ g   530
5. 56 mm = _____ m   0.056

Available on Daily Transparency 4-2

Lesson Organizer

Objective

■ **Convert units within the customary system of measurement.**

Vocabulary

■ **Inch, foot, yard, mile, ounce, pound, quart, gallon, conversion factor**

Materials

■ **Explore: Calculator**

NCTM Standards

■ **1–5, 13**

Review

Find the value of x in each equation.

1. $145x = 290$ $x = 2$

2. $\frac{480}{x} = 40$ $x = 12$

3. $\frac{1428}{x} = 7$ $x = 204$

4. $125x = 1000$ $x = 8$

Available on Daily Transparency 4-3

▶ Repaso

Halla el valor de x en cada ecuación.

1. $145x = 290$ $x = 2$

2. $\frac{480}{x} = 40$ $x = 12$

3. $\frac{1428}{x} = 7$ $x = 204$

4. $125x = 1000$ $x = 8$

Introduce

Explore

You may wish to use Lesson Enhancement Transparency 15 with **Explore**.

The Point

Students use the values in a table to find the conversion factors, first for conversions that would apply to customary units and then for ones that would apply to metric units.

Ongoing Assessment

Most students should be able to recognize the pattern in the second table as similar to the one in the last lesson.

For Groups That Finish Early

What measurements might the numbers in the tables represent?
Possible answer: The first table might be miles, furlongs (6 feet), yards, feet, or inches. The second table might be any metric unit.

1 Introducción

Investigar

Objetivo

Los estudiantes usan los valores de una tabla para hallar los factores de conversión, primero para las conversiones que se aplicarían a las unidades usuales y después para las que se aplicarían a las unidades métricas.

Evaluación continua

La mayoría de los estudiantes debe ser capaz de reconocer las semejanzas del patrón de la segunda tabla con alguno de la última lección.

Para los grupos que terminen antes

¿Qué medidas podrían representar los números de las tablas? Respuesta posible: En la primera tabla podrían ser millas, furlongs (6 pies), yardas, pies o pulgadas. En la segunda tabla podría ser cualquier unidad métrica.

4-3 Uso de factores de conversión

Vas a aprender...

■ a convertir unidades dentro del sistema de medición usual.

...cómo se usa

Los cocineros convierten unidades en el sistema usual cuando preparan comidas para un gran número de personas.

Vocabulario

pulgada
pie
yarda
milla
onza
libra
cuarto de galón
galón
factor de conversión

▶ **Enlace con la lección** Como ya sabes usar el sistema métrico de medidas, es tiempo de aprender a utilizar el sistema de medición usual para longitud, masa y volumen. ◀

Investigar Uso de factores de conversión

¡Ve al principio de la tabla!

Materiales: Calculadora

1. Cada columna de números de la siguiente tabla es el resultado de multiplicar o dividir el número base por algún factor. Para cada columna determina el factor que se utilizó.

÷ ???	÷ ???	Base	× ???	× ???
2	1,760	3,520	10,560	126,720
5	4,400	8,800	26,400	316,800
7	6,160	12,320	36,960	443,520
			14,080	

2. ¿Cuáles son los valores que faltan en la última hilera del cuadro?

3. Para cada columna de la siguiente tabla, determina el factor que se usó.

÷ ???	÷ ???	Base	× ???	× ???
35.2	352	3,520	35,200	352,000
88	880	8,800	88,000	880,000
123.2	1,232	12,320	123,200	1,232,000
			14,080	

4. ¿Cuáles son los valores que faltan en la última hilera del cuadro?

5. ¿En cuál cuadro es más fácil pasar de una columna a otra? ¿Por qué?

220 Capítulo 4 • Medición

▷ MEETING INDIVIDUAL NEEDS

Resources

4-3 Practice
4-3 Reteaching
4-3 Problem Solving
4-3 Enrichment
4-3 Daily Transparency
  Problem of the Day
  Review
  Quick Quiz
Lesson Enhancement Transparency 15

Learning Modalities

Musical Have students make up a song that will help them remember the conversion factors for the customary units.

Kinesthetic Have students actually measure objects using different units in order to get a better intuitive understanding of the size of the units.

Social Students could work in pairs to answer the questions in **Explore**.

Inclusion

Ask students to practice holding their hands about 1 inch apart, 1 foot apart, and 1 yard apart. Have them find something they think weighs about 1 ounce or 1 pound and then check it by weighing it. Have them identify containers that hold about 1 quart or about 1 gallon.

Have students add new vocabulary to their reference books.

Recursos

4-3 Práctica
4-3 Práctica adicional
4-3 Resolución de problemas
4-3 Actividad de enriquecimiento

Modos de aprendizaje

Musical Anime a los estudiantes a escribir una canción que los ayude a recordar los factores de conversión de las unidades usuales.

Cinestésico Los estudiantes deberán medir diversos objetos con unidades diferentes para obtener una comprensión más intuitiva del tamaño de las unidades.

Social Los estudiantes pueden responder por parejas las preguntas de **Investigar**.

Inclusión

Pida a los estudiantes que acerquen sus manos a 1 pulgada, 1 pie y 1 yarda de las de un compañero. Luego deberán hallar un objeto que crean que pese alrededor de 1 onza ó 1 libra y pesarlo para comprobar el peso real. Pídales también que identifiquen envases que puedan contener 1 cuarto ó 1 galón.

Sugiérales que incluyan el vocabulario nuevo en sus cuadernos de referencias.

Aprender Uso de factores de conversión

El sistema usual es otro sistema de medición utilizado en Estados Unidos para describir longitud, peso y tamaño de los objetos. Este sistema no tiene una unidad base ni prefijos; cada unidad tiene un nombre independiente.

	Nombre	Abreviatura	Comparación aproximada
Longitud	Pulgada	in.	Longitud de medio dedo pulgar
	Pie	ft	Longitud de un pie de adulto (hombre)
	Yarda	yd	Longitud de la nariz a la punta del dedo estirado
	Milla	mi	Longitud de 14 campos de fútbol americano
Peso	Onza	oz	Peso de una tarjeta de cumpleaños
	Libra	lb	Peso de tres manzanas
Volumen	Cuarto de galón	qt	Cantidad en un recipiente mediano de leche
	Galón	gal	Cantidad de un balde pequeño

¿LO SABÍAS?

Hay más de un tipo de onzas. Por ejemplo, las onzas avoirdupois que se usan para medir el peso de algunos sólidos y las onzas fluidas empleadas para medir el peso de algunos líquidos.

Las pulgadas pueden abreviarse con comillas: 15″ significa 15 in. Los pies pueden abreviarse con un apóstrofo: 21′ significa 21 ft.

Ejemplo 1

Completa el espacio en blanco con la abreviatura de la unidad usual más apropiada.

Altura de una botella de plástico para agua: 11 _____

Como se está midiendo la longitud, la medida usual debería ser pulgadas, pies, yardas o millas. Puesto que la botella tiene aproximadamente 11 medios pulgares, la unidad apropiada es la pulgada, que se abrevia "in".

▶ Enlace con Ciencias

Los plásticos de diferentes tipos no se pueden reciclar juntos. Para ayudar a clasificarlos, los fabricantes de botellas marcan el tipo de plástico en las botellas. El polietileno de tereftalato, uno de los plásticos más comunes, se marca así: "1 PET" o "1 PETE".

Haz la prueba

Completa los espacios en blanco con la abreviatura de la medida usual más apropiada.

a. Longitud de una ruta de maratón: 26 <u>Millas</u>
b. Peso de un perro: 45 <u>Libras</u>
c. Cantidad de agua en una pecera pequeña: 2 <u>Cuartos</u>

4-3 • Uso de factores de conversión **221**

Respuestas de Investigar

1. 1760; 2; 3; 36
2. 8; 7,040; 42,240; 506,880
3. 100; 10; 10; 100
4. 140.8; 1,408; 140,800; 1,408,000
5. La segunda tabla; Todos los factores son potencias de 10.

2 Enseñanza

Aprender

Pida a los estudiantes que hagan una lista de todo lo que saben acerca de la medición de longitud, peso y capacidad líquida en el sistema usual. Anímelos a compartir sus listas y pídales que escriban cada inciso bajo una de estas tres categorías: *Todos lo saben, Más o menos la mitad lo sabe, Sólo algunos lo saben.* Por cada unidad de medición que conozcan, pídales que identifiquen algo que sea como de ese tamaño.

Ejemplos adicionales

1. Completa. Usa la abreviatura de la unidad usual idónea. El peso de una calabaza = 10 _____

   Puesto que se mide el peso, la unidad usual debe ser onzas o libras. Como una calabaza es más pesada que 3 manzanas, la unidad adecuada es libras, cuya abreviatura es "lb".

Answers for Explore

1. 1760; 2; 3; 36
2. 8; 7,040; 42,240; 506,880
3. 100; 10; 10; 100
4. 140.8; 1,408; 140,800; 1,408,000
5. The second chart; The factors are all powers of 10.

Teach

Learn

Ask students to make a list of everything they know about measuring length, weight, and liquid capacity in the customary system. Have them share their lists, writing each item under one of three categories: *Everyone Knows, About Half Know, Only a Few Know.* For each measure that they know, ask them to identify something that is about that size.

Alternate Examples

1. Complete. Use the abbreviation for the most appropriate customary unit. Weight of a pumpkin = 10 _____

   Since weight is being measured, the customary unit should be ounces or pounds. Since a pumpkin is heavier than 3 apples, the appropriate unit is pounds, which is abbreviated "lbs."

MATH EVERY DAY

▶ Problema del día

Jeff juntó seis triángulos equiláteros para formar una figura de seis lados llamada hexágono. El perímetro de cada triángulo es 21 mm. ¿Cuál es el perímetro del hexágono? 42 mm.

Problem of the Day

Jeff placed six equilateral triangles together to form a six-sided figure called a hexagon. The perimeter of each triangle is 21 mm. What is the perimeter of the hexagon? 42 mm

Available on Daily Transparency 4-3

An Extension is provided in the transparency package.

Dato del día

En 1993, los estadounidenses desecharon 19,300,000 toneladas de plásticos. Sólo 700,000 toneladas, alrededor de 3.6%, fueron recicladas.

Fact of the Day

In 1993, Americans discarded 19,300,000 tons of plastic. Only 700,000 tons, about 3.6%, was recycled.

Estimation

Estimate.

1. 3.96 + 2.01 6
2. 6.02 − 1.88 4
3. 3.99 × 5.11 20
4. 55.789 ÷ 7.88 7

Cálculo aproximado

Haz un cálculo aproximado.

1. 3.96 + 2.01 6
2. 6.02 − 1.88 4
3. 3.99 × 5.11 20
4. 55.789 ÷ 7.88 7

2. The average person in the United States uses about 20 gallons of water each day taking showers and baths. How many quarts is this?

One gallon equals 4 quarts. Gallons are being converted to a smaller unit, so the number of gallons should be multiplied by the conversion factor.

20 × 4 = 80 quarts

3. The average person in the United States walks about 18,000 feet each day. How many miles is this?

One mile equals 5280 feet. Feet are being converted to a larger unit, so the number of feet should be divided by the conversion factor.

18,000 ÷ 5,280 = 3.41 miles

Practice and Assess

Check

Have students think about each of the questions, then discuss the questions with a partner. Finally, have them share their responses.

Answers for Check Your Understanding

1. Possible answer: Metric; The measurements are all powers of 10, so it's easy to move the decimal, multiply, or divide.

2. When converting to smaller units, multiply by a conversion factor. When converting to larger units, divide by a conversion factor.

Ejemplos adicionales

2. En promedio, en Estados Unidos las personas utilizan como 20 galones de agua diarios para bañarse, ya sea en bañera o en ducha. ¿A cuántos cuartos equivalen 20 galones?

Un galón es igual a 4 cuartos. Los galones se convierten a una unidad más pequeña, por tanto, el número de galones debe multiplicarse por el factor de conversión.

20 × 4 = 80 cuartos

3. En promedio, en Estados Unidos las personas caminan alrededor de 18,000 pies diarios. ¿A cuántas millas equivalen?

Una milla es igual a 5280 pies. Los pies se convierten a una unidad mayor, por tanto, el número de pies debe dividirse entre el factor de conversión.

18,000 ÷ 5,280 = 3.41 millas

3 Práctica y evaluación

Comprobar

Pida a los estudiantes que reflexionen cada una de las preguntas y que después las comenten con un compañero. Por último, anímelos a compartir sus respuestas.

Respuestas de Comprobar tu comprensión

1. Respuesta posible: Métrico; Todas las medidas son potencias de 10, por tanto, es fácil mover el punto decimal, multiplicar o dividir.

2. Cuando se convierte a unidades menores, debe multiplicarse por un factor de conversión. Cuando se convierte a unidades mayores, debe dividirse entre un factor de conversión.

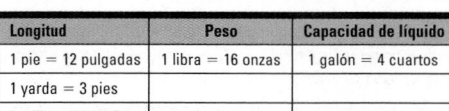

▶ Enlace con Historia

En el siglo XIV la medida estándar del pie a menudo era la medida del pie del rey. Esta medida se copiaba por lo general de manera incorrecta, por lo que el pie variaba de una aldea a otra.

CÁLCULO MENTAL

Cuando se divide un número con varios ceros al final, puedes dividir la parte del número cabal y agregar los ceros a tu respuesta.

El sistema usual no se basa en potencias de 10. Para convertir de una unidad a otra, necesitas conocer el **factor de conversión**, o saber cuántas unidades caben en otra.

Longitud	Peso	Capacidad de líquido
1 pie = 12 pulgadas	1 libra = 16 onzas	1 galón = 4 cuartos
1 yarda = 3 pies		
1 milla = 5280 pies		

Para convertir a una unidad menor, *multiplica* por el factor de conversión apropiado. Si la unidad de la respuesta es menor, entonces el número de unidades deberá ser mayor. Para convertir a una unidad mayor, *divide* entre el factor de conversión apropiado. Si la unidad de la respuesta es mayor, entonces el número de unidades deberá ser menor.

Ejemplos

2 El adulto promedio en Estados Unidos genera 8 libras de basura de periódico en un mes. ¿A cuántas onzas equivale esto?

Una libra es igual a 16 onzas. Las libras van a convertirse en unidades menores, por tanto, el número de libras debe multiplicarse por el factor de conversión.

8 × 16 = 128 onzas

3 Una compañía petrolera puede volver a refinar 62 galones de petróleo nuevo de cada 400 cuartos de petróleo reciclado. ¿400 cuartos a cuántos galones equivale?

Un galón equivale a 4 cuartos. Los cuartos se van a convertir a unidades mayores, por tanto, el número de cuartos debe dividirse entre el factor de conversión.

400 ÷ 4 = 100 galones

Haz la prueba

Convierte. **a.** 7 gal = __28__ qt **b.** 64 oz = __4__ lb **c.** 2 mi = __10,560__ ft

Comprobar Tu comprensión

1. ¿Qué es más fácil: convertir en el sistema métrico o en el sistema usual? ¿Por qué?

2. ¿Cómo puedes saber cuándo multiplicar por un factor de conversión y cuándo dividir entre un factor de conversión?

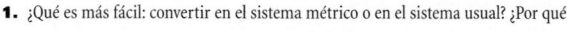

222 *Capítulo 4 • Medición*

MEETING MIDDLE SCHOOL CLASSROOM NEEDS

Tips from Middle School Teachers

I find that my students understand the customary units when they see real-life examples. I ask each student to bring in empty milk, juice, and soft drink containers in gallon, half-gallon, quart, pint, and cup sizes. We fill the containers with water so that students gain an understanding of the capacity of containers of various sizes.

Sugerencias de los maestros

He notado que los estudiantes comprenden mejor las unidades métricas si observan ejemplos reales. Por eso les pido que traigan envases de leche, jugo o refrescos, en tamaños de un galón, medio galón, un cuarto, una pinta y una taza. Después llenan los envases con agua para conocer mejor la capacidad de cada recipiente.

Cooperative Learning

Have students work in groups of three or four to create flashcards of conversion facts. Using the flashcards, students can quiz each other on the conversions.

Aprendizaje en equipo

En equipos de tres o cuatro, los estudiantes deben elaborar tarjetas que ilustren las operaciones de conversión. Después podrán usar las tarjetas para hacer preguntas a sus compañeros sobre las conversiones.

History Connection

The customary system of measurement is based on the British imperial system. Units were developed in medieval days, long before there were uniform standards. The inch was equal to 3 kernels of corn or wheat laid end to end. The foot was the equivalent of a human foot.

Asociación con Historia

El sistema usual de medidas se basa en el sistema imperial británico. Las unidades de este último se crearon en la época medieval, mucho antes de los estándares uniformados. En un principio, una pulgada equivalía a 3 granos de maíz o trigo alineados en sucesión. El pie correspondía al tamaño de un pie humano.

4-3 Ejercicios y aplicaciones

Práctica y aplicación

Para empezar | Convierte a pies.

1. 36 pulgadas **3**   **2.** 24 pulgadas **2**   **3.** 96 pulgadas **8**   **4.** 144 pulgadas **12**   **5.** 60 pulgadas **5**

Realiza las siguientes conversiones.

6. 496 onzas = ☐ libras **31**   **7.** 252 pulgadas = ☐ pies **21**   **8.** 15 libras = ☐ onzas **240**

9. 36 pies = ☐ yardas **12**   **10.** 4 pies = ☐ pulgadas **48**   **11.** 2 libras = ☐ onzas **32**

12. 48 cuartos = ☐ galones **12**   **13.** 12 yardas = ☐ pies **36**   **14.** 10,560 pies = ☐ millas **2**

15. 24 libras = ☐ onzas **384**   **16.** 9 galones = ☐ cuartos **36**   **17.** 4 millas = ☐ pies **21,120**

18. 192 pulgadas = ☐ pies **16**   **19.** 21,120 pies = ☐ yardas **7040**   **20.** 44 cuartos = ☐ galones **11**

21. Comprensión numérica Si duplicas la estatura de un niño de 2 años de edad calcularás la estatura aproximada que tendrá cuando sea adulto. Grant tiene 2 años y mide 36 pulgadas. ¿De qué estatura será cuando sea adulto? Da la respuesta en pies y pulgadas. **72 in.; 6 ft**

22. Patti hizo este dibujo para que le ayude a recordar el factor de conversión para cuartos y galones.

a. ¿Cuántos cuartos hay en un galón? **4**

b. ¿Cuántos cuartos hay en 4 galones? **16**

c. ¿Cuántos galones hay en 32 cuartos? **8**

1 galón

23. Historia Mucha gente recicla las latas de aluminio. En una bolsa ordinaria de papel para comestibles caben cerca de 1.5 libras de latas de aluminio aplastadas. ¿A cuántas onzas equivale? **24 oz**

24. Ordena las siguientes distancias de la más corta a la más larga: 2 millas, 15,840 pies, 63,360 pulgadas, 7,040 yardas.

63,360 pulgadas; 2 millas; 15,840 pies; 7,040 yardas

4-3 • Uso de factores de conversión **223**

4-3 Exercises and Applications

Assignment Guide

- **Basic** 1–5, 6–16 evens, 21–22, 25, 28, 34–38 evens
- **Average** 1–21 odds, 22–26, 27–39 odds
- **Enriched** 6–22 evens, 23–30, 31–39 odds

Notas sobre los ejercicios

■ **Ejercicio 21**

Ampliación Pida a los estudiantes que averigüen su estatura cuando tenían 2 años. Para ellos podría ser interesante hacer un cálculo aproximado de la estatura que tendrán cuando sean adultos.

Exercise Notes

■ **Exercise 21**

Extension Have students see if they can find out how tall they were when they were 2 years old. Students might find it interesting to get an estimate of their height as an adult.

Práctica adicional

Actividad

Materiales: Regla, vara de una yarda de largo, cinta adhesiva o cordón

La calabaza ganadora medía alrededor de 72 pulgadas.

- Extiende una tira de cinta adhesiva o cordón que mida 72 pulgadas de largo. Usa una regla para medir su longitud en pies. **6 pies**

- ¿Cómo podrías hallar la longitud en pies sin medir? **Al dividir entre 12.**

- Usa una vara de una yarda para medir su longitud en yardas. **2 yardas.**

- ¿Cómo podrías hallar la longitud en yardas sin medir? **Al dividir el número de pies entre 3 o el número de pulgadas entre 36.**

La cepa en que estaba la calabaza medía 5.5 yardas.

- Extiende una tira de cinta adhesiva o de cordón que mida 5.5 yardas. Usa la regla para medir su longitud en pies. **16.5 pies**

- ¿Cómo podrías hallar la longitud en pies sin medir? **Al multiplicar por 3.**

- Mide su longitud en pulgadas. **198 pulgadas**

- ¿Cómo podrías hallar la longitud en pulgadas sin medir? **Al multiplicar por 12.**

Reteaching

Activity

Materials: Ruler, yardstick, tape or string

A prize-winning pumpkin was 72 inches around.

- Lay out a piece of tape or string that is 72 inches long. Use a ruler to measure its length in feet. **6 feet**

- How could you find the length in feet without measuring? **Divide by 12.**

- Use a yardstick to measure its length in yards. **2 yards**

- How could you find the length in yards without measuring? **Divide number of feet by 3 or number of inches by 36.**

The vine the pumpkin grew on was 5.5 yards long.

- Lay out a piece of tape or string that is 5.5 yards long. Measure its length in feet, using the ruler. **16.5 feet**

- How could you find the length in feet without measuring? **Multiply by 3.**

- Measure its length in inches. **198 inches**

- How could you find the length in inches without measuring? **Multiply by 12.**

PRACTICE

Nombre _____

Práctica 4-3

Uso de factores de conversión

Realiza las siguientes conversiones.

1. 21 pies = __252__ pulgadas   **2.** 21 pies = __7__ yardas

3. 4 millas = __21,120__ pies   **4.** 15 libras = __240__ onzas

5. 36 cuartos = __9__ galones   **6.** 252 pulgadas = __21__ pies

7. 48 onzas = __3__ libras   **8.** 31 galones = __124__ cuartos

9. 35 yardas = __105__ pies   **10.** 8 cuartos = __2__ galones

11. 21,120 pies = __4__ millas   **12.** 80 onzas = __5__ libras

13. 63 galones = __252__ cuartos   **14.** 32 cuartos = __8__ galones

15. 39 pies = __13__ yardas   **16.** 18 millas = __95,040__ pies

17. 23 galones = __92__ cuartos   **18.** 96 onzas = __6__ libras

19. 132 pulgadas = __11__ pies   **20.** 71 yardas = __213__ pies

21. 60 cuartos = __15__ galones   **22.** 31 libras = __496__ onzas

23. 63,360 pies = __12__ millas   **24.** 47 pies = __564__ pulgadas

25. 23 galones = __92__ cuartos   **26.** 42 pies = __14__ yardas

27. 288 onzas = __18__ libras   **28.** 73 millas = __385,440__ pies

29. 84 cuartos = __21__ galones   **30.** 46 millas = __736__ pies

31. 276 pulgadas = __23__ pies   **32.** 51 yardas = __153__ pies

33. 7 galones = __28__ cuartos   **34.** 656 onzas = __41__ libras

35. 79,200 pies = __15__ millas   **36.** 53 pies = __636__ pulgadas

37. 26 libras = __416__ onzas   **38.** 127 millas = __670,560__ pies

39. Ciencias Una ballena gris puede medir hasta 540 pulgadas de longitud. ¿A cuántos pies equivale esta medida? ¿A cuántas yardas? __45 ft; 15 yd__

40. En 1986, G. Graham de Edmond, Oklahoma, cosechó una calabaza que pesaba 7.75 lb. ¿A cuántas onzas equivale este peso? __124 oz__

RETEACHING

Nombre _____

Práctica adicional 4-3

Uso de factores de conversión

El sistema usual es otro sistema de medición. No se basa en potencias de 10. Para convertir de una unidad a otra, necesitas saber el **factor de conversión**, o sea, el número de unidades a la que es igual otra unidad.

Longitud	Peso	Capacidad líquida
1 pie (ft) = 12 pulgadas (in.) 1 yarda (yd) = 3 pies (ft) 1 milla (mi) = 5280 pies (ft)	1 libra (lb) = 16 onzas (oz)	1 galón (gal) = 4 cuartos (qt)

Para convertir de una unidad mayor a otra menor, *multiplica* por el factor de conversión apropiado. Para convertir de una unidad menor a otra mayor, *divide* entre el factor de conversión apropiado.

— Ejemplo —

¿Cuántos pies hay en 3 yardas? ¿Y cuántos en 24 pulgadas?

Cuando conviertas de una unidad mayor (yarda) a otra menor (pie), multiplica el número de yardas por el número de pies en una yarda.

1 yarda = 3 pies
3 × 3 = 9

Hay 9 pies en 3 yardas.

Cuando conviertas de una unidad menor (pulgadas) a otra mayor (pies), divide el número de pulgadas entre el número de pulgadas en un pie.

1 pie = 12 pulgadas
24 ÷ 12 = 2

Hay 2 pies en 24 pulgadas.

Haz la prueba Realiza las siguientes conversiones.

a. 48 onzas = ? libras

¿Vas a convertir de una unidad menor a otra mayor o viceversa? __De una unidad menor a una mayor.__

¿Vas a multiplicar o a dividir? __Dividir.__

¿Por qué número vas a multiplicar o a dividir? __16__

48 onzas = __3__ libras

b. 16 cuartos = __4__ galones   **c.** 10 millas = __52,800__ pies

d. 5 pies = __60__ pulgadas   **e.** 100 libras = __1600__ onzas

f. 10,560 pies = __2__ millas   **g.** 16 galones = __64__ cuartos

---

Exercise Notes

■ Exercise 26

Extension Find the perimeter of the top part of the balance beam at the Olympic Games. Perimeter = 96 + 96 + 4 + 4, or 200 in.

■ Exercise 30

Extension Find other examples of equations which can be used to convert between customary units. Possible answers: $12f = i$, f = feet, i = inches; $5280m = f$, m = miles, f = feet; $4g = q$, g = gallons, q = quarts.

Exercise Answers

27. a. one

    b. 4 ft 5 in., 4 ft 9 in., 5 ft, 5ft 3 in., 6 ft.

28. Possible answers: 24 inches is 2 feet, so 30 inches is 2 feet, 6 inches or 2 and one-half feet; $30 ÷ 12 = 2.5$ feet.

29. $12 × 5280 = 63,360$ inches in 1 mile.

30. x = pounds; y = ounces; You have to multiply the number of pounds by 16 to find the number of ounces.

Alternate Assessment

Performance Have students create a visual overview of the different units of measure in the metric and customary systems by establishing benchmarks for each unit of measure. For example, students could describe a meter as about the height of the doorknob to the floor and an inch as one-half the length of a thumb.

Quick Quiz

Convert.

1. 480 ounces = _____ pounds
   30

2. 60 feet = _____ yards 20

3. 11 gallons = _____ quarts 44

4. 8 miles = _____ feet 42,240

Available on Daily Transparency 4-3

Notas sobre los ejercicios

■ Ejercicio 26

Ampliación Halla el perímetro de la parte superior de la viga de equilibrio olímpica. Perímetro = 96 + 96 + 4 + 4 ó 200 in.

■ Ejercicio 30

Ampliación Encuentra otros ejemplos de ecuaciones que puedan usarse en la conversión entre unidades usuales. Respuestas posibles: $12f = i$, f = pies, i = pulgadas; $5280m = f$, m = millas, f = pies; $4g = q$, g = galones, q = cuartos.

Respuestas de Ejercicios

27. a. uno

    b. 4 ft 5 in., 4 ft 9 in., 5 ft, 5ft 3 in., 6 ft.

28. Respuestas posibles: 24 pulgadas son 2 pies, por tanto, 30 pulgadas son 2 pies, 6 pulgadas ó 2 pies y medio; $30 ÷ 12 = 2.5$ pies.

29. $12 × 5280 = 63,360$ pulgadas en 1 milla.

30. x = libras; y = onzas; Se debe multiplicar el número de libras por 16 para encontrar el número de onzas.

Evaluación adicional

Progreso Diga a los estudiantes que a fin de visualizar las diferentes unidades de medición del sistema métrico y del sistema usual, establezcan marcas para cada unidad. Por ejemplo, los estudiantes podrían describir un metro como la altura aproximada del piso al picaporte de la puerta, y una pulgada como la mitad de la longitud del dedo pulgar.

➤ Prueba rápida

Convierte.

1. 480 onzas = _____ libras 30

2. 60 pies = _____ yardas 20

3. 11 galones = _____ cuartos 44

4. 8 millas = _____ pies 42,240

---

25. **Para la prueba** Para transformar 16 cuartos a galones debes: D

    Ⓐ multiplicar por 2.   Ⓑ multiplicar por 4.   Ⓒ dividir entre 2.   Ⓓ dividir entre 4.

26. Para ejecutar bien sus ejercicios en la viga de equilibrio, una gimnasta debe tener siempre en cuenta la longitud de la viga. La longitud de esta viga en los Juegos Olímpicos es de 96 pulgadas y tiene 4 pulgadas de ancho. ¿Cuántos pies de largo tiene la viga de equilibrio? 8

Resolución de problemas y razonamiento

27. **Razonamiento crítico**

    a. Calcula aproximadamente cuántas alturas de la tabla están entre 5 y 6 pies.

    b. Convierte a pies las alturas de la siguiente tabla. ¿Qué tan cerca estuvo tu aproximación?

Nombre	Altura (in.)
Allison	53
Clive	57
Alberto	60
Maurice	63
Tanya	72

28. **Comunicación** Explica cómo convertir 30 pulgadas a pies.

29. **Comunicación** Hay 12 pulgadas en un pie y 5280 pies en una milla. ¿Cuál es el factor de conversión entre pulgadas y millas? Explica tu respuesta.

30. **Razonamiento crítico** Hay 16 onzas en una libra. Puedes usar la ecuación $16x = y$ para convertir onzas a libras o libras a onzas. ¿Cuál variable será la de las onzas y cuál la de las libras? Explica tu razonamiento.

Repaso mixto

Usa el diagrama en los ejercicios 31–33. *[Lección 1-3]*

31. ¿Cuál fue la anotación más alta? ¿Quién la recibió? 60 puntos; A y D

32. ¿Cuál era la velocidad de la persona B? 25 mi/h

33. Si otra persona, G, tuviera una anotación de 45, ¿entre cuáles dos anotaciones estaría esta persona? B y C

Experimento

(gráfica: Velocidad (mi/h) vs Anotaciones (puntos); puntos A, B, C, D, E)

En los ejercicios 33–38, ordena de menor a mayor. *[Lección 3-3]*

34. 0.77, 0.7777, 1.77, 0.777 → 0.77, 0.777, 0.7777, 1.77

35. 1.34, 1.06, 1.36, 1.66 → 1.06, 1.34, 1.36, 1.66

36. 55.64, 0.564, 5.64, 5.06 → 0.564, 5.06, 5.64, 55.64

37. 0.678, 0.0349, 0.982, 0.56 → 0.0349, 0.56, 0.678, 0.982

38. 3.005, 3.011, 3.002, 3.01 → 3.002, 3.005, 3.01, 3.011

39. 67.1, 68.3, 66.3, 67.4, 67.5 → 66.3, 67.1, 67.4, 67.5, 68.3

➤ PROBLEM SOLVING

Nombre _____

Resolución guiada de problemas 4-3

RGP **PROBLEMA 22, PÁGINA 223 DEL ESTUDIANTE**

Patti hizo este dibujo para que le ayude a recordar el factor de conversión para cuartos y galones.

    a. ¿Cuántos cuartos hay en un galón?

    b. ¿Cuántos cuartos hay en 4 galones?

    c. ¿Cuántos galones hay en 32 cuartos?

(dibujo: 1 galón, 1 cuarto ×4)

— Comprende —

1. ¿Cuántas conversiones se te piden? 3 conversiones.

2. ¿Qué información se da en el dibujo? El número de cuartos en un galón.

— Plan —

3. ¿Multiplicarías o dividirías para convertir cuartos a galones? Se dividiría.

4. ¿Multiplicarías o dividirías para convertir galones a cuartos? Se multiplicaría.

5. ¿Por cuál número multiplicarías o dividirías? 4

— Resuelve —

6. Usa las respuestas de los puntos 3, 4 y 5.

    a. ¿Cuántos cuartos hay en un galón? 4 cuartos.

    b. ¿Cuántos cuartos hay en 4 galones? 16 cuartos.

    c. ¿Cuántos galones hay en 32 cuartos? 8 galones.

— Revisa —

7. ¿Cómo podrías haber hallado la respuesta con un método diferente? Respuesta posible: Trazar un dibujo y sumar en lugar de multiplicar.

RESUELVE OTRO PROBLEMA

Curtis hizo este dibujo para tener en mente el factor de conversión de onzas y libras.

    a. ¿Cuántas onzas hay en una libra? 16 onzas.

    b. ¿Cuántas onzas hay en 8 libras? 128 onzas.

    c. ¿Cuántas libras hay en 176 onzas? 11 libras.

(dibujo: 1 onza ×16; 1 libra)

➤ ENRICHMENT

Nombre _____

Actividad de enriquecimiento 4-3

Razonamiento crítico

Para trabajar con unidades de medida diferentes, se requiere comprender los factores de conversión. Usa la tabla de la derecha para ayudarte a responder estas preguntas.

Factores de conversión
1 pie = 12 pulgadas
3 pies = 1 yarda
5280 pies = 1 milla

1. Hay 3 pies en 1 yarda. Podrías usar la ecuación $y = \frac{1}{3}x$ para convertir pies a yardas. ¿Cuál variable representa los pies y cuál las yardas? Explica tu respuesta.

    f representa ft y y representa yd, porque 3 ft = 1 yd.

2. Escribe una ecuación para convertir pies a millas y explica qué representan las variables en la ecuación.

    $m = \frac{f}{5280}$; f representa los pies y m las millas.

3. ¿Puedes usar la ecuación que escribiste en la pregunta 2 para convertir millas a pies? Explica por qué.

    Sí, se puede hallar el valor de f y escribir la ecuación como $f = 5280m$.

4. Escribe una ecuación para convertir pulgadas a yardas. Explica lo que representan las variables en tu ecuación y cómo decidiste qué números usar.

    $y = \frac{i}{36}$; i representa in. y y representa yd; Como 36 in. = 3 ft y 3 ft = 1 yd, 12 × 3, o sea, 36 in. = 1 yd.

5. Escribe de nuevo la ecuación para convertir yardas a pulgadas. $i = 36y$

6. Escribe una ecuación para convertir pulgadas a millas. Explica lo que representan las variables en tu ecuación y cómo decidiste qué números usar.

    $m = \frac{i}{63,360}$; i representa pulgadas, m representa millas; Como 12 in. = 1 ft y 5280 ft = 1 mi, 12 × 5280, es decir, 63,360 in. = 1 mi.

En esta sección aprendiste a calcular perímetros y convertir de un tipo de unidad a otro. Ahora usarás este conocimiento para decidir acerca de la ruta más eficiente para un camión recolector de basura reciclable.

¿Mi basura es la... de otra persona?

Materiales: Regla, lápices o plumas de colores

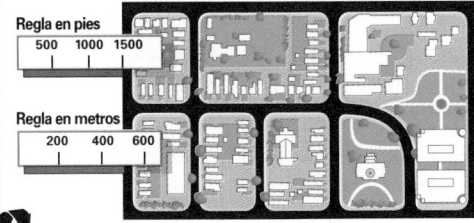

Regla en pies
| 500 | 1000 | 1500 |

Regla en metros
| 200 | 400 | 600 |

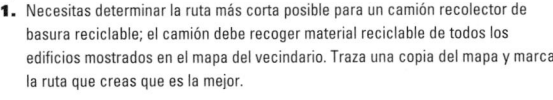

1. Necesitas determinar la ruta más corta posible para un camión recolector de basura reciclable; el camión debe recoger material reciclable de todos los edificios mostrados en el mapa del vecindario. Traza una copia del mapa y marca la ruta que creas que es la mejor.

2. En otra hoja de papel, marca la "regla en pies" y la "regla en metros" en la parte superior. Usa estas reglas para medir la longitud de tu ruta en pies y en metros.

3. Convierte tus medidas de pies a millas. Si un camión puede viajar 150 millas con un tanque de gasolina, ¿en cuántos vecindarios puede recoger basura reciclable? Explica cómo lo calculaste.

4. Convierte tu medición de metros a kilómetros. ¿Cuántos kilómetros necesitará viajar el camión para recoger la basura reciclable de 20 vecindarios? Explica cómo calculaste tu respuesta.

225

¿Mi basura es la... de otra persona?

Objetivo

En *¿Mi basura es la... de otra persona?*, de la página 209, se examinó la importancia de reciclar la basura. Los estudiantes analizan ahora un mapa para determinar la ruta más corta de un camión recolector de desechos reciclables.

Materiales

Regla, lápices de colores o bolígrafos

Acerca de esta página

- Repase el mapa con los estudiantes para comprobar que lo pueden leer y comprender.

- Explíqueles que la "regla de pies" y la "regla de metros" están hechas con la misma escala del mapa, para que sea más fácil medir.

- Repase el número de pies en que hay una milla y cuántos metros tiene un kilómetro.

Evaluación continua

Antes de que los estudiantes contesten las preguntas 3 y 4, revise las mediciones de una posible ruta para asegurarse de que sean razonables.

Ampliación

Si el camión recolector de la pregunta 3 recorre 7.5 millas por cada galón de gasolina, ¿cuántos galones necesita para llenar el tanque? 20 galones Si la gasolina cuesta $1.39 por galón, ¿cuánto le cuesta llenar el tanque? $27.80

Respuestas de Asociación

1. Las respuestas pueden variar.

2. Respuestas posibles: 34,000 ft; 10,400 m.

3. Respuestas posibles: 6.4393 millas; Alrededor de 23 vecindarios; Al dividir 150 entre 6.44.

4. Respuestas posibles: 10.4 km; 208 km; Al multiplicar 10.4 por 20.

One Person's Trash is Another Person's ...?

The Point

In *One Person's Trash is Another Person's ...?* on page 209, the importance of recycling and reusing garbage was discussed. Now, students analyze a map to determine the most efficient route for a recyclables truck.

Materials

Ruler, colored pencils or pens

Resources

Lesson Enhancement Transparency 16

About the Page

- Review the map with students to check that they can read and understand it.

- Explain that the "foot ruler" and "meter ruler" they are asked to use are drawn to the scale of the map so they can measure more easily.

- Review the number of feet in a mile and the number of meters in a kilometer.

Ongoing Assessment

Check students' measurements of a possible route to assure that they are reasonable before students calculate their answers to Questions 3 and 4.

Extension

If the recyclables truck in Question 3 travels 7.5 miles on each gallon of gas, how many gallons of gas does it take to fill the tank? 20 gallons If gasoline costs $1.39 per gallon, how much does it cost to fill the tank? $27.80

Answers for Connect

1. Answers may vary.

2. Possible answers: 34,000 ft; 10,400 m.

3. Possible answers: 6.4393 miles; About 23 neighborhoods; Divide 150 by 6.44.

4. Possible answers: 10.4 km; 208 km; Multiply 10.4 by 20.

Review Correlation

Item(s)	Lesson(s)
1–10	4-1
11–13	4-2
14–16	4-3
17	4-2

Test Prep

Test-Taking Tip

Tell students to visualize relationships whenever possible. Here, students can visualize a kilometer as being longer than a meter, so it should take *fewer* of these units to make up a given length. This eliminates answer D, even though the decimal is moved the correct number of places.

Correlación de repaso

Punto(s)	Lección(es)
1–10	4-1
11–13	4-2
14–16	4-3
17	4-2

Para la prueba

Sugerencia para la prueba

Diga a los estudiantes que cuando sea posible hagan una representación mental de las relaciones. Aquí pueden visualizar que un kilómetro es mucho más grande que un metro, por tanto, necesitan *menos* de estas unidades para tener la longitud dada. Esto descarta la respuesta D, aunque el punto decimal se haya movido el número correcto de posiciones.

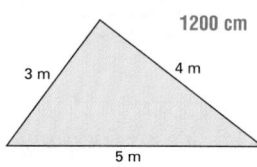

Sección 4A • Repaso

REPASO 4A

En los ejercicios 1–5, halla cada perímetro y da la respuesta en centímetros.

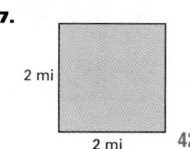

1. 35.6 cm · 5.2 cm · 12.6 cm

2. 1200 cm · 3 m · 4 m · 5 m

3. Un cuadrado cuya longitud de lado es de 7.8 metros. **3120 cm**

4. Una figura de 6 lados con todos los lados de 6.8 mm de longitud. **4.08 cm**

5. Una figura de 8 lados con la mitad de los lados de 32 m y la otra mitad de 48 m. **32,000 cm**

En los ejercicios 6–10, halla cada perímetro y da la respuesta en pies.

6. 3 ft · 2 ft · 5 ft · 11 ft **36 ft**

7. 2 mi · 2 mi **42,240 ft**

8. Un triángulo con lados de 6, 8 y 8 pies. **22 ft**

9. Un cuadrado con lados de 5 yardas. **60 ft**

10. Un rectángulo donde tres de los lados son de 12, 18 y 12 pulgadas. **5 ft**

Realiza las siguientes conversiones.

11. 8 L = ☐ mL **8000**

12. 1963.7 g = ☐ kg **1.9637**

13. 38 km = ☐ mm **38,000,000**

14. 128 onzas = ☐ libras **8**

15. 116 cuartos = ☐ galones **29**

16. 180 pies = ☐ pulgadas **2160**

Para la prueba

Puedes convertir de metros a kilómetros si desplazas el punto decimal 3 posiciones.

17. Convierte 394.2 metros a kilómetros. **A**

  ⒜ 0.3942 km   ⒝ 3.942 km   ⒞ 39.42 km   ⒟ 394200 km

Resources

Practice Masters
    Section 4A Review
Assessment Sourcebook
    Quiz 4A
    TestWorks
    Test and Practice Software

PRACTICE

Nombre _____   **Práctica**

Sección 4A • Repaso

Para los ejercicios 1–5 halla el perímetro y expresa la respuesta en metros.

1. **54 m** · 15 m · 8 m · 12 m · 8 m

2. **0.6 m** · 21 m · 9 cm

3. **21 m** · 4 m · 8 m · 4 m · 5 m

4. Un cuadrado cuyos lados miden 18 km **72,000 m**

5. Una figura de 7 lados con todos los lados de 33 mm **0.231 m**

Para los ejercicios 6–10 encuentra el perímetro y da la respuesta en pies.

6. **46 ft** · 12 ft · 3 ft · 7 ft · 16 ft

7. **7.25 ft** · 42 in. · 25 in. · 20 in.

8. **48 ft** · 4 yd · 3 yd · 3 yd · 6 yd

9. Un cuadrado cuyo lado mide 15 yardas _____ **180 ft**

10. Un rectángulo con lados de 2 mi y 5 mi _____ **73,920 ft**

Usa el factor de conversión para hallar la medida que falta.

11. 5 kilogramos en 5000 gramos
   8.3 kilogramos en 8300 gramos

12. 5280 pies en 1 milla
   19,008 pies en **3.6** millas

Realiza las siguientes conversiones.

13. 18 qt = **4.5** gal   14. 700 mL = **0.7** L   15. 87 ft = **29** yd

16. Un letrero en un parque de diversiones dice: "Debes medir cuando menos 56 in. para subirte al Super Swoosh". Roger redondea esta medida a 60 in. ó 5 ft, y concluye que no puede subirse porque él mide sólo 4 ft y 10 in. de altura. ¿Estás de acuerdo con su razonamiento? Explica tu respuesta. [Lección 2-2]
   No. Él mide 58 in., así que se puede subir.

17. Calcula la longitud aproximada de la lagartija al centímetro y al milímetro más cercanos. [Lección 3-2]
   5 cm; 5.3 cm

Centímetros

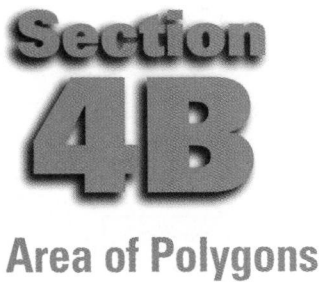

Section 4B

Area of Polygons

Visit **www.teacher.mathsurf.com** for links to lesson plans from teachers and other professionals, NCTM information, and other sites.

LESSON PLANNING GUIDE

▶ **Student Edition**

▶ **Ancillaries***

LESSON		MATERIALS	VOCABULARY	DAILY	OTHER
	Section 4B Opener				
4-4	Area of Squares and Rectangles	transparent 10 x 10 grids	area, square inch, square centimeter, base, height, right angle	4-4	Teaching Tool Trans. 11 Lesson Enhancement Trans. 17 Technology Master 17 *WW Math*–Middle School
4-5	Area of Parallelograms		parallelogram	4-5	Teaching Tool Trans. 2, 3
4-6	Area of Triangles	dot paper		4-6	Teaching Tool Trans. 10 Technology Master 18 Ch. 4 Project Master *Interactive CD-ROM Lesson*
	Technology	geometry software			*Interactive CD-ROM Geometry Tool*
	Connect	ruler, colored pencils or pens			Interdisc. Team Teaching 4B
	Review				Practice 4B; Quiz 4B; *TestWorks*

* Daily Ancillaries include Practice, Reteaching, Problem Solving, Enrichment, and Daily Transparency. Teaching Tool Transparencies are in *Teacher's Toolkits*. Lesson Enhancement Transparencies are in *Overhead Transparency Package*.

SKILLS TRACE

LESSON	SKILL	FIRST INTRODUCED			DEVELOP	PRACTICE/ APPLY	REVIEW
		GR. 4	GR. 5	GR. 6			
4-4	Finding areas of squares and rectangles.	✗			pp. 228–230	pp. 231–232	pp. 263, 332, 517
4-5	Finding areas of parallelograms.		✗		pp. 233–234	pp. 235–236	pp. 263, 338, 522
4-6	Finding areas of triangles.		✗		pp. 237–239	pp. 240–241	pp. 263, 345, 526

CONNECTED MATHEMATICS

The unit *Covering and Surrounding (2-D Measurement)*, from the **Connected Mathematics** series, can be used with Section 4B.

Math and Social Studies

(Worksheet pages 21–22: Teacher pages T21–T22)

In this lesson, students use modern and ancient units to calculate area.

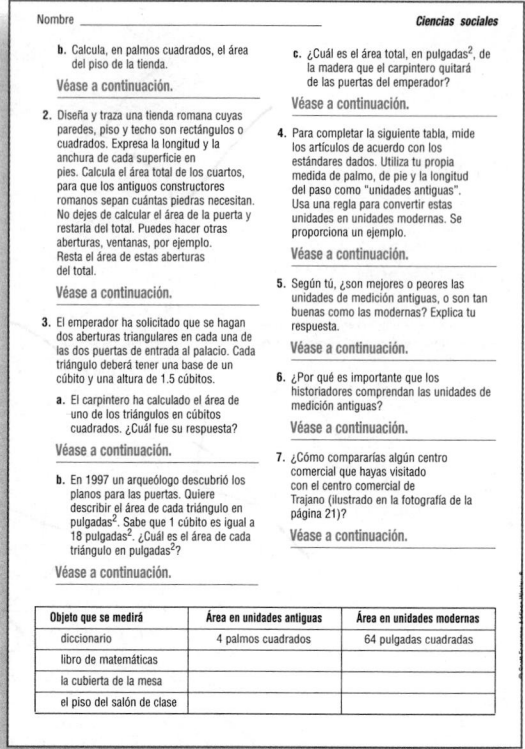

Respuestas adicionales

1. a. 16 pies romanos. Los cuatro lados de un cuadrado son iguales. Se mide un lado y se eleva al cuadrado para determinar el área.
   $16 \times 16 = 256$ pies cuadrados.

   b. 1 pie romano = 4 palmos; por tanto, 16 pies romanos = 64 palmos (4×16).
   $64 \times 64 = 4096$ palmos cuadrados

2. Las respuestas de los estudiantes pueden variar. Verifique que tengan un piso, un techo y cuatro paredes. También verifique que tengan una puerta y hayan restado al área total el área de la puerta. Por último, si los estudiantes dejaron otras aberturas, el área de éstas también deberá calcularse y restarse del área total.

3. a. $1 \times 1.5 \div 2 = 0.75$ cúbitos cuadrados

   b. $18 \times 27 \div 2 = 243$ pulgadas cuadradas

   c. $243 \times 4 = 972$ pulgadas cuadradas

4. Las respuestas de los estudiantes pueden variar, dependerá del tamaño de los objetos que midan y del tamaño de su palma, pies y pasos. Revise que los estudiantes tengan resultados razonables y que sus cálculos incluyan la multiplicación de longitud $\times$ anchura.

5. Los estudiantes pueden sugerir que los estándares son en esencia lo mismo. Pueden decir, sin embargo, que al basarse las medidas en el cuerpo de una persona en particular, podrían surgir problemas. Por ejemplo, los estándares podrían cambiar a la mitad de un proyecto si un emperador remplaza a otro.

6. Los estudiantes pueden sugerir que los historiadores que analizan documentos antiguos, como los planos de un edificio, sólo pueden determinar las dimensiones de objetos antiguos si conocen la relación entre las unidades antiguas y modernas.

7. Las respuestas de los estudiantes variarán. Ellos pueden señalar las diferencias en áreas totales, los materiales de construcción, uso del color, iluminación, formas de las tiendas y los tamaños de tiendas individuales.

BIBLIOGRAPHY

FOR TEACHERS

Bonnet, Robert L. and Keen, G. Daniel. *Space & Astronomy: Forty-Nine Science Fair Projects.* Blue Ridge Summit, PA: Tab Books, 1992.

Couper, Heather. *The Space Atlas.* Fort Worth, TX: Harcourt Brace Jovanovich, 1992.

Parker, Steve. *The Random House Book of How Things Work.* New York, NY: Random House, 1991.

FOR STUDENTS

Hutchinson, Brian. "Trouble in Big Mall Country." *Canadian Business,* Vol. 67 (September 1994), pp. 68–71.

New York Times, August 31, 1992, p. B1. "The Shopping Mall That Ate Minnesota."

El monstruo que se comió a
MINNESOTA

¡Es más grande que siete campos de fútbol!

¡Cada día se traga a más de 100,000 personas!

¡Se extiende sobre 4.2 millones de pies cuadrados del pueblo de Bloomington, Minnesota!

¿Ha regresado King Kong? ¿Estará Godzilla haciendo de las suyas? No exactamente. Estas palabras no aluden a un monstruo sino a un centro comercial. En particular, al Centro Comercial de América, el más grande de Estados Unidos. Es cerca de 34 veces más grande que el promedio de los centros comerciales en Estados Unidos.

Construir un centro comercial es una tarea compleja. Los diseñadores tienen que decidir con mucha precisión qué tamaño tendrá cada uno de los muchos espacios, tiendas y pasillos. La geometría, una de las ramas de las matemáticas, ayuda a los diseñadores a determinar el área de los objetos. Con las matemáticas es posible describir de qué tamaño será algo antes de que se construya.

1 ¿Qué información debe conocer un diseñador antes de proyectar un centro comercial? ¿Qué elementos matemáticos usará?

2 ¿Por qué es importante saber la medida de cada espacio del edificio antes de que lo empiecen a construir?

227

Where are we now?

In Section 4A, students learned how to
- use addition of whole numbers and decimals to find perimeter.
- use metric measure to find length.
- convert units within the metric system.
- use the customary system of measurement to find length, weight, and capacity.

Where are we going?

In Section 4B, students will
- find the area of squares and rectangles.
- find the area of parallelograms.
- find the area of triangles.

Tema: Centros comerciales

World Wide Web

Si su clase tiene acceso al World Wide Web, tal vez desee utilizar la información que se encuentra en las direcciones Web indicadas. Los enlaces interdisciplinarios relacionan los temas examinados en esta sección.

Acerca de esta página

Esta página presenta el tema de la sección —centros comerciales— y describe las matemáticas que se necesitan para la planeación y el diseño de un centro comercial.

Pregunte…
- Haz un cálculo aproximado del número de tiendas que hay en un centro comercial.
- ¿Qué tipo de planeación se necesita antes de construir un centro comercial?
- ¿Qué sucedería si un centro comercial no se planeara con sumo cuidado?

Ampliación

Las siguientes actividades no requieren de acceso al Web.

Consumo
Investiga el centro comercial de tu localidad. Describe las tiendas y servicios disponibles y haz un cálculo aproximado del número de espacios para estacionamiento que hay en dicho centro comercial.

Industria
Prepara un informe en el que describas los estudios y preparación necesarios, las oportunidades de empleo y el salario aproximado de algunos profesionistas cuyas habilidades son necesarias para la planeación y el diseño de un centro comercial.

Respuestas de Preguntas
1. Respuestas posibles: El tamaño que debe tener y las personas que los usarán; Cálculo del área y costo de construcción.
2. Respuesta posible: Para asegurarse de que todo cabrá en el espacio disponible.

Asociación

En la página 243, los estudiantes usarán la geometría para diseñar un centro comercial.

Theme: Malls

World Wide Web

If your class has access to the World Wide Web, you might want to use the information found at the Web site address given. The interdisciplinary links relate to topics discussed in this section.

About the Page

This page introduces the theme of the section, malls, and describes the mathematics involved in planning and designing a shopping mall.

Ask …
- Estimate the number of stores in a local shopping mall.
- What type of planning is necessary before a mall is built?
- What might happen if a mall is not planned carefully?

Extensions

The following activities do not require access to the World Wide Web.

Consumer
Research the local shopping mall. Describe the stores and services available and estimate the number of parking spaces provided.

Industry
Prepare a report describing the education and training needed, the job opportunities, and the salary range of some of the professionals whose skills are necessary to plan and design a mall.

Answers for Questions
1. Possible answers: How big it should be and who will use it; calculating areas and building costs.
2. Possible answer: To make sure everything will fit in the space you have.

Connect

On page 243, students will use geometry to design a shopping mall.

Lesson Organizer

Objective

■ Find the area of squares and rectangles.

Vocabulary

■ Area, square inch, square centimeter, base, height, right angle

Materials

■ Explore: Transparent 10 x 10 grids

NCTM Standards

■ 1–5, 12, 13

Review

Find the perimeter of each shape.

1. A square with sides of 5 cm.
   20 cm

2. A rectangle 3 inches long and 5 inches wide. 16 in.

3. A triangle with sides of 10 m, 10 m and 5 m. 25 m

Available on Daily Transparency 4-4

► Repaso

Determina el perímetro de cada figura.

1. Un cuadrado con lados de 5 cm.
   20 cm

2. Un rectángulo de 3 pulgadas de largo y 5 de ancho. 16 in.

3. Un triángulo cuyos lados miden 10 m, 10 m y 5 m. 25 m

Introduce

Explore

You may wish to use Teaching Tool Transparency 11: 10 × 10 Grids and Lesson Enhancement Transparency 17 with **Explore**.

The Point

Students estimate the areas of six different shapes and then use grids to find the number of squares needed to cover each shape.

Ongoing Assessment

Watch for students who try to calculate, instead of estimate, areas.

For Groups That Finish Early

List the rectangles you see in your classroom. Use a unit such as a ceiling or floor tile to estimate the area of the figures.

1 Introducción

Investigar

Objetivo

Los estudiantes hacen cálculos aproximados de las área de seis diferentes figuras y después utilizan cuadrículas para encontrar el número de cuadrados necesarios con que se cubriría cada figura.

Evaluación continua

Esté pendiente de los estudiantes que en vez de hacer cálculos aproximados de las áreas tratan de hacer cálculos exactos.

Para los grupos que terminen antes

Haz una lista de los rectángulos que veas en el salón. Usa una unidad como un mosaico del techo o del piso para hacer un cálculo aproximado del área de las figuras.

Área de cuadrados y rectángulos

Vas a aprender...

■ a calcular el área de cuadrados y rectángulos.

...cómo se usa

Los empleados de las tiendas de arte deben trabajar con áreas cuando enmarcan o ponen un vidrio protector a una compra de un cliente.

Vocabulario

área

pulgada cuadrada

centímetro cuadrado

base

altura

ángulo recto

► **Enlace con la lección** Una vez que has calculado el perímetro de cuadrados y rectángulos, aprenderás a calcular la cantidad de superficie que cubren. ◄

Investigar Área de cuadrados y rectángulos

Hacer la vida de cuadritos

Materiales: Cuadrículas de centenas, transparentes

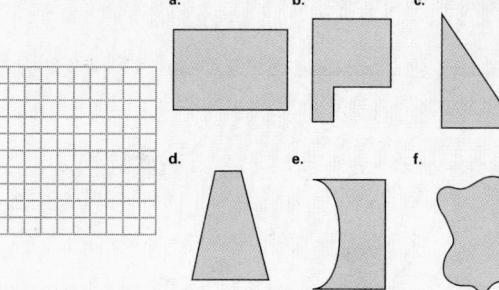

1. La cuadrícula contiene 100 cuadros pequeños. Calcula el número aproximado de cuadros con que cubrirías cada una de las figuras grises.

2. Cuando hayas hecho todos tus cálculos, saca una copia transparente de la cuadrícula. Colócala sobre cada figura y registra el número real de cuadros necesarios para cubrir la figura. Para algunas figuras, de cualquier manera necesitarás hacer un cálculo aproximado.

3. ¿Para cuál figura tu cálculo aproximado sin la cuadrícula fue más cercano a tu medida con la cuadrícula? ¿Por qué fue más acertado tu cálculo?

4. ¿Para cuál figura tu cálculo sin la cuadrícula fue más alejado de tu medida con la cuadrícula? ¿Por qué no fue acertado tu cálculo?

5. ¿Por qué algunas de tus mediciones con la cuadrícula fueron todavía cálculos aproximados?

228 Capítulo 4 • Medición

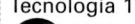

MEETING INDIVIDUAL NEEDS

Resources

4-4 Practice
4-4 Reteaching
4-4 Problem Solving
4-4 Enrichment
4-4 Daily Transparency
    Problem of the Day
    Review
    Quick Quiz
Teaching Tool Transparency 11
Lesson Enhancement Transparency 17
Technology Master 17
Wide World of Mathematics
Middle School: Huge Mall Opens

Recursos

4-4 Práctica
4-4 Práctica adicional
4-4 Resolución de problemas
4-4 Actividad de enriquecimiento
Tecnología 17

Wide World of Mathematics
Middle School: Huge Mall Opens

Learning Modalities

Visual Have students draw pictures of each rectangle in Exercises 5–12 on page 231 on graph paper before trying to solve each problem.

Logical Have students use square tiles to model rectangles in the exercises.

Individual Ask students to decide if manipulatives or grids help them to solve problems involving areas of rectangles.

Modos de aprendizaje

Visual Anime a los estudiantes a dibujar en papel milimétrico los rectángulos de los ejercicios 5–12 de la página 231 antes de resolver los problemas.

Lógico Los estudiantes deben usar mosaicos cuadrados para representar los rectángulos de los ejercicios.

Individual Pregunte a los estudiantes si prefieren usar objetos manipulables o cuadrículas para resolver los problemas relacionados con el área de los rectángulos.

Challenge

Have students find as many different rectangles as they can with a given perimeter, such as 20 cm. Ask them to graph the length versus the area and use the graph to find the rectangle with the smallest area.

Desafío

Invite a los estudiantes a hallar todos los rectángulos que puedan en un perímetro dado (20 cm, por ejemplo). Pídales que comparen la longitud y el área en una gráfica para hallar el rectángulo con menor área.

El **área** de una figura es la cantidad de superficie que cubre. En general, el área se expresa en un número de unidades cuadradas del mismo tamaño que quepan en la figura.

Ejemplo 1

¿Cuál de los rectángulos tiene un área más grande?

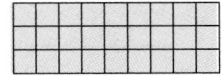 

El primer rectángulo contiene 27 cuadros. Tiene un área de 27 unidades cuadradas. El segundo rectángulo contiene 28 cuadros. Tiene un área de 28 unidades cuadradas.

El segundo rectángulo tiene un área más grande.

Si una figura está indicada en pulgadas, el área debe expresarse en **pulgadas cuadradas** (in²). Una pulgada cuadrada es un cuadrado cuyos lados miden 1 pulgada. Un **centímetro cuadrado** (cm²) es un cuadrado cuyos lados miden 1 centímetro. Una figura sin indicaciones se mide en unidades cuadradas (unidades²).

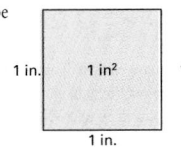 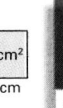 

¿LO SABÍAS?

Cuando un número se eleva a la segunda potencia, como 5^2, la expresión se puede leer como "cinco elevado al cuadrado". Es así porque la respuesta, 25, es el área de un cuadro con lados de 5 unidades.

Ejemplo 2

Cada cuadro que se muestra en la pared es de un metro cuadrado. ¿Cuánto papel tapiz necesitarías para cubrirla?

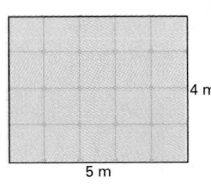

Hay 20 cuadros en el rectángulo. Necesitarías 20 m² de papel tapiz.

Haz la prueba

Halla el área de cada figura; usa la medida apropiada.

a.
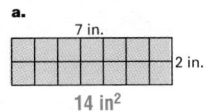
14 in²

b.
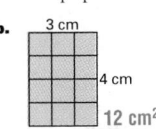
12 cm²

c.
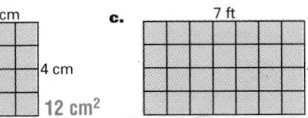
28 ft²

4-4 • Área de cuadrados y rectángulos **229**

MATH EVERY DAY

► Problema del día

Ordena los números del 1 al 7, de forma que cada hilera sume 12. Usa cada número una sola vez.

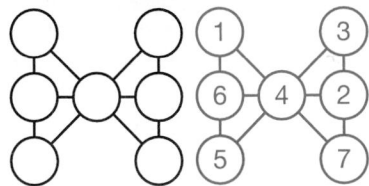

Problem of the Day

Arrange the numbers 1-7 so that each row adds to 12. Use each number one time only.

Available on Daily Transparency 4-4

An Extension is provided in the transparency package.

Dato del día

En 1945 había menos de una docena de centros comerciales en EE UU. En 1990 ya existían alrededor de 35,000 centros comerciales.

Fact of the Day

In 1945 there were fewer than a dozen shopping centers in the United States. By 1990 about 35,000 shopping centers had been built.

Cálculo mental

Realiza estos cálculos en forma mental.

1. $175 \div 25$ 7
2. $4 \times 56 \times 25$ 5600
3. $78 + 35 + 22$ 135
4. $704 - 199$ 505

Mental Math

Do these mentally.

1. $175 \div 25$ 7
2. $4 \times 56 \times 25$ 5600
3. $78 + 35 + 22$ 135
4. $704 - 199$ 505

Respuestas de Investigar

1. Respuesta posible: a. 35; b. 22; c. 18; d. 21; e. 20; f. 20.

2. a. 35; b. 23; c. 17.5; d. 20; e. 21.5; f. 24.

3. Respuesta posible: a; Es un rectángulo.

4. Respuesta posible: f; No hay lados rectos.

5. Respuesta posible: Es difícil determinar con cuántos cuadros se cubriría una figura de lados curvos.

2 Enseñanza

Aprender

Pida a los estudiantes que escriban lo que saben acerca del área. Anímelos a compartir lo que escribieron y use estos conceptos para presentar esta lección.

Ejemplos adicionales

1. ¿Qué par de rectángulos tienen la misma área?

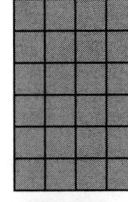
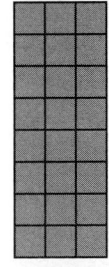
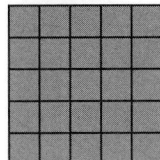

El primer rectángulo tiene 24 cuadrados, el segundo 24 y el tercero 25. El primero y el segundo tienen la misma área.

2. Una ventana está hecha de paneles cuadrados de 1 pie por lado. La ventana mide 10 ft de ancho por 6 ft de alto. Halla el área de la ventana.

Hay 6 hileras de paneles y cada hilera tiene 10 paneles. La ventana tiene $6 \times 10 = 60$ paneles, por tanto, el área es de 60 pies cuadrados.

Answers for Explore

1. Possible answer: a. 35; b. 22; c. 18; d. 21; e. 20; f. 20.

2. a. 35; b. 23; c. 17.5; d. 20; e. 21.5; f. 24.

3. Possible answer: a; It is a rectangle.

4. Possible answer: f; There are no straight sides.

5. Possible answer: It is difficult to determine how many squares it takes to cover a figure with curved sides.

Teach

Learn

Ask students to write about what they already know about area. Have a few volunteers share what they wrote, using this as a springboard for this lesson.

Alternate Examples

1. Which two rectangles have the same area?

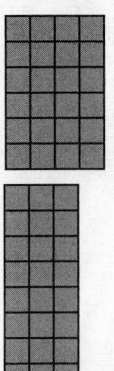
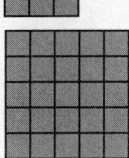

The first rectangle contains 24 squares. The second contains 24 squares. The third contains 25 squares. The first and the second have the same areas.

2. A window is made up of 1-foot square panes. The window is 10 ft wide by 6 ft high. Find the area of the window.

There are 6 rows of panes with 10 panes in each row. The window has $6 \times 10 = 60$ panes, so the area is 60 square feet.

Alternate Examples

3. Beth is buying a new rug for her bedroom. Her room is in the shape of a rectangle that is 11 feet long and 13 feet wide. How big will the rug need to be?

   $A = bh$

   $= 11 \times 13 = 143 \text{ ft}^2$

4. A square measures 8.5 feet on each side. Find the area of the square.

   $A = bh$

   $= 8.5 \times 8.5 = 72.25 \text{ ft}^2$

Ejemplos adicionales

3. Beth compró una alfombra nueva para su recámara. Su cuarto tiene forma rectangular y sus medidas son 11 pies de largo y 13 pies de ancho. ¿Qué tan grande debe ser la alfombra?

   $A = bh$

   $= 11 \times 13 = 143 \text{ ft}^2$

4. Un cuadrado mide 8.5 pies por lado. Encuentra su área.

   $A = bh$

   $= 8.5 \times 8.5 = 72.25 \text{ ft}^2$

Practice and Assess

Check

For Question 2, ask students to think about shapes they have seen in tiled floors.

Answers for Check Your Understanding

1. No; You still multiply the same two measures.

2. Possible answer: Squares are easy to draw, count, and measure.

3 Práctica y evaluación

Comprobar

En la pregunta 2, pida a los estudiantes que piensen en las figuras que hayan visto en los pisos de losetas.

Respuestas de Comprobar tu comprensión

1. No; Se siguen multiplicando las mismas dos medidas.

2. Respuesta posible: Los cuadrados son fáciles de dibujar, contar y medir.

Puedes determinar el área de un cuadrado o un rectángulo, sin contar los cuadros que contienen, por medio de una fórmula.

Base y altura se conocen también como longitud y anchura.

La **base** de un cuadrado o un rectángulo es la distancia horizontal inferior. La **altura** es la distancia a lo largo de un lado. Un **ángulo recto** es un ángulo como el de una esquina de una página. La altura de una figura siempre forma un ángulo recto con la base.

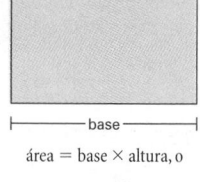

área = base × altura, o

$A = bh$

Ejemplos

3 Karen está diseñando el esquema del área de clientes de su tienda de ropa. El área es un cuadrado, donde cada lado tiene 21 pies de largo. ¿De qué tamaño será el área de clientes?

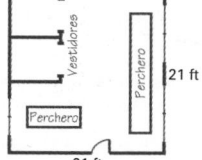

La base y la altura del área de clientes son, ambas, de 21 pies.

$A = bh$

$= 21 \times 21 = 441 \text{ ft}^2$

Resolución de problemas
TEN EN CUENTA

Cuando multipliques con decimales, comprueba tu respuesta para asegurarte de que el número de dígitos después del punto decimal en el producto sea el mismo que el número total de dígitos después de los puntos decimales en los factores.

4 Jaymo quiere comprar una cubierta para su alberca, en forma de rectángulo, con una base de 9 m y una altura de 5.5 m. ¿De qué tamaño tendrá que ser la cubierta?

$A = bh$

$= 9 \times 5.5 = 49.5 \text{ m}^2$

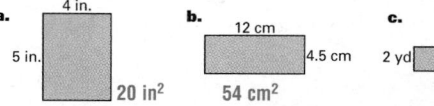

Haz la prueba

Halla cada área.

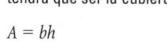
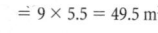

a. 4 in. / 5 in. → 20 in² b. 12 cm / 4.5 cm → 54 cm² c. 14 yd / 2 yd → 28 yd²

Comprobar Tu comprensión

YOU ARE HERE

1. Para cualquier rectángulo, si intercambias los números de la base y la altura, ¿obtienes un área diferente? Explica tu respuesta.

2. ¿Por qué a menudo el área se mide con cuadrados y no con otra figura?

230 Capítulo 4 • Medición

MEETING MIDDLE SCHOOL CLASSROOM NEEDS

Tips from Middle School Teachers

My students enjoy exploring what happens to the area of a rectangle when the base is doubled and the height remains the same, when the height is doubled and the base remains the same, and when both the base and the height are doubled. I have each student draw a rectangle of any size on graph paper and then draw three rectangles with the dimension changes described. Students compare their results and make generalizations about what happens to the area in each case.

Sugerencias de los maestros

A los estudiantes de mi clase les gusta investigar qué pasa con el área de un rectángulo cuando la base se duplica sin cambiar la altura, cuando la altura se duplica sin cambiar la base y cuando ambos valores se duplican. Después les pido que dibujen un rectángulo de cualquier tamaño en una hoja cuadriculada y tres rectángulos más con los cambios mencionados. Enseguida comparan sus resultados y hacen algunas generalizaciones sobre lo que sucede con el área en cada caso.

Team Teaching

Work with the art teacher to show students the paintings of Piet Mondrian, which are composed of geometric shapes. Have students use rectangles to make their own drawings and then challenge each other to find the area of each rectangle that they used.

Enseñanza en equipo

Trabaje con el maestro de arte para mostrar a los estudiantes algunas pinturas de Piet Mondrian, quien solía elaborar sus cuadros con figuras geométricas. Anímelos a usar rectángulos para crear sus propios dibujos y desafíelos a encontrar el área de cada rectángulo.

Sports Connection

Football, soccer, tennis, basketball, hockey, and many other sports are played on standard-sized rectangular playing fields. Have students find the dimensions and then compute the area of each field.

Asociación con Deportes

El fútbol americano, el soccer, el tenis, el baloncesto, el hockey y muchos otros deportes se juegan en campos rectangulares. Anime a los estudiantes a calcular las dimensiones y el área de cada campo.

4-4 Ejercicios y aplicaciones

PRACTICAR 4-4

Práctica y aplicación

Para empezar Halla cada área.

1.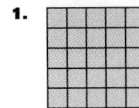
25

2.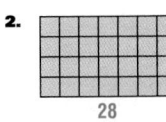
28

3.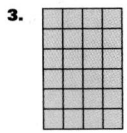
24

4.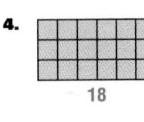
18

Calcula la medida que falta para cada rectángulo.

5. Área = 48 cm²
Base = 2 cm
Altura = ? **24 cm**

6. Área = 12.96 ft²
Base = ? **1.8 ft**
Altura = 7.2 ft

7. Área = ? **27 ft²**
Base = 3 ft
Altura = 9 ft

8. Área = 28.8 in²
Base = ? **3 in.**
Altura = 9.6 in.

9. $A = ?$ **1.2 km²**
$b = 0.8$ km
$h = 1.5$ km

10. $A = 33$ yd²
$b = 6$ yd
$h = ?$ **5.5 yd**

11. $A = ?$ **132 mm²**
$b = 12$ mm
$h = 11$ mm

12. $A = 300$ in²
$b = 30$ in.
$h = ?$ **10 in.**

13. **Para la prueba** El cuadro de Cristina mide 2 pies de altura. ¿Qué más debe saber para calcular cuántos pies cuadrados ocupa el cuadro? **C**

Ⓐ El número de cuadros en la pared
Ⓑ La longitud del cuarto
Ⓒ La anchura de la pintura
Ⓓ La altura del techo

Halla el área de cada figura.

14. Rectángulo con base 3 y altura 6 **18**

15. Cuadrado con lado de 2 cm **4 cm²**

16. Rectángulo con lados de 4 y 12 in. **48 in²**

17. Centímetro cuadrado **1 cm²**

Johnson, William H. "Man in a Vest," 1939–40. Museo Nacional de Arte Americano, Instituto Smithsonian, donado por la Fundación Harmon.

18. **Geometría** Para el baile de beneficencia, Janet y Paul necesitan una pieza de linóleo para cubrir y proteger el piso del gimnasio. El piso mide 90 por 100 pies. ¿De qué tamaño debe ser el linóleo rectangular? **9000 ft²**

19. **Bellas Artes** *Man in a Vest*, un cuadro de William H. Johnson, mide 30 pulgadas de alto y 24 pulgadas de ancho. Halla el área del cuadro. **720 in²**

4-4 Exercises and Applications

Assignment Guide

- Basic 1–4, 5–13 odds, 16–19, 25, 26–34 evens
- Average 1–13 odds, 14–19, 23, 25–28, 29–35 odds
- Enriched 5–13 odds, 14–22 evens, 23–25, 26–36 evens

Notas sobre los ejercicios

■ Ejercicios 1–4

Prevención de errores Si a los estudiantes se les dificulta saber cuántos cuadros hay exactamente, sugiérales que usen papel milimétrico para trazar los dibujos del libro. Indíqueles que marquen o numeren cada cuadro conforme los cuenten.

■ Ejercicio 13

Para la prueba Las respuestas para las preguntas de elección múltiple suelen incluir información que no se relaciona con la pregunta. Anime a los estudiantes a leer con atención la pregunta e identificar qué es exactamente lo que se pide.

Exercise Notes

■ Exercises 1–4

Error Prevention If students have difficulty counting squares accurately, suggest that they use tracing paper to trace the drawings in the book. Have them check or number each square as it is counted.

■ Exercise 13

Test Prep Answers for multiple-choice questions often contain information that is not related to the question being asked. Encourage students to carefully read the question and identify exactly what is being asked.

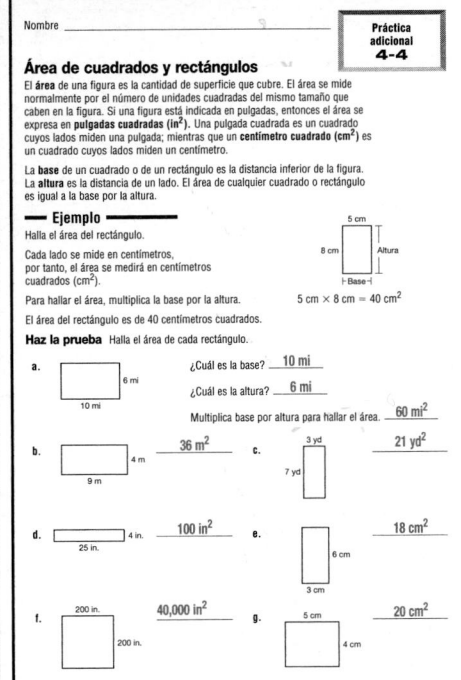

PRACTICE

Nombre _____

Práctica 4-4

Área de cuadrados y rectángulos

Halla la medida que falta para cada rectángulo.

1. Área = **63 ft²**
Base = 7 ft
Altura = 9 ft

2. Área = 24 cm²
Base = **4 cm**
Altura = 6 cm

3. Área = 84 in²
Base = 7 in.
Altura = **12 in.**

4. Área = 11.5 m²
Base = 5 m
Altura = **2.3 m**

5. Área = **23.5 in²**
Base = 5.875 in.
Altura = 4 in.

6. Área = 12.46 cm²
Base = **1.78 cm**
Altura = 7 cm

Encuentra el área de cada figura.

7. Un cuadrado con lados de 8 ft **64 ft²**

8. Un rectángulo con lados de 4.7 m y 7.3 m **34.31 m²**

9. Un cuadrado con lados de 21 cm **441 cm²**

10. Un rectángulo con lados de 8.3 m y 5.2 m **43.16 m²**

11. Un rectángulo con lados de 9 in. y 4 in. **36 in²**

Usa el diagrama de dispersión para resolver los ejercicios 12–14.

12. ¿Cuál es el área de cada rectángulo?
R **14 cm²** S **24 cm²** T **54 cm²**
U **9 cm²** V **30 cm²** W **45 cm²**

Rectángulos R–W

13. ¿Cuál rectángulo es también un cuadrado? **U**

14. ¿Cuál es el área del rectángulo con la mayor altura? **54 cm²**

15. Shelly piensa pintar una pared de su cuarto. La pared mide 11 ft de largo y 8 ft de altura. ¿Cuánta área debe pintar? **88 ft²**

16. En 1993 el Banco de Comida del condado de Monterey (California) estableció una marca al hornear una lasaña cuya área era de 490 ft². Si la lasaña era de 70 ft de largo, ¿cuál era su ancho? **7 ft**

RETEACHING

Nombre _____

Práctica adicional 4-4

Área de cuadrados y rectángulos

El **área** de una figura es la cantidad de superficie que cubre. El área se mide normalmente por el número de unidades cuadradas del mismo tamaño que caben en la figura. Si una figura está indicada en pulgadas, entonces el área se expresa en **pulgadas cuadradas (in²)**. Una pulgada cuadrada es un cuadrado cuyos lados miden una pulgada; mientras que un **centímetro cuadrado (cm²)** es un cuadrado cuyos lados miden un centímetro.

La **base** de un cuadrado o de un rectángulo es la distancia inferior de la figura. La **altura** es la distancia de un lado. El área de cualquier cuadrado o rectángulo es igual a la base por la altura.

— Ejemplo —

Halla el área del rectángulo.

Cada lado se mide en centímetros, por tanto, el área se medirá en centímetros cuadrados (cm²).

Para hallar el área, multiplica la base por la altura.

5 cm × 8 cm = 40 cm²

El área del rectángulo es de 40 centímetros cuadrados.

Haz la prueba Halla el área de cada rectángulo.

a. ¿Cuál es la base? **10 mi** ¿Cuál es la altura? **6 mi**
Multiplica base por altura para hallar el área. **60 mi²**

b. **36 m²**

c. **21 yd²**

d. **100 in²**

e. **18 cm²**

f. **40,000 in²**

g. **20 cm²**

Práctica adicional

Actividad

Materiales: Cuadrados de una pulgada

- Trabaja en grupos de dos o tres.
- Recorta 100 cuadrados de una pulgada de lado. Dibuja cada uno de los siguientes rectángulos o cuadrados: 6×8, 3×10, 4×6, 5×6, 9×9.
- Para hallar el área de cada figura, cúbrela con los cuadrados y cuéntalos. 48; 30; 24; 30; 81.
- Busca un patrón que te ayude a encontrar el área de cada rectángulo sin contar los cuadrados. base × altura = área.
- Haz tantos rectángulos como puedas con un área de 36 unidades cuadradas. Halla el perímetro de cada uno.
1×36, $P = 74$;
2×18, $P = 40$;
3×12, $P = 30$;
4×9, $P = 26$;
6×6, $P = 24$.

Reteaching

Activity

Materials: One-inch squares

- Work in groups of two or three.
- Cut out 100 one-inch squares. Draw each of the following rectangles or squares: 6×8, 3×10, 4×6, 5×6, 9×9.
- Find the area of each figure by filling it with the squares and counting. 48; 30; 24; 30; 81.
- Look for a pattern that will help you find the area of each rectangle without counting. base × height = area.
- Make as many rectangles as you can with an area of 36 square units. Find the perimeter of each.
1×36, $P = 74$;
2×18, $P = 40$;
3×12, $P = 30$;
4×9, $P = 26$;
6×6, $P = 24$.

Exercise Notes

■ Exercise 25

Problem-Solving Tip You may need to point out to students that in order to solve this problem they must first find the width of the rectangle.

Exercise Answers

20. A: 4 in²; B: 7.5 in²; C: 0.25 in²; D: 19 in²; E: 8 in²; F: 2.5 in².

21. C; The base and height are the same length.

23. a. 12,800 ft.²; 8(40 × 40)
b. Low: 35(1 × 40 ft × 40) = $56,000; High: 35(8 × 40 ft. × 40 ft.) = $448,000.

24. There are an infinite number; The base and the height can be decimal numbers.

25. $60,000; The bookstore is 60 ft by 50 ft, so it is 3000 square feet. Multiply 3000 by $20 to find the rent.

27. Mean; The median is 22 and the mean is 23.526.

Alternate Assessment

Performance Make a table listing the base, height, and area of ten rectangles or squares you find around your home. Items you might include are tables, computer or television screens, books, floors, or place mats.

Notas sobre los ejercicios

■ Ejercicio 25

Resolución de problemas Ten en cuenta Tal vez deba señalar a los estudiantes que para resolver este problema primero hay que encontrar el ancho del rectángulo.

Respuestas de Ejercicios

20. A: 4 in²; B: 7.5 in²; C: 0.25 in²; D: 19 in²; E: 8 in²; F: 2.5 in².

21. C; La base y la altura son de la misma longitud.

23. a. 12,800 ft.²; 8(40 × 40).
b. Bajo: 35(1 × 40 ft × 40) = $56,000; Alto: 35(8 × 40 ft. × 40 ft.) = $448,000.

24. Hay un número infinito; La base y la altura pueden ser números decimales.

25. $60,000; La librería mide 60 ft por 50 ft, por tanto, el área es de 3000 pies cuadrados. Se multiplica 3000 por $20 para hallar la renta.

27. La media; La mediana es 22 y la media es 23.526.

Evaluación adicional

Progreso Haz una tabla en la que incluyas la base, altura y área de diez rectángulos o cuadrados que encuentres en tu casa. Los objetos pueden ser mesas, pantallas de computadoras o de televisión, libros, pisos o manteles individuales.

Quick Quiz

Find the missing measurement for each rectangle.

1. Area = 45 cm²

   Base = 4.5 cm

   Height = ? 10 cm

2. Area = ? 21.3 m²

   Base = 7.1 m

   Height = 3 m

3. Area = 56 ft²

   Base = ? 16 ft

   Height = 3.5 ft

Available on Daily Transparency 4-4

► Prueba rápida

Halla la medida que falta en cada rectángulo.

1. Área = 45 cm²

   Base = 4.5 cm

   Altura = ? 10 cm

2. Área = ? 21.3 m²

   Base = 7.1 m

   Altura = 3 m

3. Área = 56 ft²

   Base = ? 16 ft

   Altura = 3.5 ft

RESOLVER PROBLEMAS 4-4

Usa una gráfica de dispersión para resolver los ejercicios 20–22.

20. ¿Cuál es el área de cada rectángulo?

21. ¿Cuál rectángulo es también un cuadrado? ¿Cómo lo sabes?

22. ¿Cuál es el área del rectángulo con una altura de 3 pulgadas? **7.5 in²**

Rectángulos A–F

Resolución de problemas y razonamiento

23. **Razonamiento crítico** Usa un mapa del centro comercial para responder estas preguntas. Cada área sombreada indica una tienda.

   a. ¿Cuál es el área de la tienda más grande? ¿Por qué?

   b. La renta anual de cada tienda es $35 por pie cuadrado. Halla el rango de los costos de renta; explica tu método.

24. **Comunicación** Un rectángulo tiene un área de 120 cm². ¿Cuántos pares de base/altura son posibles? ¿Por qué?

25. **Razonamiento crítico** El perímetro de una librería de forma rectangular es de 220 pies y su longitud es de 50 pies. ¿Cuál es la renta anual de la librería si paga $20 por pie cuadrado cada año? Explica tu respuesta.

Repaso mixto

Usa una tabla arborescente para resolver los ejercicios 26–28. *[Lección 1-6]*

26. ¿Cuál es el rango de los valores? **32**

27. ¿Cuál es mayor, la mediana o la media? ¿Por qué?

28. ¿Cuál es el número mayor de los datos que es menor que 25? **23**

Tallo	Hoja
0	9
1	256679
2	112357788
4	001

Haz un cálculo aproximado de cada suma, diferencia, producto o cociente. *[Lección 3-5]* **Respuestas posibles:**

29. 67.29 + 3.01 **70**   30. 14.76 ÷ 6.12 **2.5**   31. 13.546 × 1.68 **28**   32. 0.886 − 0.324 **0.6**

33. 52,395 ÷ 9,546 **5**   34. $16.34 − $5.49 **$11**   35. 87.003 + 56.31 **143**   36. 23.3 × 4.37 **100**

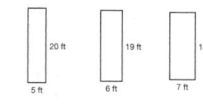

232 *Capítulo 4 • Medición*

► PROBLEM SOLVING

Nombre _____

Resolución guiada de problemas 4-4

RGP PROBLEMA 25, PÁGINA 232 DEL ESTUDIANTE

El perímetro de una librería de forma rectangular es de 220 pies y su longitud es de 50 pies. ¿Cuál es la renta anual de la librería si paga $20 por pie cuadrado cada año? Explica tu respuesta.

── Comprende ──

1. Rodea con un círculo el perímetro, longitud y renta anual de la librería.

2. La renta es por pie cuadrado. ¿Cómo hallas el número de pies cuadrados en una figura rectangular? Al calcular la longitud × el ancho.

── Plan ──

3. Se te da la longitud de un lado de la librería. ¿Cuál es la longitud del lado opuesto? 50 ft

4. Dado el perímetro, ¿cómo puedes usar la longitud de los dos lados opuestos para hallar el ancho de los otros dos lados del rectángulo? Se restan las dos longitudes al perímetro y se divide la diferencia entre 2.

5. ¿Cuál es el ancho de la librería? 60 ft

6. ¿Qué operación usarías para hallar la renta anual? La multiplicación.

── Resuelve ──

7. Escribe un enunciado numérico para encontrar el número de pies cuadrados. 50 × 60 = 3000

8. Halla la renta anual de la librería. $60,000

9. Explica por qué fue necesario seguir los pasos anteriores. Se necesita saber el ancho de la librería para hallar el área. Se necesita el área para hallar la renta.

── Revisa ──

10. Explica cómo el dibujo de un diagrama ayuda a resolver este problema. Respuesta posible: Es más fácil visualizar las dimensiones.

[RESUELVE OTRO PROBLEMA]

El perímetro de una librería rectangular es de 180 pies y su longitud es de 50 pies. ¿Cuál es la renta anual de la librería si la renta es de $25 por pie cuadrado por año? Explica por qué. El ancho es de 40 pies, el área es de 2000 ft², 2000 × 25 = $50,000.

► ENRICHMENT

Nombre _____

Actividad de enriquecimiento 4-4

Patrones geométricos

El área de un rectángulo es igual a la medida de la base por la medida de la altura. ¿Qué sucede con el área cuando cambias las medidas de la base y la altura?

1. ¿Cuál es la suma del largo y el ancho de cada uno de los rectángulos anteriores? 25 ft

2. ¿Qué patrón observas en los largos y anchos de los tres rectángulos? El ancho aumenta 1 pie y el largo disminuye 1 pie.

3. Halla el área de cada rectángulo.
   a. 5 ft por 20 ft 100 ft²   b. 6 ft por 19 ft 114 ft²   c. 7 ft por 18 ft 126 ft²
   d. 8 ft por 17 ft 136 ft²   e. 9 ft por 16 ft 144 ft²   f. 10 ft por 15 ft 150 ft²

4. ¿Qué patrón observas en las áreas de estos seis rectángulos? El área aumenta un número par que es 2 unidades menor que el incremento anterior. El patrón es +14, +12, +10...

5. Dibuja y marca los siguientes tres rectángulos en el patrón. Predice el área de cada uno. Revise el trabajo de los estudiantes. Rectángulos: 11 × 14, 12 × 13, 13 × 12. Las predicciones varían.

6. Calcula las áreas de los rectángulos que dibujaste en la pregunta 5. ¿Fueron acertadas tus predicciones? ¿Por qué? 154 ft², 156 ft², 156 ft²; Sí, porque los incrementos siguieron el patrón.

7. ¿Cómo pueden predecirse las áreas de los siguientes tres rectángulos del patrón? Explica por qué. Respuestas posibles: Se suma −2, −4, −6 a las áreas anteriores porque cada incremento es 2 unidades menor que el primer cambio.

Área de paralelogramos

▶ **Enlace con la lección** Ya sabes cómo hallar el área de cuadrados y rectángulos. Ahora aprenderás a calcular el área de paralelogramos. ◀

Investigar | **Área de paralelogramos**

¿Aún es la misma figura?

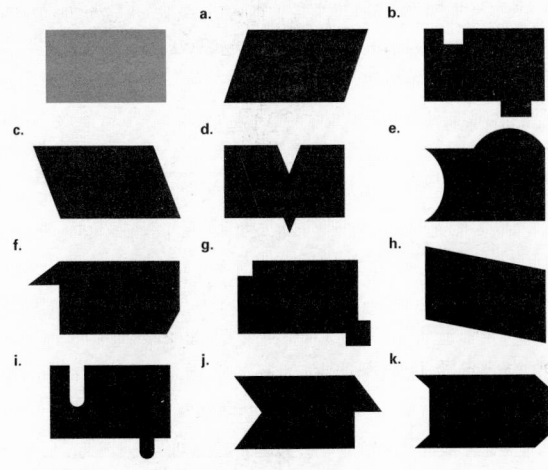

a.   b.

c.   d.   e.

f.   g.   h.

i.   j.   k.

1. Establece si el área de cada figura negra es igual, mayor o menor que el área del rectángulo rojo. Explica tu razonamiento.

2. ¿Pueden dos figuras diferentes tener la misma área? Justifica tu respuesta.

3. Si cortas un pedazo de una figura y lo pegas en otro lado de la misma figura, ¿tiene todavía la misma área? Explica tu razonamiento.

Vas a aprender...

■ a calcular el área de paralelogramos.

...cómo se usa

Los urbanistas deben calcular áreas cuando diseñan estructuras de estacionamientos públicos.

Vocabulario

paralelogramo

MEETING INDIVIDUAL NEEDS

Recursos

4-5 Práctica
4-5 Práctica adicional
4-5 Resolución de problemas
4-5 Actividad de enriquecimiento

Resources

4-5 Practice
4-5 Reteaching
4-5 Problem Solving
4-5 Enrichment
4-5 Daily Transparency
    Problem of the Day
    Review
    Quick Quiz
Teaching Tool Transparencies 2, 3

Modos de aprendizaje

Cinestésico Algunos estudiantes pueden confundir la altura de un paralelogramo con la longitud de uno de sus lados al calcular el área. Dígales que usen modelos para comparar las longitudes y ver que todas son diferentes.

Visual Los estudiantes pueden usar tableros de geometría para representar los paralelogramos.

Individual Pregunte a los estudiantes si prefieren usar objetos manipulables o cuadrículas para resolver problemas relacionados con el área de los paralelogramos.

Learning Modalities

Kinesthetic Some students may confuse the height of a parallelogram with the length of one of its sides when finding area. Have students use models to compare the lengths and see that they are different.

Visual Have students use geoboards to model parallelograms.

Individual Ask students to decide whether they prefer using manipulatives or graph paper to help them solve problems involving areas of parallelograms.

Desarrollo del lenguaje

Los estudiantes deben clasificar ilustraciones o fotografías de varios cuadriláteros según su forma: cuadrados, rectángulos, paralelogramos, etc. Asegúrese de que comprendan que los cuadrados son un tipo especial de rectángulos y que los rectángulos son paralelogramos especiales.

English Language Development

Have students sort pictures or cut-outs of quadrilaterals by shape: squares, rectangles, parallelograms, and others. Be sure they understand that squares are special rectangles and rectangles are special parallelograms.

Objective

■ **Find the area of parallelograms.**

Vocabulary

■ **Parallelogram**

NCTM Standards

■ **1–4, 7, 8, 12, 13**

➤ Repaso

Escribe cada decimal como una fracción.

1. 0.45 $\frac{9}{20}$

2. 0.04 $\frac{1}{25}$

3. 1.1 $\frac{11}{10}$ ó $1\frac{1}{10}$

Review

Write each decimal as a fraction.

1. 0.45 $\frac{9}{20}$

2. 0.04 $\frac{1}{25}$

3. 1.1 $\frac{11}{10}$ or $1\frac{1}{10}$

Available on Daily Transparency 4-5

---

1 Introducción

Investigar

Objetivo

Los estudiantes comparan diferentes figuras con un rectángulo modelo para desarrollar la idea de que al reacomodar una figura el área de ésta no cambia.

Evaluación continua

A algunos estudiantes puede parecerles difícil que se empiece con los paralelogramos. Quizá sientan que es más fácil trabajar primero con otras figuras y después ver si la misma estrategia —cortar una parte y moverla— también funciona con los paralelogramos.

Para los grupos que terminen antes

¿Con qué figuras te fue más fácil trabajar y con cuáles se te dificultó más? ¿Por qué? Las respuestas pueden variar.

Respuestas de Investigar en la siguiente página.

Introduce

Explore

The Point

Students compare different figures to a standard rectangle to develop the idea that rearranging a figure does not change its area.

Ongoing Assessment

Some students may find it difficult to begin with the parallelograms. They may find it easier to work with the other shapes first and then see if the same type of strategy, cutting off a piece and moving it, can help them with the parallelograms.

For Groups That Finish Early

Which figures were easiest to work with and which were most difficult? Why? Answers may vary.

Answers for Explore on next page.

Answers for Explore

1. Equal to: a, c, e, h, k;
   More than; b, f, g;
   Less than; d, i, j.

2. Yes; A rectangle with length x and height y has the same area as a parallelogram with length x and height y.

3. Yes; The same amount of space is still covered.

Teach

Learn

You may wish to have students actually cut apart a parallelogram as described in **Learn**. You might have three or four different sizes of parallelograms for students to work with.

Alternate Examples

Find the area of a parallelogram with a base of 10 inches and a height of 3 inches.

$A = bh$

$= 10 \times 3 = 30$ in²

Practice and Assess

Check

It may be helpful to give students some visual examples of quadrilaterals that are not parallelograms in Question 2.

Answers for Check Your Understanding

1. Yes; Cut along a vertical line from one corner to the opposite side, then move that triangle to the other end of the figure.

2. No; For example, this shape cannot be changed into a rectangle by moving a section.

Respuestas de Investigar

1. Igual: a, c, e, h, k;
   Mayor: b, f, g;
   Menor: d, i, j.

2. Sí; Un rectángulo de longitud x y altura y tiene la misma área que un paralelogramo de longitud x y altura y.

3. Sí; Se cubre la misma cantidad de espacio.

2 Enseñanza

Aprender

Tal vez quiera que los estudiantes recorten un paralelogramo como se describe en **Aprender**. Tal vez quiera asignarles tres o cuatro diferentes tamaños de paralelogramos.

Ejemplos adicionales

Halla el área de un paralelogramo cuya base mide 10 pulgadas y su altura es de 3 pulgadas.

$A = bh$

$= 10 \times 3 = 30$ in²

3 Práctica y evaluación

Comprobar

En la pregunta 2, tal vez sea útil mostrar a los estudiantes algunos ejemplos visuales de cuadriláteros que no sean paralelogramos.

Respuestas de Comprobar tu comprensión

1. Sí; Debe recortarse el triángulo que se forma al trazar una línea vertical de un vértice al lado opuesto, y después desplazar ese triángulo al otro extremo de la figura.

2. No; Esta figura, por ejemplo, no podría transformarse en un rectángulo si se moviera una sección.

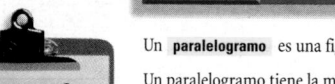

Aprender | Área de paralelogramos

Un **paralelogramo** es una figura de cuatro lados cuyos lados opuestos son paralelos.

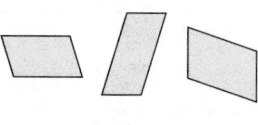

Sugerencia

Las rectas paralelas son rectas que nunca se juntan, igual que las dos eles que están en la palabra *halla*.

Un paralelogramo tiene la misma área que un rectángulo de base y altura iguales. Puedes recortar una pieza con forma de triángulo de un lado del paralelogramo y pegarla en el otro lado para formar un rectángulo.

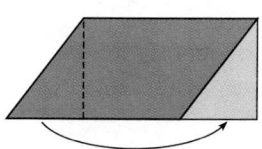

Para encontrar el área de un paralelogramo usa la misma fórmula que para el área del rectángulo: área = base × altura, o $A = bh$. La altura de un paralelogramo es siempre una medida vertical desde la base, no una medida inclinada. Por lo general se muestra como una línea punteada.

Ejemplo 1

Halla el área de la figura.

$A = bh$

$= 7 \times 4 = 28$ unidades²

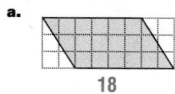

Haz la prueba

Halla el área de los paralelogramos.

a.

b.

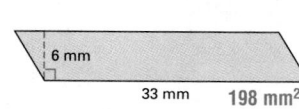

6 mm   33 mm   198 mm²

18

Comprobar | Tu comprensión

1. ¿Pueden convertirse en rectángulos todos los paralelogramos con sólo mover una sección de los mismos? Justifica tu respuesta.

2. ¿Pueden convertirse en rectángulos todas las figuras de cuatro lados con sólo mover una sección de las mismas? Justifica tu respuesta.

234 Capítulo 4 • Medición

MATH EVERY DAY

▶ Problema del día

A los niños y a los jóvenes de Corea les encanta volar cometas (yeon) como la que aquí se muestra, en especial durante el primer mes lunar del año. El área promedio de las cometas coreanas rectangulares es 300 in². Su longitud es 20 in. ¿Cuál es su perímetro? **70 in.**

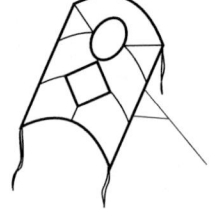

Problem of the Day

Korean children and young adults enjoy flying kites (yeon) like the one shown below, especially during the first lunar month of the year. The area of an average Korean rectangular kite is 300 in². Its length is 20 in. What is its perimeter? 70 in.

Available on Daily Transparency 4-5

An Extension is provided in the transparency package.

Dato del día

En 1994, la población de Tennessee era 5,175,240, lo cual lo colocaba como el estado 17 en población y el número 34 en superficie total.

Fact of the Day

In 1994, the population of Tennessee was 5,175,240, ranking it 17th in the United States in population and 34th in total area.

Estimation

Estimate.

1. $1\frac{2}{3} + 2\frac{3}{7}$ 4
2. $4\frac{8}{9} - 2\frac{1}{16}$ 3
3. $3\frac{1}{5} \times 2\frac{7}{8}$ 9
4. $4\frac{4}{5} \div 2\frac{1}{20}$ $2\frac{1}{2}$

Cálculo aproximado

Haz un cálculo aproximado.

1. $1\frac{2}{3} + 2\frac{3}{7}$ 4
2. $4\frac{8}{9} - 2\frac{1}{16}$ 3
3. $3\frac{1}{5} \times 2\frac{7}{8}$ 9
4. $4\frac{4}{5} \div 2\frac{1}{20}$ $2\frac{1}{2}$

4-5 Ejercicios y aplicaciones

Práctica y aplicación

Para empezar Halla cada área.

1. 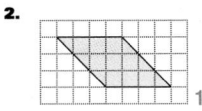 35

2. 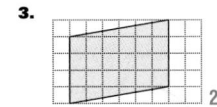 12

3. 24

Calcula cada área.

4. 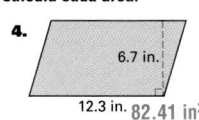 6.7 in.
12.3 in. **82.41 in²**

5. 4 cm
11 cm **44 cm²**

6. 9.3
9.8 **91.14**

7. 1.2 km
4.6 km
5.52 km² **5.52 km²**

8. 7 yd
8.3 yd **58.1 yd²**

9. 0.35 in.
0.2 in. **0.07 in²**

10. 13 mm
15 mm **195 mm²**

11. 75 m
100 m **7500 m²**

Halla cada área si *b* es la base y *h* es la altura de un paralelogramo.

12. $b = 20, h = 6$ **120**

13. $b = 12$ yd, $h = 7$ yd **84 yd²**

14. $h = 25$ ft, $b = 25$ ft **625 ft²**

15. $h = 14.7$ cm, $b = 18.1$ cm **266.07 cm²**

16. $h = 13.2$ m, $b = 0.5$ m **6.6 m²**

17. $b = 1000$ km, $h = 1000$ km **1,000,000 km²**

18. **Para la prueba** Escoge las unidades correctas para el área de una figura. **C**

Ⓐ Centímetros Ⓑ Metros

Ⓒ Centímetros cuadrados Ⓓ Pies

19. **Geografía** El estado de Tennessee tiene la forma de un paralelogramo. Su frontera norte tiene como 442 millas de largo y la distancia más corta entre las fronteras norte y sur es alrededor de 115 millas. Calcula el área aproximada de Tennessee. **50,830 mi²**

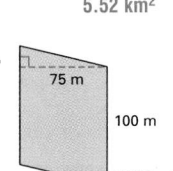
TENNESSEE

Assignment Guide

■ Basic 1–11, 12–18 evens, 19, 20, 22–42 evens

■ Average 1–17 odds, 18–23, 25, 28–44 evens

■ Enriched 1–17 odds, 18–25, 31–43 odds

Notas sobre los ejercicios

■ Ejercicios 9 y 11

Prevención de errores Si a los estudiantes se les dificulta reconocer la figura de un paralelogramo, pídales que giren sus libros un cuarto de vuelta.

Exercise Notes

■ Exercises 9 and 11

Error Prevention Have students turn their books a quarter turn if they have difficulty recognizing the shape as a parallelogram.

PRACTICE

Nombre _____

Práctica 4-5

Área de paralelogramos

Encuentra cada área. La línea punteada indica la altura.

1. **28 cm²**
7 cm
4 cm

2. **120 yd²**
10 yd
12 yd

3. **72 km²**
9 km
8 km

4. **2646 in²**
42 in.
63 in.

5. **476 mm²**
17 mm
28 mm

6. **26.27 ft²**
3.7 ft
7.1 ft

7. **40.95**
6.5
6.3

8. **7.13 cm²**
2.3 cm 3.1 cm

9. **91.53 in²**
8.1 in.
11.3 in.

Halla el área si *b* es la base y la *h* la altura del paralelogramo.

10. $b = 5$ cm, $h = 7$ cm **35 cm²**

11. $b = 8.6$ m, $h = 12.0$ m **103.2 m²**

12. $b = 8.4$ m, $h = 5.3$ m **44.52 m²**

13. $h = 83$ in., $b = 104$ in. **8632 in²**

14. $b = 23$ cm, $h = 8.7$ cm **200.1 cm²**

15. $b = 2.1$ mi, $b = 2.5$ mi **5.25 mi²**

16. Un carpintero construyó una mesa cuya parte superior tenía forma de paralelogramo con base de 8 in. y altura de 9.5 in. ¿Cuál era el área de la mesa? **76 in²**

17. Un mantel poco usual tiene la forma de un paralelogramo con base de 147 cm y altura de 136 cm. ¿Cuál es el área del mantel? **19,992 cm²**

RETEACHING

Nombre _____

Práctica adicional 4-5

Área de paralelogramos

Un **paralelogramo** es una figura de cuatro lados cuyos lados opuestos son paralelos. Un paralelogramo tiene la misma área que un rectángulo de base y altura iguales.

Para encontrar el área de un paralelogramo, usa la misma fórmula que para el área de un rectángulo: base × altura = área. La altura de un paralelogramo es siempre una medida vertical que parte de la base, no una medida inclinada. El área siempre se expresa en unidades cuadradas.

— Ejemplo —

Halla el área del paralelogramo.

Usa la fórmula base × altura = área.
La base del paralelogramo es 12 cm.
La altura del paralelogramo es 6 cm.
El área del paralelogramo es 72 cm².

6 cm
12 cm
12 cm × 6 cm = 72 cm²

Haz la prueba Halla el área. Recuerda escribir cada área en unidades cuadradas.

a. 7 m
5 m
La base es **5 m**
La altura es **7 m**
Haz la multiplicación. El área es **35 m²**

b. 100 h
100 h
La base es **100 ft**
La altura es **100 ft**
Haz la multiplicación. El área es **10,000 ft²**

c. 8 in.
4 in. **32 in²**

d. 5 cm
9 cm **45 cm²**

e. 9 m
5 m **45 m²**

f. 3 yd
3 yd **9 yd²**

g. 2 ft
15 ft **30 ft²**

h. 9 cm
7 cm **63 cm²**

Práctica adicional

Actividad

Materiales: Papel cuadriculado

- Dibuja tantos paralelogramos diferentes como puedas; la base debe medir 14 unidades y la altura 4 unidades.

- Para hallar el área de cada uno, cuenta los cuadrados y usa la fórmula Base × altura = área. Todas las áreas serán iguales a 56 unidades cuadradas.

- Dibuja tantos paralelogramos diferentes como puedas, cuya área sea de 36 unidades cuadradas.

- Encuentra la base y la altura de cada uno.

Respuestas posibles:
base = 1, altura = 36;
base = 2; altura = 18;
base = 3, altura = 12;
base = 4, altura = 9;
base = 4.5, altura = 8;
base = 6, altura = 6;
base = 9, altura = 4;
base = 12, altura = 3;
base = 18, altura = 2;
base = 36, altura = 1.

Reteaching

Activity

Materials: Graph paper

- Draw as many different parallelograms as you can with a base of 14 units and a height of 4 units.

- Find the area of each by counting squares and by using the formula Base × height = area. Areas will all equal 56 square units.

- Draw as many different parallelograms as you can with an area of 36 square units.

- Find the base and height of each.

Possible answers:
base = 1, height = 36;
base = 2, height = 18;
base = 3, height = 12;
base = 4, height = 9;
base = 4.5, height = 8;
base = 6, height = 6;
base = 9, height = 4;
base = 12, height = 3;
base = 18, height = 2;
base = 36, height = 1.

Exercise Notes

■ Exercise 22

Problem-Solving Tip You may wish to use Teaching Tool Transparencies 2 and 3: Guided Problem Solving, pages 1–2.

■ Exercises 26–37

Extension Before actually doing the problems, have students discuss which ones require the use of a calculator and which ones can be done mentally.

Exercise Answers

22. 12 in.; 12 inches is four times longer than 3 inches, and $3 \times 12 = 36$.

23. Possible answer: They have the same area, but different shapes.

24. Rectangle; If the slanted side of the parallelogram is 20, then the height is less than 20.

25. Convert to the same units first, then multiply base by height.

   a. 2.36 m² or 23,600 cm²

   b. 384 in² or 2⅔ ft²

   c. 1.32 cm² or 132 mm²

   d. 4.56 cm² or 456 mm²

Alternate Assessment

Interview Explain how to find the area of a parallelogram. Then describe the similarities and differences between finding the area of a rectangle and finding the area of a parallelogram.

Notas sobre los ejercicios

■ Ejercicios 26–37

Ampliación Antes de resolver los problemas, pida a los estudiantes que examinen cuáles requieren de una calculadora y cuáles pueden resolverse en forma mental.

Respuestas de Ejercicios

22. 12 in.; 12 pulgadas es cuatro veces más largo que 3 pulgadas, y $3 \times 12 = 36$.

23. Respuesta posible: Tienen la misma área pero diferente forma.

24. El rectángulo; Si el lado inclinado del paralelogramo es 20, entonces la altura es menor que 20.

25. Primero se convierte a las mismas unidades y después se multiplica la base por la altura.

   a. 2.36 m² ó 23,600 cm²

   b. 384 in² ó 2⅔ ft²

   c. 1.32 cm² ó 132 mm²

   d. 4.56 cm² ó 456 mm²

Evaluación adicional

Entrevista Explica cómo se encuentra el área de un paralelogramo. Después describe las semejanzas y diferencias entre hallar el área de un rectángulo y determinar el área de un paralelogramo.

Quick Quiz

Find each area if *b* is the base and *h* is the height of a parallelogram.

1. $b = 11$ cm, $h = 4$ cm
   area = 44 cm²

2. $b = 2.1$ mm, $h = 1.1$ mm
   area = 2.31 mm²

3. $b = 100$ in., $h = 55$ in.
   area = 5500 in²

Available on Daily Transparency 4-5

▶ Prueba rápida

Halla cada área si *b* es la base y *h* es la altura de un paralelogramo.

1. $b = 11$ cm, $h = 4$ cm
   área = 44 cm²

2. $b = 2.1$ mm, $h = 1.1$ mm
   área = 2.31 mm²

3. $b = 100$ in., $h = 55$ in.
   área = 5500 in²

RESOLVER PROBLEMAS 4-5

20. **Patrones** Jaspar dibujó un paralelogramo con una base de 2 cm y una altura de 2 cm. Dibujó otro con una base de 2 cm y una altura de 4 cm y un tercero con una base de 2 cm y una altura de 8 cm. Si Jaspar continúa dibujando paralelogramos con este patrón, ¿cuál será el área de la sexta figura? 128 cm²

21. **Geometría** En algunos centros comerciales los estacionamientos tienen forma de paralelogramos. Si un estacionamiento mide 3.1 metros de ancho y 4.7 metros de largo, ¿cuál es su área? 14.57 m²

Resolución de problemas y razonamiento

22. **Escoge una estrategia** Violet quiere añadir paralelogramos al diseño de su tambor de nativos americanos. Cada paralelogramo debe medir cerca de 36 pulgadas cuadradas. Si quiere que la altura sea cuatro veces más grande que la base, ¿cuál deberá ser la altura de cada paralelogramo? Explica tu respuesta.

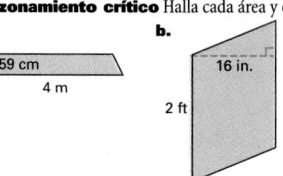

Resolución de problemas
ESTRATEGIAS

- Busca un patrón
- Organiza la información en una lista
- Haz una tabla
- Prueba y comprueba
- Empieza por el final
- Usa el razonamiento lógico
- Haz un diagrama
- Simplifica el problema

23. Describe las semejanzas y diferencias entre un rectángulo de 2 por 4 cm y un paralelogramo cuya base es de 2 cm y la altura es de 4 cm.

24. **Comunicación** ¿Cuál figura tiene el área más grande: un rectángulo con una base de 50 y una altura de 20, o un paralelogramo con una base de 50 y un lado inclinado de 20? Justifica tu respuesta.

25. **Razonamiento crítico** Halla cada área y explica tu razonamiento.

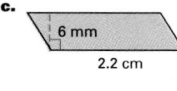
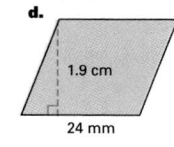
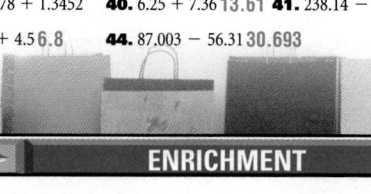

a. 59 cm / 4 m / 2 ft

b. 16 in.

c. 6 mm / 2.2 cm

d. 1.9 cm / 24 mm

Repaso mixto

Escribe en forma usual. *[Lección 2-4]*

26. 5⁹   1,953,125

27. 3⁴81

28. 9⁵59,049

29. 12²144

30. 2⁶64

31. 4³64

32. 10¹³ 10,000,000,000,000

33. 1²⁹1

34. 6¹6

35. 8⁷ 2,097,152

36. 20²400

37. 7⁸ 5,764,801

Simplifica las siguientes expresiones. *[Lección 3-6]*

38. 108.93 − 72.41   36.52

39. 0.5678 + 1.3452   1.913

40. 6.25 + 7.36 13.61

41. 238.14 − 5.67   232.47

42. 1.5 + 0.5 2

43. 2.3 + 4.5 6.8

44. 87.003 − 56.31 30.693

236 *Capítulo 4 • Medición*

▶ PROBLEM SOLVING

Nombre _____

Resolución guiada de problemas 4-5

RGP PROBLEMA 20, PÁGINA 236 DEL ESTUDIANTE

Jaspar dibujó un paralelogramo con una base de 2 cm y una altura de 2 cm. Dibujó otro con una base de 2 cm y una altura de 4 cm y un tercero con una base de 2 cm y una altura de 8 cm. Si Jaspar continúa dibujando paralelogramos con este patrón, ¿cuál será el área de la sexta figura?

— Comprende

1. Rodea con un círculo la información que necesitas.

2. Debes hallar el área del paralelogramo en el _sexto_ lugar del patrón.

3. ¿Cuál es la fórmula para encontrar el área de un paralelogramo? Área = base × altura

— Plan

4. Haz un dibujo de las tres figuras del patrón. Marca cada base y altura.

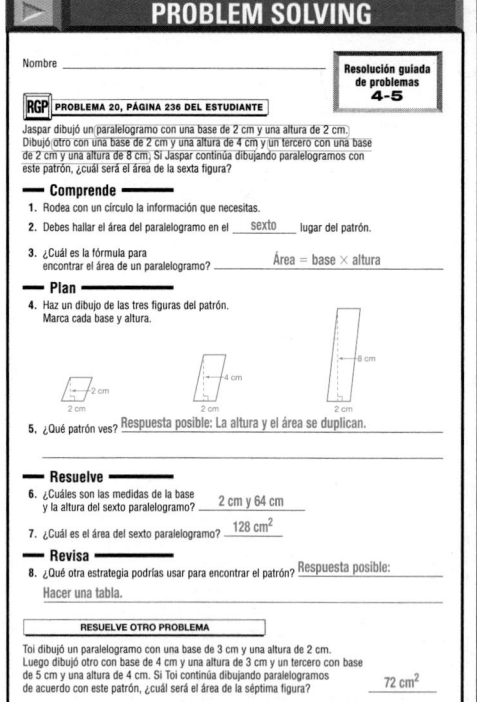

5. ¿Qué patrón ves? Respuesta posible: La altura y el área se duplican.

— Resuelve

6. ¿Cuáles son las medidas de la base y la altura del sexto paralelogramo? 2 cm y 64 cm

7. ¿Cuál es el área del sexto paralelogramo? 128 cm²

— Revisa

8. ¿Qué otra estrategia podrías usar para encontrar el patrón? Respuesta posible: Hacer una tabla.

RESUELVE OTRO PROBLEMA

Toi dibujó un paralelogramo con una base de 3 cm y una altura de 2 cm. Luego dibujó otro con base de 4 cm y una altura de 3 cm y un tercero con base de 5 cm y una altura de 4 cm. Si Toi continúa dibujando paralelogramos de acuerdo con este patrón, ¿cuál será el área de la séptima figura? 72 cm²

▶ ENRICHMENT

Nombre _____

Actividad de enriquecimiento 4-5

Razonamiento crítico

Usa la fórmula del área del paralelogramo $A = b \cdot h$, donde *b* es la base y *h* la altura. Dada el área de cada figura, halla la longitud que falta.

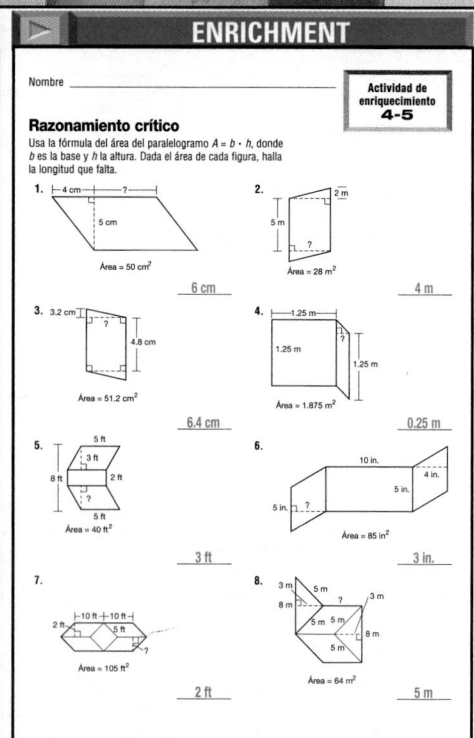

1. 4 cm / 5 cm / Área = 50 cm² / 6 cm

2. 2 m / 5 m / Área = 28 m² / 4 m

3. 3.2 m / 4.8 m / Área = 51.2 m² / 6.4 cm

4. 1.25 m / 1.25 m / Área = 1.875 m² / 0.25 m

5. 5 ft / 3 ft / 8 ft / Área = 40 ft² / 3 ft

6. 10 in. / 4 in. / 5 in. / Área = 85 in² / 3 in.

7. 10 ft + 10 ft / 5 ft / 2 ft / Área = 105 ft² / 2 ft

8. 3 m / 5 m / 8 m / 3 m / 5 m / Área = 64 m² / 5 m

Área de triángulos

▶ **Enlace con la lección** En la lección anterior aprendiste a calcular el área de varios tipos de figuras de cuatro lados. Ahora hallarás el área de un triángulo. ◀

Vas a aprender...

■ a calcular el área de un triángulo.

...cómo se usa

Quienes colocan alfombras calculan las áreas para determinar cuánta alfombra necesitan.

Investigar Área de triángulos

El tamaño justo

Materiales: Papel punteado

Área de rectángulo	Trazo	Área de esquina a esquina del triángulo
1		$\frac{1}{2}$
2		
3		
4		
5		
6		
7		
8		
9		
10		
11		
12		

1. Copia la tabla en un papel punteado. Para cada hilera dibuja un rectángulo que tenga el área dada. Algunos rectángulos se pueden trazar en más de una forma.

2. En cada trazo sombrea el triángulo que va de una esquina del rectángulo a la esquina opuesta. Calcula el área aproximada del triángulo.

3. Describe cualquier patrón que observes en la comparación de las áreas de los rectángulos con las áreas de esquina a esquina de los triángulos.

4. Para un rectángulo con un área de 50 unidades cuadradas, ¿cuál crees que será el área del triángulo de esquina a esquina? Explica por qué.

4-6 • Área de triángulos **237**

MEETING INDIVIDUAL NEEDS

Recursos

4-6 Práctica
4-6 Práctica adicional
4-6 Resolución de problemas
4-6 Actividad de enriquecimiento
Tecnología 18

  Lección en el CD-ROM interactivo

Resources

4-6 Practice
4-6 Reteaching
4-6 Problem Solving
4-6 Enrichment
4-6 Daily Transparency
    Problem of the Day
    Review
    Quick Quiz
Teaching Tool Transparency 10
Technology Master 18
Chapter 4 Project Master
Interactive CD-ROM Lesson

Modos de aprendizaje

Lógico Algunos estudiantes prefieren centrar su atención en la relación numérica entre el área de un triángulo y el área de un rectángulo con la misma base, que en la geometría implicada.

Visual Anime a los estudiantes a usar el tablero de geometría para representar los triángulos y rectángulos que hallen a su alrededor.

Social Los estudiantes deben trabajar en equipos para desarrollar juegos que prueben su destreza en el cálculo del área de diversos rectángulos, cuadrados, paralelogramos y triángulos.

Learning Modalities

Logical Some students may prefer to focus on the numerical relationship between the area of a triangle and the area of a rectangle with the same base and height rather than looking at the geometry involved.

Visual Have students use geoboards to model triangles and the rectangles that surround them.

Social Have students work in teams to develop games that test students' ability to find areas of rectangles, squares, parallelograms, and triangles.

Inclusión

A algunos estudiantes se les dificulta decidir qué lado de los triángulos es la base cuando estos se muestran con distinta orientación. Pídales que dibujen los triángulos en papel cuadriculado y los enmarquen en un rectángulo para hallar su área.

Inclusion

Some students may have difficulty deciding which side of a triangle is the base when they are presented with triangles that vary in their orientation. Have them draw each triangle on graph paper and enclose the triangle in a rectangle in order to find the area.

4-6
Lesson Organizer

Objective

■ **Find the area of a triangle.**

Materials

■ **Explore: Dot paper**

NCTM Standards

■ **1–4, 12, 13**

▶ **Repaso**

Divide.

1. **567 ÷ 14** 40.5

2. **31.8 ÷ 1.2** 26.5

3. **1004 ÷ 0.8** 1255

Review

Divide.

1. **567 ÷ 14** 40.5

2. **31.8 ÷ 1.2** 26.5

3. **1004 ÷ 0.8** 1255

Available on Daily Transparency 4-6

1 Introducción

Investigar

Objetivo
Los estudiantes investigan de qué manera el área de un triángulo representa la mitad del área de un rectángulo que tiene la misma base y la misma altura.

Evaluación continua
Asegúrese de que los estudiantes comprendan que —en cualquiera de las figuras— las áreas de los dos triángulos son iguales.

Para los grupos que terminen antes
Halla el área del triángulo que se forma al juntar los vértices opuestos de un paralelogramo de base 8 y altura 4. 16 unidades cuadradas.

Respuestas de Investigar en la siguiente página.

Introduce

Explore

You may wish to use Teaching Tool Transparency 10: Dot Paper with **Explore**.

The Point

Students explore how the area of a triangle is half the area of a rectangle with the same base and height.

Ongoing Assessment

Check that students understand that the areas of the two triangles in any sketch are the same.

For Groups That Finish Early

Find the area of the triangle formed by connecting the opposite corners of a parallelogram with base 8 and height 4. 16 square units.

Answers for Explore on next page.

Lección 4-6   **237**

1–2.

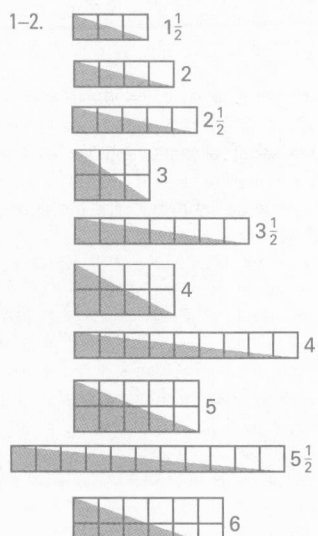

$1\frac{1}{2}$

2

$2\frac{1}{2}$

3

$3\frac{1}{2}$

4

$4\frac{1}{2}$

5

$5\frac{1}{2}$

6

3. The area of the triangle is half of the area of the rectangle.

4. 25 units; 25 is one-half of 50.

Teach

Learn

Alternate Examples

1. Find the area.

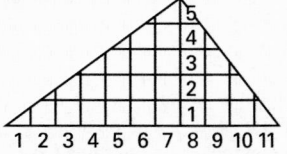

1 2 3 4 5 6 7 8 9 10 11

There are 11 squares across the base. The triangle is 5 squares tall.

$A = \frac{1}{2}bh$

$= \frac{1}{2} \times 11 \times 5 = 27.5$ units^2

2. Find the area.

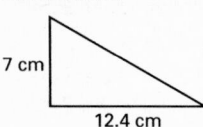

7 cm

12.4 cm

$A = \frac{1}{2}bh$

$= \frac{1}{2} \times 12.4 \times 7 = 43.4$ cm^2

3. A scarf is designed in the shape of a triangle with base 36 inches and height 18 inches. Find the area of the scarf.

$\frac{1}{2} \times 36 \times 18 = 324$

The area of the scarf is 324 in^2.

Respuestas de Investigar

1–2.

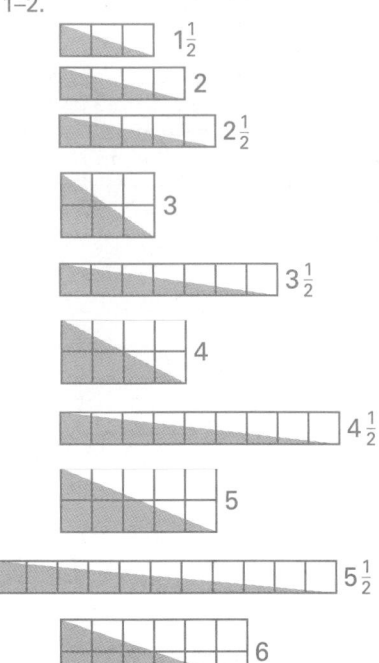

$1\frac{1}{2}$

2

$2\frac{1}{2}$

3

$3\frac{1}{2}$

4

$4\frac{1}{2}$

5

$5\frac{1}{2}$

6

3. El área del triángulo es la mitad del área del rectángulo.

4. 25 unidades; 25 es la mitad de 50.

2 Enseñanza

Aprender

Ejemplos adicionales

1. Encuentra el área.

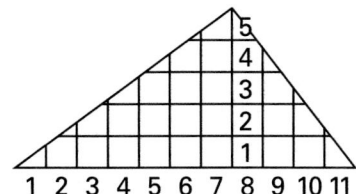

1 2 3 4 5 6 7 8 9 10 11

La base del triángulo mide 11 cuadrados y su altura es de 5 cuadrados.

$A = \frac{1}{2}bh$

$= \frac{1}{2} \times 11 \times 5 = 27.5$ unidades^2

2. Halla el área.

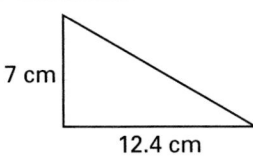

7 cm

12.4 cm

$A = \frac{1}{2}bh$

$= \frac{1}{2} \times 12.4 \times 7 = 43.4$ cm^2

3. Una bufanda tiene un diseño triangular cuya base mide 36 pulgadas y cuya altura mide 18 pulgadas. Halla el área de la bufanda.

$\frac{1}{2} \times 36 \times 18 = 324$

El área de la bufanda es de 324 in^2.

Aprender   Área de triángulos

El área de un triángulo es igual a la mitad del área de un rectángulo cuya base y altura son las mismas que las del triángulo. Para encontrar el área de un triángulo, calcula el área del rectángulo que lo circunscribe y divídela a la mitad. También puedes usar la fórmula del área para un triángulo.

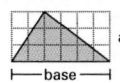

altura

base

área $= \frac{1}{2} \times$ base $\times$ altura

$A = \frac{1}{2}bh$

No te olvides

Cuando divides un número entre otro número que no cabe entero en el primero, obtienes una respuesta decimal. El punto decimal en el cociente debe colocarse justo sobre el punto decimal del dividendo.

[Página 186]

Ejemplos

1 Halla el área.

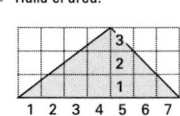

1 2 3 4 5 6 7

Hay 7 cuadros de base. El triángulo tiene 3 cuadros de altura.

$A = \frac{1}{2}bh$

$= \frac{1}{2} \times 7 \times 3 = 10.5$ unidades^2

2 Halla el área.

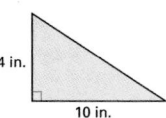

6.4 in.

10 in.

$A = \frac{1}{2}bh$

$= \frac{1}{2} \times 10 \times 6.4 = 32$ in^2

3 Devon tiene una cometa triangular de 5 ft de anchura y un área de 10 ft^2. ¿Qué tan larga es la cometa?

5 ft

$A = \frac{1}{2}bh$

$10 = \frac{1}{2} \times 5 \times h$

$4 = h$

La longitud de la cometa es de 4 ft.

▶ **Enlace con Historia**

Las cometas son los artefactos voladores más antiguos.

Haz la prueba

Halla el área de los triángulos.

a.

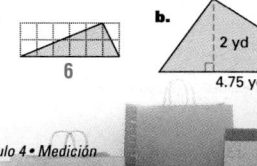

6

b.

2 yd

4.75 yd 4.75 yd^2

c.

3.5 in.

1 in.

1.75 in^2

238 Capítulo 4 • Medición

MATH EVERY DAY

▶ **Problema del día**

Rosa dibujó esta figura en una hoja doblada como se muestra a continuación. Traza la figura como aparecerá después de hacer los orificios y desdoblarla.

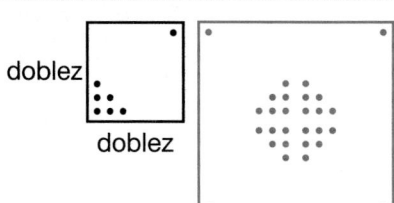

doblez

doblez

Problem of the Day

Rosa drew this figure on folded paper as shown below. Draw the figure as it will appear when the holes are punched and the paper unfolded.

Available on Daily Transparency 4-6

An Extension is provided in the transparency package.

Dato del día

El primer centro comercial se construyó en Baltimore, Maryland, en 1896.

Fact of the Day

The first shopping mall was built in Baltimore, Maryland, in 1896.

Mental Math

Do these mentally.

1. $4.9 + 4.4 + 3.1$ 12.4
2. $6.5 - 3.3$ 3.2
3. 4×3.2 12.8
4. $7.77 \div 7$ 1.11

Cálculo mental

Realiza estos cálculos en forma mental.

1. $4.9 + 4.4 + 3.1$

   12.4

2. $6.5 - 3.3$ 3.2

3. 4×3.2 12.8

4. $7.77 \div 7$ 1.11

Sonia y Aaron construyen un escenario para una obra acerca del antiguo Egipto. Necesitan pintar un gran triángulo en el cartón para que parezca una pirámide egipcia. El triángulo mide 14 pies de ancho por 8 pies de altura. Tienen suficiente pintura como para 60 pies cuadrados de cartón. ¿Les alcanzará la pintura?

Sonia piensa...

Voy a imaginar que hay un rectángulo que rodea al triángulo. Encontraré el área del rectángulo y la dividiré a la mitad.

Área de un rectángulo = base × altura
$$= 14 \times 8$$
$$= 112 \text{ ft}^2$$

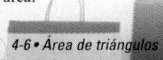

8 ft

14 ft

La mitad de 112 es 56. El cartón tiene 56 pies cuadrados, así que sí tenemos suficiente pintura.

Aaron piensa...

Usaré la fórmula para calcular el área del triángulo.

$$A = \frac{1}{2} bh$$
$$= \frac{1}{2} \times 14 \times 8$$
$$= 56 \text{ ft}^2$$

El área es de 56 ft². Sí tenemos suficiente pintura.

¿Qué crees tú?

1. ¿Qué información necesitaban Sonia y Aaron para resolver el problema?

2. ¿Cambiarían las respuestas de Sonia y Aaron si el cálculo de pintura suficiente para 60 pies cuadrados fuera un redondeo hacia arriba? Explica por qué.

Check | Tu comprensión

1. ¿Por qué necesitas dividir entre 2 para encontrar el área de un triángulo?

2. ¿Dos triángulos con la misma altura tienen también la misma área?

4-6 • Área de triángulos **239**

Los estudiantes observan dos métodos para resolver el problema. Sonia halla el área del rectángulo relacionado y la divide entre 2 para obtener el área del triángulo. Aaron encuentra el área del triángulo mediante la fórmula correspondiente.

Respuestas de ¿Qué crees tú?

1. La base y la altura del triángulo, cómo encontrar el área y la cantidad de pintura que tienen.

2. Sí; Puesto que el triángulo mide 56 ft², quizá no tendrían suficiente pintura si 60 ft² fuera una sobrevaluación.

3 Práctica y evaluación

Comprobar

A algunos estudiantes puede parecerles útil usar ejemplos para comprobar sus respuestas.

Respuestas de Comprobar tu comprensión

1. Respuesta posible: La base multiplicada por la altura da el área de un rectángulo, un triángulo sólo tiene la mitad de esa área.

2. No necesariamente; Si las bases no son iguales, dos triángulos con la misma altura no tendrán la misma área.

What Do You Think?

Students see two methods of solving the problem. Sonia finds the area of the related rectangle and divides it by 2 to get the area of the triangle. Aaron finds the area of the triangle using the formula.

Answers for What Do You Think?

1. The base and height of the triangle, how to find area, and the amount of paint they have.

2. Yes; Since the triangle is 56 ft², they might not have enough paint if 60 ft² was an overestimate.

Practice and Assess

Check

Some students may find it helpful to use examples to try out their answers to these questions.

Answers for Check Your Understanding

1. Possible answer: Base multiplied by height gives the area of a rectangle, a triangle is only half of that area.

2. Not necessarily; If the bases are not the same, two triangles with the same height will not have the same area.

MEETING MIDDLE SCHOOL CLASSROOM NEEDS

Sugerencias de los maestros

Cada año, animo a mi clase a elaborar por equipos "cobertores" de 3 por 5 pies usando cuadrados, rectángulos, paralelogramos y triángulos de cartulina. Primero les muestro algunos diseños tradicionales y después dejo que usen su imaginación.

Tips from Middle School Teachers

Each year, I have my students work in groups to make a 3 foot by 5 foot "quilt" from construction paper squares, rectangles, parallelograms, and triangles. I show them some of the traditional quilt designs and then have them create designs of their own.

Enseñanza en equipo

Trabaje con el maestro de ciencias sociales y pida a los estudiantes que hallen el área de las partes que componen las banderas de varios países.

Team Teaching

Work with the social-studies teacher and have students find the areas of parts of flags from different countries.

Asociación con Ciencias

Las ostras son parientes cercanos de los caracoles, las almejas y los mejillones. Estos seres tienen dos conchas como medio de protección. Las ostras adultas viven adheridas a las rocas y otras superficies duras. Muchos animales de este tipo son comestibles y representan un valioso recurso para la industria pesquera.

Science Connection

Oysters are closely related to scallops, clams, and mussels. These bivalves are protected by two shells. Adult oysters live attached to rocks and other hard surfaces. Many bivalves are edible and a valuable asset to the commercial fishing industry.

Assignment Guide

- Basic 1–7, 12–17, 20–30
- Average 1–11 odds, 12–22, 23–29 odds
- Enriched 1–11 odds, 12–22, 24–30 evens

Exercise Notes

■ Exercises 1–12

Error Prevention Remind students to include the units in each answer if possible.

■ Exercise 12

Geography The disappearance of airplanes and ships in the area known as the Bermuda Triangle has led to numerous scientific studies. Even though downward air currents and violent storms occur often in this area, research has not revealed any important peculiarities about the area.

Notas sobre los ejercicios

■ Ejercicios 1–12

Prevención de errores Recuerde a los estudiantes que incluyan, cuando sea posible, las unidades en cada respuesta.

■ Ejercicio 12

Geografía La desaparición de aviones y barcos en el área conocida como el Triángulo de las Bermudas ha atraído el interés de muchos científicos. Aun cuando en esta área a menudo se registran tormentas violentas y corrientes descendentes, las investigaciones no han revelado ninguna otra peculiaridad importante.

Reteaching

Activity

Materials: Dot paper

- Draw each of the following right triangles on dot paper.

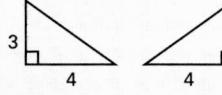

- Sketch the related rectangle with the same height and base and cut it out.
- Fold the rectangle along a diagonal and then cut so that you have two triangles.
- Turn the two triangles until one fits exactly on top of the other so that you can see that the area of the triangle is half that of the rectangle.
- Find the area of each triangle given below.

Base	Height	
4 cm	6 cm	12 cm²
8 cm	10 cm	40 cm²
2 cm	4 cm	4 cm²

Práctica adicional

Actividad

Materiales: Papel punteado

- Dibuja en papel punteado cada uno de los siguientes triángulos rectángulos.

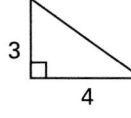 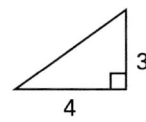

- Traza el rectángulo relacionado (con la misma base y altura) y recórtalo.
- Dobla el rectángulo a lo largo de una diagonal y después recórtalo para formar dos triángulos.
- Da vuelta a los triángulos hasta que uno encaje con el otro exactamente para que puedas observar que el área del triángulo es la mitad del área del rectángulo.
- Encuentra el área de los triángulos a continuación.

Base	Altura	
4 cm	6 cm	12 cm²
8 cm	10 cm	40 cm²
2 cm	4 cm	4 cm²

4-6 Ejercicios y aplicaciones

Práctica y aplicación

Para empezar Calcula el área de cada triángulo.

1. 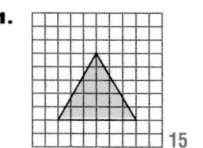 15

2. 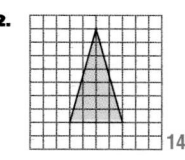 14

3. 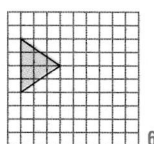 6

Halla el área de cada triángulo.

4. 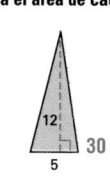 30

5. 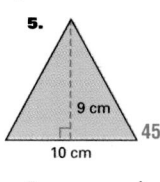 45 cm²

6. 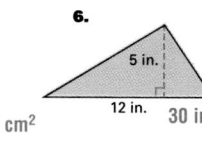 30 in²

7. 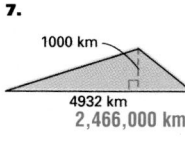 2,466,000 km²

8. 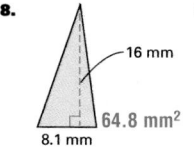 64.8 mm²

9. 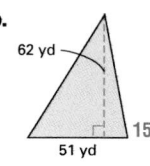 1581 yd²

10. 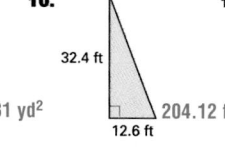 204.12 ft²

11. 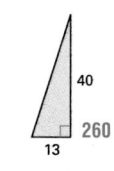 260

12. Geografía El Triángulo de las Bermudas es una región en el océano Atlántico donde, desde 1940, se han informado desapariciones misteriosas de barcos y aviones. Usa el diagrama para calcular el área del Triángulo de las Bermudas. 434,700 mi²

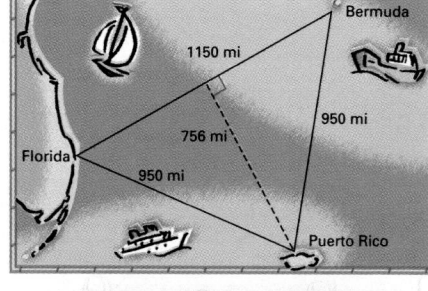

240 *Capítulo 4 • Medición*

PRACTICE

Nombre _____

Práctica 4-6

Área de triángulos

Encuentra el área de cada triángulo. La línea punteada indica la altura.

1. 63 m²

2. 24 in²

3. 71.5 cm²

4. 100.44

5. 192.24 yd²

6. 75.465 m²

7. 29.05 ft²

8. 8.48 cm²

9. 18.33 in²

Halla el área si *b* es la base y *h* la altura del triángulo.

10. $b = 12$ ft, $h = 5$ ft — 30 ft²

11. $h = 9$ cm, $b = 11$ cm — 49.5 cm²

12. $b = 4.2$ mi, $h = 6$ mi — 12.6 mi²

13. $h = 7.3$, $b = 12.4$ — 45.26

14. $b = 8.37$ in., $h = 10.4$ in. — 43.524 in²

15. $h = 2.8$ km, $b = 5.8$ km — 8.12 km²

16. $b = 9.6$ yd, $h = 6.42$ yd — 30.816 yd²

17. $h = 20.6$ cm, $b = 6.4$ cm — 65.92 cm²

18. $b = 3.8$ ft, $h = 9.1$ ft — 17.29 ft²

19. Geografía El estado de New Hampshire tiene una forma más o menos triangular con base de 90 mi y altura de 180 mi. Calcula el área aproximada de New Hampshire. — 8100 mi²

RETEACHING

Nombre _____

Práctica adicional 4-6

Área de triángulos

El área de un triángulo es la mitad del área de un rectángulo cuya base y altura son las mismas que las del triángulo. Puedes hallar el área de un triángulo si calculas el área del rectángulo en que está inscrito y la divides entre dos. Puedes también usar la fórmula para calcular el área de un triángulo.

— Ejemplo —

Halla el área de este triángulo.

Método uno: El área de la cuadrícula rectangular es de 5 × 8, o sea 40 unidades cuadradas. Puesto que el triángulo de la cuadrícula cubre sólo la mitad de las cuadros, entonces el área del triángulo es la mitad de 40, es decir 20 unidades cuadradas.

Método dos: Usa la fórmula base × altura ÷ 2 = área. La base del triángulo es de 5 unidades. La altura del triángulo es de 8 unidades.

$$5 \times 8 \div 2 = 20$$

El área del triángulo es de 20 unidades cuadradas.

Haz la prueba Encuentra cada área.

a.
Base 4 unidades Altura 5 unidades
$$4 \times 5 \div 2 = 10$$
Área 10 unidades cuadradas

b.
Base 10 ft Altura 7 ft
$$10 \times 7 \div 2 = 35$$
Área 35 pies cuadrados

c. 9 m²

d. 14 cm²

e. 60 ft²

f. 16 cm²

Halla la altura de cada triángulo si _b_ es la base y _A_ es el área.

13. $b = 6$ in., $A = 54$ in². **18 in.** **14.** $b = 62$ ft, $A = 186$ ft². **6 ft** **15.** $A = 63$ in²., $b = 7$ in.
18 in.

16. [Para la prueba] Si el área de un triángulo es 11.25 in², ¿cuál es su altura? **B**

   Ⓐ 4.6875 in.   Ⓑ 4.5 in.

   Ⓒ 4.0178571 in.   Ⓓ Ninguna de las anteriores

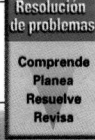
4.8 in.   5.6 in.   ?
5 in.

RESOLVER PROBLEMAS 4-6

Resolución de problemas y razonamiento

17. Razonamiento crítico La plazoleta de un centro comercial tiene cuatro jardineras triangulares. Cada una tiene una base de 60 pulgadas y una altura de 48 pulgadas. Si una planta puede sembrarse cada 4 pulgadas cuadradas, ¿cuántas plantas se necesitan para llenar las jardineras? Explica cómo resolviste el problema.

18. Comunicación Describe cómo puedes calcular el área de un pentágono regular (una figura con cinco lados iguales), si sabes cómo hallar el área de los triángulos.

19. 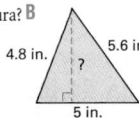 En tu diario — Un terreno triangular tiene una base de 1 milla y un área de 1 milla cuadrada. Explica cómo ambas medidas pueden ser igual a 1.

Repaso mixto

Usa la gráfica de ostiones en su concha para resolver los ejercicios 20–22. _[Lección 1-1]_

20. ¿Cuántos ostiones seleccionados hay en una pinta? **32**

21. ¿Cuál es la diferencia en una pinta entre los ostiones muy pequeños y los ostiones selectos? **52**

22. ¿Qué tamaño de ostión representa más número de ostiones por pinta? **Muy pequeños**

Usa exponentes para escribir cada expresión. _[Lección 2-4]_

23. $6 \times 6 \times 6 \times 6 \times 6$ **6^5** **24.** $435 \times 435 \times 435$ **435^3** **25.** $7 \times 7 \times 7 \times 7$ **7^4** **26.** $5 \times 5 \times 9 \times 9 \times 9$ **$5^2 \times 9^3$**

27. $10 \times 10 \times 10 \times 10$ **10^4** **28.** $1 \times 1 \times 1 \times 1 \times 1 \times 1$ **1^6** **29.** $3 \times 3 \times 3 \times 3 \times 8$ **$3^4 \times 8$** **30.** 68×68 **68^2**

El proyecto en marcha

Regresa a tus notas y calcula el área de tus hoyos de golf. Asegúrate de que al menos dos hoyos tengan figura rectangular y otros dos hoyos tengan figura triangular.

Resolución de problemas
Comprende
Planea
Resuelve
Revisa

Respuestas de Ejercicios

17. 1440; El área de una jardinera es de 1440 in², por tanto, hay 360 plantas en una jardinera.

18. Se divide el pentágono en cinco triángulos y se suman las áreas de los triángulos.

19. La anchura del terreno triangular es de 2 millas; $(1)(2) \div 2 = 1$.

Evaluación adicional

Autoevaluación Describe y resuelve problemas en donde tengas que hallar el área de un cuadrado, un rectángulo, un paralelogramo y un triángulo. Evalúa tu propia comprensión acerca de estos conceptos.

> ## ➤ Prueba rápida

Halla el área si _b_ es la base y _h_ es la altura del triángulo.

1. $b = 4$ unidades, $h = 4$ unidades
  8 unidades²

2. $b = 22$ cm, $h = 18$ cm 198 cm²

3. $b = 9$ in., $h = 10$ in. 45 in²

4. Una bandera triangular tiene una base de 7 m y una altura de 4 m. ¿Cuál es el área de la bandera?
  14 m²

Project Progress

You may want to have students use Chapter 4 Project Master.

Exercise Answers

17. 1440; The area of one bed is 1440 in² so there are 360 plants in one bed.

18. Divide the pentagon into five triangles and add the areas of the triangles together.

19. The height of the triangular plot is 2 miles; $(1)(2) \div 2 = 1$.

Alternate Assessment

Self Assessment Write and solve problems involving finding the area of a square, a rectangle, a parallelogram, and a triangle. Rate your own understanding of these concepts.

Quick Quiz

Find the area if _b_ is the base and _h_ is the height of the triangle.

1. $b = 4$ units, $h = 4$ units
  8 units²

2. $b = 22$ cm, $h = 18$ cm 198 cm²

3. $b = 9$ in., $h = 10$ in. 45 in²

4. A triangular flag has a base of 7 m and a height of 4 m. What is the area of the flag? 14 m²

Available on Daily Transparency 4-6

➤ PROBLEM SOLVING

Nombre _____

Resolución guiada de problemas
4-6

[RGP] **PROBLEMA 12, PÁGINA 240 DEL ESTUDIANTE**

El Triángulo de las Bermudas es una región en el océano Atlántico donde, desde 1940, se han informado desapariciones misteriosas de barcos y aviones. Usa el diagrama para calcular el área del Triángulo de las Bermudas.

1,150 mi
Bermuda
Florida 756 mi 950 mi
950 mi
Puerto Rico

— Comprende —
1. ¿Qué se te pide hallar? El área del Triángulo de las Bermudas.
2. Rodea con un círculo la información del dibujo que te puede ayudar a resolver el problema.

— Plan —
3. ¿Cuál es la fórmula para hallar el área de un triángulo? Área = $b \times h \div 2$
4. a. ¿Cuál es la base del Triángulo de las Bermudas? 1150 mi
   b. ¿Cuál es la altura del Triángulo de las Bermudas? 756 mi
5. ¿Cuál de las siguientes es una respuesta razonable? b
  a. Alrededor de 200,000 mi² **b.** Alrededor de 400,000 mi² **c.** Alrededor de 800,000 mi²

— Resuelve —
6. Sustituye los valores de la base y la altura en la fórmula.
  1150 $\times$ 756 $\div$ 2 = 434,700
7. Escribe un enunciado que exprese el área del Triángulo de las Bermudas. Respuesta posible: El área del Triángulo de las Bermudas es de 434,700 mi².

— Revisa —
8. ¿Por qué escribiste la respuesta en millas cuadradas? Respuesta posible: El área se mide siempre en unidades cuadradas.

RESUELVE OTRO PROBLEMA

Encuentra el área del triángulo que se muestra.
Jackson
192 mi 171 mi
183 mi Mobile
New Orleans 153 mi
13,081.5 mi²

➤ ENRICHMENT

Nombre _____

Actividad de enriquecimiento
4-6

Tomar decisiones
Un teselado es la repetición de una figura o figuras para llenar por completo un espacio sin dejar huecos. Experimenta con algunas figuras para crear teselados interesantes. Puedes probar algunos diseños con bloques de patrones y después dibujarlos en esta hoja.

Revise el trabajo de los estudiantes.

1. Haz un teselado con una figura.
2. Haz un teselado con 2 figuras cualesquiera de 4 lados.

3. Haz un teselado con cualquier figura de 4 lados y un triángulo.
4. Haz un teselado con tres figuras cualesquiera.

5. ¿Qué descubriste acerca de la creación de teselados? ¿Forman teselados todas las figuras? Da ejemplos que apoyen tu respuesta.
Respuesta posible: No todas las figuras pueden crear teselados.
Un ejemplo es un pentágono.

Using Dynamic Geometry Software
• Finding the Sum of the Angles inside a Quadrilateral

The Point

Students use geometry software to find patterns in the sum of the angles in a quadrilateral.

Materials

Dynamic geometry software

Resources

Interactive CD-ROM Geometry Tool

About the Page

- You may want to demonstrate how to use the dynamic geometry software to draw figures, measure angles, and use the calculator feature.

- You might want to point out that a quadrilateral can be divided into two triangles. Note that the sum of the angle measures of a quadrilateral is 2 × 180°, or 360°.

Ask ...

- Once the figure is drawn, what is to be measured? The angles inside the figure.

- Is there a difference in how a five- or six-sided figure is drawn, compared to a four-sided figure?

Try It

- Remind students that the figures described should not have dents.

Answers for Try It

a. 540°

b. 720°

On Your Own

In the third question, point out that the angle where the dent is has a measure greater than 180°. The software may give the measure of this outside angle.

Answers for On Your Own

- Answers may vary. The sum of the angles is 900°.

- (The number of sides − 2) × 180°

- The sum is the same, but the software may give a smaller answer if it calculates the exterior measure of the dent angle.

Uso del software interactivo de geometría
• Obtención de la suma de los ángulos internos de un cuadrilátero

Objetivo

Los estudiantes usan el software de geometría para hallar patrones en la suma de los ángulos de un cuadrilátero.

Materiales

Software interactivo de geometría

Recursos

 CD-ROM interactivo/Herramienta de geometría

Acerca de esta página

- Tal vez quiera demostrar cómo se usa el software interactivo de geometría para dibujar figuras, medir ángulos y usar la herramienta de calculadora.

- También podría señalar que un cuadrilátero puede dividirse en dos triángulos. Observe que la suma de las medidas de los ángulos de un cuadrilátero es 2 × 180°, o sea 360°.

Pregunte...

- Una vez que se ha dibujado la figura, ¿qué debe medirse? Los ángulos internos de la figura.

- Con relación a una figura de cuatro lados, ¿hay alguna diferencia en cómo dibujar una figura de cinco o de seis lados?

Inténtalo

- Recuerde a los estudiantes que las figuras descritas no deben estar dentadas.

Respuestas de Inténtalo

a. 540°

b. 720°

Por tu cuenta

En la tercera pregunta, señale que el ángulo dentado tiene una medida mayor que 180°. El software puede dar la medida de este ángulo externo.

Respuestas de Por tu cuenta

- Las respuestas pueden variar. La suma de los ángulos es de 900°.

- (El número de lados −2) × 180°.

- La suma es igual, pero el software puede dar una respuesta menor si calcula la medida externa del ángulo dentado.

Uso del software interactivo de geometría • Obtención de la suma de los ángulos internos de un cuadrilátero

Problema: ¿Cómo puedes determinar la suma de los ángulos internos de cada cuadrilátero, o polígono de cuatro lados?

Puedes usar el software interactivo de geometría para determinar las sumas de los ángulos internos de un polígono de cuatro lados. Primero, la investigación se enfocará sólo a los polígonos convexos. Estos son polígonos no "dentados".

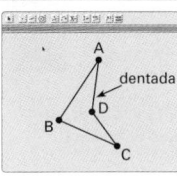

1 Con tu software geométrico, dibuja una figura de cuatro lados. No dibujes una figura "dentada" como ésta.

2 Usa la herramienta de medición para medir los ángulos.

m∠DAB = 125°
m∠ABC = 63°
m∠BCD = 102°
m∠CDA = 70°

3 Usa la opción del software para encontrar la suma de los ángulos.

4 Sin crear una figura dentada, estira la figura para ver si la suma cambia.

Solución: La suma de los ángulos internos de un cuadrilátero es de 360°.

INTÉNTALO

a. Halla la suma de los ángulos internos en una figura de cinco lados.

b. Halla la suma de los ángulos internos en una figura de seis lados.

POR TU CUENTA

► Haz un pronóstico de cómo será la suma de los ángulos internos de una figura de siete lados. Explica tu predicción. Dibuja una figura de siete lados con el software y comprueba si fue correcto lo que habías predicho.

► Escribe una regla o fórmula que prediga la suma de los ángulos internos de cualquier figura, no importa cuántos lados tenga.

► Dibuja un polígono cóncavo de cuatro lados (un polígono "dentado"). ¿Es diferente la suma de los ángulos internos en este tipo de polígono? Explica por qué.

242

En esta sección aprendiste cómo calcular el área de cuadrados, rectángulos, paralelogramos y triángulos. Ahora usarás tus conocimientos sobre cálculo de áreas para determinar el diseño de tu propio centro comercial.

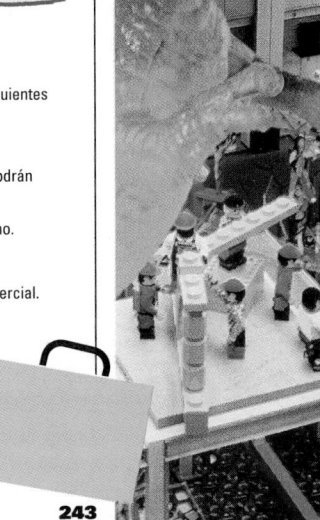

¡El monstruo que se comió a Minnesota!

Materiales: Regla, lápices o marcadores de colores

1. Necesitas diseñar un pequeño centro comercial que cumpla con las siguientes condiciones:

   a. Debe tener por lo menos seis tiendas.

   b. Debe tener un área central con bancas y una fuente. Los clientes podrán caminar de tienda en tienda por esta área.

   c. Debe tener baños y un elevador al restaurante que estará en el techo.

   d. Su área debe ser de por lo menos 1800 m².

2. Usa una regla en centímetros para hacer un bosquejo de tu centro comercial. Con un color, marca la longitud de cada línea en centímetros. Con un color diferente, marca la longitud que tendrá cada pared. Considera que 1 cm en tu bosquejo es igual a 2 m de pared.

3. Calcula el área de cada tienda, el área central, los sanitarios y el elevador. Tus cálculos deberán ser en metros cuadrados. Escribe estas áreas en tu bosquejo.

243

¡El monstruo que se comió a Minnesota!

Objetivo

En *¡El monstruo que se comió a Minnesota!*, de la página 227, se analizan los centros comerciales. Ahora se da a los estudiantes una oportunidad para diseñar un minicentro comercial propio.

Materiales

Regla, lápices de colores o bolígrafos

Acerca de esta página

- Repase con los estudiantes las medidas métricas. Usarán las medidas métricas para diseñar sus centros comerciales.

- Comente con ellos la escala que usarán, 1 cm = 2 m.

- Dígales que no incluyan el restaurante en el diseño porque se localiza en otro piso. Deben estar seguros de que su diseño incluya un elevador para que la gente llegue al restaurante.

- Sugiérales que midan en centímetros cada línea del plano y que primero escriban estas medidas en el plano. Después use otro color para escribir las medidas reales del plano.

Evaluación continua

Compruebe que los estudiantes hayan hecho un diseño razonable antes de calcular las áreas.

Ampliación

Los centros comerciales tienen la finalidad de ofrecer "comercios multiopcionales" al consumidor. Pregunte a los estudiantes qué clase de tiendas habrá en su centro comercial. Anímelos a dar nombres a las tiendas y a decir qué productos van a vender. Sugiérales que agreguen esta información a su plano.

Respuestas de Asociación

1–3. Las respuestas pueden variar.

The Monster That Ate Minnesota!

The Point

In *The Monster That Ate Minnesota!* on page 227, shopping malls are discussed. Now students are given an opportunity to design their own mini-mall.

Materials

Ruler, colored pencils or pens

About the Page

- Review metric measurement with students. They will use metric measurements as they design this mall.

- Discuss the scale they will use, 1 cm = 2m.

- Tell students not to include the restaurant or its area in their design because it is on another floor. They do need to be sure that their design includes an elevator so people can get to the restaurant.

- Suggest that students measure each line in the plan in centimeters and write those measurements on the map first. Then use another color to write the actual measurements on their plan.

Ongoing Assessment

Check that students have drawn a reasonable floor plan before they calculate the areas.

Extension

Shopping malls try to create "one-stop shopping" for the consumer. Ask students what stores they will have in their mall. Ask them to give the store names and tell which products they will sell. Have them add this information to their floor plan.

Answers for Connect

1–3. Answers may vary.

Review Correlation

Item(s)	Lesson(s)
1	4-5
2	4-6
3–5	4-4
6	4-6
7, 8	4-3
9	4-2
10–13	4-1
14	4-4

Test Prep

Test-Taking Tip

Stress the importance of reading each answer choice carefully. Many students should be able to mentally multiply 20 and 40 correctly and get an answer of 800. However, point out to students that the units are part of the answer as well. Answer choice C is incorrect, because area is measured in *square* centimeters, not centimeters.

Correlación de repaso

Punto(s)	Lección(es)
1	4-5
2	4-6
3–5	4-4
6	4-6
7, 8	4-3
9	4-2
10–13	4-1
14	4-4

Para la prueba

Sugerencia para la prueba

Subraye la importancia de leer cuidadosamente cada opción de respuesta. Muchos estudiantes deberían ser capaces de multiplicar en forma mental 20 por 40 y obtener 800. Ponga énfasis en que las unidades también son parte de la respuesta. La opción C es incorrecta porque el área se mide en centímetros *cuadrados* y no en centímetros lineales.

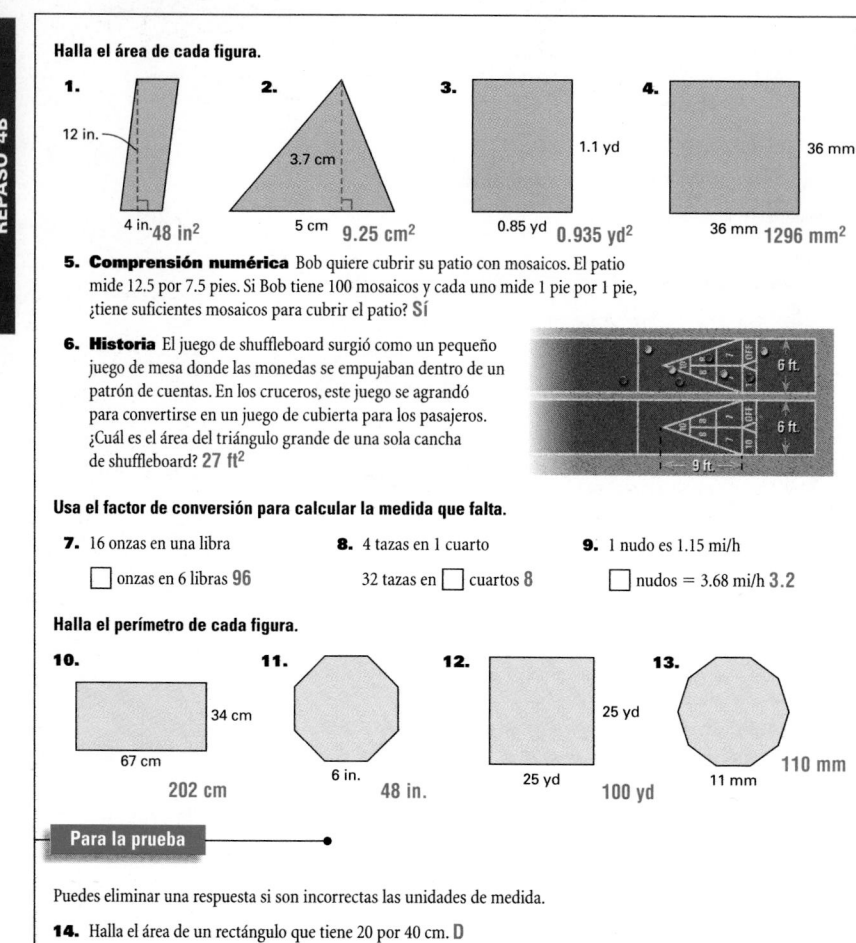

REPASO 4B

Sección 4B • Repaso

Halla el área de cada figura.

1. 12 in. 4 in. **48 in²**

2. 3.7 cm 5 cm **9.25 cm²**

3. 1.1 yd 0.85 yd **0.935 yd²**

4. 36 mm 36 mm **1296 mm²**

5. **Comprensión numérica** Bob quiere cubrir su patio con mosaicos. El patio mide 12.5 por 7.5 pies. Si Bob tiene 100 mosaicos y cada uno mide 1 pie por 1 pie, ¿tiene suficientes mosaicos para cubrir el patio? **Sí**

6. **Historia** El juego de shuffleboard surgió como un pequeño juego de mesa donde las monedas se empujaban dentro de un patrón de cuentas. En los cruceros, este juego se agrandó para convertirse en un juego de cubierta para los pasajeros. ¿Cuál es el área del triángulo grande de una sola cancha de shuffleboard? **27 ft²**

Usa el factor de conversión para calcular la medida que falta.

7. 16 onzas en una libra
   ☐ onzas en 6 libras **96**

8. 4 tazas en 1 cuarto
   32 tazas en ☐ cuartos **8**

9. 1 nudo es 1.15 mi/h
   ☐ nudos = 3.68 mi/h **3.2**

Halla el perímetro de cada figura.

10. 34 cm 67 cm **202 cm**

11. 6 in. **48 in.**

12. 25 yd 25 yd **100 yd**

13. 11 mm **110 mm**

Para la prueba

Puedes eliminar una respuesta si son incorrectas las unidades de medida.

14. Halla el área de un rectángulo que tiene 20 por 40 cm. **D**
    - Ⓐ 60 cm
    - Ⓑ 60 cm²
    - Ⓒ 800 cm
    - Ⓓ 800 cm²

Resources

Practice Masters
   Section 4B Review

Assessment Sourcebook
   Quiz 4B

 TestWorks
   Test and Practice Software

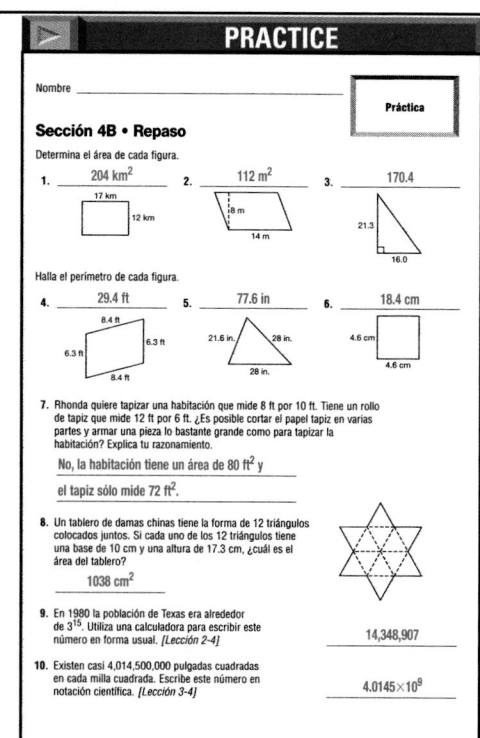

PRACTICE

Nombre _____

Práctica

Sección 4B • Repaso

Determina el área de cada figura.

1. 17 km 12 km **204 km²**

2. 8 m 14 m **112 m²**

3. 21.3 16.0 **170.4**

Halla el perímetro de cada figura.

4. 8.4 ft 6.3 ft 8.4 ft **29.4 ft**

5. 21.6 in. 28 in. 28 in. **77.6 in**

6. 4.6 cm 4.6 cm **18.4 cm**

7. Rhonda quiere tapizar una habitación que mide 8 ft por 10 ft. Tiene un rollo de tapiz que mide 12 ft por 6 ft. ¿Es posible cortar el papel tapiz en varias partes y armar una pieza lo bastante grande como para tapizar la habitación? Explica tu razonamiento.

   No, la habitación tiene un área de 80 ft² y el tapiz sólo mide 72 ft².

8. Un tablero de damas chinas tiene la forma de 12 triángulos colocados juntos. Si cada uno de los 12 triángulos tiene una base de 10 cm y una altura de 17.3 cm, ¿cuál es el área del tablero?

   1038 cm²

9. En 1980 la población de Texas era alrededor de 3^{15}. Utiliza una calculadora para escribir este número en forma usual. *[Lección 2-4]*

   14,348,907

10. Existen casi 4,014,500,000 pulgadas cuadradas en cada milla cuadrada. Escribe este número en notación científica. *[Lección 3-4]*

    4.0145×10^9

Section 4C

Area of Circles

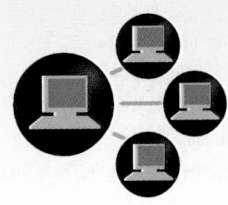

Visit **www.teacher.mathsurf.com** for links to lesson plans from teachers and other professionals, NCTM information, and other sites.

LESSON PLANNING GUIDE

▶ Student Edition

▶ Ancillaries*

LESSON		MATERIALS	VOCABULARY	DAILY	OTHER
	Section 4C Opener				
4-7	Discovering Pi	tape measures, calculators, several circular objects	radius, diameter, circumference, pi	4-7	Teaching Tool Trans. 23 Technology Master 19 Ch. 4 Project Master
4-8	Area of Circles			4-8	Lesson Enhancement Trans. 18 Technology Master 20
4-9	Area of Irregular Figures			4-9	Lesson Enhancement Trans. 19
	Connect	rulers			Interdisc. Team Teaching 4C
	Review				Practice 4C; Quiz 4C; *TestWorks*
	Extend Key Ideas	graph paper			Teaching Tool Trans. 7
	Chapter 4 Summary and Review				
	Chapter 4 Assessment				Ch. 4 Tests Forms A–F *TestWorks*; Ch. 4 Letter Home
	Cumulative Review, Chapters 1–4				Cumulative Review Ch. 1-4

* Daily Ancillaries include Practice, Reteaching, Problem Solving, Enrichment, and Daily Transparency. Teaching Tool Transparencies are in *Teacher's Toolkits*. Lesson Enhancement Transparencies are in *Overhead Transparency Package*.

SKILLS TRACE

LESSON	SKILL	FIRST INTRODUCED			DEVELOP	PRACTICE/ APPLY	REVIEW
		GR. 4	GR. 5	GR. 6			
4-7	Discovering pi.			✗ p. 246	pp. 246–247	pp. 248–249	pp. 263, 349, 390, 533
4-8	Finding areas of circles.			✗ p. 250	pp. 250–251	pp. 252–253	pp. 263, 537
4-9	Finding areas of irregular shapes.			✗ p. 254	pp. 254–256	pp. 257–258	pp. 263, 354, 542

CONNECTED MATHEMATICS

The unit *Covering and Surrounding (2-D Measurement)*, from the **Connected Mathematics** series, can be used with Section 4C.

Math and Social Studies
(Worksheet pages 23–24: Teacher pages T23–T24)

In this lesson, students find the area of a circle as it relates to houses that have circular bases.

Nombre _____ *Ciencias sociales*

Bienvenido a la casa redonda
Hallar el área de un círculo al relacionarlo con casas de bases circulares.

Observa bien tu salón de clase. Luego imagínate los diferentes cuartos de tu casa. Estos cuartos, ya sean grandes o pequeños, tienen algo en común. En general tienen cuatro paredes, un piso y un techo. La mayoría de los cuartos en el mundo se construyen de esta forma, sin embargo, hay algunas excepciones, como el *iglú* y el *tepee*.

Los inuitas (antes llamados esquimales) que vivían en la parte central y occidental de Canadá, construían sus iglúes de hielo como hogares permanentes durante el invierno. En la actualidad, pocos inuitas construyen iglúes, a menos que vayan a realizar largas travesías y necesiten un refugio temporal.

Los iglúes se construyen con bloques de hielo. En el iglú tradicional, cada bloque mide de 2 a 3 pies de largo por 1 a 2 pies de ancho. El iglú tiene forma de domo y su base es circular. Por lo general tiene un diámetro de 8 pies y una altura de 12 pies. Una capa de hielo que cubre un hoyo en un lado del iglú forma una ventana.

El iglú tiene una entrada que es un túnel angosto. El túnel impide la entrada del aire frío. Se usan lámparas de aceite de foca para iluminar y calentar. Un pequeño orificio en la parte superior del iglú permite la entrada de suficiente aire fresco. Una plataforma, construida dentro del iglú y cubierta de pieles, se usa como una cama.

Al igual que el iglú, el tepee también tiene una base circular. Los indios de las llanuras de América del Norte vivían en tiendas portátiles de forma cónica. Los hogares portátiles eran importantes para los indios de las llanuras porque, con frecuencia, se mudaban de sitio al seguir a los animales que cazaban, como el búfalo y el venado. Los tepees se construían con tres postes largos atados en la parte superior y encajados en la tierra como un trípode. Los indios estiraban las pieles de los búfalos sobre los postes. Por lo general, cubrían los tepees hasta con 20 pieles de búfalo. El tepee medía como 10 pies de alto y tenía un diámetro de 15 pies.

Tipo de hogar	Diámetro de la base de la estructura	Circunferencia de la base de la estructura
iglú de hielo	8 pies	$8 \times 3.14 = 25.12$ pies
tepee	15 pies	$15 \times 3.14 = 47.1$ pies

1. Determina la circunferencia del iglú y del tepee y registra los datos en la tabla anterior. Usa 3.14 como valor de π.

2. Conociendo el diámetro del piso del iglú y del tepee, también puedes determinar el área del piso de cada estructura. Calcula y escribe el radio y el área de cada estructura en la siguiente tabla. Usa 3.14 como valor de π.

Tipo de hogar	Radio del piso circular	Área del piso circular
iglú	4 pies	$3.14 \times (4 \times 4)$ $= 50.24$ pies cuadrados
tepee	7.5 pies	$3.14 \times (7.5 \times 7.5)$ $= 176.625$ pies cuadrados

---

Nombre _____ *Ciencias sociales*

3. El iglú de hielo y el tepee son estructuras de un solo cuarto. Una unidad familiar de inuitas vivía en un iglú y una unidad familiar de indios de las llanuras vivía también en un tepee. Una unidad familiar usualmente incluye un esposo, una esposa y sus hijos. Calcula el área de tu recámara y compárala con las áreas del iglú y del tepee. ¿Cabría dentro de tu recámara el piso circular de un iglú o de un tepee? Explica tu respuesta. ¿Puedes concebir que tu hogar consistiera sólo del cuarto en el que duermes?

Véase a continuación.

4. Los indios de las llanuras también construían una estructura en forma de domo que se llamaba choza para sudar. Se utilizaban las ramas de los árboles para formar el domo y se colocaban pieles encima de las ramas. En general, las chozas para sudar medían 4 pies de alto y tenían bases circulares. A mitad de la choza se encontraba una fosa circular para el fuego. Se colocaban piedras calientes dentro de la fosa; se vaciaba agua encima de las piedras para producir vapor. Un grupo de hombres o de mujeres se metían a la choza, en donde se sentaban alrededor de la fosa y meditaban, oraban o cantaban. Imagínate que te encuentras dentro de una choza para sudar cuya área de piso es de 78.5 pies cuadrados.

a. ¿Cuál es el diámetro del área del piso? Explica cómo obtuviste tu respuesta. Usa 3.14 como valor de π.

10 pies. Las explicaciones
de los estudiantes
variarán pero deberán usar
la siguiente fórmula: a = πr²;
78.5 ft² = 3.14 r²;
78.5 ÷ 3.14 = r²;

$25 = r^2$; $r = \sqrt{25} = 5$;
$d = 10$

b. Si la fosa para el fuego de esta choza para sudar tuviera un diámetro de 1.5 pies, ¿cuánta área del piso quedaría para sentarse?

área de la fosa del fuego:
$3.14 \times (0.75)^2 = 1.77$ pies
cuadrados; $78.5 - 1.77$
$= 76.73$ pies cuadrados.

c. Para que tengas una idea de qué tan cerca se sentaban los nativos americanos dentro de una choza para sudar, siéntate con tus amigos en un espacio del piso de 78.5 pies cuadrados. En el piso de tu salón dibuja con una tiza o con una cinta un círculo que encierre 78.5 pies cuadrados. En la parte central del círculo traza otro círculo que represente la fosa del fuego. Sentándose lo más cerca posible, busca cuántas personas caben dentro del círculo y alrededor de la fosa de fuego.

El número de estudiantes puede
variar de acuerdo con su tamaño.

5. ¿Qué factores determinan el tamaño de un iglú y de un tepee?

Véase a continuación.

6. ¿Por qué crees que los inuitas y los indios de las llanuras escogían estructuras con bases circulares?

Véase a continuación.

7. ¿Por qué quienes estudian a los inuitas y a los indios de las llanuras deben saber cómo encontrar el área de un círculo?

Véase a continuación.

Respuestas adicionales

3. Las respuestas de los estudiantes pueden variar. Las respuestas deben reflejar que compararon el diámetro de las bases circulares con el tamaño de sus recámaras.

5. Las respuestas de los estudiantes serán distintas. Los estudiantes pueden sugerir lo siguiente: materiales disponibles, la cantidad de tiempo disponible para construir la estructura y el número de personas que ocuparán la estructura.

6. Las respuestas de los estudiantes pueden variar. Los estudiantes pueden sugerir que estas estructuras son fáciles de construir, que pueden edificarse con rapidez y requieren de menos materiales que las estructuras rectangulares. Tratándose de estructuras temporales, la facilidad y rapidez con que se construían era importante.

7. Las respuestas de los estudiantes pueden variar. Ellos pueden sugerir, entre otras cosas, que es importante estudiar los hogares en los que vivían estas personas. Para poder determinar de cuánto espacio disponían y poderlo comparar con otras estructuras, se debe saber cómo calcular el área de un círculo.

BIBLIOGRAPHY

FOR TEACHERS

Bonnet, Robert L. and Keen, G. Daniel. *Space & Astronomy: Forty-Nine Science Fair Projects.* Blue Ridge Summit, PA: Tab Books, 1992.

Couper, Heather. *The Space Atlas.* Fort Worth, TX: Harcourt Brace Jovanovich, 1992.

Parker, Steve. *The Random House Book of How Things Work.* New York, NY: Random House, 1991.

FOR STUDENTS

Asseng, Nathan. *Better Mousetraps.* Minneapolis, MN: Lerner Publications, 1990.

Giscard d'Estaing, Valerie-Anne. *Inventions and Discoveries.* New York, NY: Facts on File, 1993.

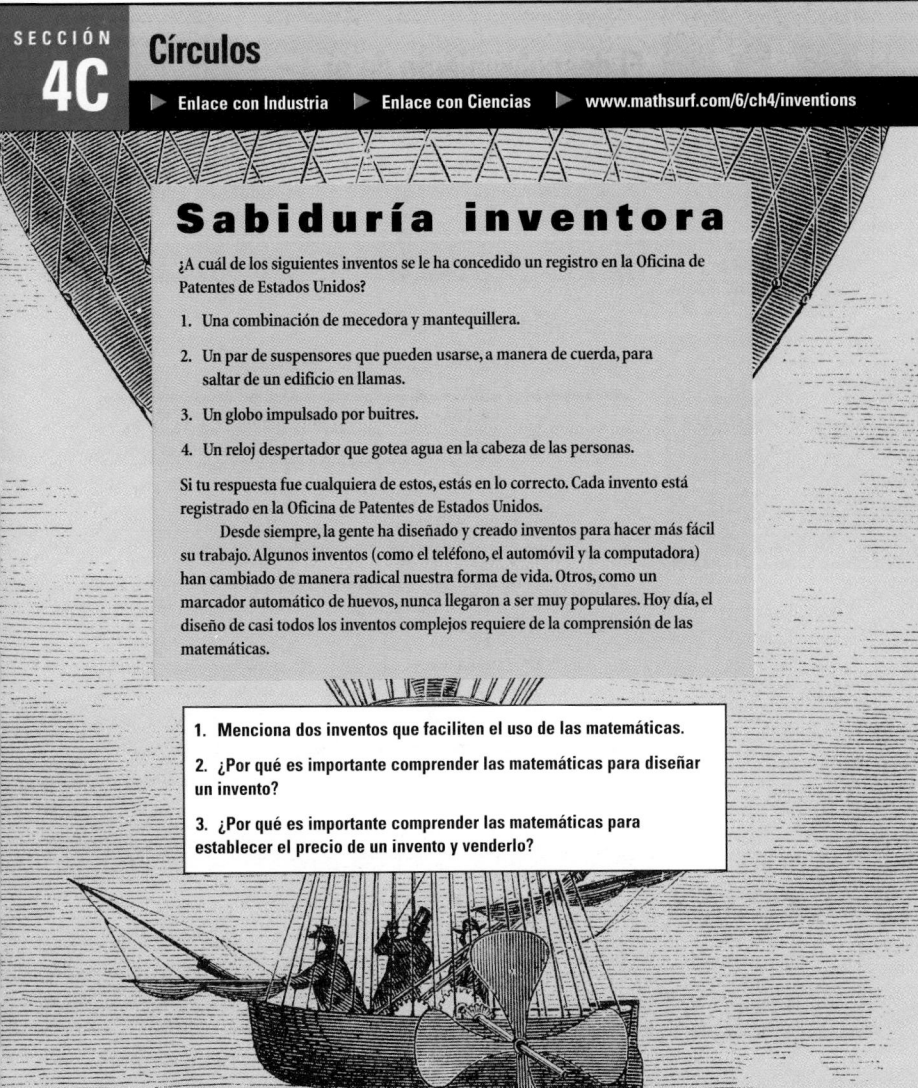

Sabiduría inventora

¿A cuál de los siguientes inventos se le ha concedido un registro en la Oficina de Patentes de Estados Unidos?

1. Una combinación de mecedora y mantequillera.

2. Un par de suspensores que pueden usarse, a manera de cuerda, para saltar de un edificio en llamas.

3. Un globo impulsado por buitres.

4. Un reloj despertador que gotea agua en la cabeza de las personas.

Si tu respuesta fue cualquiera de estos, estás en lo correcto. Cada invento está registrado en la Oficina de Patentes de Estados Unidos.

Desde siempre, la gente ha diseñado y creado inventos para hacer más fácil su trabajo. Algunos inventos (como el teléfono, el automóvil y la computadora) han cambiado de manera radical nuestra forma de vida. Otros, como un marcador automático de huevos, nunca llegaron a ser muy populares. Hoy día, el diseño de casi todos los inventos complejos requiere de la comprensión de las matemáticas.

---

1. Menciona dos inventos que faciliten el uso de las matemáticas.

2. ¿Por qué es importante comprender las matemáticas para diseñar un invento?

3. ¿Por qué es importante comprender las matemáticas para establecer el precio de un invento y venderlo?

245

Where are we now?

In Section 4B, students learned to find the area of geometric figures and to better distinguish between perimeter and area.

They learned how to

- find the area of squares and rectangles.
- find the area of parallelograms.
- find the area of triangles.

Where are we going?

In Section 4C, students will

- use an activity to develop the value of pi.
- find the circumference of circles.
- find the area of circles.
- find the area of irregular figures.

Tema: Inventos fantásticos

World Wide Web

Si su clase tiene acceso al World Wide Web, tal vez desee utilizar la información que se encuentra en las direcciones Web indicadas. Los enlaces interdisciplinarios relacionan los temas examinados en esta sección.

Acerca de esta página

Esta página presenta el tema de la sección —inventos fantásticos— y describe algunos inventos extraños.

Pregunte...

- ¿Qué es una patente? ¿Por qué los inventores deben patentar sus inventos? Una patente es una concesión hecha por el gobierno a un inventor con objeto de asegurarle el derecho de usar y vender el invento por un tiempo determinado.

- ¿De qué manera cambiaría tu vida si no se hubieran inventado los aviones? Las respuestas pueden variar.

Ampliación

Las siguientes actividades no requieren de acceso al Web.

Industria
Realiza una investigación sobre la Oficina de Patentes de Estados Unidos. Haz un informe de cuáles son las tareas de esta dependencia, los trámites que en ella se realizan, así como el costo y tiempo que se requiere para patentar un invento.

Ciencias
El National Inventors Hall of Fame se localiza en Akron, Ohio. Investiga y haz un informe acerca de varios científicos que sean miembros de este salón de la fama.

Respuestas de Preguntas

1. Respuestas posibles: Calculadoras, computadoras.

2. Respuestas posibles: Las matemáticas ayudan a que el diseño de los objetos sea lo más reducido, eficiente y económico posible.

3. Respuesta posible: Es necesario saber cuánto cuesta producir el invento para determinar su precio de venta.

Asociación

En la página 259 los estudiantes diseñarán un invento.

Theme: Weird inventions

World Wide Web

If your class has access to the World Wide Web, you might want to use the information found at the Web site address given. The interdisciplinary links relate to topics discussed in this section.

About the Page

This page introduces the theme of the section, weird inventions, and describes some unusual inventions.

Ask ...

- What is a patent? Why should an inventor patent his or her invention? A patent is a grant made by the government to an inventor, assuring the owner the sole right to make, use, and sell the invention for a certain period of time.

- How would your life be different if the airplane had never been invented? Answers may vary.

Extensions

The following activities do not require access to the World Wide Web.

Industry

Find out about the United States Patent Office. Report on its purpose, the steps, and the time required to patent an invention, as well as the cost involved.

Science

The National Inventors Hall of Fame is located in Akron, Ohio. Research and report on several scientists who are members of this Hall of Fame.

Answers for Questions

1. Possible answers: Calculators, computers.

2. Possible answers: Math helps design something so it is as small, as efficient or as inexpensive as possible.

3. Possible answer: You need to know how much it costs to make the invention when deciding the price.

Connect

On page 259, students will design an invention.

Lesson Organizer

Objective

- Find the circumference of a circle.

Vocabulary

- Radius, diameter, circumference, pi

Materials

- Explore: Tape measures, calculators, several circular objects

NCTM Standards

- 1–5, 12, 13

Review

Solve each equation.

1. $5x = 35$ $x = 7$
2. $14 + x = 28$ $x = 14$
3. $55 - x = 20$ $x = 35$
4. $\frac{x}{11} = 3$ $x = 33$

Available on Daily Transparency 4-7

► Repaso

Resuelve las ecuaciones.

1. $5x = 35$ $x = 7$
2. $14 + x = 28$ $x = 14$
3. $55 - x = 20$ $x = 35$
4. $\frac{x}{11} = 3$ $x = 33$

Introduce

Explore

The Point

Students develop the concept of pi by measuring and then dividing the circumference by the diameter of at least five different objects.

Ongoing Assessment

Check that students are measuring the largest distance across each object when finding the diameter.

For Groups That Finish Early

Make a bar graph showing the result of dividing the circumference by the diameter for each object.

Answers for Explore

1. Check students' tables.
2. Answers may vary.
3. Answers should be around 3.14.
4. They are all near 3.

1 Introducción

Investigar

Objetivo

Para desarrollar el concepto de pi, los estudiantes deben medir y después dividir la circunferencia entre el diámetro de cuando menos cinco objetos diferentes.

Evaluación continua

Para hallar el diámetro, revise que los estudiantes midan la distancia mayor a través de cada objeto.

Para los grupos que terminen antes

Para cada objeto, haz una gráfica de barras que muestre el resultado de dividir la circunferencia entre el diámetro.

Respuestas de Investigar

1. Revise las tablas de los estudiantes.
2. Las respuestas pueden variar.
3. Las respuestas deben estar alrededor de 3.14.
4. Todos están cerca de 3.

Vas a aprender...

■ a calcular la circunferencia de un círculo.

...cómo se usa

Los ciclistas necesitan calcular la circunferencia de sus ruedas de bicicleta cuando ajustan sus velocímetros.

Vocabulario

radio
diámetro
circunferencia
• pi

► **Enlace con la lección**   Una vez que has trabajado con el perímetro de figuras que tienen lados rectos, aprenderás a calcular el perímetro de los círculos. ◄

Investigar   El descubrimiento de pi

Razonamiento circular

Materiales: Cinta métrica, calculadora, varios objetos circulares

Objeto	Longitud que rodea a la figura	Longitud que atraviesa el centro	Longitud que rodea a la figura ÷ longitud que atraviesa el centro

1. Copia la tabla. Tu tabla debe tener cuando menos cinco hileras.

2. Usa la cinta métrica y mide en centímetros la longitud que rodea a cinco objetos. También mide la distancia que pasa por el centro de cada objeto. Asegúrate de que tus longitudes crucen en verdad por el centro.

3. Utiliza la calculadora y divide las longitudes que rodean las figuras entre las longitudes que atraviesan el centro. Redondea los resultados a dos posiciones decimales.

4. Describe cualquier patrón que observes en los valores de la última columna.

Aprender   El descubrimiento de pi

► **Enlace con Lenguaje**

El prefijo *di-* significa "dos". El diámetro corta un círculo en dos secciones iguales.

El **radio** de un círculo es cualquier recta que parta del centro a cualquier punto de la circunferencia.

El **diámetro** de un círculo es cualquier recta de un punto del círculo a otro punto del círculo y que pasa por el centro.

La **circunferencia** de un círculo es la longitud que rodea al círculo.

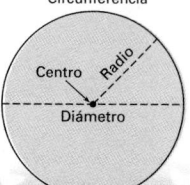

Circunferencia
Centro   Radio
Diámetro

246   Capítulo 4 • Medición

► MEETING INDIVIDUAL NEEDS

Resources

4-7 Practice
4-7 Reteaching
4-7 Problem Solving
4-7 Enrichment
4-7 Daily Transparency
  Problem of the Day
  Review
  Quick Quiz
Teaching Tool Transparency 23
Technology Master 19
Chapter 4 Project Master

Recursos

4-7 Práctica
4-7 Práctica adicional
4-7 Resolución de problemas
4-7 Actividad de enriquecimiento
Tecnología 19

Learning Modalities

Musical Have students make up a jingle to help them remember the relationships among the radius, diameter, circumference, and pi.

Visual Show students several different shapes on the overhead or on the chalkboard, and ask them to sort the shapes into two groups: those that they know how to find the distance around and those that they do not know how to find the distance around without measuring directly. Most likely, they will sort them into one group with straight sides and one with curved sides.

English Language Development

It is helpful to reinforce pictorially the meaning of new terms. Have students draw diagrams to illustrate the meaning of *circle, diameter, center,* and *radius.* Have students identify the names of these terms in their native language and point out any similarities and differences.

Modos de aprendizaje

Musical Anime a los estudiantes a hacer un estribillo musical que los ayude a recordar las relaciones que existen entre el radio, el diámetro, la circunferencia y pi.

Visual Muestre a los estudiantes varias figuras con el proyector o en la pizarra y pídales que las clasifiquen en dos grupos: aquellas en las que pueden hallar el perímetro y aquellas en las que no pueden hallarlo sin una medición directa. Lo más probable es que formen un grupo con las figuras de lados rectos y otro con las figuras de lados curvos.

Desarrollo del lenguaje

A menudo es útil ilustrar con imágenes el significado de los nuevos términos. Pida a los estudiantes que ilustren el significado del *círculo, el diámetro, el centro* y *el radio.* Quienes hablen otro idioma deberán identificar los nombres de estos términos en su lengua natal y explicar las semejanzas o diferencias.

Para cualquier círculo, la circunferencia dividida entre el diámetro siempre es igual a 3.14159265… Este valor se llama **pi** y se representa por la letra griega π. Puesto que el número de dígitos de π es infinito, el número 3.14 se usa como una aproximación.

Si conoces la circunferencia de un círculo, puedes usar π para hallar el diámetro. Si conoces el diámetro, puedes utilizar π para hallar la circunferencia.

Circunferencia = Diámetro × π

Diámetro ⟷ Circunferencia

Circunferencia ÷ π = Diámetro

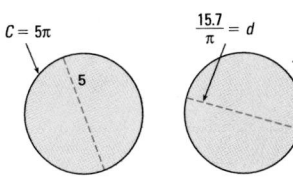

$C = 5\pi$

$\dfrac{15.7}{\pi} = d$

5

15.7

▶ **Enlace con Ciencias**

Al construir una computadora, los ingenieros de hardware necesitan verificar que la computadora haga los cálculos correctamente. Un método para revisar la exactitud de una computadora es hacer que calcule el valor de π y cuya respuesta tenga mil dígitos.

Ejemplo 1

El diámetro de una lente en el protector de ojos para pollo es de 0.5 cm. ¿Cuál es la circunferencia de la lente?

$C = \pi d$

$= 3.14 \times 0.5 = 1.57$

La circunferencia es 1.57 cm.

Haz la prueba

a. Calcula la circunferencia de un disco compacto cuyo diámetro es de 12 cm. **37.68 cm**

b. Halla el diámetro de una rueda de la fortuna con una circunferencia de 75 pies. **23.9 ft**

c. Encuentra la circunferencia. **18.84 ft**   d. Halla el diámetro. **25.16 cm**

6 ft

—79 cm

PISTA

Algunas calculadoras tienen la tecla π que proporciona una aproximación de este valor. Si un círculo tiene un diámetro de 15.7, al introducir 1 5 · 7 × π = te dará la circunferencia.

Comprobar Tu comprensión

1. ¿Por qué se utiliza 3.14 como una aproximación para π?

2. ¿Obtendrías un cálculo más exacto para π si midieras la circunferencia y el diámetro en un círculo grande (un neumático) o en un círculo pequeño (una moneda de un centavo)? ¿Por qué?

4-7 • El descubrimiento de pi **247**

MATH EVERY DAY

▶ **Problema del día**

Blair, Donna y Carol van a casarse con Ken, Mark y Dan. Blair se casará con el hermano de Ken y Dan se casará con la hermana de Blair. Carol espera que Ken no riña con su esposo. Nombra las tres parejas que piensan casarse. Donna y Ken, Carol y Dan, Blair y Mark

Problem of the Day

Blair, Donna, and Carol are going to marry Ken, Mark, and Dan. Blair will marry Ken's brother, and Dan will marry Blair's sister. Carol hopes that Ken doesn't quarrel with her husband. Name the three couples who are getting married. Donna and Ken, Carol and Dan, Blair and Mark

Available on Daily Transparency 4-7

An Extension is provided in the transparency package.

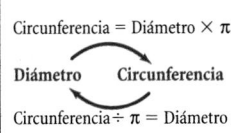

Dato del día

El ciclista ganador del Tour de Francia de 1995 recorrió 2270 millas en 92 horas, 44 minutos y 59 segundos.

Fact of the Day

In the 1995 Tour de France bicycle race, the winner rode 2270 miles in 92 hours, 44 minutes, and 59 seconds.

Mental Math

Do these mentally.

1. $15 + 5.6 + 5$ 25.6
2. $30 - 4.5$ 25.5
3. 5.5×10 55
4. $2.5 \div 0.5$ 5

Cálculo mental

Haz estos cálculos en forma mental.

1. $15 + 5.6 + 5$ 25.6
2. $30 - 4.5$ 25.5
3. 5.5×10 55
4. $2.5 \div 0.5$ 5

---

2 Enseñanza

Aprender

Anime a los estudiantes para que examinen la tecla π de sus calculadoras; anote los diferentes valores que obtienen en cada calculadora y comente por qué sucede esto.

Ejemplos adicionales

El diámetro de la rueda de una bicicleta es de 27 pulgadas. ¿Cuál es su circunferencia?

$C = \pi d$

$= 3.14 \times 27 = 84.78$ pulgadas

La circunferencia de la rueda es de 84.78 pulgadas.

3 Práctica y evaluación

Comprobar

Diga a los estudiantes que observen qué tan exactos son sus resultados en **Investigar** para que preparen la respuesta de la pregunta 2.

Respuestas de Comprobar tu comprensión

1. 3.14 es una buena aproximación de π porque π tiene un número infinito de posiciones decimales.

2. En un círculo grande; En este caso no es grave obtener medidas ligeramente desviadas.

Teach

Learn

You may wish to use Teaching Tool Transparency 23: Scientific Calculator with this lesson.

Have students explore the π key on their calculators; record the different values they get on different calculators and discuss why this happens.

Alternate Examples

The diameter of a bicycle wheel is 27 inches. What is the circumference?

$C = \pi d$

$= 3.14 \times 27 = 84.78$ inches

The circumference of the wheel is 84.78 inches.

Practice and Assess

Check

Have students look at the accuracy of their results in **Explore** in preparation for answering Question 2.

Answers for Check Your Understanding

1. 3.14 is a good approximation of π because π has an infinite number of place values.

2. Big circle; If your measurements are off a little, it won't make a big difference.

Assignment Guide

- **Basic** 1–11, 17–22, 26–44 evens
- **Average** 1–7, 8–14 evens, 16–22, 25–43 odds
- **Enriched** 1–7, 11–14, 16–24, 25–43 odds

Exercise Notes

■ Exercises 4, 7–15

Error Prevention Some students will use the radius of the circle instead of the diameter to find the circumference. It may be helpful to review the relationships among the radius, diameter, and circumference frequently.

Exercise Answers

18. Diameter: 6.8;
    Circumference: 21.352;
    Pi: 3.14;
    Radius: 3.4.

Notas sobre los ejercicios

■ Ejercicios 4, 7–15

Prevención de errores Algunos estudiantes usan el radio del círculo en lugar del diámetro para encontrar la circunferencia. Para evitar esto, puede ser útil repasar a menudo las relaciones entre radio, diámetro y circunferencia.

Respuestas de Ejercicios

18. Diámetro: 6.8;
    Circunferencia: 21.352;
    Pi: 3.14;
    Radio: 3.4.

Reteaching

Activity

Materials: String, scissors, a variety of circular objects

- Measure the diameter of each circular object in centimeters.
- Multiply each diameter by 3.14 to find the circumference.
- Cut a piece of string the length of the circumference of each object.
- Check to see if the string fits around the object.

Práctica adicional

Actividad

Materiales: Cordón, tijeras, diversos objetos circulares

- Mide en centímetros el diámetro de cada objeto circular.
- Multiplica cada diámetro por 3.14 para hallar la circunferencia.
- Recorta un pedazo de cordón de la longitud de la circunferencia de cada objeto.
- Comprueba si el cordón se ajusta al contorno del objeto.

PRACTICAR 4-7

4-7 Ejercicios y aplicaciones

Práctica y aplicación

Para empezar Establece si cada enunciado es verdadero o falso.

1. El radio de un círculo es siempre más pequeño que el diámetro. Verdadero
2. La circunferencia de un círculo es igual a π. Falso
3. El diámetro de un círculo es la longitud que rodea al círculo. Falso

Halla cada circunferencia; usa 3.14 como valor de π.

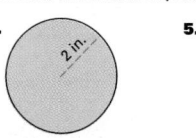 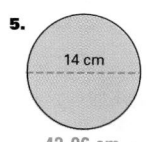 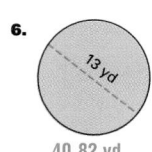 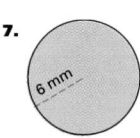

4. (2 in.) 12.56 in.
5. (14 cm) 43.96 cm
6. (13 yd) 40.82 yd
7. (6 mm) 37.68 mm

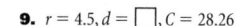

Encuentra las medidas que faltan para cada círculo, donde r = radio, d = diámetro y C = circunferencia.

8. $r = 3$ mm, $d = 6$ mm, $C = \Box$ 18.84 mm
9. $r = 4.5$, $d = \Box$, $C = 28.26$ 9
10. $r = 0.62$ in., $d = \Box$, $C = \Box$ 1.24 in.; 3.8936 in.
11. $r = \Box$, $d = \Box$, $C = 47.1$ yd 7.5 yd; 15 yd
12. $r = \Box$, $d = 17.2$ yd, $C = \Box$ 8.6 yd; 54.008 yd
13. $r = \Box$, $d = 11$ m, $C = \Box$ 5.5 m; 34.54 m
14. $r = \Box$, $d = \Box$, $C = 0.942$ km 0.15 km; 0.3 km
15. $r = \Box$, $d = 18.6$, $C = 58.404$ 9.3

16. Karteek hace un portalápiz, cuyo fondo es un círculo con un diámetro de 7 cm. ¿De qué largo tiene que ser la cinta de fieltro para que rodee el fondo? 21.98 cm

17. El dibujo muestra un medallón para guardar goma de mascar. ¿Cuál es la circunferencia de este medallón? 6.28 cm

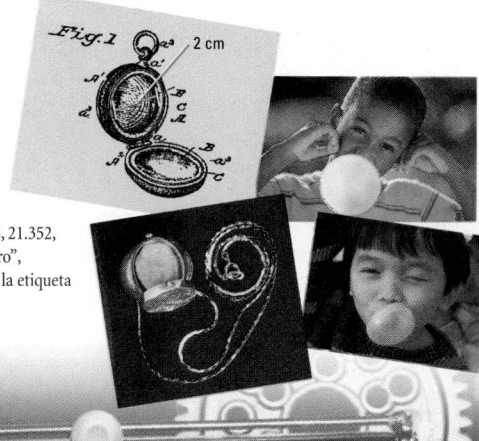

Fig.1 2 cm

18. **Comprensión numérica** En un experimento Abel midió un círculo pero separó la información de las etiquetas. Los datos son 6.8, 21.352, 3.14 y 3.4. Las etiquetas dicen "radio", "diámetro", "circunferencia" y "pi". Relaciona los datos con la etiqueta correcta.

248 *Capítulo 4 • Medición*

PRACTICE

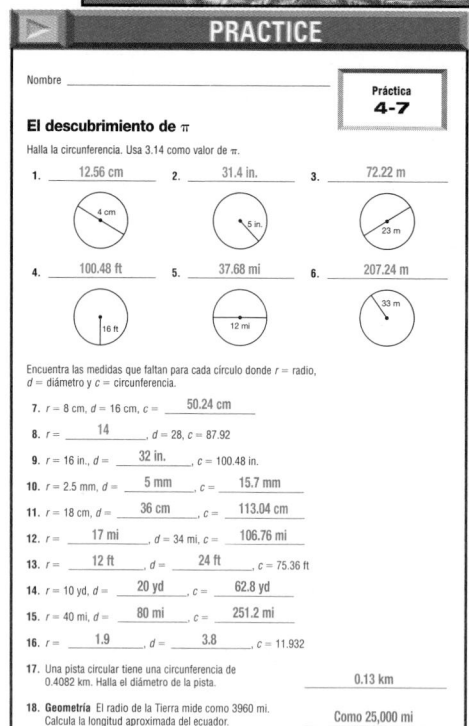

Nombre _____

Práctica 4-7

El descubrimiento de π

Halla la circunferencia. Usa 3.14 como valor de π.

1. 12.56 cm (4 cm)
2. 31.4 in. (5 in.)
3. 72.22 m (23 m)
4. 100.48 ft (16 ft)
5. 37.68 mi (12 mi)
6. 207.24 m (33 m)

Encuentra las medidas que faltan para cada círculo donde r = radio, d = diámetro y c = circunferencia.

7. $r = 8$ cm, $d = 16$ cm, $c = $ 50.24 cm
8. $r = $ 14 , $d = 28$, $c = 87.92$
9. $r = 16$ in, $d = $ 32 in. , $c = 100.48$ in.
10. $r = 2.5$ mm, $d = $ 5 mm , $c = $ 15.7 mm
11. $r = 18$ cm, $d = $ 36 cm , $c = $ 113.04 cm
12. $r = $ 17 mi , $d = 34$ mi, $c = $ 106.76 mi
13. $r = $ 12 ft , $d = $ 24 ft , $c = 75.36$ ft
14. $r = 10$ yd, $d = $ 20 yd , $c = $ 62.8 yd
15. $r = 40$ mi, $d = $ 80 mi , $c = $ 251.2 mi
16. $r = $ 1.9 , $d = $ 3.8 , $c = 11.932$

17. Una pista circular tiene una circunferencia de 0.4082 km. Halla el diámetro de la pista. 0.13 km

18. **Geometría** El radio de la Tierra mide como 3960 mi. Calcula la longitud aproximada del ecuador. Como 25,000 mi

---

RETEACHING

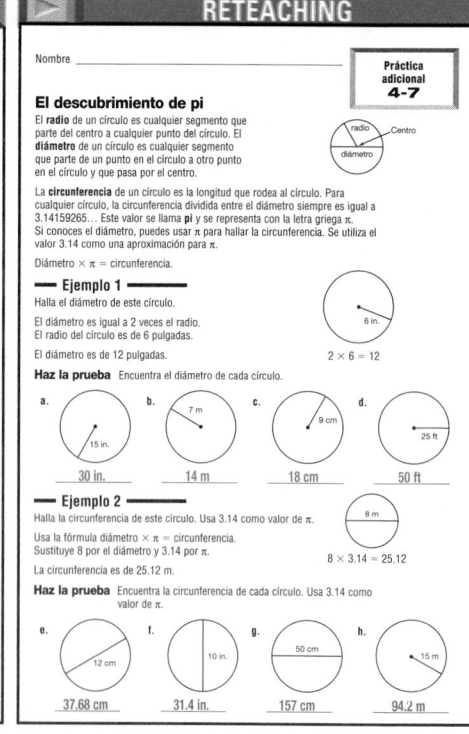

Nombre _____

Práctica adicional 4-7

El descubrimiento de pi

El **radio** de un círculo es cualquier segmento que parte del centro a cualquier punto del círculo. El **diámetro** de un círculo es cualquier segmento que parte de un punto en el círculo a otro punto en el círculo y que pasa por el centro.

La **circunferencia** de un círculo es la longitud que rodea al círculo. Para cualquier círculo, la circunferencia dividida entre el diámetro siempre es igual a 3.14159265... Este valor se llama **pi** y se representa con la letra griega π. Si conoces el diámetro, puedes usar π para hallar la circunferencia. Se utiliza el valor 3.14 como una aproximación para π.

Diámetro $\times \pi$ = circunferencia.

— Ejemplo 1 —

Halla el diámetro de este círculo. (6 in.)

El diámetro es igual a 2 veces el radio.
El radio del círculo es de 6 pulgadas.
El diámetro es de 12 pulgadas. $2 \times 6 = 12$

Haz la prueba Encuentra el diámetro de cada círculo.

a. (15 in.) 30 in.
b. (7 m) 14 m
c. (9 cm) 18 cm
d. (25 ft) 50 ft

— Ejemplo 2 —

Halla la circunferencia de este círculo. Usa 3.14 como valor de π. (8 m)

Usa la fórmula diámetro $\times \pi$ = circunferencia.
Sustituye 8 por el diámetro y 3.14 por π.
La circunferencia es de 25.12 m. $8 \times 3.14 = 25.12$

Haz la prueba Encuentra la circunferencia de cada círculo. Usa 3.14 como valor de π.

e. (12 cm) 37.68 cm
f. (10 in.) 31.4 in.
g. (50 cm) 157 cm
h. (15 m) 94.2 m

19. Los hulahulas fueron populares en los sesenta y todavía hoy se usan. Un hulahula se hace doblando 2.6 metros de tubo de plástico para formar un círculo. Halla el diámetro del hulahula; redondea a centésimos de metro. **0.83 m**

20. **Para la prueba** La circunferencia de un círculo es de 53 pulgadas. ¿Cuál es su radio redondeado a la décima de pulgada más cercana? **A**

ⓐ 8.4 in.　　ⓑ 16.8 in.　　ⓒ 26.5 in.　　ⓓ Ninguna de las anteriores

Resolución de problemas y razonamiento

21. **Comunicación** Cuando multiplicas el diámetro de un círculo por π para obtener la circunferencia, ¿por qué la respuesta nunca es exacta?

22. **Razonamiento crítico** El neumático de la bicicleta de Pat tiene un radio de 13 pulgadas. Si viaja en la bicicleta 1 milla (63,360 pulgadas), ¿cuántas veces ha rodado el neumático? Explica tu razonamiento.

23. **Razonamiento crítico** Un fuego quema la hierba de un terreno circular cuyo radio es de 65 pies. ¿Cuántos bomberos se necesitan para rodear el fuego si se paran a 10 pies uno del otro y a 2 pies del fuego? Explica tu respuesta.

24. **Razonamiento crítico** Un patinador de hielo sigue una trayectoria de dos círculos que forman un ocho. Un círculo tiene un diámetro de 8 metros y el otro círculo un diámetro de 10 metros. ¿Cuánto se desplaza el patinador en una vuelta completa a la figura de ocho? Explica tu respuesta.

Repaso mixto

Escribe las cantidades en notación multiplicativa. *[Lección 2-4]*

25. 11658^1 **11,658**　**26.** 28^4　**27.** 3^5　**28.** 56^2 **56 × 56**　**29.** 9^6　**30.** 7^3 **7 × 7 × 7**

31. 12^5　**32.** 36^8　**33.** 6^3 **6 × 6 × 6**　**34.** 41^7　**35.** 13^{11}　**36.** 8^5

Haz un cálculo aproximado de cada suma o diferencia. *[Lección 2-6]* **Respuestas posibles:**

37. $567 + 324$ **900**　**38.** $49 + 52 + 53 + 50$ **200**　**39.** $23 - 12$ **10**　**40.** $227 + 225 + 224$ **675**

41. $452 - 262$ **190**　**42.** $9324 + 675$ **10,000**　**43.** $\$16 - \$9$ **$6**　**44.** $6218 - 3281$ **2900**

El proyecto en marcha

Dibuja el último hoyo del campo de golf. Cerciórate de usar un círculo o una parte de él para formarlo. Calcula el perímetro de este hoyo final. Si 1 cm = 2 pies, ¿tiene el dibujo un tamaño razonable?

Resolución de problemas
Comprende
Planea
Resuelve
Revisa

4-7 • El descubrimiento de pi **249**

PROBLEM SOLVING

Resolución guiada de problemas **4-7**

RGP PROBLEMA 22, PÁGINA 249 DEL ESTUDIANTE

El neumático de la bicicleta de Pat tiene un radio de 13 pulgadas. Si viaja en la bicicleta 1 milla (63,360 pulgadas) ¿cuántas veces ha rodado el neumático? Explica tu respuesta.

— Comprende —
1. ¿Qué se te pide que halles? El número de rotaciones del neumático en 1 milla.
2. La **circunferencia** del neumático de la bicicleta es igual a la rotación del neumático.
3. ¿Cuál es el valor de pi? Alrededor de 3.14.
4. Rodea con un círculo la información que necesitas.

— Plan —
5. ¿Cuál es el diámetro del neumático? **26 pulgadas.**
6. ¿Cuál es la circunferencia del neumático? **81.64 pulgadas.**
7. Escribe una expresión para el número de rotaciones. **63,360 ÷ 81.64**

— Resuelve —
8. ¿Cuántas veces dio vuelta el neumático? **Cerca de 776.09 veces.**
9. Explica cómo pudiste hallar la respuesta. **Respuesta posible: Al dividir la distancia recorrida entre la distancia de una rotación.**

— Revisa —
10. ¿Cómo puedes saber el número de rotaciones si usas sólo la división? **Respuesta posible: 63,360 ÷ 3.14 ÷ 26 = 776.09.**

RESUELVE OTRO PROBLEMA

Si el radio del neumático de la bicicleta de Pat tuviera 15 pulgadas y ella recorriera en su bicicleta 2 millas, ¿cuántas veces daría vuelta el neumático? Explica tu respuesta.
Cerca de 1,345.22 veces; 2 × 63,360 = 126,720; 126,720 ÷ (30 × 3.14) = 1345.22

ENRICHMENT

Actividad de enriquecimiento **4-7**

Aprendizaje visual

Rodea con un círculo las letras de las dos figuras de la derecha que, al unirse, forman la figura de la izquierda. Las figuras pueden moverse o girarse, pero no se pueden traslapar ni tampoco debe haber huecos.

Notas sobre los ejercicios

■ Ejercicio 20

Para la prueba Los estudiantes deben decidir qué error pueden cometer para obtener todas las respuestas incorrectas.

Respuestas de Ejercicios

21. Porque π es sólo una aproximación de 3.14.

22. Aproximadamente 776 veces. La circunferencia de la rueda es de 81.64 pulgadas, por tanto, da vuelta una vez cada 81.64 pulgadas. Se divide 63,360 entre 81.64 para hallar el número total de vueltas, 776.09015.

23. 42; Los bomberos se colocan en un círculo cuya circunferencia es de 420.76 ft, por tanto, debe haber 42 bomberos para que puedan colocarse a una distancia de 10 pies entre sí.

24. 56.52 m; Se suman las dos circunferencias.

26. 28 × 28 × 28 × 28

27. 3 × 3 × 3 × 3 × 3

29. 9 × 9 × 9 × 9 × 9 × 9

31. 12 × 12 × 12 × 12 × 12

32. 36 × 36 × 36 × 36 × 36 × 36 × 36 × 36

34. 41 × 41 × 41 × 41 × 41 × 41 × 41

35. 13 × 13 × 13 × 13 × 13 × 13 × 13 × 13 × 13 × 13 × 13

36. 8 × 8 × 8 × 8 × 8

Evaluación adicional

Entrevista Explica la relación entre el diámetro y la circunferencia de un círculo.

Exercise Notes

■ Exercise 20

Test Prep Have students decide what mistake someone would make in order to get each of the wrong answers.

Project Progress

You may want to have students use Chapter 4 Project Master.

Exercise Answers

21. Because π is only approximated by 3.14.

22. About 776 times. The circumference of the wheel is 81.64 inches, so it rotates once every 81.64 inches. Divide 63,360 by 81.64 to find the total number of rotations, 776.09015.

23. 42; The firefighters stand in a circle with a circumference of 420.76 ft, so there must be 42 of them to stand 10 ft apart.

24. 56.52 m; Add the two circumferences together.

26. 28 × 28 × 28 × 28

27. 3 × 3 × 3 × 3 × 3

29. 9 × 9 × 9 × 9 × 9 × 9

31. 12 × 12 × 12 × 12 × 12

32. 36 × 36 × 36 × 36 × 36 × 36 × 36 × 36

34. 41 × 41 × 41 × 41 × 41 × 41 × 41

35. 13 × 13 × 13 × 13 × 13 × 13 × 13 × 13 × 13 × 13 × 13

36. 8 × 8 × 8 × 8 × 8

Alternate Assessment

Interview Explain the relationship between the diameter and the circumference of a circle.

▶ Prueba rápida

Halla las medidas que faltan.

1. $r = 4$ mm, $d = ?$, $C = ?$
8 mm, 25.12 mm

2. $r = ?$, $d = 10$ in, $C = ?$
5 in., 31.4 in

3. $r = ?$, $d = ?$, $C = 200$ cm
31.85 cm, 63.69 cm

Quick Quiz

Find the missing measurements.

1. $r = 4$ mm, $d = ?$, $C = ?$
8 mm, 25.12 mm

2. $r = ?$, $d = 10$ in, $C = ?$
5 in., 31.4 in

3. $r = ?$, $d = ?$, $C = 200$ cm
31.85 cm, 63.69 cm

Available on Daily Transparency 4-7

Objective

- **Find the area of circles.**

NCTM Standards

- 1–5, 7, 12, 13

Review

Find the perimeter and area of each figure.

1.
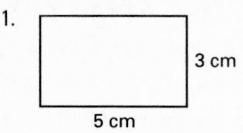

5 cm
3 cm

Perimeter = 16 cm;
Area = 15 cm²

2.
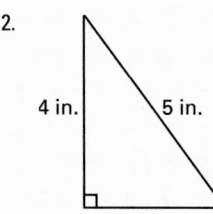

4 in. 5 in.
3 in.

Perimeter = 12 in;
Area = 6 in²

► Repaso

Encuentra el perímetro y el área de cada figura.

1.
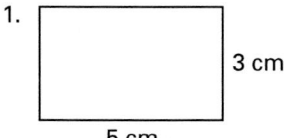

5 cm
3 cm

Perímetro = 16 cm; Área = 15 cm²

2.
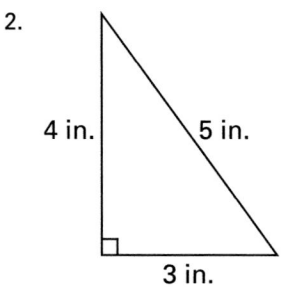

4 in. 5 in.
3 in.

Perímetro = 12 in; Área = 6 in²

Available on Daily Transparency 4-8

Introduce

Explore

You may wish to use Lesson Enhancement Transparency 18 with **Explore**.

The Point

Students investigate how the area of a circle is a little more than three times the area of the radius squared.

Ongoing Assessment

Have students explain the relationship between the diameter and radius of a circle.

For Groups That Finish Early

Divide the estimated area of each circle (Step 1) by the area of the radius square (Step 2). Compare your answers to the answers you got for Step 3.

1 Introducción

Investigar

Objetivo

Los estudiantes investigan de qué manera el área de un círculo es un poco mayor que tres veces la longitud del radio elevado al cuadrado.

Evaluación continua

Anime a los estudiantes a explicar la relación entre el diámetro y el radio de un círculo.

Para los grupos que terminen antes

Divide el cálculo aproximado del área de cada círculo (paso 1) entre la longitud del radio elevado al cuadrado (paso 2). Compara tus respuestas con las que obtuviste en el paso 3.

4-8   Área de círculos

Vas a aprender...

■ a calcular el área de círculos.

...cómo se usa

Los umpires usan el área de un círculo para verificar que el montículo del pitcher en un diamante de béisbol sea de la medida correcta.

► Enlace con la lección Ya sabes cómo hallar el perímetro de un círculo. Ahora aprenderás a calcular el área del círculo. ◄

Investigar Área de círculos

Una estaca cuadrada en un hoyo redondo

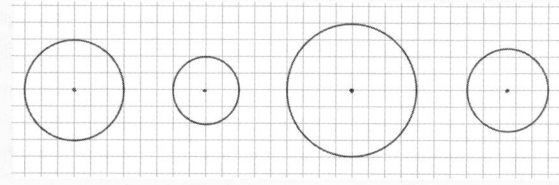

1. Calcula el área aproximada de cada círculo.

2. Para cada círculo, dibuja un cuadrado cuyos lados sean tan largos como el radio del círculo. Márcalos como "radio cuadrado" y halla el área.

3. Para cada círculo, calcula el número aproximado de radios al cuadrado que caben dentro del círculo.

4. Describe cualquier patrón que observes en los resultados del paso 3.

Aprender Área de círculos

La circunferencia y el diámetro de un círculo se relacionan mediante el número π. El radio y el área de un círculo también se relacionan por medio de este número. Si conoces el radio de un círculo, puedes usar π para encontrar el área.

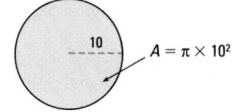

$A = \pi \times 10^2$

Esto puede describirse también mediante la fórmula: Área = $\pi \times r^2$, o $A = \pi r^2$ donde r es el radio.

MEETING INDIVIDUAL NEEDS

Resources

4-8 Practice
4-8 Reteaching
4-8 Problem Solving
4-8 Enrichment
4-8 Daily Transparency
   Problem of the Day
   Review
   Quick Quiz
Lesson Enhancement Transparency 18
Technology Master 20

Recursos

4-8 Práctica
4-8 Práctica adicional
4-8 Resolución de problemas
4-8 Actividad de enriquecimiento
Tecnología 20

Learning Modalities

Verbal Have students make up a poem to help them remember the relationships among the radius, diameter, area, circumference, and pi.

Logical How many numbers does it take to describe a rectangle and a triangle? 2 (base and height); 2 (base and height) or 3 (sides) How many numbers does it take to describe a circle? 1 (radius, diameter, or circumference)

Kinesthetic Some students may have difficulty counting parts of squares. Others may have difficulty visualizing how the squares fit inside the circles. It may be helpful to have students make copies of the radius squares and cut them apart so they can fit them on the circles.

Inclusion

Some students may have difficulty seeing patterns because they do not transfer information to new situations readily. Give these students extra practice in recognizing patterns before they are asked to generalize.

Modos de aprendizaje

Verbal Anime a los estudiantes a escribir un poema que los ayude a recordar las relaciones entre el radio, el diámetro, el área, la circunferencia y pi.

Lógico ¿Cuántos números se necesitan para describir un rectángulo y un triángulo? 2 (la base y la altura); 2 (la base y la altura) ó 3 (los lados). ¿Cuántos números se necesitan para describir un círculo? 1 (el radio, el diámetro o la circunferencia).

Cinestésico Algunos estudiantes muestran dificultades al contar las partes de los cuadrados. Otros tienen problemas para visualizar cómo se insertan los cuadrados en los círculos. Es recomendable animarlos a copiar los cuadrados y recortarlos para que los coloquen en los círculos con mayor facilidad.

Inclusión

A algunos estudiantes se les dificulta observar los patrones porque les cuesta trabajo transferir sus conocimientos a nuevas situaciones. Asígneles prácticas adicionales de reconocimiento de patrones antes de pedirles que generalicen.

Ejemplos

Halla el área de los siguientes círculos.

1

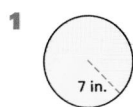

7 in.

$A = \pi r^2$
$= 3.14 \times 7^2$
$= 3.14 \times 49$
$= 153.86 \text{ in}^2$

2

6.2 m

El diámetro es de 6.2 m. El radio es la mitad del diámetro, o sea, 3.1 m.

$A = \pi r^2$
$= 3.14 \times 3.1^2$
$= 3.14 \times 9.61$
$= 30.1754 \text{ m}^2$

3 El "Aparato multiusos: rallador, rebanador y trampa para ratones y moscas" tiene una tapa cuyo diámetro es de 4 pulgadas. ¿Cuál es el área de la tapa?

El radio es la mitad del diámetro, o sea, 2 pulgadas.

$A = \pi r^2$
$= 3.14 \times 2^2$
$= 3.14 \times 4$
$= 12.56 \text{ in}^2$

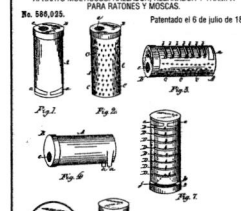

Haz la prueba

Calcula el área.

a.

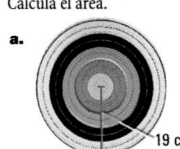

19 cm

1133.54 cm²

b.

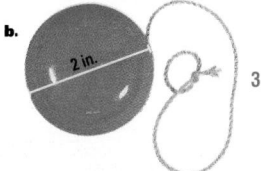

2 in.

3.14 in²

Comprobar Tu comprensión

1. ¿Por qué el área de un círculo se calcula en unidades cuadradas?

2. Si conoces el radio de un círculo, ¿cómo hallas la circunferencia?, ¿y el área?

4-8 • Área de círculos **251**

MATH EVERY DAY

► Problema del día

Este bloque de madera se pintó y con él se hicieron 18 cubos. ¿Cuántos cubos están pintados en todos sus lados? ¿En 3 lados? ¿En 2 lados? ¿En ningún lado?

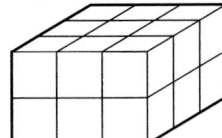

Todos sus lados: ninguno; tres lados: 8 cubos; dos lados: 8 cubos; un lado: 2 cubos; ningún lado: ningún cubo

Problem of the Day

This wooden block was painted and then cut into 18 cubes. How many cubes were painted on all sides? On 3 sides? On 2 sides? On 1 side? On no sides?
All sides: none; three sides: 8 cubes; two sides: 8 cubes; one side: 2 cubes; no sides: none

Available on Daily Transparency 4-8

An Extension is provided in the transparency package.

Dato del día

Gracias a Lewis Latimer, los filamentos de los focos incandescentes hechos de carbón se hicieron seguros y económicos para usarlos en los hogares comunes.

Fact of the Day

Lewis Latimer's work on carbon filaments made electric light bulbs safe and inexpensive for ordinary households.

Estimation

Estimate.
1. 27×5 125 or 150
2. $703 \div 24$ 35
3. 83×9 800
4. $803 \div 79$ 10

Cálculo aproximado

Haz un cálculo aproximado.

1. 27×5 125 ó 150
2. $703 \div 24$ 35
3. 83×9 800
4. $803 \div 79$ 10

---

2 Enseñanza

Aprender

Ejemplos adicionales

1. Encuentra el área.

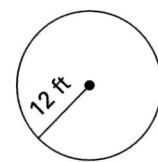

12 ft

$A = \pi r^2$
$= 3.14 \times 12^2$
$= 3.14 \times 144$
$= 452.16 \text{ ft}^2$

2. Halla el área.

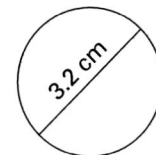

3.2 cm

El radio es la mitad del diámetro, o sea 1.6 cm.

$A = 3.14 \times 1.6^2$
$= 3.14 \times 2.56$
$= 8.0384 \text{ cm}^2$

3. La tapa de un frasco de crema de cacahuate tiene un diámetro de 5 in. ¿Cuál es el área de la tapa?

El radio es la mitad del diámetro, o sea 2.5 in.

$A = 3.14 \times 2.5^2$
$= 3.14 \times 6.25$
$= 19.625 \text{ in}^2$

El área de la tapa es de 19.625 in².

3 Práctica y evaluación

Comprobar

Respuestas de Comprobar tu comprensión

1. Porque el radio se eleva al cuadrado para hallar el área. El área se calcula en unidades cuadradas.

2. $C = 2\pi r$; $A = \pi r^2$.

Teach

Learn

Alternate Examples

1. Find the area.

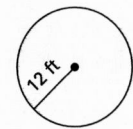

12 ft

$A = \pi r^2$
$= 3.14 \times 12^2$
$= 3.14 \times 144$
$= 452.16 \text{ ft}^2$

2. Find the area.

3.2 cm

The radius is half the diameter, or 1.6 cm.

$A = 3.14 \times 1.6^2$
$= 3.14 \times 2.56$
$= 8.0384 \text{ cm}^2$

3. The lid from a jar of peanut butter has a diameter of 5 in. What is the area of the lid?

The radius is half of the diameter, or 2.5 in.

$A = 3.14 \times 2.5^2$
$= 3.14 \times 6.25$
$= 19.625 \text{ in}^2$

The area of the lid is 19.625 in².

Practice and Assess

Check

Answers for Check Your Understanding

1. The radius is squared to find the area. All area is calculated in square units.

2. $C = 2\pi r$, $A = \pi r^2$.

Assignment Guide

- Basic 1–3, 5–19 odds, 26, 27, 33–43 odds
- Average 1–3, 5–23 odds, 24–27, 30–36, 37–43 odds
- Enriched 1–3, 4–22 evens, 25–36, 38–44 evens

Exercise Notes

■ Exercises 16–23

Error Prevention Some students may have difficulty with these problems. Remind them to first find the radius, and then find the area.

■ Exercise 24

History Each of the stones in the outer circle in Stonehenge weighs about 25 metric tons and stands about 4 meters high. Researchers have estimated that about 30 million hours went into the construction of Stonehenge. The monument was built over a 500-year period.

Notas sobre los ejercicios

■ Ejercicios 16–23

Prevención de errores A algunos estudiantes les pueden parecer difíciles estos problemas. Recuérdeles que primero deben encontrar el radio y después el área.

■ Ejercicio 24

Historia Cada una de las piedras del círculo exterior de Stonehenge pesa como 25 toneladas y mide alrededor de 4 metros de altura. Los investigadores han calculado que se invirtieron como 30 millones de horas en la construcción de Stonehenge. El monumento se construyó en un lapso de 500 años.

4-8 Ejercicios y aplicaciones

Práctica y aplicación

Para empezar Establece si cada enunciado es verdadero o falso.

1. Si conoces la circunferencia de un círculo, puedes calcular el área. Verdadero

2. El área de un círculo es dos veces el radio. Falso

3. Las unidades de medida del área de un círculo son siempre cm². Falso

Calcula el área de cada círculo; usa 3.14 para π.

4. 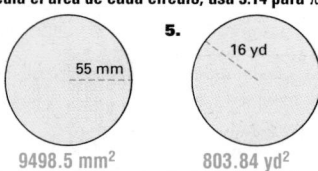 55 mm — 9498.5 mm²

5. 16 yd — 803.84 yd²

6. 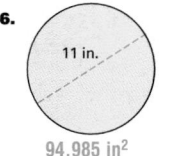 11 in. — 94.985 in²

7. 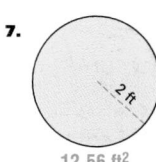 2 ft — 12.56 ft²

Halla el área de cada círculo, donde r = radio y d = diámetro.

8. $r = 4$ cm 50.24 cm²
9. $d = 12.8$ pies 128.6144 ft²
10. $d = 62$ cm 3017.54 cm²
11. $r = 17$ pies 907.46 ft²

12. $r = 10$ pulgadas 314 in²
13. $r = 50$ mm 7850 mm²
14. $d = 16$ yardas 200.96 yd²
15. $r = 0.6$ millas 1.1304 mi²

Dada la circunferencia de un círculo, encuentra el radio redondeado al décimo más cercano y utilízalo para calcular el área redondeada al décimo más cercano.

16. $C = 12$ pies 1.9 ft; 11.3 ft²
17. $C = 8.2$ km 1.3 km; 5.3 km²
18. $C = 63$ cm 10.0 cm; 314.0 cm²
19. $C = 3.14$ 0.5 mm; 0.8 mm²

20. $C = 7$ pulgadas 1.1 in.; 3.8 in²
21. $C = 1.33$ millas 0.2 mi; 0.1 mi²
22. $C = 21$ yardas 3.3 yd; 34.2 yd²
23. $C = 18$ metros 2.9 m; 26.4 m²

24. **Historia** En el suroeste de Inglaterra se localiza el Stonehenge, un grupo de piedras colocadas en círculos. Con una antigüedad de casi 5000 años, estas piedras sirvieron tal vez para determinar cuándo ocurrirían fenómenos astronómicos. El anillo de piedras más grande mide 30 m de diámetro. ¿Cuál es su área? 706.5 m²

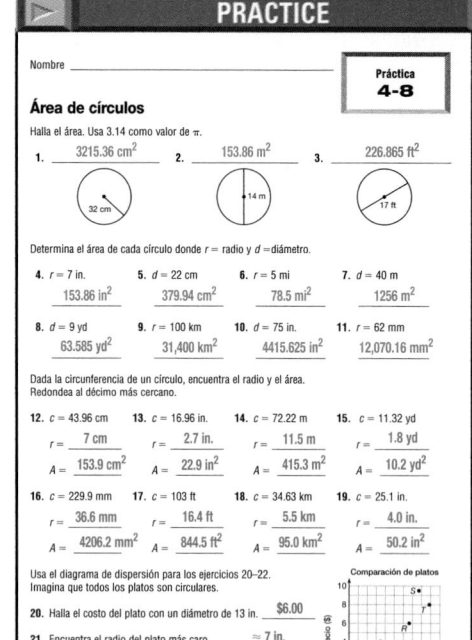

25. En 1879 un invento permitía saltar con seguridad por las ventanas para escapar del fuego. Usaba un paracaídas y zapatos acojinados. Si el paracaídas abierto y aplanado es un círculo con un diámetro de 1.3 yardas, ¿cuál es su área? 1.32665 yd²

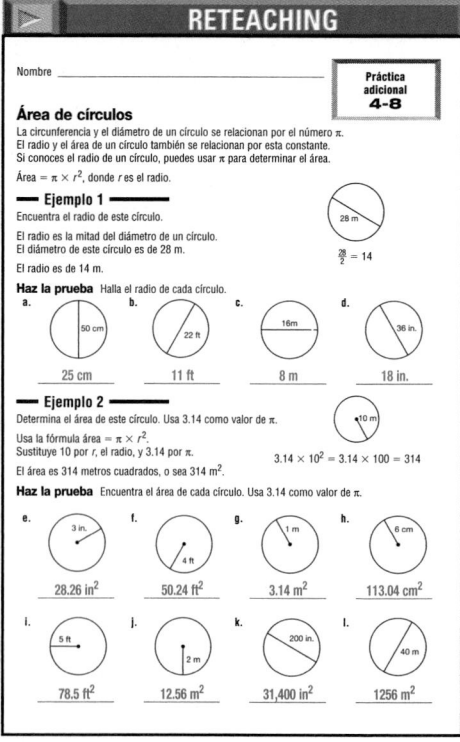

Reteaching

Activity

Materials: Circle patterns, scissors, rulers

- Cut out a circle and cut it into eight equal wedges.
- Arrange the wedges to form a shape that looks like a parallelogram as shown below.

- Measure the base and the height of the shape.
- Multiply the base and the height to find the area.
- Compare the area obtained to the area obtained by using the formula $A = \pi r^2$.

Práctica adicional

Actividad

Materiales: Patrones circulares, tijeras, reglas

- Recorta un círculo y pártelo en ocho "rebanadas" iguales.
- Acomoda las rebanadas a fin de formar una figura que parezca un paralelogramo como el que se muestra.

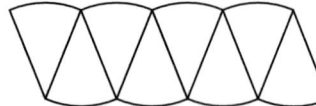

- Mide la base y la altura de la figura.
- Multiplica la base por la altura para hallar el área.
- Compara el área del "paralelogramo" con el área que se obtiene mediante la fórmula $A = \pi r^2$.

PRACTICE

Nombre _____

Práctica 4-8

Área de círculos

Halla el área. Usa 3.14 como valor de π.

1. 3215.36 cm² — 32 cm
2. 153.86 m² — 14 m
3. 226.865 ft² — 17 ft

Determina el área de cada círculo donde r = radio y d = diámetro.

4. $r = 7$ in. 153.86 in²
5. $d = 22$ cm 379.94 cm²
6. $r = 5$ m 78.5 m²
7. $d = 40$ m 1256 m²

8. $d = 9$ yd 63.585 yd²
9. $r = 100$ km 31,400 km²
10. $d = 75$ m 4415.625 in²
11. $r = 62$ mm 12,070.16 mm²

Dada la circunferencia de un círculo, encuentra el radio y el área. Redondea al décimo más cercano.

12. $c = 43.96$ m $r = 7$ cm $A = 153.9$ cm²
13. $c = 16.96$ m $r = 2.7$ in. $A = 22.9$ in²
14. $c = 72.22$ m $r = 11.5$ m $A = 415.3$ m²
15. $c = 11.32$ m $r = 1.8$ yd $A = 10.2$ yd²

16. $c = 229.9$ mm $r = 36.6$ mm $A = 4206.2$ mm²
17. $c = 103$ ft $r = 16.4$ ft $A = 844.5$ ft²
18. $c = 34.63$ km $r = 5.5$ km $A = 95.0$ km²
19. $c = 25.1$ in. $r = 4.0$ in. $A = 50.2$ in²

Usa el diagrama de dispersión para los ejercicios 20–22. Imagina que todos los platos son circulares.

20. Halla el costo del plato con un diámetro de 13 in. $6.00
21. Encuentra el radio del plato más caro. 7 in.
22. ¿Cuál plato tiene la circunferencia más pequeña? P

Comparación de platos

23. El diámetro de un disco compacto mide cerca de 12 cm. Halla el área aproximada de un disco compacto. 113 cm²

RETEACHING

Nombre _____

Práctica adicional 4-8

Área de círculos

La circunferencia y el diámetro de un círculo se relacionan por el número π. El radio y el área de un círculo también se relacionan por esta constante. Si conoces el radio de un círculo, puedes usar π para determinar el área.

Área = $\pi \times r^2$, donde r es el radio.

— Ejemplo 1 —

Encuentra el radio de este círculo. 28 m

El radio es la mitad del diámetro de un círculo. El diámetro de este círculo es de 28 m.

$\frac{28}{2} = 14$

El radio es de 14 m.

Haz la prueba Halla el radio de cada círculo.

a. 50 cm — 25 cm
b. 22 ft — 11 ft
c. 16 m — 8 m
d. 36 in. — 18 in.

— Ejemplo 2 —

Determina el área de este círculo. Usa 3.14 como valor de π. 10 m

Usa la fórmula área = $\pi \times r^2$. Sustituye 10 por r, el radio, y 3.14 por π.

$3.14 \times 10^2 = 3.14 \times 100 = 314$

El área es 314 metros cuadrados, o sea 314 m².

Haz la prueba Encuentra el área de cada círculo. Usa 3.14 como valor de π.

e. 3 in. 28.26 in²
f. 4 ft 50.24 ft²
g. 1 m 3.14 m²
h. 6 cm 113.04 cm²

i. 5 ft 78.5 ft²
j. 2 m 12.56 m²
k. 200 in. 31,400 in²
l. 40 m 1256 m²

26. Ciencias Un erizo es un animal que vive semienterrado en la arena de las aguas poco profundas de la costa. Es delgado, de cuerpo circular y mide entre 2 y 4 pulgadas de ancho. ¿Cuál es el área máxima y el área mínima de los erizos?
3.14 in²; 12.56 in²

27. Para la prueba En el viaje húmedo en el parque de diversiones, una especie de aspersor rocía agua a 15 pies en todas direcciones. ¿De qué tamaño es el área que se moja? Redondea al décimo más cercano. **C**

Ⓐ 31.4 ft²   Ⓑ 94.2 ft²
Ⓒ 706.5 ft²   Ⓓ 2220.7 ft²

RESOLVER PROBLEMAS 4-8

Usa el diagrama de dispersión de comparación de alfombras para los ejercicios 28–30. Todas las alfombras son círculos.

28. ¿Cuánto cuesta una alfombra con un diámetro de 3 pies? $22

29. ¿Cuál alfombra cuesta más por pie cuadrado? **A**

30. ¿Cuál alfombra tiene la mayor circunferencia? **E**

Comparación de alfombras

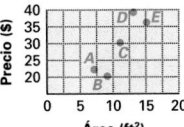

Resolución de problemas y razonamiento

31. Razonamiento crítico Charlene tiene una alfombra circular en un cuarto cuadrado. El área de la alfombra es alrededor de 113 ft². La alfombra ocupa de pared a pared. Calcula el área del cuarto y explica tu respuesta.

32. ¿El área de un círculo cuyo diámetro es de 2 pulgadas es mayor o menor que el área de un cuadrado de 2 pulgadas? Explica sin usar números.

33. Comunicación El círculo A tiene un radio de 12 pies, el círculo B de 7 pies, el círculo C de 36 pulgadas y el círculo D de 132 pulgadas.

a. Según su área, ordena los círculos de menor a mayor. Explica cómo lo resolviste.

b. Si se toma en cuenta su circunferencia, ¿cambia el orden de la lista? Explica por qué.

Repaso mixto

Para cada diagrama de dispersión, determina si existe una tendencia. *[Lección 1-3]*

34.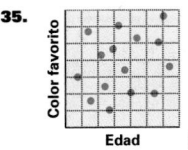
Peso / Altura

35.
Color favorito / Edad   No

36. Vuelos
Tiempo / Distancia

Haz un cálculo aproximado de cada producto o cociente *[Lección 2-7]* Respuestas posibles:

37. 26 × 3 75   **38.** $92 ÷ 31 $3   **39.** 78 × 3 240   **40.** 565 ÷ 53 11

41. 82 × 16 1600   **42.** 678 ÷ 35 20   **43.** 2056 × 439 800,000   **44.** 729 ÷ 96 7

4-8 • Área de círculos **253**

Notas sobre los ejercicios

■ Ejercicios 28–30

Prevención de errores Tal vez los estudiantes no recuerden lo que indican los ejes. Quizá sea más conveniente entonces hallar el radio de cada círculo antes de responder las preguntas.

Respuestas de Ejercicios

31. 144 ft²; El radio de la alfombra es alrededor de 6 ft. Se ajusta de pared a pared, así que el cuarto mide como 12 ft de ancho. El área de este cuarto cuadrado es de 12 ft × 12 ft.

32. El círculo tiene un área más pequeña; El diámetro del círculo y el lado del cuadrado son iguales, por tanto, el círculo cabe dentro del cuadrado y sobrará espacio.

33. a. C, B, D, A; Se convierten todas las medidas a pulgadas o a pies y después se ordenan. Cuanto más grande sea el radio, tanto más grande será el área.

    b. No; Un círculo con un radio mayor tendrá también una circunferencia mayor.

34. Sí; Conforme aumenta la altura, también se incrementa el peso.

36. Sí; Conforme aumenta la distancia, el tiempo también se incrementa.

Evaluación adicional

Entrevista Explica de qué manera se relacionan los siguientes términos: radio, diámetro, área, circunferencia, pi. Da ejemplos como parte de tu respuesta.

Exercise Notes

■ Exercises 28–30

Error Prevention Students may have difficulty remembering what the axes indicate. It may be helpful for them to find the radius of each circle before answering the questions.

Exercise Answers

31. 144 ft²; The radius of the rug is about 6 ft. It fits wall to wall, so the room is about 12 ft wide. The area of the square room is 12 ft × 12 ft.

32. The circle has a smaller area; The diameter of the circle and the side of the square are the same, so the circle can fit inside the square and there will be extra space.

33. a. C, B, D, A; Convert all measurements to inches or to feet and then order. The larger the radius, the larger the area.

    b. No; A circle with a larger radius will also have the larger circumference.

34. Yes; As height increases, so does weight.

36. Yes; As distance increases, so does time.

Alternate Assessment

Interview Explain how the following terms are related: radius, diameter, area, circumference, pi. Give examples as part of your response.

► Prueba rápida

Encuentra el área de cada círculo.

1. $r = 5$ cm 78.5 cm²

2. $r = 7.2$ cm 162.7776 cm²

3. $d = 20$ cm 314 cm²

Quick Quiz

Find the area of each circle.

1. $r = 5$ cm 78.5 cm²

2. $r = 7.2$ cm 162.7776 cm²

3. $d = 20$ cm 314 cm²

Available on Daily Transparency 4-8

Objective
- Find the area of irregular figures.

NCTM Standards
- 1–4, 7, 12, 13

Review

Find the missing number.

1. $\frac{1}{2}, \frac{2}{4}, ?, \frac{4}{8}$ $\frac{3}{6}$

2. 2, 2.1, 2.01, ?, 2.0001   2.001

3. 800, 400, 200, ?, 50   100

4. $\frac{5}{8}, \frac{3}{4}, \frac{7}{8}, 1, ?, 1\frac{1}{4}, 1\frac{3}{8}$ $1\frac{1}{8}$

Available on Daily Transparency 4-9

► **Repaso**

Encuentra el número que falta.

1. $\frac{1}{2}, \frac{2}{4}, ?, \frac{4}{8}$ $\frac{3}{6}$

2. 2, 2.1, 2.01, ?, 2.0001   2.001

3. 800, 400, 200, ?, 50   100

4. $\frac{5}{8}, \frac{3}{4}, \frac{7}{8}, 1, ?, 1\frac{1}{4}, 1\frac{3}{8}$ $1\frac{1}{8}$

Introduce

Explore

You may wish to use Lesson Enhancement Transparency 19 with **Explore**.

The Point

Students explore how the area of an irregular shape is equal to the sum of the areas of its component shapes.

Ongoing Assessment

Check that students understand that they need to double the area of the triangular piece.

For Groups That Finish Early

Explain your answers for each step. Describe different strategies that could be used to solve the problem.

Answers for Explore

1. The first ramp; Find the area of the middle rectangular piece of each ramp and compare.

2. The second ramp; Find the area of the triangular piece of each ramp and compare.

3. The first ramp; For each ramp, add together the areas of the rectangular piece and the triangular pieces, and compare.

---

1 Introducción

Investigar

Objetivo
Los estudiantes investigan de qué manera el área de una figura irregular es igual a la suma de las áreas de las figuras que la conforman.

Evaluación continua
Asegúrese de que los estudiantes comprendan que deben duplicar el área de la pieza triangular.

Para los grupos que terminen antes
Explica tus respuestas de cada paso. Describe las diferentes estrategias que podrían usarse para resolver el problema.

Respuestas de Investigar

1. La primera rampa; Se halla el área de la parte rectangular de cada rampa y se comparan las áreas.

2. La segunda rampa; Se encuentra el área de la parte triangular de cada rampa y se comparan las áreas.

3. La primera rampa; Para cada rampa se suman las áreas de las partes rectangular y triangular, y luego se comparan las áreas.

4-9   Área de figuras irregulares

Vas a aprender...
- a calcular el área de figuras irregulares.

...cómo se usa

Los topógrafos calculan el área de figuras irregulares cuando hacen el catastro de alguna propiedad.

► **Enlace con la lección**   En las lecciones anteriores aprendiste a calcular el área de cuadrados, rectángulos, paralelogramos, triángulos y círculos. Ahora aplicarás este conocimiento para hallar el área de una figura irregular. ◄

Investigar   Área de figuras irregulares

Puntos de vista

En los siguientes dibujos se muestran tres diseños de rampas portátiles. Cada rampa está hecha de tres piezas de madera, cada una del mismo espesor. La pieza rectangular es la superficie y las dos triangulares son los soportes. Los soportes se empalman a la superficie por medio de bisagras, con objeto de que la rampa pueda doblarse y transportarse con facilidad.

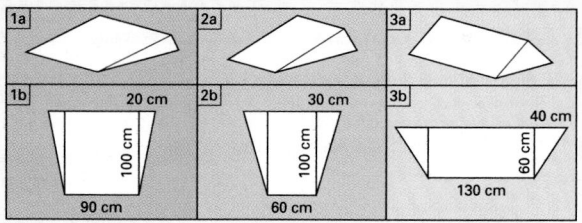

1. ¿Cuál rampa tiene la mayor superficie (pieza rectangular)? Explica cómo obtuviste la respuesta.

2. ¿Cuál rampa tiene el mayor soporte (piezas triangulares)? Explica cómo obtuviste la respuesta.

3. ¿Cuál rampa usa la mayor cantidad de madera? Explica tu respuesta.

Aprender   Área de figuras irregulares

Las figuras no siempre son rectángulos, triángulos o círculos perfectos. Para encontrar el área de una figura irregular, necesitarás descomponer la figura en figuras conocidas más pequeñas. Después, puedes hallar el área de cada figura pequeña.

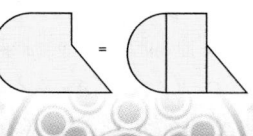

254   Capítulo 4 • Medición

MEETING INDIVIDUAL NEEDS

Resources

4-9 Practice
4-9 Reteaching
4-9 Problem Solving
4-9 Enrichment
4-9 Daily Transparency
   Problem of the Day
   Review
   Quick Quiz
Lesson Enhancement
Transparency 19

Recursos

4-9 Práctica
4-9 Práctica adicional
4-9 Resolución de problemas
4-9 Actividad de enriquecimiento

Learning Modalities

Kinesthetic Have students use tangrams, pattern blocks, or Power Polygons to make irregular shapes and find the area. They can trace around the shapes and then challenge each other to find the area.

Visual Have students find two or more ways to find the area of irregular shapes.

Social Have students share different ways they solved different problems either by explaining their solution, showing it on the board, or writing it on a transparency.

Modos de aprendizaje

Cinestésico Anime a los estudiantes a usar tangramas, bloques de patrones o polígonos de potencias para crear figuras irregulares y hallar el área de cada una. Después pueden trazar el contorno de las figuras y desafiarse entre sí para hallar el área correspondiente.

Visual Los estudiantes deben mostrar dos o más maneras de hallar el área de las figuras irregulares.

Social Pídales que compartan las técnicas de resolución que usaron mediante una explicación oral, una descripción en la pizarra o una demostración en la transparencia.

Challenge

Have students find the area of each room in their home. Alternatively, have them design their "dream apartment" and find the area of each room. Require that no room be a square.

Desafío

Anime a los estudiantes a hallar el área de las habitaciones de su casa. Como alternativa, sugiéreles que diseñen la "casa de sus sueños" y hallen el área de las habitaciones. No es necesario que las habitaciones sean cuadradas.

Ejemplo 1

Halla el área de las siguientes figuras.

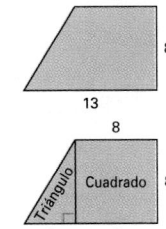

La figura puede dividirse en un triángulo y un cuadrado.

El cuadrado tiene una base de 8 y una altura de 8. El área es bh u 8×8, que son 64 unidades cuadradas.

El triángulo tiene una altura de 8. La base es $13 - 8$, ó 5. El área es $\frac{1}{2}bh$, o $\frac{1}{2} \times 8 \times 5$, que son 20 unidades cuadradas.

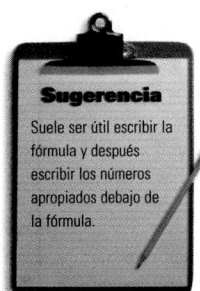

El área total es de $64 + 20$, o sea, 84 unidades cuadradas.

En ocasiones, parte de una figura irregular es un semicírculo, o sea, la mitad de un círculo. Para calcular el área de la mitad de un círculo, halla el área de un círculo entero con el mismo radio y después divide el área a la mitad.

> ▶ **Enlace con Lenguaje**
>
> El prefijo *semi-* significa "mitad". Un suceso semianual sucede una vez cada medio año.

Ejemplo 2

¿Cuál es el área de caramelo del "dulce de insignia"?

La parte superior de la insignia es un semicírculo con un radio de 0.8 cm.

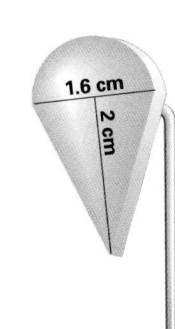

Área del círculo $= \pi r^2$

$\qquad = 3.14 \times 0.8^2$

$\qquad = 2.0096 \text{ cm}^2$

Como la figura es un semicírculo, debes dividir el área a la mitad.

Área del semicírculo $= 2.0096 \div 2$, ó 1.0048 cm^2

La parte inferior es un triángulo con una base de 1.6 cm y una altura de 2 cm.

Área del triángulo $= \frac{1}{2}bh$

$\qquad = \frac{1}{2} \times 1.6 \times 2$

$\qquad = 1.6 \text{ cm}^2$

Área total $= 1.0048 + 1.6$, ó 2.6048 cm^2.

> **Sugerencia**
>
> Suele ser útil escribir la fórmula y después escribir los números apropiados debajo de la fórmula.

4-9 • Área de figuras irregulares **255**

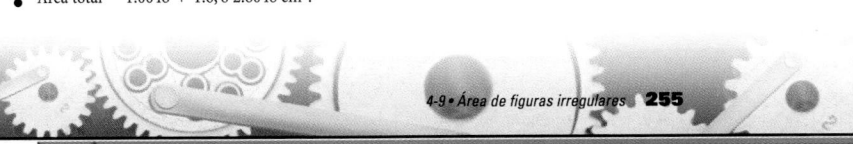

MATH EVERY DAY

▶ **Problema del día**

Veinticuatro estudiantes compraron uno o dos tipos de bocadillos en una función de cine. Trece compraron palomitas, diez compraron pasitas y catorce compraron cacahuates. ¿Cuál es la diferencia entre los estudiantes que compraron dos tipos de bocadillos y quienes compraron uno? 2 estudiantes.

Problem of the Day

Twenty-four students bought either one or two snacks at the movie theater. Thirteen bought popcorn, ten bought raisins, and fourteen bought peanuts. How many more students bought two snacks than bought just one snack? 2 more students

Available on Daily Transparency 4-9

An Extension is provided in the transparency package.

Dato del día

Los egipcios usaron rampas para mover los enormes bloques de piedra con los que construyeron sus pirámides. Cada bloque pesaba entre 2 y 15 toneladas.

Fact of the Day

Ancient Egyptians used ramps to raise huge stone blocks for building pyramids. The stones weighed 2 to 15 tons each.

Estimation

Estimate.

1. $378 + 1,294$ 1,700
2. $39,222 - 2,988$ 36,000
3. 828×19 16,000
4. $9,930 \div 24$ 400

Cálculo aproximado

Haz un cálculo aproximado.

1. $378 + 1,294$ 1,700
2. $39,222 - 2,988$ 36,000
3. 828×19 16,000
4. $9,930 \div 24$ 400

---

2 Enseñanza

Aprender

Ejemplos adicionales

1. Encuentra el área.

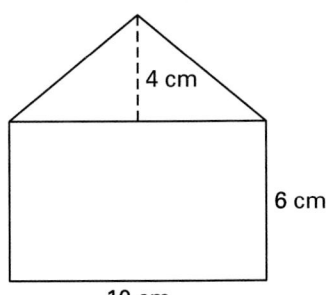

La figura puede dividirse en un triángulo y un rectángulo.

El rectángulo tiene una base de 10 cm y una altura de 6 cm. El área es la base multiplicada por la altura, o sea 10×6, que es igual a 60 cm^2.

El triángulo tiene una base de 10 cm y una altura de 4 cm. El área es $\frac{1}{2}bh$, es decir, $\frac{1}{2} \times 10 \times 4$, que es igual a 20 cm^2.

El área total es de $60 + 20$, o sea 80 cm^2.

2. ¿Cuál es el área de esta figura?

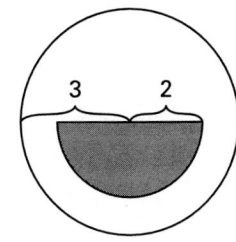

La figura es un círculo con un semicírculo cortado.

Área del círculo $= \pi r^2$

$\qquad = 3.14 \times 3^2$

$\qquad = 28.26 \text{ cm}^2$

Área del semicírculo $= \pi r^2 \div 2$

$\qquad = 3.14 \times 2^2 \div 2$

$\qquad = 6.28 \text{ cm}^2$

El área de la figura es igual al área del círculo menos el área del semicírculo, es decir, $28.26 - 6.28 = 21.98 \text{ cm}^2$.

Teach

Learn

Alternate Examples

1. Find the area.

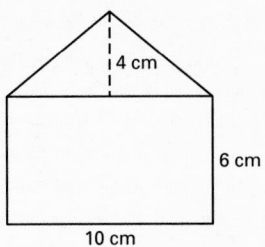

The figure can be divided into a triangle and a rectangle.

The rectangle has a base of 10 and a height of 6. The area is base multiplied by height, or 10×6, which is 60 cm^2.

The triangle has a base of 10 and a height of 4. The area is $\frac{1}{2}bh$, or $\frac{1}{2} \times 10 \times 4$, which is 20 cm^2.

The total area is $60 + 20$, or 80 cm^2.

2. What is the area of this figure?

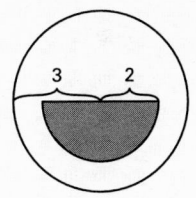

The figure is a circle with a semicircle cut out.

Area of circle $= \pi r^2$

$\qquad = 3.14 \times 3^2$

$\qquad = 28.26 \text{ cm}^2$

Area of semicircle $= \pi r^2 \div 2$

$\qquad = 3.14 \times 2^2 \div 2$

$\qquad = 6.28 \text{ cm}^2$

The area of the figure is the area of the circle minus the area of the semicircle, or $28.26 - 6.28 = 21.98 \text{ cm}^2$.

What Do You Think?

Students see two different ways of finding the area of an irregular shape. Ricardo divides the shape into two rectangles and adds the areas of each. Peggy thinks of the shape as the difference between two shapes and subtracts their areas. Students have an opportunity to discuss which method they prefer and why.

Answers for What Do You Think?

1. Yes; No

2. Ricardo's; He must subtract twice. Peggy subtracts only once.

Practice and Assess

Check

Students may need additional practice in breaking irregular shapes down into familiar shapes before responding to the following questions.

Answers for Check Your Understanding

1. Possible answer: Find the area of a whole circle with the same radius, and then divide the area in half.

2. Possible answer: No; Some figures have very irregular shapes which do not break down easily into smaller figures.

Los estudiantes observan dos diferentes formas de hallar el área de una figura irregular. Ricardo divide la figura en dos rectángulos y suma las áreas de cada uno. Peggy la concibe como la diferencia entre dos figuras y resta sus áreas. Los estudiantes tienen oportunidad de comentar cuál método prefieren y por qué.

Respuestas de ¿Qué crees tú?

1. Sí; No

2. El de Ricardo; Se debe restar dos veces. Con el de Peggy se resta sólo una vez.

3 Práctica y evaluación

Comprobar

Los estudiantes pueden necesitar práctica adicional para descomponer figuras irregulares en figuras que les sean familiares antes de responder las siguientes preguntas.

Respuestas de Comprobar tu comprensión

1. Respuesta posible: Se halla el área de un círculo completo con el mismo radio, y después se divide el área a la mitad.

2. Respuesta posible: No; Algunas figuras tienen formas muy irregulares y no pueden descomponerse con facilidad en figuras más pequeñas.

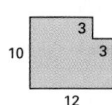

Ricardo y Peggy razonan cómo podrían plantar su jardín. El diagrama muestra la forma de su jardín. Todas las medidas están en pies. ¿Cuál es el área de su jardín?

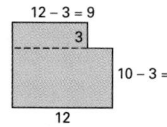

Ricardo piensa...

Voy a dividir el jardín en dos rectángulos. Encontraré las medidas que faltan y el área de cada rectángulo. Después sumaré las áreas.

$12 - 3 = 9$

$10 - 3 = 7$

El área del rectángulo superior es igual a $3 \times 9 = 27$.

El área del rectángulo inferior es igual a $12 \times 7 = 84$.

El área total es de $27 + 84$, que es 111 pies cuadrados.

Peggy piensa...

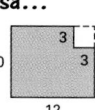

El jardín parece un rectángulo al que le faltara una pieza. Encontraré el área del rectángulo y después le restaré el área de la pieza faltante de la esquina superior.

El área del rectángulo es $10 \times 12 = 120$.

El área de la pieza faltante es de $3 \times 3 = 9$.

El área total $= 120 - 9$, o sea, 111 pies cuadrados.

¿Qué crees tú?

1. ¿Pudo Ricardo haber dividido el jardín en dos rectángulos distintos? ¿Hubiera obtenido una respuesta diferente?

2. ¿Cuál método requiere de más restas? Explica por qué.

MEETING MIDDLE SCHOOL CLASSROOM NEEDS

Tips from Middle School Teachers

Sometimes I send my students on a scavenger hunt for objects with given areas or perimeters. For example, I might ask them to find something with an area of about 100 square inches or to find an irregular shape with an area greater than 50 square centimeters. The students must sketch the object and show their computations.

Sugerencias de los maestros

En ocasiones pido a los estudiantes que busquen objetos con áreas y perímetros determinados. Por ejemplo, puedo pedirles que hallen un objeto con un área aproximada de 100 pulgadas cuadradas o una pieza de forma irregular con un área superior a 50 centímetros cuadrados. Después deben dibujar el objeto y mostrar sus operaciones.

Cooperative Learning

Have students work in pairs on the problems in this lesson. Frequently, one student will not be able to "see" how to do a problem, but the other one will.

Aprendizaje en equipo

Los estudiantes pueden resolver por parejas los problemas de esta lección. A menudo, un estudiante no logra "ver" la solución de un problema, pero su compañero sí.

Social Studies Connection

Have students use aerial photographs to find the area of fields, playgrounds, businesses, factories, or parking lots around your community. They may be interested to see, for example, how much parkland there is in your community. The library in your community or a local historical society often have aerial photographs.

Asociación con Ciencias sociales

Anime a los estudiantes a usar fotografías aéreas para hallar el área de los campos, parques, empresas, fábricas o estacionamientos de su localidad. Quizá les interese saber, por ejemplo, el área de los parques de su comunidad. La biblioteca local o alguna institución educativa puede proporcionarles las fotografías aéreas.

Comprobar Tu comprensión

1. ¿Cómo puedes hallar el área de un semicírculo?

2. ¿Pueden dividirse todas las figuras en figuras más pequeñas cuya área sea fácil de calcular? Explica tu razonamiento.

PRACTICAR 4-9

4-9 Ejercicios y aplicaciones

Práctica y aplicación

Para empezar Haz una lista de las figuras conocidas en que se puede descomponer cada objeto.

1.

2.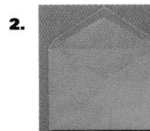

3.

Halla el área de cada figura irregular.

4.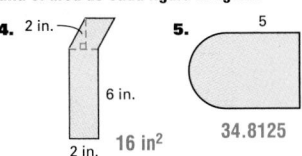
2 in.
6 in.
2 in.
$16\ in^2$

5. 5, 5
34.8125

6. 0.2 km
1.02 km
1.18 km
$\approx 1.6\ km^2$

7.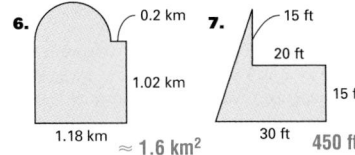
15 ft
20 ft
15 ft
30 ft
$450\ ft^2$

Encuentra el área de cada objeto.

8.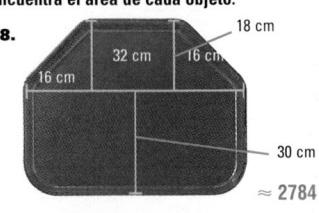
18 cm
32 cm   16 cm
16 cm
30 cm
$\approx 2784\ cm^2$

9.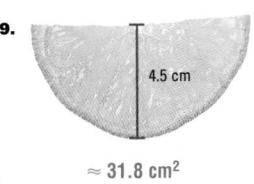
4.5 cm
$\approx 31.8\ cm^2$

10. **Para la prueba** En un juego de rayuela con 10 cuadros, cada uno mide 0.3 yardas por 0.3 yardas. ¿Cuál es el área total del juego; redondeada al centésimo más cercano? **A**

Ⓐ $0.90\ yd^2$ Ⓑ $1.23\ yd^2$ Ⓒ $1.56\ yd^2$ Ⓓ $1.79\ yd^2$

4-9 • Área de figuras irregulares   **257**

Assignment Guide

■ Basic 2–12 evens, 13, 14, 17–31 odds

■ Average 1–11, 13, 14, 17–31 odds

■ Enriched 1–16, 18–32 evens

Notas sobre los ejercicios

■ Ejercicios 4–7

Prevención de errores Anime a los estudiantes a escribir sus estrategias para determinar el área de la figura. Sugiérales que antes de comenzar sus cálculos escriban un enunciado como "Área = rectángulo + paralelogramo".

Respuestas de Ejercicios

1. Rectángulo, semicírculo

2. Triángulo, rectángulo

3. Semicírculo, rectángulo, semicírculo

Exercise Notes

■ Exercises 4–7

Error Prevention Encourage students to write down their plan for finding the area of the shape. Suggest that students write a sentence such as "Area = rectangle + parallelogram" before beginning computations.

Exercise Answers

1. Rectangle, semicircle

2. Triangle, rectangle

3. Semicircle, rectangle, semicircle

PRACTICE

Nombre _____

Práctica **4-9**

Área de figuras irregulares

Halla el área de cada figura irregular. Usa 3.14 como valor de π.

1. $200\ m^2$
4 m
8 m
20 m
6 m
6 m
16 m

2. $120\ ft^2$
14 ft
8 ft
12 ft

3. 52
5, 5, 5
4

4. $108\ in^2$
4 in.
6 in.
7 in.
12 in.

5. $349\ in^2$
8 in.
12 in.
16 in.

6. $147.25\ yd^2$
4 yd, 4 yd
6 yd
18 yd

7. $98\ km^2$
7 km
|←7 km→|←7 km→|

8. 277.5625
3 cm
6 cm
10
15

9. $126\ cm^2$
3 cm
3 cm
6 cm 3 cm

10. $1530.8125\ cm^2$
30 cm
35 cm

11. $22.065\ mm^2$
3 mm
5 mm

12. $421\ ft^2$
11 ft   20 ft

13. **Geografía** Encuentra el área aproximada del estado de Nevada.
$113,000\ mi^2$
315 mi
205 mi   Reno
315 mi   Las Vegas
440 mi   305 mi

RETEACHING

Nombre _____

Práctica adicional **4-9**

Área de figuras irregulares

Las figuras no siempre son rectángulos, triángulos o círculos perfectos. Para determinar el área de una figura irregular, puedes necesitar dividirla en figuras menores que te sean familiares, y después hallar el área de cada figura menor.

— **Ejemplo**

Encuentra el área de esta figura.

Paso 1: Identifica las figuras menores que forman la figura mayor. La figura está formada por dos cuadrados.

5 in.
10 in.   5 in.
10 in.

Paso 2: Halla el área de cada una de las figuras menores. Para calcular el área de un cuadrado, multiplica la base por la altura.

La base y la altura del cuadrado más grande son 10 in. Sustituye los valores en la fórmula: 10 × 10. El área del cuadrado más grande es de 100 in^2.

La base y la altura del cuadrado más pequeño son 5 in. Sustituye los valores en la fórmula: 5 × 5. El área del cuadrado pequeño es de 25 in^2.

Paso 3: Decide cómo conforman las figuras menores a la mayor. Suma las áreas de las figuras menores para hallar el área de la figura mayor.

100 + 25 = 125

Por tanto, el área de la figura es de 125 in^2.

Haz la prueba Halla el área de cada figura.

a. Identifica las figuras en el dibujo.
Cuadrado, triángulo.

Encuentra el área de una figura. $25\ cm^2$
Halla el área de la otra figura. $10\ cm^2$
Suma ambas áreas. $25\ cm^2 + 10\ cm^2 = 35\ cm^2$
El área de la figura es $35\ cm^2$

5 cm
5 cm
4 cm

b. 8 in.
2 in.
4 in.
8 in.
3 in.
$80\ in^2$

c. 2 m
5 m
8 m
3 m
6 m
$38\ m^2$

Práctica adicional

Actividad

Materiales: Papel cuadriculado, reglas, tijeras

• Trabaja con un compañero.

• Usa papel cuadriculado para dibujar rectángulos, triángulos y paralelogramos de varias medidas.

• Recorta las figuras y anota en el reverso el área de cada una.

• Con estos recortes forma tres figuras irregulares diferentes.

• Coloca las figuras en una hoja de papel cuadriculado y traza el contorno de las mismas.

• Intercambia tus figuras y encuentra el área de cada una.

• Comprueba las respuestas de tu compañero.

Reteaching

Activity

Materials: Graph paper, rulers, scissors

• Work with a partner.

• Use graph paper to draw rectangles, triangles, and parallelograms of various sizes.

• Cut out the shapes and record the area of each shape on the back.

• Make three different irregular figures using the shapes.

• Place the shapes on a piece of graph paper and draw an outline around each figure.

• Exchange your figures with your partner and find the area of each figure.

• Check your partner's answers.

Exercise Notes

■ Exercise 13

Problem-Solving Tip Have students draw a picture before they try to solve the problems.

■ Exercises 17–24

Error Prevention Review order of operations with students before they do these problems.

Exercise Answers

13. Yes; The diameter of the circle is approximately 4.39 ft, which is shorter than the side of the square.
14. 20.5 ft^2; Subtract the area of the square, 4 ft^2, from the area of the triangle, 24.5 ft^2.
15. 289.56 ft^2; Add together the area of two rectangles and the quarter circle.
16. $52\frac{1}{3}$ cm^2; To find the area of one section, divide the total area by 6.

Alternate Assessment

Portfolio Sketch an irregular figure by using at least four different shapes. Find the area and add these sketches to your portfolio.

Notas sobre los ejercicios

■ Ejercicio 13

Resolución de problemas Ten en cuenta Pida a los estudiantes que hagan un dibujo antes de tratar de resolver el problema.

■ Ejercicios 17–24

Prevención de errores Repase con los estudiantes el orden de las operaciones antes de que resuelvan estos problemas.

Respuestas de Ejercicios

13. Sí; El diámetro del círculo es de aproximadamente 4.39 ft, lo cual es menor que el lado del cuadrado.
14. 20.5 ft^2; Al área del triángulo, 24.5 ft^2, se le resta el área del cuadrado, 4 ft^2.
15. 289.56 ft^2; Se suma el área de los dos rectángulos y el cuarto de círculo.
16. $52\frac{1}{3}$ cm^2; Para hallar el área de una sección, se divide el área total entre 6.

Evaluación adicional

Portafolio Traza una figura irregular con por lo menos cuatro formas diferentes. Halla el área y guarda estos dibujos en tu portafolio.

RESOLVER PROBLEMAS 4-9

11. Geografía Halla el área aproximada del sur de Australia. Todas las distancias están en millas.

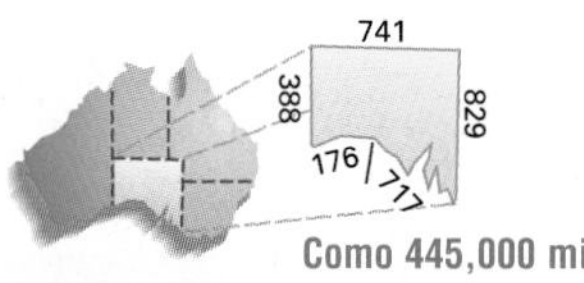

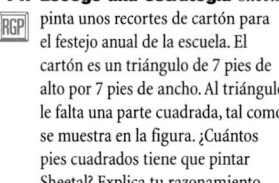

741
388
829
176
717

Como 445,000 mi^2

12. Halla el área del aparato multiusos: cepillo para ropa, botella y taza.
14.90625 in^2

FIG. 2.
2.5 in.
4 in.

Resolución de problemas y razonamiento

13. Razonamiento crítico Caitlin hace un mantel para una mesa circular. La circunferencia de la mesa es de 13.8 pies. Ella tiene una pieza cuadrada de tela de 4.5 pies de cada lado. Si corta el círculo más grande posible, ¿será suficientemente grande para cubrir la mesa? Explica tu respuesta.

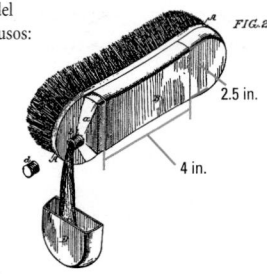

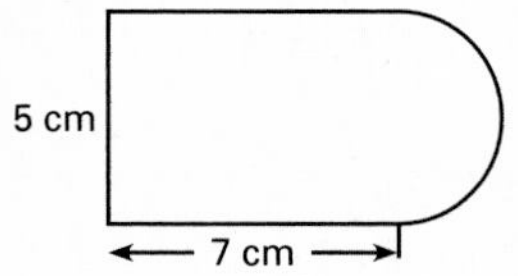

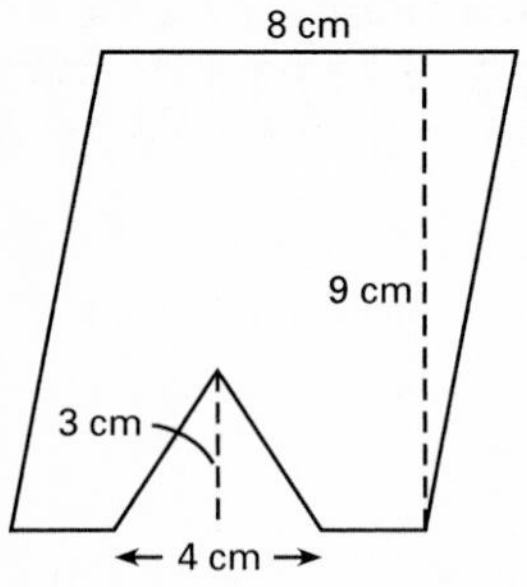

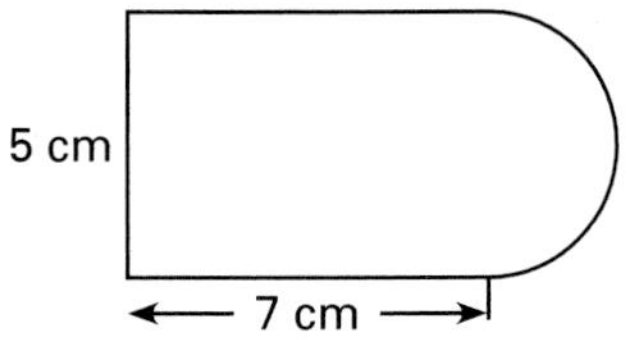

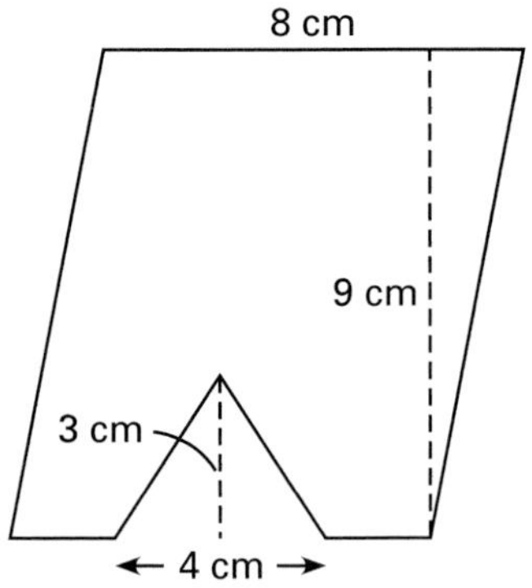

14. Escoge una estrategia RGP Sheetal pinta unos recortes de cartón para el festejo anual de la escuela. El cartón es un triángulo de 7 pies de alto por 7 pies de ancho. Al triángulo le falta una parte cuadrada, tal como se muestra en la figura. ¿Cuántos pies cuadrados tiene que pintar Sheetal? Explica tu razonamiento.

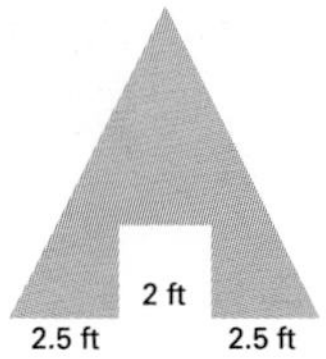

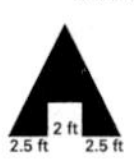

2 ft
2.5 ft
2.5 ft

Resolución de problemas
ESTRATEGIAS
- Busca un patrón
- Organiza la información en una lista
- Haz una tabla
- Prueba y comprueba
- Empieza por el final
- Usa el razonamiento lógico
- Haz un diagrama
- Simplifica el problema

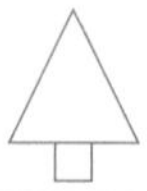

15. Razonamiento crítico Joe y su papá colocan de nuevo el mosaico de la cocina y la sala. De acuerdo con la figura, ¿cuántos pies cuadrados tienen que colocar? Explica cómo lo resolverías.

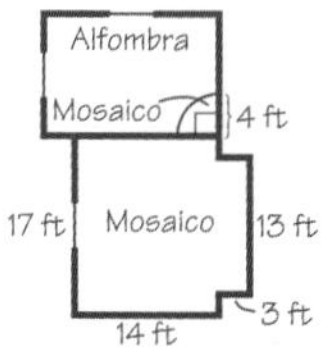

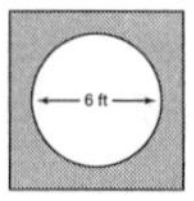

Alfombra
Mosaico
4 ft
17 ft
Mosaico
13 ft
3 ft
14 ft

16. En tu diario Una ruleta está dividida en 6 secciones iguales. El radio de la ruleta es de 10 cm. ¿Cuál es el área de cada sección? Explica tu respuesta.

Repaso mixto

Simplifica las siguientes expresiones. *[Lección 2-8]*

17. $14 + 10 - 3$ **21** **18.** $62 \div (1 + 1)$ **31** **19.** $2^8 \div 2 + 6$ **134** **20.** $5 \times 6 - 25$ **5**

21. $18 + 18 \div 3$ **24** **22.** $2 \times 10 - 4 \div 2$ **18** **23.** $2 \times (10 - 4) \div 2$ **6** **24.** $8 + 3^3 \times 4$ **116**

Resuelve estas ecuaciones. *[Lección 3-7]*

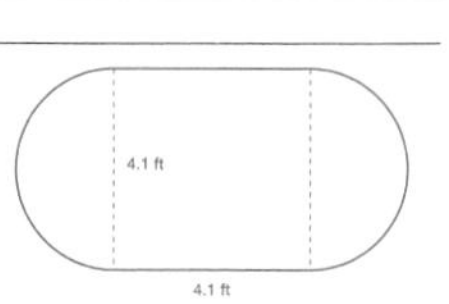

25. $16.1 - f = 9.1$ **7** **26.** $r + 25.3 = 50.73$ **25.43** **27.** $56.04 + k = 64.06$ **8.02** **28.** $m - 7.25 = 19.75$ **27**

29. $e - 86.5 = 76$ **162.5** **30.** $86.8 + q = 100.9$ **14.1** **31.** $47.34 - g = 42.04$ **5.3** **32.** $z + 0.13 = 6.68$ **6.55**

258 *Capítulo 4 • Medición*

Quick Quiz

Find the area of each shape.

1. 44.8125 cm^2

5 cm
7 cm

2. 66 cm^2

8 cm
9 cm
3 cm
4 cm

Available on Daily Transparency 4-9

Prueba rápida

Encuentra el área de cada figura.

1. 44.8125 cm^2

5 cm
7 cm

2. 66 cm^2

8 cm
9 cm
3 cm
4 cm

PROBLEM SOLVING

Nombre ____________

Resolución guiada de problemas 4-9

RGP PROBLEMA 14, PÁGINA 258 DEL ESTUDIANTE

Sheetal pinta unos recortes de cartón para el festejo anual de la escuela. El cartón es un triángulo de 7 pies de alto por 7 pies de ancho. Al triángulo le falta una parte cuadrada, tal como se muestra en la figura. ¿Cuántos pies cuadrados tiene que pintar Sheetal? Explica tu razonamiento.

2 ft
2.5 ft
2.5 ft

Comprende

1. ¿Qué se te pide que halles? El área que Sheetal necesita pintar.
2. Subraya las medidas de la altura y anchura del triángulo.

Plan

3. ¿Cuál es la fórmula para el área del triángulo? Área = base × altura ÷ 2
4. ¿Cuál es la fórmula para el área del cuadrado? Área = base × altura
5. ¿Vas a sumar o a restar para hallar el área que se tiene que pintar? Restar.

Resuelve

6. ¿Cuál es el área del triángulo? 24.5 ft^2 ¿Cuál la del cuadrado? 4 ft^2
7. Escribe un enunciado numérico que muestre cómo hallaste el área a pintar. 24.5 − 4 = 20.5
8. ¿Cuántos pies cuadrados pintará Sheetal? Explica por qué. 20.5 ft^2; Ella va a pintar el área de un triángulo menos el área de la abertura cuadrada.

Revisa

9. Dibuja un ejemplo de cómo se verá la figura si Sheetal necesitara pintar las áreas combinadas del cuadrado y del triángulo. Respuesta posible:

RESUELVE OTRO PROBLEMA

Liam pinta una figura de cartón. La figura es un cuadrado con lados de 8 pies y tiene un abertura circular como se muestra. ¿Aproximadamente cuántos pies cuadrados necesitará pintar Liam? Explica tu razonamiento.

Alrededor de 35.74 ft^2; $8 \times 8 - (3.14 \times 3^2) = 35.74$

6 ft

ENRICHMENT

Nombre ____________

Actividad de enriquecimiento 4-9

Tomar decisiones

Quieres hacer una pequeña alberca en tu patio y deseas que ésta cubra 30 pies cuadrados. ¿Qué dimensiones podrías usar para tu alberca? Usa números cabales a menos que se indique otra cosa.

1. Registra la base y la altura de todas las posibles albercas rectangulares.
   $1 \times 30, 2 \times 15, 3 \times 10, 5 \times 6, 6 \times 5, 10 \times 3, 15 \times 2, 30 \times 1$
2. Registra la base y la altura de todas las posibles albercas triangulares.
   $1 \times 60, 2 \times 30, 3 \times 20, 4 \times 15, 5 \times 12, 6 \times 10, 10 \times 6,$
   $12 \times 5, 15 \times 4, 20 \times 3, 30 \times 2, 60 \times 1$
3. ¿Cuáles son los radios de cualquier alberca circular? ¿Qué valor de π usarías? Traza el área lo más cercana a 30 pies cuadrados que puedas y registra los radios y las áreas. No es preciso usar números cabales para los radios.
   Respuestas posibles: 3 ft (28.26 ft^2), 3.1 ft (30.18 ft^2)
4. Dibuja un diagrama de una alberca de forma irregular que cubra alrededor de 30 pies cuadrados. Traza el área lo más cercana a 30 pies cuadrados que puedas. Registra las dimensiones y el área.

4.1 ft
4.1 ft

   Respuesta posible: 2 semicírculos con un diámetro de 4.1 ft., un cuadrado de 4.1 ft. por 4.1 ft; área = 30.01 pies cuadrados
5. ¿Cuál figura de las que creaste escogerías para construir tu propia alberca? ¿Por qué?
   Respuesta posible: Forma irregular; El óvalo se ve mayor y más atractivo.

En esta sección aprendiste a calcular el área de diferentes tipos de figuras. Ahora tomarás decisiones acerca de la mejor manera de diseñar un invento.

Sabiduría inventora

Materiales: Reglas

1. Necesitas diseñar un invento, el cual puede ser ordinario o singular, pero debe cumplir las siguientes características:

a. Debe tener muchas funciones.

b. Debe estar hecho de superficies planas.

c. El diseño debe usar cuando menos un rectángulo, un triángulo y un círculo o un semicírculo.

2. Utiliza una regla para trazar un diagrama de tu invento. Señala con claridad las partes y marca la longitud de todos los materiales. Asegúrate de incluir unidades de medida apropiadas, como centímetros o pies.

3. Calcula la cantidad de material necesario para construir tu invento.

4. Describe de manera breve en qué consiste el invento.

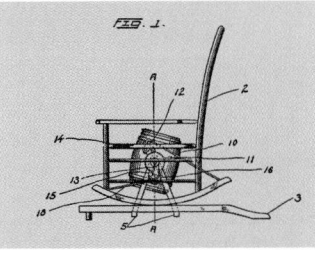

259

Sabiduría inventora

Objetivo

En *Sabiduría inventora*, de la página 245, los estudiantes aprendieron que el diseño de algún invento complicado requiere de la comprensión de las matemáticas. Ahora podrán diseñar su propio invento.

Materiales

Regla

Acerca de esta página

- Tal vez quiera que los estudiantes trabajen en grupos.

- Organice una lluvia de ideas acerca de los inventos.

- Pregunte a los estudiantes si alguna vez han visto algo nuevo o diferente y pensado: "¡Qué buena idea! ¿Por qué no se me ocurrió a mí?"

- Muchos inventores mejoraron o añadieron algo a lo que ya usábamos. Sugiera a los estudiantes que traten de mejorar algo que ya existe.

- Recuérdeles que su invento debe incluir las figuras geométricas que aparecen en la lista de tareas.

Evaluación continua

Cerciórese de que los estudiantes hayan dibujado un diseño razonable que contenga las figuras geométricas adecuadas.

Ampliación

Ahora que los estudiantes han creado un invento nuevo, pídales que calculen el costo de producción de un prototipo. Anímelos a ponerle un nombre a su invento.

Respuestas de Asociación

1-4. Las respuestas pueden variar.

Invention-al Wisdom

The Point

In *Invention-al Wisdom* on page 245, students learned that the design of every complex invention requires an understanding of mathematics. Now they will design their own invention.

Materials

Ruler

About the Page

- You may want to have students work in groups.

- Brainstorm ideas for inventions with the class.

- Ask students if they have ever seen something new or different and thought, "What a good idea. Why didn't I think of that?"

- Many inventors improve on or add a unique twist to something we already use. Suggest that students may want to improve something that already exists.

- Remind students that their invention should include the geometric figures listed in the assignment.

Ongoing Assessment

Check that students have drawn a reasonable design containing the appropriate geometric figures.

Extension

Now that students have created some new invention, have them estimate the cost of producing a prototype of their invention. Have students give their invention a unique name.

Answers for Connect

1–4. Answers may vary.

Review Correlation

Item(s)	Lesson(s)
1–3	4-3
4	4-1, 4-4
5	4-1, 4-5
6	4-1, 4-9
7	4-7, 4-8
8	4-1, 4-6
9	4-7, 4-8
10	4-1, 4-4
11	4-9
12–13	4-1
14	4-7

Correlación de repaso

Punto(s)	Lección(es)
1–3	4-3
4	4-1, 4-4
5	4-1, 4-5
6	4-1, 4-9
7	4-7, 4-8
8	4-1, 4-6
9	4-7, 4-8
10	4-1, 4-4
11	4-9
12–13	4-1
14	4-7

Test Prep

Test-Taking Tip

Tell students they can use easier numbers than those given to help them solve some problems. Here, students could use 3 for π to find the circumference.

Answers for Review

4. A: 256 in^2; P: 64 in

5. A: 43.2 mm^2; P: 28 mm

6. A: 22 units^2; P: 20 units

7. A: 0.5024 km^2; C: 2.512 km

8. A: 15 yd^2; P: 23.44 yd

9. A: 153.86 in^2; C: 43.96 in.

10. A: 108 ft^2; P: 42 ft

11. A: 119.065 units^2; P: 42.71 units

13. The perimeter of a square;
    Square: 16 in., triangle: 12 in.

Para la prueba

Sugerencia para la prueba

Diga a los estudiantes que pueden usar números más sencillos que los que se proporcionan para ayudarse a resolver algunos problemas. Aquí, para hallar la circunferencia los estudiantes podrían usar 3 en vez de π.

Respuestas de Repaso

4. A: 256 in^2; P: 64 in

5. A: 43.2 mm^2; P: 28 mm

6. A: 22 unidades^2; P: 20 unidades

7. A: 0.5024 km^2; C: 2.512 km

8. A: 15 yd^2; P: 23.44 yd

9. A: 153.86 in^2; C: 43.96 in.

10. A: 108 ft^2; P: 42 ft

11. A: 119.065 unidades^2; P: 42.71 unidades

13. El perímetro de un cuadrado;
    Cuadrado: 16 in., triángulo: 12 in.

REPASO 4C

Usa el factor de conversión para hallar las medidas que faltan.

1. 2000 libras en 1 tonelada
   ☐ libras en 6 toneladas **12,000**

2. 8 cuartos en 2 galones
   37 cuartos en ☐ galones **9.25**

3. 3 pies en 1 yarda
   27.6 pies en ☐ yardas **9.2**

Halla el área y el perímetro de cada figura.

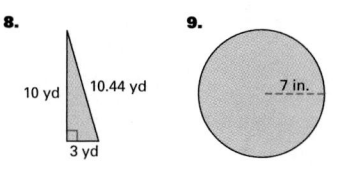
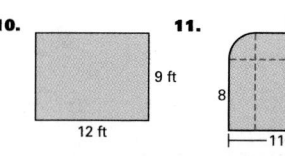

4. 16 in. / 16 in.
5. 7.2 mm, 8 mm, 6 mm
6. 4, 4, 5, 7
7. 0.4 km

8. 10 yd, 10.44 yd, 3 yd
9. 7 in.
10. 9 ft, 12 ft
11. 8, 3, 8, 11

12. Scott quiere colocar árboles que rodeen el perímetro de su maqueta del tren a escala. Si los árboles se colocan con 2 pies de distancia entre cada uno, ¿cuántos árboles necesita? **12**

13. **Comprensión numérica** ¿Cuál es mayor: el perímetro de un cuadrado con lados de 4 pulgadas o el perímetro de un triángulo con lados de 4 pulgadas? Explica por qué.

4 ft / 8 ft

Para la prueba

Para encontrar la circunferencia de un círculo, puedes calcular la respuesta usando 3 en lugar de π.

14. ¿Cuál es la circunferencia de un círculo cuyo diámetro es de 9 cm? **B**
    Ⓐ 2.87 cm Ⓑ 28.26 cm Ⓒ 150.72 cm Ⓓ 254.34 cm

260 Capítulo 4 • Medición

Resources

Practice Masters
  Section 4C Review
Assessment Sourcebook
  Quiz 4C
  TestWorks
  Test and Practice Software

PRACTICE

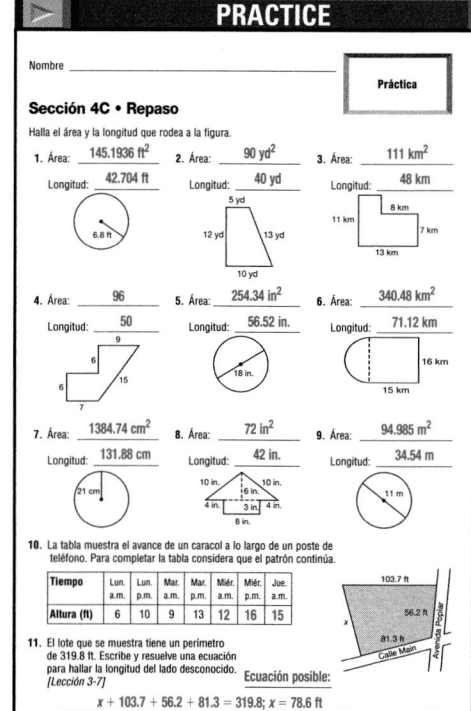

Nombre _____

Práctica

Sección 4C • Repaso
Halla el área y la longitud que rodea a la figura.

1. Área: 145.1936 ft^2
   Longitud: 42.704 ft
   (6.8 ft)

2. Área: 90 yd^2
   Longitud: 40 yd
   (5 yd, 12 yd, 13 yd, 10 yd)

3. Área: 111 km^2
   Longitud: 48 km
   (11 km, 6 km, 7 km, 13 km)

4. Área: 96
   Longitud: 50
   (9, 6, 15, 7)

5. Área: 254.34 in^2
   Longitud: 56.52 in.
   (18 in.)

6. Área: 340.48 km^2
   Longitud: 71.12 km
   (16 km, 15 km)

7. Área: 1384.74 cm^2
   Longitud: 131.88 cm
   (21 cm)

8. Área: 72 in^2
   Longitud: 42 in.
   (10 in., 10 in., 6 in., 4 in., 3 in., 4 in., 8 in.)

9. Área: 94.985 m^2
   Longitud: 34.54 m
   (11 m)

10. La tabla muestra el avance de un caracol a lo largo de un poste de teléfono. Para completar la tabla considera que el patrón continúa.

Tiempo	Lun. a.m.	Lun. p.m.	Mar. a.m.	Mar. p.m.	Miér. a.m.	Miér. p.m.	Jue. a.m.
Altura (ft)	6	10	9	13	12	16	15

11. El lote que se muestra tiene un perímetro de 319.8 ft. Escribe y resuelve una ecuación para hallar la longitud del lado desconocido. [Lección 3-7]

    Ecuación posible:
    $x + 103.7 + 56.2 + 81.3 = 319.8$; $x = 78.6$ ft

    (103.7 ft, 56.2 ft, 81.3 ft, Avenida Poplar, Calle Main)

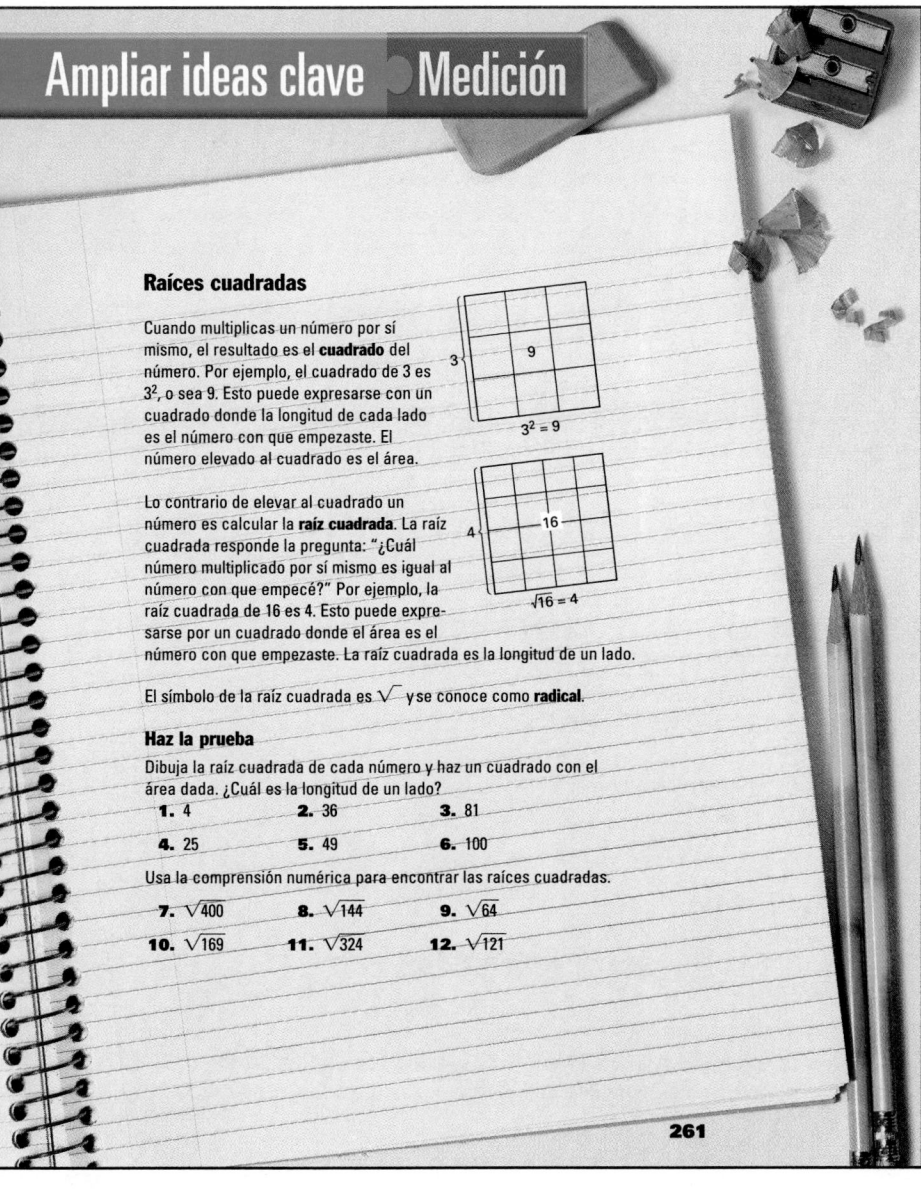

Raíces cuadradas

Cuando multiplicas un número por sí mismo, el resultado es el **cuadrado** del número. Por ejemplo, el cuadrado de 3 es 3^2, o sea 9. Esto puede expresarse con un cuadrado donde la longitud de cada lado es el número con que empezaste. El número elevado al cuadrado es el área.

$3^2 = 9$

Lo contrario de elevar al cuadrado un número es calcular la **raíz cuadrada**. La raíz cuadrada responde la pregunta: "¿Cuál número multiplicado por sí mismo es igual al número con que empecé?" Por ejemplo, la raíz cuadrada de 16 es 4. Esto puede expresarse por un cuadrado donde el área es el número con que empezaste. La raíz cuadrada es la longitud de un lado.

$\sqrt{16} = 4$

El símbolo de la raíz cuadrada es $\sqrt{}$ y se conoce como **radical**.

Haz la prueba

Dibuja la raíz cuadrada de cada número y haz un cuadrado con el área dada. ¿Cuál es la longitud de un lado?

1. 4   2. 36   3. 81
4. 25   5. 49   6. 100

Usa la comprensión numérica para encontrar las raíces cuadradas.

7. $\sqrt{400}$ 8. $\sqrt{144}$ 9. $\sqrt{64}$
10. $\sqrt{169}$ 11. $\sqrt{324}$ 12. $\sqrt{121}$

261

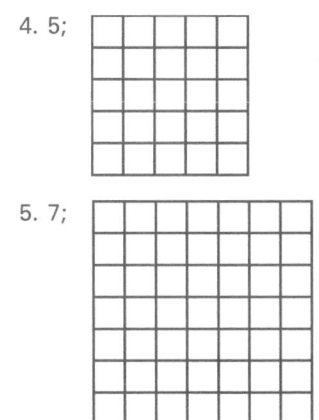

4. 5;

5. 7;

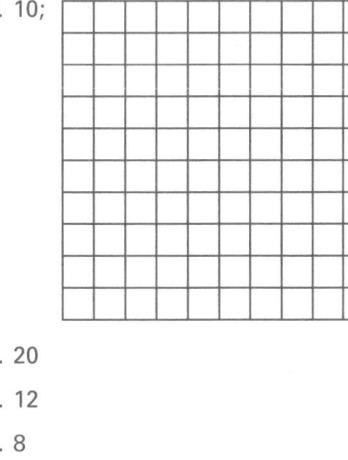

6. 10;

7. 20
8. 12
9. 8
10. 13
11. 18
12. 11

Raíces cuadradas

Objetivo
Los estudiantes usan diagramas para mostrar la relación entre los cuadrados perfectos y sus raíces cuadradas.

Materiales
Papel cuadriculado

Acerca de esta página

- Recuerde a los estudiantes que en la expresión 3^2, 2 es el exponente y significa que el 3 debe usarse como factor dos veces: $3^2 = 3 \times 3 = 9$.

- Señáleles que también pueden encontrar las raíces cuadradas mediante la estrategia empezar por el final.

Pregunte…
¿La raíz cuadrada de un número cabal es menor o mayor que el número?   Menor

Ampliación

¿Entre qué números cabales está cada raíz cuadrada?

1. $\sqrt{11}$ Entre 3 y 4
2. $\sqrt{30}$ Entre 5 y 6
3. $\sqrt{93}$ Entre 9 y 10

Respuestas de Haz la prueba

1. 2;

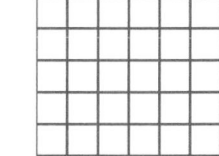

2. 6;

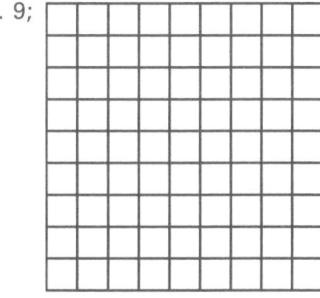

3. 9;

Square Roots

The Point
Students use diagrams to show the relationship between perfect squares and their square roots.

Materials
Graph paper

Resources
Teaching Tool Transparency 7: $\frac{1}{4}$-Inch Graph Paper

About the Page

- Remind students that in the expression 3^2, 2 is the exponent and means that 3 should be used as a factor two times: $3^2 = 3 \times 3 = 9$.

- Point out to students that they can think of finding square roots as using the work backwards problem-solving strategy.

Ask …

Is the square root of a whole number less than or greater than the number?   Less than

Extension

Between what two whole numbers is each square root?

1. $\sqrt{11}$ Between 3 and 4
2. $\sqrt{30}$ Between 5 and 6
3. $\sqrt{93}$ Between 9 and 10

Answers for Try It

1. 2;

2. 6;

3. 9;

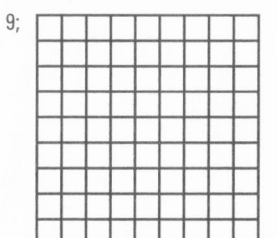

Review Correlation

Item(s)	Lesson(s)
1–3	4-1
4	4-2
5–7	4-3
8, 9	4-2
10	4-1
11	4-4
12	4-5
13	4-6
14, 15	4-4
16	4-6
17	4-7, 4-8
18	4-9

For additional review, see page 665.

Answers for Review

17. a. 9.42 yd

    b. 7.065 yd²

18. 167.13 units²

Correlación de repaso

Punto(s)	Lección(es)
1–3	4-1
4	4-2
5–7	4-3
8, 9	4-2
10	4-1
11	4-4
12	4-5
13	4-6
14, 15	4-4
16	4-6
17	4-7, 4-8
18	4-9

Para un repaso adicional, véase la página 665.

Respuestas de Repaso

17. a. 9.42 yd

    b. 7.065 yd²

18. 167.13 unidades²

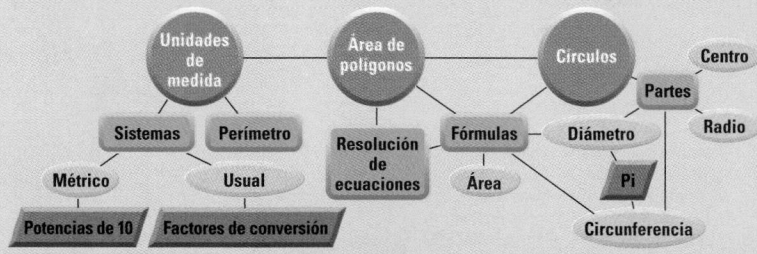

Capítulo 4 • Resumen y Repaso

Organizador gráfico

Sección 4A Unidades de medida

Resumen

- El **perímetro** es la longitud que rodea a una figura.

- Las unidades básicas de medida del **sistema métrico** son **metro** para longitud; **gramo** para masa, y **litro** para volumen.

- El sistema usual también tiene unidades de medida para la longitud, peso y capacidad: **pulgada, pie, onza, libra, cuarto de galón** y **galón**.

- Usa potencias de 10 para convertir de una unidad métrica a otra; y utiliza los **factores de conversión** para cambiar de una unidad usual a otra.

Repaso

Halla el perímetro de cada figura.

1. 8 2.9 8 6.7 8 **33.6**

2. 1.37 0.7 0.7 1.37 **4.14**

3. 1.14 m 0.46 m 0.807 m **2.407 m**

Usa potencias de 10 o factores de conversión para calcular cada medida.

4. 5.3 km = **5300** m

5. 219 ft = **73** yd

6. 4 ft = **48** in.

7. 3.5 gal = **14** qt

8. 11.726 kg = **11,726** g

9. 432 mm = **0.432** m

10. Una mesa rectangular de comedor mide 44 por 66 pulgadas. ¿Cuál es el perímetro de la mesa? Expresa la respuesta en pies. **18.3 ft**

Resources

Practice Masters
   Cumulative Review
   Chapters 1–4

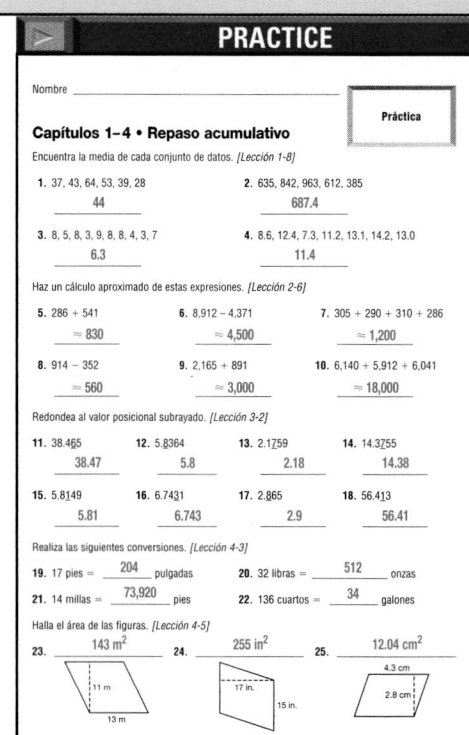

PRACTICE

Nombre _____

Práctica

Capítulos 1–4 • Repaso acumulativo

Encuentra la media de cada conjunto de datos. *[Lección 1-8]*

1. 37, 43, 64, 53, 39, 28   **44**

2. 635, 842, 963, 612, 385   **687.4**

3. 8, 5, 8, 3, 9, 8, 8, 4, 3, 7   **6.3**

4. 8.6, 12.4, 7.3, 11.2, 13.1, 14.2, 13.0   **11.4**

Haz un cálculo aproximado de estas expresiones. *[Lección 2-6]*

5. 286 + 541   ≈ **830**

6. 8,912 − 4,371   ≈ **4,500**

7. 305 + 290 + 310 + 286   ≈ **1,200**

8. 914 − 352   ≈ **560**

9. 2,165 + 891   ≈ **3,000**

10. 6,140 + 5,912 + 6,041   ≈ **18,000**

Redondea al valor posicional subrayado. *[Lección 3-2]*

11. 38.4̲65   **38.47**

12. 5.8̲364   **5.8**

13. 2.1̲759   **2.18**

14. 14.3̲755   **14.38**

15. 5.8̲149   **5.81**

16. 6.74̲31   **6.743**

17. 2.8̲65   **2.9**

18. 56.4̲13   **56.41**

Realiza las siguientes conversiones. *[Lección 4-3]*

19. 17 pies = **204** pulgadas

20. 32 libras = **512** onzas

21. 14 millas = **73,920** pies

22. 136 cuartos = **34** galones

Halla el área de las figuras. *[Lección 4-5]*

23. **143 m²** 11 m 13 m

24. **255 in²** 17 in. 15 in.

25. **12.04 cm²** 4.3 cm 2.8 cm

Sección 4B   Área de polígonos

Resumen

■ El **área** es la medida que expresa cuánta superficie está cubierta.

■ También puedes usar fórmulas para encontrar el área de algunos polígonos.

Rectángulos y cuadrados: $A = b \times h$, donde b = base y h = altura.

Paralelogramo: $A = b \times h$, donde b = base y h = altura.

Triángulo: $A = b \times h \div 2$, donde b = base y h = altura.

Repaso

Halla el área de cada figura.

11.   **12.**   **13.**

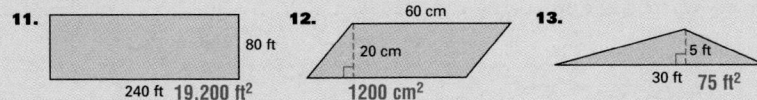

80 ft

240 ft $19{,}200 \text{ ft}^2$

60 cm

20 cm

1200 cm^2

5 ft

30 ft 75 ft^2

14. Un cuadrado con un lado de 7.5 mm. 56.25 mm^2 **15.** Una puerta de 3.5 ft de ancho por 6 ft de altura. 21 ft^2

16. Halla la altura de un triángulo con una base de 13.2 ft y un área de 198 ft^2. 30 ft

Sección 4C   Círculos

Resumen

■ El **radio** de un círculo es la distancia de su centro a cualquier punto de la circunferencia. El **diámetro** es la longitud que atraviesa el círculo y que pasa por el centro. La **circunferencia** es la longitud que rodea al círculo.

■ Para cualquier círculo, la circunferencia dividida entre el diámetro es aproximadamente igual a 3.14. Este número se llama **pi** y su símbolo es π.

■ Usa $C = \pi \times d$ para hallar una circunferencia, donde C es la circunferencia y d es el diámetro. Utiliza $d = C \div \pi$ para encontrar el diámetro.

■ Usa la fórmula $A = \pi \times r^2$ para hallar el área de cualquier círculo donde r = el radio.

■ Para hallar el área de un polígono irregular, divídelo en figuras conocidas, calcula el área de cada una y súmalas para obtener el área total.

Repaso

17. a. Halla la circunferencia de un círculo si su diámetro es de 3 yardas.
b. Calcula su área.

18. Encuentra el área de la figura irregular:

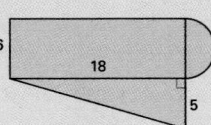

6

18

5

Assessment Correlation

Item(s)	Lesson(s)
1, 2	4-7
3	4-2
4	4-4, 4-5, 4-6
5	4-1, 4-4
6	4-1, 4-6
7	4-1, 4-5
8	4-3
9, 10	4-2
11	4-3
12	4-7
13	4-8
14	4-7
15, 16	4-9

Answer for Performance Task

Organized list should include triangles whose (base, height) measurements are: (1, 24), (2, 12), (3, 8), (4, 6), (6, 4), (8, 3), (12, 2), and (24, 1).

Correlación de evaluación

Punto(s)	Lección(es)
1, 2	4-7
3	4-2
4	4-4, 4-5, 4-6
5	4-1, 4-4
6	4-1, 4-6
7	4-1, 4-5
8	4-3
9, 10	4-2
11	4-3
12	4-7
13	4-8
14	4-7
15, 16	4-9

Respuestas de Tarea para evaluar el progreso

La lista organizada debe incluir triángulos cuyas medidas (base, altura) sean: (1, 24), (2, 12), (3, 8), (4, 6), (6, 4), (8, 3), (12, 2) y (24, 1).

Completa las oraciones.

1. La distancia desde el centro de un círculo a cualquier punto de la circunferencia se llama _____. **Radio**

2. El valor del símbolo π es la circunferencia de cualquier círculo dividida entre su _____. **Diámetro**

3. Las potencias de 10 se usan para pasar de una medida a otra en el sistema _____. **Métrico**

4. El _____ mide el número de unidades cuadradas usadas para cubrir la superficie. **Área**

Para cada figura, a) halla el perímetro y b) calcula el área.

5.

3.4 m
3.4 m
a. 13.6 m
b. 11.56 m²

6.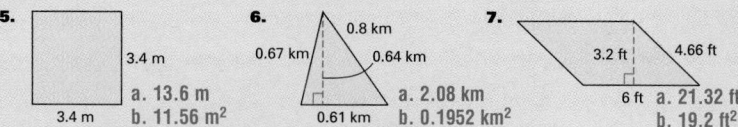
0.8 km
0.67 km
0.64 km
0.61 km
a. 2.08 km
b. 0.1952 km²

7.
3.2 ft
4.66 ft
6 ft
a. 21.32 ft
b. 19.2 ft²

Usa potencias de 10 o factores de conversión para hallar cada medida.

8. 12 yd = __36__ ft   9. 75 mm = __7.5__ cm   10. 1 km = __1000__ m   11. 360,000 in. = __30,000__ ft

12. Halla el diámetro de un círculo cuya circunferencia es de 28.26 millas. **9 mi**

13. Calcula el área de un círculo si su radio es de 2.5 kilómetros. Redondea al décimo más cercano. **19.6 km²**

14. a. ¿Cuál es el diámetro del semicírculo? **8 in.**   b. ¿Cuál es el radio? **4 in.**

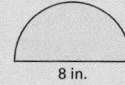

c. ¿Cuánto mide el perímetro del semicírculo? **20.56 in.**

d. ¿Cuál es su área? **25.12 in²**

8 in.

Halla el área de cada figura irregular.

15.
60 mm
50 mm
50 mm
10 mm
48 mm
60 mm
3600 mm²

16.
42 in.
42 in.
2456.37 in²

Tarea para evaluar el progreso

Usa papel cuadriculado para dibujar tantos triángulos como te sea posible; el área debe ser de 12 unidades cuadradas y las dimensiones de la base y la altura deben ser números cabales. Conforme calcules cada triángulo, rotula las dimensiones de su base y altura. Cuando termines, haz una lista organizada con las bases y alturas de tus triángulos.

Resources

Assessment Sourcebook

Chapter 4 Tests
  Forms A and B (free response)
  Form C (multiple choice)
  Form D (performance assessment)
  Form E (mixed response)
  Form F (cumulative chapter test)

TestWorks
Tests and Practice Software

Home and Community Connections
  Letter Home for Chapter 4 in English and Spanish

Cumulative Review Test Prep

Elección múltiple

Escoge la mejor respuesta.

1. ¿Cuál de los siguientes enunciados te haría pensar que una gráfica de barras es incorrecta? *[Lección 1-2]* **B**

Ⓐ Todas las alturas de las barras empiezan de cero.

Ⓑ Los valores de los datos no están espaciados de manera uniforme.

Ⓒ Un símbolo en la gráfica que muestra una interrupción en los valores.

Ⓓ Ninguna de las anteriores.

2. ¿Qué número en una tabla de frecuencia representa este conjunto de marcas de conteo? *[Lección 1-4]* **A**

̶H̶H̶T̶ ̶H̶H̶T̶ II

Ⓐ 12   Ⓑ 10   Ⓒ 2   Ⓓ Ninguna de las anteriores

3. ¿Cuál es el valor posicional del dígito 7 en $31,076,123$? *[Lección 2-1]* **C**

Ⓐ millones   Ⓑ millares

Ⓒ decenas de millar   Ⓓ Ninguna de las anteriores

4. Usa el orden de las operaciones para evaluar la expresión $(18 + 9^2) \div 3$. *[Lección 2-8]* **B**

Ⓐ 9   Ⓑ 33

Ⓒ 45   Ⓓ 243

5. Hay m canicas ordenadas en 7 grupos iguales. Escribe una expresión que muestre el número de canicas en cada grupo. *[Lección 2-11]* **D**

Ⓐ $m + 7$ Ⓑ $m - 7$

Ⓒ $7m$ Ⓓ $\frac{m}{7}$

6. Redondea 32.874 al décimo más cercano. *[Lección 3-2]* **B**

Ⓐ 40   Ⓑ 32.9

Ⓒ 32.87   Ⓓ Ninguna de las anteriores

7. Si ordenas estos decimales de menor a mayor, ¿cuál quedará en segundo lugar: 302.607, 3026.07, 302.067, 3020.67? *[Lección 3-3]* **C**

Ⓐ 3026.07   Ⓑ 3020.67

Ⓒ 302.607   Ⓓ 302.067

8. Encuentra x, si $x + 41.5 = 43.2$. *[Lección 3-7]* **A**

Ⓐ 1.7   Ⓑ 2.7

Ⓒ 2.8   Ⓓ Ninguna de las anteriores

9. Simplifica 3.76×0.08. *[Lección 3-9]* **B**

Ⓐ 0.2968   Ⓑ 0.3008

Ⓒ 2.968   Ⓓ 3.008

10. ¿Cuántos milímetros son 432.6 cm? *[Lección 4-3]* **D**

Ⓐ 4.326   Ⓑ 43.26

Ⓒ 432.6   Ⓓ 4326

11. Halla el área del triángulo. *[Lección 4-6]* **A**

Ⓐ 24 m²

Ⓑ 14 m²

Ⓒ 12 m²

Ⓓ 10 m²

12. ¿Cuál es el área de un círculo cuyo radio es de 3 yardas? *[Lección 4-8]* **A**

Ⓐ 28.26 yd²   Ⓑ 18.84 yd²

Ⓒ 9.42 yd²   Ⓓ Ninguna de las anteriores

Acerca de las pruebas de elección múltiple

El Repaso acumulativo que está al final de los capítulos 2, 4, 6, 8, 10 y 12 puede usarse como preparación para las pruebas estandarizadas.

A veces los estudiantes no logran resultados tan buenos en las pruebas estandarizadas como los que obtienen en otro tipo de exámenes. Puede haber varias razones para ello, relacionadas tal vez con el formato y el contenido de las pruebas.

• Formato

Los estudiantes suelen tener una experiencia limitada en las pruebas de elección múltiple. Algunas preguntas son más difíciles porque las opciones confunden al estudiante.

• Contenido

Una prueba estandarizada abarca un rango más amplio de contenido que el que por lo general se cubre en un examen, y el relativo énfasis que se pone en varias áreas puede ser diferente del que se ha dado en clase. Algunas preguntas pueden evaluar las aptitudes generales o la destreza mental y no incluir preguntas específicas de contenido matemático.

Es importante no permitir que las diferencias entre las pruebas estandarizadas y otro tipo de exámenes influyan de manera negativa en los estudiantes haciéndoles perder la confianza en sí mismos.

About Multiple-Choice Tests

The Cumulative Review found at the end of Chapters 2, 4, 6, 8, 10, and 12 can be used to prepare students for standardized tests.

Students sometimes do not perform as well on standardized tests as they do on other tests. There may be several reasons for this, related to the format and content of the test.

• Format

Students may have limited experience with multiple-choice tests. For some students, such tests are harder because having options may be confusing.

• Content

A standardized test may cover a broader range of content than normally covered on a test, and the relative emphasis given to various strands may be different than given in class. Also, some questions may assess general aptitude or thinking skills and not include specific pieces of mathematical content.

It is important not to let the differences between standardized tests and other tests shake your students' confidence.

Chapter 5

Patrones y teoría de los números
Patterns and Number Theory

▶ OVERVIEW

Section 5A

Number Theory: Students learn that the quotient of two whole numbers may or may not have a remainder. They use divisibility rules to find the prime factorization of a number. Then students learn to find the least common multiple of two numbers.

5-1
Divisibilidad

5-1
Divisibility

5-2
Descomposición factorial

5-2
Prime Factorization

5-3
Mínimo común múltiplo

5-3
Least Common Multiples

Section 5B

Connecting Fractions and Decimals: Students learn that different fractions have equivalent values. They learn to express numbers in decimal notation and in fraction notation, and to convert between the two forms. Students compare and order fractions.

5-4
Comprensión de fracciones

5-4
Understanding Fractions

5-5
Fracciones en su mínima expresión

5-5
Fractions in Lowest Terms

5-6
Fracciones impropias y números mixtos

5-6
Improper Fractions and Mixed Numbers

5-7
Conversión de fracciones y decimales

5-7
Converting Fractions and Decimals

5-8
Comparación y ordenación

5-8
Comparing and Ordering

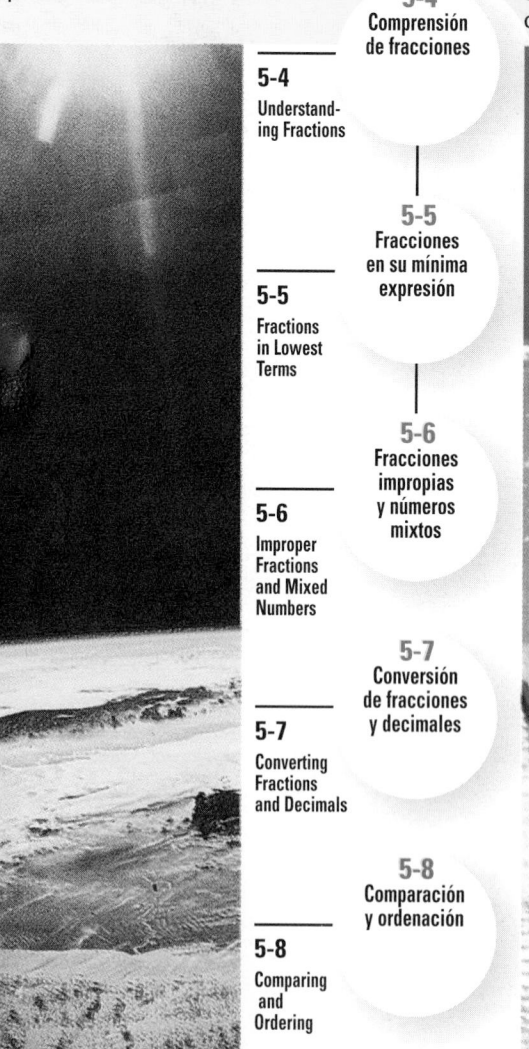

► Curriculum Standards

S T A N D A R D S

			pages
1	Problem Solving	Skills and Strategies	268, 274, 284, 297, 306, 312
		Applications	273–274, 278–279, 283–284, 285, 291–292, 296–297, 300–301, 305–306, 311–312, 313, 315
		Exploration	270, 275, 280, 288, 293, 298, 302, 308
2	Communication	Oral	269, 273, 278, 282, 287, 290, 295, *297*, 300, *301*, 305, *306*, 310
		Written	*268, 274*, 279, 284, 292, 297, 301, 306, 312
		Cooperative Learning	*270, 272, 275, 280, 288, 293, 295, 298, 302, 308*
3	Reasoning	Critical Thinking	274, 284, 292, 297, 301, 306, 312
4	Connections	Mathematical	See Standards 5, 6, 8, 12, and 13 below.
		Interdisciplinary	Career 306; Arts & Literature 266; Fine Arts 314; Industry *287*, 289, 292, 303, *310*, 312; Science 267, *269*, *277*, 285, *290*, 300, *304*; Language 290; Entertainment 267; History *269*, 270, 272, 274, 279, 281, 282, 297; Social Studies 266, *282*, 286; Consumer *304, 306*
		Technology	270, 272, 280, *287*, 304, 307
		Cultural	266, *272*, 290, *295*
5	Number and Number Relationships		273, 286, 288–315
6	Number Systems and Number Theory		269–315
8	Patterns and Functions		267, *302*, 307
12	Geometry		291
13	Measurement		300, 305, 311

Italic type indicates Teacher Edition reference.

► Teaching Standards

Focus on Questioning

The teacher has a central role in orchestrating discourse in the classroom. Teachers should

- pose questions that elicit, engage, and challenge each student's thinking.

- ask students to clarify and justify their ideas orally and in writing.

► Assessment Standards

Focus on Inferences

Journal The Inferences Standard encourages the use of multiple sources of evidence of students' performance in order to make valid inferences about their learning. It also cautions that new forms of assessment, such as journal writing, may create sources of bias which need to be addressed. Journal writing in Chapter 5 has students write

- a paragraph.

- rules for divisibility.

- definitions.

TECHNOLOGY

► For the Teacher

- **Teacher Resource Planner CD-ROM**
  Use the teacher planning CD-ROM to view resources available for Chapter 5. You can prepare custom lesson plans or use the default lesson plans provided.

- **World Wide Web**
  Visit **www.teacher.mathsurf.com** for links to lesson plans from teachers and other professionals, NCTM information, and other sites.

- **TestWorks**
  TestWorks provides ready-made tests and can create custom tests and practice worksheets.

► For the Student

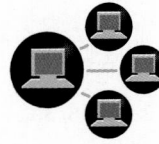

- **Interactive CD-ROM**
  Lesson 5-3 has an *Interactive CD-ROM Lesson.* The *Interactive CD-ROM Journal* and *Interactive CD-ROM Spreadsheet/Grapher Tool* are also used in Chapter 5.

- **World Wide Web**
  Use with Chapter and Section Openers; Students can go online to the Scott Foresman-Addison Wesley Web site at **www.mathsurf.com/6/ch5** to collect information about chapter themes.

► For the Parent

- **World Wide Web**
  Parents can use the Web site at **www.parent.mathsurf.com.**

SECTION 5A

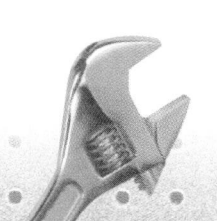

LESSON	OBJECTIVE	ITBS Form M	CTBS 4th Ed.	CAT 5th Ed.	SAT 9th Ed.	MAT 7th Ed.	Your Form
5-1	• Know the rules of divisibility.	✗	✗				
5-2	• Recognize the difference between prime and composite numbers.		✗	✗		✗	
	• Find the prime factorization of a number.		✗	✗		✗	
5-3	• Find the least common multiple for two numbers.			✗	✗	✗	

SECTION 5B

LESSON	OBJECTIVE	ITBS Form M	CTBS 4th Ed.	CAT 5th Ed.	SAT 9th Ed.	MAT 7th Ed.	Your Form
5-4	• Represent values between whole numbers as fractions.	✗		✗	✗	✗	
5-5	• Write a fraction in lowest terms.	✗		✗	✗	✗	
5-6	• Convert between improper fractions and mixed numbers.			✗	✗	✗	
5-7	• Convert between fractions and decimals.			✗	✗	✗	
5-8	• Compare and order fractions.	✗		✗	✗	✗	

Key: ITBS - Iowa Test of Basic Skills; CTBS - Comprehensive Test of Basic Skills; CAT - California Achievement Test; SAT - Stanford Achievement Test; MAT - Metropolitan Achievement Test

ASSESSMENT PROGRAM

▶ **Traditional Assessment**

QUICK QUIZZES	SECTION REVIEW	CHAPTER REVIEW	CHAPTER ASSESSMENT FREE RESPONSE	CHAPTER ASSESSMENT MULTIPLE CHOICE	CUMULATIVE REVIEW
TE: pp. 274, 279, 284, 292, 297, 301, 306, 312	SE: pp. 286, 314 *Quiz 5A, 5B	SE: pp. 316–317	SE: p. 318 *Ch. 5 Tests Forms A, B, E	*Ch. 5 Tests Forms C, E	SE: p. 319 *Ch. 5 Test Form F

▶ **Alternate Assessment**

INTERVIEW	JOURNAL	ONGOING	PERFORMANCE	PORTFOLIO	PROJECT	SELF
TE: pp. 297, 301, 306	SE: pp. 279, 284, 292, 297, 301, 306, 312 TE: pp. 268, 274	TE: pp. 270, 275, 280, 288, 293, 298, 302, 308	SE: pp. 318–319 TE: pp. 284, 292 *Ch. 5 Tests Forms D, E	TE: p. 312	SE: pp. 267, 279, 301 TE: p. 267	TE: p. 279

*Tests and quizzes are in *Assessment Sourcebook*. Test Form E is a mixed response test. Forms for Alternate Assessment are also available in *Assessment Sourcebook*.

 TestWorks: Test and Practice Software

REGULAR PACING

▶ BLOCK SCHEDULING OPTIONS

Day	5 classes per week
1	Chapter 5 Opener; Problem Solving Focus
2	Section **5A** Opener; Lesson **5-1**
3	Lesson **5-2**
4	Lesson **5-3**
5	**5A** Connect; **5A** Review
6	Section **5B** Opener; Lesson **5-4**
7	Lesson **5-5**
8	Lesson **5-6**
9	Lesson **5-7**; Technology
10	Lesson **5-8**
11	**5B** Connect; **5B** Review; Extend Key Ideas
12	Chapter 5 Summary and Review
13	Chapter 5 Assessment Cumulative Review, Chapters 1–5

Block Scheduling for Complete Course

Chapter 5 may be presented in

- eight 90-minute blocks
- eleven 75-minute blocks

Each block consists of a combination of

- Chapter and Section Openers
- Explores
- Lesson Development
- Problem Solving Focus
- Technology
- Extend Key Ideas
- Connect
- Review
- Assessment

For details, see *Block Scheduling Handbook.*

Block Scheduling for Interdisciplinary Course

Each block integrates math with another subject area.

In Chapter 5, interdisciplinary topics include

- Clocks and Calendars
- Tools

Themes for Interdisciplinary Team Teaching 5A and 5B are

- Gardening
- Horseshoe Pitching

For details, see *Block Scheduling Handbook.*

Block Scheduling for Lab-Based Course

In each block, 30–40 minutes is devoted to lab activities including

- Explores in the Student Edition
- Connect pages in the Student Edition
- Technology options in the Student Edition
- Reteaching Activities in the Teacher Edition

For details, see *Block Scheduling Handbook.*

Block Scheduling for Course with *Connected Mathematics*

In each block, investigations from **Connected Mathematics** replace or enhance the lessons in Chapter 5.

Connected Mathematics topics for Chapter 5 can be found in

- *Prime Time*
- *Bits and Pieces I*

For details, see *Block Scheduling Handbook.*

BOLETÍN INTERDISCIPLINARIO

INTERDISCIPLINARY BULLETIN BOARD

Preparación

Prepare un mapa grande de Estados Unidos en un cartel. Incluya los estados de Alaska y Hawaii.

Procedimiento

- Investiga en equipo los 6 husos horarios en los que se localizan los estados de la nación. Delimita cada huso en el mapa y escribe el nombre correspondiente.

- Escoge un huso horario para determinar qué fracción del número total de estados se incluyen en él. Compara las fracciones para determinar qué huso abarca el mayor número de estados.

- Determina qué fracción del número total de estados hay en el huso horario donde vives y qué fracción no pertenece a él.

Set Up

Prepare a bulletin board with a large outline map of the United States. Include Alaska and Hawaii.

Procedure

- Work in groups to research which of the 6 time zones each state is in. Draw the time zone boundaries on the map and label the zones.

- Choose a time zone and determine what fraction of the total states are in that time zone. Compare fractions to determine which time zone covers the most states.

- Determine what fraction of the total states are in the time zone you live in and what fraction are not.

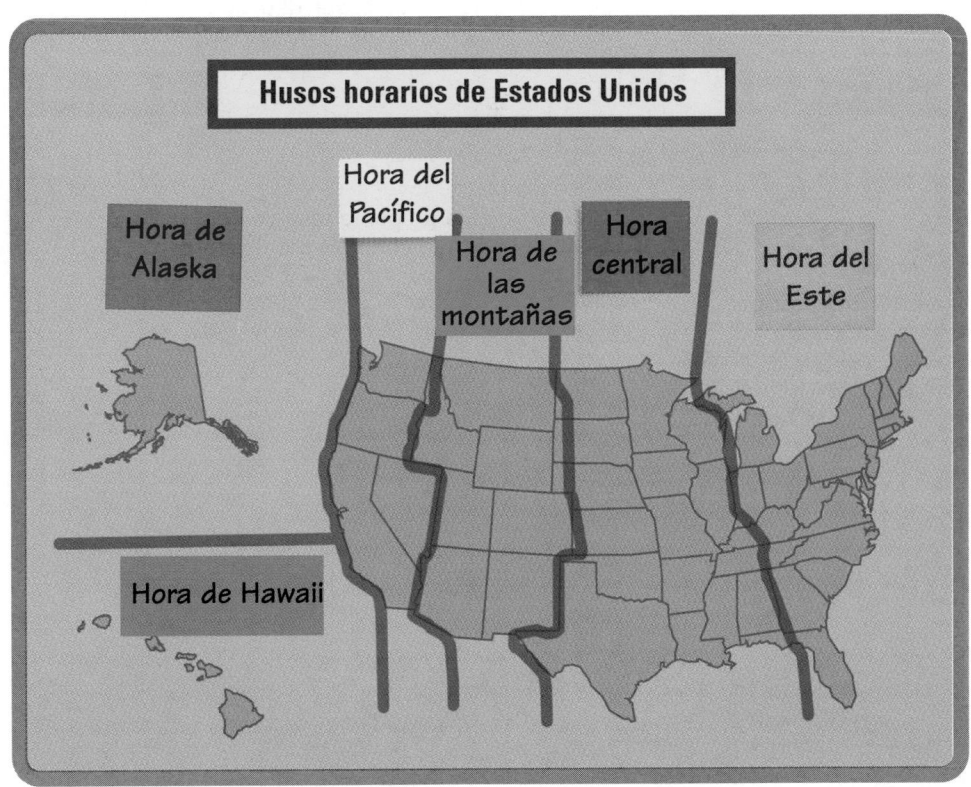

Husos horarios de Estados Unidos

The information on these pages shows how patterns and fractions are used in real-life situations.

World Wide Web

If your class has access to the World Wide Web, you might want to use the information found at the Web site addresses given.

Extensions

The following activities do not require access to the World Wide Web.

People of the World

Ask students to research the history of chopsticks and forks and knives. Discuss why different cultures might use different eating implements.

Arts & Literature

Have students find examples of Japanese *haiku* poems and verify that the pattern described here does exist. Then ask them to create such a poem themselves.

Social Studies

Have the students find out where Angel Falls is in Venezuela and locate it on a map or globe. Have them share any interesting facts they discover.

Science

Ask students to explain the Fibonacci number pattern and to extend the pattern to 12 or 14 numbers. The first two numbers in the pattern are both 1. Each number after that is the sum of the two numbers that precede it; 1, 1, 2, 3, 5, 8, 13, 21, 34, 55, 89, 144, 233, 377, …

Entertainment

Use the following question for discussion: If you interviewed 3000 people, could you use the given data to predict how many people would be listening to news or talk stations? No, the given data are based on the people listening to the radio, not on a group of people in general.

La información de estas páginas muestra el uso de patrones y fracciones que se usan en situaciones reales.

World Wide Web

Si su clase tiene acceso al World Wide Web, tal vez desee utilizar la información que se encuentra en las direcciones Web indicadas.

Ampliación

Las siguientes actividades no requieren de acceso al Web.

Alrededor del mundo

Pida a los estudiantes que investiguen la historia de los palillos chinos y de los tenedores y cuchillos. Examine por qué culturas diferentes pudieron usar distintos utensilios para comer.

Arte y Literatura

Los estudiantes deben buscar ejemplos de *haikús* y verificar que en verdad existe el patrón descrito. Después pídales que escriban un poema ellos mismos.

Ciencias sociales

Diga a los estudiantes que localicen, en un mapa o globo terráqueo, las cataratas Ángel. Anímelos a compartir cualquier hecho interesante que descubran.

Ciencias

Pida a los estudiantes que expliquen el patrón de la progresión Fibonacci y que continúen este patrón hasta 12 ó 14 números. Los dos primeros números del patrón son 1. Cada número subsecuente es la suma de los dos números que lo preceden: 1, 1, 2, 3, 5, 8, 13, 21, 34, 55, 89, 144, 233, 377,…

Entretenimiento

Use la siguiente pregunta para comentarla con los estudiantes: Si entrevistaras a 3000 personas, ¿podrías usar esta información para predecir cuánta gente estaría oyendo noticias o estaciones de música? No, los datos que se proporcionan se basan en la gente que oye la radio, no en un grupo de personas en general.

5 Patrones y teoría de los números

Enlace con Arte y Literatura
www.mathsurf.com/6/ch5/arts

Enlace con Ciencias sociales
www.mathsurf.com/6/ch5/social

Alrededor del mundo

Cerca de $\frac{1}{3}$ de las personas de todo el mundo comen con tenedor y cuchillo. Alrededor de $\frac{1}{3}$ come con palillos y el $\frac{1}{3}$ restante lo hace con las manos.

Ciencias sociales

Las cataratas Ángel en Venezuela tienen una altura de 3212 pies. Tiene la caída libre de agua más larga del mundo con 2648 pies que corresponde a $\frac{3}{4}$ de la catarata completa.

Arte y Literatura

El poema japonés haiku consta de 3 líneas. La primera línea tiene 5 sílabas, la segunda tiene 7 y la última 5.

Números primos,
Cual gemas posadas en
Blanca arena

266

TEACHER TALK

Meet Madelaine Gallin

Manhattan District #5
New York, NY

To introduce a lesson in number theory, my class plays "What's In My Circle?" I begin by drawing a large circle. The class suggests numbers which I place either inside or outside the circle. For example, sometimes I put only even numbers, or only numbers that are factors of a specific number, or only prime numbers in the circle. After they have given me at least 10 numbers, I have them analyze what they see. After a while some students may deduce the rule for themselves as to which numbers belong inside my circle. These students call out numbers and indicate where the number should be placed. When at least half the class thinks they know the rule, I ask them to discuss what the numbers inside the circle have in common and what the numbers outside the circle have in common. As an extension, I draw two intersecting circles and have students find the rule for each circle and their intersections.

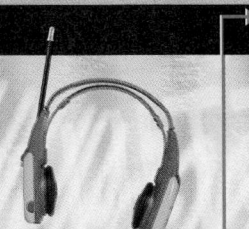

Entretenimiento

En un día promedio, $\frac{16}{100}$ de la gente que escucha la radio oye las noticias o estaciones donde se habla. $\frac{9}{100}$ de la gente oye estaciones que tocan las 40 canciones más importantes.

Ciencias

El patrón numérico Fibonacci, 1, 1, 2, 3, 5, 8,…, describe muchos sucesos de la naturaleza como lo son el crecimiento de las ramas de los árboles y la manera en que se ve un plantío de piñas.

IDEAS CLAVE DE MATEMÁTICAS

Las reglas de **divisibilidad** describen patrones que ayudan a determinar si un número puede dividirse de manera equitativa entre otro número dado.

Cada número cabal mayor de 1 es o un **número primo** o un **número compuesto**. Un número primo tiene sólo dos factores, el número mismo y 1.

Las **fracciones** pueden usarse para describir algunas partes del todo.

Las **fracciones** pueden describir cantidades que son mayores que uno.

Los números decimales pueden convertirse en fracciones y viceversa.

PROYECTO DEL CAPÍTULO

Resolución de problemas

Comprende
Planea
Resuelve
Revisa

En este proyecto vas a crear una presentación visual de tu número favorito. Primero considera todas las formas diferentes en que puede escribirse un solo número.

267

PROJECT ASSESSMENT

You may choose to use this project as a performance assessment for the chapter.

Performance Assessment Key

Level 4 Full Accomplishment

Level 3 Substantial Accomplishment

Level 2 Partial Accomplishment

Level 1 Little Accomplishment

Suggested Scoring Rubric

4
- Visual is well organized and contains several relationships between favorite number and other numbers.
- Several correct alternate forms of the favorite number are included.

3
- Visual is easy to read and contains some relationships between favorite number and other numbers.
- Correct alternate forms of the favorite number are included.

2
- Visual is presentable and contains few relationships between favorite number and other numbers.
- Very few correct alternate forms of the favorite number are included.

1
- Visual is not well organized nor does it contain any relationships between favorite number and other numbers.
- No other correct alternate forms of the favorite number are included.

Proyecto del capítulo

En este capítulo los estudiantes usarán su imaginación para crear una representación visual de un número que ellos escojan.

Introducción al proyecto

- Pregunte a los estudiantes si tienen un número favorito y por qué lo eligieron. Haga una lista de los números favoritos y marque cuántas veces aparece cada número.

- Examine algunas formas en que los estudiantes puedan representar un número cualquiera. Recuérdeles que los números pueden representarse por medio de sumas o restas, o mediante símbolos usados en otros sistemas numéricos.

- Comente dónde pueden encontrar información sobre las diferentes formas de representar los números, por ejemplo: en enciclopedias, en libros cuyo tema sea el de los números y en la Internet.

El proyecto en marcha

Sección A, página 279 Los estudiantes investigan los números primos, múltiplos y factores, y el mínimo común múltiplo.

Sección B, página 301 Los estudiantes cambian un número a sus formas fraccional y decimal, y comparan los números escritos en forma fraccional.

Chapter Project

In this chapter students will use their imaginations to create a visual representation of a number of their choice.

Resources

Chapter 5 Project Master

Introduce the Project

- Ask students if they have a favorite number and why it is their favorite. Make a list of students' favorite numbers and tally the number of students who chose each number.

- Talk about some of the ways students can think of to represent a given number. Remind them that numbers can be represented by sums or differences, for example, or by symbols used in other number systems.

- Talk about where students might find information about different ways to represent numbers, such as in encyclopedias, books about numbers, and the Internet.

Project Progress

Section A, page 279 Students explore prime numbers, multiples and factors, and least common multiple.

Section B, page 301 Students change a number to its fraction and decimal forms, and compare numbers written in fraction form.

Community Project

A community project for Chapter 5 is available in *Home and Community Connections*.

Cooperative Learning

You may want to use Teaching Tool Transparency 1: Cooperative Learning Checklist with **Explore** and other group activities in this chapter.

Problem Solving Focus

Identifying Missing Information

The Point

Students focus on identifying missing information needed to solve the problem.

Resources

Teaching Tool Transparency 18: Problem-Solving Guidelines

Interactive CD-ROM Journal

About the Page

Using the Problem-Solving Process

A critical element in problem solving is the ability to identify the information that is needed to solve the problem. Discuss these four steps for identifying necessary, but missing, information.

- Determine what the problem is asking.
- Identify the information needed to solve the problem.
- Determine whether the necessary information is given or whether it can be deduced.
- Identify missing information.

Ask …

- In Problem 3, suppose Ronisha bought 2 gallons of green paint and one gallon of white paint. How much did she spend on paint? $13.95
- In Problem 4, if Terrance painted for 3 hours, how much time did it take to paint the treehouse? $15\frac{1}{2}$ hours

Answers for Problems

1. No missing information.
2. How long are the rungs? How long is the ladder? How thick are the side pieces?
3. How much paint does Ronisha need?
4. For how long did Terrance paint? Did anyone else help?

Journal

Write a paragraph describing how you would find the information needed to solve Problem 2.

Identificar qué información falta

Objetivo

Los estudiantes se concentran en identificar la información que falta para resolver el problema.

Recursos

 Diario interactivo CD-ROM

Acerca de esta página

Uso del proceso de resolución de problemas

La capacidad para identificar la información que se necesita es un elemento indispensable en la resolución de problemas. Examine estos cuatro pasos para identificar la información que es necesaria, pero que falta en el problema.

- Determina lo que pregunta el problema.
- Identifica la información necesaria para resolver el problema.
- Determina si se proporciona la información necesaria o si se puede deducir.
- Identifica la información que falta.

Pregunte…

- En el problema 3, supónte que Ronisha compró 2 galones de pintura verde y un galón de pintura blanca. ¿Cuánto gastó en pintura? $13.95
- En el problema 4, si Terrance pintó por 3 horas, ¿cuánto tiempo le tomó pintar la casa del árbol? $15\frac{1}{2}$ horas

Respuestas de Problemas

1. No falta información.
2. ¿De qué largo son los peldaños? ¿De qué largo es la escalera? ¿Cuál es el espesor de las piezas laterales?
3. ¿Cuánta pintura necesita Ronisha?
4. ¿Cuánto tiempo pintó Terrance? ¿Alguien le ayudó?

En tu diario

Describe en un párrafo cómo encontrarías la información necesaria para resolver el problema 2.

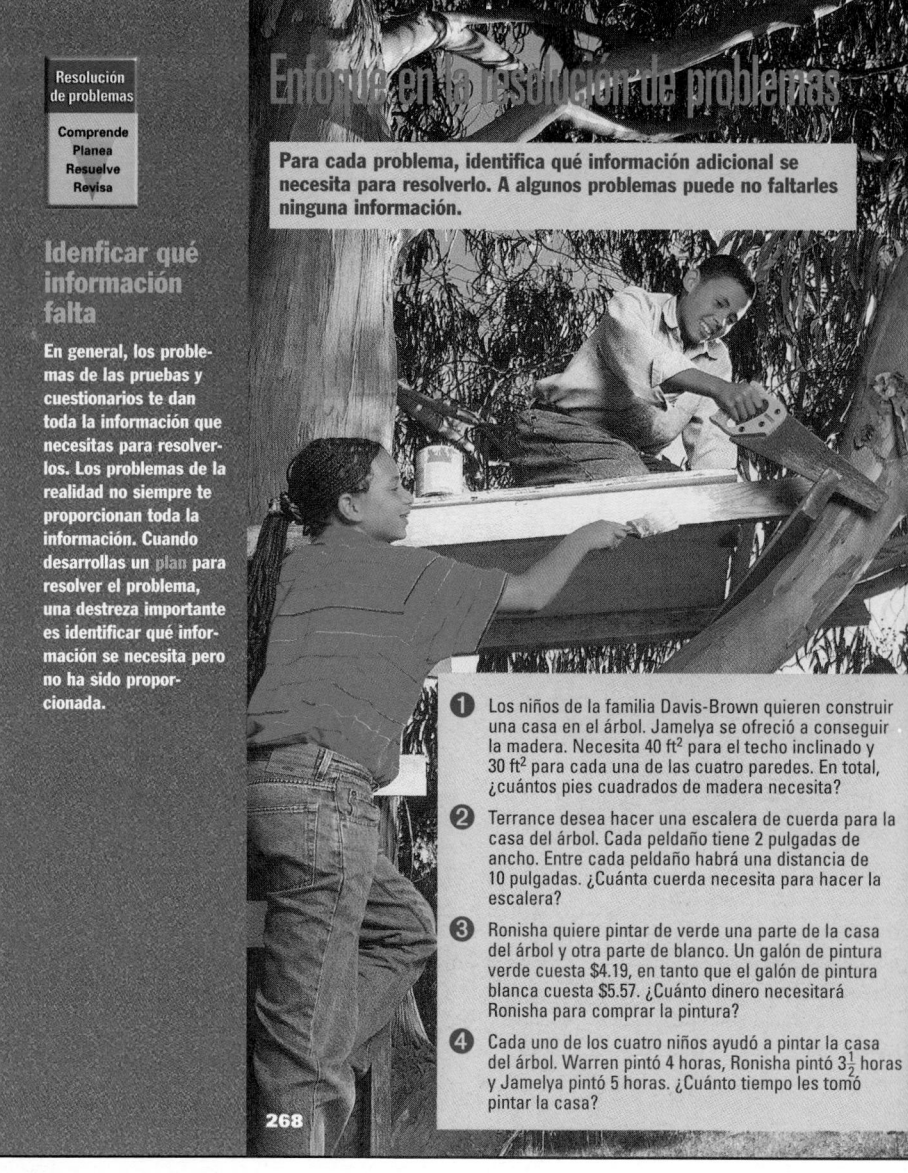

Resolución de problemas
Comprende
Planea
Resuelve
Revisa

Enfoque en la resolución de problemas

Para cada problema, identifica qué información adicional se necesita para resolverlo. A algunos problemas puede no faltarles ninguna información.

Idenficar qué información falta

En general, los problemas de las pruebas y cuestionarios te dan toda la información que necesitas para resolverlos. Los problemas de la realidad no siempre te proporcionan toda la información. Cuando desarrollas un plan para resolver el problema, una destreza importante es identificar qué información se necesita pero no ha sido proporcionada.

1. Los niños de la familia Davis-Brown quieren construir una casa en el árbol. Jamelya se ofreció a conseguir la madera. Necesita 40 ft² para el techo inclinado y 30 ft² para cada una de las cuatro paredes. En total, ¿cuántos pies cuadrados de madera necesita?

2. Terrance desea hacer una escalera de cuerda para la casa del árbol. Cada peldaño tiene 2 pulgadas de ancho. Entre cada peldaño habrá una distancia de 10 pulgadas. ¿Cuánta cuerda necesita para hacer la escalera?

3. Ronisha quiere pintar de verde una parte de la casa del árbol y otra parte de blanco. Un galón de pintura verde cuesta $4.19, en tanto que el galón de pintura blanca cuesta $5.57. ¿Cuánto dinero necesitará Ronisha para comprar la pintura?

4. Cada uno de los cuatro niños ayudó a pintar la casa del árbol. Warren pintó 4 horas, Ronisha pintó $3\frac{1}{2}$ horas y Jamelya pintó 5 horas. ¿Cuánto tiempo les tomó pintar la casa?

268

Additional Problem

Kenisha planned a party for her friends. She bought birthday hats for $1.19 each, favors for $3 each, and a cake for $8.95. She planned to spend $2.50 more per person for juice and snacks. How much did she spend in all?

1. What is the problem about? Planning a party.
2. What does the problem ask you to find? The total amount Kenisha spent.
3. If birthday hats cost $1.19 each, how do you find the total spent on hats? Multiply the number of hats needed by $1.19.
4. How much will Kenisha spend for each person, excluding the cake? $6.69
5. Is there any missing information? The number of people invited to the party.

Problema adicional

Kenisha planeó una fiesta para sus amigos. Compró gorros de cumpleaños en $1.19 cada uno, regalos en $3 cada uno y un pastel en $8.95. También planeó gastar $2.50 más por persona en jugo y bocadillos. ¿Cuánto gastó en total?

1. ¿De qué trata el problema? De la organización de una fiesta.
2. ¿Qué es lo que pregunta el problema? La cantidad total que gastó Kenisha.
3. Si los gorros de cumpleaños costaron $1.19 cada uno, ¿cómo hallaste el total que gastó en gorros? Al multiplicar el número de gorros necesarios por $1.19.
4. ¿Cuánto gastará Kenisha por persona, sin incluir el pastel? $6.69
5. ¿Crees que falte información? El número de personas invitadas a la fiesta.

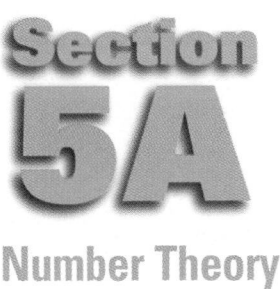

Visit **www.teacher.mathsurf.com** for links to lesson plans from teachers and other professionals, NCTM information, and other sites.

LESSON PLANNING GUIDE

▶ **Student Edition**　　　　　　　　　　　　　　　▶ **Ancillaries***

LESSON		MATERIALS	VOCABULARY	DAILY	OTHER
	Chapter 5 Opener				Ch. 5 Project Master Ch. 5 Community Project Teaching Tool Trans. 1
	Problem Solving Focus				Teaching Tool Trans. 18 *Interactive CD-ROM Journal*
	Section 5A Opener				
5-1	Divisibility	calculators	divisible	5-1	Technology Master 21
5-2	Prime Factorization	graph paper	prime number, composite number, prime factorization	5-2	Teaching Tool Trans. 7 Technology Master 22 Ch. 5 Project Master
5-3	Least Common Multiples	spreadsheet software	multiple, common multiple, least common multiple (LCM)	5-3	Teaching Tool Trans. 2, 3 Lesson Enhancement Trans. 20 *Interactive CD-ROM Lesson*
	Connect				Interdisc. Team Teaching 5A
	Review				Practice 5A; Quiz 5A; *TestWorks*

* Daily Ancillaries include Practice, Reteaching, Problem Solving, Enrichment, and Daily Transparency. Teaching Tool Transparencies are in *Teacher's Toolkits*. Lesson Enhancement Transparencies are in *Overhead Transparency Package*.

SKILLS TRACE

LESSON	SKILL	FIRST INTRODUCED			DEVELOP	PRACTICE/ APPLY	REVIEW
		GR. 4	GR. 5	GR. 6			
5-1	Using rules of divisibility.			**✗** p. 270	pp. 270–272	pp. 273–274	pp. 316, 369, 546
5-2	Finding prime factorizations.			**✗** p. 275	pp. 275–277	pp. 278–279	pp. 316, 374, 553
5-3	Finding least common multiples.			**✗** p. 280	pp. 280–282	pp. 283–284	pp. 316, 378, 557

CONNECTED MATHEMATICS

Investigations 1–6 from the unit *Prime Time (Factors and Multiples)*, from the **Connected Mathematics** series, can be used with Section 5A.

INTERDISCIPLINARY TEAM TEACHING

Math and Science/Technology

(Worksheet pages 25–26: Teacher pages T25–T26)

In this lesson, students use number theory to help with gardening.

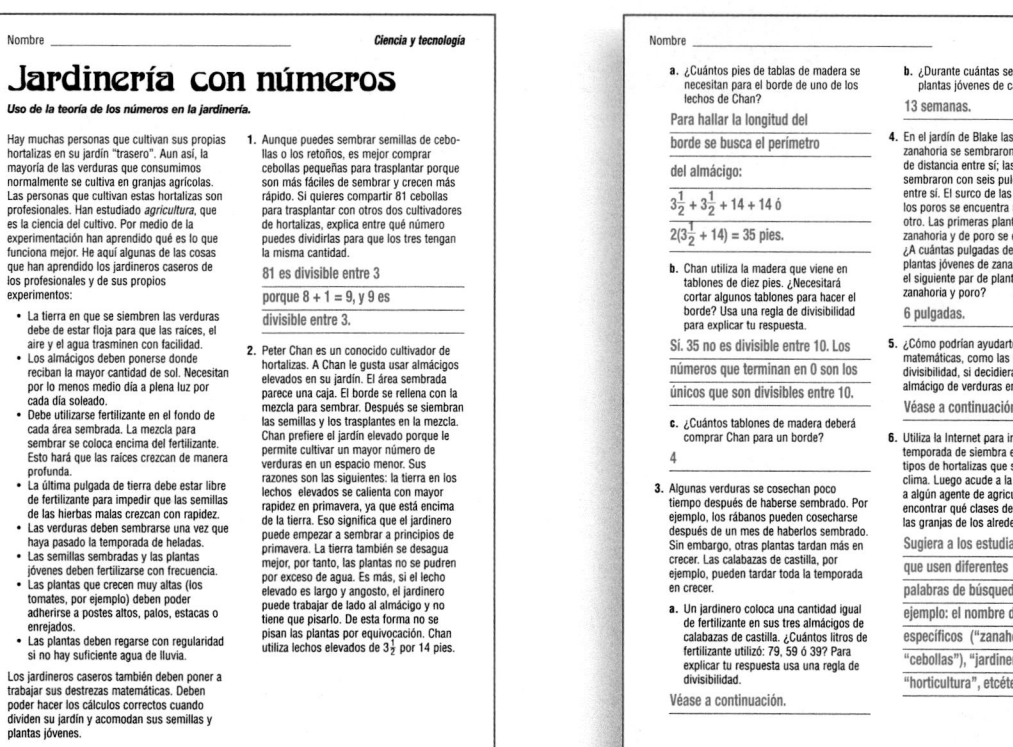

Respuestas adicionales

3. a. 39.3 no dividirá de manera exacta a 79 ó 59, pero 3 sí dividirá exactamente a 39 porque 3 + 9 = 12, que es divisible entre 3.

5. Las respuestas de los estudiantes pueden variar. Las destrezas matemáticas ayudarán al jardinero a dividir el jardín, las semillas y el fertilizante. Las reglas de divisibilidad hacen más rápidas las operaciones de división. Las destrezas matemáticas también ayudan al jardinero al comprar materiales para el jardín, como la madera para hacer un lecho elevado.

BIBLIOGRAPHY

► FOR TEACHERS

Muirden, James. *Stars and Planets*. New York, NY: Kingfisher Books, 1993.

Blair, Harry and Bob Knauff. *Not Strictly by the Numbers*. Palo Alto, CA: Dale Seymore, 1996.

► FOR STUDENTS

Ericksen, Aase and Marjorie Wintermute. *Students, Structures, Spaces*. Reading, MA: Innovative Learning Publications, 1996.

Scarre, Chris. *Smithsonian Timelines of the Ancient World*. London, England: Dorling Kindersley Ltd., 1993.

Macvey, John W. *Time Travel*. Chelsea, MI: Scarborough House, 1990.

Brackin, A. J. *Clocks: Chronicling Time*. San Diego, CA: Lucent Books, 1991.

SECCIÓN
5A   Teoría de los números
▷ Enlace con Ciencias ▷ Enlace con Historia ▷ www.mathsurf.com/6/ch5/clocks

Section 5A

02.28.98 01.00.23

Una interrupción en el tiempo...

Treinta días tiene septiembre, abril, junio y noviembre. Todos los demás tienen 31, excepto febrero sólo, el cual tiene 28, aunque, en año bisiesto es 29.

Como sugiere el poema, el tiempo no es regular. Un mes no siempre es igual a otro. (Julio tiene más días que junio.) Un año tampoco es igual a otro. (Los años bisiestos tienen un día extra.) Un siglo no siempre es igual a otro. (La Tierra se vuelve más lenta $\frac{1}{2}$ segundo cada siglo.)

Con frecuencia hemos cambiado la manera de llevar un registro del tiempo en un esfuerzo por crear relojes y calendarios más sencillos. En el siglo XIII una hora era $\frac{1}{12}$ del tiempo desde que aparecía el sol hasta que se ocultaba, no importaba qué tan largo fuera. En el siglo XVIII no había zonas horarias. Cada pueblo llevaba su propio tiempo. En los albores de este siglo, de acuerdo con la media del tiempo de Greenwich, el día empezaba y terminaba al anochecer. Cada cambio ha sido un esfuerzo para hacer más exacto y más conveniente el registro del tiempo. Y cada cambio ha incluido a las matemáticas.

1 Antes de la invención de los relojes mecánicos, ¿cómo calculaban el tiempo los seres humanos?

2 ¿Por qué un año no siempre tiene 365 días?

3 ¿Qué clase de matemáticas necesitas saber para crear un reloj o un calendario exacto?

269

Where are we now?

In Grade 5, students used division to explore other concepts.

They learned how to
- factor and determine divisibility.
- distinguish between prime and composite numbers.

Where are we going?

In Grade 6, Section 5A, students will
- test for divisibility.
- distinguish between prime and composite numbers.
- use prime factorization.
- find the least common multiple for two numbers.

Tema: Relojes

World Wide Web

Si su clase tiene acceso al World Wide Web, tal vez desee utilizar la información que se encuentra en las direcciones Web indicadas. Los enlaces interdisciplinarios relacionan los temas examinados en esta sección.

Acerca de esta página

Esta página presenta el tema de la sección, relojes, y comenta los cambios en la manera que la gente ha medido y llevado la cuenta del tiempo.

Pregunte...
- ¿Qué es el Tiempo Medio de Greenwich? Por consenso, casi todos los cálculos del tiempo en el mundo se cuentan a partir del meridiano que pasa por Greenwich, Inglaterra. Cuando es medio día en este meridiano, es media noche exactamente a 180° hacia el este o el oeste, en el lado opuesto de la Tierra.

Ampliación

Las siguientes actividades no requieren de acceso al Web.

Ciencias
Cada año divisible entre 4 es un año bisiesto, excepto los años en que se cumplen siglos. Los finales de siglo (por ejemplo, 1800, 1900 y 2000) son años bisiestos sólo si son divisibles entre 400. Investiga cómo y por qué se establecieron las reglas de los años bisiestos.

Historia
A los meses del año y los días de la semana se les dieron nombres especiales por diversas razones. Investiga cómo se escogieron los nombres de los meses y los días.

Respuestas de Preguntas
1. Respuestas posibles: Usaron el sol, la longitud de las sombras, el agua, la arena.
2. Porque los años bisiestos tienen un día de más.
3. Contar, dividir.

Asociación

En la página 285 los estudiantes emplean sus conocimientos sobre factores y múltiplos para crear un calendario del planeta Venus.

Theme: Clocks

World Wide Web

If your class has access to the World Wide Web, you might want to use the information found at the Web site address given. The interdisciplinary links relate to topics discussed in this section.

About the Page

This page introduces the theme of the section, clocks, and discusses the changes in the way people have measured and kept track of time.

Ask ...
- What is Greenwich Mean Time? By agreement, nearly all world time calculations are counted from the meridian which passes through Greenwich, England. When it is noon on this meridian, it is midnight exactly 180° east or west, on the opposite side of the Earth.

Extensions

The following activities do not require access to the World Wide Web.

Science
Every year that is divisible by 4 is a leap year, except century years. Century years, such as 1800, 1900, and 2000 are leap years only if they are divisible by 400. Research how and why rules for leap years were established.

History
The months of the year and the days of the week were given special names for a variety of reasons. Investigate how the names of the months and days were chosen.

Answers for Questions
1. Possible answers: They used the sun, shadows, water, sand.
2. Because leap years have an extra day.
3. Counting, division.

Connect

On page 285, students use their knowledge of factors and multiples to create a calendar for the planet Venus.

Lesson Organizer

Objective
- Learn rules of divisibility.

Vocabulary
- Divisible

Materials
- Explore: Calculator

NCTM Standards
- 1–6

Review	▶ Repaso
Find each quotient.	Encuentra cada cociente.
1. 135 ÷ 9 15	1. 135 ÷ 9 15
2. 84 ÷ 6 14	2. 84 ÷ 6 14
3. 108 ÷ 9 12	3. 108 ÷ 9 12
4. 102 ÷ 6 17	4. 102 ÷ 6 17

Available on Daily Transparency 5-1

Introduce

Explore

The Point

Students develop intuitive rules of divisibility by looking for patterns in a table of division problems.

Ongoing Assessment

Check that students understand that numbers to the right of the decimal point in a quotient indicate a remainder.

For Groups That Finish Early

Write a list of three-digit numbers and determine whether there are remainders when the numbers are divided by the numbers 2 through 10.

1 Introducción

  Investigar

Objetivo

Los estudiantes desarrollan reglas intuitivas de divisibilidad mediante la observación de patrones en una tabla de problemas de división.

Evaluación continua

Cerciórese de que los estudiantes comprendan que los números a la derecha del punto decimal en un cociente indican el residuo.

Para los grupos que terminen antes

Escribe una lista de números de tres dígitos y determina si tendrán residuo cuando estas cifras se dividan entre números del 2 al 10.

5-1 Divisibilidad

Vas a aprender...
- las reglas de divisibilidad.

...cómo se usa

Los empleados de las compañías de embarques usan reglas de divisibilidad para determinar si un número dado de paquetes puede embalarse de manera uniforme.

Vocabulario
- divisible

▶ **Enlace con Historia**

En 1795 los franceses adoptaron un sistema de tiempo decimal, con semanas de 10 días, días de 10 horas, horas de 100 minutos y minutos de 100 segundos. Lo abandonaron en 1805 porque al pueblo no le gustaba la semana de 10 días.

▶ **Enlace con la lección** Has aprendido que el cociente de dos números cabales puede tener o no un residuo. En esta lección aprenderás maneras para determinar si un cociente tendrá un residuo sin necesidad de dividir. ◀

Investigar | **Divisibilidad**

¡Vámonos de vacaciones!

Materiales: Calculadora

Casi siempre las vacaciones duran un número exacto de semanas. ("Voy a tomar 4 semanas de vacaciones.") Pero, ¿qué tan larga es una semana? En la mayoría de los países es de 7 días. Pero en la antigua Roma tenían semanas de 8 días; en Francia alguna vez hubo semanas de 10 días y en Rusia tenían semanas de 5 y 6 días.

Vacaciones (días)	Duración de la semana (días)								
	2	3	4	5	6	7	8	9	10
32									
42									
60									
75									
117									
180									

1. Usa tu calculadora para dividir la duración de cada vacación entre la duración de cada semana. Si tu respuesta es un número cabal, la duración de la semana se divide equitativamente entre el lapso de la vacación. Escribe "sí" en el cuadro que los relaciona. Si tu respuesta no es un número cabal, la duración de la semana no se divide equitativamente entre el lapso de la vacación. Escribe "no" en el cuadro que los relaciona.

2. Imagina que tienes que llenar una columna sin la calculadora. ¿Cuál sería más fácil, la columna 2 o la columna 7? ¿Por qué?

3. ¿Descubriste algunos atajos que te permitan escribir "sí" o "no" sin tener que dividir? Si es así, descríbelos.

4. Si una semana durara sólo un día, ¿cuáles serían las respuestas de esta columna? ¿Por qué?

270 Capítulo 5 • Patrones y teoría de los números

▶ MEETING INDIVIDUAL NEEDS

Resources

5-1 Practice
5-1 Reteaching
5-1 Problem Solving
5-1 Enrichment
5-1 Daily Transparency
    Problem of the Day
    Review
    Quick Quiz
Technology Master 21

Recursos

5-1 Práctica
5-1 Práctica adicional
5-1 Resolución de problemas
5-1 Actividad de enriquecimiento
Tecnología 21

Learning Modalities

Verbal Discussing mathematics is an invaluable aid to understanding, so have students verbalize the divisibility rules.

Social Have students work in groups of three on Explore. Have one student find the quotients for 32 and 75 days, the second student finds the quotients for 42 and 117 days, and the third student finds the quotients for 60 and 180 days.

English Language Development

Be sure that students understand the meaning of *even and odd* as whether or not a number is divisible by 2. Point out, however, that when we speak of a division problem "coming out even," we do not mean the quotient is an even number, we mean that there is no remainder.

Modos de aprendizaje

Verbal El análisis de las matemáticas es una herramienta invaluable en el proceso de comprensión. Anime a los estudiantes a expresar en forma oral las reglas de divisibilidad.

Social En **Investigar**, los estudiantes trabajarán en equipos de tres. El primer estudiante debe hallar los cocientes de 32 y 75 días. El segundo hallará los cocientes de 42 y 117 días; en tanto el tercero calculará los cocientes de 60 y 180 días.

Desarrollo del lenguaje

Asegúrese de que los estudiantes comprendan el significado de los términos *par e impar* con relación a los números que pueden o no pueden dividirse entre 2. Explíqueles que en las divisiones, "estar parejo" no significa obtener un cociente par, sino que no existe un residuo.

Aprender   Divisibilidad

Un número cabal es **divisible** entre otro número cabal si puedes dividir el primer número entre el segundo sin que quede residuo.

$$\begin{array}{r} 7 \\ 3\overline{)21} \end{array} \rightarrow 21 \text{ es divisible entre 3.}$$

$$\begin{array}{r} 5\ R\ 1 \\ 4\overline{)21} \end{array} \rightarrow 21 \text{ } no \text{ es divisible entre 4.}$$

Para cualquier número, puedes hacer una lista de todos los números que son divisibles entre ese número. Algunas veces verás patrones que te pueden ayudar a determinar si un número es divisible entre otro sin tener que dividir.

Algunos patrones dependen del dígito de las unidades en el número.

REGLAS DE DIVISIBILIDAD

Un número cabal es divisible entre:	Ejemplos
• 2 si el dígito de las unidades es par.	2, 4, 6, 8, 10, 12, 14, 16, 18, 20,…
• 5 si el dígito de las unidades es 5 ó 0.	5, 10, 15, 20, 25, 30, 35, 40, 45,…
• 10 si el dígito de las unidades es 0.	10, 20, 30, 40, 50, 60, 70, 80,…

¿LO SABÍAS?

También hay reglas de divisibilidad para 4, 7 y 8. Pero las reglas son más complicadas, por lo que en general es más rápido dividir el número para ver si existe un residuo.

No te olvides

Un número *par* termina en 0, 2, 4, 6 u 8. Un número *impar* termina en 1, 3, 5, 7 ó 9. **[Curso anterior]**

Ejemplo 1

El profesor Ashman organiza una actividad escolar. Quiere que sus estudiantes trabajen primero en grupos de 2, después en grupos de 5 y por último en grupos de 10. Ningún estudiante debe quedar sin grupo. Tiene 30 estudiantes en su primer salón y 25 en el segundo. ¿Va a funcionar esta actividad en ambos salones?

¿30 es divisible entre 2, 5 y 10?

2?	Sí	El dígito de las unidades es par.
5?	Sí	El dígito de las unidades es 0.
10?	Sí	El dígito de las unidades es 0.

¿25 es divisible entre 2, 5 y 10?

2?	No	El dígito de las unidades no es par.
5?	Sí	El dígito de las unidades es 5.
10?	No	El dígito de las unidades no es 0.

La actividad funcionará para el primer grupo, pero no para el segundo.

5-1 • Divisibilidad   **271**

MATH EVERY DAY

► Problema del día

Copia este reloj en una hoja. Traza dos líneas rectas para dividirlo en tres partes. Los números de cada parte deben sumar 26.

Problem of the Day

Copy this clock on a piece of paper. Use two straight lines to divide the clockface into three parts. Each part should have a sum of 26.

Available on Daily Transparency 5-1

An Extension is provided in the transparency package.

Dato del día

Sólo existe una diferencia de 26 segundos entre un año calendario y el tiempo que tarda la Tierra en dar la vuelta al Sol.

Fact of the Day

There is only a 26-second difference between a calendar year and the time the Earth takes to go around the Sun.

Mental Math

Find each quotient mentally.

1. 250 ÷ 5   50
2. 360 ÷ 9   40
3. 244 ÷ 4   61
4. 444 ÷ 2   222

Cálculo mental

Halla estos cocientes en forma mental.

1. 250 ÷ 5   50
2. 360 ÷ 9   40
3. 244 ÷ 4   61
4. 444 ÷ 2   222

Respuestas de Investigar

1. Hilera 1: Sí, No, Sí, No, No, No, Sí, No, No

   Hilera 2: Sí, Sí, No, No, Sí, Sí, No, No, No

   Hilera 3: Sí, Sí, Sí, Sí, Sí, No, No, No, Sí

   Hilera 4: No, Sí, No, Sí, No, No, No, No, No

   Hilera 5: No, Sí, No, No, No, No, No, Sí, No

   Hilera 6: Sí, Sí, Sí, Sí, Sí, No, No, Sí, Sí

2. Respuesta posible: La columna "2" sería más fácil; Sólo los números pares son divisibles entre 2.

3. Los números pares son divisibles entre 2; Los números que terminan en 0 ó 5 son divisibles entre 5; Los números que terminan en 0 son divisibles entre 10.

4. La columna de la duración de las vacaciones y la columna de la semana de 1 día tendrían los mismos valores; El número de días y el número de semanas serían iguales.

2 Enseñanza

Aprender

Ejemplos adicionales

1. La señora Taubner quiere hacer un "árbol de dinero" de $60 para su mamá, quien tiene 60 años, y un árbol de dinero de $85 para su abuela, cuya edad es de 85 años. Quiere usar billetes de la misma denominación en ambos árboles. ¿Le servirán los billetes de $2, $5 o de $10?

   ¿60 es divisible entre 2, 5 y 10?

   ¿Entre 2? Sí, el dígito de las unidades es 0.
   ¿Entre 5? Sí, el dígito de las unidades es 0.
   ¿Entre 10? Sí, el dígito de las unidades es 0.

   ¿85 es divisible entre 2, 5 y 10?

   ¿Entre 2? No, el dígito de las unidades no es par.
   ¿Entre 5? Sí, el dígito de las unidades es 5.
   ¿Entre 10? No, el dígito de las unidades no es 0.

   La señora Taubner puede hacer un árbol de dinero de $60 con billetes de $2, $5 o de $10, y un árbol de dinero de $85 sólo con billetes de $5.

Answers for Explore

1. Row 1: Yes, No, Yes, No, No, No, Yes, No, No

   Row 2: Yes, Yes, No, No, Yes, Yes, No, No, No

   Row 3: Yes, Yes, Yes, Yes, Yes, No, No, No, Yes

   Row 4: No, Yes, No, Yes, No, No, No, No, No

   Row 5: No, Yes, No, No, No, No, No, Yes, No

   Row 6: Yes, Yes, Yes, Yes, Yes, No, No, Yes, Yes

2. Possible answer: The "2" column would be easier; Only even numbers are divisible by 2.

3. Even numbers are divisible by 2; Numbers ending in 0 or 5 are divisible by 5; Numbers ending in 0 are divisible by 10.

4. The vacation-length column and the column for a 1-day week would have the same values; The number of days and the number of weeks would be the same.

Teach

Learn

Alternate Examples

1. Mrs. Taubner wants to make a $60 "money tree" for her mom, who is 60 years old, and an $85 money tree for her grandmother, who is 85 years old. She will use bills of the same denomination on the trees. Will $2, $5, or $10 bills work?

   Is 60 divisible by 2, 5, and 10?

   2? Yes, the ones digit is 0.
   5? Yes, the ones digit is 0.
   10? Yes, the ones digit is 0.

   Is 85 divisible by 2, 5, and 10?

   2? No, the ones digit is not even.
   5? Yes, the ones digit is 5.
   10? No, the ones digit is not 0.

   Mrs. Taubner can make a $60 money tree with $2, $5, or $10 bills and an $85 money tree with $5 bills.

Alternate Examples

2. Test 840 for divisibility by 2, 3, 5, 9, and 10.

   2? Yes, the ones digit is even.

   3? Yes, 8 + 4 + 0 = 12, which is divisible by 3.

   5? Yes, the ones digit is 0.

   9? No, 8 + 4 + 0 = 12, which is not divisible by 9.

   10? Yes, the ones digit is 0.

3. A square mile is 640 acres. Can a square mile be separated into equal-sized parcels of 2, 3, 5, 6, and 10 acres?

   Test 640 for divisibility by 2, 3, 5, 6, and 10.

   640 is even, so it is divisible by ②.

   6 + 4 = 10, and 10 is not divisible by 3, so 640 is not divisible by 3.

   640 ends in 0, so it is divisible by ⑤ and by ⑩.

   640 is divisible by 2 but not by 3, so it is not divisible by 6.

   A square mile can be separated into equal-sized parcels of 2, 5, and 10 acres.

Practice and Assess

Check

Students may be intrigued by the divisibility tests for 3 and 9. Point out that when the sum of the digits of a number being tested has two or more digits, they can add the digits as many times as possible to get a one-digit sum, and the test is still valid.

Answers for Check Your Understanding

1. Possible answer: You can know if a number divides another evenly without actually dividing.

2. Possible answer: 2, 5, 9, and 10 are easiest to remember.

Ejemplos adicionales

2. Prueba si 840 es divisible entre 2, 3, 5, 9 y 10.

   ¿Entre 2? Sí, el dígito de las unidades es par.

   ¿Entre 3? Sí, 8 + 4 + 0 = 12, que es divisible entre 3.

   ¿Entre 5? Sí, el dígito de las unidades es 0.

   ¿Entre 9? No, 8 + 4 + 0 = 12, que no es divisible entre 9.

   ¿Entre 10? Sí, el dígito de las unidades es 0.

3. Una milla cuadrada es igual a 640 acres. ¿Puede una milla cuadrada dividirse en parcelas iguales de 2, 3, 5, 6 y 10 acres?

   Prueba si 640 es divisible entre 2, 3, 5, 6 y 10.

   640 es par, por tanto, es divisible entre ②.

   6 + 4 = 10, y 10 no es divisible entre 3, por tanto, 640 no es divisible entre 3.

   640 termina en 0, por tanto, es divisible entre ⑤ y entre ⑩.

   640 es divisible entre 2 pero no entre 3, de manera que no es divisible entre 6.

   Una milla cuadrada puede dividirse en parcelas iguales de 2, 5 y 10 acres.

---

3 Práctica y evaluación

Comprobar

Las pruebas de divisibilidad entre 3 y 9 pueden dejar intrigados a los estudiantes. Señale que cuando la suma de los dígitos del número que se prueba tiene 2 o más dígitos, pueden sumar los dígitos tantas veces como sea necesario para obtener una suma de un dígito, y la prueba será válida.

Respuestas de Comprobar tu comprensión

1. Respuesta posible: Se puede saber si un número divide a otro en forma exacta sin tener que hacer la división.

2. Respuesta posible: 2, 5, 9 y 10 son las más fáciles de recordar.

Algunos patrones dependen de la suma de los dígitos.

Un número cabal es divisible entre:	Ejemplos
• 3 si la suma de sus dígitos es divisible entre 3.	3, 6, 9, 12, 15, 18, 21, 24,...
• 9 si la suma de sus dígitos es divisible entre 9.	9, 18, 27, 36, 45, 54, 63,...

Ejemplo 2

Prueba si 945 es divisible entre 2, 3, 5, 9 y 10.

2? No, el dígito de las unidades no es par.

3? Sí, 9 + 4 + 5 = 18, que es divisible entre 3.

5? Sí, el dígito de las unidades es 5.

9? Sí, 9 + 4 + 5 = 18, que es divisible entre 9.

10? No, el dígito de las unidades no es 0.

Algunos patrones dependen de otros patrones.

Un número cabal es divisible entre:	Ejemplos
• 6 si es divisible entre 2 y 3.	6, 12, 18, 24, 30, 36, 42,...

> **▶ Enlace con Historia**
>
> El documento más antiguo conocido en la teoría de los números se escribió en babilonio entre 1900 A.C. y 1600 A. C. Fue escrito en notación sexagesimal, es decir, basada en el número 60.

Ejemplo 3

Los antiguos babilonios reconocieron el valor del número 60 para calcular el tiempo. Así, tenemos minutos de 60 segundos y horas de 60 minutos, porque 60 se puede dividir con facilidad en partes más pequeñas. Prueba si 60 es divisible entre 2, 3, 5, 6, 9 y 10.

0 es par, por tanto, es divisible entre ②.

6 + 0 = 6, y 6 es divisible entre 3, por tanto, 60 es divisible entre ③.
60 termina en 0, por tanto, es divisible entre ⑤ y entre ⑩.

60 es divisible entre 2 y 3, por tanto, es divisible entre ⑥.
6 + 0 = 6 y no es divisible entre 9, por tanto, 60 no es divisible entre 9.

Haz la prueba

Expresa si el número es divisible entre 2, 3, 5, 6, 9 ó 10.

a. 141 3   b. 455 5   c. 684 2, 3, 6, 9   d. 555 3, 5   e. 2700 2, 3, 5, 6, 9, 10

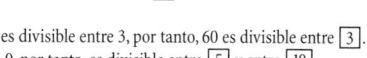

MEETING MIDDLE SCHOOL CLASSROOM NEEDS

Tips from Middle School Teachers

Number theory is a topic that encourages the study of patterns and conjecturing about patterns. Students need to be comfortable with taking risks, so I often use the think-pair strategy when teaching the lessons in this chapter. Students solve problems individually. Then they discuss their solutions with a partner. Finally, partners share their solutions with the class.

Sugerencias de los maestros

La teoría de los números es un tema que fomenta el estudio de los patrones y la elaboración de hipótesis. En este capítulo suelo usar la técnica de razonamiento en parejas para animar a los estudiantes a correr riesgos en sus apreciaciones. Primero resuelven los problemas en forma individual. Después comentan las soluciones con un compañero. Más tarde comparten los resultados con la clase.

Cooperative Learning

Work in groups of three or four and give a number that has 3 as its last digit, but that is not divisible by 3. Possible answers: 13, 23, 43. Repeat the process using the number 9. Possible answers: 19, 29, 39. Then give 2-, 3-, 4-, or 5-digit numbers that end in each of the digits from 0 through 9 and that are divisible by 3.

Aprendizaje en equipo

Trabaja en equipos de tres para hallar un número cuyo último dígito sea 3, pero que no sea divisible entre 3. Respuestas posibles: 13, 23, 43. Repite el proceso con el 9. Respuestas posibles: 19, 29, 39. Halla números de 2, 3, 4 ó 5 dígitos que terminen en todos los dígitos del 0 al 9 y sean divisibles entre 3.

Cultural Connection

The year 46 B.C. was called the Year of Confusion. It was 445 days long. The Romans added an extra 90 days to the year to bring it in line with the solar year.

Asociación con Cultura

El año 46 a.C. se conoce como el Año de la Confusión. Tuvo una duración de 445 días. Los romanos agregaron 90 días a este año para alinearlo con el calendario solar.

Comprobar Tu comprensión

1. ¿Cuáles son las ventajas de conocer las reglas de divisibilidad?

2. ¿Cuál regla de divisibilidad crees que es más fácil de usar? Explica por qué.

5-1 Ejercicios y aplicaciones

Práctica y aplicación

1. Para empezar Establece si cada número es divisible entre 1, 5 ó 10.

a. 66 2 **b.** 228 2 **c.** 45 5 **d.** 120 2, 5, 10 **e.** 985 5 **f.** 30 2, 5, 10

Indica si cada número es divisible entre 2, 3, 5, 6, 9 ó 10.

2. 63 3, 9   **3.** 55 5   **4.** 117 3, 9   **5.** 81 3, 9   **6.** 621 3, 9   **7.** 1360 2, 5, 10

8. 35 5   **9.** 42 2, 3, 6   **10.** 104 2   **11.** 4320   **12.** 10   **13.** 90

14. 27 3, 9   **15.** 68 2   **16.** 180   **17.** 135 3, 5, 9 **18.** 282 2, 3, 6   **19.** 56 2

20. 5555 5   **21.** 48 2, 3, 6   **22.** 362 2   **23.** 1110   **24.** 9 3, 9   **25.** 24 2, 3, 6

26. 66 2, 3, 6 **27.** 75 3, 5   **28.** 85 5   **29.** 695 5   **30.** 1587 3   **31.** 96 2, 3, 6
11. 2, 3, 5, 6, 9, 10   12. 2, 5, 10   13. 2, 3, 5, 6, 9, 10   16. 2, 3, 5, 6, 9, 10

Señala si el primer número es divisible entre el segundo.   23. 2, 3, 5, 6, 10

32. 33, 3 Sí   **33.** 132, 11 Sí   **34.** 41, 5 No   **35.** 105, 8 No   **36.** 63, 4 No

37. 92, 9 No   **38.** 65, 10 No   **39.** 99, 11 Sí   **40.** 78, 6 Sí   **41.** 60, 4 Sí

42. 93, 2 No   **43.** 115, 5 Sí   **44.** 171, 9 Sí   **45.** 109, 7 No   **46.** 52, 6 No

47. 160, 8 Sí   **48.** 54, 7 No   **49.** 30, 4 No   **50.** 52, 11 No   **51.** 58, 8 No

52. 84, 7 Sí   **53.** 76, 2 Sí   **54.** 30, 10 Sí   **55.** 120, 12 Sí   **56.** 37, 3 No

57. Comprensión numérica Un año bisiesto es aquel que es divisible entre 4, a menos que el año termine en 2 ceros. Entonces, para que sea un año bisiesto, tiene que ser divisible entre 400. ¿Cuáles de los siguientes son años bisiestos?

a. 1900 No   **b.** 1999 No   **c.** 1066 No   **d.** 1776 Sí   **e.** 2000 Sí

58. Para la prueba ¿Entre cuántos números cabales se puede dividir 24? D

Ⓐ 3   Ⓑ 6   Ⓒ 7   Ⓓ 8

5-1 • Divisibilidad **273**

PRACTICAR 5-1

Notas sobre los ejercicios

■ **Ejercicio 57**

Ampliación Investiga acerca de la necesidad de los años bisiestos en el calendario actual.

Respuestas de Ejercicios

23. 2, 3, 5, 6, 10

Exercise Notes

■ **Exercise 57**

Extension Research the need for leap years in our current calendar.

Exercise Answers

23. 2, 3, 5, 6, 10

Assignment Guide

■ Basic 1–57 odds, 58–59, 61–62, 70–80 evens

■ Average 2–56 evens, 57–60, 62–80 evens

■ Enriched 3–57 odds, 58, 60–64, 65–79 odds

PRACTICE

Nombre _____

Práctica **5-1**

Divisibilidad

Indica si el número es divisible entre 2, 3, 5, 6, 9 ó 10.

1. 75 _____ 3, 5
2. 532 _____ 2
3. 625 _____ 5
4. 39 _____ 3

5. 118 _____ 2
6. 354 _____ 2, 3, 6
7. 585 _____ 3, 5, 9
8. 408 _____ 2, 3, 6

9. 235 _____ 5
10. 105 _____ 3, 5
11. 186 _____ 2, 3, 6
12. 73 _____ Ninguno

13. 69 _____ 3
14. 317 _____ Ninguno
15. 200 _____ 2, 5, 10
16. 366 _____ 2, 3, 6

17. 306 _____ 2, 3, 6, 9
18. 645 _____ 3, 5
19. 223 _____ Ninguno
20. 326 _____ 2

Indica si el primer número es divisible entre el segundo.

21. 46, 7 No   **22.** 65, 2 No   **23.** 43, 10 No   **24.** 165, 3 Sí

25. 133, 5 No   **26.** 66, 11 Sí   **27.** 85, 3 No   **28.** 185, 5 Sí

29. 99, 6 No   **30.** 106, 7 No   **31.** 150, 3 Sí   **32.** 196, 2 Sí

33. 99, 5 No   **34.** 128, 4 Sí   **35.** 39, 6 No   **36.** 33, 3 Sí

37. 110, 6 No   **38.** 129, 9 No   **39.** 37, 5 No   **40.** 126, 7 Sí

41. 117, 8 No   **42.** 96, 8 Sí   **43.** 63, 2 No   **44.** 192, 10 No

45. 74, 4 No   **46.** 55, 5 Sí   **47.** 171, 8 No   **48.** 165, 11 Sí

49. Hay 365 días en un año no bisiesto. Prueba si 365 es divisible entre 2, 3, 5, 6 y 10.   Sólo es divisible entre 5

50. Ciencias sociales Durante un año electoral, el presidente de Estados Unidos es elegido por 538 votos electorales. Prueba si 538 es divisible entre 2, 3, 5, 6 y 10.   Sólo es divisible entre 2

RETEACHING

Nombre _____

Práctica adicional **5-1**

Divisibilidad

Un número cabal es **divisible** entre otro número cabal si el primer número puede dividirse entre el segundo sin que quede residuo. Doce es divisible entre 2 porque 12 ÷ 2 = 6. Doce no es divisible entre 5 porque 12 ÷ 5 = 2 R2.

— Ejemplo 1 —

¿35 es divisible entre 2, 5 y 10? Para decidir si un número cabal es divisible entre 2, 5 ó 10, puedes empezar en el cero y contar de dos en dos o de cinco en cinco o de diez en diez. Puedes también usar las reglas de divisibilidad.

Si el dígito de las unidades es par, el número es divisible entre 2.
Si el dígito de las unidades es 0 ó 5, el número es divisible entre 5.
Si el dígito de las unidades es 0, el número es divisible entre 10.

El dígito de las unidades es 5, por tanto, 35 es divisible entre 5. Pero no es divisible entre 2 ni entre 10.

Haz la prueba Indica si el número es divisible entre 2, 5 ó 10. Usa las reglas anteriores.

a. 40   ¿Cuál es el dígito de las unidades? __0__
¿Es divisible entre 2? _Sí._ ¿Entre 5? _Sí._ ¿Entre 10? _Sí._
40 es divisible entre _2, 5, 10_

b. 85 _5_   **c.** 50 _2, 5, 10_   **d.** 136 _2_

— Ejemplo 2 —

¿108 es divisible entre 3 y 9? Para decidir si un número cabal es divisible entre 3 ó 9, puedes contar de tres en tres o de nueve en nueve. También puedes usar las reglas de divisibilidad.

Si la suma de los dígitos es divisible entre 3, el número es divisible entre 3.
Si la suma de los dígitos es divisible entre 9, el número es divisible entre 9.

La suma de los dígitos en 108 es 1 + 0 + 8 = 9. Puesto que 9 es divisible entre 3 y 9, entonces 108 es divisible entre 3 y 9.

Haz la prueba Indica si el número es divisible entre 3 y 9. Usa las reglas anteriores.

e. 342   Encuentra la suma de los dígitos. __9__
¿La suma es divisible entre 3? _Sí._ ¿Entre 9? _Sí._
342 es divisible entre _3, 9_

f. 255 _3_   **g.** 204 _3_   **h.** 441 _3, 9_

Práctica adicional

Actividad

Materiales: Fichas

• Separa 18 fichas en grupos de 2 y después de 3. ¿Sobran fichas? No

• Continúa separando las 18 fichas en grupos de 4, 5, 6, 7, 8, 9 y 10. Si un grupo no tiene fichas sobrantes, significa que 18 es divisible entre ese número.

• ¿Entre qué números es divisible el 18? Entre 2, 3, 6 y 9

• Repite el proceso con 24, 30 y 36 fichas. Determina entre qué números es divisible cada uno.
24: 2, 3, 4, 6, 8
30: 2, 3, 5, 6, 10
36: 2, 3, 4, 6, 9

Reteaching

Activity

Materials: Counters

• Separate 18 counters into groups of 2 and then 3. Are there any counters left over? No

• Continue to separate the 18 counters into groups of 4, 5, 6, 7, 8, 9, and 10. If a group has no left-over counters, 18 is divisible by that number.

• Which numbers is 18 divisible by? 2, 3, 6, 9

• Repeat the process with 24, 30, and 36 counters. Determine what numbers each is divisible by.
24: 2, 3, 4, 6, 8
30: 2, 3, 5, 6, 10
36: 2, 3, 4, 6, 9

■ Exercise 60

History Abraham Lincoln gave the Gettysburg Address on November 19, 1863, to dedicate a national cemetery on the battlefield at Gettysburg, PA. He took less than 3 minutes to deliver fewer than 300 words in 10 sentences.

Exercise Answers

59. No; It is important if you want to know if there are a whole number of weeks in a month.

62. 4 model cars per carton; 4 is the only number between 3 and 10 that 53,716 is divisible by.

63. 10; A number divisible by 2 and 5 must end in 0, which is the rule for divisibility by 10.

64. Possible answer: Five months of 73 days; 365 is only divisible by 1, 5, 73, and 365.

65. Fifty-four thousand, seven

66. Five hundred thousand, two hundred

67. One hundred one thousand, one hundred ten

68. Two thousand, three hundred forty-five

69. Thirty-two thousand, three hundred two

70. Six hundred forty thousand

71. Five hundred thousand, seven

72. Six thousand, two hundred nineteen

Alternate Assessment

You may want to use the *Interactive CD-ROM Journal* with this assessment.

Journal Write the rules for divisibility, along with examples, in your journal.

Quick Quiz

Test each number for divisibility by 2, 3, 5, 6, 9, and 10.

1. 357 3

2. 525 3, 5

3. 1500 2, 3, 5, 6, 10

4. 256 2

5. 216 2, 3, 6, 9

Available on Daily Transparency 5-1

Notas sobre los ejercicios

■ Ejercicio 60

Historia Abraham Lincoln pronunció el discurso de Gettysburg el 19 de noviembre de 1863 y en él dispuso que el campo de batalla de Gettysburg, PA, se convirtiera en cementerio nacional. Le tomó menos de 3 minutos pronunciar poco menos de 300 palabras en 10 oraciones.

Respuestas de Ejercicios

59. No; Es importante si se quiere saber si hay un número cabal de semanas en un mes.

62. 4 modelos de auto en cada caja; 4 es el único número entre 3 y 10 que puede dividir a 53,716 con exactitud.

63. 10; Un número divisible entre 2 y 5 debe terminar en 0, lo cual también representa la regla de divisibilidad entre 10.

64. Respuesta posible: Cinco meses de 73 días; 365 sólo es divisible entre 1, 5, 73 y 365.

65. Cincuenta y cuatro mil, siete

66. Quinientos mil, doscientos

67. Ciento un mil, ciento diez

68. Dos mil, trescientos cuarenta y cinco.

69. Treinta y dos mil, trescientos dos

70. Seiscientos cuarenta mil

71. Quinientos mil, siete

72. Seis mil, doscientos diecinueve

Evaluación adicional

Tal vez quiera usar con esta evaluación el *Diario interactivo CD-ROM.*

En tu diario Escribe las reglas de divisibilidad y ejemplifícalas.

▶ Prueba rápida

Prueba la divisibilidad de cada número entre 2, 3, 5, 6, 9 y 10.

1. 357 3

2. 525 3, 5

3. 1500 2, 3, 5, 6, 10

4. 256 2

5. 216 2, 3, 6, 9

---

59. Un año tiene alrededor de 52 semanas. ¿Es este número divisible entre 12? ¿Por qué sería importante que supieras esto?

60. **Historia** El discurso de Abraham Lincoln en Gettysburg empieza: "Hace cuatro veintenas más 7 años..." Una veintena equivale a 20 años, así "cuatro veintenas" son 80 años. ¿Una veintena es divisible entre qué números? 1, 2, 4, 5, 10, 20

61. Determina si el número de años de cada uno de los siguientes lapsos es divisible entre 2, 3, 5, 6, 9 ó 10.

    a. Una década (10 años) 2, 5, 10

    b. Un siglo (100 años) 2, 5, 10

    c. Un milenio (1000 años) 2, 5, 10

Resolución de problemas y razonamiento

62. **Razonamiento crítico** Modelos Marvel produce 53,716 modelos de autos al mes. Quieren diseñar cajas para empacar que contengan más de 3 pero menos de 10 modelos cada una. Quieren empacar los autos de cada mes en las cajas, sin que sobre ninguno. ¿Cuáles son sus alternativas? Explica tu respuesta.

63. **Comunicación** Si un número es divisible entre 2 y 3, es divisible entre 6. Si un número es divisible entre 2 y 5, ¿entre qué otro número es divisible? Explica por qué.

64. **Razonamiento crítico** El calendario azteca tenía 365 días, divididos en 18 meses de 20 días y 5 días extra "de mala suerte". ¿Cómo pudieron los aztecas haber reorganizado su calendario a fin de que cada mes tuviera el mismo número de días y no hubiera días "de mala suerte"? Explica tu razonamiento.

Resolución de problemas **TEN EN CUENTA**

Utiliza las reglas de divisibilidad para hallar los números que puedan dividir a 53,716 de manera equitativa.

RESOLVER PROBLEMAS 5-1

Repaso mixto

Escribe cada número en forma verbal. *[Lección 2-1]*

65. 54,007   66. 500,200   67. 101,110   68. 2345

69. 32,302   70. 640,000   71. 500,007   72. 6219

Haz las siguientes multiplicaciones. *[Lección 3-9]*

73. 32 × 0.5 **16**   74. 15 × 0.9 **13.5**   75. 8.1 × 0.6 **4.86**   76. 5.5 × 1.4 **7.7**

77. 17 × 0.4 **6.8**   78. 21 × 0.3 **6.3**   79. 68 × 0.2 **13.6**   80. 51 × 1.2 **61.2**

274 Capítulo 5 • Patrones y teoría de los números

▶ PROBLEM SOLVING

Nombre _____

Resolución guiada de problemas 5-1

RGP PROBLEMA 62, PÁGINA 274 DEL ESTUDIANTE

Modelos Marvel produce 53,716 modelos de autos al mes. Quieren diseñar cajas para empacar que contengan más de 3 pero menos de 10 modelos cada una. Quieren empacar los autos de cada mes en las cajas, sin que sobre ninguno. ¿Cuáles son sus alternativas? Explica tu respuesta.

— Comprende —

1. Subraya lo que se te pide que halles.

2. Rodea con un círculo la información que necesitas.

— Plan —

3. Para hallar cuáles medidas de caja debes usar para empacar, emplea las reglas de divisibilidad o la división para probar la divisibilidad de 53,716 entre 4, 5, 6, 7, 8 y 9 modelos. Si 53,716 es divisible entre la medida de la caja, entonces los modelos pueden ponerse en esa caja.

¿53,716 es divisible

   a. entre 4? **Sí.**   b. entre 5? **No.**   c. entre 6? **No.**

   d. entre 7? **No.**   e. entre 8? **No.**   f. entre 9? **No.**

— Resuelve —

4. ¿Entre cuál número es divisible 53,716? **4**

5. Escribe un enunciado que exprese cuál tamaño de caja puede usar Modelos Marvel.

   Modelos Marvel debe diseñar una caja que contenga 4 autos.

— Revisa —

6. ¿Cómo sabes que has revisado todas las medidas posibles de caja dadas en el problema?

   Respuesta posible: Todos los números cabales entre 3 y 10 ya

   se han revisado.

RESUELVE OTRO PROBLEMA

La Compañía Pool envía 5325 chapoteaderos. Quieren diseñar cajas para empacar que contengan 2, 3, 5, 6, 9 y 10 chapoteaderos cada una. Quieren poner en cajas su producción mensual, sin que sobre ninguno. ¿Cuáles son sus opciones? Explica tu razonamiento.

Las cajas para empacar pueden contener ya sea 3 ó 5 chapoteaderos,

porque 5325 es divisible sólo entre 3 ó 5.

▶ ENRICHMENT

Nombre _____

Actividad de enriquecimiento 5-1

Patrones numéricos

1. ¿Son todos estos números divisibles entre 4? Escribe *sí* o *no*.

   a. 108 **Sí.**   b. 212 **Sí.**   c. 250 **No.**

   d. 316 **Sí.**   e. 625 **No.**   f. 1020 **Sí.**

2. Haz una lista de los números de la pregunta 1 que fueron divisibles entre 4.

   108, 212, 316, 1020

3. Escoge uno de los números divisibles entre 4, cambia el dígito de las centenas y escribe el nuevo número. ¿Es el número todavía divisible entre 4? ¿Cómo lo sabes?

   Respuesta posible: Cambia 108 a 208. El nuevo número

   es divisible entre 4 porque no hay residuo cuando se

   divide entre 4.

4. Observa el número formado por los dos últimos dígitos en cada uno de los números que anotaste en la lista de la pregunta 2. ¿Qué patrón observas en estos dígitos?

   Los números se incrementan 4 unidades y todos son divisibles entre 4.

5. Escribe una regla de divisibilidad para dividir entre 4.

   Si el número formado por los dos últimos dígitos de un número

   dado es divisible entre 4, entonces el número es divisible entre 4.

6. Prueba tu regla. ¿Es cada uno de los siguientes números divisible entre 4? Escribe *sí* o *no*.

   a. 111 **No.**   b. 128 **Sí.**   c. 296 **Sí.**

   d. 332 **Sí.**   e. 548 **Sí.**   f. 1,036 **Sí.**

   g. 3,456 **Sí.**   h. 65,728 **Sí.**   i. 362,042 **No.**

Descomposición factorial

5-2

▶ **Enlace con la lección** Con tu conocimiento de las reglas de divisibilidad para determinar si un número es divisible entre otro, vas a expresar números cabales en términos de sus factores más simples. ◀

Investigar | **Factorización**

En busca del gran rectángulo

Materiales: Papel cuadriculado

Cualquier número de cuadrados puede ordenarse para formar un rectángulo. Algunos pueden ordenarse en un solo rectángulo y otros en varios rectángulos diferentes.

1. En una hoja de papel cuadriculado copia y completa la tabla hasta 20 cuadrados. Dos rectángulos son iguales si uno puede acomodarse para que se vea igual al otro.

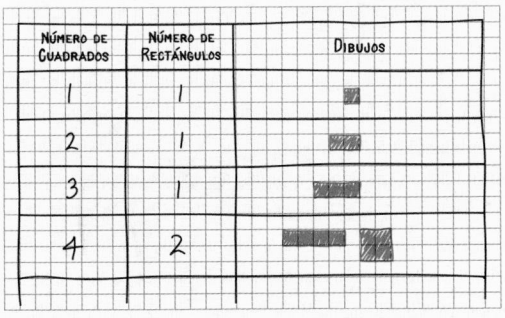

NÚMERO DE CUADRADOS	NÚMERO DE RECTÁNGULOS	DIBUJOS
1	1	
2	1	
3	1	
4	2	

2. Haz una lista de números para los cuales puedas dibujar sólo un rectángulo. Luego haz una segunda lista para los cuales puedas dibujar más de uno.

3. ¿Cuántos factores tiene cada número de tu primera lista? ¿Cuántos cada número de la segunda lista? ¿Qué puedes concluir respecto de los números que pueden acomodarse en un solo rectángulo?

4. ¿Existe un número de cuadrados que no pueda organizarse en un rectángulo? Explica tu respuesta.

Vas a aprender…

■ la diferencia entre números primos y números compuestos.

■ a encontrar la descomposición factorial de un número.

…cómo se usa

Los programadores utilizan números primos cuando desarrollan programas de seguridad que dificultan la lectura de información de la computadora de otra persona.

Vocabulario

números primos

números compuestos

descomposición factorial

MEETING INDIVIDUAL NEEDS

Recursos

5-2 Práctica
5-2 Práctica adicional
5-2 Resolución de problemas
5-2 Actividad de enriquecimiento
Tecnología 22

Resources

5-2 Practice
5-2 Reteaching
5-2 Problem Solving
5-2 Enrichment
5-2 Daily Transparency
    Problem of the Day
    Review
    Quick Quiz
Teaching Tool Transparency 7
Technology Master 22
Chapter 5 Project Master

Modos de aprendizaje

Cinestésico El uso de fichas para crear modelos cuadrangulares ofrece a los estudiantes otra manera de analizar los números primos y compuestos.

Social Los estudiantes deben trabajar por parejas en **Investigar**. El primer estudiante creará las entradas de los números impares y el segundo hará lo mismo con los números pares.

Learning Modalities

Kinesthetic Using counters to make rectangular arrays offers students another medium in which to explore prime and composite numbers.

Social Have students work in pairs on **Explore**. Have one partner work on the entries for the odd numbers and the other the entries for the even numbers.

Desafío

Haga esta pregunta a los estudiantes y pídales que expliquen su respuesta. ¿Cuál es el mayor número primo que puede haber en un conjunto de diez números consecutivos? El conjunto 2–11 contiene cinco números primos. Los demás conjuntos no tienen más de cuatro primos porque se forman con cinco números que no pueden ser primos y cinco números pares. Los números que terminan en cinco (con excepción del cinco mismo) no son primos.

Challenge

Ask students the following question and have them explain their answer. What is the greatest number of prime numbers that can occur in a set of ten consecutive numbers? The numbers 2–11 contain five prime numbers. All other sets contain at most four prime numbers because each set has five even numbers that cannot be prime and five odd numbers. The odd number that ends in five (except five itself) is not prime.

Lesson Organizer

Objectives

■ **Learn the difference between prime and composite numbers.**

■ **Find the prime factorization of a number.**

Vocabulary

■ **Prime number, composite number, prime factorization**

Materials

■ **Explore: Graph paper**

NCTM Standards

■ **1–2, 4, 6**

▶ **Repaso**

Prueba la divisibilidad de cada número entre 2, 3, 5, 6, 9 y 10.

1. **630** 2, 3, 5, 6, 9, 10

2. **405** 3, 5, 9

3. **324** 2, 3, 6, 9

Review

Test each number for divisibility by 2, 3, 5, 6, 9, and 10.

1. **630** 2, 3, 5, 6, 9, 10

2. **405** 3, 5, 9

3. **324** 2, 3, 6, 9

Available on Daily Transparency 5-2

---

1 Introducción

Investigar

Objetivo

Los estudiantes dibujan rectángulos acomodados en el papel cuadriculado para hallar patrones entre los números primos y los números compuestos.

Evaluación continua

Compruebe que los estudiantes sean capaces de hallar todos los rectángulos para los números que se proporcionan. Explíqueles que son aceptables los trazos verticales u horizontales de los rectángulos.

Para los grupos que terminen antes

Sigue los pasos 1–3 con los números del 21 al 25. Recuerda que los números 21, 22, 24 y 25 tienen más de una representación rectangular.

Respuestas de Investigar en la siguiente página.

Introduce

Explore

You may wish to use Teaching Tool Transparency 7: $\frac{1}{4}$-Inch Graph Paper with **Explore**.

The Point

Students draw rectangular arrays on graph paper to find patterns between prime and composite numbers.

Ongoing Assessment

Check that students are able to find all the rectangles for the given numbers. Explain to students that vertical or horizontal rectangular sketches are acceptable.

For Groups That Finish Early

Follow Steps 1–3 with the numbers 21 through 25. Remember that 21, 22, 24, and 25 each have more than one rectangular representation.

Answers for Explore on next page.

1. Sketches of rectangles for the numbers 15–20 on page C3.

5; 1;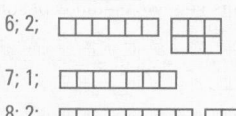

6; 2;

7; 1;

8; 2;

9; 2;

10; 2;

11; 1;

12; 3;

13; 1;

14; 2;

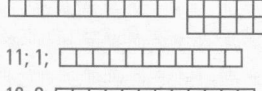

2. One rectangle 1, 2, 3, 5, 7, 11, 13, 17, 19; More than one rectangle 4, 6, 8, 9, 10, 12, 14, 15, 16, 18, 20.

3. 1 or 2; 3, 4, 5 or 6; They have only 1 or 2 factors.

4. 0; Any whole number of squares can be arranged into a single-row rectangle.

Teach

Learn

After discussing prime and composite numbers, have students identify the prime numbers between 30 and 40. 31, 37

Alternate Examples

Find the prime factorization of 300.

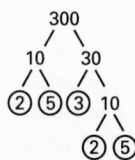

300

The prime factorization is $2 \times 2 \times 3 \times 5 \times 5$, or $2^2 \times 3 \times 5^2$.

Respuestas de Investigar

1. Véanse los trazos de los rectángulos de los números del 15 al 20 en la página C3.

5; 1;

6; 2;

7; 1;

8; 2;

9; 2;

10; 2;

11; 1;

12; 3;

13; 1;

14; 2;

2. Un rectángulo: 1, 2, 3, 5, 7, 11, 13, 17,19; Más de un rectángulo: 4, 6, 8, 9, 10, 12, 14, 15, 16, 18, 20.

3. 1 ó 2; 3, 4, 5 ó 6; Sólo tienen 1 ó 2 factores.

4. 0; Cualquier número cabal de cuadrados puede acomodarse en un rectángulo de una sola hilera.

2 Enseñanza

Aprender

Después de examinar los números primos y los números compuestos, pida a los estudiantes que identifiquen los números primos entre 30 y 40. 31, 37

Ejemplos adicionales

Halla la descomposición factorial de 300.

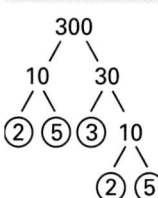

300

La descomposición factorial es $2 \times 2 \times 3 \times 5 \times 5$, ó $2^2 \times 3 \times 5^2$.

¿LO SABÍAS?

El número más chico que es o compuesto o primo es el 2. Los matemáticos consideran que 0 y 1 no son ni primos ni compuestos.

Aprender | Descomposición factorial

Cada número cabal mayor que 1 es o un **número primo** o un **número compuesto**. Un número primo tiene sólo dos factores, 1 y a sí mismo; en tanto que un número compuesto tiene más de dos factores.

	4	7	10	25	29
Factores	1, 2, 4	1, 7	1, 2, 5, 10	1, 5, 25	1, 29
Tipo	compuesto	primo	compuesto	compuesto	primo

Los primeros diez números primos son: 2, 3, 5, 7, 11, 13, 17, 19, 23 y 29.

Cada ser humano tiene una huella digital única. De la misma manera, cada número compuesto tiene una única "huella de factor" denominada **descomposición factorial**; es decir, el conjunto de números primos cuyo producto es igual al número.

Puedes usar un "árbol de factores" para encontrar una descomposición factorial. Halla dos números cuyo producto sea igual al número original, y escríbelos a continuación. Si un número es primo, rodéalo con un círculo. Si un número es compuesto, continúa dividiéndolo hasta que te queden sólo números primos. A continuación, escribe de nuevo los factores primos del menor al mayor.

30
/ \
③ 10
/ \
② ⑤

$30 = 2 \times 3 \times 5$

No te olvides

3^2 es un número en notación exponencial. Significa 3×3. El exponente (en este caso 2) muestra cuántas veces se usa la base (en este caso 3) como factor.

[Página 78]

Ejemplo 1

Halla la descomposición factorial de 630.

630
/ \
10   63
/ \   / \
⑤ ② ③ 21
/ \
③ ⑦

Usa las reglas de divisibilidad para hallar los factores y dibuja las "ramas".

630 termina en 0, por tanto, es divisible entre 10. $630 \div 10 = 63$.

Rodea con un círculo los factores primos que encuentres.

Detente cuando al final de las ramas "dejes" todos los números rodeados con círculos.

La descomposición factorial es $2 \times 3 \times 3 \times 5 \times 7$, o sea, $2 \times 3^2 \times 5 \times 7$.

Haz la prueba

Halla la descomposición factorial de cada número.

a. 12 $2^2 \times 3$ b. 20 $2^2 \times 5$ c. 36 $2^2 \times 3^2$ d. 45 $3^2 \times 5$ e. 210 $2 \times 3 \times 5 \times 7$

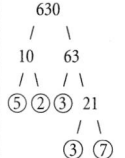

MATH EVERY DAY

▶ Problema del día

Un bote de remos no puede cargar más de 150 libras. ¿Cómo puede cruzar un río una mujer que pesa 150 libras y que tiene dos hijas de 75 libras cada una? Ten en cuenta que todas saben remar.

Las dos hijas deben remar de la orilla 1 a la orilla 2. Una de ellas debe regresar a la orilla 1. En seguida, la madre debe remar a la orilla 2. La hija que está en la orilla 2 debe tomar el bote, remar a la orilla 1, recoger a su hermana y regresar con ella a la orilla 2.

Available on Daily Transparency 5-2

An Extension is provided in the transparency package.

Problem of the Day

A rowboat can carry only 150 pounds safely. How can a woman weighing 150 pounds and her two daughters, each weighing 75 pounds, use the boat to cross the river? Each of them can row the boat.

The two daughters row the boat from River Bank 1 to River Bank 2. One of the daughters rows back to River Bank 1. The mother rows the boat from River Bank 1 to River Bank 2. The other daughter rows back to River Bank 1, picks up her sister, and rows to River Bank 2.

Dato del día

Hay 168 números primos entre el 1 y el 1000. El mayor de ellos es 997.

Fact of the Day

There are 168 prime numbers between 1 and 1000. The largest prime number less than 1000 is 997.

Mental Math

Give the prime factorization mentally.

1. 33 3×11
2. 44 $2^2 \times 11$
3. 63 $3^2 \times 7$
4. 30 $2 \times 3 \times 5$

Cálculo mental

Haz la descomposición factorial en forma mental.

1. 33 3×11
2. 44 $2^2 \times 11$
3. 63 $3^2 \times 7$
4. 30 $2 \times 3 \times 5$

Skye y Erica necesitan construir un jardín rectangular. Su longitud multiplicada por su anchura debe ser igual a 90 ft². Quieren determinar todas las formas en que pueden construir el jardín con dimensiones en números cabales.

¿QUÉ CREES TÚ?

Skye piensa...

Usaré las reglas de divisibilidad y la comprensión numérica para listar los pares de factores que, multiplicados, den 90.

Cada número cabal es divisible entre 1. 1×90
90 termina en 0, por tanto, es divisible entre 2. 2×45
$9 + 0 = 9$, por tanto, 90 es divisible entre 3. 3×30
90 termina en 0, por tanto, es divisible entre 5. 5×18
90 es divisible entre 2 y 3, así, es divisible entre 6. 6×15
90 termina en 0, por tanto, es divisible entre 10. 9×10

Como $90 \div 2$ es número impar, 90 no es divisible entre 4 u 8.
Como 7×13 es 91, 90 no es divisible entre 7.

Existen seis maneras como podemos construir el jardín.

Erica piensa...

Utilizaré la descomposición factorial y organizaré una lista que me ayude a encontrar los factores.

90	1 factor primo	2 factores primos
/ \	2, 3, 5	$6 (2 \times 3)$, $9 (3 \times 3)$,
9 10		$10 (2 \times 5)$, $15 (3 \times 5)$
/ \ / \	3 factores primos	
③ ③ ⑤ ②	$18 (2 \times 3 \times 3)$, $30 (2 \times 3 \times 5)$,	
	$45 (3 \times 3 \times 5)$	

Incluidos 1 y 90, existen 12 factores. Por tanto, hay 6 pares de factores cuyo resultado será 90. Existen 6 maneras de poder construir el jardín.

¿Qué crees tú?

1. ¿Cuál método funciona mejor para números grandes? ¿Por qué?

2. ¿Cómo puede Skye estar seguro de que 90 no es divisible entre 4 u 8?

5-2 • Descomposición factorial **277**

Los estudiantes observan dos métodos en los que se utiliza la descomposición factorial para resolver un problema. En uno se hace una lista de los factores posibles y en el otro se usa un árbol de factores para hallar la descomposición factorial.

Respuestas de ¿Qué crees tú?

1. Si se usan números grandes, es más rápida la descomposición factorial.

2. 4 y 8 tienen más de un factor de 2, y como $90 \div 2$ es 45 (un número impar), 90 no es divisible entre 4 y 8.

What Do You Think?

Students see two methods of solving a problem involving factorization. One involves listing possible factors and the other involves using a factor tree to find the prime factorization.

Answers for What Do You Think?

1. For large numbers, using prime factors is faster.

2. 4 and 8 both have more than one factor of 2, and since $90 \div 2$ is 45 (an odd number), 90 can't be divisible by 4 or 8.

MEETING MIDDLE SCHOOL CLASSROOM NEEDS

Sugerencias de los maestros

En esta lección pido a los estudiantes que se formen de todas las maneras posibles en hileras con el mismo número de personas. Una vez hecho esto, analizamos el tema de la ordenación de elementos, así como los números primos y compuestos. Si el número de estudiantes en clase es un número primo, les pido que repitan la actividad y me incluyan en el conteo. Como ampliación, analizamos si existen dos números primos consecutivos, además del 2 y el 3.

Tips from Middle School Teachers

When teaching this lesson, I have students arrange themselves in all the possible arrangements of equal-length rows. We then discuss the arrangements and the ideas of prime and composite numbers. If there are a prime number of students in the class, I have students repeat the activity, including me in the arrangements. As an extension, we discuss if it is possible for two consecutive numbers, other than 2 and 3, to be prime.

Enseñanza en equipo

Anime al maestro de música a explicar cómo se usan los arreglos cuadrangulares en la planeación de las formaciones de las bandas de música.

Team Teaching

Have the music teacher explain to students how rectangular arrays can be used to plan marching-band assignments.

Asociación con Ciencias

Además de investigar los números primos y compuestos, Eratóstenes logró calcular la circunferencia de la Tierra. Analizó el ángulo de las sombras producidas por el Sol en diferentes ciudades y midió la distancia entre ellas. Su cálculo de la circunferencia de la Tierra fue alrededor de 28,000 millas. La medida exacta es 24,860 millas.

Science Connection

In addition to his work with prime and composite numbers, Eratosthenes calculated the Earth's circumference. He figured the angle of shadows cast by the Sun in different cities and measured how far apart they were. He calculated the circumference of the Earth as more than 28,000 miles. The actual circumference is 24,860 miles.

Assignment Guide

- Basic 1–37 odds, 38, 40, 44–45, 48–58 evens
- Average 1, 2–44 evens, 45, 46–58 evens
- Enriched 3–37 odds, 38–47, 49–59 odds

Practice and Assess

Check

Answers for Check Your Understanding

1. Use any factors.
2. Every other even number is divisible by 2.

Exercise Notes

■ **Exercises 8–37**

Extension You may wish to allow the use of calculators. Encourage students to use exponents when writing the prime factorizations.

3 Práctica y evaluación

Comprobar

Respuestas de Comprobar tu comprensión

1. Se usan cualesquier factores.
2. Cualquier otro número par es divisible entre 2.

Notas sobre los ejercicios

■ **Ejercicios 8–37**

Ampliación Tal vez sea conveniente el uso de la calculadora. Anime a los estudiantes a usar los exponentes cuando escriban la descomposición factorial.

Comprobar Tu comprensión

1. Cuando dibujas un árbol de factores, ¿cómo sabes qué par de factores usar para empezar el árbol?

2. ¿Por qué 2 es el único número primo par?

5-2 Ejercicios y aplicaciones

Práctica y aplicación

1. **Para empezar** Usa el cálculo mental para hallar la descomposición factorial.

   a. 15 5×3　**b.** 33 11×3　**c.** 14 7×2　**d.** 21 7×3　**e.** 6 2×3　**f.** 35 5×7

Dados el número y sus factores, indica si es primo o compuesto.

2. 45: 1, 3, 5, 9, 15, 45 Compuesto　　3. 67: 1, 67 Primo　　4. 37: 1, 37 Primo

5. 26: 1, 2, 13, 26 Compuesto　　6. 53: 1, 53 Primo　　7. 65: 1, 5, 13, 65 Compuesto

Halla la descomposición factorial.

8. 58 2×29　9. 25 5^2　10. 26 2×13　11. 95 5×19　12. 405　13. 125 5^3

12. $3^4 \times 5$　16. $2^5 \times 3^2$　21. $2^2 \times 3^2 \times 19$
23. $2^2 \times 3 \times 5$　30. $3^3 \times 11$　32. $2 \times 3^4 \times 5 \times 7$

14. 56 $2^3 \times 7$　15. 6 2×3　16. 288　17. 88 $2^3 \times 11$ 18. 87 3×29　19. 72 $2^3 \times 3^2$

20. 50 2×5^2　21. 684　22. 27 3^3　23. 60　24. 32 2^5　25. 105 $3 \times 5 \times 7$

26. 96 $2^5 \times 3$　27. 48 $2^4 \times 3$　28. 13 primo　29. 85 5×17　30. 297　31. 162 2×3^4

32. 5670　33. 165 $3 \times 5 \times 11$　34. 693 $3^2 \times 7 \times 11$　35. 468 $2^2 \times 3^2 \times 13$　36. 10 2×5　37. 42 $2 \times 3 \times 7$

38. El señor Armond tiene 36 estudiantes en su clase de matemáticas. Quiere dividirlos en grupos iguales y que el número de estudiantes en cada grupo sea un factor primo de 36. ¿Cuáles son sus opciones? **2 ó 3 estudiantes por grupo**

39. **Posibilidad** Tran dejó caer una ficha en el tablero que ves. ¿Era más probable que cayera en un número primo o en un número compuesto? Explica tu razonamiento.

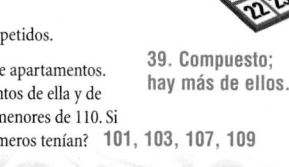

39. Compuesto; hay más de ellos.

40. **Para la prueba** ¿Cuál número aparece más de una vez en la descomposición factorial de 100? **C**

Ⓐ Sólo el 2　Ⓑ Sólo el 5　Ⓒ El 2 y el 5　Ⓓ No hay factores repetidos.

41. Olivia tiene tres amigos que viven en su edificio de apartamentos. Un día advirtió que los números de los apartamentos de ella y de sus amigos eran números primos de tres dígitos menores de 110. Si todos vivían en diferentes apartamentos, ¿qué números tenían? **101, 103, 107, 109**

278 *Capítulo 5 • Patrones y teoría de los números*

PRACTICAR 5-2

Reteaching

Activity

Materials: Counters

- Make a rectangular array with 6 counters to show a pair of numbers whose product is 6. Do not use 1 × 6.

- What two numbers give a product of 6? **2 and 3** Are these numbers prime? **Yes** What is the prime factorization of 6? 2×3

- Now make an array to show a pair of numbers whose product is 18. Do not use 1 × 18. Are both numbers prime? **No**

- For the numbers that are composite, make another array with the counters.

- The array should show that 18 is the product $2 \times 3 \times 3$ which is the prime factorization of 18.

- Use this method to find the prime factorization of 36, 45, and 54. $2^2 \times 3^2; 5 \times 3^2; 2 \times 3^3$

Práctica adicional

Actividad

Materiales: Fichas

- Acomoda en forma rectangular 6 fichas para mostrar un par de números cuyo producto sea 6. No uses 1 × 6.

- ¿Qué par de números dan un producto de 6? **2 y 3** ¿Son números primos? **Sí** ¿Cuál es la descomposición factorial de 6? 2×3

- Ahora acomoda la fichas de manera que muestres un par de números cuyo producto sea 18. No uses 1 × 18. ¿Ambos son números primos? **No**

- Para los números compuestos, acomoda las fichas de otra forma.

- El arreglo debe mostrar que 18 es el producto de $2 \times 3 \times 3$, los cuales expresan la descomposición factorial de 18.

- Usa este método para hallar la descomposición factorial de 36, 45 y 54. $2^2 \times 3^2; 5 \times 3^2; 2 \times 3^3$

PRACTICE

Nombre _____

Práctica 5-2

Descomposición factorial

Dados el número y sus factores, indica si es un número primo o compuesto.

1. 92: 1, 2, 4, 23, 46, 92 Compuesto　2. 121: 1, 11, 121 Compuesto　3. 83: 1, 83 Primo

4. 129: 1, 3, 43, 129 Compuesto　5. 52: 1, 2, 4, 13, 26, 52 Compuesto　6. 55: 1, 5, 11, 55 Compuesto

7. 29: 1, 29 Primo　8. 57: 1, 3, 19, 57 Compuesto　9. 63: 1, 3, 7, 9, 21, 63 Compuesto

Halla la descomposición factorial.

10. 12 $2^2 \times 3$　11. 40 $2^3 \times 5$　12. 64 2^8

13. 36 $2^2 \times 3^2$　14. 60 $2^2 \times 3 \times 5$　15. 65 5×13

16. 20 $2^2 \times 5$　17. 30 $2 \times 3 \times 5$　18. 56 $2^3 \times 7$

19. 21 3×7　20. 18 2×3^2　21. 16 2^4

22. 630 $2 \times 3^2 \times 5 \times 7$　23. 1001 $7 \times 11 \times 13$　24. 625 5^4

25. La descomposición factorial de un número es $2 \times 2 \times 3 \times 3 \times 3 \times 3 \times 5 \times 5 \times 5 \times 5 \times 5$. ¿Cuál es el número? **337,500**

26. **Ciencias sociales** La Cámara de Representantes tiene 435 miembros. Si un comité tiene un número primo de miembros y dicho número es un factor de 435, entonces ¿cuántos miembros puede haber en el comité? **3, 5 ó 29**

RETEACHING

Nombre _____

Práctica adicional 5-2

Descomposición factorial

Cada número cabal mayor que 1 es un **número primo** o un **número compuesto**. Un número primo tiene sólo dos factores: 1 y él mismo; en tanto que un número compuesto tiene más de dos factores. Los números 0 y 1 no son ni primos ni compuestos.

— **Ejemplo 1** —

Los factores de 185 son 1, 5, 37 y 185. ¿Es 185 un número primo o un número compuesto?

Puesto que hay más de dos factores para 185, entonces es un número compuesto.

Haz la prueba Dados el número y sus factores, indica si es un número primo o compuesto.

a. 25: 1, 5, 25 Compuesto.　**b.** 83: 1, 83 Primo.

c. 54: 1, 2, 3, 6, 9, 18, 27, 54 Compuesto.　**d.** 68: 1, 2, 4, 17, 34, 68 Compuesto.

— **Ejemplo 2** —

Escribe la descomposición factorial de 50. Indica si es un número primo o compuesto.

Para saber si un número es primo o compuesto, necesitas hallar sus factores. Puedes usar un árbol de factores para encontrar los factores primos. Si la descomposición factorial es 1 × el número mismo, éste es primo. Si la descomposición factorial **no** es 1 × el número mismo, entonces es compuesto.

Aquí hay dos árboles de factores que muestran los factores primos de 50.

Obtienes la misma descomposición factorial por ambos caminos.

$50 = 2 \times 5 \times 5$ ← Descomposición factorial

Como la descomposición factorial **no** es 1 × el número mismo, 50 es un número compuesto.

Haz la prueba Escribe la descomposición factorial de cada número. Después indica si el número es primo o compuesto.

e. 18 = $2 \times 3 \times 3$, compuesto　**f.** 23 = 1×23, primo

g. 27 = $3 \times 3 \times 3$, compuesto　**h.** 60 = $2 \times 2 \times 3 \times 5$, compuesto

i. 93 = 3×31, compuesto　**j.** 115 = 5×23, compuesto

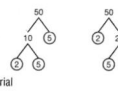

42. La descomposición factorial de un número es $2 \times 3 \times 5 \times 5 \times 7 \times 13 \times 29$. ¿Cuál es el número? **395,850**

43. Historia Eratóstenes diseñó un método, llamado el criba de Eratóstenes, para hallar números primos. Entre los números 40 y 80 halló 10 números primos. ¿Cuáles son?
41, 43, 47, 53, 59, 61, 67, 71, 73, 79

Resolución de problemas y razonamiento

44. Comunicación En abril, el calendario muestra 30 días, marcados del 1 al 30. ¿Cuántos días tienen a un número primo como fecha? ¿Cuántos tienen a un número compuesto como fecha? Si un amigo tuyo nació en abril, ¿sería más probable que el día de su nacimiento fuera un número primo o uno compuesto? Explica tu respuesta.

45. Comunicación ¿Preferirías que tu maestro te dejara de tarea los problemas de números impares o los de números primos? Explica por qué. **Los primos; hay menos de ellos.**

46. Comunicación ¿Cuál es el número compuesto más pequeño que tiene como factores los 5 primeros números primos? Explica tu respuesta.

47. Un número primo es cualquier número cabal con sólo dos factores, el propio número y 1. Explica por qué el 1 no es un número primo. **El 1 sólo tiene un factor.**

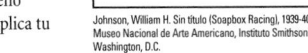
Abril

D	L	M	M	J	V	S
				1	2	3	4
5	6	7	8	9	10	11
12	13	14	15	16	17	18
19	20	21	22	23	24	25
26	27	28	29	30		

Johnson, William H. *Sin título (Soapbox Racing)*, 1939-40. Museo Nacional de Arte Americano, Instituto Smithsonian, Washington, D.C.

Repaso mixto

Redondea cada número al valor posicional que se indica. *[Lección 2-2]*

48. 456,892; a millares **457,000**

49. 5,678,022; a centenas de millar **5,700,000**

50. 923,894; a centenas **923,900**

51. 5,890,324,331; a millones **5,890,000,000**

Realiza las siguientes divisiones. *[Lección 3-10]*

52. $6 \div 10$ **0.6**
53. $12 \div 10$ **1.2**
54. $4 \div 8$ **0.5**
55. $14 \div 56$ **0.25**
56. $1 \div 5$ **0.2**
57. $1 \div 4$ **0.25**
58. $1 \div 10$ **0.1**
59. $1 \div 2$ **0.5**

El proyecto en marcha

Escribe los factores primos de tu número favorito. Halla los números entre los que sea divisible tu número favorito; encuentra también algunos múltiplos comunes de tu número. Haz pares con tu número y otros números para hallar el mínimo común múltiplo de cada par. Luego registra toda la información en una gráfica.

Resolución de problemas

Comprende
Planea
Resuelve
Revisa

5-2 • Descomposición factorial **279**

Notas sobre los ejercicios

■ Ejercicio 43

Ampliación Pida a los estudiantes que sigan estos pasos para hacer una lista de los números primos del 1 al 100. Dígales que este método se llama criba de Eratóstenes.

a. Escribe los números del 1 al 100.

b. Tacha el 1; el 1 no es número primo.

c. Rodea con un círculo el 2 y tacha todos los múltiplos de 2.

d. Rodea con un círculo el 3 y tacha todos los múltiplos de 3.

e. Rodea con un círculo el 5 y tacha todos los múltiplos de 5.

f. Continúa de la misma forma. Cuando hayas terminado, los números que estén rodeados con un círculo serán los números primos.

Los números primos del 1 al 100 son 2, 3, 5, 7, 11, 13, 17, 19, 23, 29, 31, 37, 41, 43, 47, 53, 59, 61, 67, 71, 73, 79, 83, 89, 97.

■ Ejercicio 44

Prevención de errores Algunos estudiantes pueden incluir el número 1 conforme hallan el número de los días primos. Recuérdeles que el 1 no es un número primo ni compuesto.

Respuestas de Ejercicios

44. 10 primo; 19 compuesto; Compuesto; Porque hay más números compuestos.

Evaluación adicional

Autoevaluación En la descomposición factorial de un número compuesto, identifica los pasos que te parezcan difíciles de desarrollar o que no entiendas; incluye un ejemplo.

Exercise Notes

■ Exercise 43

Extension Have students use the following steps to make a list of the prime numbers from 1–100. Tell students this method is called the Sieve of Eratosthenes.

a. Write the numbers from 1–100.

b. Cross out 1; it is not prime.

c. Circle 2 and cross out all other multiples of 2.

d. Circle 3 and cross out all other multiples of 3.

e. Circle 5 and cross out all other multiples of 5.

f. Continue in the same way. When you have finished, the circled numbers are prime.

The prime numbers from 1–100 are 2, 3, 5, 7, 11, 13, 17, 19, 23, 29, 31, 37, 41, 43, 47, 53, 59, 61, 67, 71, 73, 79, 83, 89, 97.

■ Exercise 44

Error Prevention Some students may include the number 1 as they find the number of prime-number days. Remind students that 1 is neither prime nor composite.

Project Progress

You may want to have students use Chapter 5 Project Master.

Exercise Answers

44. 10 prime; 19 composite; Composite; Because there are more of them.

Alternate Assessment

Self Assessment Identify any steps you find difficult to accomplish or do not understand when finding the prime factorization of a composite number and include an example.

▶ **Prueba rápida**

Halla la descomposición factorial de cada número.

1. 84 $2^2 \times 3 \times 7$
2. 48 $2^4 \times 3$
3. 27 3^3
4. 42 $2 \times 3 \times 7$
5. 75 3×5^2

Quick Quiz

Give the prime factorization of each number.

1. 84 $2^2 \times 3 \times 7$
2. 48 $2^4 \times 3$
3. 27 3^3
4. 42 $2 \times 3 \times 7$
5. 75 3×5^2

Available on Daily Transparency 5-2

5-3

Lesson Organizer

Objective

- Find the least common multiple for two numbers.

Vocabulary

- Multiple, common multiple, least common multiple (LCM)

Materials

- Explore: Spreadsheet software

NCTM Standards

- 1–4, 6

Review

Count by the indicated number.

1. By 5s to 60 5, 10, 15, 20, 25, 30, 35, 40, 45, 50, 55, 60

2. By 4s to 48 4, 8, 12, 16, 20, 24, 28, 32, 36, 40, 44, 48

3. By 6s to 60 6, 12, 18, 24, 30, 36, 42, 48, 54, 60

4. By 8s to 80 8, 16, 24, 32, 40, 48, 56, 64, 72, 80

Available on Daily Transparency 5-3

▶ Repaso

Sigue la numeración de acuerdo con el número indicado.

1. De 5 en 5 hasta 60 5, 10, 15, 20, 25, 30, 35, 40, 45, 50, 55, 60

2. De 4 en 4 hasta 48 4, 8, 12, 16, 20, 24, 28, 32, 36, 40, 44, 48

3. De 6 en 6 hasta 60 6, 12, 18, 24, 30, 36, 42, 48, 54, 60

4. De 8 en 8 hasta 80 8, 16, 24, 32, 40, 48, 56, 64, 72, 80

Introduce

Explore

You may wish to use Lesson Enhancement Transparency 20 with **Explore**.

The Point

Students use spreadsheet software to investigate numbers with factors of 2, 3, and 4 as well as numbers of their choice.

Ongoing Assessment

Be sure that students understand the information being provided by the spreadsheet.

For Groups That Finish Early

Repeat Steps 1–4 with the numbers 31 through 40.

1 Introducción

Investigar

Tal vez quiera usar Lesson Enhancement Transparency 20 con **Investigar**.

Objetivo

Los estudiantes usan el software de hoja de cálculo para investigar los números con factores de 2, 3 y 4, así como los números que elijan.

Evaluación continua

Asegúrese de que los estudiantes comprendan la información que se les proporciona en la hoja de cálculo.

Para los grupos que terminen antes

Repite los pasos 1–4 con los números del 31 al 40.

5-3 Mínimo común múltiplo

Vas a aprender...

- a hallar el mínimo común múltiplo de dos números.

...cómo se usa

Los astrónomos utilizan el mínimo común múltiplo para determinar cuándo pasarán los objetos celestes por la Tierra al mismo tiempo.

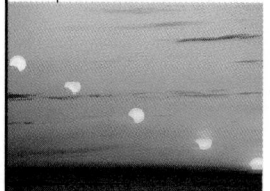

Vocabulario

múltiplo

común múltiplo

mínimo común múltiplo (MCM)

▶ **Enlace con la lección** Con base en tus conocimientos acerca de los números que dividen a un número dado, aprenderás sobre los números que un número dado divide. ◀

Investigar Múltiplo común

Entrarle todos parejos

Materiales: Hoja de cálculo

1. En una hoja de cálculo, introduce la siguiente información. Los números de la columna A deben llegar hasta el 30.

	A	B	C
1		Primer divisor	Segundo divisor
2		2	3
3			
4	Dividendo	Primer cociente	Segundo cociente
5	1	=A5/$B$2	=A5/$C$2
6	2		
7	3		
8	4		

2. Copia las fórmulas de B5 y C5 abajo de cada columna hasta el final de la lista en la columna A.

3. Las columnas B y C contienen el número de veces que el 2 y 3 aparecen en los números del 1 al 30. ¿En cuántos números aparece el 2 de manera equitativa? ¿En cuántos números aparece el 3 de manera equitativa? ¿En cuántos números aparecen ambos, 2 y 3, de manera equitativa? ¿Cuál es el primer número en donde el 2 y el 3 aparecen de manera equitativa?

4. Cambia el número de B2 a 4. ¿En cuántos números aparecen el 3 y el 4 de manera equitativa? ¿Cuál es el primer número en donde aparecen estos dos números de manera equitativa?

5. Cambia los números en B2 y C2 a cualesquiera números que tú escojas. Halla un par de números en los cuales aparezcan ambos de manera equitativa, pero que uno de los números sea del 1 al 30.

280 Capítulo 5 • Patrones y teoría de los números

MEETING INDIVIDUAL NEEDS

Resources

5-3 Practice
5-3 Reteaching
5-3 Problem Solving
5-3 Enrichment
5-3 Daily Transparency
 Problem of the Day
 Review
 Quick Quiz
Teaching Tool Transparencies 2, 3
Lesson Enhancement Transparency 20
Interactive CD-ROM Lesson

Recursos

5-3 Práctica
5-3 Práctica adicional
5-3 Resolución de problemas
5-3 Actividad de enriquecimiento
 Lección en el CD-ROM interactivo

Learning Modalities

Visual When students make their lists of multiples for pairs of numbers, have them put circles around each pair of common multiples.

Social Have students work in groups of 3 or 4 on **Explore**. If enough computers are available, you could have students work in pairs to maximize their experience.

Modos de aprendizaje

Visual Cuando los estudiantes hagan listas de múltiplos para pares de números, pídales que rodeen con un círculo los pares de múltiplos comunes.

Social Anime a los estudiantes a trabajar por parejas en **Investigar**. Si el salón cuenta con computadoras suficientes, esto les permitirá reforzar su experiencia.

English Language Development

Give students additional help with the terms in this lesson. Be sure they understand that, in these contexts, *common means shared*, not *ordinary* or *usual*. Also discuss what it means for two people to "have something in common."

Desarrollo del lenguaje

Ayude a los estudiantes a comprender los términos usados en esta lección. Asegúrese de que comprendan que en este contexto la palabra *común significa compartido*, no *ordinario* o *usual*. Explíqueles también lo que significa que dos personas "tengan algo en común".

Aprender | Mínimo común múltiplo

Un **múltiplo** de un número es el producto de este número por un número cabal.

Múltiplos de 6: 6, 12, 18, **24**, 30, 36, 42, **48**, 54, 60, 66, **72**,...

Múltiplos de 8: 8, 16, **24**, 32, 40, **48**, 56, 64, **72**, 80,...

Los números que aparecen en negrillas en ambas listas son **múltiplos comunes**. El **mínimo común múltiplo (MCM)** de dos números es el número menor diferente de cero que es múltiplo de ambos números.

Una forma de hallar el MCM de dos números es hacer una lista de los múltiplos de los dos números y después escoger el múltiplo común más pequeño que aparezca en ambas listas.

> **Sugerencia**
> Los factores y múltiplos tienen significados relacionados. Los múltiplos de 6 son 6, 12, 18, etc. Los factores de 6 son 1, 2, 3 y 6.

Ejemplos

1 Halla el mínimo común múltiplo de 10 y 12.

Múltiplos de 10: 10, 20, 30, 40, 50, **60**, 70, 80, 90, 100,...

Múltiplos de 12: 12, 24, 36, 48, **60**,...

El mínimo común múltiplo de 10 y 12 es 60.

2 En Estados Unidos se elige un presidente cada 4 años y un senador cada 6 años. Si un senador resulta electo el mismo año que el presidente, ¿cuántos años tendrán que pasar para que el senador pueda postularse para la reelección durante una campaña presidencial?

"When I said, 'term limits,' I was speaking in dog years."

"Cuando dije 'período' me refería a años perro"

© 1996 J.P. Rini from the Cartoon Bank™, Inc.

> **▶ Enlace con Historia**
> De acuerdo con la Constitución de Estados Unidos, una persona puede ser electa a la presidencia sólo por dos períodos de 4 años cada uno. No hay límite para el número de veces que una persona puede ser electa como senador.

Múltiplos de 4: 4, 8, **12**, 16, 20, 24, 28, 32,...

Múltiplos de 6: 6, **12**, 18, 24, 30, 36,...

El senador podrá postularse dentro de 12 años para la reelección durante una campaña presidencial.

Haz la prueba

Halla el MCM de cada par de números.

a. 5, 7 35   **b.** 3, 10 30   **c.** 4, 10 20   **d.** 9, 15 45

5-3 • Mínimo común múltiplo **281**

MATH EVERY DAY

▶ Problema del día

Los asistentes a la reunión Team Sports desean formar equipos con igual número de jugadores. Si se forman equipos de 2, 3, 4, 5 ó 6, una persona no podrá participar. ¿Cuál es el menor número posible de asistentes a la reunión Team Sports? 61 personas

Problem of the Day

The people at a meeting of Team Sports are forming teams with an equal number of players. When they form groups of 2, 3, 4, 5, or 6, there is always exactly one person left. What is the smallest number of players that could be part of the Team Sports group? 61 people

Available on Daily Transparency 5-3

An Extension is provided in the transparency package.

Dato del día

El número 1, seguido de 100 ceros forma un *googol*. El 1, seguido de un googol de ceros forma un *googolplex*.

Fact of the Day

The number 1 followed by 100 zeros is called a *googol*. The number 1 followed by a googol zeros is called a *googolplex*.

Mental Math

Find the least common multiple for each pair of numbers mentally.

1. 10, 90 90
2. 4, 5 20
3. 8, 48 48
4. 3, 8 24

Cálculo mental

Halla en forma mental el mínimo común múltiplo de cada par de números.

1. 10, 90 90
2. 4, 5 20
3. 8, 48 48
4. 3, 8 24

Respuestas de Investigar

1–2. Revise los datos que introdujeron los estudiantes.

3. 15; 10; 5; 6

4. 2; 12

5. Respuesta posible: 4 y 5

2 Enseñanza

Aprender

Con las listas de números de **Repaso**, de la página 280, pida a los estudiantes que identifiquen algunos múltiplos comunes y el mínimo común múltiplo de cada par de números.

4 y 6: 12, 24, 36, 48; MCM: 12

4 y 8: 8, 16, 24, 32, 40, 48; MCM: 8

Ejemplos adicionales

1. Halla el mínimo común múltiplo de 18 y 24.

   Múltiplos de 18: 18, 36, 54, **72**, 90,...

   Múltiplos de 24: 24, 48, **72**, 96, 120,...

   El mínimo común múltiplo de 18 y 24 es 72.

2. Nate juega fútbol soccer cada 6 días y béisbol cada 8. Si juega soccer y béisbol el mismo día, ¿cuántos días habrán de pasar antes de que juegue otra vez ambos deportes?

   Múltiplos de 6: 6, 12, 18, **24**, 30, 36,...

   Múltiplos de 8: 8, 16, **24**, 32, 40, 48,...

   Nate jugará ambos deportes otra vez en 24 días.

Answers for Explore

1–2. Check students' entries.

3. 15; 10; 5; 6

4. 2; 12

5. Possible answer: 4 and 5

Teach

Learn

Using the lists of numbers from **Review** on page 280, have students identify some common multiples and the least common multiple of each pair of numbers:

4 and 6: 12, 24, 36, 48; LCM: 12

4 and 8: 8, 16, 24, 32, 40, 48; LCM: 8

Alternate Examples

1. Find the least common multiple of 18 and 24.

   Multiples of 18: 18, 36, 54, **72**, 90, ...

   Multiples of 24: 24, 48, **72**, 96, 120, ...

   The least common multiple of 18 and 24 is 72.

2. Nate plays in a soccer game every 6 days and in a baseball game every 8 days. If he plays in soccer and baseball games on the same day, how many days will it be before he plays in both games again?

   Multiples of 6: 6, 12, 18, **24**, 30, 36, ...

   Multiples of 8: 8, 16, **24**, 32, 40, 48, ...

   Nate will play in both games again in 24 days.

Alternate Examples

3. Nancy and Gary want to spend the same amount of money on tapes and CDs for the local library. If tapes cost $10 each and CDs cost $14 each, what is the least amount of money they can spend for each?

Find the least common multiple of 10 and 14.

Multiples of 10: 10, 20, 30, 40, 50, 60, **70**, 80, 90, …

Multiples of 14: 14, 28, 42, 56, **70**, 84, …

The least amount of money they can spend for each is $70.

Practice and Assess

Check

Students should recognize from the examples that the LCM of two numbers is never less than the larger of the two numbers, but it may be the greater of the two numbers.

Answers for Check Your Understanding

1. No; The LCM can be equal to one of the numbers.

2. Yes; Since two prime numbers have no factors in common, the smallest number that can be divided evenly by both prime numbers is the product of the prime numbers.

3. Possible answer: A factor of a number is a number that evenly divides a given number. A multiple of a number is the product of the number and a whole number. 8 has four factors and an infinite number of multiples.

Ejemplos adicionales

3. Nancy y Gary quieren gastar la misma cantidad de dinero en casetes y discos compactos para donarlos a la biblioteca local. Si los casetes cuestan $10 cada uno y los discos compactos cuestan $14 cada uno, ¿cuál es la mínima cantidad de dinero que pueden gastar en cada uno?

Halla el mínimo común múltiplo de 10 y 14.

Múltiplos de 10: 10, 20, 30, 40, 50, 60, **70**, 80, 90,…

Múltiplos de 14: 14, 28, 42, 56, **70**, 84,…

La mínima cantidad de dinero que pueden gastar en cada uno es $70.

3 Práctica y evaluación

Comprobar

En los ejemplos, los estudiantes deben darse cuenta de que el MCM de dos números nunca es menor que el más grande de los números, pero puede ser mayor que ambos números.

Respuestas de Comprobar tu comprensión

1. No; El MCM puede ser igual a uno de los números.

2. Sí; Puesto que dos números primos no tienen factores en común, el número más pequeño que puede dividirse en forma exacta entre ambos números es el producto de tales números primos.

3. Respuesta posible: Un factor de un número es un número que lo divide en forma exacta. Un múltiplo de un número es el producto de ese número y un número cabal. 8 tiene cuatro factores y un número infinito de múltiplos.

Ejemplo 3

▶ **Enlace con Historia**

En los tribunales se usaban clepsidras (relojes de agua). A veces los abogados corruptos sobornaban a quienes medían el tiempo para que pusieran agua sucia en los relojes. Esta agua pasaría a través del reloj con mayor lentitud y, así, el abogado tendría más tiempo para hablar.

La clepsidra, o reloj de agua, y el reloj de arena fueron los primeros relojes que se usaron. En una clepsidra el agua pasa de un depósito a otro a una velocidad regular, lo que mide el transcurso del tiempo. En un reloj de arena, la arena pasa del receptáculo superior al inferior.

Cierta clepsidra antigua debía llenarse cada 12 minutos, un reloj de arena debía voltearse cada 30 minutos. Si ambos relojes comienzan al mismo tiempo, ¿cuándo volverán a empezar al mismo tiempo?

Halla el mínimo común múltiplo de 12 y 30.

Múltiplos de 30: 30, **60**, 90, 120, 150, 180, 210, 240, 270, 300,…

Múltiplos de 12: 12, 24, 36, 48, **60**,…

El mínimo común múltiplo de 12 y 30 es 60. Para que ambos relojes comiencen de nuevo al mismo tiempo tendrán que pasar 60 minutos.

Haz la prueba

Halla el MCM de cada par de números.

a. 6, 9 18 **b.** 8, 2 8 **c.** 20, 25 100 **d.** 10, 12 60

e. 5, 11 55 **f.** 6, 15 30 **g.** 6, 54 54 **h.** 1297, 1 1297

Comprobar Tu comprensión

1. Para cada par de números, ¿es el mínimo común múltiplo siempre mayor que ambos números? Explica por qué.

2. Terrence afirma que el mínimo común múltiplo de dos números primos es siempre el producto de estos números. ¿Crees que Terrence esté en lo correcto? Explica tu respuesta.

3. ¿Cuál es la diferencia entre un factor y un múltiplo? ¿Cuántos factores tiene 8? ¿Y cuántos múltiplos?

282 Capítulo 5 • Patrones y teoría de los números

▷ **MEETING MIDDLE SCHOOL CLASSROOM NEEDS**

Tips from Middle School Teachers

Because number-theory concepts are of such great importance in the study of algebra, I work especially hard to ensure that all students have a thorough understanding of the topics in this chapter.

Sugerencias de los maestros

En vista de que los conceptos de la teoría de los números son de gran importancia para el estudio del álgebra, siempre me aseguro de que los estudiantes comprendan perfectamente los temas de este capítulo.

Team Teaching

Have the social-studies teacher discuss with students the makeup of the Senate and the House of Representatives. Discuss number of members, the length of their terms, eligibility requirements, and so on.

Enseñanza en equipo

Anime al maestro de ciencias sociales a explicar a los estudiantes cómo se forma el Senado y la Cámara de Representantes. Dígale que comente cuántos miembros hay, cuánto duran sus funciones, los requerimientos, etcétera.

History Connection

Franklin D. Roosevelt is the only American President elected more than twice. He was elected four times. Roosevelt died after only $2\frac{1}{2}$ months into his fourth term, so he served just over 12 years, from 1933 to 1945.

Asociación con Historia

Franklin D. Roosevelt es la única persona que ha sido elegida más de dos veces como presidente de Estados Unidos. Fue presidente cuatro veces. Roosevelt murió $2\frac{1}{2}$ meses después de iniciar su cuarto período, pero fungió como presidente durante 12 años, de 1933 a 1945.

5-3 Ejercicios y aplicaciones

Práctica y aplicación

1. Para empezar Haz una lista de cinco múltiplos para cada número.

a. 3   **b.** 10   **c.** 11   **d.** 8   **e.** 4   **f.** 5

Haz una lista de tres múltiplos comunes para cada par de números.

2. 4, 6 12, 24, 36	**3.** 1, 5 5, 10, 15	**4.** 6, 2 6, 12, 18	**5.** 12, 5 60, 120, 180	**6.** 3, 9 9, 18, 27	**7.** 6, 7 42, 84, 126
8. 8, 11 88, 176, 264	**9.** 8, 4 8, 16, 24	**10.** 10, 15 30, 60, 90	**11.** 16, 4 16, 32, 48	**12.** 5, 3 15, 30, 45	**13.** 4, 7 28, 56, 84

Halla el MCM de cada par.

14. 7, 11   77   **15.** 3, 33   33   **16.** 8, 16   16

17. 5, 13   65   **18.** 2, 15   30   **19.** 10, 5   10

20. 15, 7   105   **21.** 4, 3   12   **22.** 6, 9   18

23. 14, 21   42   **24.** 4, 6   12   **25.** 6, 7   42

26. 6, 8   24   **27.** 10, 20   20   **28.** 3, 11   33

29. 7, 2   14   **30.** 88, 4   88   **31.** 15, 3   15

32. Victoria se viste de pantalón acampanado cada 2 días y sus zapatos de correr cada 3 días. Si usó pantalones acampanados con zapatos de correr el 1 de junio, ¿cuáles son las siguientes tres fechas en las cuales usará pantalones acampanados y zapatos de correr al mismo tiempo?
7, 13 y 19 de junio

33. Los autobuses Línea Azul llegan al Chesapeake Parkway cada 20 minutos. El Express Shuttle llega a la misma parada cada 3 minutos. ¿Qué tan seguido llegan los dos autobuses al mismo tiempo? **Cada 60 minutos**

34. En la siguiente pictografía sobre tiempos de la carrera falta la clave. Si la clave es un número cabal, proporciona tres tiempos posibles que Marty pudo haber corrido. **Respuesta posible: 3, 6 y 9 minutos**

Tiempos de la carrera	
David	⏱ ⏱ ⏱ ⏱ ✎
Marty	⏱ ⏱ ⏱ ⏱
Joel	⏱ ⏱ ⏱ ⏱ ⏱ ⏱

⏱ = ? min.

35. Para la prueba Chuck tiene práctica de béisbol cada 5 días y clase de trompeta cada 6 días. ¿Qué tan seguido tiene práctica de béisbol y clase de trompeta el mismo día? **D**

Ⓐ Cada 5 días
Ⓑ Cada 6 días
Ⓒ Cada 15 días
Ⓓ Cada 30 días

PRACTICAR 5-3

5-3 • Mínimo común múltiplo **283**

Assignment Guide

- Basic 1–35 odds, 36–38, 41–47 odds
- Average 1, 2–32 evens, 35–41, 44–48 evens
- Enriched 3–33 odds, 34–42, 43–47 odds

Notas sobre los ejercicios

■ Ejercicios 14–31

Ampliación Explica cómo hallarías el MCM de 3 o más números. Al hacer una lista de múltiplos comunes de los números hasta encontrar el número más pequeño que aparezca en todas las listas.

■ Ejercicio 34

Prevención de errores Si los estudiantes tienen dificultad en resolver este ejercicio, recuérdeles que cada símbolo representa la misma cantidad de tiempo y los símbolos incompletos representan cantidades parciales de tiempo.

Respuestas de Ejercicios

1. a. 3, 6, 9, 12, 15
   b. 10, 20, 30, 40, 50
   c. 11, 22, 33, 44, 55
   d. 8, 16, 24, 32, 40
   e. 4, 8, 12, 16, 20
   f. 5, 10, 15, 20, 25

Exercise Notes

■ Exercises 14–31

Extension Explain how you would find the LCM of 3 or more numbers. List common multiples of the numbers until you find the least number that appears in all the lists.

■ Exercise 34

Error Prevention If students have difficulty answering this exercise, remind them that each symbol represents the same amount of time and that parts of the symbol represent corresponding partial amounts of time.

Exercise Answers

1. a. 3, 6, 9, 12, 15
   b. 10, 20, 30, 40, 50
   c. 11, 22, 33, 44, 55
   d. 8, 16, 24, 32, 40
   e. 4, 8, 12, 16, 20
   f. 5, 10, 15, 20, 25

PRACTICE

Nombre _____ **Práctica 5-3**

Mínimo común múltiplo

Haz una lista de los primeros tres múltiplos comunes de los números dados.

1. 3, 2   6, 12, 18   **2.** 3, 4   12, 24, 36   **3.** 5, 4   20, 40, 60   **4.** 2, 8   8, 16, 24

5. 3, 5   15, 30, 45   **6.** 2, 7   14, 28, 42   **7.** 6, 5   30, 60, 90   **8.** 13, 2   26, 52, 78

Halla el MCM de cada par.

9. 6, 23   138   **10.** 3, 21   21   **11.** 9, 5   45   **12.** 17, 3   51

13. 7, 5   35   **14.** 21, 7   21   **15.** 2, 12   12   **16.** 15, 11   165

17. 4, 19   76   **18.** 6, 28   84   **19.** 14, 18   126   **20.** 23, 2   46

21. 15, 14   210   **22.** 11, 33   33   **23.** 5, 15   15   **24.** 8, 5   40

25. 26, 22   286   **26.** 3, 22   66   **27.** 2, 34   34   **28.** 15, 8   120

29. 10, 15   30   **30.** 12, 4   12   **31.** 6, 10   30   **32.** 43, 13   559

33. 24, 3   24   **34.** 36, 45   180   **35.** 17, 2   34   **36.** 24, 7   168

37. 29, 5   145   **38.** 27, 2   54   **39.** 9, 10   90   **40.** 31, 5   155

41. 62, 9   558   **42.** 2, 7   14   **43.** 6, 4   12   **44.** 10, 2   10

45. 4, 10   20   **46.** 6, 11   66   **47.** 11, 2   22   **48.** 7, 12   84

49. 7, 16   112   **50.** 14, 6   42   **51.** 10, 14   70   **52.** 22, 4   44

53. Marti trabaja de lunes a sábado, por lo que tiene un día libre cada 7 días. Necesita dar a su perro una medicina cada 5 días. ¿Qué tan seguido le da la medicina a su perro en su día libre? **Cada 35 días.**

54. El semáforo de la 4ta. y Main se pone en verde cada 6 minutos; el semáforo de la 5ta. y Broadway se pone en verde cada 4 minutos. Si ambos semáforos se ponen en verde a las 12:15 p.m., ¿cuándo son las siguientes tres veces en que ambos se pondrán en verde al mismo tiempo? **12:27 p.m., 12:39 p.m, 12:51 p.m**

RETEACHING

Nombre _____ **Práctica adicional 5-3**

Mínimo común múltiplo

Un **múltiplo** de un número es el producto del número por un número cabal. Cuando el mismo número es un múltiplo de dos o más números, es un **múltiplo común**. El múltiplo común más pequeño de dos números es el **mínimo común múltiplo (MCM)**.

— Ejemplo —

Encuentra el mínimo común múltiplo (MCM) de 15 y 20.

Haz una lista de los múltiplos comunes de 15 y 20.

Múltiplos de 15:	15 1 × 15	30 2 × 15	45 3 × 15	**60** 4 × 15	…

Múltiplos de 20:	20 1 × 20	40 2 × 20	**60** 3 × 20	80 4 × 20	…

El MCM es el número más pequeño que aparece en ambas listas. El MCM de 15 y 20 es 60.

Haz la prueba Halla el mínimo común múltiplo (MCM) de cada par de números.

a. 6 y 9
| Múltiplos de 6: | 6, | 12, | 18, | 24, | 30 | | MCM: __18__ |
| Múltiplos de 9: | 9, | 18, | 27, | 36, | 45 | | |

b. 12 y 18
| Múltiplos de 12: | 12, | 24, | 36, | 48, | 60 | | MCM: __36__ |
| Múltiplos de 18: | 18, | 36, | 54, | 72, | 90 | | |

c. Escribe los primeros cinco múltiplos de cada número.

Múltiplos de 8: __8, 16, 24, 32, 40__

Múltiplos de 10: __10, 20, 30, 40, 50__

d. Escoge el número más pequeño que aparece en ambas listas. __40__

Halla el mínimo común múltiplo (MCM) de cada par de números.

e. 5, 7   **f.** 4, 6

Múltiplos de 5: __5, 10, 15, 20, 25, 30, 35__   Múltiplos de 4: __4, 8, 12, 16__

Múltiplos de 7: __7, 14, 21, 28, 35__   Múltiplos de 6: __6, 12, 18, 24__

MCM: __35__   MCM: __12__

Práctica adicional

Actividad

- Haz una tabla como la que se muestra para hallar el mínimo común múltiplo de 9 y 15.

Múltiplos de 15	15	30	45
Divisible entre 9	No	No	Sí

- En la hilera superior haz una lista de los múltiplos de 15; revisa si el múltiplo es divisible entre 9. Deténte cuando tu respuesta sea sí. 45 es el MCM de 15 y de 9.

- Usa este método para hallar el mínimo común múltiplo de otros pares de números. El número mayor está en la primera hilera, y el número menor está en la segunda hilera.

Reteaching

Activity

- To find the least common multiple of 9 and 15, make a table like the one shown.

Multiples of 15	15	30	45
Divisible by 9	No	No	Yes

- In the top row, list multiples of 15, checking whether the multiple is divisible by 9. Stop when you answer yes. 45 is the LCM of 15 and 9.

- Use this method to find the least common multiples of other pairs of numbers. The greater number is in the first row, and the lesser number is in the second row.

Exercise Notes

■ **Exercises 36–39**

Problem-Solving Tip You may wish to use Teaching Tool Transparencies 2 and 3: Guided Problem Solving, pages 1–2.

■ **Exercise 39**

Extension Find the delivery date prior to January 1 when all four employees made deliveries on the same date. November 2

Alternate Assessment

Performance Demonstrate at the chalkboard your method for finding the least common multiple of a pair of numbers.

Quick Quiz

Find the least common multiple of each pair of numbers.

1. 18, 9 18
2. 4, 15 60
3. 10, 7 70
4. 9, 12 36
5. 15, 25 75

Available on Daily Transparency 5-3

Notas sobre los ejercicios

■ **Ejercicios 36–39**

Resolución de problemas Ten en cuenta Tal vez quiera usar Teaching Tool Transparencies 2 y 3: Guided Problem Solving, páginas 1–2.

■ **Ejercicio 39**

Ampliación Determina la fecha de entrega previa al 1.º de enero, en la que los cuatro empleados realizaron entregas el mismo día. 2 de noviembre

Evaluación adicional

Progreso Demuestra en la pizarra tu método para hallar el mínimo común múltiplo de un par de números.

➤ Prueba rápida

Encuentra el mínimo común múltiplo de cada par de números.

1. 18, 9 18
2. 4, 15 60
3. 10, 7 70
4. 9, 12 36
5. 15, 25 75

Resolución de problemas y razonamiento

Escoge una estrategia Usa el siguiente itinerario de entregas para resolver los ejercicios 36–39.

El señor Storrit administra una bodega. Cada empleado hace sus entregas de acuerdo con un patrón de días. Cada empleado hizo una entrega el 1 de enero.

Empleado	Entregas
Landry	Cada 5 días
Melancon	Cada 2 días
Norton	Cada 6 días
O'Hare	Cada 4 días

RESOLVER PROBLEMAS 5-3

36. ¿Qué tan seguido hacen entregas simultáneas Norton y Melancon? **Cada 6 días.**

37. ¿Qué tan seguido hacen entregas simultáneas Norton y O'Hare? **Cada 12 días.**

38. ¿Qué tan seguido harán entregas todos los empleados el mismo día? **Cada 60 días.**

39. Los cuatro empleados hacen una entrega el 1 de enero de un año que no es bisiesto. ¿Cuál es la siguiente fecha en la cual los cuatro empleados harán entregas el mismo día? **2 de marzo**

40. **En tu diario** Explica por qué no hay máximo común múltiplo para ningún par de números. **Hay un número infinito de múltiplos.**

41. **Razonamiento crítico** En una escuela intermedia la directora planea esconder premios en los casilleros nuevos de los estudiantes. La directora quiere poner una carpeta cada 10 casilleros, una playera de la escuela cada 15 casilleros y una mochila cada 50 casilleros. Si empieza a contar desde el casillero número 1, ¿cuál es el número del primer casillero en el que la directora pondrá los tres premios? **150**

42. **Comunicación** ¿Cuál es el MCM de 0.3 y 0.7? Explica tu respuesta. **2.1; el número más pequeño que es un número cabal múltiplo de 0.3 y 0.7.**

Resolución de problemas
ESTRATEGIAS
- Busca un patrón
- Organiza la información en una lista
- Haz una tabla
- Prueba y comprueba
- Empieza por el final
- Usa el razonamiento lógico
- Haz un diagrama
- Simplifica el problema

Repaso mixto

Compara por medio de > o < . *[Lección 2-3]*

43. 23,301 $>$ 23,103   44. 7,377 $<$ 73,777   45. 501,501 $>$ 501,105

Realiza las siguientes divisiones. *[Lección 3-11]*

46. 42 ÷ 0.7 **60**   47. 100 ÷ 0.05 **2000**   48. 6.32 ÷ 0.01 **632**

PROBLEM SOLVING

Nombre _____

Resolución guiada de problemas 5-3

RGP PROBLEMA 41, PÁGINA 284 DEL ESTUDIANTE

En una escuela intermedia la directora planea esconder premios en los casilleros nuevos de los estudiantes. La directora quiere poner una carpeta cada 10 casilleros, una playera de la escuela cada 15 casilleros y una mochila cada 50 casilleros. Si empieza a contar desde el casillero número 1, ¿cuál es el número del primer casillero en el que la directora pondrá los tres premios?

— Comprende —

1. Expresa el problema con tus propias palabras.

   Respuesta posible:

   Cada 10 casilleros hay una carpeta, cada 15 casilleros hay una playera

   y cada 50 casilleros hay una mochila. Halla el primer casillero que tendrá

   los tres premios.

2. Subraya la información que necesitas.

— Plan —

3. Halla el mínimo común múltiplo de 10, 15 y 50.

   a. Haz una lista de los múltiplos de 10:

   10, 20, 30, 40, 50, 60, 70, 80, 90, 100, 110, 120, 130, 140, 150

   b. Haz una lista de los múltiplos de 15: 15, 30, 45, 60, 75, 90, 105, 120, 135, 150

   c. Haz una lista de los múltiplos de 50: 50, 100, 150, 200

— Resuelve —

4. ¿Cuál es el mínimo común múltiplo de 10, 15 y 50? ___150___

5. ¿Cuál será el primer casillero que contendrá una carpeta, una playera

   y una mochila? El casillero 150.

— Revisa —

6. ¿De qué otra forma pudiste haber resuelto el problema?

   Mediante esta estrategia: Dibujar un diagrama.

RESUELVE OTRO PROBLEMA

Ernesto, Michelina y Kale se ofrecieron como voluntarios en el zoológico. Ernesto trabaja cada 5 días; Michelina trabaja cada 6 días y Kale trabaja cada 15 días. Hoy trabajan juntos. ¿Cuántos días pasarán antes de que vuelvan a trabajar juntos? 30 días.

ENRICHMENT

Nombre _____

Actividad de enriquecimiento 5-3

Tomar decisiones

Alyshia y Tamara fueron a comer al Café del Vecindario. Cada quien escogió uno de los especiales para la comida, una bebida y un postre de la lista del menú.

Especiales para la comida		Postres	
Ensalada césar	$5.25	Pastel de zanahoria	$1.50
Ensalada natural	$4.75	Mousse de chocolate	$2.25
Club sandwich	$4.75		
Hamburguesa con queso y champiñones	$4.50	**Bebidas**	
		Chocolate	$1.25
Gyro	$3.75	Leche	$1.00

1. Tamara tiene $7 para la comida. Si quiere un especial, una bebida y un postre, ¿qué alimentos puede escoger?

   Respuesta posible: gyro, pastel de zanahoria, leche; gyro, pastel de

   zanahoria, chocolate; gyro, mousse de chocolate, leche;

   hamburguesa con queso y champiñones, pastel de zanahoria, leche.

2. Alyshia tiene $10 para su comida. Si quiere un especial, una bebida y un postre, ¿qué alimentos puede escoger?

   Cualquier combinación de un especial, bebida y postre.

3. Tamara y Alyshia tienen $17. Quieren dejar $3.00 de propina para la mesera. ¿Cómo afectará esto a lo que pueden ordenar? ¿Cómo cambiará la orden de cada una de las niñas de las selecciones anteriores?

   Respuesta posible: Si comparten de manera equitativa, cada niña

   tendrá $7 para gastar después de deducir la propina

   y pueden escoger de las opciones del punto 1.

4. Ocho estudiantes van al Café del Vecindario para celebrar el fin del semestre. Cada estudiante ordena un especial, una bebida y un postre. ¿Aproximadamente cuánto costarán las ocho comidas? ¿Cómo determinaste esa cantidad?

   Alrededor de $64 porque un especial cuesta como $5, un postre

   cuesta como $2 y una bebida cuesta alrededor de $1 por

   un total de $8 por comida. 8 × $8 = $64 por 8 estudiantes.

Nuestro calendario se basa en el número 365, el número aproximado de días que tarda la Tierra en su movimiento de traslación. ¿Cómo sería el calendario si vivieras en un planeta cuyo movimiento de traslación fuera diferente? En esta investigación usarás factores y múltiplos para averiguarlo.

Una interrupción en el tiempo...

Venus gira alrededor del Sol una vez por cada 225 días de la Tierra. Por tanto, un año venusino equivale a 225 días terrestres.

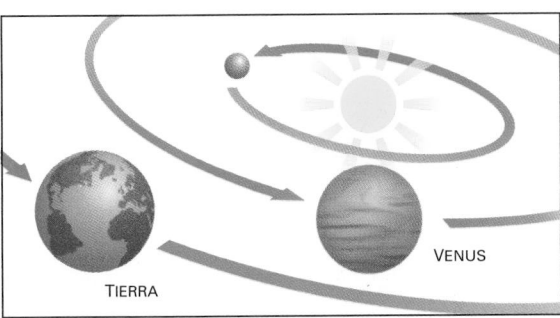

TIERRA

VENUS

1. Divide el año venusino (225 días) en meses; todos con el mismo número de días. Luego divide cada mes en semanas, todas con el mismo número de días. Asigna nombres a los meses y a los días de la semana. Explica cómo determinaste la duración de los meses y cómo la de las semanas.

2. Dibuja un calendario de un mes venusino.

3. Venus comienza un nuevo año cada 225 días. La Tierra comienza un nuevo año cada 365 días. Imagina que ambos planetas comienzan un nuevo año el mismo día. ¿Cuántos días pasarán antes de que esto ocurra otra vez? ¿A cuántos años equivale eso en la Tierra? ¿Y cuántos en Venus?

4. Los niños de la Tierra en su duodécimo cumpleaños tienen 4383 días. Esto es igual a 12 años terrestres, 144 meses terrestres y, aproximadamente, 626 semanas terrestres. De acuerdo con tu calendario venusino, ¿4383 días es igual a cuántos años, meses y semanas venusinos?

285

Una interrupción en el tiempo...

Objetivo

En *Una interrupción en el tiempo...*, de la página 269, los estudiantes examinaron los diferentes métodos que la gente ha usado para llevar el registro del tiempo. Ahora usarán factores y múltiplos para hacer el calendario del planeta Venus.

Acerca de esta página

- Puesto que los meses del calendario deben tener la misma duración, pregunte a los estudiantes qué números son factores de 225.

- Sugiérales que utilicen un patrón para nombrar los meses y los días de sus calendarios.

Evaluación continua

Quizá algunos estudiantes no sepan cómo resolver la pregunta 3. Examine con ellos de qué forma el mínimo común múltiplo les servirá para hallar la solución.

Ampliación

Supónte que nuestro calendario tiene las siguientes características:

- 360 días.

- 5 días de vacaciones por año.

- un día extra de vacaciones cada cuatro años. Estos días de vacaciones son días "extra" y no aparecen en el calendario.

- meses con un número igual de días.

- ningún mes con 30 días.

Determina cuántos meses, semanas y días tendrá el nuevo calendario. Dibuja un mes como ejemplo de este nuevo calendario. Asigna nombre a los días y a los meses. Respuestas posibles: 10 meses, 36 días por mes, 6 días por semana; 18 meses, 20 días por mes, 5 días por semana.

A Switch in Time ...

The Point

In *A Switch in Time ...* on page 269, students discussed different methods people have used to keep track of time. Now they will use factors and multiples to draw a calendar for the planet Venus.

About the Page

- Since the calendar must have months of equal length, ask students what numbers are factors of 225.

- Suggest that students use a theme or pattern for naming the months and days on their calendars.

Ongoing Assessment

Some students may not know how to solve Question 3. Discuss how finding the least common multiple will help them find the solution.

Extension

Suppose our calendar has the following:

- 360 days.

- 5 vacation days per year.

- an extra vacation day every fourth year. These vacation days are "extra" days and do not appear on the calendar.

- months with an equal number of days.

- no month with 30 days.

Decide how many months, weeks, and days this new calendar will have. Draw a sample month of this new calendar. Name the days and the months. Possible answers: 10 months, 36 days per month, 6 days per week; 18 months, 20 days per month, 5 days per week.

Respuestas de Asociación

1. Respuestas posibles: 9 meses, 25 días; 5 semanas, 5 días por mes; El primer mes: Enerius; El primer día de la semana: Lunae; La duración de un mes y de una semana deben ser factores de 225.

2.

Enerius				
L	M	M	G	V
1	2	3	4	5
6	7	8	9	10
11	12	13	14	15
16	17	18	19	20
21	22	23	24	25

3. 16,425 días; 45 años terrestres; 73 años venusinos.

4. Aproximadamente 19.5 años venusinos; Alrededor de 175.3 meses; 876.6 semanas.

Answers for Connect

1. Possible answer: 9 months, 25 days; 5 weeks, 5 days per week; 1st month: Jenian; 1st day of the week: Uno; The length of a month and a week must be factors of 225.

2.

Enerius				
L	M	M	G	V
1	2	3	4	5
6	7	8	9	10
11	12	13	14	15
16	17	18	19	20
21	22	23	24	25

3. 16,425 days; 45 Earth years; 73 Venus years.

4. About 19.5 Venus years; About 175.3 months; 876.6 weeks.

Review Correlation

Punto(s)	Lección(es)
1–12	5-1
13–24	5-2
25–38	5-3
39–42	5-2

Test Prep

Test-Taking Tip

Tell students that making an organized list can help them solve some problems. Here, students can eliminate numbers divisible by 2, then by 3, then by 5, and so on, until they find the prime number.

Answers for Review

25. 2, 4, 6, 8, 10, 12, 14

26. 6, 12, 18, 24, 30, 36, 42

27. 7, 14, 21, 28, 35, 42, 49

28. 9, 18, 27, 36, 45, 54, 63

29. 0, 0, 0, 0, 0, 0, 0

30. 12, 24, 36, 48, 60, 72, 84

40. 180; Write the prime factorization of each number. Find the product of the prime numbers represented, where each should be multiplied by itself the greatest number of times in any one factorization.

41. 5; Every fifth number is divisible by 5, whereas every seventh number is divisible by 7.

Correlación de repaso

Punto(s)	Lección(es)
1–12	5-1
13–24	5-2
25–38	5-3
39–42	5-2

Para la prueba

Sugerencia para la prueba

Explique a los estudiantes que hacer una lista organizada puede servirles para resolver algunos problemas. Los estudiantes pueden eliminar los números divisibles entre 2, 3, 5, etcétera, hasta encontrar el número primo.

Respuestas de Repaso

25. 2, 4, 6, 8, 10, 12, 14

26. 6, 12, 18, 24, 30, 36, 42

27. 7, 14, 21, 28, 35, 42, 49

28. 9, 18, 27, 36, 45, 54, 63

29. 0, 0, 0, 0, 0, 0, 0

30. 12, 24, 36, 48, 60, 72, 84

40. 180; Se escribe la descomposición factorial de cada número. Se halla el producto de los números primos representados, en donde cada uno debe multiplicarse por sí mismo el mayor número de veces en cualquier factorización.

41. 5; Cada quinto número es divisible entre 5, mientras que cada séptimo número es divisible entre 7.

Resources

Practice Masters
  Section 5A Review

Assessment Sourcebook
  Quiz 5A

  TestWorks
  Test and Practice Software

Sección 5A • Repaso

Indica si el primer número es divisible entre el segundo.

1. 6,4 No   2. 31,7 No   3. 48,2 Sí   4. 63,9 Sí   5. 22,6 No   6. 80,10 Sí

7. 175,5 Sí   8. 882,9 Sí   9. 78,6 Sí   10. 16,8 Sí   11. 72,3 Sí   12. 54,11 No

Halla la descomposición factorial.

13. 76 — $2^2 \times 19$ 14. 24 — $2^3 \times 3$ 15. 22 — 2×11 16. 59 — 59 es primo   17. 12 — $2^2 \times 3$ 18. 44 — $2^2 \times 11$

19. 114 — $2 \times 3 \times 19$ 20. 243 — 3^5 21. 73 — 73 es primo   22. 85 — 5×17 23. 81 — 3^4 24. 32 — 2^5

Haz una lista de los primeros siete múltiplos de cada número.

25. 2   26. 6   27. 7   28. 9   29. 0   30. 12

Halla el MCM de cada par.

31. 3,6 — 6   32. 5,15 — 15   33. 6,9 — 18   34. 8,12 — 24   35. 10,20 — 20   36. 9,2 — 18

37. **Ciencias sociales** Los miembros de la Cámara de Representantes son electos en años divisibles entre 2. ¿En qué años entre 1996 y 2006 se tendrán elecciones del Congreso? **1998, 2000, 2002, 2004**

38. **Comprensión numérica** Una forma abreviada de escribir "10 de mayo de 1962" es 5/10/62. Cuando la señora Ahearn escribe la fecha de su cumpleaños en esta forma, los números son los primeros tres múltiplos impares de 7. ¿Cuándo es su cumpleaños? **7/21/35**

39. La descomposición factorial de un número es $3 \times 3 \times 5 \times 13$. ¿Cuál es el número? **585**

40. ¿Cuál es el menor número que es divisible entre 2, 3, 4, 5, 6, 9 y 10? Explica cómo obtuviste la respuesta.

41. Si escoges al azar un número de dos dígitos, ¿es más probable que sea divisible entre 5 o entre 7? Justifica tu respuesta.

Para la prueba

Puedes usar las reglas de divisibilidad para determinar si un número es primo o compuesto.

42. ¿Cuál número es un número primo? **C**

ⓐ 63   ⓑ 78   ⓒ 109   ⓓ 115

286 *Capítulo 5 • Patrones y teoría de los números*

PRACTICE

Nombre _____

Práctica

Sección 5A • Repaso

Indica si el primer número es divisible entre el segundo.

1. 95, 5 — Sí   2. 72, 6 — Sí   3. 38, 4 — No   4. 48, 9 — No

Encuentra la descomposición factorial de cada número.

5. 85 — 5×17 6. 72 — $2^3 \times 3^2$ 7. 220 — $2^2 \times 5 \times 11$

8. 231 — $3 \times 7 \times 11$ 9. 128 — 2^7 10. 148 — $2^2 \times 37$

Haz una lista de los primeros siete múltiplos de cada número.

11. 3 — 3, 6, 9, 12, 15, 18, 21

12. 11 — 11, 22, 33, 44, 55, 66, 77

13. 8 — 8, 16, 24, 32, 40, 48, 56

14. 60 — 60, 120, 180, 240, 300, 360, 420

Halla el MCM de cada par.

15. 2, 9 — 18   16. 15, 10 — 30   17. 7, 63 — 63   18. 22, 4 — 44

19. Cierta ciudad tiene elecciones para alcalde en años divisibles entre 3. ¿En qué años entre 1996 y 2015 tendrán lugar las elecciones para la alcaldía? — 1998, 2001, 2004, 2007, 2010, 2013

20. La combinación del casillero de Margo consiste en los primeros tres números múltiplos pares de 9, en orden. ¿Cuál es la combinación? — 18–36–54

21. La descomposición factorial de un número es $5 \times 7 \times 7 \times 17$. ¿Cuál es el número? — 4165

22. **Salud** Una ración de frijoles fritos tiene 3 veces la cantidad de hierro que la misma ración de frijoles hervidos. Los fritos tienen 2.4 mg de hierro. Escribe y resuelve una ecuación para hallar la cantidad de hierro de una ración de frijoles hervidos. *[Lección 3-12]* — Ecuación posible: $3x = 2.4$; 0.8 mg

23. Cierta marca de lavadoras usa 140 litros de agua para lavar una carga de ropa. Convierte esta cantidad a mililitros. *[Lección 4-2]* — 140,000 mL

Section 5B

Connecting Fractions and Decimals

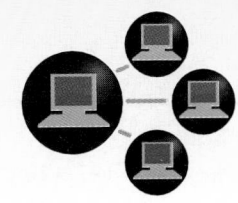

Visit **www.teacher.mathsurf.com** for links to lesson plans from teachers and other professionals, NCTM information, and other sites.

LESSON PLANNING GUIDE

► **Student Edition**

► **Ancillaries**

LESSON		MATERIALS	VOCABULARY	DAILY	OTHER
	Section 5B Opener				
5-4	Understanding Fractions	4 sheets of paper of different colors, scissors	fraction, denominator, numerator, equivalent fractions	5-4	Lesson Enhancement Trans. 21 Technology Master 23
5-5	Fractions in Lowest Terms		lowest terms, greatest common factor (GCF)	5-5	Lesson Enhancement Trans. 22 Technology Master 24
5-6	Improper Fractions and Mixed Numbers	pattern blocks or power polygons	improper fraction, mixed number	5-6	Teaching Tool Trans. 19 Lesson Enhancement Trans. 23 Ch. 5 Project Master
5-7	Converting Fractions and Decimals	tenth grids, 10 x 10 grids	terminating decimal, repeating decimal	5-7	Teaching Tool Trans. 11, 12
	Technology	spreadsheet software			*Interactive CD-ROM Spreadsheet/Grapher Tool*
5-8	Comparing and Ordering	Fraction Bars®	common denominator	5-8	Teaching Tool Trans. 2, 3, 14 Technology Master 25
	Connect	calculator			Interdisc. Team Teaching 5B Lesson Enhancement Trans. 24
	Review				Practice 5B; Quiz 5B; *TestWorks*
	Chapter 5 Summary and Review				
	Chapter 5 Assessment				Ch. 5 Tests Forms A–F *TestWorks*; Ch. 5 Letter Home
	Cumulative Review, Chapters 1–5	10 x 10 grid			Cumulative Review Ch. 1–5

SKILLS TRACE

LESSON	SKILL	FIRST INTRODUCED			DEVELOP	PRACTICE/ APPLY	REVIEW
		GR. 4	GR. 5	GR. 6			
5-4	Writing equivalent fractions.	✗			pp. 288–290	pp. 291–292	pp. 306, 317, 386, 390, 396, 562
5-5	Writing fractions in lowest terms.	✗			pp. 293–295	pp. 296–297	pp. 317, 396, 567
5-6	Converting improper fractions and mixed numbers.			✗ p. 298	pp. 298–299	pp. 300–301	pp. 317, 411, 415, 567
5-7	Converting fractions and decimals.		✗		pp. 302–304	pp. 305–306	pp. 317, 420, 427, 583
5-8	Comparing and ordering fractions.	✗			pp. 308–310	pp. 311–312	pp. 317, 431, 435, 439, 447, 587

CONNECTED MATHEMATICS

The unit *Bits and Pieces I (Understanding Rational Numbers)*, from the **Connected Mathematics** series, can be used with Section 5B.

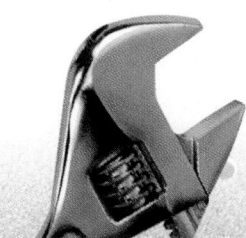

Math and Social Studies

(Worksheet pages 27–28: Teacher pages T27–T28)

In this lesson, students convert fractions and decimals related to horseshoe pitching.

Nombre _____ *Ciencias sociales*

Lanzamiento de herraduras

Conversión de fracciones y decimales relacionados con el lanzamiento de herraduras.

El lanzamiento de herraduras es un juego que se inventó por el año 100 d.C., cuando los soldados romanos empezaron a herrar a sus caballos. Quizá los soldados lanzaban herraduras como una manera de entretenerse. Después de 1500 años, los ingleses trajeron a América el lanzamiento de herraduras. Este juego ha sido popular desde entonces.

En este juego los participantes tiran las herraduras hacia una estaca. Una estaca es un tramo de metal con un extremo terminado en punta y que se clava en la tierra. Pueden jugar al mismo tiempo dos, tres o cuatro jugadores. Los jugadores anotan puntos si al lanzar la herradura cae a una distancia de 6 pulgadas de la estaca o alrededor de ésta.

Las personas lanzan herraduras en un campo rectangular que mide seis pies de ancho por cincuenta pies de largo. Hay un cuadro de lanzamiento en cada extremo de la cancha. El cuadro de lanzamiento mide seis pies cuadrados. Dentro de cada cuadro de lanzamiento hay una estaca. Los jugadores se colocan atrás de una raya, en un extremo de la cancha. Lanzan las herraduras hacia la estaca del otro extremo.

Hay muchas reglas estrictas para el lanzamiento de herraduras. La mayoría se refiere a las medidas. Por ejemplo, cada estaca debe tener una pulgada de diámetro. La estaca debe clavarse en la tierra y sobresalir quince pulgadas. También hay reglas referentes a la distancia.

Por ejemplo, los hombres lanzan desde una distancia de cuarenta pies. Las mujeres y los jóvenes lanzan desde una distancia de treinta pies.

1. La tabla de esta página contiene las características de las herraduras que pueden utilizarse. Para completar los espacios en blanco de la tabla, convierte las fracciones en decimales y viceversa. Expresa las fracciones en su mínima expresión.

	Medida expresada como una fracción o un número mixto	Medida expresada como un decimal
Anchura máxima de la herradura	$7\frac{1}{4}$ pulgadas	7.25 pulgadas
Longitud máxima de la herradura	$7\frac{5}{8}$ pulgadas	7.625 pulgadas
Peso máximo de la herradura	$2\frac{5}{8}$ libras	2.625 libras
Abertura en los extremos de la herradura	$3\frac{1}{2}$ pulgadas	3.5 pulgadas

---

Nombre _____ *Ciencias sociales*

Turno	Jugador A (mejor tiro)	Jugador B (mejor tiro)	Ganador	Resultado: Jugador A	Resultado: Jugador B
1	$\frac{2}{3}$ de pulgada	0.6 de pulgada	B	0	1
2	$\frac{3}{4}$ de pulgada	0.34 de pulgada	B	0	1
3	$\frac{1}{7}$ de pulgada	0.7 de pulgada	A	1	0
4	herrón	1.2 pulgadas	A	3	0
5	$2\frac{3}{10}$ pulgadas	herrón	B	0	3
6	$4\frac{5}{8}$ pulgadas	4.6 pulgadas	B	0	1
7	$\frac{4}{5}$ de pulgada	0.070 de pulgada	B	0	1
8	$\frac{7}{8}$ de pulgada	herrón	B	0	3
9	$\frac{4}{9}$ de pulgada	0.4 de pulgada	B	0	1
10	herrón	2.1 pulgadas	A	3	0

2. Un "herrón" se hace cuando un jugador lanza una herradura que circunda la estaca. Un herrón cuenta tres puntos en el resultado. Si ningún tirador lanza un herrón, se anota un punto más por la herradura más cercana a la estaca. Un jugador lanza dos herraduras en cada turno. Estudia la tabla anterior. ¿Quién es mejor jugador: A o B? Después de escoger al mejor jugador de cada turno y de dar el resultado del ganador, proporciona los resultados de todo el juego y escribe los totales de cada jugador y del ganador en los espacios siguientes. El "mejor tiro" representa la menor distancia entre la herradura y la estaca.

Resultado total del jugador A __7__

Resultado total del jugador B __11__

Ganador __Jugador B__

3. A principio de los veinte se fundó la Asociación Nacional de Lanzadores de Herradura de América. Esta asociación organiza juegos de campeonato cada año para hombres y mujeres. ¿De qué manera el que un juego tenga reglas de tamaño y distancia muy estrictas ayuda a que sea un juego justo?

Véase a continuación.

4. ¿Cómo puede ser importante la destreza de convertir las fracciones en decimales y viceversa para los lanzadores de herradura y para los jueces?

Véase a continuación.

5. ¿Cuándo es útil en tu vida diaria la destreza de convertir fracciones en decimales y viceversa?

Véase a continuación.

Respuestas adicionales

3. Las respuestas pueden ser diferentes. Los estudiantes pueden sugerir que todas las cosas deben ser iguales para que si un jugador gana sea porque tiene mejor destreza.

4. Las respuestas pueden variar. Los estudiantes pueden sugerir que como el lanzamiento de herraduras se juega en todo el mundo, algunas personas pueden medir las distancias con fracciones y otras con decimales. Para poder hacer comparaciones con facilidad, todos los números deben expresarse de la misma manera, ya sea en fracciones o en decimales.

5. Las respuestas de los estudiantes pueden variar. Pueden sugerir las estadísticas deportivas (1 hit en 3 turnos al bat = .333 promedio de bateo), el dinero ($\frac{1}{2}$ dólar es igual a \$0.50), y los precios de las acciones en la bolsa de valores ($3\frac{1}{2}$ = \$3.50).

BIBLIOGRAPHY

▷ FOR TEACHERS

Muirden, James. *Stars and Planets*. New York, NY: Kingfisher Books, 1993.

Blair, Harry and Bob Knauff. *Not Strictly by the Numbers*. Palo Alto, CA: Dale Seymore, 1996.

▷ FOR STUDENTS

Ericksen, Aase and Marjorie Wintermute. *Students, Structures, Spaces*. Reading, MA: Innovative Learning Publications, 1996.

Thomas, David A. *Math Projects for Young Scientists*. New York, NY: Watts, 1988.

Brownridge, Dennis R. *Metric in Minutes*. Belmont, CA: Professional Publications, 1994.

Fowler, Allan. *The Metric System*. Chicago, IL: Childrens Press, 1995.

Asociación entre fracciones y decimales

▶ Enlace con Industria ▶ www.mathsurf.com/6/ch5/tools

Mientras tanto, de regreso a la llave
DE TUERCA

Usar una herramienta puede simplificarte el trabajo, pero ¡escoger una puede ser algo de veras difícil! La razón es que existen tantas entre las cuales puedes elegir. Un texto reciente publicó una lista de casi mil herramientas que utilizan los trabajadores. Por ejemplo, las llaves de tuerca que se emplean para apretar tornillos u otros sujetadores. Algunas llaves de tuerca se ajustan a diferentes medidas, como las llaves de perico, las de muesca y las de cadena.

Otras llaves de tuerca tienen medidas fijas, como las de caja, las de punta abierta y las de pie de cuervo. Otras tienen fines específicos, como las de bujías, para depósitos de agua y las de bicicleta.

Para hacer esto más complicado, cada tipo de llave viene en diferentes medidas. En esta sección aprenderás cómo se usan las fracciones y los decimales para cuantificar estas medidas. Y también acerca de herramientas especiales que se emplean para medir los tamaños de objetos tan diferentes como huesos, telas, harina y lluvia.

1 Menciona alguna herramienta que hayas usado para medir el tamaño de un objeto. ¿Qué unidades utilizaste? ¿Eran medidas en fracciones o en decimales?

2 ¿Qué problemas habría si tus llaves de tuerca tuvieran medidas en pulgadas y los tornillos que quisieras apretar tuvieran medidas en milímetros?

3 ¿Por qué existen tantas clases de herramientas, y diferentes sistemas de medida para estas herramientas?

287

Where are we now?

In Section 5A, students learned how to

- test for divisibility.
- distinguish between prime and composite numbers.
- use prime factorization.
- find the least common multiple for two numbers.

Where are we going?

In Section 5B, students will

- represent values between whole numbers as fractions.
- simplify fractions.
- convert between improper fractions and mixed numbers.
- convert between fractions and decimals.
- compare and order fractions.

Tema: Herramientas

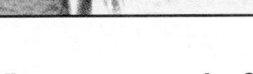

World Wide Web

Si su clase tiene acceso al World Wide Web, tal vez desee utilizar la información que se encuentra en las direcciones Web indicadas. El enlace interdisciplinario relaciona el tema examinado en esta sección.

Acerca de esta página

Esta página presenta el tema de la sección, herramientas, y comenta la gran diversidad de tamaños y usos de las herramientas.

Pregunte…

- ¿Qué es una llave? Una herramienta con mango largo y una especie de mandíbula que se usa para sujetar los objetos.

- ¿Por qué las herramientas se fabrican tanto en unidades usuales como en unidades métricas? En Estados Unidos se usan las unidades usuales, pero en la mayoría de los países se emplea el sistema métrico.

Ampliación

La siguiente actividad no requiere de acceso al Web.

Industria

¿Cuáles crees que son las herramientas más comunes en el hogar? Cuenta y clasifica las herramientas de tu propia casa. Anota los resultados de todo el salón en una gráfica. Investiga cuántas herramientas comunes se fabrican y se venden cada año en Estados Unidos.

Respuestas de Preguntas

1. Respuesta posible: La cinta para medir; Pulgadas y pies; Fracciones.

2. Respuesta posible: La llave no se ajustaría con exactitud.

3. Diferentes herramientas sirven para tareas específicas; Los países usan distintos sistemas de medición.

Asociación

En la página 313, los estudiantes usan fracciones y decimales para ordenar las llaves de acuerdo con sus medidas.

Theme: Tools

World Wide Web

If your class has access to the World Wide Web, you might want to use the information found at the Web site address given. The interdisciplinary link relates to topics discussed in this section.

About the Page

This page introduces the theme of the section, tools, and discusses the many sizes of and uses for tools.

Ask …

- What is a wrench? A long-handled tool with jaws used for gripping objects.

- Why are tools made using both metric and customary units? The United States uses customary units, but most other countries use the metric system.

Extension

The following activity does not require access to the World Wide Web.

Industry

Which tools do you think are most commonly found in the average household? Count and classify the tools in your own home. Compile the results of your research into a classroom graph. Find data about how many of each of the common tools are manufactured and sold each year in the United States.

Answers for Questions

1. Possible answer: Tape measure; Inches and feet; Fractional

2. Possible answer: The wrench would not fit exactly.

3. Different tools do different things; Different countries use different systems of measurement.

Connect

On page 313, students use fractions and decimals to order wrenches by size.

Lesson Organizer

Objective
- Represent values between whole numbers as fractions.

Vocabulary
- Fraction, denominator, numerator, equivalent fractions

Materials
- Explore: 4 sheets of paper of different colors, scissors

NCTM Standards
- 1–6, 12

Review
Write the number for the word name given.

1. Three-fourths $\frac{3}{4}$
2. Two-thirds $\frac{2}{3}$
3. Four-fifths $\frac{4}{5}$
4. Seven-eighths $\frac{7}{8}$
5. Nine-tenths $\frac{9}{10}$

Available on Daily Transparency 5-4

▶ Repaso
Dada la forma verbal, escribe la fracción en forma usual.

1. Tres cuartos $\frac{3}{4}$
2. Dos tercios $\frac{2}{3}$
3. Cuatro quintos $\frac{4}{5}$
4. Siete octavos $\frac{7}{8}$
5. Nueve décimos $\frac{9}{10}$

Introduce

Explore

You may wish to use Lesson Enhancement Transparency 21 with **Explore**.

The Point

Students cut colored paper to model halves, fourths, eighths, and sixteenths. They then use their models to find equivalent fractions.

Ongoing Assessment

Watch for students who have difficulty cutting congruent pieces. You might suggest that they fold the paper before cutting.

For Groups That Finish Early

Repeat Steps 1 and 2 with halves, thirds, sixths, and twelfths. Do not expect that the fractions will be exact.

1 Introducción

Investigar

Objetivo
Los estudiantes recortan papeles de colores para representar mitades, cuartos, octavos y dieciseisavos. Después usan estas representaciones para hallar fracciones equivalentes.

Evaluación continua
Esté pendiente de quienes tienen dificultad para recortar piezas congruentes. Sugiérales que doblen el papel antes de recortarlo.

Para los grupos que terminen antes
Repite los incisos 1 y 2 con mitades, tercios, sextos y doceavos. No esperes que las fracciones sean exactas.

5-4 Comprensión de fracciones

Vas a aprender...
- a representar, en forma de fracciones, valores entre dos números cabales.

...cómo se usa
Los plomeros utilizan fracciones para medir tubos y conexiones.

Vocabulario
- fracción
- denominador
- numerador
- fracciones equivalentes

▶ **Enlace con la lección** En el capítulo anterior aprendiste a usar decimales que indican cantidades por medio de valores posicionales menores que uno. Ahora aprenderás a utilizar fracciones que expresan números como partes iguales de un entero. ◀

Una **fracción** describe parte de un entero cuando éste se divide en partes iguales. En esta regla las pulgadas están divididas en 4 partes iguales. Cada sección es 1 de 4 partes o $\frac{1}{4}$.

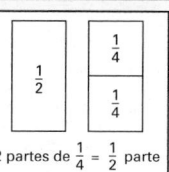

Investigar | Fracciones

Divídelo como quieras

Materiales: 4 hojas de papel de colores diferentes; tijeras

1. Corta la primera hoja de papel en mitades y marca cada pieza con $\frac{1}{2}$. Corta la segunda hoja de papel en cuartos y marca cada pieza con $\frac{1}{4}$. Corta la tercera hoja en octavos y marca cada pieza con $\frac{1}{8}$. Corta la cuarta hoja en dieciseisavos y marca cada pieza con $\frac{1}{16}$.

cada parte = $\frac{1}{8}$ cada parte = $\frac{1}{16}$

2. Observa que dos de tus piezas de $\frac{1}{4}$ caben exactamente en una pieza de $\frac{1}{2}$. Esto muestra que 2 cuartos, o $\frac{2}{4}$, es igual a $\frac{1}{2}$. Usa todas las piezas que recortaste para encontrar cinco pares de fracciones iguales. Haz un dibujo como el que se muestra para cada par de fracciones iguales. No uses $\frac{2}{4} = \frac{1}{2}$ como uno de tus pares.

2 partes de $\frac{1}{4}$ = $\frac{1}{2}$ parte

3. Un pluviómetro colocado en la plaza central mostró que había caído $\frac{1}{2}$ pulgada de lluvia durante la noche. Otro colocado en el aeropuerto mostró que habían caído $\frac{4}{8}$ de pulgada de lluvia. ¿Cuál pluviómetro registró más lluvia? Explica por qué.

4. Dos automóviles tienen tanques de gasolina de la misma capacidad. Un auto tiene $\frac{3}{4}$ de gasolina en el tanque y el otro tiene $\frac{11}{16}$. ¿Cuál auto tiene más gasolina? Explica tu respuesta.

▶ MEETING INDIVIDUAL NEEDS

Resources
5-4 Practice
5-4 Reteaching
5-4 Problem Solving
5-4 Enrichment
5-4 Daily Transparency
  Problem of the Day
  Review
  Quick Quiz
Lesson Enhancement Transparency 21
Technology Master 23

Recursos
5-4 Práctica
5-4 Práctica adicional
5-4 Resolución de problemas
5-4 Actividad de enriquecimiento
Tecnología 23

Learning Modalities
Visual It may be helpful for some students to repeat **Explore** using four paper circles.

Individual Ask students to describe situations in which they have used fractions.

Modos de aprendizaje
Visual Es recomendable que los estudiantes repitan las actividades de **Investigar** usando cuatro círculos de papel.

Individual Pida a los estudiantes que describan algunas situaciones en las que hayan usado fracciones.

Inclusion
Have students fold a piece of paper in half and shade one-half of it. Then have them fold the paper again to show that $\frac{1}{2} = \frac{2}{4}$. Point out that folding the halves into two equal parts is like doubling the numerator and the denominator. Have the students fold the paper again to show that $\frac{1}{2} = \frac{2}{4} = \frac{4}{8}$. Write these equivalent fractions on the board.

Inclusión
Dé instrucciones a los estudiantes para que doblen una hoja por la mitad y sombreen una de las dos partes. Pídales que vuelvan a doblar la hoja para mostrar que $\frac{1}{2} = \frac{2}{4}$. Explíqueles que doblar las mitades equivale a multiplicar el numerador y el denominador al mismo tiempo. Pídales que hagan otro doblez para mostrar que $\frac{1}{2} = \frac{2}{4} = \frac{4}{8}$. Escriba las fracciones equivalentes en la pizarra.

Una fracción indica que cierta porción de algo se ha dividido en partes iguales. El número inferior, el **denominador**, indica el número de partes del entero. El número superior, el **numerador**, indica a cuántas partes se refiere.

Puedes leer la fracción $\frac{5}{8}$ de tres maneras: "cinco octavos", "cinco sobre ocho" o "cinco de ocho".

Cuando el numerador y el denominador son el mismo número, la fracción es igual a 1.

$$\frac{6}{6} = \boxed{} = \text{un entero} = 1$$

Ejemplo 1

Un desarmador plano tiene la punta en forma de raya (−). Un desarmador Phillips tiene la punta en forma de cruz (+). ¿Qué fracción de todos los que se muestran en la figura de la derecha son desarmadores planos? ¿Qué fracción son desarmadores Phillips?

Hay 12 desarmadores; siete son planos. La fracción de éstos es $\frac{7}{12}$. Hay cinco desarmadores Phillips, por tanto, $\frac{5}{12}$ son Phillips.

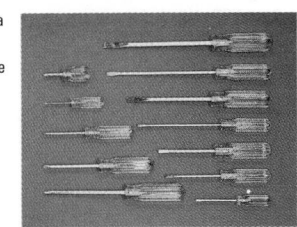

▶ **Enlace con Industria**

Muchos desarmadores se han inventado para propósitos específicos. Los desarmadores de cinco lados se usan para los hidrantes, mientras que los hexagonales se utilizaron para las armaduras del siglo XV.

Recuerda que el mismo número puede expresarse de diferentes formas con decimales. Por ejemplo, $5.2 = 5.20 = 5.200 = 5.2000$.

Las fracciones pueden tener también nombres diferentes. Dos fracciones que indican la misma cantidad son **fracciones equivalentes**. En el primer rectángulo, 2 de 3 partes iguales están sombreadas. En el segundo rectángulo, 4 de 6 partes iguales están sombreadas. La misma cantidad está sombreada en ambos rectángulos, pues $\frac{2}{3} = \frac{4}{6}$.

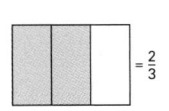

$= \frac{2}{3}$

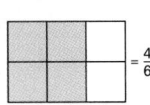

$= \frac{4}{6}$

No te olvides

Cuando agregas ceros al final de un decimal, no cambias su valor.
[Página 148]

Seguimiento

Pida a los estudiantes que compartan sus estrategias para responder al inciso 4.

Respuestas de Investigar

1. Revise las hojas de los estudiantes.

2. Respuestas posibles: $\frac{1}{2} = \frac{4}{8}, \frac{1}{2} = \frac{8}{16}$, $\frac{2}{8} = \frac{1}{4}, \frac{4}{8} = \frac{2}{4}, \frac{1}{4} = \frac{4}{16}$

3. Registraron lo mismo.

4. El auto con $\frac{3}{4}$ del tanque. $\frac{3}{4} > \frac{11}{16}$.

2 Enseñanza

Aprender

Escriba varias fracciones en la pizarra y pida a los estudiantes que las lean en voz alta; anímelos a decir cuál es el numerador y cuál el denominador.

Ejemplos adicionales

1. La maestra Hayes tiene 24 estudiantes en su clase. Once son niñas. ¿Cuál es la fracción de niñas en la clase? ¿Cuál es la fracción de niños?

   Puesto que 11 de los 24 estudiantes son niñas, la fracción de niñas es $\frac{11}{24}$. Hay 13 niños, por tanto, $\frac{13}{24}$ de la clase son niños.

Follow Up

Ask students to share their strategies for answering Step 4.

Answers for Explore

1. Check students' papers.

2. Possible answers: $\frac{1}{2} = \frac{4}{8}, \frac{1}{2} = \frac{8}{16}$, $\frac{2}{8} = \frac{1}{4}, \frac{4}{8} = \frac{2}{4}, \frac{1}{4} = \frac{4}{16}$

3. They recorded the same.

4. The car with $\frac{3}{4}$ of a tank of gas. $\frac{3}{4} > \frac{11}{16}$.

Teach

Learn

Write several fractions on the chalkboard and have students read the fractions out loud, and name the numerator and denominator.

Alternate Examples

1. Ms. Hayes has 24 students in her class. Eleven of the students are girls. What fraction of the class are girls? What fraction are boys?

   Since 11 of the 24 students are girls, the fraction that are girls is $\frac{11}{24}$. There are 13 boys, so $\frac{13}{24}$ of the class are boys.

MATH EVERY DAY

▶ **Problema del día**

La primera vez que lanzaron un dado, Nuru obtuvo el número mayor y Leon obtuvo el menor. El MCM de ambos números es 12. En el segundo lanzamiento, Leon obtuvo el número mayor y Nuru el menor. El MCM en este caso es 10. En total, Leon obtuvo 2 puntos más que Nuru. ¿Cuántos puntos obtuvieron?
Primer lanzamiento: Nuru: 4, Leon: 3; Segundo lanzamiento: Nuru: 2, Leon: 5

Problem of the Day

On the first roll of a number cube, Nuru rolls the larger and Leon rolls the smaller of two numbers that have an LCM of 12. On the second roll, Leon rolls the larger and Nuru rolls the smaller of two numbers that have an LCM of 10. Leon then had a total of 2 more points than Nuru. How many points did each boy score on each roll?
First roll: Nuru-4 points, Leon-3 points; Second roll: Nuru-2 points, Leon-5 points

Available on Daily Transparency 5-4

An Extension is provided in the transparency package.

$0.3 = \frac{3}{10}$

$0.23 = \frac{23}{100}$

$0.9 = \frac{9}{10}$

$0.59 = \frac{59}{100}$

Dato del día

Los objetos de vidrio más antiguos que se conocen son las cuentas elaboradas en Egipto y Mesopotamia alrededor del año 1500 a.C.

Fact of the Day

The oldest known glass objects are beads produced in Egypt and Mesopotamia around 1500 B.C.

Mental Math

Give each decimal as a fraction.

1. $0.3 \; \frac{3}{10}$
2. $0.23 \; \frac{23}{100}$
3. $0.9 \; \frac{9}{10}$
4. $0.59 \; \frac{59}{100}$

Cálculo mental

Convierte estos decimales en fracciones.

1. $0.3 \; \frac{3}{10}$
2. $0.23 \; \frac{23}{100}$
3. $0.9 \; \frac{9}{10}$
4. $0.59 \; \frac{59}{100}$

Alternate Examples

2. $\frac{5}{8}$ of the rectangle has been shaded. Name a fraction equivalent to $\frac{5}{8}$.

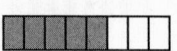

You can draw a line across the rectangle, cutting it into 16 pieces. Then 10 pieces are shaded. $\frac{5}{8} = \frac{10}{16}$.

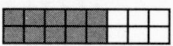

3. What fraction of the individual shoes are sandals? Give two equivalent fractions for your answer.

There are 16 shoes, and 6 of them are sandals. $\frac{6}{16}$ of the shoes are sandals. There are 8 pairs of shoes, and 3 pairs are sandals. $\frac{3}{8}$ of the pairs of shoes are sandals. $\frac{6}{16} = \frac{3}{8}$.

Practice and Assess

Check

Answers for Check Your Understanding

1. The top number tells how many parts are being named; The bottom gives the number of parts in the whole.

2. An infinite amount; After one fraction is used to describe the situation, there are infinitely many equivalent fractions that can describe the same situation.

3. Possible answer: Eating 1 slice of a pizza cut in fourths is the same as eating 2 slices of the same pizza cut in eighths.

Ejemplos adicionales

2. $\frac{5}{8}$ del rectángulo están sombreados. Menciona una fracción equivalente a $\frac{5}{8}$.

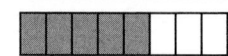

Puede dibujarse una línea a lo largo del rectángulo, de suerte que quede dividido en 16 partes. En consecuencia, 10 partes estarían sombreadas. $\frac{5}{8} = \frac{10}{16}$.

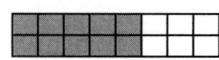

3. ¿Qué fracción de los zapatos son sandalias? Señala dos fracciones equivalentes.

Hay 16 zapatos y de ellos 6 son sandalias. $\frac{6}{16}$ de los zapatos son sandalias. Hay 8 pares de zapatos y 3 pares son sandalias. $\frac{3}{8}$ de los pares de zapatos son sandalias. $\frac{6}{16} = \frac{3}{8}$.

3 Práctica y evaluación

Comprobar

Respuestas de Comprobar tu comprensión

1. El número superior indica cuántas partes se mencionan; El número inferior señala en cuántas partes está dividido el entero.

2. Una cantidad infinita; Después de usar una fracción para describir la situación, hay un número infinito de fracciones equivalentes que pueden describir esa misma situación.

3. Respuesta posible: Comerse una rebanada de una pizza que se ha cortado en cuartos es lo mismo que comerse 2 rebanadas de la misma pizza cortada en octavos.

Ejemplo 2

Se han sombreado $\frac{3}{5}$ del rectángulo. Señala una fracción equivalente a $\frac{3}{5}$.

Puedes trazar una línea a lo largo del rectángulo y dividirlo así en 10 partes. Después sombrea 6 piezas. $\frac{3}{5} = \frac{6}{10}$

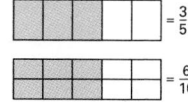

En algunas situaciones quizá debas hallar una fracción equivalente para una fracción dada. En otras puede ser útil encontrar dos fracciones equivalentes.

Ejemplo 3

¿LO SABÍAS?

Los palillos chinos vienen en tamaños "para él" y "para ella". Los de hombres miden como ocho pulgadas, en tanto que los de mujeres miden alrededor de siete pulgadas.

Los palillos chinos miden 10 pulgadas de largo y tienen puntas planas. Los palillos japoneses miden de 7 a 8 pulgadas de largo y tienen puntas afiladas. ¿Qué fracción de palillos son chinos? Da dos fracciones equivalentes para tu respuesta.

Hay 20 palillos, 14 de los cuales son chinos. Así, $\frac{14}{20}$ de los palillos son chinos. Hay 10 pares de palillos, 7 de los cuales son chinos. Entonces, $\frac{7}{10}$ de los pares de palillos son chinos. $\frac{14}{20} = \frac{7}{10}$.

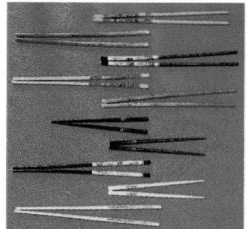

Haz la prueba

a. ¿Qué fracción de los chiles jalapeños son rojos? ¿Qué fracción no lo son? $\frac{6}{11}$ son rojos; $\frac{5}{11}$ no lo son.

b. ¿Qué fracción representa la parte sombreada del rectángulo? Indica una fracción equivalente. $\frac{7}{8}$; Respuesta posible: $\frac{14}{16}$

Comprobar Tu comprensión

1. En una fracción, ¿qué indican los números superior e inferior?

2. ¿Cuántas fracciones puedes usar para describir una parte de un entero? Explica tu razonamiento.

3. Da un ejemplo de la vida cotidiana para mostrar que $\frac{1}{4} = \frac{2}{8}$.

MEETING MIDDLE SCHOOL CLASSROOM NEEDS

Tips from Middle School Teachers

Materials: Standard measuring cups
When explaining fractions to students, I find it helpful to use some real-life examples, such as standard measuring cups. I have students point out the markings on each cup, name the fraction, and identify the numerator and denominator. If the cups are marked for ounces, I extend the discussion to cover eighths.

Team Teaching

Have the industrial-arts teacher show students examples of various drill bits, types of screwdrivers, and other tools that might interest students.

Science Connection

Tools make it easier to do work. Tools with only a few parts are called simple machines. Screws, ramps, levers, pulleys, wedges, and wheel and axle are all simple machines.

Sugerencias de los maestros

Materiales: tazas usuales de medición

Cuando explico el uso de fracciones, me gusta usar ejemplos de la vida cotidiana, como las tazas para medir. Los estudiantes observan las medidas en las tazas, mencionan las fracciones e identifican el numerador y el denominador. Si las medidas se expresan en onzas, podemos ampliar el tema analizando los octavos.

Enseñanza en equipo

Invite al maestro de diseño industrial a presentar varios ejemplos de brocas, desarmadores y otras herramientas que puedan interesar a los estudiantes.

Asociación con Ciencias

Las herramientas facilitan el trabajo. Las herramientas hechas con pocas piezas se conocen como herramientas simples. Los destornilladores, rampas, palancas, poleas, engranes y ejes son herramientas simples.

Práctica y aplicación

1. Para empezar ¿Qué fracción representa la parte sombreada?

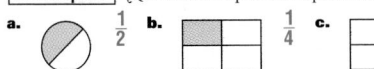

a. $\frac{1}{2}$ b. $\frac{1}{4}$ c. $\frac{5}{8}$ d. $\frac{3}{4}$

Para cada fracción, dibuja un modelo y da una fracción equivalente.

2. $\frac{3}{4}$ **3.** $\frac{7}{9}$ **4.** $\frac{1}{2}$ **5.** $\frac{12}{17}$ **6.** $\frac{5}{8}$ **7.** $\frac{2}{3}$

8. $\frac{12}{12}$ **9.** $\frac{8}{16}$ **10.** $\frac{11}{11}$ **11.** $\frac{4}{10}$ **12.** $\frac{6}{7}$ **13.** $\frac{3}{8}$

14. $\frac{1}{9}$ **15.** $\frac{6}{8}$ **16.** $\frac{2}{7}$ **17.** $\frac{2}{4}$ **18.** $\frac{8}{11}$ **19.** $\frac{9}{10}$

La ventana de la derecha tiene secciones de igual tamaño con vidrios opacos y transparentes.

20. ¿Qué fracción de la ventana tiene vidrios opacos? $\frac{7}{9}$

21. ¿Qué fracción de la ventana tiene vidrios transparentes? $\frac{2}{9}$

22. Imagina que necesitan remplazarse tres secciones de la ventana. Indica dos fracciones que describan esta cantidad. $\frac{3}{9}, \frac{1}{3}$

23. Para la prueba ¿Qué fracción expresa una de siete partes iguales? B

Ⓐ $\frac{7}{1}$ Ⓑ $\frac{1}{7}$ Ⓒ $\frac{7}{7}$

Geometría Usa las figuras que se muestran para contestar los ejercicios 24–26.

24. ¿Qué fracción de las figuras tiene cinco lados? $\frac{3}{7}$

25. ¿Qué fracción de las figuras no tiene tres lados? $\frac{6}{7}$

26. ¿Qué fracción es mayor: la de las figuras con cuatro lados o la de las figuras con cinco lados? **Son iguales.**

Assignment Guide

- Basic 1–27 odds, 28, 29–41 odds
- Average 1–23 odds, 24–30, 32–42 evens
- Enriched 3–23 odds, 24–30, 31–41 odds

Notas sobre los ejercicios

■ Ejercicios 24–26

Ampliación ¿Cuál es el nombre de los polígonos de 5 lados? Pentágono Tal vez quiera que identifiquen los otros polígonos que se muestran.

Respuestas de Ejercicios

Respuestas posibles:

2. $\frac{6}{8}$;

3. $\frac{14}{18}$;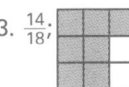

4. $\frac{2}{4}$;

5. $\frac{24}{34}$;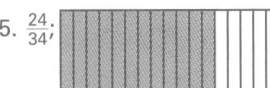

6. $\frac{10}{16}$;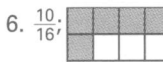

7–19. Véase la página C3.

Exercise Notes

■ Exercises 24–26

Extension What is a 5-sided polygon called? Pentagon You may wish to have students identify the other polygons shown.

Exercise Answers

Possible answers:

2. $\frac{6}{8}$;

3. $\frac{14}{18}$;

4. $\frac{2}{4}$;

5. $\frac{24}{34}$;

6. $\frac{10}{16}$;

7–19. See page C3.

Práctica adicional

[Actividad]

Materiales: 20 tarjetas o piezas pequeñas de papel

- Trabaja con un compañero y haz una lista de 10 pares de fracciones equivalentes. Escribe una fracción en cada tarjeta.

- Intercambien tarjetas con otro par de estudiantes y después colóquenlas boca abajo.

- El jugador 1 escoge dos tarjetas. Si las tarjetas son fracciones equivalentes, se queda con ellas. Si no, las regresa a su lugar puestas boca abajo, y le toca al jugador 2 elegir dos tarjetas.

- El ganador será el que tenga el mayor número de tarjetas.

Reteaching

Activity

Materials: 20 index cards or small pieces of paper

- Work with a partner and make a list of 10 pairs of equivalent fractions. Write one fraction on each index card.

- Exchange index cards with another pair of students and then place the cards face down.

- Player 1 selects two cards. If the cards are equivalent fractions, Player 1 keeps them. If not, he or she returns the cards face down, and Player 2 selects two cards.

- The player with the most cards at the end of the game wins.

Exercise Notes

■ Exercise 28

Error Prevention Watch for students who are confused by the outside borders of some of the picture frames. Point out that they can look at the shape of the picture inside the frame to determine the number of square picture frames.

Exercise Answers

28. $\frac{6}{13}$: numerator 6, denominator 13; $\frac{12}{26}$: numerator 12, denominator 26

31. a, b; They are divided into four equal parts.

Alternate Assessment

Performance Draw a model for $\frac{1}{3}$ and then show how to use the model to find two or more equivalent fractions.

Quick Quiz

For each fraction, name an equivalent fraction.

Possible answers are given.

1. $\frac{5}{6}$ $\frac{10}{12}$

2. $\frac{8}{12}$ $\frac{2}{3}$

3. $\frac{6}{10}$ $\frac{12}{20}$

4. $\frac{7}{8}$ $\frac{14}{16}$

5. $\frac{15}{25}$ $\frac{3}{5}$

Available on Daily Transparency 5-4

Notas sobre los ejercicios

■ Ejercicio 28

Prevención de errores Observe a los estudiantes que se confunden con el contorno de los marcos de los cuadros. Señale que pueden observar la forma de la pintura dentro del marco para determinar el número de marcos cuadrados.

Respuestas de Ejercicios

28. $\frac{6}{13}$: numerador 6, denominador 13; $\frac{12}{26}$: numerador 12, denominador 26

31. a, b; Están divididas en cuatro partes iguales.

Evaluación continua

Progreso Representa gráficamente $\frac{1}{3}$ y muestra cómo usar esta representación para hallar dos o más fracciones equivalentes.

► Prueba rápida

Señala una fracción equivalente en cada ejercicio.

Se dan respuestas posibles.

1. $\frac{5}{6}$ $\frac{10}{12}$

2. $\frac{8}{12}$ $\frac{2}{3}$

3. $\frac{6}{10}$ $\frac{12}{20}$

4. $\frac{7}{8}$ $\frac{14}{16}$

5. $\frac{15}{25}$ $\frac{3}{5}$

---

27. Industria Celia necesita 20 clavos y 8 tornillos para construir un librero. ¿Qué fracción de lo que necesita son tornillos? $\frac{8}{28}$ ó $\frac{2}{7}$

28. Indica dos fracciones que describan el número de marcos cuadrados. Identifica los numeradores y los denominadores. RGP

Resolución de problemas y razonamiento

Usa la tabla de la medida de las brocas para resolver los ejercicios 29 y 30.

Número	Medida de la broca
#4	$\frac{1}{4}$ in.
#5	$\frac{5}{16}$ in.
#6	$\frac{6}{16}$ in.
#7	$\frac{7}{16}$ in.
#8	$\frac{2}{4}$ in.

29. Razonamiento crítico Las medidas de las brocas aumentan de acuerdo con un patrón matemático. ¿Cuál será la medida para una broca del #10?

30. Razonamiento crítico ¿Qué número de broca necesitarías para una perforación de $\frac{3}{4}$ de pulgada? #12

29. $\frac{10}{16}$ in. ó $\frac{5}{8}$ in.

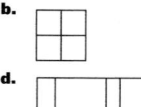

31. Comunicación ¿Cuáles de estas figuras están divididas en cuartos? Explica por qué.

a.

b.

c.

d.

32. Explica qué sucede con el valor de una fracción cuando el numerador aumenta y el denominador se queda igual? ¿Qué pasa cuando el denominador aumenta y el numerador no cambia?

Es más grande; Es más pequeña

Repaso mixto

Redondea al valor posicional subrayado. *[Lección 3-2]*

33. 101.9̲3 101.9 **34.** 6.79̲2 6.792 **35.** 48.2̲5 48.3 **36.** 0̲.672 1 **37.** 8̲.7 9 **38.** 12.7̲02 12.7

Resuelve las siguientes ecuaciones. *[Lección 3-12]*

39. $92.4n = 9240$ $n = 100$ **40.** $p \div 0.05 = 5$ $p = 0.25$ **41.** $1.45h = 2.9$ $h = 2$ **42.** $w \div 3 = 333.3$ $w = 999.9$

292 Capítulo 5 • Patrones y teoría de los números

RESOLVER PROBLEMAS 5-4

► PROBLEM SOLVING

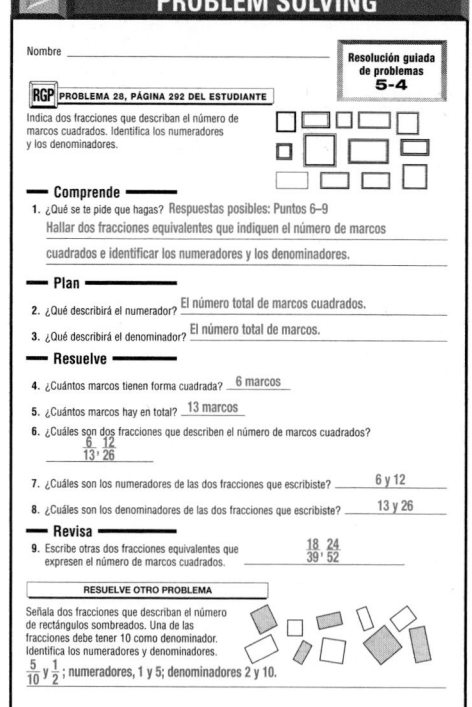

► ENRICHMENT

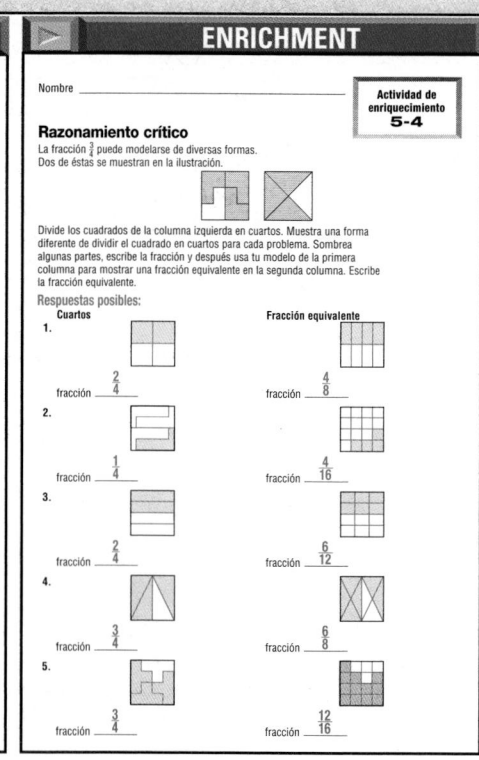

Fracciones en su mínima expresión

▶ Enlace con la lección Ya sabes que fracciones diferentes pueden tener valores equivalentes; así que ahora aprenderás a expresar una fracción de la manera más sencilla. ◀

Investigar | Fracciones equivalentes

Fracciones en acción

1. Completa la tabla. Multiplica las partes sombreadas y el total de partes por el mismo número, para tener en cada hilera fracciones equivalentes.

Modelo	Fracción	$\frac{\times 2}{\times 2}$	$\frac{\times 3}{\times 3}$	$\frac{\times 4}{\times 4}$
	$\frac{1}{2}$	$=\frac{2}{4}$	$=\frac{?}{6}$	$=\frac{?}{?}$

2. Completa la tabla. Divide las partes sombreadas y el número total de partes entre el número indicado, para tener en cada fila fracciones equivalentes. Si una fracción no se puede hacer, escribe "no la puedo hacer".

Modelo	Fracción	$\frac{\div 2}{\div 2}$	$\frac{\div 3}{\div 3}$	$\frac{\div 4}{\div 4}$
	$\frac{6}{12}$	$=\frac{3}{6}$	$=\frac{2}{4}$	No la puedo hacer

3. ¿Pueden convertirse todas las fracciones a una fracción equivalente que tenga números mayores? ¿Y a una fracción equivalente que tenga números menores? Explica tu respuesta.

Vas a aprender...

■ a escribir una fracción en su mínima expresión.

...cómo se usa

Los jardineros que utilizan productos orgánicos deben escribir fracciones en su mínima expresión para asegurarse de que están cuidando su cosecha en forma adecuada.

Vocabulario

factor común

mínima expresión

máximo común divisor (MCD)

MEETING INDIVIDUAL NEEDS

Recursos
5-5 Práctica
5-5 Práctica adicional
5-5 Resolución de problemas
5-5 Actividad de enriquecimiento
Tecnología 24

Resources
5-5 Practice
5-5 Reteaching
5-5 Problem Solving
5-5 Enrichment
5-5 Daily Transparency
Problem of the Day
Review
Quick Quiz
Lesson Enhancement Transparency 22
Technology Master 24

Modos de aprendizaje
Visual Anime a los estudiantes a representar fracciones y fracciones equivalentes con modelos circulares.

Social Los estudiantes deben resolver por parejas el primer ejercicio y el segundo. Sugiéreles que se pongan de acuerdo antes de proceder.

Learning Modalities
Visual Have students represent fractions and equivalent fractions using circular fraction models.

Social Have students work in pairs, one partner on the first exercise and the other on the second. Have them agree on their solutions before proceeding.

Desafío
Anime a los estudiantes a hallar el MCD de un conjunto de números, haciendo primero la descomposición factorial de cada número mediante los exponentes. Después deberán identificar los factores comunes y hallar el producto de las potencias menores de los factores identificados. Dígales que usen este método para hallar el MCD de estos conjuntos de números:

1. 36, 90, 126 $2 \times 3^2 = 18$
2. 96, 144, 240 $2^4 \times 3 = 48$
3. 60, 180, 300 $2^2 \times 3 \times 5 = 60$

Challenge
Have students find the greatest common factor of a set of numbers by finding the prime factorization of each number using exponents. Then have them identify any common factors and find the product of the least powers of any common factor identified. Have students use this method to find the greatest common factor of the following sets of numbers:

1. 36, 90, 126 $2 \times 3^2 = 18$
2. 96, 144, 240 $2^4 \times 3 = 48$
3. 60, 180, 300 $2^2 \times 3 \times 5 = 60$

5-5
Lesson Organizer

5-5

Objective
■ **Write a fraction in lowest terms.**

Vocabulary
■ **Common factor, lowest terms, greatest common factor (GCF)**

NCTM Standards
■ **1–6**

▶ Repaso

Halla una fracción equivalente en cada ejercicio.

Se dan respuestas posibles.

1. $\frac{3}{4}$ $\frac{6}{8}$

2. $\frac{2}{3}$ $\frac{4}{6}$

3. $\frac{4}{5}$ $\frac{12}{15}$

4. $\frac{7}{8}$ $\frac{14}{16}$

5. $\frac{9}{10}$ $\frac{90}{100}$

Review

For each fraction, find an equivalent fraction.

Possible answers are given.

1. $\frac{3}{4}$ $\frac{6}{8}$

2. $\frac{2}{3}$ $\frac{4}{6}$

3. $\frac{4}{5}$ $\frac{12}{15}$

4. $\frac{7}{8}$ $\frac{14}{16}$

5. $\frac{9}{10}$ $\frac{90}{100}$

Available on Daily Transparency 5-5

---

1 Introducción

Investigar

Objetivo
Los estudiantes usan diagramas de fracciones simples para determinar de qué modo estas fracciones pueden renombrarse siempre por medio de la multiplicación, pero no siempre mediante la división.

Evaluación continua
Cerciórese de que los estudiantes comprendan que el número de fracciones equivalentes en el inciso 1 es infinito.

Para los grupos que terminen antes
Da ejemplos de fracciones para las cuales no puedan escribirse fracciones equivalentes mediante la división.

Respuestas de Investigar en la siguiente página.

Introduce

Explore
You may wish to use Lesson Enhancement Transparency 22 with **Explore**.

The Point
Students use simple fraction diagrams to determine how fractions can always be renamed using multiplication, but not always using division.

Ongoing Assessment
Check that students understand that there is no limit to the number of equivalent fractions they could model in Step 1.

For Groups That Finish Early
Give examples of fractions for which you cannot write equivalent fractions by dividing.

Answers for Explore on next page.

Answers for Explore

1. Row 1: $\frac{1}{2}, \frac{2}{4}, \frac{3}{6}, \frac{4}{8}$.

   Row 2: $\frac{2}{3}, \frac{4}{6}, \frac{6}{9}, \frac{8}{12}$,

   Row 3: $\frac{3}{4}, \frac{6}{8}, \frac{9}{12}, \frac{12}{16}$

2. Row 2: $\frac{4}{6}, \frac{2}{3}$, can't do, can't do;

   Row 3: $\frac{4}{8}, \frac{2}{4}$, can't do, $\frac{1}{2}$

3. Yes; No; There is an infinite number of multiples for a given number, but not an infinite number of factors.

Teach

Learn

Write the fraction $\frac{12}{24}$ on the chalkboard. Ask students to write equivalent fractions by multiplying. $\frac{24}{48}, \frac{36}{72}, \ldots$ Then ask other students to write equivalent fractions by dividing. $\frac{6}{12}, \frac{4}{8}, \frac{3}{6}$ Have them note that the number of fractions in the first list is infinite, while the number in the second list is limited.

Alternate Examples

1. Find two fractions equivalent to $\frac{12}{16}$.

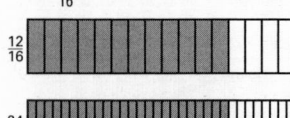

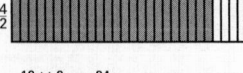

   $\frac{12 \times 2}{16 \times 2} = \frac{24}{32}$

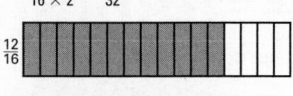

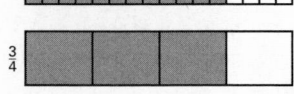

   $\frac{12 \div 4}{16 \div 4} = \frac{3}{4}$

   Two fractions equivalent to $\frac{12}{16}$ are $\frac{24}{32}$ and $\frac{3}{4}$.

2. The diameter of a drill bit measures $\frac{40}{64}$ inch. Give this fraction in lowest terms.

   $\frac{40 \div 2}{64 \div 2} = \frac{20}{32}$

   $\frac{20 \div 4}{32 \div 4} = \frac{5}{8}$

   There are no numbers that divide into both 5 and 8. $\frac{40}{64}$ in lowest terms is $\frac{5}{8}$.

Respuestas de Investigar

1. Hilera 1: $\frac{1}{2}, \frac{2}{4}, \frac{3}{6}, \frac{4}{8}$.

   Hilera 2: $\frac{2}{3}, \frac{4}{6}, \frac{6}{9}, \frac{8}{12}$;

   Hilera 3: $\frac{3}{4}, \frac{6}{8}, \frac{9}{12}, \frac{12}{16}$

2. Hilera 2: $\frac{4}{6}, \frac{2}{3}$, no es posible, no es posible;

   Hilera 3: $\frac{4}{8}, \frac{2}{4}$, no es posible, $\frac{1}{2}$

3. Sí; No; Hay un número infinito de múltiplos para un número dado, pero no un número infinito de factores.

2 Enseñanza

Aprender

Escriba en la pizarra $\frac{12}{24}$. Pida a los estudiantes que escriban fracciones equivalentes mediante la multiplicación. $\frac{24}{48}, \frac{36}{72}, \ldots$ Después pida a otros estudiantes que escriban fracciones equivalentes utilizando la división. $\frac{6}{12}, \frac{4}{8}, \frac{3}{6}$ Dígales que observen que el número de fracciones de la primera lista es infinito, mientras que el número de la segunda lista es finito.

Ejemplos adicionales

1. Halla dos fracciones equivalentes a $\frac{12}{16}$.

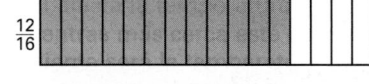

   $\frac{12 \times 2}{16 \times 2} = \frac{24}{32}$

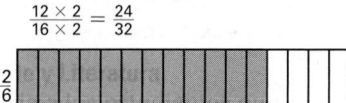

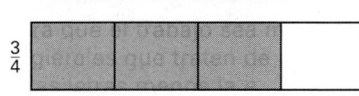

   $\frac{12 \div 4}{16 \div 4} = \frac{3}{4}$

   Dos fracciones equivalentes a $\frac{12}{16}$ son $\frac{24}{32}$ y $\frac{3}{4}$.

2. El diámetro de una broca mide $\frac{40}{64}$ de pulgada. Expresa esta medida en su mínima expresión.

   $\frac{40 \div 2}{64 \div 2} = \frac{20}{32}$

   $\frac{20 \div 4}{32 \div 4} = \frac{5}{8}$

   No hay números que se dividan entre 5 y 8. $\frac{40}{64}$ es, en su mínima expresión, igual a $\frac{5}{8}$.

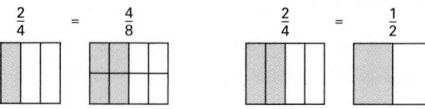

Aprender   Fracciones en su mínima expresión

Puedes hallar fracciones equivalentes si multiplicas o divides el numerador y el denominador de una fracción dada entre un mismo número diferente de cero.

$$\frac{2}{4} = \frac{4}{8} \qquad \frac{2}{4} = \frac{1}{2}$$

Ejemplo 1

Resolución de problemas
TEN EN CUENTA

Cuando busques fracciones equivalentes, trata de multiplicar y dividir por números fáciles como 2, 3 y 10.

Halla dos fracciones equivalentes a $\frac{9}{12}$.

$\frac{9 \times 2}{12 \times 2} = \frac{18}{24}$ Multiplica el numerador y el denominador por 2.

$\frac{9 \div 3}{12 \div 3} = \frac{3}{4}$ Divide el numerador y el denominador entre 3.

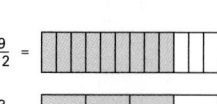

Dos fracciones equivalentes a $\frac{9}{12}$ son $\frac{18}{24}$ y $\frac{3}{4}$.

No te olvides

Una fracción en su mínima expresión se conoce también como una fracción en su forma más simple.

[Curso anterior]

Cuando multiplicas para encontrar fracciones equivalentes, puedes usar como multiplicador cualquier número diferente de cero. Cuando divides debes usar un **factor común** que divida al numerador y al denominador. Si no hay un número cabal diferente que los divida a ambos, la fracción está entonces en su **mínima expresión**.

Ejemplo 2

Una aguja de tejer del número 15 mide aproximadamente $\frac{24}{60}$ de pulgada. ¿Cuál es esta fracción en su mínima expresión?

$\frac{24 \div 4}{60 \div 4} = \frac{6}{15}$ Divide el numerador y el denominador entre 4.

$\frac{6 \div 3}{15 \div 3} = \frac{2}{5}$ Divide el numerador y el denominador entre 3.

No hay números que dividan al 2 y al 5. Por tanto, $\frac{24}{60}$ en su mínima expresión es $\frac{2}{5}$.

294 Capítulo 5 • Patrones y teoría de los números

MATH EVERY DAY

▶ Problema del día

Domingo tiene algunas monedas en su bolsillo. Éstas no pueden formar grupos de cinco, diez, veinticinco, cincuenta centavos o un dólar. Suponiendo que no tiene monedas de un dólar, ¿cuál es la mayor cantidad de dinero que puede tener? $1.19: 1 moneda de cincuenta centavos, 1 de veinticinco, 4 de diez y 4 de un centavo.

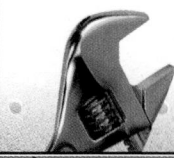

Problem of the Day

Domingo has some change in his pocket. He cannot make change for a nickel, dime, quarter, half dollar, or dollar. Assuming he has no silver dollars, what is the greatest amount of money he can have? $1.19: 1 half-dollar, 1 quarter, 4 dimes, and 4 pennies

Available on Daily Transparency 5-5

An Extension is provided in the transparency package.

Dato del día

Algunas máquinas de coser industriales tienen muchas agujas que funcionan al mismo tiempo. Estas máquinas llegan a crear 120,000,000 costuras en un minuto.

Fact of the Day

A knitting machine has many needles that work together. It can produce as many as 12,000,000 stitches a minute.

Mental Math

Do these mentally.

1. $1200 - 398$ 802
2. $25 + 65 + 35$ 125
3. $550 - 153$ 397
4. $198 + 98$ 296

Cálculo mental

Haz estos cálculos en forma mental.

1. $1200 - 398$ 802
2. $25 + 65 + 35$ 125
3. $550 - 153$ 397
4. $198 + 98$ 296

Puedes reducir una fracción a su mínima expresión en un solo paso si hallas el mayor número cabal que divida tanto al numerador como al denominador. Ese número se llama el **máximo común divisor (MCD)** .

No te olvides

Al contrario del máximo común divisor, el mínimo común múltiplo es el número más pequeño que es divisible entre dos números.

[Página 281]

Ejemplos

3 Halla el MCD de 36 y 90.

Divisores de 36: ①, ②, ③, 4, ⑥, ⑨, 12, ⑱, 36

Divisores de 90: ①, ②, ③, 5, ⑥, ⑨, 10, 15, ⑱, 30, 45, 90

Los divisores comunes de 36 y 90 son 1, 2, 3, 6, 9 y 18. El *máximo* común divisor es 18.

4 Halla el MCD de 24 y 30 y úsalo para reducir $\frac{24}{30}$.

Divisores de 24: ①, ②, ③, 4, ⑥, 8, 12, 24

Divisores de 30: ①, ②, ③, 5, ⑥, 10, 15, 30

Los divisores comunes de 24 y 30 son 1, 2, 3 y 6. El *máximo* común divisor es 6.

$$\frac{24 \div 6}{30 \div 6} = \frac{4}{5}$$

$\frac{24}{30}$ en su mínima expresión es $\frac{4}{5}$.

CÁLCULO MENTAL

El uso de las reglas de divisibilidad puede ayudarte a hallar los factores de un número.

Haz la prueba

Halla dos fracciones equivalentes para una fracción dada.

a. $\frac{6}{10} \frac{3}{5}, \frac{12}{20}$ **b.** $\frac{12}{15} \frac{4}{5}, \frac{24}{30}$ **c.** $\frac{7}{21} \frac{1}{3}, \frac{14}{42}$

Halla el MCD de los pares de números dados.

d. 15, 20 5   **e.** 10, 12 2   **f.** 18, 45 9

Escribe las fracciones en su mínima expresión.

g. $\frac{8}{10} \frac{4}{5}$ **h.** $\frac{21}{28} \frac{3}{4}$ **i.** $\frac{36}{54} \frac{2}{3}$

Comprobar Tu comprensión

1. ¿Cómo puedes usar el MCD cuando reduces una fracción a su mínima expresión?

2. Puedes escribir fracciones en su mínima expresión. ¿Puedes también escribirlas en su "máxima expresión"? Explica tu razonamiento.

Ejemplos adicionales

3. Halla el MCD de 28 y 42.

Factores de 28: ①, ②, 4, ⑦, ⑭, 28

Factores de 42: ①, ②, 3, 6, ⑦, ⑭, 21, 42

Los factores comunes de 28 y 42 son 1, 2, 7 y 14. El *máximo* común divisor es 14.

4. Halla el MCD de 32 y 48, y úsalo para simplificar $\frac{32}{48}$.

Factores de 32: ①, ②, ④, ⑧, ⑯, 32

Factores de 48: ①, ②, 3, ④, 6, ⑧, 12, ⑯, 24, 48

Los factores comunes de 32 y 48 son 1, 2, 4, 8 y 16. El *máximo* común divisor es 16.

$$\frac{32 \div 16}{48 \div 16} = \frac{2}{3}$$

$\frac{32}{48}$ es, en su mínima expresión, igual a $\frac{2}{3}$.

3 Práctica y evaluación

Comprobar

Diga a los estudiantes que repasen el ejemplo 2. Pídales que identifiquen el máximo común divisor de 24 y 60 y que lo usen para escribir la fracción en su mínima expresión.

El MCD es 12; $\frac{24 \div 12}{60 \div 12} = \frac{2}{5}$

Si bien para usar el MCD sólo se necesita una división, algunos estudiantes pueden preferir dividir entre factores que les parezcan más obvios.

Respuestas de Comprobar tu comprensión

1. Se dividen el numerador y el denominador entre el MCD para simplificar la fracción a su mínima expresión.

2. No; Hay un número infinito de fracciones equivalentes con numeradores y denominadores mayores.

Alternate Examples

3. Find the GCF of 28 and 42.

Factors of 28: ①, ②, 4, ⑦, ⑭, 28

Factors of 42: ①, ②, 3, 6, ⑦, ⑭, 21, 42

The common factors of 28 and 42 are 1, 2, 7, and 14. The *greatest* common factor is 14.

4. Find the GCF of 32 and 48, and use it to reduce $\frac{32}{48}$.

Factors of 32: ①, ②, ④, ⑧, ⑯, 32

Factors of 48: ①, ②, 3, ④, 6, ⑧, 12, ⑯, 24, 48

The common factors of 32 and 48 are 1, 2, 4, 8, and 16. The *greatest* common factor is 16.

$$\frac{32 \div 16}{48 \div 16} = \frac{2}{3}$$

$\frac{32}{48}$ in lowest terms is $\frac{2}{3}$.

Practice and Assess

Check

Refer students to Example 2. Have them identify the greatest common factor of 24 and 60 and use it to give the fraction in lowest terms.

GCF is 12; $\frac{24 \div 12}{60 \div 12} = \frac{2}{5}$

Even though using the GCF requires only one division, some students may prefer to divide by factors that are more obvious to them.

Answers for Check Your Understanding

1. Divide the numerator and denominator by their GCF to reduce the fraction to lowest terms.

2. No; There are infinitely many equivalent fractions with larger numerators and denominators.

MEETING MIDDLE SCHOOL CLASSROOM NEEDS

Sugerencias de los maestros

Por lo general, a los estudiantes les gusta jugar pulgares arriba o abajo. Elabore 20 tarjetas que muestren pares de fracciones equivalentes o desiguales. Tome una tarjeta a la vez. Pida a los estudiantes que levanten su pulgar si las fracciones son equivalentes o lo extiendan hacia abajo si las fracciones no son iguales.

Aprendizaje en equipo

Los estudiantes deberán trabajar por equipos y listar diez fracciones equivalentes a $\frac{10}{25}$. Una vez hecho esto, pídales que combinen sus listas. Repita la actividad con otras fracciones.

Asociación con Cultura

Las herramientas más antiguas que se conocen fueron encontradas en Etiopía y datan de hace 2 millones 500 mil años. Se fabricaron con piedra y se cree que se usaban para cortar o rebanar. En el condado de Washington, Pennsylvania también se encontraron varios cuchillos, peladores y raspadores hechos de cuarzo, un tipo de piedra sumamente dura. Se calcula que su antigüedad oscila entre 11,000 y 16,000 años.

Tips from Middle School Teachers

Students enjoy playing the following game of thumbs up or thumbs down. Make 20 or more fraction cards showing a pair of equal or unequal fractions on each card. Hold up one card at a time. Have students signal thumbs up if the fractions are equal and thumbs down if the fractions are not equal.

Cooperative Learning

Have students work in groups and list ten fractions equal to $\frac{10}{25}$. Then have groups combine their lists. Repeat the activity with other fractions.

Cultural Connection

The earliest known tools were found at Hadar, Ethiopia, and date from about 2.5 million years ago. They were made of stone and used for chopping and slicing. Knives, scrapers, and spearheads made from *chert*, a flintlike rock, have been located in Washington County, Pennsylvania. It is estimated that they are about 11,000 to 16,000 years old.

Assignment Guide

- Basic 1–49 odds, 50–53, 54–60 evens

- Average 1, 2–50 evens, 51, 53, 54, 57–61

- Enriched 1–19 odds, 44–56, 58–61

Exercise Notes

■ Exercises 14–31

Extension For each exercise, give a different equivalent fraction.

■ Exercise 51

Test Prep Stress the importance of reading multiple-choice problems carefully. If students selected B, they found the fraction of hammers that have blue handles instead of the fraction of hammers that do not have blue handles.

Notas sobre los ejercicios

■ Ejercicios 14–31

Ampliación Da una fracción equivalente en cada ejercicio.

■ Ejercicio 51

Para la prueba Subraye la importancia de leer con atención los problemas de elección múltiple. Si los estudiantes escogieron B, en realidad hallaron la fracción de martillos con mango azul en lugar de la fracción de martillos que no tienen mango azul.

Reteaching

Activity

- To find the greatest common factor of 36 and 90, first write the prime factorization of each number without using exponents. Then put a box around the common factors as shown.

$36 = \boxed{2} \times 2 \times \boxed{3} \times \boxed{3}$

$90 = \boxed{2} \times \boxed{3} \times \boxed{3} \times 5$

- The common factors of 36 and 90 are 2, 3, and 3. Find the product of these common factors: $2 \times 3 \times 3 = 18$. 18 is the *greatest* common factor.

- Use this method to find the GCF of each pair.

  48 and 64 16

  36 and 108 36

  64 and 96 32

Práctica adicional

Actividad

- Para encontrar el máximo común divisor de 36 y 90, primero escribe la descomposición factorial de cada número sin usar exponentes. Después encierra en un recuadro los factores comunes, como se muestra en el ejemplo.

$36 = \boxed{2} \times 2 \times \boxed{3} \times \boxed{3}$

$90 = \boxed{2} \times \boxed{3} \times \boxed{3} \times 5$

- Los factores comunes de 36 y 90 son 2, 3 y 3. Encuentra el producto de estos factores comunes: $2 \times 3 \times 3 = 18$. 18 es el *máximo común divisor*.

- Usa este método para hallar el MCD de cada pareja de números.

  48 y 64 16

  36 y 108 36

  64 y 96 32

Práctica y aplicación

1. [Para empezar] Establece si cada fracción está en su mínima expresión.

a. $\frac{3}{7}$ Sí b. $\frac{4}{8}$ No c. $\frac{1}{10}$ Sí d. $\frac{1}{16}$ Sí e. $\frac{3}{9}$ No f. $\frac{2}{15}$ Sí

Halla dos fracciones equivalentes para cada fracción. Respuestas posibles:

2. $\frac{3}{5} \frac{6}{10}, \frac{9}{15}$ **3.** $\frac{6}{18} \frac{2}{6}, \frac{1}{3}$ **4.** $\frac{5}{20} \frac{1}{4}, \frac{10}{40}$ **5.** $\frac{1}{6} \frac{2}{12}, \frac{3}{18}$ **6.** $\frac{2}{7} \frac{4}{14}, \frac{6}{21}$ **7.** $\frac{9}{21} \frac{3}{7}, \frac{18}{42}$

8. $\frac{12}{24} \frac{1}{2}, \frac{4}{8}$ **9.** $\frac{10}{25} \frac{2}{5}, \frac{20}{50}$ **10.** $\frac{21}{35} \frac{3}{5}, \frac{42}{70}$ **11.** $\frac{11}{33} \frac{1}{3}, \frac{22}{66}$ **12.** $\frac{7}{11} \frac{14}{22}, \frac{21}{33}$ **13.** $\frac{4}{9} \frac{8}{18}, \frac{20}{45}$

Escribe las fracciones en su mínima expresión.

14. $\frac{7}{14} \frac{1}{2}$ **15.** $\frac{5}{25} \frac{1}{5}$ **16.** $\frac{20}{30} \frac{2}{3}$ **17.** $\frac{6}{18} \frac{1}{3}$ **18.** $\frac{12}{36} \frac{1}{3}$ **19.** $\frac{8}{10} \frac{4}{5}$

20. $\frac{6}{8} \frac{3}{4}$ **21.** $\frac{9}{15} \frac{3}{5}$ **22.** $\frac{3}{21} \frac{1}{7}$ **23.** $\frac{4}{24} \frac{1}{6}$ **24.** $\frac{21}{35} \frac{3}{5}$ **25.** $\frac{6}{9} \frac{2}{3}$

26. $\frac{10}{12} \frac{5}{6}$ **27.** $\frac{11}{44} \frac{1}{4}$ **28.** $\frac{2}{8} \frac{1}{4}$ **29.** $\frac{5}{30} \frac{1}{6}$ **30.** $\frac{8}{36} \frac{2}{9}$ **31.** $\frac{3}{18} \frac{1}{6}$

Halla el MCD de cada par de números.

32. 4, 8 4 **33.** 15, 25 5 **34.** 12, 15 3 **35.** 6, 8 2 **36.** 3, 7 1 **37.** 2, 5 1

38. 18, 27 9 **39.** 16, 24 8 **40.** 11, 23 1 **41.** 10, 100 10 **42.** 35, 24 1 **43.** 36, 16 4

44. 22, 66 22 **45.** 27, 72 9 **46.** 64, 32 32 **47.** 48, 28 4 **48.** 11, 17 1 **49.** 3, 105 3

50. [Para la prueba] La cabeza de un marro tiene forma cilíndrica. ¿Qué fracción en su mínima expresión describe el número de martillos que son marros? B

Ⓐ $\frac{1}{2}$ Ⓑ $\frac{1}{3}$ Ⓒ $\frac{4}{8}$ Ⓓ $\frac{4}{12}$

51. [Para la prueba] ¿Qué fracción en su mínima expresión describe el número de martillos que no tienen mangos azules? C

Ⓐ $\frac{1}{6}$ Ⓑ $\frac{2}{12}$

Ⓒ $\frac{5}{6}$ Ⓓ $\frac{10}{12}$

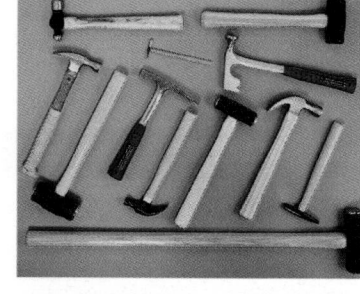

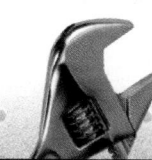

296 *Capítulo 5 • Patrones y teoría de los números*

Nombre _____

Práctica
5-5

Fracciones en su mínima expresión

Halla dos fracciones equivalentes para cada fracción.   Respuestas posibles:

1. $\frac{8}{10}$ $\frac{24}{30}, \frac{4}{5}$ 2. $\frac{3}{6}$ $\frac{6}{12}, \frac{1}{8}$ 3. $\frac{8}{24}$ $\frac{40}{120}, \frac{1}{3}$

4. $\frac{12}{7}$ $\frac{12}{21}, \frac{4}{28}$ 5. $\frac{18}{21}$ $\frac{36}{42}, \frac{6}{7}$ 6. $\frac{6}{8}$ $\frac{30}{40}, \frac{4}{3}$

7. $\frac{12}{14}$ $\frac{24}{28}, \frac{6}{7}$ 8. $\frac{9}{21}$ $\frac{10}{18}, \frac{15}{27}$ 9. $\frac{6}{9}$ $\frac{30}{45}, \frac{2}{3}$

10. $\frac{12}{14}$ $\frac{30}{70}, \frac{6}{7}$ 11. $\frac{12}{18}$ $\frac{48}{120}, \frac{2}{5}$ 12. $\frac{4}{13}$ $\frac{8}{26}, \frac{12}{39}$

Escribe cada fracción en su mínima expresión.

13. $\frac{12}{24}$ $\frac{1}{2}$ 14. $\frac{6}{9}$ $\frac{2}{3}$ 15. $\frac{9}{21}$ $\frac{3}{7}$ 16. $\frac{8}{10}$ $\frac{4}{5}$

17. $\frac{12}{21}$ $\frac{4}{7}$ 18. $\frac{9}{10}$ $\frac{9}{10}$ 19. $\frac{30}{42}$ $\frac{15}{21}$ 20. $\frac{8}{20}$ $\frac{2}{5}$

21. $\frac{12}{18}$ $\frac{2}{3}$ 22. $\frac{14}{32}$ $\frac{7}{16}$ 23. $\frac{9}{12}$ $\frac{3}{4}$ 24. $\frac{12}{16}$ $\frac{3}{4}$

25. $\frac{12}{30}$ $\frac{2}{5}$ 26. $\frac{6}{15}$ $\frac{2}{5}$ 27. $\frac{12}{14}$ $\frac{1}{7}$ 28. $\frac{12}{16}$ $\frac{3}{4}$

29. $\frac{12}{30}$ $\frac{2}{5}$ 30. $\frac{6}{15}$ $\frac{2}{5}$ 31. $\frac{12}{14}$ $\frac{1}{2}$ 32. $\frac{24}{30}$ $\frac{4}{5}$

Encuentra el MCD de cada par de números.

33. 16, 10 2   34. 11, 18 1   35. 15, 6 3   36. 8, 6 2

37. 3, 6 3   38. 20, 15 5   39. 12, 18 6   40. 3, 14 1

41. 8, 12 4   42. 10, 14 2   43. 21, 15 3   44. 49, 70 7

45. 36, 60 12   46. 70, 42 14   47. 32, 76 4   48. 64, 4 4

49. 15, 75 15   50. 63, 42 21   51. 30, 65 5   52. 32, 24 8

53. **Medición** Un kilómetro es aproximadamente $\frac{6}{10}$ de una milla. Escribe esta distancia en su mínima expresión. $\frac{3}{5}$ mi

54. $\frac{20}{24}$ de los estudiantes de la clase de la maestra Lim fueron a un día de campo la semana pasada. Escribe esta fracción en su mínima expresión. $\frac{5}{6}$

Nombre _____

Práctica
adicional
5-5

Fracciones en su mínima expresión

Las **fracciones equivalentes** son dos fracciones que expresan la misma cantidad. Puedes hallar las fracciones equivalentes si multiplicas o divides el numerador y el denominador por un mismo número diferente de 0. Esto es lo mismo que multiplicar o dividir la fracción por 1.

─ Ejemplo 1 ─

Encuentra dos fracciones que sean equivalentes a $\frac{5}{10}$.

Numerador $\frac{5 \times 2}{10 \times 2} = \frac{10}{20}$ es equivalente a $\frac{10}{20}$
Denominador

Numerador $\frac{5 \div 5}{10 \div 5} = \frac{1}{2}$ es equivalente a $\frac{1}{2}$.
Denominador

Las fracciones $\frac{5}{10}, \frac{10}{20}$ y $\frac{1}{2}$ son equivalentes.

Haz la prueba Multiplica para hallar una fracción equivalente.

a. $\frac{2}{6} = \frac{2 \times \Box}{6 \times \Box} = \Box$ b. $\frac{4}{5} = \frac{4 \times \Box}{5 \times \Box} = \Box$

Divide para encontrar una fracción equivalente.

c. $\frac{6}{8} = \frac{6 \div \Box}{8 \div \Box} = \Box$ d. $\frac{3}{12} = \frac{3 \div \Box}{12 \div \Box} = \Box$

Respuestas posibles:

a. $\frac{2}{2}$ $\frac{4}{12}$
b. $\frac{2}{2}$ $\frac{8}{10}$
c. $\frac{2}{2}$ $\frac{3}{4}$
d. $\frac{3}{3}$ $\frac{1}{4}$

─ Ejemplo 2 ─

Una fracción está en su **mínima expresión** cuando no puede dividirse entre ningún número cabal sin dejar residuo en el numerador y en el denominador. Una fracción en su mínima expresión es equivalente a la fracción original.

Escribe $\frac{8}{24}$ en su mínima expresión.

Divide el numerador y el denominador entre el factor común.	Continúa dividiendo si todavía hay factores comunes.	La fracción está en su mínima expresión.

$\underset{\text{no es la mí-nima expresión}}{\frac{8 \div 2}{24 \div 2} = \frac{4}{12}}$ $\underset{\text{mínima expresión}}{\frac{4 \div 4}{12 \div 4} = \frac{1}{3}}$ Por tanto, $\frac{8}{24} = \frac{1}{3}$

Haz la prueba Escribe cada fracción en su mínima expresión.

e. $\frac{4}{10}$ $\frac{2}{5}$ f. $\frac{15}{60}$ $\frac{1}{4}$ g. $\frac{8}{28}$ $\frac{2}{7}$

---

52. Historia Los carpinteros medievales usaban herramientas con bordes delgados y filosos, llamadas gubias, para darle forma a su trabajo. El ancho de una gubia para mondar era como de $\frac{4}{16}$ de pulgada. Escribe el ancho en su mínima expresión.

Resolución de problemas y razonamiento

53. Escoge una estrategia Marilyn vendió $\frac{3}{6}$ de los boletos de la rifa en un carnaval; Darren vendió $\frac{2}{8}$ y Jamelya vendió el resto. ¿Quién vendió más boletos, Marilyn sola o Darren y Jamelya juntos? Explica por qué.

54. Explica la diferencia entre MCM y MCD. ¿Pueden ser iguales el MCM y el MCD de dos números? Explica tu razonamiento.

55. Razonamiento crítico Explica por qué $\frac{2}{17}$, $\frac{11}{13}$, $\frac{2}{3}$ y $\frac{5}{7}$ no pueden escribirse en su mínima expresión. ¿Qué tienen en común los números de estas fracciones?

56. Comunicación ¿Cuál es el MCD de 1 y x? Explica tu respuesta.

Repaso mixto

57. Para cada punto en la gráfica, indica la coordenada de cada punto. *[Lección 1-3]*

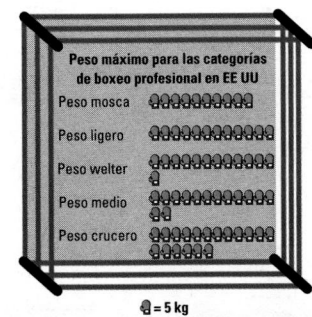

Usa la gráfica del peso máximo para resolver los ejercicios 58–61. *[Lección 1-1]*

58. ¿Cuál es el peso máximo para un boxeador de peso mosca? **50 kg**

59. Tomado el peso máximo, ¿cuál es la diferencia entre los pesos crucero y welter? **25 kg**

60. Tony pesa 76 kg. ¿En qué categoría está? **Peso crucero**

61. ¿Cuáles dos categorías tienen la mayor diferencia? ¿Cuál es la diferencia entre ambas categorías?

Peso máximo para las categorías de boxeo profesional en EE UU

Peso mosca
Peso ligero
Peso welter
Peso medio
Peso crucero

= 5 kg

Notas sobre los ejercicios

■ Ejercicio 53

Prevención de errores Sugiera a los estudiantes que antes de tratar de resolver el problema, expresen las fracciones en su mínima expresión. Debe ser obvio que Marilyn vendió el mismo número de boletos que los que vendieron las otras dos personas juntas.

Respuestas de Ejercicios

52. $\frac{1}{4}$ in.

53. Vendieron lo mismo;
$\frac{3}{6} = \frac{1}{2}$.

54. El MCM es el mínimo común múltiplo de los números, mientras que el MCD es el máximo común divisor; No; El MCD es menor o igual al número más pequeño, en tanto que el MCM es mayor o igual al número más grande.

55. No hay números que dividan al numerador y al denominador; Los números son primos.

56. 1; El único factor de 1 es 1.

57. (5, 2); (10, 5); (10, 6); (14, 8); (15, 5); (20, 6); (21, 8); (25, 10)

61. Peso mosca y peso crucero; 40 kg.

Evaluación adicional

Entrevista Demuestra dos métodos para simplificar fracciones a su mínima expresión. Indica qué método prefieres y por qué.

Exercise Notes

■ Exercise 53

Error Prevention Tell students to express the fractions in lowest terms before trying to solve the problem. It should be obvious that Marilyn sold the same number of tickets that the other two sold together.

Exercise Answers

52. $\frac{1}{4}$ in.

53. They sold the same;
$\frac{3}{6} = \frac{1}{2}$.

54. The LCM is the least common multiple of the numbers, while the GCF is the greatest common factor; No; The GCF is less than or equal to the smaller number, and the LCM is greater than or equal to the larger number.

55. There are no numbers that divide both the numerator and the denominator; The numbers are prime.

56. 1; The only factor of 1 is 1.

57. (5, 2); (10, 5); (10, 6); (14, 8); (15, 5); (20, 6); (21, 8); (25, 10)

61. Flyweight and Cruiserweight; 40 kg.

Alternate Assessment

Interview Demonstrate two methods for reducing a fraction to lowest terms. If you prefer one method, explain why.

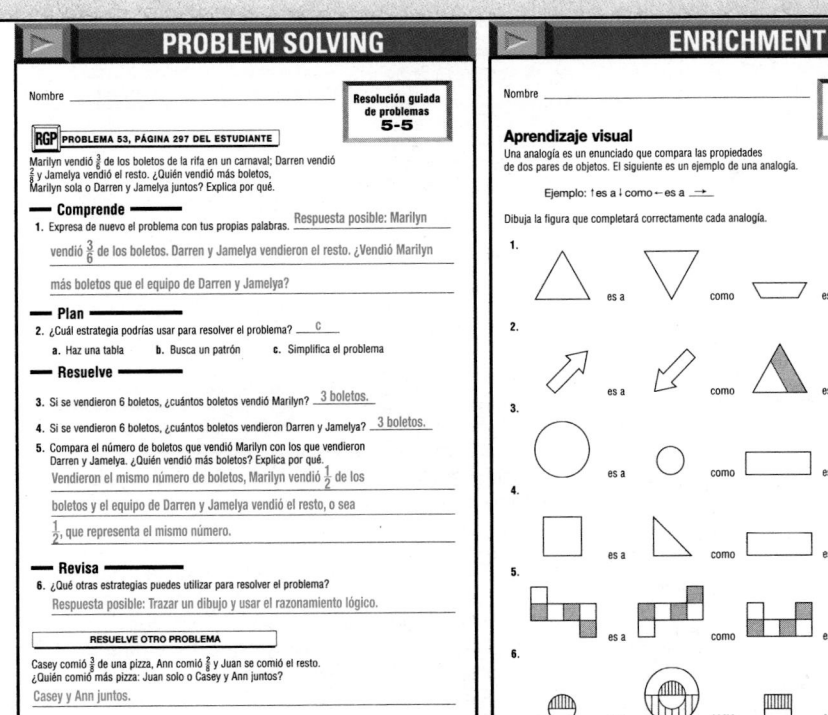

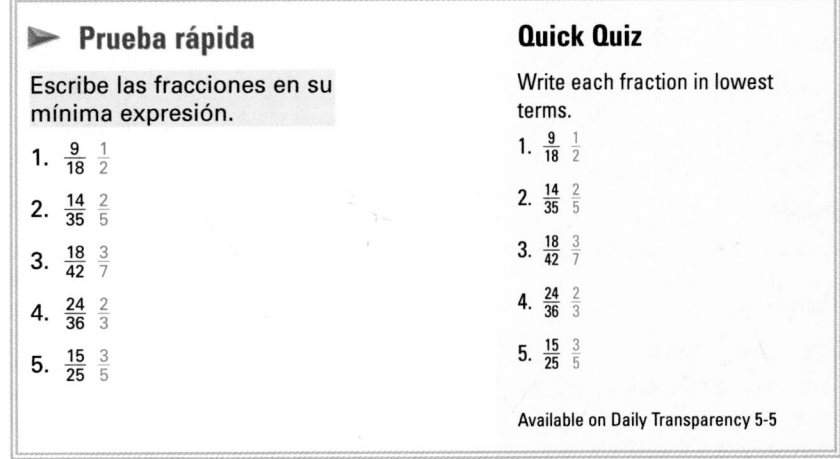

► Prueba rápida

Escribe las fracciones en su mínima expresión.

1. $\frac{9}{18}$ $\frac{1}{2}$

2. $\frac{14}{35}$ $\frac{2}{5}$

3. $\frac{18}{42}$ $\frac{3}{7}$

4. $\frac{24}{36}$ $\frac{2}{3}$

5. $\frac{15}{25}$ $\frac{3}{5}$

Quick Quiz

Write each fraction in lowest terms.

1. $\frac{9}{18}$ $\frac{1}{2}$

2. $\frac{14}{35}$ $\frac{2}{5}$

3. $\frac{18}{42}$ $\frac{3}{7}$

4. $\frac{24}{36}$ $\frac{2}{3}$

5. $\frac{15}{25}$ $\frac{3}{5}$

Available on Daily Transparency 5-5

Lesson Organizer

Objective
- Convert between improper fractions and mixed numbers.

Vocabulary
- Improper fraction, mixed number

Materials
- Explore: Pattern blocks or Power Polygons

NCTM Standards
- 1–6, 13

Review	► Repaso
Give the word name for each number.	Expresa cada número en forma verbal.
1. $\frac{3}{4}$ Three fourths	1. $\frac{3}{4}$ Tres cuartos
2. $1\frac{2}{3}$ One and two-thirds	2. $1\frac{2}{3}$ Uno y dos tercios
3. $3\frac{4}{5}$ Three and four-fifths	3. $3\frac{4}{5}$ Tres y cuatro quintos
4. $5\frac{7}{8}$ Five and seven-eighths	4. $5\frac{7}{8}$ Cinco y siete octavos
5. $2\frac{9}{10}$ Two and nine-tenths	5. $2\frac{9}{10}$ Dos y nueve décimos
Available on Daily Transparency 5-6	

Introduce

Explore

You may wish to use Teaching Tool Transparency 19: Power Polygons and Lesson Enhancement Transparency 23 with **Explore**.

The Point

Students use pattern blocks to investigate models of mixed numbers.

Ongoing Assessment

Ask students for examples of proper and improper fractions to be sure that they know the difference between them.

1 Introducción

 Investigar

Objetivo
Los estudiantes usan bloques de patrones para analizar las representaciones de números mixtos.

Evaluación continua
Diga a los estudiantes que den ejemplos de fracciones propias e impropias para asegurarse de que conocen la diferencia entre unas y otras.

5-6 Fracciones impropias y números mixtos

Vas a aprender...
- a convertir fracciones impropias a números mixtos y viceversa.

...cómo se usa
Los empleados de salchichonerías utilizan fracciones impropias y números mixtos cuando pesan carnes y quesos.

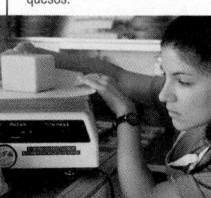

Vocabulario
- fracción impropia
- número mixto

► **Enlace con la lección**   Hasta este punto has trabajado sobre todo con fracciones menores que un entero. Ahora verás fracciones mayores que un entero. ◄

Una **fracción impropia** tiene un numerador que es mayor que o igual a su denominador. Un **número mixto** combina un número cabal y una fracción.

Propia	$\frac{2}{3}$
Impropia	$\frac{20}{9}$
Mixta	$3\frac{4}{5}$

Investigar   Fracciones impropias y números mixtos

Ultrahexágonos

Materiales: Bloques de patrones o polígonos de potencias

1. Usa bloques de patrones para completar la tabla.

El "entero"	Las "partes"	Fracciones que indican una "parte"	Fracciones impropias: todas las "partes"	Número mixto: todas las "partes"
		$\frac{1}{6}$	$\frac{7}{6}$	$1\frac{1}{6}$

2. ¿Puede escribirse una fracción impropia como un número mixto? ¿Puede cualquier número mixto escribirse como una fracción impropia? Explica por qué.

MEETING INDIVIDUAL NEEDS

Resources
5-6 Practice
5-6 Reteaching
5-6 Problem Solving
5-6 Enrichment
5-6 Daily Transparency
  Problem of the Day
  Review
  Quick Quiz
Teaching Tool Transparency 19
Lesson Enhancement Transparency 23
Chapter 5 Project Master

Recursos
5-6 Práctica
5-6 Práctica adicional
5-6 Resolución de problemas
5-6 Actividad de enriquecimiento

Learning Modalities

Logical Explain that a mixed number can be thought of as the sum of a whole number and a fraction. Show students the following method for writing mixed numbers as improper fractions. $2\frac{3}{4} = 2 + \frac{3}{4} = \frac{8}{4} + \frac{3}{4} = \frac{11}{4}$

Visual Draw several different number lines on the chalkboard or use Teaching Tool Transparency 5: Number Lines. Mark the lines in fourths, sixths, and eighths. Indicate locations greater than 1, and have students identify both the mixed number and the improper fraction it represents.

Inclusion

Students may have difficulty with the various shapes made from the pattern blocks used in **Explore**. They might be better able to understand improper fractions and mixed numbers using circular models or Fraction Bars.

Modos de aprendizaje

Lógico Explique que un número mixto puede considerarse como la suma de un número cabal y una fracción. Muestre a los estudiantes el siguiente método para convertir un número mixto en una fracción impropia. $2\frac{3}{4} = 2 + \frac{3}{4} = \frac{8}{4} + \frac{3}{4} = \frac{11}{4}$

Visual Trace varias rectas numéricas en la pizarra o use Teaching Tool Transparency 5: Rectas numéricas. Divídalas en cuartos, sextos y octavos. Indique las posiciones mayores que 1 y pida a los estudiantes que identifiquen el número mixto y la fracción impropia que representa cada valor.

Inclusión

Algunos estudiantes tienen dificultades para definir la forma de las figuras hechas con los bloques de patrones en **Investigar**. Quizá les sea más fácil comprender las fracciones impropias y los números mixtos usando modelos circulares o barras de fracciones.

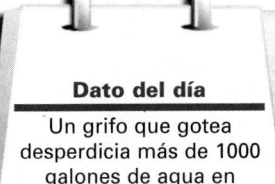

Aprender | Números mixtos y fracciones impropias

Una fracción propia tiene un valor menor que 1. Recuerda que una fracción propia puede tener muchos nombres.

Las fracciones impropias y los números mixtos tienen valores mayores a 1. Las fracciones impropias y los números mixtos también pueden tener muchos nombres. A veces es más fácil usar uno que el otro.

Fracciones propias
$$\frac{1}{2} = \frac{2}{4} = \frac{3}{6} = \frac{4}{8}$$

Fracciones impropias
$$\frac{4}{3} = \frac{8}{6} = \frac{12}{9} = \frac{16}{12}$$

Números mixtos
$$7\frac{1}{2} = 7\frac{2}{4} = 7\frac{3}{6} = 7\frac{4}{8}$$

No te olvides

El orden de operaciones establece:

1) haz las operaciones que se indican entre paréntesis;

2) haz las operaciones con exponentes;

3) multiplica y divide de izquierda a derecha, y

4) suma y resta de izquierda a derecha.

[Página 99]

Divide el numerador entre el denominador. La parte entera es el número cabal en el número mixto. El residuo es el numerador de la fracción.

$$\frac{13}{4} = 13 \div 4 = 3\ R\ 1 = 3\frac{1}{4}$$

Fracción impropia ⟷ **Número mixto**

Para obtener el numerador de la fracción impropia, multiplica el denominador de la fracción por el número cabal, después suma el numerador del número mixto.

$$2\frac{1}{3} = \frac{(3 \times 2) + 1}{3} = \frac{7}{3}$$

Ejemplos

1 Escribe $\frac{11}{4}$ tazas como un número mixto.

$$\frac{11}{4} = 11 \div 4 = 4)\overline{11}\ ^{2\ R\ 3}$$ Divide el numerador entre el denominador.

$$\frac{11}{4} = 2\frac{3}{4}$$

2 Escribe $4\frac{3}{5}$ como una fracción impropia.

$$4\frac{3}{5} = \frac{(5 \times 4) + 3}{5} = \frac{23}{5}$$ Multiplica el denominador por el número cabal y súmaselo al numerador.

Haz la prueba

Escribe la fracción como un número mixto.   **a.** $\frac{14}{3}$ $4\frac{2}{3}$ **b.** $\frac{26}{9}$ $2\frac{8}{9}$ **c.** $\frac{35}{4}$ $8\frac{3}{4}$

Escribe el número como una fracción impropia.   **d.** $1\frac{5}{6}$ $\frac{11}{6}$ **e.** $4\frac{1}{8}$ $\frac{33}{8}$ **f.** $2\frac{3}{5}$ $\frac{13}{5}$

5-6 • Fracciones impropias y números mixtos **299**

MATH EVERY DAY

► Problema del día

Kay usó estos datos para "probar" que no debería haber días de escuela. ¿Cuál es el error en su conclusión?

Días en un año	365
Si se duermen 8 h/día ($\frac{1}{3}$ del año)	−122
quedan:	243
Días de fin de semana	−104
quedan:	139
Vacaciones	−109
quedan:	30
Dos h/día para comer ($\frac{1}{12}$ del año)	−30
Días de escuela	**0**

Kay contó dos veces las horas dedicadas a dormir y comer.

Problem of the Day

Kay used this data to "prove" there are no days left to go to school. What is wrong with her conclusion?

Days in a year	365
Sleep 8 hr/day, $\frac{1}{3}$ year	−122
This leaves:	243
Days in weekends	−104
This leaves:	139
Vacation time	−109
This leaves:	30
Eat 2 hr/day, $\frac{1}{12}$ year	−30
Days left to go to school	**0**

Kay counted sleeping and eating hours twice.

Available on Daily Transparency 5-6

An Extension is provided in the transparency package.

Seguimiento

Asegúrese de que los estudiantes hayan completado la tabla en forma correcta antes de seguir adelante.

Respuestas de Investigar

1. Hilera 2: $\frac{1}{3}$, $\frac{8}{3}$, $2\frac{2}{3}$

   Hilera 3: $\frac{1}{3}$, $\frac{4}{3}$, $1\frac{1}{3}$

   Hilera 4: $\frac{1}{2}$, $\frac{5}{2}$, $2\frac{1}{2}$

   Hilera 5: $\frac{2}{3}$, $\frac{6}{3}$, 2

2. Sí; Se divide el numerador entre el denominador y el residuo se coloca sobre el denominador; Sí; Se multiplica el número cabal por el denominador y el resultado se suma al numerador para obtener el nuevo numerador.

2 Enseñanza

Aprender

Ejemplos adicionales

1. Escribe $\frac{20}{8}$ de taza como un número mixto.

$$\frac{20}{8} = 20 \div 8 = 8)\overline{20}\ ^{2\ R\ 4}$$

$$2\frac{4}{8} = 2\frac{1}{2}$$

2. Escribe $3\frac{5}{8}$ como una fracción impropia.

$$3\frac{5}{8} = \frac{(8 \times 3) + 5}{8} = \frac{29}{8}$$

Dato del día

Un grifo que gotea desperdicia más de 1000 galones de agua en un año.

For Groups That Finish Early

Work with a partner to create models similar to those in Step 1. Analyze your partner's model.

Follow Up

Be sure that students have completed the table correctly before proceeding.

Answers for Explore

1. Row 2: $\frac{1}{3}$, $\frac{8}{3}$, $2\frac{2}{3}$
   Row 3: $\frac{1}{3}$, $\frac{4}{3}$, $1\frac{1}{3}$
   Row 4: $\frac{1}{2}$, $\frac{5}{2}$, $2\frac{1}{2}$
   Row 5: $\frac{2}{3}$, $\frac{6}{3}$, 2

2. Yes; Divide the numerator by the denominator and place the remainder over the denominator; Yes; Multiply the whole number by the denominator and add the result to the numerator to get a new numerator.

Teach

Learn

Alternate Examples

1. Rewrite $\frac{20}{8}$ cups as a mixed number.

$$\frac{20}{8} = 20 \div 8 = 8)\overline{20}\ ^{2\ R\ 4}$$

$$2\frac{4}{8} = 2\frac{1}{2}$$

2. Write $3\frac{5}{8}$ as an improper fraction.

$$3\frac{5}{8} = \frac{(8 \times 3) + 5}{8} = \frac{29}{8}$$

Fact of the Day

A dripping faucet can waste more than 1000 gallons of water a year.

Mental Math

Give each improper fraction as a mixed number.

1. $\frac{3}{2}$ $1\frac{1}{2}$ 2. $\frac{5}{4}$ $1\frac{1}{4}$

3. $\frac{7}{3}$ $2\frac{1}{3}$ 4. $\frac{11}{8}$ $1\frac{3}{8}$

Cálculo mental

Escribe estas fracciones impropias como números mixtos.

1. $\frac{3}{2}$ $1\frac{1}{2}$ 2. $\frac{5}{4}$ $1\frac{1}{4}$

3. $\frac{7}{3}$ $2\frac{1}{3}$ 4. $\frac{11}{8}$ $1\frac{3}{8}$

Assignment Guide

■ **Basic** 1–29 odds, 30, 32, 33–45 odds

■ **Average** 1–28 evens, 29–31, 33, 36–46 evens

■ **Enriched** 1–29 odds, 30–34, 35–45 odds

Practice and Assess

Check

Answers for Check Your Understanding

1. No; Combining a whole number and a fraction always results in a number greater than 1.

2. Yes; The numerator can be a multiple of the denominator.

Exercise Notes

■ **Exercises 14–25**

Error Prevention Be sure that students give answers in lowest terms.

■ **Exercise 29**

Extension Find how much longer the tool box is than the hammer. $4\frac{1}{2}$ cm longer.

---

3 Práctica y evaluación

Comprobar

Respuestas de Comprobar tu comprensión

1. No; Al combinar un número cabal y una fracción, el resultado siempre es mayor que 1.

2. Sí; El numerador puede ser un múltiplo del denominador.

Notas sobre los ejercicios

■ **Ejercicios 14–25**

Prevención de errores Asegúrese de que los estudiantes den las respuestas en su mínima expresión.

■ **Ejercicio 29**

Ampliación Halla la diferencia de longitud entre la caja de herramientas y el martillo.

La caja es $4\frac{1}{2}$ cm más larga.

Comprobar Tu comprensión

1. ¿Puede un número mixto ser igual a 1? Explica por qué.

2. ¿Puede una fracción impropia ser igual a un número cabal? ¿Por qué?

5-6 Ejercicios y aplicaciones

Práctica y aplicación

1. **Para empezar** Identifica cada fracción como propia o impropia.

a. $\frac{9}{10}$ **Propia**   b. $\frac{12}{3}$ **Impropia**   c. $\frac{3}{2}$ **Impropia**   d. $\frac{4}{6}$ **Propia**   e. $\frac{17}{8}$ **Impropia**   f. $\frac{8}{2}$ **Impropia**

Escribe cada número mixto como una fracción impropia.

2. $1\frac{8}{8}$ $\frac{16}{8}$
3. $1\frac{5}{9}$ $\frac{14}{9}$
4. $1\frac{6}{3}$ $\frac{9}{3}$
5. $3\frac{1}{3}$ $\frac{10}{3}$
6. $4\frac{9}{8}$ $\frac{41}{8}$
7. $2\frac{6}{4}$ $\frac{14}{4}$

8. $1\frac{2}{5}$ $\frac{7}{5}$
9. $2\frac{4}{5}$ $\frac{14}{5}$
10. $1\frac{1}{4}$ $\frac{5}{4}$
11. $3\frac{1}{10}$ $\frac{31}{10}$
12. $5\frac{4}{5}$ $\frac{29}{5}$
13. $2\frac{9}{12}$ $\frac{33}{12}$

Escribe cada fracción impropia como un número mixto.

14. $\frac{10}{3}$ $3\frac{1}{3}$
15. $\frac{14}{5}$ $2\frac{4}{5}$
16. $\frac{15}{8}$ $1\frac{7}{8}$
17. $\frac{11}{2}$ $5\frac{1}{2}$
18. $\frac{14}{3}$ $4\frac{2}{3}$
19. $\frac{23}{8}$ $2\frac{7}{8}$

20. $\frac{50}{7}$ $7\frac{1}{7}$
21. $\frac{99}{10}$ $9\frac{9}{10}$
22. $\frac{201}{2}$ $100\frac{1}{2}$
23. $\frac{805}{8}$ $100\frac{5}{8}$
24. $\frac{40}{9}$ $4\frac{4}{9}$
25. $\frac{29}{11}$ $2\frac{7}{11}$

Ciencias Escribe el número mixto como una fracción impropia o viceversa.

26. Al lavar los trastos con agua corriente se gastan $25\frac{2}{3}$ galones de agua. $\frac{77}{3}$

27. Por una llave abierta pasan $3\frac{7}{8}$ galones de agua cada minuto. $\frac{31}{8}$

28. Al bajar la palanca del inodoro se usan $\frac{28}{5}$ galones de agua. $5\frac{3}{5}$

29. **Medición** Caesar tiene una caja de herramientas que mide $15\frac{3}{4}$ pulgadas de largo. Su martillo mide $\frac{45}{4}$ pulgadas de largo. ¿Cabrá el martillo en la caja de herramientas? **Sí**

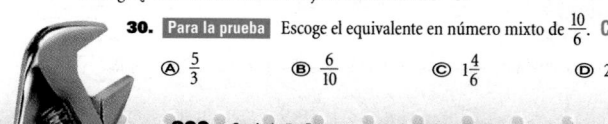

30. **Para la prueba** Escoge el equivalente en número mixto de $\frac{10}{6}$. **C**

Ⓐ $\frac{5}{3}$ Ⓑ $\frac{6}{10}$ Ⓒ $1\frac{4}{6}$ Ⓓ $2\frac{2}{6}$

300   Capítulo 5 • Patrones y teoría de los números

Reteaching

Activity

Materials: Inch ruler or customary tape measure

• Choose any eighth mark on the ruler between 1 and 2 inches. How many eighths are there from 0 to 1 inch? 8 eighths How many eighths are there from zero to your mark? Answers may vary.

• Write an improper fraction for the mark you chose. Then write a mixed number. What will the whole-number part be? 1 Explain why. Because the number is between 1 and 2

• Choose other marks on the ruler and give both an improper fraction and a mixed number for each mark.

Práctica adicional

Actividad

Materiales: Regla de pulgadas o cinta de medir

• Escoge cualquier marca de un octavo que esté entre las pulgadas 1 y 2 de la regla. ¿Cuántos octavos hay de la pulgada 0 a la 1? 8 octavos ¿Cuántos octavos hay del cero a tu marca? Las respuestas pueden variar.

• Escribe una fracción impropia para la marca que escogiste. Después escribe un número mixto. ¿Cuál será el número que represente la parte entera? El 1 Explica por qué. Porque el número está entre 1 y 2.

• Escoge otras marcas en la regla y exprésalas como una fracción impropia y como un número mixto.

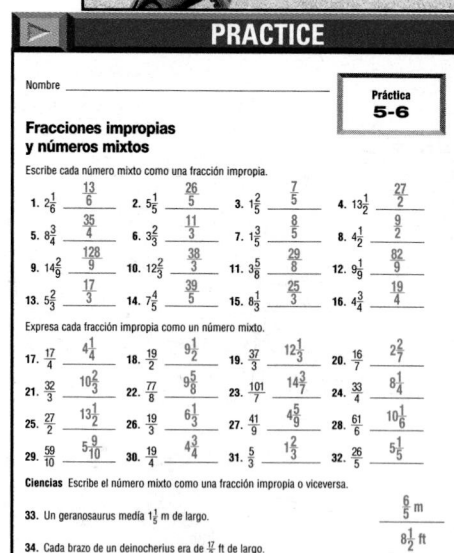

PRACTICE

Nombre _____   Práctica **5-6**

Fracciones impropias y números mixtos

Escribe cada número mixto como una fracción impropia.

1. $2\frac{1}{6}$ $\frac{13}{6}$
2. $5\frac{1}{5}$ $\frac{26}{5}$
3. $1\frac{1}{5}$ $\frac{7}{5}$
4. $13\frac{1}{2}$ $\frac{27}{2}$

5. $8\frac{3}{4}$ $\frac{35}{4}$
6. $3\frac{2}{3}$ $\frac{11}{3}$
7. $1\frac{3}{5}$ $\frac{8}{5}$
8. $4\frac{1}{2}$ $\frac{9}{2}$

9. $14\frac{2}{9}$ $\frac{128}{9}$
10. $12\frac{2}{3}$ $\frac{38}{3}$
11. $3\frac{5}{8}$ $\frac{29}{8}$
12. $9\frac{1}{9}$ $\frac{82}{9}$

13. $5\frac{2}{3}$ $\frac{17}{3}$
14. $7\frac{1}{5}$ $\frac{36}{5}$
15. $8\frac{1}{3}$ $\frac{25}{3}$
16. $4\frac{3}{4}$ $\frac{19}{4}$

Expresa cada fracción impropia como un número mixto.

17. $\frac{17}{4}$ $4\frac{1}{4}$
18. $\frac{19}{2}$ $9\frac{1}{2}$
19. $\frac{37}{3}$ $12\frac{1}{3}$
20. $\frac{16}{7}$ $2\frac{2}{7}$

21. $\frac{32}{3}$ $10\frac{2}{3}$
22. $\frac{77}{8}$ $9\frac{5}{8}$
23. $\frac{101}{7}$ $14\frac{3}{7}$
24. $\frac{33}{4}$ $8\frac{1}{4}$

25. $\frac{27}{2}$ $13\frac{1}{2}$
26. $\frac{19}{3}$ $6\frac{1}{3}$
27. $\frac{41}{9}$ $4\frac{5}{9}$
28. $\frac{61}{6}$ $10\frac{1}{6}$

29. $\frac{59}{10}$ $5\frac{9}{10}$
30. $\frac{19}{4}$ $4\frac{3}{4}$
31. $\frac{5}{3}$ $1\frac{2}{3}$
32. $\frac{26}{5}$ $5\frac{1}{5}$

Ciencias Escribe el número mixto como una fracción impropia o viceversa.

33. Un geranosaurus medía $1\frac{1}{6}$ m de largo. $\frac{6}{6}$ m

34. Cada brazo de un deinocherius era de $\frac{17}{2}$ ft de largo. $8\frac{1}{2}$ ft

35. Un hypsilophodon medía $\frac{23}{10}$ m de largo. $2\frac{3}{10}$ m

36. Un protoceratops medía $\frac{9}{5}$ m de largo. $1\frac{4}{5}$ m

37. Un anatosaurus medía $13\frac{2}{3}$ m de largo. $\frac{41}{3}$ m

38. Heidi construyó un castillo cuyo techo medía $\frac{21}{4}$ ft de altura. Marvin medía $5\frac{1}{2}$ ft de altura. ¿Puede Marvin ponerse de pie en el castillo de Heidi?   No

---

RETEACHING

Nombre _____   Práctica adicional **5-6**

Fracciones impropias y números mixtos

Una **fracción impropia** tiene un numerador mayor que o igual a su denominador, o sea, la fracción tiene un valor mayor que o igual a uno. Un **número mixto** combina un número cabal y una fracción.

— **Ejemplo** —

Escribe una fracción impropia y un número mixto para describir la ilustración.

Las figuras se dividen en quintos, así pues, el denominador de todas las fracciones será 5.

Hay 12 partes sombreadas, o sea, el numerador será 12.

La fracción impropia de la ilustración es $\frac{12}{5}$.

Hay dos enteros sombreados. La tercera figura tiene 2 quintos sombreados.

El número mixto de la ilustración es $2\frac{2}{5}$.

Haz la prueba Escribe una fracción impropia y un número mixto para describir cada ilustración.

a. $\frac{4}{3}, 1\frac{1}{3}$

b. $\frac{10}{4}, 2\frac{2}{4}$ ó $2\frac{1}{2}$

c. $\frac{22}{6}, 3\frac{4}{6}$ ó $3\frac{2}{3}$

d. $\frac{7}{2}$ ó $3\frac{1}{2}$

e. $\frac{20}{8}, 2\frac{4}{8}$ ó $2\frac{1}{2}$

f. $\frac{14}{6}, 2\frac{2}{6}$ ó $2\frac{1}{3}$

g. $\frac{16}{7}, 2\frac{2}{7}$

h. $\frac{14}{10}, 1\frac{4}{10}$ ó $1\frac{2}{5}$

Resolución de problemas y razonamiento

31. Razonamiento crítico Darrell necesita medir una tabla como de 6 pies de largo. No encuentra su regla, pero sabe que su mano mide $\frac{1}{2}$ pie de largo. ¿Cuántos largos de su mano tendrá que marcar para llegar a la longitud que necesita? 12

32. Razonamiento crítico La siguiente figura es un modelo de un número mayor que uno. Escribe el valor que representa como un número mixto y como una fracción impropia. Explica cómo lo resolviste. $3\frac{3}{4}, \frac{15}{4}$; Cada tarta representa 1

33. Explica por qué una fracción impropia sí puede escribirse como un número mixto, pero una fracción menor que 1 no puede expresarse como número mixto.

34. Comunicación ¿Qué es más: $\frac{9}{4}$ ó $1\frac{1}{2}$ rebanadas de melón? Explica tu decisión.

Repaso mixto

Halla la media, mediana y moda, con el valor extremo y sin él. ¿A cuál afecta más el valor extremo? *[Lección 1-9]*

35. 20, 31, 32, 34, 35, 35, 35, 36, 37   **36.** 7, 4, 3, 6, 20, 7, 7, 4, 5, 2, 2, 1, 2

37. Haz un diagrama de puntos con los datos del ejercicio 35. *[Lección 1-4]*

38. Elabora un diagrama de puntos con los datos del ejercicio 36. *[Lección 1-4]*

Realiza las siguientes conversiones. *[Lección 4-3]*

39. 2 mi = ☐ ft   **40.** 60 in. = ☐ ft   **41.** 27 ft = ☐ yd   **42.** 3 lb = ☐ oz

43. 5 mi = ☐ ft   **44.** 108 in. = ☐ ft   **45.** 90 ft = ☐ yd   **46.** 7 lb = ☐ oz

El proyecto en marcha

En tu tabla escribe varias versiones de tu número favorito como una fracción y como un número decimal. Compara una de las versiones de tu número (escrita como fracción) con otras fracciones y registra las comparaciones en tu tabla.

Resolución de problemas
Comprende
Planea
Resuelve
Revisa

RESOLVER PROBLEMAS 5-6

Respuestas de Ejercicios

33. Respuesta posible: Por definición, los números mixtos y las fracciones impropias son mayores que 1 y las fracciones propias son menores que 1.

34. $\frac{9}{4}$; $\frac{9}{4} = 2\frac{1}{4}$; $2\frac{1}{4} > 1\frac{1}{2}$

35. Con valor extremo: media ≈ 32.778, mediana 35, moda 35; Sin valor extremo: media 34.375, mediana 35, moda 35; La media es la más afectada.

36. Con valor extremo: media 5.385, mediana 4, modas 2 y 7; Sin valor extremo: media 4.167, mediana 4, modas 2 y 7; La media es la más afectada.

37.
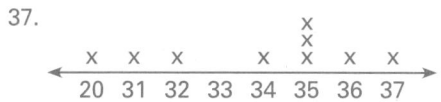

38.
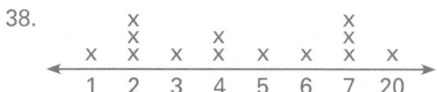

39. 10,560

40. 5

41. 9

42. 48

43. 26,400

44. 9

45. 30

46. 112

Evaluación adicional

Entrevista Define y da ejemplos de números mixtos y de fracciones impropias.

▷ Prueba rápida

Escribe cada número mixto como una fracción impropia.

1. $4\frac{7}{8}$ $\frac{39}{8}$

2. $2\frac{3}{10}$ $\frac{23}{10}$

3. $5\frac{1}{4}$ $\frac{21}{4}$

Escribe las fracciones impropias como números mixtos.

4. $\frac{12}{5}$ $2\frac{2}{5}$

5. $\frac{17}{3}$ $5\frac{2}{3}$

Lesson Organizer

Objective

- Convert between fractions and decimals.

Vocabulary

- Terminating decimal, repeating decimal

Materials

- Explore: Tenths grids, 10 x 10 grids

NCTM Standards

- 1–6, 8, 13

Review

Give each quotient to the nearest hundredth.

1. 3 ÷ 4   0.75
2. 5 ÷ 3   1.67
3. 7 ÷ 8   0.88
4. 1 ÷ 6   0.17
5. 4 ÷ 7   0.57

Available on Daily Transparency 5-7

► Repaso

Expresa cada cociente al centésimo más cercano.

1. 3 ÷ 4   0.75
2. 5 ÷ 3   1.67
3. 7 ÷ 8   0.88
4. 1 ÷ 6   0.17
5. 4 ÷ 7   0.57

Introduce

Explore

You may wish to use Teaching Tool Transparencies 11: 10 × 10 Grids and 12: Tenths Grids with **Explore**.

The Point

Students use decimal models to express fractions as decimals and decimals as fractions.

Ongoing Assessment

Circulate around the class and check that students are modeling the numbers correctly.

For Groups That Finish Early

Name fractions and decimals for your group to model.

1 Introducción

Investigar

Objetivo

Los estudiantes usan representaciones decimales para expresar fracciones como decimales y viceversa.

Evaluación continua

Camine por el salón y compruebe que los estudiantes hagan representaciones correctas de los números.

Para los grupos que terminen antes

Da ejemplos de fracciones y decimales para después representarlos en forma visual.

5-7 Conversión de fracciones y decimales

Vas a aprender...

- a convertir fracciones en decimales y viceversa.

...cómo se usa

Los turistas internacionales tienen que comprender la relación entre fracciones y decimales cuando viajan a otros países.

Vocabulario

decimal finito

decimal periódico

► **Enlace con la lección** Con tu conocimiento para escribir números mediante notación decimal y de fracciones, aprenderás a hacer conversiones entre uno y otro. ◄

Investigar   Fracciones y decimales

Materiales: Cuadrícula de décimos, cuadrícula de 10 × 10

Elaboración de una cuadrícula

Modelado de fracciones en una cuadrícula de décimos

- Divide las franjas en un número de grupos que sea igual al denominador. Cada grupo deberá tener el mismo número de franjas.
- Colorea tantos grupos como indica el numerador.
- Describe el número modelado en la cuadrícula.

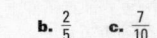

$$\frac{3}{5} = 0.6$$

1. Haz un modelo para estas fracciones como decimales.

   a. $\frac{1}{2}$ b. $\frac{2}{5}$ c. $\frac{7}{10}$ d. $\frac{4}{5}$

Modelado de fracciones en una cuadrícula de 10 × 10

- Divide los cuadrados en un número de grupos que sea igual al denominador. Cada grupo deberá tener el mismo número de cuadros.
- Colorea tantos grupos como indica el numerador.
- Describe el número modelado en la cuadrícula.

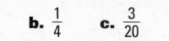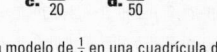

$$\frac{3}{4} = 0.6$$

2. Modela estas fracciones como decimales.

   a. $\frac{4}{10}$ b. $\frac{1}{4}$ c. $\frac{3}{20}$ d. $\frac{13}{50}$

3. ¿Podrías hacer un modelo de $\frac{1}{4}$ en una cuadrícula de 10 franjas? Explica tu respuesta.

4. ¿Podrías hacer un modelo de $\frac{1}{3}$ en una cuadrícula de 10 franjas? ¿Podrías hacerlo en una cuadrícula de 100 franjas? Explica tu respuesta.

5. ¿Cuál de los siguientes tendría más cuadros sombreados: una cuadrícula que muestra $\frac{3}{10}$ o una que muestra 0.3? Explica por qué.

MEETING INDIVIDUAL NEEDS

Resources

5-7 Practice
5-7 Reteaching
5-7 Problem Solving
5-7 Enrichment
5-7 Daily Transparency
     Problem of the Day
     Review
     Quick Quiz
Teaching Tool Transparencies 11, 12

Recursos

5-7 Práctica
5-7 Práctica adicional
5-7 Resolución de problemas
5-7 Actividad de enriquecimiento

Learning Modalities

Kinesthetic Use money to illustrate fractional parts of a dollar.

Social Have pairs of students take turns modeling the fractions in **Explore** as decimals. Have them discuss and agree on their models before they work on the remaining exercises.

Modos de aprendizaje

Cinestésico Use algunas monedas para ilustrar las partes fraccionarias de un dólar.

Social Los estudiantes deben trabajar por parejas y turnarse para representar las fracciones en **Investigar**. Pídales que analicen los modelos y se pongan de acuerdo antes de resolver los ejercicios.

Challenge

Have students use calculators to investigate the repeating patterns found in fractions with denominators of 7, 9, and 11. Have them find decimal equivalents for several fractions with the same denominator and use the pattern to find decimal equivalents for other fractions with that denominator.

Desafío

Anime a los estudiantes a usar sus calculadoras para investigar los patrones de repetición formados en las fracciones con los denominadores 7, 9 y 11. Pídales que hallen los equivalentes decimales de varias fracciones que tengan el mismo denominador y usen los patrones para hallar los equivalentes decimales de otras fracciones con el denominador en cuestión.

Aprender | Conversión de fracciones y decimales

Las fracciones y los decimales son dos maneras diferentes de describir los números que se encuentran entre dos números cabales. Es importante saber comparar estos números, aun cuando se escriban como decimales y como fracciones.

Escribe los dígitos del número decimal como el numerador. Escribe el denominador igual al valor posicional del número decimal.

$$0.9 = \text{nueve décimos} = \frac{9}{10}$$

$$0.013 = \text{trece milésimos} = \frac{13}{1000}$$

Decimal → Fracción

Divide el numerador entre el denominador. Tal vez necesites varias posiciones después del punto decimal.

$$\frac{3}{4} = 4\overline{)3.00} \quad \begin{array}{r} 0.75 \\ \underline{28} \\ 20 \\ \underline{20} \end{array}$$

CÁLCULO MENTAL

Los números decimales mayores que 1 pueden convertirse en números mixtos. Los dígitos a la izquierda del punto son el número cabal. Los dígitos a la derecha del punto pueden convertirse en la parte fraccional.

Ejemplos

1 Escribe 0.775 como una fracción en su mínima expresión.

$$0.775 = \frac{775}{1000} \qquad \text{Escribe el decimal como fracción.}$$

$$= \frac{775 \div 25}{1000 \div 25} \qquad \text{El máximo común divisor de 775 y 1000 es 25.}$$

$$= \frac{31}{40} \qquad \text{Haz la división.}$$

2 Jane necesita taladrar un agujero de cuando menos 0.7 pulgadas de diámetro. Su taladro de mano tiene una broca del #10, que tiene $\frac{5}{8}$ de pulgada de diámetro. ¿Es esta broca lo bastante grande?

$$\frac{5}{8} = 8\overline{)5.000} \quad \begin{array}{r} 0.625 \\ \underline{48} \\ 20 \\ \underline{16} \\ 40 \\ \underline{40} \end{array} \qquad \text{Divide el numerador entre el denominador.}$$

▶ **Enlace con Industria**

La broca de un taladro debe ser apropiada al material que se va a taladrar. Para lograr resultados adecuados, el metal y la madera requieren de brocas completamente diferentes.

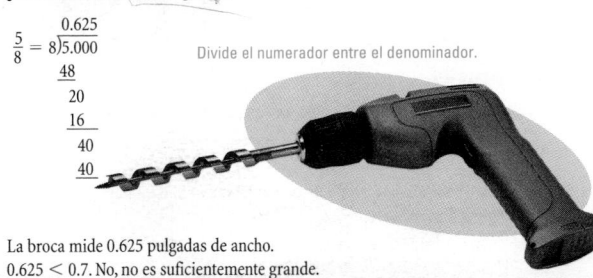

La broca mide 0.625 pulgadas de ancho.
0.625 < 0.7. No, no es suficientemente grande.

5-7 • Conversión de fracciones y decimales **303**

MATH EVERY DAY

▶ **Problema del día**

Escoge el dibujo adecuado para continuar el patrón.

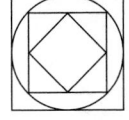 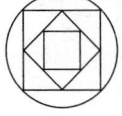 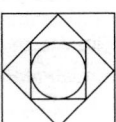

A. **B.**  **C.**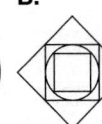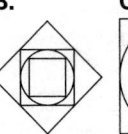

La figura B

Problem of the Day

Select the drawing that best continues the pattern.
Figure B

Available on Daily Transparency 5-7

An Extension is provided in transparency package.

Dato del día

Hoy día existen más de cinco mil millones de billetes de un dólar y más de 180 millones de billetes de cien dólares en circulación.

Fact of the Day

There are more than five billion one-dollar bills in circulation and more than 180 million one-hundred dollar bills in circulation.

Mental Math

Give each fraction in lowest terms.

1. $\frac{2}{4}$ $\frac{1}{2}$ 2. $\frac{4}{6}$ $\frac{2}{3}$
3. $\frac{5}{10}$ $\frac{1}{2}$ 4. $\frac{25}{100}$ $\frac{1}{4}$

Cálculo mental

Escribe cada fracción en su mínima expresión.

1. $\frac{2}{4}$ $\frac{1}{2}$ 2. $\frac{4}{6}$ $\frac{2}{3}$
3. $\frac{5}{10}$ $\frac{1}{2}$ 4. $\frac{25}{100}$ $\frac{1}{4}$

Respuestas de Investigar

1. a. 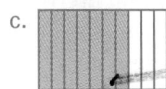   b.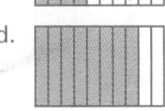

   c.   d.

2. a. 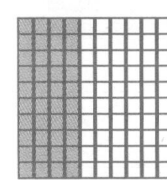   b.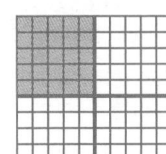

   c. 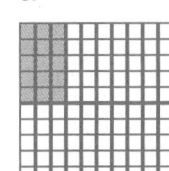   d.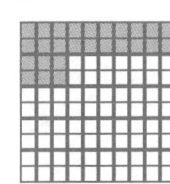

3. No; 10 no es divisible entre 4.

4. No; No; Ni el 10 ni el 100 son divisibles entre 3.

5. Ninguno; Ambas cuadrículas representan el mismo número.

2 Enseñanza

Aprender

Ejemplos adicionales

1. Escribe 0.45 como una fracción en su mínima expresión.

   $$0.45 = \frac{45}{100}$$
   $$= \frac{45 \div 5}{100 \div 5}$$
   $$= \frac{9}{20}$$

2. Ollie necesita un clavo de por lo menos 0.9 pulgadas de largo. Tiene algunos clavos de $\frac{15}{16}$ de pulgada. ¿Son lo bastante largos?

   $$\frac{15}{16} = 15 \div 16 = 0.9375$$

   Los clavos miden 0.9375 pulgadas de longitud. 0.9375 > 0.9, por tanto, son lo suficientemente largos.

Answers for Explore

1. a. 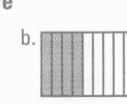   b.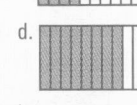

   c.   d.

2. a. 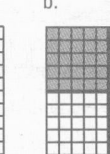   b.

   c.   d.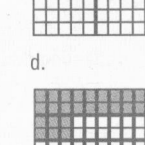

3. No; 10 is not divisible by 4.

4. No; No; Neither 10 nor 100 is divisible by 3.

5. Neither; They represent the same number.

Teach

Learn

Alternate Examples

1. Write 0.45 as a fraction in lowest terms.

   $$0.45 = \frac{45}{100}$$
   $$= \frac{45 \div 5}{100 \div 5}$$
   $$= \frac{9}{20}$$

2. Ollie needs a nail at least 0.9 inch long. He has some nails which are $\frac{15}{16}$ inch long. Are they long enough?

   $$\frac{15}{16} = 15 \div 16 = 0.9375$$

   The nail is 0.9375 inch long. 0.9375 > 0.9, so the nail is long enough.

Alternate Examples

3. The pattern for a stuffed teddy bear calls for $\frac{1}{3}$ yard of ribbon, while the pattern for a stuffed dog requires $\frac{3}{8}$ yard of ribbon.

Write these measures as decimals, and tell which is greater. Which toy requires more ribbon?

Use a calculator to divide.

1 ÷ 3 = 0.333 …, so $\frac{1}{3}$ is the repeating decimal $0.\overline{3}$.

3 ÷ 8 = 0.375, so $\frac{3}{8}$ is the terminating decimal 0.375.

0.375 is greater than $0.\overline{3}$, so the stuffed dog requires more ribbon.

Practice and Assess

Check

Check that students know to place the bar over only the set of repeating digits in a repeating decimal. Tell them that this set of numbers is called the *repetend*, a term derived from the word *repeat*.

Answers for Check Your Understanding

1. Yes; To change a fraction to a decimal, divide the numerator by the denominator.

2. If the numerator is less than the denominator, the fraction is less than 1; If the numerator is equal to the denominator, the fraction is equal to 1; If the numerator is greater than the denominator, the fraction is greater than 1.

Ejemplos adicionales

3. El patrón para hacer un oso de peluche necesita $\frac{1}{3}$ de yarda de listón, mientras que el patrón de un perro de peluche requiere de $\frac{3}{8}$ de yarda de listón.

Escribe estas medidas como números decimales e indica cuál es mayor. ¿Cuál juguete necesita más listón?

Usa una calculadora para dividir.

1 ÷ 3 = 0.333..., por tanto, $\frac{1}{3}$ es el decimal periódico: $0.\overline{3}$.

3 ÷ 8 = 0.375, por tanto, $\frac{3}{8}$ es el decimal finito: 0.375.

0.375 es mayor que $0.\overline{3}$, por tanto, el perro de peluche requiere de más listón.

3 Práctica y evaluación

Comprobar

Asegúrese de que los estudiantes sepan que la barra sólo debe colocarse sobre el conjunto de dígitos repetidos en un decimal periódico. Indíqueles que este conjunto de números se llama *período*, un término derivado de la palabra *periódico*.

Respuestas de Comprobar tu comprensión

1. Sí; Para pasar de una fracción a un número decimal, se divide el numerador entre el denominador.

2. Si el numerador es menor que el denominador, la fracción es menor que 1; Si el numerador es igual al denominador, la fracción es igual a 1; Si el numerador es mayor que el denominador, la fracción es mayor que 1.

Cuando conviertes una fracción en un decimal hay dos clases de respuesta que puedes obtener: un *decimal finito* o un *decimal periódico*.

Un **decimal finito** termina:

$$\frac{5}{8} = 8\overline{)5.000} = 0.625$$
$$\begin{array}{r} 0.625 \\ \hline 48 \\ \hline 20 \\ 16 \\ \hline 40 \\ 40 \\ \hline \end{array}$$

Un **decimal periódico** repite un patrón de dígitos continuo:

$$\frac{4}{11} = 11\overline{)4.000000}$$
$$\begin{array}{r} 0.363636... \\ \hline 33 \\ \hline 70 \\ 66 \\ \hline 40 \\ 33 \\ \hline \end{array}$$

$\frac{5}{8} = 0.625$. El decimal es finito.

$\frac{4}{11} = 0.3636…$ El decimal es periódico.

Para representar un decimal periódico, dibuja una barra sobre los dígitos que se repiten.
$\frac{4}{11} = 0.\overline{36}$.

Ejemplo 3

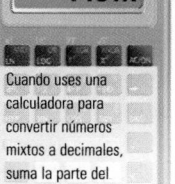

Los paleontólogos usan compases especiales para medir la anchura de los objetos sólidos. Un paleontólogo mide dos huesos como $\frac{1}{9}$ y $\frac{3}{32}$ de pulgada. Escribe estas medidas como decimales. ¿Cuál decimal es mayor? ¿Cuál hueso es más grande?

Usa una calculadora para dividir.

1 ÷ 9 = 0.111111…, por tanto, $\frac{1}{9}$ es el decimal periódico $0.\overline{1}$.

3 ÷ 32 = 0.09375, por tanto, $\frac{3}{32}$ es el decimal finito 0.09375.

$0.\overline{1}$ es mayor que 0.09375. El primer hueso es más grande.

Haz la prueba

Escribe los siguientes números como una fracción en su mínima expresión.

a. 0.8 $\frac{4}{5}$ b. 0.24 $\frac{6}{25}$ c. 0.375 $\frac{3}{8}$

Escribe cada número como un decimal. Establece si el decimal es finito o periódico.

d. $\frac{1}{5}$ 0.2; finito   e. $\frac{13}{20}$ 0.65; finito   f. $\frac{12}{33}$ $0.\overline{36}$; periódico

Cuando uses una calculadora para convertir números mixtos a decimales, suma la parte del número mixto al final: numerador ÷ denominador ÷ número cabal = .

MEETING MIDDLE SCHOOL CLASSROOM NEEDS

Tips from Middle School Teachers

Materials: Calculators

It is important for students to know how a calculator shows a repeating decimal. Have students use their calculators to find the decimal for $\frac{2}{3}$. Some calculators will display 0.6666666 and some will display 0.6666667. Write the two representations on the chalkboard and explain that the first calculator *truncated*, or cut off, the decimal after the seventh place, and that the second calculator rounded the decimal to that place.

Consumer Connection

Both wire and plastic sheeting are measured in *mils*, or thousandths of an inch. Give both the decimal and the fraction for 3 mils and 12 mils.

0.003, $\frac{3}{1000}$; 0.012, $\frac{12}{1000}$

Science Connection

Paleontologists study the forms of life existing in prehistoric times by investigating animal and plant fossils. They are mainly concerned with life during the Paleolithic period (Old Stone Age), which began around 2.5 million years ago, and the Neolithic period (New Stone Age), which began about 9000 b.c.

Sugerencias de los maestros

Materiales: Calculadora

Es importante que los estudiantes sepan cómo se muestran los decimales periódicos en una calculadora. Pídales que hallen en sus calculadoras el decimal equivalente de $\frac{2}{3}$. Algunas calculadoras despliegan 0.6666666, pero otras despliegan 0.6666667. Escriba los resultados en la pizarra y explique por qué la primera calculadora *truncó* o cortó la cifra después de siete números, mientras que la segunda redondeó el decimal hasta el séptimo dígito.

Asociación con Consumo

Tanto los cables como su cubierta plástica se miden en *mils* o milésimas de pulgada. Calcula el decimal y la fracción equivalente a 3 y 12 mils.

0.003, $\frac{3}{1000}$; 0.012, $\frac{12}{1000}$

Asociación con Ciencias

Los paleontólogos estudian las formas de vida que existieron en la prehistoria mediante el análisis de fósiles de animales y plantas. Dos de los períodos más importantes para los paleontólogos son el Paleolítico (primera parte de la edad de piedra), iniciado hace unos 2.5 millones de años y el Neolítico (segunda parte de la edad de piedra), iniciado alrededor del 9000 a.C.

Comprobar | Tu comprensión

1. ¿Pueden todas las fracciones convertirse en decimales? Explica por qué.

2. ¿Cómo puedes saber si una fracción es menor, igual o mayor que 1?

5-7 Ejercicios y aplicaciones

Práctica y aplicación

1. [Para empezar] Escribe cada decimal en forma de fracción.

a. 0.3 $\frac{3}{10}$ **b.** 0.7 $\frac{7}{10}$ **c.** 0.11 $\frac{11}{100}$ **d.** 0.37 $\frac{37}{100}$ **e.** 0.121 $\frac{121}{1000}$ **f.** 0.333 $\frac{333}{1000}$

Escribe los decimales mediante la notación de barra.

2. $0.33333333\ldots$ $0.\overline{3}$ **3.** $0.14141414\ldots$ $0.\overline{14}$ **4.** $0.827272727\ldots$ $0.8\overline{27}$ **5.** $1.345345\ldots$ $1.\overline{345}$

Escribe cada fracción como un decimal. Establece si el decimal es finito o periódico.

6. $\frac{2}{5}$ **7.** $\frac{2}{11}$ **8.** $\frac{7}{10}$ **9.** $\frac{9}{20}$ **10.** $\frac{2}{22}$ **11.** $\frac{7}{25}$

12. $\frac{17}{20}$ **13.** $\frac{4}{6}$ **14.** $\frac{11}{6}$ **15.** $\frac{5}{2}$ **16.** $\frac{62}{62}$ **17.** $\frac{5}{4}$

18. $\frac{7}{9}$ **19.** $\frac{72}{100}$ **20.** $\frac{5}{8}$ **21.** $\frac{3}{4}$ **22.** $\frac{5}{6}$ **23.** $\frac{4}{8}$

Escribe cada decimal como una fracción en su mínima expresión.

24. 0.25 $\frac{1}{4}$ **25.** 0.4 $\frac{2}{5}$ **26.** 0.75 $\frac{3}{4}$ **27.** 0.44 $\frac{11}{25}$ **28.** 0.3 $\frac{3}{10}$ **29.** 0.67 $\frac{67}{100}$

30. 0.168 $\frac{21}{125}$ **31.** 0.35 $\frac{7}{20}$ **32.** 0.64 $\frac{16}{25}$ **33.** 0.52 $\frac{13}{25}$ **34.** 0.332 $\frac{83}{250}$ **35.** 0.192 $\frac{24}{125}$

36. 0.6 $\frac{3}{5}$ **37.** 0.7 $\frac{7}{10}$ **38.** 0.36 $\frac{9}{25}$ **39.** 0.128 $\frac{16}{125}$ **40.** 0.28 $\frac{7}{25}$ **41.** 0.88 $\frac{22}{25}$

42. Medición Chi usa un juego de tazas con las siguientes medidas: $\frac{1}{4}$ de taza, $\frac{1}{3}$ de taza, $\frac{1}{2}$ taza y 1 taza. Escribe el nombre decimal para cada medida.
0.25 de taza; $0.\overline{3}$ de taza; 0.5 de taza; 1.0 taza

43. Medición Melissa usa un juego de llaves que vienen en estas medidas (en pulgadas): 0.125, 0.25, 0.375, 0.5, 0.625, 0.75 y 0.875. Escribe cada medida de llave como una fracción en su mínima expresión. $\frac{1}{8}$ in., $\frac{1}{4}$ in., $\frac{3}{8}$ in., $\frac{1}{2}$ in., $\frac{5}{8}$ in., $\frac{3}{4}$ in., $\frac{7}{8}$ in.

5-7 • Conversión de fracciones y decimales   **305**

PRACTICAR 5-7

Assignment Guide

■ Basic 1–41 odds, 42, 43, 45, 49–63 odds

■ Average 1, 2–42 evens, 43–46, 50–64 evens

■ Enriched 1–41 odds, 43–49, 50–64 evens

Respuestas de Ejercicios

6. 0.4; Finito
7. $0.\overline{18}$; Periódico
8. 0.7; Finito
9. 0.45; Finito
10. $0.0\overline{9}$; Periódico
11. 0.28; Finito
12. 0.85; Finito
13. $0.\overline{6}$; Periódico
14. $1.8\overline{3}$; Periódico
15. 2.5; Finito
16. 1.0; Finito
17. 1.25; Finito
18. $0.\overline{7}$; Periódico
19. 0.72; Finito
20. 0.625; Finito
21. 0.75; Finito
22. $0.8\overline{3}$; Periódico
23. 0.5; Finito

Exercise Answers

6. 0.4; Terminates
7. $0.\overline{18}$; Repeats
8. 0.7; Terminates
9. 0.45; Terminates
10. $0.0\overline{9}$; Repeats
11. 0.28; Terminates
12. 0.85; Terminates
13. $0.\overline{6}$; Repeats
14. $1.8\overline{3}$; Repeats
15. 2.5; Terminates
16. 1.0; Terminates
17. 1.25; Terminates
18. $0.\overline{7}$; Repeats
19. 0.72; Terminates
20. 0.625; Terminates
21. 0.75; Terminates
22. $0.8\overline{3}$; Repeats
23. 0.5; Terminates

PRACTICE

Nombre _____ Práctica 5-7

Conversión de fracciones y decimales

Usa la notación de barra para reescribir cada número.

1. $0.77777777\ldots$ $0.\overline{7}$ 2. $0.58585858\ldots$ $0.\overline{58}$ 3. $2.65656565\ldots$ $2.\overline{65}$

4. $3.008008008\ldots$ $3.\overline{008}$ 5. $4.876767676\ldots$ $4.8\overline{76}$ 6. $12.12121212\ldots$ $12.\overline{12}$

7. $4.93333333\ldots$ $4.9\overline{3}$ 8. $7.50505050\ldots$ $7.\overline{50}$ 9. $6.80888888\ldots$ $6.80\overline{8}$

Escribe cada fracción como número decimal. Indica si el decimal es finito o periódico.

10. $\frac{2}{3}$ $0.\overline{6}$ Periódico   11. $\frac{7}{10}$ 0.7 Finito   12. $\frac{3}{5}$ 0.6 Finito   13. $\frac{15}{6}$ 2.5 Finito

14. $\frac{23}{33}$ $0.\overline{69}$ Periódico   15. $\frac{1}{8}$ 0.125 Finito   16. $\frac{5}{11}$ $0.\overline{45}$ Periódico   17. $\frac{36}{25}$ 1.44 Finito

18. $\frac{41}{100}$ 0.41 Finito   19. $\frac{5}{6}$ $0.\overline{83}$ Periódico   20. $\frac{21}{40}$ 0.525 Finito   21. $\frac{49}{50}$ 0.98 Finito

Escribe cada número decimal como una fracción en su mínima expresión.

22. 0.25 $\frac{1}{4}$ 23. 0.74 $\frac{37}{50}$ 24. 0.5 $\frac{1}{2}$ 25. 0.47 $\frac{47}{100}$

26. 0.8 $\frac{4}{5}$ 27. 0.375 $\frac{3}{8}$ 28. 0.515 $\frac{103}{200}$ 29. 0.863 $\frac{863}{1000}$

30. 0.28 $\frac{7}{25}$ 31. 0.45 $\frac{9}{20}$ 32. 0.7 $\frac{7}{10}$ 33. 0.186 $\frac{93}{500}$

34. 0.504 $\frac{63}{125}$ 35. 0.84 $\frac{21}{25}$ 36. 0.775 $\frac{31}{40}$ 37. 0.868 $\frac{217}{250}$

38. **Medición** Gilbert usa un conjunto de brocas que vienen en las siguientes medidas: 0.0625 in., 0.125 in., 0.1875 in., 0.25 in. y 0.375 in. Escribe la medida de cada broca como una fracción en su mínima expresión. $\frac{1}{16}$ in., $\frac{1}{8}$ in., $\frac{3}{16}$ in., $\frac{1}{4}$ in., $\frac{3}{8}$ in.

39. **Tecnología** Un procesador de palabras para computadora permite a los usuarios seleccionar un tamaño de fuente de 8, 10, 12 ó 16 puntos. Estos tamaños son equivalentes a $\frac{1}{8}$ in., $\frac{5}{36}$ in., $\frac{1}{6}$ in., $\frac{1}{5}$ in., respectivamente. Escribe cada tamaño de fuente como un número decimal. $0.1\overline{2}$ in., $0.13\overline{8}$ in., $0.1\overline{6}$ in., 0.2 in.

RETEACHING

Nombre _____ Práctica adicional 5-7

Conversión de fracciones y decimales

Las fracciones y los decimales pueden usarse para indicar el mismo número. A veces es necesario escribir una fracción como un número decimal o viceversa.

— Ejemplo 1 —

Para escribir una fracción como un número decimal, divide el numerador entre el denominador. La respuesta será un **decimal finito**, es decir, sin residuo, o un **decimal periódico**, es decir, aquel que repite un patrón de números.

a. Escribe $\frac{2}{5}$ como un número decimal.
0.4
Divide 2 entre 5. 5)2.0
2 0

b. Escribe $\frac{2}{9}$ como un número decimal.
0.222...
Divide 2 entre 9. 9)2.000
1 8
20
18
20
18
20

La fracción $\frac{2}{5}$ y el número decimal 0.4 expresan el mismo número.

La fracción $\frac{2}{9}$ y el número decimal 0.222... expresan el mismo número.

Haz la prueba Escribe cada fracción como un número decimal.

a. $\frac{4}{5}$ 0.8   **b.** $\frac{2}{3}$ 0.666...   **c.** $\frac{4}{9}$ 0.444...   **d.** $\frac{3}{8}$ 0.375

e. $\frac{5}{25}$ 0.2   **f.** $\frac{5}{6}$ 0.8333...   **g.** $\frac{5}{75}$ 0.0666...   **h.** $\frac{2}{11}$ 0.181818...

— Ejemplo 2 —

Para escribir un decimal finito como una fracción, escribe los dígitos del número decimal como el numerador. Usa el valor posicional del número decimal para escribir el denominador. Después escribe tu respuesta en su mínima expresión.

Escribe 0.3 como una fracción.

$0.3 = \frac{3}{10}$ ← valor posicional del decimal

La fracción está en su mínima expresión, por tanto, el número decimal 0.3 y la fracción $\frac{3}{10}$ expresan el mismo número.

Haz la prueba Escribe cada decimal como una fracción en su mínima expresión.

i. 0.45 $\frac{9}{20}$ **j.** 0.25 $\frac{1}{4}$ **k.** 0.6 $\frac{3}{5}$ **l.** 0.52 $\frac{13}{25}$

m. 0.01 $\frac{1}{100}$ **n.** 0.24 $\frac{6}{25}$ **o.** 0.625 $\frac{5}{8}$ **p.** 0.440 $\frac{11}{25}$

Práctica adicional

[Actividad]

Materiales: Cuadrículas de 10×10

• Un cuadrado en la cuadrícula de 10×10 representa un centavo. Un centavo es $\frac{1}{100}$ de un dólar. El decimal que representa un centavo es 0.01, por tanto, $\frac{1}{100} = 0.01$.

• Usa una cuadrícula de 10×10 para representar una moneda de 5 centavos. En una moneda de 5 centavos el decimal es 0.05. Por tanto, $\frac{1}{20} = 0.05$.

• Usa cuadrículas de 10×10 para indicar la fracción y el decimal equivalente a las siguientes cantidades.

1. 9 monedas de 5 centavos
$\frac{9}{20} = 0.45$

2. 13 monedas de 5 centavos
$\frac{13}{20} = 0.65$

3. 1 moneda de 10 centavos
$\frac{1}{10} = 0.1$

4. 7 monedas de 10 centavos
$\frac{7}{10} = 0.7$

Reteaching

Activity

Materials: 10×10 Grids

• Let one square on a 10×10 grid represent one cent. One cent is $\frac{1}{100}$ of a dollar. The decimal for one cent is 0.01, so $\frac{1}{100} = 0.01$.

• Use a 10×10 grid to represent 1 nickel. A nickel is 5 cents, the decimal is 0.05. So, $\frac{1}{20} = 0.05$.

• Use 10×10 grids to give a fraction and a decimal for the following amounts.

1. 9 nickels $\frac{9}{20} = 0.45$
2. 13 nickels $\frac{13}{20} = 0.65$
3. 1 dime $\frac{1}{10} = 0.1$
4. 7 dimes $\frac{7}{10} = 0.7$

Exercise Notes

■ Exercise 58

Consumer The United States Mint was established in 1792. The Mint manufactures all U.S. coins and distributes them through the Federal Reserve banks and branches.

Exercise Answers

46. 0.667; A number is more accurate if you round the decimals farther away from the decimal point.

47. $\frac{2}{99} = 0.\overline{02}$; $\frac{37}{99} = 0.\overline{37}$; Finding $\frac{37}{99}$; It takes longer before it's clear that it will repeat.

48. Possible answer: It is a repeating decimal; $0.\overline{3}$.

49. Possible answer: A repeating decimal repeats digits continuously. A terminating decimal has an end.

58.
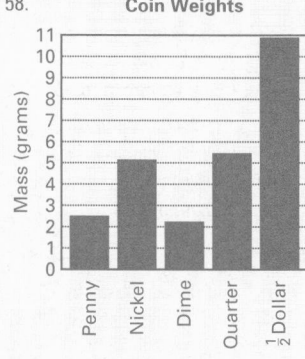
Coin Weights

59–64. See page C3.

Alternate Assessment

Interview Verbalize the methods of writing fractions as decimals and decimals as fractions. Give examples on the chalkboard.

Quick Quiz

Write each decimal as a fraction in lowest terms.

1. 0.68 $\frac{17}{25}$

2. 0.275 $\frac{11}{40}$

Write each fraction as a decimal.

3. $\frac{3}{8}$ 0.375

4. $\frac{4}{9}$ $0.\overline{4}$

5. $\frac{4}{5}$ 0.8

Available on Daily Transparency 5-7

Notas sobre los ejercicios

■ Ejercicio 58

Consumo En 1792 se estableció la Casa de Moneda de Estados Unidos. En ella se acuñan todas las monedas estadounidenses y se distribuyen a través de los bancos de la Reserva Federal y sus sucursales.

Respuestas de Ejercicios

46. 0.667; Un número es más exacto si se redondea a los decimales más alejados del punto decimal.

47. $\frac{2}{99} = 0.\overline{02}$; $\frac{37}{99} = 0.\overline{37}$; Hallar $\frac{37}{99}$; Implica más pasos para llegar al resultado de que es periódico.

48. Respuesta posible: Es un decimal periódico; $0.\overline{3}$.

49. Respuesta posible: En un decimal periódico los dígitos se repiten de manera continua. Un decimal finito tiene un número limitado de dígitos.

58.
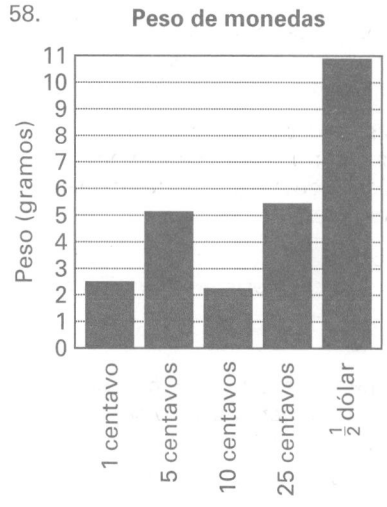
Peso de monedas

59–64. Véase la página C3.

Evaluación adicional

Entrevista Explica los métodos usados para escribir fracciones como decimales y viceversa. Escribe ejemplos en la pizarra.

► Prueba rápida

Escribe los decimales como fracciones en su mínima expresión.

1. 0.68 $\frac{17}{25}$

2. 0.275 $\frac{11}{40}$

Escribe cada fracción como un decimal.

3. $\frac{3}{8}$ 0.375

4. $\frac{4}{9}$ $0.\overline{4}$

5. $\frac{4}{5}$ 0.8

---

44. Profesiones Jeff introduce datos de una gráfica de medición a una hoja de cálculo de computadora. Será más sencillo que introduzca los kilogramos en forma decimal. ¿Qué valores deberá introducir Jeff para las siguientes fechas?

a. 2 de marzo 0.3   b. 5 de marzo 0.8

c. 8 de marzo 0.6   d. 14 de marzo 0.2

Medición: Datos de marzo

45. **Para la prueba** Escoge el decimal equivalente para $\frac{5}{6}$. D

   Ⓐ 0.3333   Ⓑ $0.\overline{3}$
   Ⓒ 0.8   Ⓓ $0.8\overline{3}$

Resolución de problemas y razonamiento

46. **Comunicación** ¿De qué número está más cerca $\frac{2}{3}$: de 0.67 o de 0.667? Explica tu respuesta.

47. **Razonamiento crítico** Usa la división larga para escribir $\frac{2}{99}$ y $\frac{37}{99}$ como decimales. ¿Cuál proceso tiene más pasos? Explica por qué.

48. **Comunicación** Mimi convierte $\frac{1}{3}$ en un decimal por medio de la división, pero ésta nunca termina. Explica por qué pasa esto. ¿Cómo debe escribir el decimal?

49. 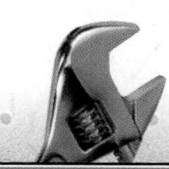 Explica la diferencia entre un decimal finito y un decimal periódico.

Repaso mixto

Simplifica las expresiones en forma mental. *[Lección 2-5]*

50. 60×10 600   51. $175 + 425$ 600   52. $86 + 24$ 110   53. $3 \times 68 \times 10$ 2040

54. $8000 \div 200$ 40   55. 300×50 15,000   56. $17 + 70 + 30$ 57. 34×3 102

58. Haz una gráfica de barras con los siguientes datos. *[Lección 1-5]* 117

Masa de las monedas estadounidenses (gramos)				
Un centavo	Cinco centavos	Diez centavos	Veinticinco centavos	Medio dólar
2.60	5.14	2.26	5.47	10.99

Dibuja un modelo para cada una de las fracciones. *[Lección 5-4]*

59. $\frac{1}{3}$ 60. $\frac{2}{5}$ 61. $\frac{3}{7}$ 62. $\frac{9}{10}$ 63. $\frac{3}{12}$ 64. $\frac{1}{4}$

306   *Capítulo 5 • Patrones y teoría de los números*

PROBLEM SOLVING

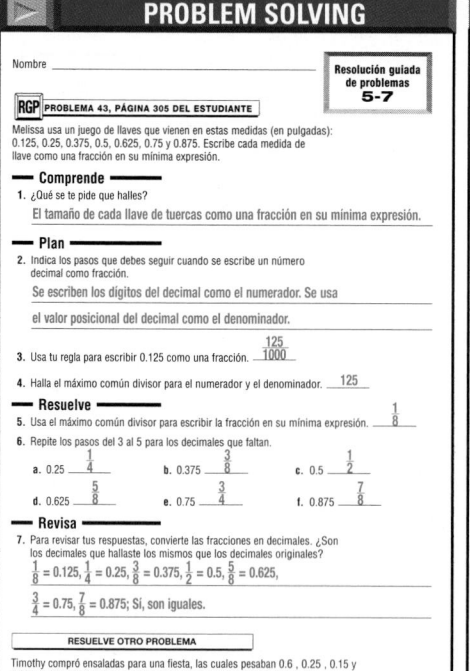

Nombre _____

Resolución guiada de problemas 5-7

RGP PROBLEMA 43, PÁGINA 305 DEL ESTUDIANTE

Melissa usa un juego de llaves que vienen en estas medidas (en pulgadas): 0.125, 0.25, 0.375, 0.5, 0.625, 0.75 y 0.875. Escribe cada medida de llave como una fracción en su mínima expresión.

— Comprende —

1. ¿Qué se te pide que halles?
El tamaño de cada llave de tuercas como una fracción en su mínima expresión.

— Plan —

2. Indica los pasos que debes seguir cuando se escribe un número decimal como fracción.
Se escriben los dígitos del decimal como el numerador. Se usa
el valor posicional del decimal como el denominador.

3. Usa tu regla para escribir 0.125 como una fracción. $\frac{125}{1000}$

4. Halla el máximo común divisor para el numerador y el denominador. 125

— Resuelve —

5. Usa el máximo común divisor para escribir la fracción en su mínima expresión. $\frac{1}{8}$

6. Repite los pasos del 3 al 5 para los decimales que faltan.

a. 0.25 $\frac{1}{4}$ b. 0.375 $\frac{3}{8}$ c. 0.5 $\frac{1}{2}$

d. 0.625 $\frac{5}{8}$ e. 0.75 $\frac{3}{4}$ f. 0.875 $\frac{7}{8}$

— Revisa —

7. Para revisar tus respuestas, convierte las fracciones en decimales. ¿Son los decimales que hallaste los mismos que los decimales originales?
$\frac{1}{8} = 0.125$, $\frac{1}{4} = 0.25$, $\frac{3}{8} = 0.375$, $\frac{1}{2} = 0.5$, $\frac{5}{8} = 0.625$,
$\frac{3}{4} = 0.75$, $\frac{7}{8} = 0.875$; Sí, son iguales.

RESUELVE OTRO PROBLEMA

Timothy compró ensaladas para una fiesta, las cuales pesaban 0.6 , 0.25 , 0.15 y 0.375 lb. Escribe cada peso como una fracción en su mínima expresión.
0.6 lb = $\frac{3}{5}$ lb, 0.25 lb = $\frac{1}{4}$ lb, 0.15 lb = $\frac{3}{20}$ lb, 0.375 lb = $\frac{3}{8}$ lb

---

ENRICHMENT

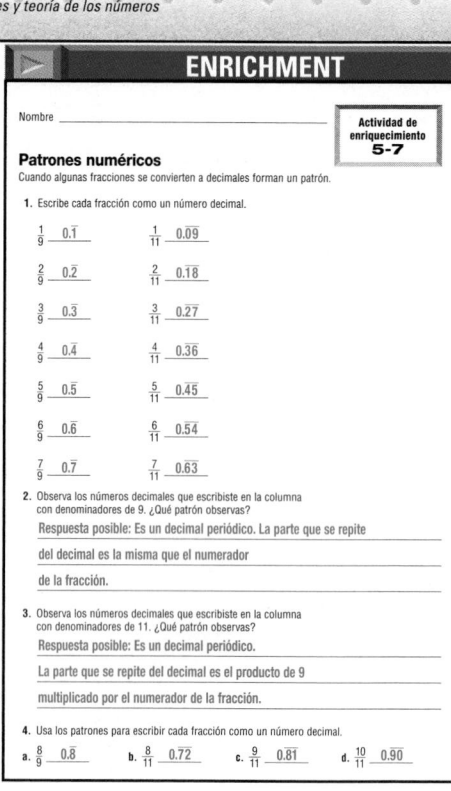

Nombre _____

Actividad de enriquecimiento 5-7

Patrones numéricos

Cuando algunas fracciones se convierten a decimales forman un patrón.

1. Escribe cada fracción como un número decimal.

$\frac{1}{9}$ $0.\overline{1}$ $\frac{1}{11}$ $0.\overline{09}$

$\frac{2}{9}$ $0.\overline{2}$ $\frac{2}{11}$ $0.\overline{18}$

$\frac{3}{9}$ $0.\overline{3}$ $\frac{3}{11}$ $0.\overline{27}$

$\frac{4}{9}$ $0.\overline{4}$ $\frac{4}{11}$ $0.\overline{36}$

$\frac{5}{9}$ $0.\overline{5}$ $\frac{5}{11}$ $0.\overline{45}$

$\frac{6}{9}$ $0.\overline{6}$ $\frac{6}{11}$ $0.\overline{54}$

$\frac{7}{9}$ $0.\overline{7}$ $\frac{7}{11}$ $0.\overline{63}$

2. Observa los números decimales que escribiste en la columna con denominadores de 9. ¿Qué patrón observas?
Respuesta posible: Es un decimal periódico. La parte que se repite
del decimal es la misma que el numerador
de la fracción.

3. Observa los números decimales que escribiste en la columna con denominadores de 11. ¿Qué patrón observas?
Respuesta posible: Es un decimal periódico.
La parte que se repite del decimal es el producto de 9
multiplicado por el numerador de la fracción.

4. Usa los patrones para escribir cada fracción como un número decimal.

a. $\frac{8}{9}$ $0.\overline{8}$ b. $\frac{8}{11}$ $0.\overline{72}$ c. $\frac{9}{11}$ $0.\overline{81}$ d. $\frac{10}{11}$ $0.\overline{90}$

TECNOLOGÍA

Uso de la hoja de cálculo • Hallar equivalentes decimales para fracciones comunes

Problema: ¿Qué patrones puedes ver en los equivalentes decimales de los quintos?

Puedes usar tu hoja de cálculo para calcular con rapidez los equivalentes decimales de las fracciones.

1 Introduce la información en la hoja de cálculo como se muestra:

	A	B	C	D	E	F	G
1	Numerador	1	2	3	4	5	
2	Denominador	5	5	5	5	5	
3							
4	Decimal						
5							

2 En la celda B4 introduce la fórmula
=B1/B2

	A	B	C	D	E	F	G
1	Numerador	1	2	3	4	5	
2	Denominador	5	5	5	5	5	
3							
4	Decimal	0.2	0.4	0.6	0.8	1.0	
5							

3 Copia la fórmula a lo largo de la fila hasta la columna F. Puedes necesitar formatear la fila 4 para ver todos los números después del punto decimal.

Solución: Cada decimal aumenta en 0.2.

INTÉNTALO

a. Halla un patrón decimal para novenos.

b. Halla un patrón decimal para séptimos.

POR TU CUENTA

► ¿Por qué crees que la fórmula de la división usa una "/" y no un "÷" para esta operación?

► ¿Es el valor decimal en C4 siempre el doble del valor decimal en B4? Explica por qué.

► Cuando conviertes a decimales un patrón de fracción con un denominador par, el número 0.5 siempre aparece como uno de los equivalentes decimales. ¿Por qué?

307

Uso de la hoja de cálculo • Hallar los equivalentes decimales para fracciones comunes

Objetivo
Los estudiantes usan una hoja de cálculo para hacer tablas que muestren el equivalente decimal de las fracciones.

Materiales
Software de hoja de cálculo

Recursos
CD-ROM interactivo
Hoja de cálculo/Herramienta para graficar

Acerca de esta página

• Explique a los estudiantes que la fórmula B1/B2 divide la entrada de la hilera 1 entre la entrada de la hilera 2.

• Si no se aprecia el patrón de un decimal periódico, debe aumentarse el número de posiciones decimales desplegados.

Pregunte…
• ¿Cómo se convierte una fracción en un decimal? Se divide el numerador entre el denominador.

• ¿Qué hilera de la hoja de cálculo tendrá el mismo número en cada celda? La hilera 2

Respuestas de Inténtalo
a. El numerador de la fracción se repite en el decimal.

b. Los números 1, 4, 2, 8, 5 y 7 se repiten en el decimal con el mismo orden, pero cada valor comienza en un número diferente.

Por tu cuenta
Vuelva a leer la tercera pregunta. Pregunte a los estudiantes si el número 0.5 aparece alguna vez en las fracciones con un denominador impar y que expliquen por qué. No; Un numerador entero no puede ser la mitad de un número impar.

Respuestas de Por tu cuenta
• Respuesta posible: El símbolo ÷ no se muestra en la mayoría de los teclados de computadoras.

• Sí; 2 partes de un entero son siempre el doble de una parte del mismo entero.

• $0.5 = \frac{1}{2}$ y todas las fracciones que equivalen a $\frac{1}{2}$ tienen un denominador par.

Using a Spreadsheet • Finding Decimal Equivalents for Common Fractions

The Point
Students use a spreadsheet to build tables showing decimal forms for fractions.

Materials
Spreadsheet software

Resources
Interactive CD-ROM
Spreadsheet/Grapher Tool

About the Page
• Explain to students that the formula B1/B2 divides the entry in row 1 by the entry in row 2.

• If the pattern of a repeating decimal is not noticeable, the number of decimal places to be displayed has to be increased.

Ask …
• How is a fraction converted to a decimal? Divide the numerator by the denominator.

• Which row in the spreadsheet will have the same number in each cell? Row 2

Answers for Try It
a. The decimal repeats the numerator of the fraction.

b. Each decimal repeats the numbers 1, 4, 2, 8, 5, and 7 in the same order but starts with a different number.

On Your Own
Refer to the third question. Ask students if the number 0.5 ever occurs for a fraction with an odd denominator. Explain. No; An integer numerator cannot be half of an odd number.

Answers for On Your Own
• Possible answer: The ÷ symbol is not shown on most computer keyboards.

• Yes; 2 parts of a whole are always twice as large as 1 part of the same whole.

• $0.5 = \frac{1}{2}$ and all fractions equivalent to $\frac{1}{2}$ have an even denominator.

Objective
- **Compare and order fractions.**

Vocabulary
- **Common denominator**

Materials
- **Explore: Fraction Bars**

NCTM Standards
- **1–6, 13**

Review	➤ Repaso
Order from least to greatest.	Ordena de menor a mayor.
1. 365, 360, 402, 331	1. 365, 360, 402, 331
331, 360, 365, 402	331, 360, 365, 402
2. 4.1, 4.3, 4.07, 4.23	2. 4.1, 4.3, 4.07, 4.23
4.07, 4.1, 4.23, 4.3	4.07, 4.1, 4.23, 4.3
3. 0.05, 5.0, 0.005, 0.5	3. 0.05, 5.0, 0.005, 0.5
0.005, 0.05, 0.5, 5.0	0.005, 0.05, 0.5, 5.0
4. 0.928, 0.2895, 0.82, 0.2	4. 0.928, 0.2895, 0.82, 0.2
0.2, 0.2895, 0.82, 0.928	0.2, 0.2895, 0.82, 0.928

Available on Daily Transparency 5-8

Introduce

Explore

You may wish to use Teaching Tool Transparency 14: Fraction Bars with **Explore**.

The Point

Students use Fraction Bars to model and order fractions with denominators of 2, 3, 4, 6, and 12. They then draw a graph to show that order.

Ongoing Assessment

After students have correctly ordered the Fraction Bars representing the R-values, they should be able to easily translate the bars to a graphical representation.

1 Introducción

Investigar

Objetivo
Los estudiantes usan Barras de fracciones para representar y ordenar las fracciones con los denominadores 2, 3, 4, 6 y 12. Después dibujan una gráfica para mostrar el mismo orden.

Evaluación continua
Después de que los estudiantes han ordenado de manera correcta las Barras de fracciones que representan los valores R, deberán trasladar las barras a una representación gráfica.

5-8 Comparación y ordenación

Vas a aprender...
- a comparar y ordenar fracciones.

...cómo se usa
Los *disc jockeys* ordenan fracciones cuando determinan cuáles canciones se han tocado más veces.

Vocabulario
- denominador común

▶ **Enlace con la lección**   Ya sabes comparar y ordenar decimales; por tanto, en esta lección aprenderás cómo hacer lo mismo con fracciones. ◀

Investigar   Comparación y ordenación

Los 3 R, más 7

El "valor R" del material de un edificio indica su capacidad térmica. La tabla muestra los valores R aproximados de 10 materiales comunes empleados en la construcción (están en orden alfabético).

1. Un contratista te ha pedido que ordenes los materiales de acuerdo con sus valores R. Usa tu comprensión numérica para ordenar, de menor a mayor, las diez fracciones.

2. Utiliza barras de fracciones para ordenar las fracciones. Compara los resultados con tus cálculos.

3. Usa las barras de fracciones para dibujar una gráfica de barras de los diez valores R y ordénalas de menor a mayor.

Materiales: Barras de fracciones ®

Material	Valor R
Bisel lateral de madera	$\frac{3}{4}$
Estuco	$\frac{1}{6}$
Ladrillo común	$\frac{1}{4}$
Láminas de asfalto	$\frac{5}{12}$
Madera terciada de tres octavos de pulgada	$\frac{1}{2}$
Plaste de yeso ligero	$\frac{1}{3}$
Tablaroca de media pulgada	$\frac{7}{12}$
Terminación para pisos en madera dura	$\frac{2}{3}$
Tejas de madera para techo	$\frac{11}{12}$
Tejas laterales de madera	$\frac{5}{6}$

Aprender   Comparación y ordenación

Las herramientas y los materiales para construcción comúnmente se miden en pulgadas y fracciones de pulgada. Para saber cuál tornillo, clavo, segueta o cincel es más grande o más chico, debes saber comparar fracciones.

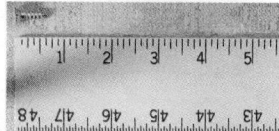

MEETING INDIVIDUAL NEEDS

Resources
5-8 Practice
5-8 Reteaching
5-8 Problem Solving
5-8 Enrichment
5-8 Daily Transparency
   Problem of the Day
   Review
   Quick Quiz
Teaching Tool Transparencies 2, 3, 14
Technology Master 25

Recursos
5-8 Práctica
5-8 Práctica adicional
5-8 Resolución de problemas
5-8 Actividad de enriquecimiento
Tecnología 25

Learning Modalities

Logical Students may think that for fractions with the same numerator and different denominators, the fraction with the greater denominator is greater. To help them understand that the opposite is true, ask whether $\frac{3}{10}$ of a pizza or $\frac{3}{4}$ of the same pizza is a larger portion. It should be obvious that the fraction with the lesser denominator is the greater fraction.

Kinesthetic Circular fraction models work well for comparing fractions. Students can compare two fractions by placing the model for one fraction over the other.

Modos de aprendizaje

Lógico Algunos estudiantes piensan que en las fracciones con igual numerador y distinto denominador, la fracción que muestre el denominador más grande es la mayor. Para ayudarlos a comprender que lo opuesto es lo correcto, pregúnteles si $\frac{3}{10}$ de pizza es mayor que $\frac{3}{4}$ de la misma pizza. Con este ejemplo, resultará obvio que la fracción con el denominador más pequeño es la mayor.

Cinestésico Los modelos circulares de fracciones son adecuados en la comparación de fracciones. Con ellos, los estudiantes sólo tienen que poner un modelo sobre otro para comparar las fracciones.

Challenge

Show students this alternate method for comparing fractions. For example, to compare $\frac{3}{4}$ and $\frac{5}{6}$, cross-multiply: $3 \times 6 = 18$ and $4 \times 5 = 20$. Since $3 \times 6 < 4 \times 5$, $\frac{3}{4} < \frac{5}{6}$. In symbolic form, given fractions $\frac{a}{b}$ and $\frac{c}{d}$, if $ad < bc$, then $\frac{a}{b} < \frac{c}{d}$.

Desafío

Muestre a los estudiantes esta alternativa de comparación de fracciones. Por ejemplo, para comparar $\frac{3}{4}$ y $\frac{5}{6}$, se hace una multiplicación cruzada: $3 \times 6 = 18$ y $4 \times 5 = 20$. Puesto que $3 \times 6 < 4 \times 5$, $\frac{3}{4} < \frac{5}{6}$. En forma simbólica, dadas las reacciones $\frac{a}{b}$ y $\frac{c}{d}$, si $ad < bc$, entonces, $\frac{a}{b} < \frac{c}{d}$.

Una forma de hacer esto es convertir las fracciones para que tengan el mismo denominador. Después compara los numeradores. Cuando dos fracciones tienen el mismo denominador, a éste se le llama **denominador común** .

Ejemplos

1 Compara $\frac{5}{6}$ y $\frac{7}{8}$.

Para reescribir cada fracción, multiplica el numerador y el denominador por el denominador de la *otra* fracción.

$\frac{5}{6} = \frac{5 \times 8}{6 \times 8} = \frac{40}{48}$ Multiplica el numerador y el denominador por el denominador de $\frac{7}{8}$.

$\frac{7}{8} = \frac{7 \times 6}{8 \times 6} = \frac{42}{48}$ Multiplica el numerador y el denominador por el denominador de $\frac{5}{6}$.

Como $\frac{42}{48} > \frac{40}{48}, \frac{7}{8} > \frac{5}{6}.$

2 Mayra tiene unas brocas que miden $\frac{5}{32}$, $\frac{3}{16}$ y $\frac{1}{8}$ de pulgada. Quiere usar la broca más grande. ¿Cuál debe usar?

8 y 16 son factores de 32, por tanto, puedes escribir $\frac{1}{8}$ y $\frac{3}{16}$ con un denominador de 32.

$\frac{1}{8} = \frac{1 \times 4}{8 \times 4} = \frac{4}{32}$

$\frac{3}{16} = \frac{3 \times 2}{16 \times 2} = \frac{6}{32}$

Las brocas miden en orden:
$\frac{4}{32}, \frac{5}{32}$ y $\frac{6}{32}$ de pulgada.
Debe usar la broca de $\frac{3}{16}$ in.

También puedes comparar fracciones al convertirlas a decimales. Después compara los decimales.

Ejemplo 3

Clay necesita $\frac{5}{8}$ de yarda de tela de vinilo para hacerle una funda a su raqueta de tenis. Halló un pedazo de $\frac{2}{3}$ de yarda. ¿Lo debe comprar?

5 ÷ 8 = 0.625

2 ÷ 3 = 0.6666... Usa una calculadora para escribir las fracciones como decimales.

$0.\overline{6} > 0.625$, por tanto, $\frac{2}{3} > \frac{5}{8}$. Clay debe comprar la tela.

Haz la prueba

Determina cuál fracción es mayor. **a.** $\frac{3}{8}, \frac{7}{16}, \frac{7}{16}$ **b.** $\frac{3}{4}, \frac{5}{6}, \frac{5}{6}$ **c.** $\frac{8}{11}, \frac{5}{7}, \frac{8}{11}$

5-8 • Comparación y ordenación **309**

CÁLCULO MENTAL

Puedes obtener el denominador de 32 si multiplicas 8 por 4.

MATH EVERY DAY

▶ Problema del día

La mayoría de los gauchos en Brasil llevan consigo una bolsa con *erva mate*, un té herbal hecho a base de hojas y ramas. Tan sólo en Rio Grande do Sul, el estado que más gusta del mate, se consumen alrededor de 60,000 toneladas de *mate* cada año. Esto representa un promedio de 12 libras anuales por persona. ¿Cuántas personas viven en Rio Grande do Sul? Alrededor de 10 millones de personas

Problem of the Day

Most gauchos in Brazil carry a gourd filled with *erva mate*, an herbal tea brewed from tree leaves and sprigs. About 60,000 tons of *mate* are consumed each year in Rio Grande do Sul, Brazil's biggest *mate*-sipping state. This is an average of 12 pounds per person. About how many people reside in Rio Grande do Sul? About 10 million people

Available on Daily Transparency 5-8

An Extension is provided in the transparency package.

Dato del día

En 1992, más de 40.5 millones de turistas de todo el mundo visitaron Florida.

Fact of the Day

In 1992, more than 40.5 million tourists from all over the world visited Florida.

Mental Math

Tell which fraction is greater.

1. $\frac{3}{4}, \frac{1}{2}, \frac{3}{4}$
2. $\frac{5}{9}, \frac{7}{9}, \frac{7}{9}$
3. $\frac{5}{8}, \frac{5}{6}, \frac{5}{6}$
4. $\frac{13}{20}, \frac{13}{21}, \frac{13}{20}$

Cálculo mental

Indica qué fracción es mayor.

1. $\frac{3}{4}, \frac{1}{2}, \frac{3}{4}$
2. $\frac{5}{9}, \frac{7}{9}, \frac{7}{9}$
3. $\frac{5}{8}, \frac{5}{6}, \frac{5}{6}$
4. $\frac{13}{20}, \frac{13}{21}, \frac{13}{20}$

Para los grupos que terminen antes

Usa tu Barra de fracciones ordenada para encontrar fracciones equivalentes.

$\frac{1}{6} = \frac{2}{12}, \frac{1}{4} = \frac{3}{12}, \frac{1}{3} = \frac{4}{12}, \frac{1}{2} = \frac{6}{12},$

$\frac{2}{3} = \frac{4}{6} = \frac{8}{12}, \frac{3}{4} = \frac{9}{12}, \frac{5}{6} = \frac{10}{12}$

¿Crees que así es más fácil ordenar las fracciones en las listas del valor R? ¿Por qué? Sí; Todas las fracciones tienen el mismo denominador: 12.

Respuestas de Investigar

1. $\frac{1}{6}, \frac{1}{4}, \frac{1}{3}, \frac{5}{12}, \frac{1}{2}, \frac{7}{12}, \frac{2}{3}, \frac{3}{4}, \frac{5}{6}, \frac{11}{12}$
2. $\frac{1}{6}, \frac{1}{4}, \frac{1}{3}, \frac{5}{12}, \frac{1}{2}, \frac{7}{12}, \frac{2}{3}, \frac{3}{4}, \frac{5}{6}, \frac{11}{12}$
3. Véase la página C4.

2 Enseñanza

Aprender

Pregunte a los estudiantes en qué términos matemáticos han encontrado la palabra *común*. Deben acordarse de *múltiplo común*, *mínimo común múltiplo*, *factor común* y *máximo común divisor*.

Ejemplos adicionales

1. Compara $\frac{5}{6}$ y $\frac{3}{4}$.

   $\frac{5}{6} = \frac{5 \times 4}{6 \times 4} = \frac{20}{24}$

   $\frac{3}{4} = \frac{3 \times 6}{4 \times 6} = \frac{18}{24}$

   Puesto que $\frac{20}{24} > \frac{18}{24}, \frac{5}{6} > \frac{3}{4}.$

2. Marge tiene clavos que miden $\frac{9}{16}$ in. y $\frac{5}{8}$ in. Si quiere usar los más largos, ¿cuáles debe usar?

   $\frac{5}{8} = \frac{5 \times 2}{8 \times 2} = \frac{10}{16}$

   Puesto que $\frac{9}{16} < \frac{10}{16}$, los clavos de $\frac{5}{8}$ in. son más largos que los de $\frac{9}{16}$ in.

   Marge debe usar los clavos de $\frac{5}{8}$ in.

3. En el primer juego de la temporada, Nick acertó $\frac{8}{15}$ de los tiros libres que intentó, en tanto que Nate anotó $\frac{6}{9}$. ¿Qué jugador tuvo el mejor promedio de tiros libres?

   8 ÷ 15 = 0.5333...

   6 ÷ 9 = 0.6666...

   $0.5\overline{3} < 0.\overline{6}$, por tanto, $\frac{8}{15} < \frac{6}{9}.$

   Nate tuvo el mejor promedio de tiros libres.

For Groups That Finish Early

Use your ordered Fraction Bars to find equivalent fractions. $\frac{1}{6} = \frac{2}{12},$

$\frac{1}{4} = \frac{3}{12}, \frac{1}{3} = \frac{4}{12}, \frac{1}{2} = \frac{6}{12},$

$\frac{2}{3} = \frac{4}{6} = \frac{8}{12}, \frac{3}{4} = \frac{9}{12}, \frac{5}{6} = \frac{10}{12}$

Do you think it is now easier to order the fractions in the R-value list? Why? Yes; The fractions all have the same denominator, 12.

Answers for Explore

1. $\frac{1}{6}, \frac{1}{4}, \frac{1}{3}, \frac{5}{12}, \frac{1}{2}, \frac{7}{12}, \frac{2}{3}, \frac{3}{4}, \frac{5}{6}, \frac{11}{12}$
2. $\frac{1}{6}, \frac{1}{4}, \frac{1}{3}, \frac{5}{12}, \frac{1}{2}, \frac{7}{12}, \frac{2}{3}, \frac{3}{4}, \frac{5}{6}, \frac{11}{12}$
3. See page C4.

Teach

Learn

Ask students where they have encountered the word *common* as part of a mathematical term. They should remember *common multiple*, *least common multiple*, *common factor*, and *greatest common factor*.

Alternate Examples

1. Compare $\frac{5}{6}$ and $\frac{3}{4}$.

   $\frac{5}{6} = \frac{5 \times 4}{6 \times 4} = \frac{20}{24}$

   $\frac{3}{4} = \frac{3 \times 6}{4 \times 6} = \frac{18}{24}$

   Since $\frac{20}{24} > \frac{18}{24}, \frac{5}{6} > \frac{3}{4}.$

2. Marge has brads measuring $\frac{9}{16}$ in. and $\frac{5}{8}$ in. If she wants to use the longer brad, which ones should she use?

   $\frac{5}{8} = \frac{5 \times 2}{8 \times 2} = \frac{10}{16}$

   Since $\frac{9}{16} < \frac{10}{16}$, the $\frac{5}{8}$-in. brads are longer than the $\frac{9}{16}$-in. brads.

   Marge should use the $\frac{5}{8}$-in. brads.

3. In the first game of the season, Nick made $\frac{8}{15}$ of the free throws he attempted and Nate made $\frac{6}{9}$. Which player had the better free-throw average?

   8 ÷ 15 = 0.5333 ...

   6 ÷ 9 = 0.6666 ...

   $0.5\overline{3} < 0.\overline{6}$, so $\frac{8}{15} < \frac{6}{9}.$

   Nate had the better free-throw average.

What Do You Think?

Students sees two methods for comparing fractions. The first uses a calculator to express the fractions as decimals, and the second expresses the fractions with a common denominator.

Answers for What Do You Think?

1. Possible answer: Peggy's is faster for $\frac{5}{18}$ and $\frac{3}{10}$; Zack's is faster for $\frac{2}{5}$ and $\frac{3}{5}$.

2. Possible answer: When measuring or cooking.

Practice and Assess

Check

Answers for Check Your Understanding

1. No; $\frac{5}{8} = 0.625$, $\frac{4}{3} = 1.\overline{3}$.

2. When numerators are equal, the fraction with the smaller denominator is larger in value.

Los estudiantes observan dos métodos para comparar fracciones. En el primero se utiliza una calculadora para expresar las fracciones como decimales, y en el segundo las fracciones se expresan con un denominador común.

Respuestas de ¿Qué crees tú?

1. Respuesta posible: Peggy es más rápida si compara $\frac{5}{18}$ y $\frac{3}{10}$; Zack es más rápido si compara $\frac{2}{5}$ y $\frac{3}{5}$.

2. Respuesta posible: Cuando se mide o se cocina.

3 Práctica y evaluación

Comprobar

Respuestas de Comprobar tu comprensión

1. No; $\frac{5}{8} = 0.625$, $\frac{4}{3} = 1.\overline{3}$

2. Cuando los numeradores son iguales, la fracción más grande es aquella que tiene el menor denominador.

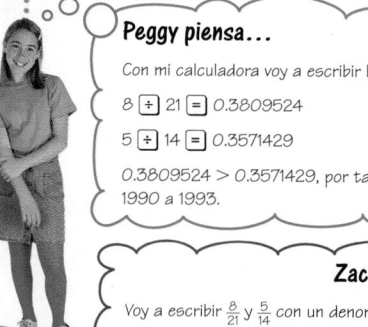

Para un informe acerca del reciclaje, Peggy y Zack leyeron que en 1990 se reciclaron 8 de cada 21 latas de aluminio. En 1993 se reciclaron 5 de cada 14. Quieren saber si la fracción de latas recicladas aumentó o disminuyó de 1990 a 1993.

Peggy piensa...

Con mi calculadora voy a escribir las fracciones como decimales.

$8 \div 21 = 0.3809524$

$5 \div 14 = 0.3571429$

$0.3809524 > 0.3571429$, por tanto, la fracción disminuyó de 1990 a 1993.

Zack piensa...

Voy a escribir $\frac{8}{21}$ y $\frac{5}{14}$ con un denominador común.

$$\frac{8 \times 14}{21 \times 14} = \frac{112}{294} \qquad \frac{5 \times 21}{14 \times 21} = \frac{105}{294}$$

$\frac{112}{294} > \frac{105}{294}$, la fracción disminuyó de 1990 a 1993.

¿Qué crees tú?

1. Menciona un par de fracciones para las cuales el método de Peggy sería más rápido que el de Zack. Indica dos fracciones para las cuales el método de Zack sería más rápido que el de Peggy.

2. ¿Qué otras situaciones cotidianas pueden implicar la comparación de fracciones?

Comprobar Tu comprensión

1. Como $5 > 4$, ¿es $\frac{5}{8} > \frac{4}{3}$? Explica tu respuesta.

2. Dos fracciones tienen el mismo numerador. ¿Cómo puedes usar los denominadores para comparar las fracciones?

MEETING MIDDLE SCHOOL CLASSROOM NEEDS

Tips from Middle School Teachers

I used to be reluctant to allow students to use calculators in class, but I have found that they can be very beneficial in exploring various topics in number theory and in relating fractions and decimals. In our technological society it is important that students be able to use available tools, such as calculators, effectively.

Sugerencias de los maestros

Solía estar en desacuerdo con el uso de las calculadoras en clase, pero me he dado cuenta de que pueden ser de gran ayuda al analizar temas relacionados con la teoría de los números o la asociación entre los decimales y las fracciones. En una era de avances tecnológicos, es importante que los estudiantes sepan usar las herramientas a su alcance y ese es el caso de las calculadoras.

Team Teaching

Ask the industrial-arts teacher to display samples of the materials in the R-value chart and discuss why some have higher ratings than others.

Enseñanza en equipo

Pida al maestro de diseño industrial que presente algunas muestras de los materiales usados en el esquema del valor R y comente por qué algunos valores son más altos que otros.

Industry Connection

Fiberglass is another material used for insulation. It consists of fine threads of glass bunched up in a fuzzy mass. Tiny spaces between the threads trap air and hold heat in or out. Commercial production of fiberglass in the United States started in the 1940s.

Asociación con Industria

La fibra de vidrio es un material que puede usarse como aislante. Se elabora con finas hebras de vidrio que se mezclan para formar una capa espesa. Los minúsculos espacios entre las hebras atrapan el aire y hacen que el calor permanezca afuera o adentro del aislante. La producción comercial de fibra de vidrio en Estados Unidos comenzó en la década de los cuarenta.

5-8 Ejercicios y aplicaciones

Práctica y aplicación

1. **Para empezar** Compara mediante <, > o =.

a. $\frac{1}{5} \boxed{<} \frac{2}{5}$

b. $\frac{3}{7} \boxed{<} \frac{2}{7}$

c. $\frac{3}{8} \boxed{<} \frac{9}{8}$

d. $\frac{16}{20} \boxed{>} \frac{7}{20}$

e. $\frac{7}{12} \boxed{<} \frac{11}{12}$

f. $\frac{5}{2} \boxed{>} \frac{8}{2}$

Halla el mínimo común denominador que puede usarse para comparar cada par de fracciones. Después compara por medio de <, > o =.

2. $\frac{2}{3} \boxed{=} \frac{8}{12}$ 3

3. $\frac{5}{6} \boxed{>} \frac{5}{8}$ 24

4. $\frac{1}{4} \boxed{<} \frac{5}{12}$ 12

5. $\frac{3}{6} \boxed{<} \frac{6}{9}$ 18

6. $\frac{4}{10} \boxed{=} \frac{6}{15}$ 5

7. $\frac{3}{4} \boxed{=} \frac{6}{8}$ 4

8. $\frac{5}{8} \boxed{>} \frac{10}{24}$ 24

9. $\frac{1}{11} \boxed{<} \frac{3}{12}$ 132

10. $\frac{3}{7} \boxed{<} \frac{6}{3}$ 7

11. $\frac{7}{11} \boxed{<} \frac{2}{3}$ 33

12. $\frac{9}{15} \boxed{=} \frac{3}{5}$ 5

13. $\frac{5}{10} \boxed{=} \frac{7}{14}$ 2

Ordena de menor a mayor.

14. $\frac{2}{3}, \frac{2}{6}, \frac{4}{9}$

15. $\frac{7}{9}, \frac{5}{6}, \frac{4}{8}$

16. $\frac{18}{4}, \frac{16}{5}, \frac{19}{20}$

17. $\frac{3}{11}, \frac{11}{3}, \frac{11}{11}$

18. $\frac{9}{12}, \frac{3}{6}, \frac{15}{18}$

19. $\frac{4}{5}, \frac{4}{6}, \frac{4}{7}$

20. $\frac{32}{10}, \frac{25}{100}, \frac{16}{1}$

21. $\frac{3}{5}, \frac{2}{7}, \frac{3}{8}$

22. $\frac{1}{2}, \frac{1}{4}, \frac{1}{3}$

23. $\frac{3}{22}, \frac{10}{11}, \frac{2}{33}$

24. $\frac{4}{10}, \frac{3}{5}, \frac{6}{7}$

25. $\frac{7}{36}, \frac{13}{4}, \frac{1}{6}$

26. **Medición** Flannery tiene $3\frac{5}{8}$ yardas de listón. ¿Tiene suficiente para completar un diseño para el cual se necesitan $3\frac{1}{2}$ yardas? **Sí**

27. Ordena las medidas de los tornillos para madera, en pulgadas, de mayor a menor:

$\frac{1}{4}, \frac{3}{8}, \frac{10}{32}, \frac{10}{16}, \frac{7}{8}, \frac{2}{16}$

$\frac{7}{8}, \frac{10}{16}, \frac{3}{8}, \frac{10}{32}, \frac{1}{4}, \frac{2}{16}$

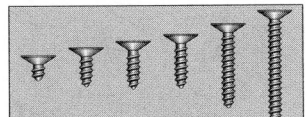

PRACTICAR 5-8

Assignment Guide

■ Basic 1–25 odds, 26–28, 30, 32, 35–45 odds

■ Average 1, 2–26 evens, 27–31, 33–45 odds

■ Enriched 1–27 odds, 28–33, 34–44 evens

Respuestas de Ejercicios

14. $\frac{2}{6}, \frac{4}{9}, \frac{2}{3}$

15. $\frac{4}{8}, \frac{7}{9}, \frac{5}{6}$

16. $\frac{19}{20}, \frac{16}{5}, \frac{18}{4}$

17. $\frac{3}{11}, \frac{11}{11}, \frac{11}{3}$

18. $\frac{3}{6}, \frac{9}{12}, \frac{15}{18}$

19. $\frac{4}{7}, \frac{4}{6}, \frac{4}{5}$

20. $\frac{25}{100}, \frac{32}{10}, \frac{16}{1}$

21. $\frac{2}{7}, \frac{3}{8}, \frac{3}{5}$

22. $\frac{1}{4}, \frac{1}{3}, \frac{1}{2}$

23. $\frac{2}{33}, \frac{3}{22}, \frac{10}{11}$

24. $\frac{4}{10}, \frac{3}{5}, \frac{6}{7}$

25. $\frac{1}{6}, \frac{7}{36}, \frac{13}{4}$

Exercise Answers

14. $\frac{2}{6}, \frac{4}{9}, \frac{2}{3}$

15. $\frac{4}{8}, \frac{7}{9}, \frac{5}{6}$

16. $\frac{19}{20}, \frac{16}{5}, \frac{18}{4}$

17. $\frac{3}{11}, \frac{11}{11}, \frac{11}{3}$

18. $\frac{3}{6}, \frac{9}{12}, \frac{15}{18}$

19. $\frac{4}{7}, \frac{4}{6}, \frac{4}{5}$

20. $\frac{25}{100}, \frac{32}{10}, \frac{16}{1}$

21. $\frac{2}{7}, \frac{3}{8}, \frac{3}{5}$

22. $\frac{1}{4}, \frac{1}{3}, \frac{1}{2}$

23. $\frac{2}{33}, \frac{3}{22}, \frac{10}{11}$

24. $\frac{4}{10}, \frac{3}{5}, \frac{6}{7}$

25. $\frac{1}{6}, \frac{7}{36}, \frac{13}{4}$

PRACTICE

Nombre _____

Práctica 5-8

Comparación y ordenación

Compara las fracciones por medio de <, > o =.

1. $\frac{1}{4} \bigcirc \frac{4}{13}$

2. $\frac{2}{4} \bigcirc \frac{10}{20}$

3. $\frac{5}{7} \bigcirc \frac{6}{7}$

4. $\frac{5}{12} \bigcirc \frac{3}{5}$

5. $\frac{2}{9} \bigcirc \frac{1}{5}$

6. $\frac{7}{9} \bigcirc \frac{3}{18}$

7. $\frac{9}{7} \bigcirc \frac{3}{7}$

8. $\frac{10}{12} \bigcirc \frac{10}{14}$

9. $\frac{12}{16} \bigcirc \frac{4}{5}$

10. $\frac{7}{9} \bigcirc \frac{1}{3}$

11. $\frac{2}{3} \bigcirc \frac{3}{15}$

12. $\frac{6}{9} \bigcirc \frac{4}{12}$

13. $\frac{2}{5} \bigcirc \frac{5}{11}$

14. $\frac{10}{16} \bigcirc \frac{3}{4}$

15. $\frac{7}{11} \bigcirc \frac{9}{13}$

16. $\frac{2}{7} \bigcirc \frac{2}{9}$

Ordena las fracciones de menor a mayor.

17. $\frac{3}{8}, \frac{3}{9}, \frac{1}{10}$

$\frac{3}{10}, \frac{3}{9}, \frac{3}{8}$

18. $\frac{5}{5}, \frac{4}{4}, \frac{1}{4}$

$\frac{4}{4}, \frac{4}{5}, \frac{5}{4}$

19. $\frac{7}{10}, \frac{18}{25}, \frac{3}{5}$

$\frac{3}{5}, \frac{7}{10}, \frac{18}{25}$

20. $\frac{3}{4}, \frac{1}{5}, \frac{3}{20}$

$\frac{3}{20}, \frac{2}{11}, \frac{3}{4}$

21. $\frac{5}{3}, \frac{3}{4}, \frac{1}{6}$

$\frac{2}{3}, \frac{3}{4}, \frac{5}{6}$

22. $\frac{7}{15}, \frac{1}{3}, \frac{7}{5}$

$\frac{1}{3}, \frac{2}{5}, \frac{7}{15}$

23. $\frac{1}{5}, \frac{1}{6}, \frac{7}{30}$

$\frac{1}{6}, \frac{1}{5}, \frac{7}{30}$

24. $\frac{6}{11}, \frac{4}{7}, \frac{8}{9}$

$\frac{6}{11}, \frac{4}{7}, \frac{8}{9}$

25. $\frac{1}{2}, \frac{1}{5}, \frac{2}{3}$

$\frac{1}{5}, \frac{1}{2}, \frac{2}{3}$

26. $\frac{5}{8}, \frac{3}{4}, \frac{7}{10}$

$\frac{5}{8}, \frac{7}{10}, \frac{3}{4}$

27. $\frac{33}{100}, \frac{3}{10}, \frac{33}{1000}$

$\frac{33}{1000}, \frac{3}{10}, \frac{333}{1000}$

28. $\frac{40}{49}, \frac{13}{28}, \frac{3}{14}$

$\frac{3}{14}, \frac{13}{28}, \frac{40}{49}$

29. **Medición** Ralph tiene $2\frac{1}{4}$ tazas de leche. ¿Tiene suficiente para preparar una receta que lleva $2\frac{1}{2}$ tazas?   **No**

30. **Medición** La ferretería de Jody tiene en existencia clavijas de madera de los siguientes anchos: $\frac{3}{8}$ in., $\frac{1}{4}$ in., $\frac{3}{8}$ in., $\frac{1}{2}$ in. Escribe estas medidas en orden ascendente.

$\frac{1}{8}$ in., $\frac{3}{16}$ in., $\frac{1}{4}$ in., $\frac{3}{8}$ in., $\frac{1}{2}$ in.

RETEACHING

Nombre _____

Práctica adicional 5-8

Comparación y ordenación

En ocasiones es necesario comparar u ordenar fracciones. Una forma de hacerlo es escribir cada fracción de manera que tengan un **común** (mismo) **denominador**. Así, las fracciones $\frac{3}{10}$ y $\frac{5}{10}$ tienen un común denominador: los décimos.

— **Ejemplo 1**

Halla un común denominador para $\frac{3}{4}$ y $\frac{2}{3}$.

Una forma de encontrar un común denominador de $\frac{3}{4}$ y $\frac{2}{3}$ es hacer una lista de múltiplos de ambos denominadores.

Múltiplos de 4: 4,   8,   **12**,   16

Múltiplos de 3: 3,   6,   9,   **12**

Un múltiplo común es 12, por tanto, un común denominador es también 12.

Haz la prueba Encuentra un común denominador. Respuestas posibles:

a. $\frac{3}{2} \cdot \frac{1}{5}$ 10

b. $\frac{3}{4} \cdot \frac{1}{7}$ 28

c. $\frac{4}{5} \cdot \frac{3}{8}$ 40

d. $\frac{7}{10} \cdot \frac{2}{3}$ 30

e. $\frac{3}{4} \cdot \frac{3}{10}$ 20

f. $\frac{11}{20} \cdot \frac{9}{15}$ 60

g. $\frac{3}{8} \cdot \frac{1}{9}$ 72

h. $\frac{3}{4} \cdot \frac{1}{5}$ 20

i. $\frac{5}{12} \cdot \frac{7}{8}$ 24

— **Ejemplo 2**

Compara $\frac{3}{4}$ y $\frac{5}{6}$.

$\frac{3}{4}$ $\boxed{?}$ $\frac{5}{6}$

Escribe las fracciones con un común denominador

$\frac{9}{12} < \frac{10}{12}$ Puesto que los denominadores son iguales, compara los numeradores. $9 < 10$ por tanto, $\frac{9}{12} < \frac{10}{12}$ y $\frac{3}{4} < \frac{5}{6}$.

Haz la prueba Compara las fracciones. Usa >, < o =.

j. $\frac{3}{12} < \frac{5}{12}$

k. $\frac{1}{6} < \frac{1}{4}$

l. $\frac{3}{2} > \frac{1}{2}$

m. $\frac{3}{8} < \frac{3}{4}$

n. $\frac{9}{10} > \frac{4}{5}$

o. $\frac{5}{12} > \frac{3}{8}$

p. $\frac{3}{6} = \frac{1}{2}$

q. $\frac{9}{5} > \frac{1}{1}$

r. $\frac{2}{5} < \frac{1}{2}$

s. $\frac{3}{5} > \frac{1}{3}$

t. $\frac{4}{7} < \frac{2}{3}$

u. $\frac{3}{6} < \frac{5}{6}$

Práctica adicional

Actividad

Materiales: Dos tiras de papel, cada una de aproximadamente 8 pulgadas de largo

• Dobla una tira de papel a la mitad y después en cuartos, octavos y dieciseisavos.

• Dobla la otra tira a la mitad y después, tan cuidadosamente como sea posible, en tercios, sextos y doceavos. Marca todas las líneas de los dobleces con la fracción apropiada.

• Usa la primera tira para comparar fracciones como $\frac{3}{4}$ y $\frac{9}{16}$, y la segunda tira para comparar fracciones como $\frac{2}{3}$ y $\frac{7}{12}$.

• Usa las tiras juntas para comparar fracciones como $\frac{3}{4}$ y $\frac{7}{12}$ ó $\frac{5}{8}$ y $\frac{5}{6}$.

Reteaching

Activity

Materials: Two strips of paper, each about 8 inches long

• Fold one strip of paper in half, and then into fourths, eighths, and sixteenths.

• Fold the other strip in half, and then as carefully as possible into thirds, sixths, and twelfths. Label all the fold lines with the appropriate fraction.

• Use the first strip to compare fractions such as $\frac{3}{4}$ and $\frac{9}{16}$ and the second strip to compare fractions such a $\frac{2}{3}$ and $\frac{7}{12}$.

• Use the strips together to compare fractions such as $\frac{3}{4}$ and $\frac{7}{12}$ or $\frac{5}{8}$ and $\frac{5}{6}$.

Exercise Notes

■ Exercise 33

Problem-Solving Tip You may wish to use Teaching Tool Transparencies 2 and 3: Guided Problem Solving, pages 1–2.

Exercise Answers

32. $0.\overline{3}$ is greater; The 3 repeats and $0.333\ldots > 0.30$.

33. First meeting: $\frac{9}{12}$ of an hour;
Second meeting: $\frac{4}{2}$ of an hour;
Third meeting: $\frac{45}{30}$ of an hour;
Fourth meeting: $\frac{1}{2}$ of an hour.

43.

Stem	Leaf
0	1 4 4 5 7
1	1 1 2 2 3 4

44.

Stem	Leaf
10	1 2 5 5 8
11	1 2

45.

Stem	Leaf
2	6 7 8 8
3	0 1 1 1 2 3

Alternate Assessment

Portfolio Include a detailed explanation in your portfolio of how you would compare two fractions with different denominators. An example of your work that supports your explanation should be included.

Quick Quiz

Order the fractions from least to greatest.

1. $\frac{3}{4}, \frac{7}{8}, \frac{2}{3}, \frac{2}{3}, \frac{3}{4}, \frac{7}{8}$

2. $\frac{2}{5}, \frac{1}{4}, \frac{1}{2}, \frac{1}{4}, \frac{2}{5}, \frac{1}{2}$

3. $\frac{5}{6}, \frac{7}{12}, \frac{5}{8}, \frac{7}{12}, \frac{5}{8}, \frac{5}{6}$

4. $\frac{3}{4}, \frac{4}{5}, \frac{5}{6}, \frac{3}{4}, \frac{4}{5}, \frac{5}{6}$

Available on Daily Transparency 5-8

Respuestas de Ejercicios

32. $0.\overline{3}$ es mayor; El 3 se repite y $0.333\ldots > 0.30$.

33. Primera junta: $\frac{9}{12}$ de hora;
Segunda junta: $\frac{4}{2}$ horas;
Tercera junta: $\frac{45}{30}$ horas;
Cuarta junta: $\frac{1}{2}$ hora.

43.

Tallo	Hoja
0	1 4 4 5 7
1	1 1 2 2 3 4

44.

Tallo	Hoja
10	1 2 5 5 8
11	1 2

45.

Tallo	Hoja
2	6 7 8 8
3	0 1 1 1 2 3

Evaluación adicional

Portafolio Incluye una explicación detallada de cómo compararías dos fracciones con denominadores diferentes. Incluye un ejemplo que apoye tu explicación.

➤ Prueba rápida

Ordena las fracciones de menor a mayor.

1. $\frac{3}{4}, \frac{7}{8}, \frac{2}{3}, \frac{2}{3}, \frac{3}{4}, \frac{7}{8}$

2. $\frac{2}{5}, \frac{1}{4}, \frac{1}{2}, \frac{1}{4}, \frac{2}{5}, \frac{1}{2}$

3. $\frac{5}{6}, \frac{7}{12}, \frac{5}{8}, \frac{7}{12}, \frac{5}{8}, \frac{5}{6}$

4. $\frac{3}{4}, \frac{4}{5}, \frac{5}{6}, \frac{3}{4}, \frac{4}{5}, \frac{5}{6}$

28. **Industria** $\frac{3}{5}$ de los turistas que visitan Florida vienen durante el verano. $\frac{3}{10}$ viajan a Florida durante el invierno. ¿Durante cuál estación llegan a Florida más turistas? **Verano**

29. En una prueba reciente, Renaldo resolvió en forma correcta $\frac{5}{6}$ de los problemas y Julius $\frac{7}{2}$ de los mismos. Si los problemas tenían el mismo valor, ¿quién obtuvo la calificación más alta? **Renaldo**

Resolución de problemas y razonamiento

30. **Razonamiento crítico** Ordena de menor a mayor.

a. $0.34, \frac{2}{3}, 0.145$ **0.145, 0.34, $\frac{2}{3}$** b. $\frac{1}{2}, 0.23, \frac{2}{3}, 0.4$ **0.23, 0.4, $\frac{1}{2}, \frac{2}{3}$** c. $\frac{3}{4}, 0.77, \frac{1}{7}$ **$\frac{1}{7}$, 0.77, $\frac{3}{4}$**

31. Al observar las cifras de una calculadora, ¿puedes determinar siempre si un decimal es finito o periódico? Explica tu respuesta. **No; la parte periódica puede ser más grande que la pantalla de la calculadora**

32. **Comunicación** Explica cuál es mayor, 0.3 o $0.\overline{3}$.

33. **Escoge una estrategia** Zoe hace planes para dar una conferencia. Este es el programa del día:
primera junta, bocadillos,
segunda junta, comida,
tercera junta, descanso de la tarde,
y última junta.
Las cuatro juntas serán de $\frac{1}{2}, \frac{4}{2}, \frac{45}{30}$ y $\frac{9}{12}$ de hora. La junta más larga deberá ser después de los bocadillos y la segunda más larga justo después de la comida. La junta más corta deberá ser después del descanso. ¿Qué tan larga es la primera junta?, ¿la segunda?, ¿la tercera? y ¿la cuarta?

Resolución de problemas
ESTRATEGIAS
- Busca un patrón
- Organiza la información en una lista
- Haz una tabla
- Prueba y comprueba
- Empieza por el final
- Usa el razonamiento lógico
- Haz un diagrama
- Simplifica el problema

Repaso mixto

Evalúa cada expresión cuando $x = 5$, 9 y 11. *[Lección 2-10]*

34. $\frac{495}{x}$ **99; 55; 45**   35. $x - 5$ **0; 4; 6**   36. $8x$ **40; 72; 88**

37. $\frac{990}{x}$ **198; 110; 90**   38. $5x$ **25; 45; 55**   39. $7x$ **35; 63; 77**

40. $x + 10$ **15; 19; 21**   41. $13 - x$ **8; 4; 2**   42. $x + 101$ **106; 110; 112**

Haz una tabla arborescente con los siguientes datos. *[Lección 1-6]*

43. 1, 4, 4, 5, 7, 11, 11, 12, 12, 13, 14   44. 101, 102, 105, 105, 108, 111, 112

45. 31, 31, 32, 30, 27, 28, 26, 33, 28, 31

312 Capítulo 5 • Patrones y teoría de los números

➤ PROBLEM SOLVING

Nombre _____

Resolución guiada de problemas 5-8

RGP PROBLEMA 28, PÁGINA 312 DEL ESTUDIANTE

$\frac{3}{5}$ de los turistas que visitan Florida vienen durante el verano. $\frac{3}{10}$ viajan a Florida durante el invierno. ¿Durante cuál estación llegan a Florida más turistas?

— **Comprende** —

1. Subraya la pregunta.

2. ¿Qué fracción de turistas visita Florida en verano? $\frac{3}{5}$

3. ¿Qué fracción de turistas visita Florida durante el invierno? $\frac{3}{10}$

— **Plan** —

4. Halla un común denominador de $\frac{3}{5}$ y $\frac{3}{10}$. **10**

5. Para reescribir cada fracción usa el común denominador. $\frac{6}{10}, \frac{3}{10}$

— **Resuelve** —

6. Compara las fracciones. ¿Cuál fracción es mayor? $\frac{6}{10}$

7. ¿Cuándo tiene más turistas Florida: en verano o en invierno? **Verano.**

— **Revisa** —

8. ¿Cómo podrías haber resuelto el problema en una forma diferente?
Respuesta posible: Mediante la estrategia: Trazar un dibujo; escribir ambas fracciones como decimales y compararlos.

9. Usa tu respuesta al problema para hacer una generalización. Si dos fracciones tienen el mismo numerador, ¿cuál fracción es mayor?
La que tiene el menor número en el denominador.

RESUELVE OTRO PROBLEMA

Manny, Anita y Taylor manejaron en un viaje. Manny condujo $\frac{1}{8}$ de la distancia y Anita manejó $\frac{1}{4}$ de la distancia. ¿Quién condujo más millas: Manny o Anita? Explica cómo lo sabes.

Anita, porque $\frac{1}{4}$ **es mayor que** $\frac{1}{8}$.

➤ ENRICHMENT

Nombre _____

Actividad de enriquecimiento 5-8

Aprendizaje visual

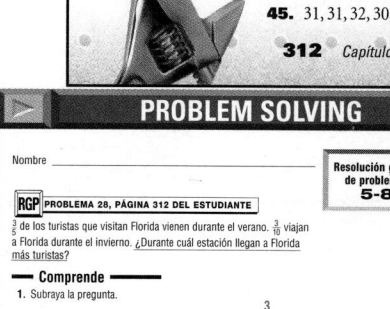

Una de las figuras anteriores está oculta en cada una de las siguientes figuras. Sombrea la figura oculta en cada figura y después escribe en el espacio en blanco la letra de la figura oculta.

En esta sección has visto que las herramientas vienen en muchas medidas. En Estados Unidos se emplea el sistema usual de medidas, por tanto, las herramientas fabricadas aquí se miden en fracciones. En países que utilizan el sistema métrico, las herramientas se miden con decimales. Ahora que has estudiado tanto las fracciones como los decimales, estás listo para resolver un problema al que se enfrentan todos los que trabajan con herramientas: ¿cómo manejar ambas medidas, en fracciones y en decimales?

Mientras tanto, de regreso a la llave de tuerca

Materiales: Calculadora

Mecánica Otto usa 32 llaves de tuerca para trabajar en los motores de los automóviles. Dieciséis se hicieron en Europa y están medidas en milímetros. Las 16 restantes se hicieron en Estados Unidos y están medidas en fracciones de pulgada. Una tarde después de terminar un trabajo difícil, Otto dejó todas las llaves sobre una mesa y se fue a casa. A continuación, desordenadas, están las medidas de las llaves de tuerca. La medidas métricas, dadas en milímetros, se expresan también en décimos de pulgada.

Sistema métrico

Medida (mm)	9	16	20	3	25	7	4	12
Medida (in.)	0.354	0.630	0.787	0.118	0.984	0.276	0.157	0.472
Medida (mm)	17	13	8	22	6	18	14	10
Medida (in.)	0.669	0.512	0.315	0.866	0.236	0.709	0.551	0.394

Sistema usual

Medida (in.)	$\frac{5}{16}$	$\frac{7}{32}$	$\frac{5}{8}$	$\frac{1}{2}$	$\frac{3}{4}$	$\frac{9}{32}$	$\frac{9}{16}$	$\frac{1}{8}$
	$\frac{13}{16}$	$\frac{3}{8}$	$\frac{21}{32}$	$\frac{7}{8}$	$\frac{3}{16}$	$\frac{3}{32}$	$\frac{1}{4}$	$\frac{7}{16}$

Ordena las 32 llaves de Otto de la medida más pequeña a la más grande.

313

Mientras tanto, de regreso a la llave de tuerca

Objetivo

En *Mientras tanto, de regreso a la llave de tuerca*, de la página 287, los estudiantes examinaron la gran diversidad de tamaños y usos de las herramientas. Ahora usarán fracciones y decimales para ordenar los tamaños de las llaves que se emplean en los motores de los automóviles.

Materiales
Calculadora

Acerca de esta página

- Pregunte a los estudiantes si sería más fácil ordenar los números expresados como fracciones o decimales.

- Repase el valor posicional de los decimales y las reglas para ordenar números decimales. Repase el orden de las fracciones.

- Repase la conversión de fracciones a decimales y viceversa.

- Señale a los estudiantes que la primera tabla muestra las llaves en milímetros y pulgadas, en tanto que la segunda sólo muestra las medidas en pulgadas (de las llaves que se fabrican en Estados Unidos).

Evaluación continua

Asegúrese de que los estudiantes hayan ordenado correctamente las llaves de menor a mayor.

Ampliación

Para ordenar las llaves de menor a mayor, los estudiantes pudieron haber convertido las fracciones en decimales. Pídales que expresen los decimales de las pulgadas como fracciones en su mínima expresión.

$0.354 = \frac{177}{500}$, $0.630 = \frac{63}{100}$,

$0.787 = \frac{787}{1000}$, $0.118 = \frac{59}{500}$,

$0.984 = \frac{123}{125}$, $0.276 = \frac{69}{250}$,

$0.157 = \frac{157}{1000}$, $0.472 = \frac{59}{125}$,

$0.669 = \frac{669}{1000}$, $0.512 = \frac{64}{125}$,

$0.315 = \frac{63}{200}$, $0.866 = \frac{433}{500}$,

$0.236 = \frac{59}{250}$, $0.709 = \frac{709}{1000}$,

$0.551 = \frac{551}{1000}$, $0.394 = \frac{197}{500}$.

Meanwhile, Back at the Wrench

The Point

In *Meanwhile, Back at the Wrench* on page 287, students discussed the many sizes and uses of tools. Now they will use fractions and decimals to order the sizes of wrenches used to work on car engines.

Materials

Calculator

Resources

Lesson Enhancement Transparency 24

About the Page

- Ask students if they think it would be easier to order these numbers if they were all expressed as either fractions or as decimals.

- Review decimal place value and the rules for ordering decimals. Review ordering fractions.

- Review converting between fractions and decimals.

- Point out that the chart shows metric wrenches in both millimeters and inches while the wrenches made in the United States are shown only in inches.

Ongoing Assessment

Check that students have correctly ordered the wrenches from smallest to largest.

Extension

To order the wrenches from the smallest to the largest, students may have changed the fractions to decimals. Ask students to express the decimal inches as fractions in lowest terms.

$0.354 = \frac{177}{500}$, $0.630 = \frac{63}{100}$,

$0.787 = \frac{787}{1000}$, $0.118 = \frac{59}{500}$,

$0.984 = \frac{123}{125}$, $0.276 = \frac{69}{250}$,

$0.157 = \frac{157}{1000}$, $0.472 = \frac{59}{125}$,

$0.669 = \frac{669}{1000}$, $0.512 = \frac{64}{125}$,

$0.315 = \frac{63}{200}$, $0.866 = \frac{433}{500}$,

$0.236 = \frac{59}{250}$, $0.709 = \frac{709}{1000}$,

$0.551 = \frac{551}{1000}$, $0.394 = \frac{197}{500}$.

Review Correlation

Item(s)	Lesson(s)
1–6	5-1, 5-2
7–9	5-4
10–15	5-5, 5-7
16–21	5-6
22	5-3
23	5-4
24	5-8

Test Prep

Test-Taking Tip

Tell students that a diagram can be used for some problems. Here, students could draw a number line and estimate each fraction's position to find the true relationship.

Answers for Review

7. $\frac{1}{2}$; Numerator 1; Denominator 2

8. $\frac{1}{3}$; Numerator 1; Denominator 3

9. $\frac{3}{8}$; Numerator 3; Denominator 8

Correlación de repaso

Punto(s)	Lección(es)
1–6	5-1, 5-2
7–9	5-4
10–15	5-5, 5-7
16–21	5-6
22	5-3
23	5-4
24	5-8

Para la prueba

Sugerencia para la prueba

Explique a los estudiantes que un diagrama puede usarse para resolver algunos problemas. En este ejercicio los estudiantes podrían dibujar una recta numérica y calcular la posición de cada fracción para determinar cuál es la relación verdadera.

Respuestas de Repaso

7. $\frac{1}{2}$; Numerador 1; Denominador 2

8. $\frac{1}{3}$; Numerador 1; Denominador 3

9. $\frac{3}{8}$; Numerador 3; Denominador 8

Sección 5B • Repaso

REPASO 5B

Escribe si el primer número es divisible entre el segundo. Halla la descomposición factorial del primer número.

1. 27, 9 **2.** 180, 10 **3.** 32, 5 **4.** 99, 6 **5.** 48, 4 **6.** 35, 3
Sí; 3^3 Sí; $2^2 \times 3^2 \times 5$ No; 2^5 No; $3^2 \times 11$ Sí; $2^4 \times 3$ No; 5×7

Determina qué fracción representa cada parte sombreada. Identifica el numerador y el denominador de cada fracción.

7. **8.** **9.**

Escribe cada fracción en su mínima expresión y como un decimal.

10. $\frac{4}{6}$ $\frac{2}{3}$; $0.\overline{6}$ **11.** $\frac{18}{24}$ $\frac{3}{4}$; 0.75 **12.** $\frac{2}{8}$ $\frac{1}{4}$; 0.25

13. $\frac{5}{15}$ $\frac{1}{3}$; $0.\overline{3}$ **14.** $\frac{8}{12}$ $\frac{2}{3}$; $0.\overline{6}$ **15.** $\frac{12}{24}$ $\frac{1}{2}$; 0.5

Escribe cada número mixto como una fracción impropia y cada fracción impropia como número mixto.

16. $4\frac{1}{7}$ $\frac{29}{7}$ **17.** $\frac{32}{10}$ $3\frac{2}{10} = 3\frac{1}{5}$ **18.** $\frac{99}{11}$ 9

19. $7\frac{4}{5}$ $\frac{39}{5}$ **20.** $12\frac{7}{8}$ $\frac{103}{8}$ **21.** $\frac{42}{5}$ $8\frac{2}{5}$

22. Bellas Artes Noriko y Ava participan en una exhibición de baile. Noriko da un taconeo cada 5 pasos y Ava lo hace cada 7 pasos. ¿En qué número de paso taconearán al mismo tiempo? **35**

23. Beverly, Tom y Maye construyen una casa para su club. Beverly corta $\frac{2}{5}$ de la madera, Tom corta $\frac{3}{10}$ y Maye corta el resto. ¿Quién corta la mayor parte? ¿Y quién la menor? **Beverly; Tom y Maye**

Para la prueba

Para comparar fracciones, halla si estos números están cerca del 0, $\frac{1}{2}$ ó 1.

24. ¿Cuál enunciado es verdadero? **B**

ⓐ $\frac{2}{9} > \frac{7}{8}$ ⓑ $\frac{3}{6} > \frac{1}{5}$ ⓒ $\frac{3}{4} > \frac{4}{3}$ ⓓ $\frac{6}{7} > \frac{7}{8}$

Resources

Practice Masters
     Section 5B Review
Assessment Sourcebook
     Quiz 5B
     TestWorks
     Test and Practice Software

PRACTICE

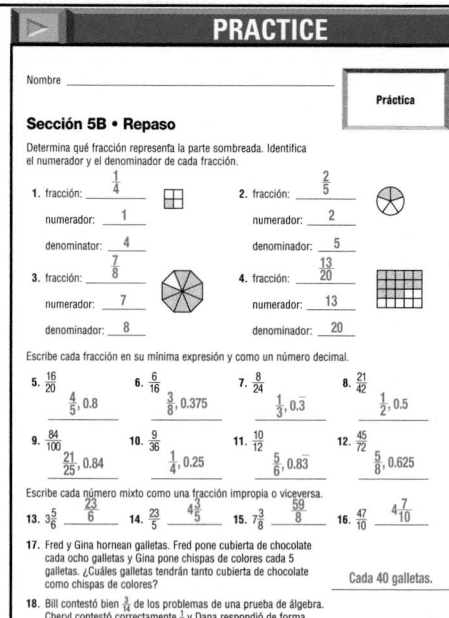

Nombre _____

Práctica

Sección 5B • Repaso

Determina qué fracción representa la parte sombreada. Identifica el numerador y el denominador de cada fracción.

1. fracción: $\frac{1}{4}$
   numerador: 1
   denominador: 4

2. fracción: $\frac{2}{5}$
   numerador: 2
   denominador: 5

3. fracción: $\frac{7}{8}$
   numerador: 7
   denominador: 8

4. fracción: $\frac{13}{20}$
   numerador: 13
   denominador: 20

Escribe cada fracción en su mínima expresión y como un número decimal.

5. $\frac{16}{20}$ $\frac{4}{5}$, 0.8

6. $\frac{6}{16}$ $\frac{3}{8}$, 0.375

7. $\frac{8}{24}$ $\frac{1}{3}$, 0.3

8. $\frac{21}{42}$ $\frac{1}{2}$, 0.5

9. $\frac{84}{100}$ $\frac{21}{25}$, 0.84

10. $\frac{9}{36}$ $\frac{1}{4}$, 0.25

11. $\frac{10}{12}$ $\frac{5}{6}$, 0.83

12. $\frac{45}{72}$ $\frac{5}{8}$, 0.625

Escribe cada número mixto como una fracción impropia o viceversa.

13. $3\frac{5}{6}$ $\frac{23}{6}$

14. $\frac{23}{5}$ $4\frac{3}{5}$

15. $7\frac{3}{8}$ $\frac{59}{8}$

16. $\frac{47}{10}$ $4\frac{7}{10}$

17. Fred y Gina hornean galletas. Fred pone cubierta de chocolate cada ocho galletas y Gina pone chispas de colores cada 5 galletas. ¿Cuáles galletas tendrán tanto cubierta de chocolate como chispas de colores? **Cada 40 galletas.**

18. Bill contestó bien $\frac{3}{4}$ de los problemas de una prueba de álgebra. Cheryl contestó correctamente $\frac{1}{2}$ y Dana respondió de forma acertada $\frac{7}{8}$ de los problemas. Ordena de manera ascendente a los estudiantes según el número de respuestas correctas. **Cheryl, Bill, Dana**

19. El propietario de una tienda compró un aparato estereofónico en $86.72 y lo vendió en $97.95. ¿Cuál fue su ganancia? *[Lección 3-1]* **$11.23**

20. **Ciencias** Un salmón rey puede pesar hasta 100 libras. ¿Cuántas onzas son? *[Lección 4-3]* **1600 oz**

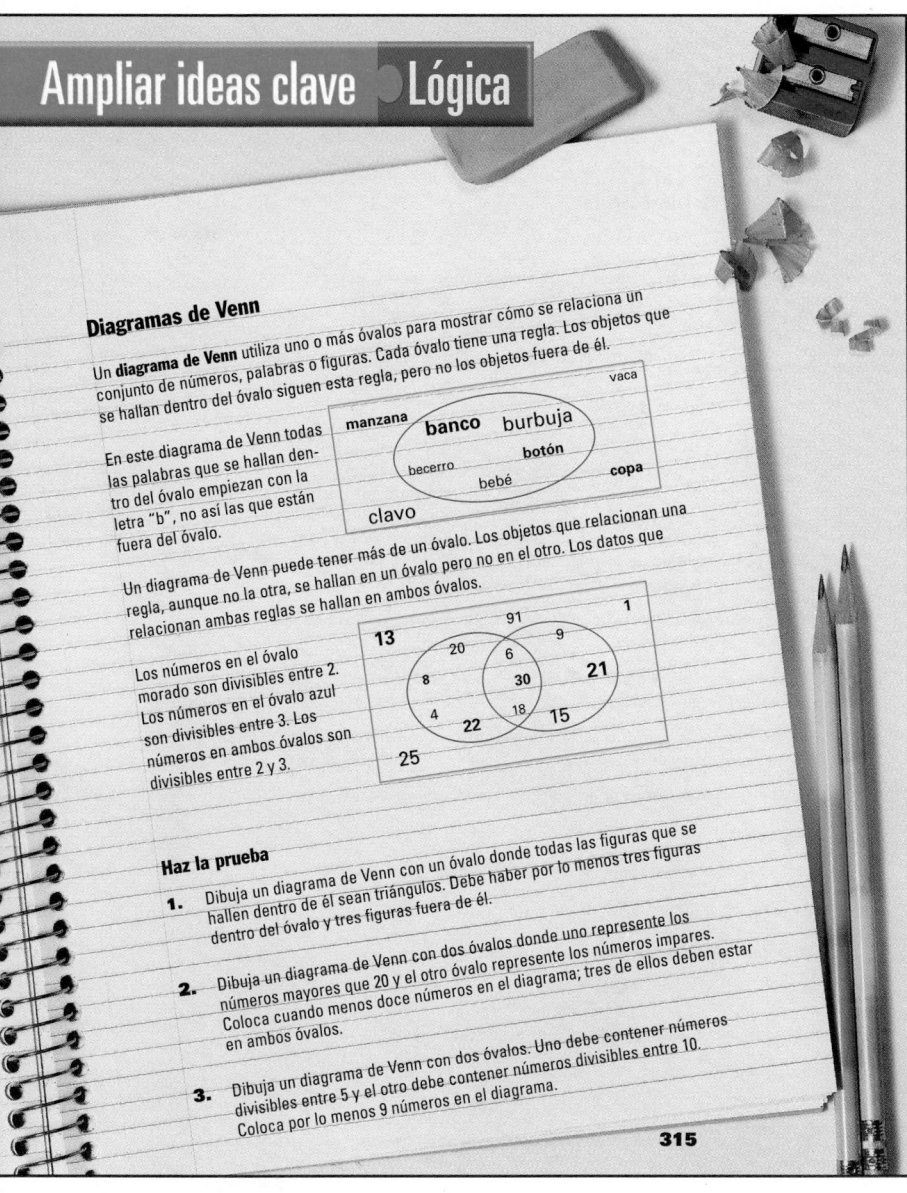

Diagramas de Venn

Un **diagrama de Venn** utiliza uno o más óvalos para mostrar cómo se relaciona un conjunto de números, palabras o figuras. Cada óvalo tiene una regla. Los objetos que se hallan dentro del óvalo siguen esta regla, pero no los objetos fuera de él.

En este diagrama de Venn todas las palabras que se hallan dentro del óvalo empiezan con la letra "b", no así las que están fuera del óvalo.

vaca
manzana   **banco**   **burbuja**
becerro   **botón**
bebé   **copa**
clavo

Un diagrama de Venn puede tener más de un óvalo. Los objetos que relacionan una regla, aunque no la otra, se hallan en un óvalo pero no en el otro. Los datos que relacionan ambas reglas se hallan en ambos óvalos.

Los números en el óvalo morado son divisibles entre 2. Los números en el óvalo azul son divisibles entre 3. Los números en ambos óvalos son divisibles entre 2 y 3.

13   91   1
20   9
8   6
30   **21**
4   18   15
22
25

Haz la prueba

1. Dibuja un diagrama de Venn con un óvalo donde todas las figuras que se hallen dentro de él sean triángulos. Debe haber por lo menos tres figuras dentro del óvalo y tres figuras fuera de él.

2. Dibuja un diagrama de Venn con dos óvalos donde uno represente los números mayores que 20 y el otro óvalo represente los números impares. Coloca cuando menos doce números en el diagrama; tres de ellos deben estar en ambos óvalos.

3. Dibuja un diagrama de Venn con dos óvalos. Uno debe contener números divisibles entre 5 y el otro debe contener números divisibles entre 10. Coloca por lo menos 9 números en el diagrama.

315

Respuestas de Haz la prueba

1. Respuesta posible:

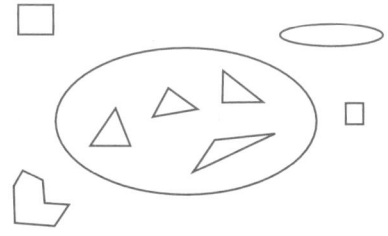

2. Respuesta posible:

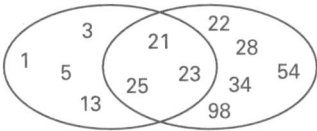

3. Respuesta posible:

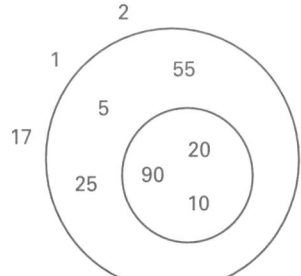

Diagramas de Venn

Objetivo
Los estudiantes usan los diagramas de Venn para mostrar ciertas reglas de inclusión y exclusión.

Acerca de esta página
Los diagramas de Venn ofrecen una forma útil de visualizar las ideas.

Pregunte…
- En el segundo diagrama, ¿dónde debe ubicarse el número 14? ¿Dónde el 27? ¿Dónde el 12? ¿Dónde el 37? Dentro del óvalo morado; Dentro del óvalo azul; Dentro de ambos óvalos; Fuera de los dos óvalos.

- ¿Qué otro número podría colocarse dentro del óvalo morado? ¿Dentro del óvalo azul? ¿Dentro de ambos óvalos? ¿Fuera de los dos óvalos? Las respuestas pueden variar.

Ampliación

Repasa otra vez el segundo diagrama. Añade un tercer óvalo para los números divisibles entre 5 y vuelve a dibujar el diagrama. Agrega los números para que cada área tenga dos o más números.

Respuesta posible:

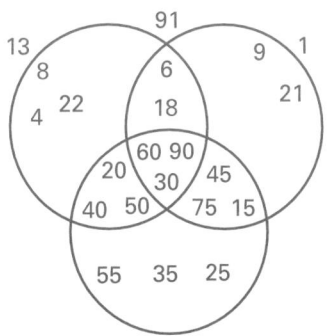

Venn Diagrams

The Point
Students use Venn diagrams to show inclusions and exclusions to certain rules.

About the Page
Venn diagrams provide a useful way to visualize thoughts.

Ask …
- Where, in the second diagram, would the number 14 be placed? 27? 12? 37? In the purple loop; In the blue loop; In both loops; Outside both loops.

- What is another number that could be placed in the purple loop? The blue loop? Both loops? Neither loop? Answers may vary.

Extension
Refer to the second diagram shown. Add a third loop for numbers divisible by 5 and redraw the diagram. Add numbers so that each area has two or more numbers.

Possible answer:

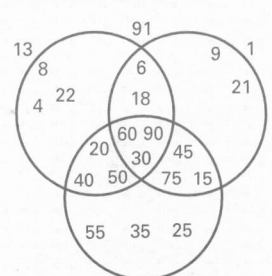

Review Correlation

Item(s)	Lesson(s)
1–4	5-1
5–8	5-2
9, 10	5-3
11–13	5-4
14–17	5-5
18–21	5-6
22	5-8
23–30	5-7

For additional review, see page 666.

Answers for Review

22. $\frac{7}{8}$, $1\frac{1}{4}$, $2\frac{3}{4}$, $\frac{7}{2}$

Correlación de repaso

Punto(s)	Lección(es)
1–12	5-1
13–24	5-2
25–38	5-3
39–42	5-2

MTH TE6 5A rev.1

Para un repaso adicional, véase la página 666.

Respuestas de Repaso

22. $\frac{7}{8}$, $1\frac{1}{4}$, $2\frac{3}{4}$, $\frac{7}{2}$

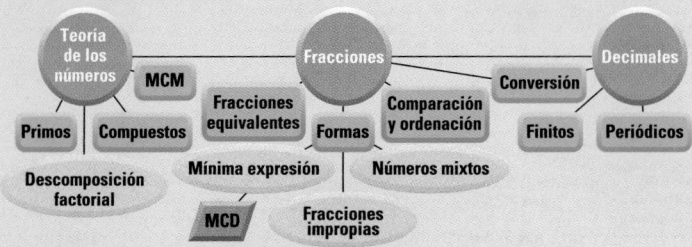

Capítulo 5 • Resumen y Repaso

Organizador gráfico

Sección 5A Teoría de los números

Resumen

- Un número cabal es **divisible** entre otro número cabal si el primer número puede dividirse entre el segundo sin que quede residuo.

- Un **número primo** tiene sólo dos factores, a sí mismo y 1. Un **número compuesto** tiene más de dos factores.

- La **descomposición factorial** de un número es el conjunto de números primos cuyo producto es igual al número.

- Para hallar la descomposición factorial de un número, puedes usar las reglas de divisibilidad y un árbol de factores.

- El **mínimo común múltiplo** de dos números es el múltiplo común más pequeño.

Repaso

Prueba con cada número para ver si es divisible entre 2, 3, 5, 6, 9 y 10.

1. 234 2, 3, 6 y 9
2. 68 2
3. 6000 2, 3, 5, 6 y 10
4. 255 3 y 5

Marca cada número como primo o compuesto.

5. $2 \times 2 \times 3 \times 3$ Compuesto
6. 1×143 Primo
7. $2 \times 3 \times 3 \times 7$ Compuesto
8. 3×29 Compuesto

Halla el mínimo común múltiplo de cada par de números.

9. 36, 54 108
10. 14, 18 126

316 Capítulo 5 • Patrones y teoría de los números

Resources

Practice Masters
Cumulative Review
Chapters 1–5

PRACTICE

Nombre _____ **Práctica**

Capítulos 1–5 • Repaso acumulativo

Ordena cada conjunto de números de menor a mayor. *[Lección 2-3]*

1. 3,333; 33,333; 333
   333; 3,333; 33,333
2. 60,660; 60,606; 66,006
   60,606; 60,660; 66,006

3. 7,000; 7,010; 7,009; 6,999
   6,999; 7,000; 7,009; 7,010
4. 5 mil millones; 4 millones; 6 cientos
   6 cientos; 4 millones; 5 mil millones

Simplifica las siguientes expresiones. *[Lecciones 3-6 y 3-11]*

5. $8.37 + 21$
   29.37
6. $5.43 - 1.9$
   3.53
7. $6.98 + 7.47$
   14.45
8. $12 - 5.63$
   6.37

9. $24.893 \div 3.1$
   8.03
10. $4.36 + 8.9$
    13.26
11. $1.4535 \div 0.085$
    17.1
12. $0.828 \div 3.6$
    0.23

Halla la medida que falta para cada rectángulo. *[Lección 4-4]*

13. Área = 66 in^2
    Base = 11 in.
    Altura = 6 in.
14. Área = 90 ft^2
    Base = 6 ft
    Altura = 15 ft
15. Área = 35 m^2
    Base = 5 m
    Altura = 7 m

16. Área = 48 km^2
    Base = 12 km
    Altura = 4 km
17. Área = 26.65 yd^2
    Base = 6.5 yd
    Altura = 4.1 yd
18. Área = 9.25 mm^2
    Base = 3.7 mm
    Altura = 2.5 mm

Encuentra la descomposición factorial. *[Lección 5-2]*

19. 350 $2 \times 5^2 \times 7$
20. 135 $3^3 \times 5$
21. 616 $2^3 \times 7 \times 11$
22. 180 $2^2 \times 3^2 \times 5$

Escribe cada decimal como una fracción en su mínima expresión. *[Lección 5-7]*

23. 0.625 $\frac{5}{8}$
24. 0.47 $\frac{47}{100}$
25. 0.775 $\frac{31}{40}$
26. 0.42 $\frac{21}{50}$

Sección 5B Asociación entre fracciones y decimales

Resumen

■ El **denominador** de una fracción muestra el número de partes en que se encuentra dividido el todo. El **numerador** muestra cuántas partes se indican.

■ Una **fracción impropia** tiene un numerador mayor o igual a su denominador. Un **número mixto** combina un número cabal y una fracción.

■ Los valores de una fracción pueden escribirse como decimales cuyos dígitos son finitos o periódicos.

■ Las **fracciones equivalentes** son aquellas que expresan la misma cantidad.

■ Una fracción está en su **mínima expresión** cuando su numerador y denominador no tienen factores comunes, sólo el número 1.

■ El **máximo común divisor** es el número cabal más grande que puede dividir de igual manera a dos números.

■ Si dos fracciones tienen el mismo denominador, a éste se le llama **denominador común**.

Repaso

¿Qué fracción representa la parte sombreada de cada modelo?

11. 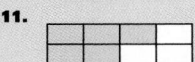 $\frac{5}{8}$

12. ⬭⬭⬭⬭⬭⬭ $\frac{4}{6}$ ó $\frac{2}{3}$

13. Identifica el numerador y el denominador en la fracción $\frac{11}{3}$. El numerador es 11 y el denominador es 3.

Escribe cada fracción en su mínima expresión.

14. $\frac{16}{24}$ $\frac{2}{3}$ **15.** $\frac{125}{1000}$ $\frac{1}{8}$ **16.** $\frac{12}{72}$ $\frac{1}{6}$ **17.** $\frac{648}{810}$ $\frac{4}{5}$

Escribe cada fracción como un número mixto o una fracción impropia.

18. $\frac{17}{4}$ $4\frac{1}{4}$ **19.** $8\frac{3}{5}$ $\frac{43}{5}$ **20.** $\frac{47}{7}$ $6\frac{5}{7}$ **21.** $2\frac{8}{9}$ $\frac{26}{9}$

22. Cuatro ligas tienen longitudes de $2\frac{3}{4}, \frac{7}{8}, 1\frac{1}{4}$ y $\frac{7}{2}$ pulgadas. Haz una lista de sus longitudes, de menor a mayor.

Escribe cada fracción como un decimal.

23. $\frac{4}{6}$ $0.\overline{6}$ **24.** $\frac{11}{2}$ 5.5 **25.** $\frac{3}{8}$ 0.375 **26.** $\frac{7}{5}$ 1.4

Escribe cada decimal en forma de fracción, en su mínima expresión, o como número mixto.

27. 0.05 $\frac{1}{20}$ **28.** 3.8 $3\frac{4}{5}$ **29.** 0.625 $\frac{5}{8}$ **30.** 2.023 $2\frac{23}{1000}$

Assessment Correlation

Item(s)	Lesson(s)
1–3	5-1
4–7	5-2
8	5-4
9	5-2
10	5-4, 5-7
11	5-3
12	5-2
13	5-4
14	5-3
15–18	5-5
19–22	5-7

Answers for Assessment

1. 3 and 9

2. 5

3. 2, 3, 5, 6, and 10

4. Composite

5. Prime

6. Composite

7. $2 \times 3 \times 3 \times 13$

8. Possible answers: $\frac{1}{4}, \frac{6}{24}$

9. 6 ways: groups of 2, 3, 5, 6, 10, and 15.

10. a. Numerator: 5; Denominator, 8

   b. 0.625

11. 36

12. 84

13. $\frac{2}{3}$ yard

14. Every twelfth day

15. $\frac{2}{7}$

16. $\frac{1}{3}$

17. 10

18. 14

19. 0.375

20. 3.25

21. $\frac{13}{20}$

22. $5\frac{7}{200}$

Answer for Performance Task

Possible answer for number patterns: Fractional values for nickels increase by twentieths, dimes by tenths, quarters by fourths, and half-dollars by halves. Equivalent fractional parts of the dollar for different coins have the same dollar value.

See table on page C4.

Correlación de evaluación

Item(s)	Lesson(s)
1–3	5-1
4–7	5-2
8	5-4
9	5-2
10	5-4, 5-7
11	5-3
12	5-2
13	5-4
14	5-3
15–18	5-5
19–22	5-7

Respuestas de Evaluación

1. 3 y 9

2. 5

3. 2, 3, 5, 6 y 10

4. Compuesto

5. Primo

6. Compuesto

7. $2 \times 3 \times 3 \times 13$

8. Respuestas posibles: $\frac{1}{4}, \frac{6}{24}$

9. 6 maneras: grupos de 2, 3, 5, 6, 10 y 15.

10. a. Numerador: 5; Denominador: 8

   b. 0.625

11. 36

12. 84

13. $\frac{2}{3}$ de yarda

14. Cada doceavo día

15. $\frac{2}{7}$

16. $\frac{1}{3}$

17. 10

18. 14

19. 0.375

20. 3.25

21. $\frac{13}{20}$

22. $5\frac{7}{200}$

Respuestas de Tarea para evaluar el progreso

Respuesta posible para los patrones numéricos: Los valores fraccionales de las monedas de cinco centavos aumentan en veinteavos, los valores de las de diez centavos en décimos, los valores de las de veinticinco centavos en cuartos y los valores de las monedas de cincuenta centavos en medios. Para las distintas monedas, las partes fraccionales equivalentes tienen el mismo valor en dólares.

Véase la tabla en la página C4.

Capítulo 5 • Evaluación

Especifica si estos números son divisibles entre 2, 3, 5, 6, 9 y 10.

1. 3447

2. 485

3. 2400

Identifica cada número como primo o compuesto.

4. $2 \times 2 \times 2 \times 2 \times 2 \times 2$

5. 1×47

6. 3×109

7. Halla la descomposición factorial de 234.

8. Halla dos fracciones equivalentes a $\frac{3}{12}$.

9. Una tienda de mascotas tiene 30 jaulas. El propietario quiere ordenar las jaulas en grupos iguales. ¿De cuántas maneras puede hacerlo?

10. a. Identifica el numerador y el denominador de la fracción $\frac{5}{8}$.

b. Escribe $\frac{5}{8}$ como un número decimal.

11. Halla el mínimo común múltiplo de 9 y 12.

12. La descomposición factorial de un número es $2 \times 2 \times 3 \times 7$. ¿Cuál es el número?

13. Una regla de una yarda se usa para medir un pez. ¿Qué fracción de una yarda representa la longitud del pez?

14. Si John camina al parque cada tercer día, y Sue camina cada cuarto día, ¿qué tan seguido caminarán al parque el mismo día?

Escribe cada fracción en su mínima expresión.

15. $\frac{16}{56}$

16. $\frac{120}{360}$

Halla el MCD de cada par de números.

17. 30, 50

18. 42, 70

Escribe cada fracción como un decimal y cada decimal como una fracción o un número mixto.

19. $\frac{3}{8}$

20. $\frac{13}{4}$

21. 0.65

22. 5.035

Tarea para evaluar el progreso

Usa monedas estadounidenses cuyos valores sean mayores de un centavo y menores de un dólar. Piensa en todos los diferentes conjuntos de la misma clase de monedas que podrías formar y tener un dólar o menos. Organiza tus datos para cada moneda en una tabla que muestre el número de monedas en cada conjunto, la fracción de un dólar que representa cada conjunto, y su valor expresado en dólares y centavos: $0.75. ¿Qué patrones numéricos puedes hallar?

318 *Capítulo 5 • Patrones y teoría de los números*

Resources

Assessment Sourcebook

Chapter 5 Tests
  Forms A and B (free response)
  Form C (multiple choice)
  Form D (performance assessment)
  Form E (mixed response)
  Form F (cumulative chapter test)

TestWorks
Test and Practice Software

Home and Community Connections
  Letter Home for Chapter 5 in English and Spanish

Capítulos 1–5 • Repaso acumulativo — Para la prueba

Evaluación del progreso

Escoge un problema.

Patrones de *semáforo*

Haz una tabla de tres columnas. Escribe estas fracciones en la primera columna: $\frac{1}{2}, \frac{1}{3}, \frac{1}{4}, \frac{1}{5}, \frac{1}{6}, \frac{1}{7}, \frac{1}{8}, \frac{1}{9}, \frac{1}{10}, \frac{1}{11}, \frac{1}{12}, \frac{1}{15}, \frac{1}{16}, \frac{1}{18}, \frac{1}{20}$. Usa una calculadora para llenar la segunda columna con el valor decimal equivalente para cada fracción. En la tercera, marca cada decimal con una **P** si es periódico y con una **F** si no lo es.

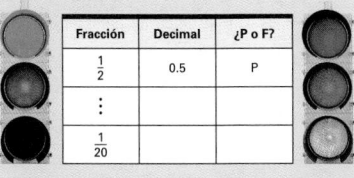

Fracción	Decimal	¿P o F?
$\frac{1}{2}$	0.5	P
⋮		
$\frac{1}{20}$		

Haz una lista de todos los denominadores de las fracciones para los cuales los decimales equivalentes sean finitos. Encuentra sus descomposiciones factoriales. Describe un patrón que te ayude a predecir cuáles fracciones se convierten en decimales finitos y cuáles no.

Tiempo **primo**

Para cada par de números:
30 y 35   18 y 45

Halla la descomposición factorial del par de números. Después calcula el MCM del par de números y la descomposición factorial del MCM.

¿Cómo puede ayudarte el MCM a hallar la descomposición factorial de cada par de números?

CRISIS DEL ÁREA

Mide y registra las áreas del piso de cuando menos cinco habitaciones de tu casa. Halla el total de las áreas que mediste. ¿Qué fracción del total del área del piso que mediste es el área de cada habitación? ¿Qué clase de gráfica usarías para mostrar estos datos? Explica tu respuesta.

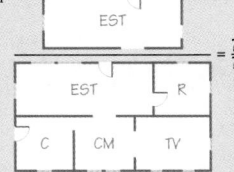

$= \frac{?}{?}$

La fuerza de los números

Usa una cuadrícula de 10×10 numerada de izquierda a derecha del 1 al 100. Sigue los pasos a continuación para tachar los números en la cuadrícula. Al seguir los pasos, te encontrarás con que algunos de los números ya están tachados.

- Tacha el 1.
- Tacha los múltiplos de 2 (excepto el propio 2) y los múltiplos de 3 (excepto el propio 3).
- Tacha los múltiplos de 5 (excepto el propio 5) y los múltiplos de 7 (excepto el propio 7).

¿Cómo se llaman los números que no se han tachado?

Explica por qué no se te pidió que tacharas los múltiplos de 4, 6, 8 ó 9.

Acerca de la evaluación del progreso

Las opciones de Evaluación del progreso…

- ofrecen a los maestros una alternativa para evaluar a los estudiantes.
- dictan diferentes modos de aprendizaje.
- permiten a los estudiantes escoger un problema.

Los maestros pueden alentar a los estudiantes para que escojan el problema que represente un desafío.

Modos de aprendizaje

Patrones de semáforo
Sociedad Los estudiantes comparan las fracciones con sus equivalentes decimales y predicen la forma decimal de una fracción.

Crisis del área
Cinestésico Los estudiantes miden las áreas para comparar fracciones.

Tiempo primo
Lógico Los estudiantes encuentran la descomposición factorial y la razón por la que ésta puede usarse para hallar el MCM.

La fuerza de los números
Lingüístico Los estudiantes explican el procedimiento para determinar los números primos en una cuadrícula numérica.

Answers for Assessment

- **Stop and Go Patterns**

Table entries: Fraction, Decimal,
T or R; $\frac{1}{2}$: 0.5, T; $\frac{1}{3}$: $0.\overline{3}$w, R; $\frac{1}{4}$: 0.25; T; $\frac{1}{5}$: 0.2, T; $\frac{1}{6}$: $0.1\overline{6}$, R; $\frac{1}{7}$: $0.\overline{142857}$, R; $\frac{1}{8}$: 0.125, T; $\frac{1}{9}$: 0.1, R; $\frac{1}{10}$: 0.1, T; $\frac{1}{11}$: $0.\overline{09}$, R; $\frac{1}{12}$: $0.08\overline{3}$, R; $\frac{1}{15}$: $0.0\overline{6}$, R; $\frac{1}{16}$: 0.0625; T; $\frac{1}{18}$: $0.0\overline{5}$, R; $\frac{1}{20}$: 0.05, T.

Denominators and prime factorizations: 2, Prime; 4, 2×2, Prime; 8, $2 \times 2 \times 2$; 10, 2×5; 16, $2 \times 2 \times 2 \times 2$; 20, $2 \times 2 \times 5$. Fractions with denominators whose prime factorizations contain only 2's and/or 5's convert to terminating decimals.

- **Prime Time**

$30 = 2 \times 3 \times 5$; $35 = 5 \times 7$; LCM of 30 and 35 is 210; $210 = 2 \times 3 \times 5 \times 7$. $18 = 2 \times 3 \times 3$; $45 = 3 \times 3 \times 5$; LCM of 18 and 45 is 90; $90 = 2 \times 3 \times 3 \times 5$. LCM of two numbers can be found by using the prime factors of each number pair as multipliers the maximum number of times each factor is found in the pair of numbers.

- **Number Strain**

The numbers not crossed out were not multiples of 2, 3, 5, or 7. They are called prime numbers. Multiples of 4, 6, 8, and 9 all contained more than one factor of 2 or 3 so they could not have been prime numbers.

About Performance Assessment

The Performance Assessment options …

- provide teachers with an alternate means of assessing students.
- address different learning modalities.
- allow students to choose one problem.

Teachers may encourage students to choose the most challenging problem.

Learning Modalities

Stop and Go Patterns
Social Students compare fractions with their decimal equivalents and predict the decimal form of a fraction.

Area Breakdown
Kinesthetic Students measure areas to compare fractions.

Prime Time
Logical Students find prime factorizations and reason how these can be used to find the LCM.

Number Strain
Linguistic Students explain the steps used or not used in determining prime numbers from a grid of numbers.

Suggested Scoring Rubric

See key on page 267.

Area Breakdown

4	• Computations are accurate and reflect recorded data for five rooms. • Explanations are clear and support choice of graph.
3	• Most computations are accurate and reflect recorded data for four rooms. • Explanations are adequate and support choice of graph.
2	• Computations are inaccurate and do not reflect recorded data. • Explanations are attempted, but are incomplete.
1	• Calculations are incomplete or incorrect. • Explanations are incomplete or not included.

Respuestas de Evaluación

- **Patrones de semáforo**

Entradas de la tabla: Fracción, Decimal,
F ó P; $\frac{1}{2}$: 0.5, F; $\frac{1}{3}$: $0.\overline{3}$, P; $\frac{1}{4}$: 0.25; F;$\frac{1}{5}$: 0.2, F; $\frac{1}{6}$: $0.1\overline{6}$, P; $\frac{1}{7}$: $0.\overline{142857}$, P; $\frac{1}{8}$: 0.125, F; $\frac{1}{9}$: 0.1, P; $\frac{1}{10}$: 0.1, F; $\frac{1}{11}$: $0.\overline{09}$, P; $\frac{1}{12}$: $0.08\overline{3}$, P; $\frac{1}{15}$: $0.0\overline{6}$, P; $\frac{1}{16}$: 0.0625; F; $\frac{1}{18}$: $0.0\overline{5}$, P; $\frac{1}{20}$: 0.05, F.

Los denominadores y las descomposiciones factoriales: 2, Primo: 4, 2×2; 5, Primo; 8, $2 \times 2 \times 2$; 10, 2×5; 16, $2 \times 2 \times 2 \times 2$; 20, $2 \times 2 \times 5$. Las fracciones con denominadores cuyas descomposiciones factoriales sólo incluyan 2 y/ó 5 se convierten en decimales finitos.

- **Tiempo primo**

$30 = 2 \times 3 \times 5$; $35 = 5 \times 7$; El MCM de 30 y 35 es 210; $210 = 2 \times 3 \times 5 \times 7$. $18 = 2 \times 3 \times 3$; $45 = 3 \times 3 \times 5$; El MCM de 18 y 45 es 90; $90 = 2 \times 3 \times 3 \times 5$. Para hallar el MCM de dos números, los factores primos deben multiplicarse el número máximo de veces que cada factor aparezca en la descomposición factorial de dichos números.

- **La fuerza de los números**

Los números que no están tachados no son múltiplos de 2, 3, 5 ó 7. Se llaman números primos. Los múltiplos de 4, 6, 8 y 9 contienen más de un factor de 2 ó 3, por lo que no pueden ser números primos.

Chapter

6

▶ OVERVIEW

Suma y resta de fracciones
Adding and
Subtracting Fractions

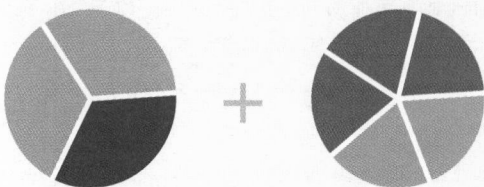

Section 6A

Adding and Subtracting Fractions: Students learn to add and subtract fractions. Then they learn to solve fraction equations by adding and subtracting fractions.

Section 6B

Adding and Subtracting Mixed Numbers: Students learn to add and subtract mixed numbers.

6-1
Suma y resta de fracciones con igual denominador

6-1
Adding and Subtracting Fractions with Like Denominators

6-2
Suma y resta de fracciones con distinto denominador

6-2
Adding and Subtracting Fractions with Unlike Denominators

6-3
Resolución de ecuaciones con fracciones: Suma y resta

6-3
Solving Fraction Equations: Addition and Subtraction

6-4
Cálculo aproximado: Sumas y restas de números mixtos

6-4
Estimation: Sums and Differences of Mixed Numbers

6-5
Suma de números mixtos

6-5
Adding Mixed Numbers

6-6
Resta de números mixtos

6-6
Subtracting Mixed Numbers

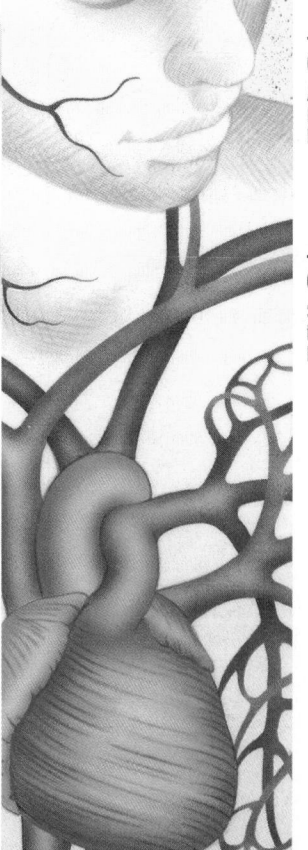

► Curriculum Standards

STANDARD

pages

1	**Problem Solving**	Skills and Strategies	322, 327, 332, 349
		Applications	326–327, 331–332, 337–338, 339, 344–345, 348–349, 353–354, 355
		Exploration	324, 328, 334, 342, 346, 350
2	**Communication**	Oral	323, 325, 330, 336, *338*, 341, 343, *345*, 347, 352
		Written	327, 338, 349, 354
		Cooperative Learning	*324, 328, 334, 342, 346, 350*
3	**Reasoning**	Critical Thinking	332, 338, 345, 354
4	**Connections**	Mathematical	See Standards 5, 6, 7, 9, 13 below.
		Interdisciplinary	Arts and Literature 320, 329, *330*; Entertainment 320; Science 321, *323*, 326, 331, 332, 335, 336, 338, 339, *341*; Social Studies 321; Health 323, *336*, 340, 354; Geography 327, *341*, 342, 343, *352*; Industry 340; Sports *348*; Language 347; Career 348; History 351
		Technology	333, *341*
		Cultural	320, *329*
5	**Number and Number Relationships**		345
6	**Number Systems and Number Theory**		324–332, 337, 342–354
7	**Computation and Estimation**		324–332, 342–354, 356
9	**Algebra**		334–338, 353
13	**Measurement**		*326*, 357

Italic type indicates Teacher Edition reference.

► Teaching Standards

Focus on Inclusion

NCTM sees the comprehensive mathematics education of every child as its most compelling goal. By "every child" is meant

- students who have been denied access in any way to educational opportunities, as well as those who have not.

- students who have not been successful in mathematics, as well as those who have been successful.

► Assessment Standards

Focus on Equity

Interviews Providing each student with the chance to demonstrate his or her mathematical understanding is a goal of the Equity Standard. A teacher/student interview enables the teacher to obtain a more complete picture of each student's knowledge of a given topic. Interviews in Chapter 6 have students

- give a detailed explanation.

- justify their choice.

TECHNOLOGY

► For the Teacher

- **Teacher Resource Planner CD-ROM**
Use the teacher planning CD-ROM to view resources available for Chapter 6. You can prepare custom lesson plans or use the default lesson plans provided.

- **World Wide Web**
Visit **www.teacher.mathsurf.com** for links to lesson plans from teachers and other professionals, NCTM information, and other sites.

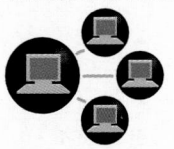

- **TestWorks**
TestWorks provides ready-made tests and can create custom tests and practice worksheets.

► For the Student

- **Interactive CD-ROM**
Lesson 6-6 has an *Interactive CD-ROM Lesson*. The *Interactive CD-ROM Journal* is also used in Chapter 6.

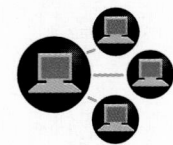

- **World Wide Web**
Use with Chapter and Section Openers;
Students can go online to the Scott Foresman-Addison Wesley Web site at **www.mathsurf.com/6/ch6** to collect information about chapter themes.

► For the Parent

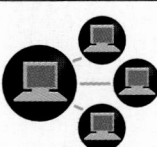

- **World Wide Web**
Parents can use the Web site at **www.parent.mathsurf.com.**

SECTION 6A

LESSON	OBJECTIVE	ITBS Form M	CTBS 4th Ed.	CAT 5th Ed.	SAT 9th Ed.	MAT 7th Ed.	Your Form
6-1	• Add and subtract fractions with like denominators.	✗	✗	✗	✗	✗	
6-2	• Add and subtract fractions with unlike denominators.	✗	✗	✗	✗	✗	
6-3	• Solve equations by adding and subtracting fractions.			✗		✗	

SECTION 6B

LESSON	OBJECTIVE	ITBS Form M	CTBS 4th Ed.	CAT 5th Ed.	SAT 9th Ed.	MAT 7th Ed.	Your Form
6-4	• Estimate sums and differences of mixed numbers.				✗		
6-5	• Add mixed numbers.			✗	✗	✗	
6-6	• Subtract mixed numbers.			✗	✗	✗	

Key: ITBS - Iowa Test of Basic Skills; CTBS - Comprehensive Test of Basic Skills; CAT - California Achievement Test; SAT - Stanford Achievement Test; MAT - Metropolitan Achievement Test

ASSESSMENT PROGRAM

► **Traditional Assessment**

QUICK QUIZZES	SECTION REVIEW	CHAPTER REVIEW	CHAPTER ASSESSMENT FREE RESPONSE	CHAPTER ASSESSMENT MULTIPLE CHOICE	CUMULATIVE REVIEW
TE: pp. 327, 332, 338, 345, 349, 354	SE: pp. 340, 356 *Quiz 6A, 6B	SE: pp. 358–359	SE: p. 360 *Ch. 6 Tests Forms A, B, E	*Ch. 6 Tests Forms C, E	SE: p. 361 *Ch. 6 Test Form F; Quarterly Test Ch. 1–6

► **Alternate Assessment**

INTERVIEW	JOURNAL	ONGOING	PERFORMANCE	PORTFOLIO	PROJECT	SELF
TE: p. 338	SE: pp. 327, 338, 349, 354 TE: pp. 322, 327, 349	TE: pp. 324, 328, 334, 342, 346, 350	SE: p. 360 TE: p. 345 *Ch. 6 Tests Forms D, E	TE: p. 332	SE: pp. 338, 354	TE: p. 354

*Tests and quizzes are in *Assessment Sourcebook*. Test Form E is a mixed response test.
Forms for Alternate Assessment are also available in *Assessment Sourcebook*.

 TestWorks: Test and Practice Software

MIDDLE SCHOOL PACING CHART

► REGULAR PACING

Day	5 classes per week
1	Chapter 6 Opener; Problem Solving Focus
2	Section **6A** Opener; Lesson **6-1**
3	Lesson **6-2**; Technology
4	Lesson **6-3**
5	**6A** Connect; **6A** Review
6	Section **6B** Opener; Lesson **6-4**
7	Lesson **6-5**
8	Lesson **6-6**
9	**6B** Connect; **6B** Review; Extend Key Ideas
10	Chapter 6 Summary and Review
11	Chapter 6 Assessment Cumulative Review, Chapters 1–6

► BLOCK SCHEDULING OPTIONS

Block Scheduling for Complete Course

Chapter 6 may be presented in

- five 90-minute blocks
- eight 75-minute blocks

Each block consists of a combination of

- Chapter and Section Openers
- Explores
- Lesson Development
- Problem Solving Focus
- Technology
- Extend Key Ideas
- Connect
- Review
- Assessment

For details, see *Block Scheduling Handbook.*

Block Scheduling for Lab-Based Course

In each block, 30–40 minutes is devoted to lab activities including

- Explores in the Student Edition
- Connect pages in the Student Edition
- Technology options in the Student Edition
- Reteaching Activities in the Teacher Edition

For details, see *Block Scheduling Handbook.*

Block Scheduling for Interdisciplinary Course

Each block integrates math with another subject area.

In Chapter 6, interdisciplinary topics include

- Blood
- Floods

Themes for Interdisciplinary Team Teaching 6A and 6B are

- Music
- Woodworking

For details, see *Block Scheduling Handbook.*

Block Scheduling for Course with *Connected Mathematics*

In each block, investigations from **Connected Mathematics** replace or enhance the lessons in Chapter 6.

Connected Mathematics topics for Chapter 6 can be found in

- *Bits and Pieces II*

For details, see *Block Scheduling Handbook.*

BOLETÍN INTERDISCIPLINARIO

INTERDISCIPLINARY BULLETIN BOARD

Preparación

Trace un mapa grande de Estados Unidos en un cartel, con "Pulgadas de lluvia (con la fecha actual)" como subtítulo, en la parte inferior del cartel.

Procedimiento

- Muestre a los estudiantes un mapa del pronóstico del tiempo. Explique que el mapa lista la precipitación en las ciudades más importantes de EE.UU. el día anterior. Si es necesario, indique que las cantidades se expresan en forma decimal como centésimos de pulgada.

- Trabaja con un compañero y escoge una o dos ciudades del mapa para convertir cada decimal en una fracción.

- Escribe el nombre de las ciudades que elegiste en su posición exacta en el mapa y la precipitación registrada.

- Suma las fracciones y determina la precipitación total en cada ciudad.

Set Up

Put a large outline map of the United States on a bulletin board. Write the phrase, "Total Inches of Rain on (today's date)" on the bottom of the board.

Procedure

- Display a weather map from a newspaper. Point out where the map lists the amounts of rain that fell in major U.S. cities the previous day. If necessary, explain that the amounts are expressed as hundredths of an inch in decimal form.

- Work with a partner to choose one or two major cities and convert the decimals into fractions.

- Write the name of each city in its correct location on the map and the fractional amount of rainfall it received.

- Add the fractions to determine the total inches of rain that fell in the major cities.

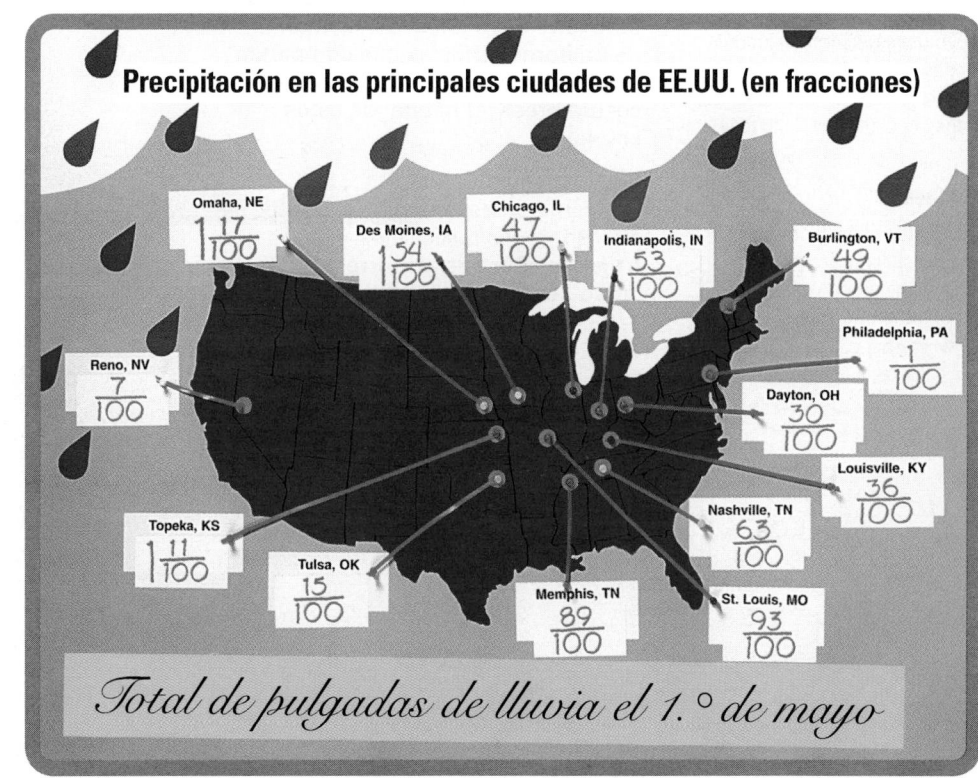

Precipitación en las principales ciudades de EE.UU. (en fracciones)

Omaha, NE $1\frac{17}{100}$ · Des Moines, IA $1\frac{54}{100}$ · Chicago, IL $\frac{47}{100}$ · Indianapolis, IN $\frac{53}{100}$ · Burlington, VT $\frac{49}{100}$ · Philadelphia, PA $\frac{1}{100}$ · Reno, NV $\frac{7}{100}$ · Dayton, OH $\frac{30}{100}$ · Louisville, KY $\frac{36}{100}$ · Topeka, KS $1\frac{11}{100}$ · Tulsa, OK $\frac{15}{100}$ · Nashville, TN $\frac{63}{100}$ · Memphis, TN $\frac{89}{100}$ · St. Louis, MO $\frac{93}{100}$

Total de pulgadas de lluvia el 1.° de mayo

The information on these pages shows how adding and subtracting fractions are used in real-life situations.

World Wide Web

If your class has access to the World Wide Web, you might want to use the information found at the Web site addresses given.

Extensions

The following activities do not require access to the World Wide Web.

People of the World

Have students predict which countries probably have the fewest telephones per person. Then ask them to see if they can find any data to support their predictions.

Arts & Literature

Ask students why they think the height of the walls was designed to be $\frac{1}{2}$, $\frac{2}{3}$, or $\frac{3}{4}$ the distance across the church. Answers may vary.

Entertainment

Ask groups of four students to create a comic book or comic strip of their own. Talk about what makes comic books appealing.

Science

Have students research California sea lions. Ask them to share their findings on where the sea lions live, what they eat, and how long they live.

Social Studies

Ask students to find information about tall buildings around the world. Ask them to try to find the height of the World Trade Center Towers. The twin towers are 110 stories (1350 ft) high.

La información de estas páginas muestra cómo se usan la suma y la resta de fracciones en situaciones reales.

World Wide Web

Si su clase tiene acceso al World Wide Web, tal vez desee utilizar la información que se encuentra en las direcciones Web indicadas.

Ampliación

Las siguientes actividades no requieren de acceso al Web.

Alrededor del mundo

Pida a los estudiantes que imaginen qué países tienen el menor número de teléfonos por persona. Después dígales que hallen información que confirme sus suposiciones.

Arte y Literatura

Pregunte a los estudiantes por qué creen que la altura de las paredes equivale a $\frac{1}{2}$, $\frac{2}{3}$ ó $\frac{3}{4}$ de la longitud de la iglesia. Las respuestas pueden variar.

Entretenimiento

Forme grupos de cuatro estudiantes e indíqueles que elaboren su propia tira cómica. Pregúnteles qué es lo que más les llama la atención de las tiras cómicas.

Ciencias

Pida a los estudiantes que investiguen todo lo relativo a los leones marinos de California. Dígales que compartan con la clase la información sobre las costumbres y el hábitat de estos animales.

Ciencias sociales

Los estudiantes deben buscar información sobre los rascacielos. Pídales que hallen la altura de las torres del World Trade Center. Las torres gemelas tienen 110 pisos (1350 ft).

6 Suma y resta de fracciones

Enlace con Entretenimiento
www.mathsurf.com/6/ch6/ent

Alrededor del mundo

El país con el mayor número de teléfonos por persona es Suecia. Si los teléfonos se distribuyeran equitativamente, $\frac{17}{25}$ del total de la población de Suecia tendría un teléfono.

Entretenimiento

$\frac{1}{3}$ del dinero gastado en publicaciones recientes de tiras cómicas va a Marvel Comics, los editores de *The X-Men* y *El hombre araña*. $\frac{1}{5}$ va a DC Comics, los editores de *Batman* y *Superman*.

Arte y Literatura

En la Italia del siglo XV, las iglesias se diseñaron de modo que la altura de sus muros correspondiera a $\frac{1}{2}$, $\frac{2}{3}$ ó $\frac{3}{4}$ del largo de la iglesia.

320

TEACHER TALK

Meet Charlotte Jenkins

Ulysses S. Grant School
Chicago, Illinois

I use paper plate activities to introduce adding and subtracting fractions with different denominators. To find $\frac{5}{8} + \frac{1}{4}$, I give each student two paper plates. I ask students to draw lines to divide one plate into fourths and the other into eighths. Then I have them cut the plates to join $\frac{1}{4}$ of one to $\frac{5}{8}$ of the other, and ask them to describe the result.

To find $\frac{5}{8} - \frac{1}{4}$, I give each student one paper plate. I ask students to draw lines to divide the plate into eighths and shade five of the eighths. Then I have them cut $\frac{1}{4}$ of the plate from the shaded area and describe the shaded amount that is left. I have students repeat the activities to find other sums and differences.

Ciencias

Un león marino macho de California crece hasta tener entre $6\frac{1}{2}$ y $8\frac{1}{6}$ pies de altura y un peso entre 440 y 660 libras.

IDEAS CLAVE DE MATEMÁTICAS

Las fracciones se pueden sumar cuando tienen igual denominador.

Las fracciones con distinto denominador también se pueden sumar, pero primero debes convertirlas a fracciones equivalentes con el mismo denominador.

El redondeo te puede ayudar a calcular sumas y restas aproximadas de números mixtos.

Algunos números mixtos tienen una fracción impropia en la respuesta. Estos números mixtos se pueden reagrupar para que no tengan fracciones impropias.

Algunas veces, al restar, necesitas pedir prestado del número cabal parte de un número mixto. Esto es como pedir prestado en la resta de números cabales.

Ciencias sociales

Si las torres gemelas del World Trade Center de la ciudad de New York estuvieran colocadas una sobre otra, su altura total sería de más de $\frac{1}{2}$ milla.

PROYECTO DEL CAPÍTULO

Resolución de problemas

Comprende
Plan
Resuelve
Revisa

En este proyecto vas a crear un libro de cocina para animales. Primero determina los animales que te interesan y lo que podrían comer si estuvieran en un zoológico, en una granja o en un acuario.

321

Proyecto del capítulo

Los estudiantes utilizan información sobre lo que comen los animales para hacer un libro de cocina para animales.

Introducción del proyecto
- Examine qué clase de animales pueden interesarles a los estudiantes.
- Comente sobre los diferentes tipos de comida que podrían consumir los animales. Señale la diferencia entre animales carnívoros y herbívoros.
- Indique a los estudiantes dónde pueden hallar información sobre los animales que escogieron, por ejemplo, en enciclopedias, libros de animales y en la Internet.

El proyecto en marcha
Sección A, página 338 Los estudiantes realizan operaciones con fracciones para aumentar o disminuir la cantidad de cada ingrediente en una receta, dependiendo del número de raciones que se necesiten.

Sección B, página 354 Los estudiantes usan el cálculo aproximado y las operaciones con números mixtos para completar las recetas de sus libros de cocina.

Chapter Project

Students use information about what animals eat to create a cookbook for animals.

Resources

Chapter 6 Project Master

Introduce the Project
- Discuss the types of animals students might be interested in.
- Talk about the kinds of foods different animals might eat. Differentiate between animals that eat meat and animals that eat only plants.
- Discuss places where students might find information about their chosen animals and what they eat, such as in encyclopedias, in books about animals, and on the Internet.

Project Progress

Section A, page 338 Students use operations with fractions to increase or decrease the amount of each ingredient in a recipe, depending on the number of servings needed.

Section B, page 354 Students use estimation and operations with mixed numbers to complete the recipes in their cookbook.

Community Project

A community project for Chapter 6 is available in *Home and Community Connections*.

Cooperative Learning

You may want to use Teaching Tool Transparency 1: Cooperative Learning Checklist with **Explore** and other group activities in this chapter.

PROJECT ASSESSMENT

You may choose to use this project as a performance assessment for the chapter.

Performance Assessment Key

Level 4 Full Accomplishment

Level 3 Substantial Accomplishment

Level 2 Partial Accomplishment

Level 1 Little Accomplishment

Suggested Scoring Rubric

4
- Food selections for animals indicate accurate research.
- Cookbook recipes are accurately calculated to yield correct servings.

3
- Food selections for animals indicate some research.
- Cookbook recipes are calculated to yield correct servings.

2
- Food selections for animals indicate limited research.
- Not all cookbook recipes are correctly calculated.

1
- Food selections for animals indicate no research.
- Cookbook recipes will not produce correct servings.

Enlace con Ciencias
www.mathsurf.com/6/ch6/sci

Interpreting Math Phrases

The Point

Students focus on interpreting comparison phrases in order to solve a problem.

Resources

Teaching Tool Transparency 18: Problem-Solving Guidelines

Interactive CD-ROM Journal

About the Page

Using the Problem-Solving Process

Sometimes it is first necessary to interpret a phrase before beginning to solve the problem. Discuss these suggestions.

- Read the problem several times.
- Identify the phrases that are being used to ask the question.
- Determine what the problem is asking.
- Determine the meaning of any comparison phrases.

Ask ...

- In Problem 1, did Jennifer or David have more butterflies? How do you know? Jennifer; Problem states she had eight more.
- In Problem 3, did Barbara have more grasshoppers than Camille? Explain. No; She had half as many as Camille.

Answers for Problems

1. 7 + 8 = 15
2. 12 − 4 = 8
3. 20 ÷ 2 = 10
4. 3 × 3 = 9
5. 10 + 14 = 24
6. 6 ÷ 2 = 3
7. 7 × 2 = 14

Journal

Write a list of phrases you have seen in problems that tell you what to do and then describe what the phrases mean.

Interpretar enunciados matemáticos

Objetivo

Los estudiantes se concentran en la interpretación de las frases comparativas para resolver un problema.

Recursos

 Diario interactivo CD-ROM

Acerca de esta página

Uso del proceso de resolución de problemas

A veces es indispensable interpretar una frase antes de comenzar a resolver el problema. Comente estas sugerencias:

- Lee el problema varias veces.
- Identifica las frases que se usan en el planteamiento de la pregunta.
- Determina qué es lo que pregunta el problema.
- Precisa el significado de las frases comparativas.

Pregunte...

- En el problema 1, ¿quién de los dos, Jennifer o David, tenía más mariposas? ¿Cómo lo sabes? Jennifer; El problema dice que tenía ocho más.
- En el problema 3, ¿Bárbara tenía más grillos que Camille? Explica tu respuesta. No; Ella tenía la mitad que Camille.

Respuestas de Problemas

1. 7 + 8 = 15
2. 12 − 4 = 8
3. 20 ÷ 2 = 10
4. 3 × 3 = 9
5. 10 + 14 = 24
6. 6 ÷ 2 = 3
7. 7 × 2 = 14

En tu diario

Escribe una lista de las frases que hayas visto en los problemas y que indican lo que debes hacer; después interpreta el significado de estas frases.

Enfoque en la resolución de problemas

Resolución de problemas
Comprende
Planea
Resuelve
Revisa

Interpretar enunciados matemáticos

En algunos problemas, la información numérica se proporciona directamente. Otras veces, la información numérica se proporciona a manera de comparación, como "Neil tenía *tres más que* Doreen". Cuando se hace un plan para resolver un problema, debes ser capaz de interpretar en forma correcta estos enunciados comparativos.

Para cada problema, escribe la respuesta y la aritmética para ver cómo llegaste al resultado. Por ejemplo, si sumaste 5 y 7 para obtener 12, escribe "5 + 7 = 12".

1. David tenía siete mariposas en su colección de insectos. Jennifer tenía ocho mariposas más que David. ¿Cuántas mariposas tenía Jennifer?

2. Patty tenía doce grillos y Lila tenía cuatro menos que Patty. ¿Cuántos grillos tenía Lila?

3. Camille tenía veinte chapulines. Bárbara tenía la mitad de chapulines que Camille. ¿Cuántos chapulines tenía Bárbara?

4. Richard tenía tres libélulas. Phoebe tenía tres veces más libélulas que Richard. ¿Cuántas libélulas tenía Phoebe?

5. Ada tenía diez mariquitas más que Mark, quien tenía catorce mariquitas. ¿Cuántas tenía Ada?

6. Jack tenía el doble de escarabajos que Lois. Si Jack tenía seis escarabajos, ¿cuántos tenía Lois?

7. Kristen tenía la mitad de abejas que Terri. Si Kristen tenía siete abejas, ¿cuántas tenía Terri?

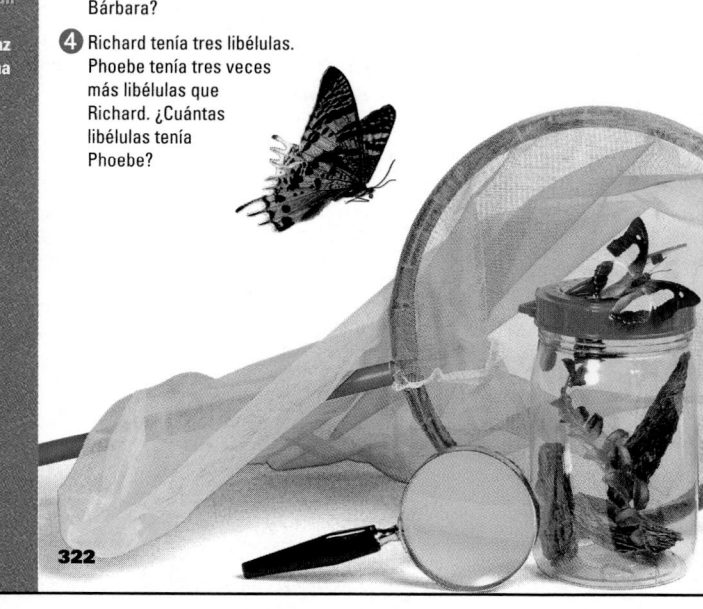

322

Additional Problem

The top speed of a pronghorned antelope is about 60 miles per hour. An ostrich can run about half as fast, and the fastest speed of a human is about 3 miles per hour slower than the ostrich. What is a human's fastest speed?

1. What is the problem about? Top speeds of animals.

2. What does the problem ask you to find? The top speed of a human.

3. Which animal is fastest? How can you tell? Antelope; The ostrich is only half as fast, which means you divide the antelope's speed by 2, and the human's speed is 3 miles per hour slower than the ostrich's.

4. What is a human's top speed? 27 miles per hour.

Problema adicional

La velocidad máxima de un antílope es de aproximadamente 60 millas por hora. Un avestruz puede correr alrededor de la mitad de la velocidad del antílope, en tanto que la velocidad máxima de una persona es como 3 millas por hora más lenta que la del avestruz. ¿Cuál es la velocidad máxima de una persona?

1. ¿De qué trata el problema? De la velocidad máxima de algunos animales.

2. ¿Qué es lo que pide el problema? Hallar la velocidad máxima de una persona.

3. ¿Qué animal es más rápido? ¿Cómo lo sabes? El antílope; El avestruz sólo alcanza la mitad de la velocidad del antílope, lo que significa que hay que dividir la velocidad del antílope entre 2; por otra parte, la velocidad de una persona es 3 millas por hora más lenta que la del avestruz.

4. ¿Cuál es la velocidad máxima de una persona? 27 millas por hora.

Visit **www.teacher.mathsurf.com** for links to lesson plans from teachers and other professionals, NCTM information, and other sites.

LESSON PLANNING GUIDE

▶ **Student Edition**

▶ **Ancillaries***

LESSON		MATERIALS	VOCABULARY	DAILY	OTHER
	Chapter 6 Opener				Ch. 6 Project Master Ch. 6 Community Project Teaching Tool Trans. 1
	Problem Solving Focus				Teaching Tool Trans. 18 *Interactive CD-ROM Journal*
	Section 6A Opener				
6-1	Adding and Subtracting Fractions with Like Denominators	pattern blocks or, power blocks	like denominators	6-1	Teaching Tool Trans. 19 Lesson Enhancement Trans. 25 Technology Master 26
6-2	Adding and Subtracting Fractions with Unlike Denominators	Fraction Bars®	unlike denominators, least common denominator (LCD)	6-2	Teaching Tool Trans. 2, 3, 14 Lesson Enhancement Transparencies 26, 27 Technology Master 27
	Technology	fraction calculator			Teaching Tool Trans. 24
6-3	Solving Fraction Equations: Addition and Subtraction			6-3	Lesson Enhancement Trans. 28 Technology Master 28 Ch. 6 Project Master
	Connect				Interdisc. Team Teaching 6A
	Review				Practice 6A; Quiz 6A; *TestWorks*

* Daily Ancillaries include Practice, Reteaching, Problem Solving, Enrichment, and Daily Transparency. Teaching Tool Transparencies are in *Teacher's Toolkits*. Lesson Enhancement Transparencies are in *Overhead Transparency Package*.

SKILLS TRACE

LESSON	SKILL	FIRST INTRODUCED			DEVELOP	PRACTICE/ APPLY	REVIEW
		GR. 4	GR. 5	GR. 6			
6-1	Adding and subtracting fractions with like denominators.	✗			pp. 324–325	pp. 326–327	pp. 340, 358, 411, 592
6-2	Adding and subtracting fractions with unlike denominators.	✗			pp. 328–330	pp. 331–332	pp. 340, 358, 415, 592
6-3	Solving equations by adding and subtracting fractions.			✗ p. 334	pp. 334–336	pp. 337–338	pp. 340, 358, 420

CONNECTED MATHEMATICS

Investigation 4 in the unit *Bits and Pieces II (Using Rational Numbers),* from the **Connected Mathematics** series, can be used with Section 6A.

Math and Music

(Worksheet pages 29–30: Teacher pages T29–T30)

In this lesson, students add fractions in musical compositions.

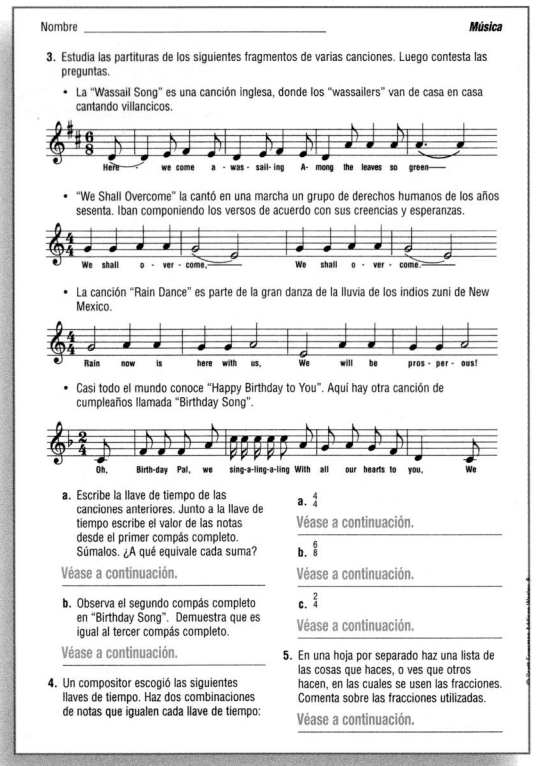

Respuestas adicionales

1. El propósito de la llave de tiempo es mostrar el número de notas en un compás y cuál nota equivale a un tiempo. Si los compositores escribieran todas las llaves de tiempo a su mínima expresión, estarían cambiando el número de notas en un compás y la nota que representa un tiempo.

2. Los números cabales no pueden usarse para representar partes de una nota.

3. a. $\frac{6}{8}$; $\frac{1}{4} + \frac{1}{8} + \frac{1}{4} + \frac{1}{8} = \frac{6}{8}$;

   $\frac{4}{4}$; $\frac{1}{4} + \frac{1}{4} + \frac{1}{4} + \frac{1}{4} = \frac{4}{4}$;

   $\frac{4}{4}$; $\frac{1}{2} + \frac{1}{4} + \frac{1}{4} = \frac{4}{4}$;

   $\frac{2}{4}$; $\frac{1}{8} + \frac{1}{8} + \frac{1}{8} + \frac{1}{8} = \frac{4}{8}$; La llave de tiempo

   b. $\frac{1}{16} + \frac{1}{16} + \frac{1}{16} + \frac{1}{16} + \frac{1}{8} + \frac{1}{8} = \frac{8}{16}$, que es igual a $\frac{2}{4}$;

   $\frac{1}{8} + \frac{1}{8} + \frac{1}{8} + \frac{1}{8} = \frac{4}{8}$, que es igual a $\frac{2}{4}$

4. a. Las respuestas de los estudiantes pueden variar. Ejemplos:
   $\frac{1}{4} + \frac{1}{4} + \frac{1}{4} + \frac{1}{4}$; $\frac{1}{2} + \frac{1}{8} + \frac{1}{8} + \frac{1}{8} + \frac{1}{8}$.

   b. Las respuestas de los estudiantes pueden variar. Ejemplos:
   $\frac{1}{8} + \frac{1}{8} + \frac{1}{16} + \frac{1}{16} + \frac{1}{16} + \frac{1}{16} + \frac{1}{8} + \frac{1}{8}$; $\frac{1}{4} + \frac{1}{4} + \frac{1}{4}$

   c. Las respuestas de los estudiantes pueden variar. Ejemplos:
   $\frac{1}{4} + \frac{1}{4}$; $\frac{1}{16} + \frac{1}{16} + \frac{1}{8} + \frac{1}{8} + \frac{1}{8}$

5. Las respuestas de los estudiantes difieren, pero pueden incluir cosas como cocinar (partes de una cucharadita), artesanías, trabajos con madera y construcción de cosas (partes de una pulgada), eventos deportivos (cuartos, medios) y la bolsa de valores (precios de las acciones).

BIBLIOGRAPHY

▷ FOR TEACHERS

Willoughby, Stephen. *Mathematics Education for a Changing World*. Alexandria, VA: ASCD, 1990.

Room, Adrian, ed. *Guinness Book of Numbers*. New York, NY: Sterling, 1990.

Spangler, David. *Math for Real Kids*. Glenview, IL: Good Year Books, 1997.

▷ FOR STUDENTS

Wagman, Richard J. *The New Complete Medical and Health Encyclopedia*. Chicago, IL: J. G. Ferguson Publications, 1992.

Sheehan, Angela, ed. *The Marshall Cavendish Encyclopedia of Health*. New York, NY: M. Cavendish, 1991.

Suma y resta de fracciones

▶ Enlace con Ciencias   ▶ Enlace con Salud   ▶ www.mathsurf.com/6/ch6/blood

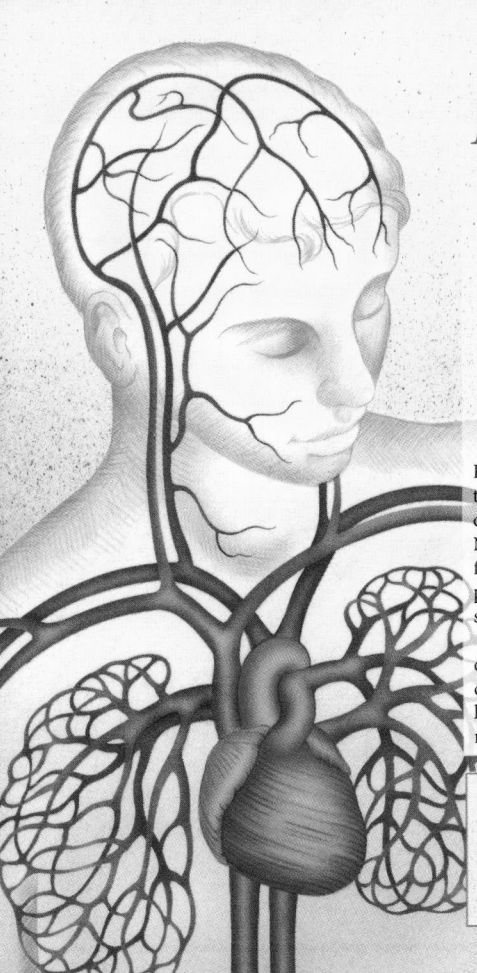

¿Cuál es tu tipo?

*I*magina que estás sentado a la mesa mientras tu mamá sirve la cena.

"¿Me puedes dar una patata por favor?"

"¿Cuál es tu tipo?"

"Soy O-negativo."

"Lo siento, pero no cociné ninguna patata O-negativa. Todas éstas son AB-positivas."

"¿Puedes cocinar una O-negativa para mí?"

"No creo que tengamos. Sólo 7 de 100 patatas son O-negativas."

"¿Entonces me puedo comer una de las AB-positivas?"

"No seas ridículo, cariño. La patata equivocada podría matarte."

Por fortuna, no existen tipos de comida, pero sí hay tipos de sangre. Si alguna vez necesitas una transfusión de sangre, tal vez no puedas usar cualquier tipo. Necesitas sangre que sea la adecuada según tu tipo y el factor Rh. Por ejemplo, las personas con sangre AB+ pueden utilizar sangre O–, pero las personas con sangre O– no pueden usar sangre AB+.

La gente que trabaja en la industria de la salud debe tener un conocimiento profundo de la sangre y cómo funciona. Las fracciones son útiles para describir las diferentes partes de la sangre y las diversas maneras como se puede usar.

1 ¿Por qué es importante que los profesionales del cuidado de la salud tengan una buena comprensión de las matemáticas?

2 ¿Cómo pueden ser útiles las fracciones para describir la sangre?

323

Where are we now?

In Section 5B, students represented fractions in equivalent forms. They explored the relationships between fractions, and between fractions and decimals.

They learned how to

• represent values between whole numbers as fractions.

• simplify fractions.

• convert between improper fractions and mixed numbers.

• convert between fractions and decimals.

• compare and order fractions.

Where are we going?

In Section 6A, students will

• add and subtract fractions with like denominators.

• add and subtract fractions with unlike denominators.

• solve equations by adding and subtracting fractions.

Tema: La sangre

World Wide Web

Si su clase tiene acceso al World Wide Web, tal vez desee utilizar la información que se encuentra en las direcciones Web indicadas. Los enlaces interdisciplinarios relacionan los temas examinados en esta sección.

Acerca de esta página

Esta página presenta el tema de la sección, la sangre, y comenta los tipos de sangre que existen.

Pregunte…

• ¿Conoces tu tipo de sangre?

• ¿Por qué es importante para los profesionales de la salud conocer el tipo de sangre de la gente?

Ampliación

Las siguientes actividades no requieren de acceso al Web.

Ciencias

La sangre es el fluido vital del cuerpo humano. Investiga cuáles son las funciones de la sangre en nuestro organismo. Lleva oxígeno y alimento a todas las partes del cuerpo; Combate las enfermedades.

Salud

En 1918, durante la Primera Guerra Mundial, se realizaron las primeras transfusiones de sangre previamente almacenada. En 1937 se creó el primer banco de sangre a gran escala en el hospital Cook County de Chicago. Investiga la historia del banco de sangre de tu localidad y redacta un trabajo sobre los servicios que ofrece.

Respuestas de Preguntas

1. Respuesta posible: Es necesario calcular y registrar los factores que pueden afectar el bienestar de los pacientes.

2. Respuesta posible: Para describir las cantidades.

Asociación

En la página 339, los estudiantes usan la suma y la resta de fracciones para comparar los tipos de sangre.

Theme: Blood

World Wide Web

If your class has access to the World Wide Web, you might want to use the information found at the Web site address given. The interdisciplinary links relate to topics discussed in this section.

About the Page

This page introduces the theme of the section, blood, and discusses blood types.

Ask …

• Do you know your blood type?

• Why is it important for a health professional to know your blood type?

Extensions

The following activities do not require access to the World Wide Web.

Science

Blood is the life stream of the human body. Investigate the purpose that blood serves in our body. Carries oxygen and food to every part of the body; Fights disease.

Health

In 1918, during World War I, the use of stored blood for transfusions was first begun. The first large-scale blood bank was established at the Cook County Hospital in Chicago in 1937. Investigate the history of your local blood bank and report on the ways it serves the community.

Answers for Questions

1. Possible answer: They need to measure and record data that can affect the well being of patients.

2. Possible answer: To describe amounts.

Connect

On page 339, students use addition and subtraction of fractions to compare blood types.

Lesson Organizer

Objective

- Add and subtract fractions with like denominators.

Vocabulary

- Like denominators

Materials

- Explore: Pattern blocks or Power Polygons

NCTM Standards

- 1–2, 4, 6, 7, 13

Review

Write each fraction as a decimal.

1. $\frac{3}{5}$ 0.6

2. $\frac{7}{10}$ 0.7

3. $\frac{13}{8}$ 1.625

4. $\frac{14}{28}$ 0.5

5. $\frac{5}{20}$ 0.25

Available on Daily Transparency 6-1

► Repaso

Escribe cada fracción como un decimal.

1. $\frac{3}{5}$ 0.6

2. $\frac{7}{10}$ 0.7

3. $\frac{13}{8}$ 1.625

4. $\frac{14}{28}$ 0.5

5. $\frac{5}{20}$ 0.25

Introduce

Explore

You may wish to use Teaching Tool Transparency 19: Power Polygons and Lesson Enhancement Transparency 25 with **Explore**.

The Point

Students use pattern blocks or Power Polygons to model addition of fractions with like denominators.

Ongoing Assessment

Check that students understand the relationships between the wholes and the fractions.

1 Introducción

Investigar

Objetivo

Los estudiantes usan bloques de patrones o Polígonos de potencias para representar la suma de fracciones con igual denominador.

Evaluación continua

Cerciórese de que los estudiantes comprendan las relaciones entre enteros y fracciones.

Suma y resta de fracciones con igual denominador

Vas a aprender...

■ a sumar y restar fracciones con igual denominador.

...cómo se usa

Los pintores utilizan las fracciones cuando mezclan pinturas para obtener un color en particular.

Vocabulario

- igual denominador

► Enlace con la lección   Con tus conocimientos sobre fracciones individuales, en esta lección vas a sumar y restar fracciones que tienen el mismo denominador. ◄

Investigar   Fracciones con igual denominador

¡Los polígonos a la cabeza!

Materiales: Patrones o piezas de polígonos

1. Copia la tabla que sigue y usa las piezas de patrones para completarla.

El "entero"	Grupo 1	Grupo 2	Fracciones para el grupo 1 más el grupo 2	Suma
			$\frac{1}{2} + \frac{4}{2}$	$\frac{5}{2}$

2. Los nombres de las fracciones en el Grupo 1 y el Grupo 2 siempre deben tener el mismo denominador. ¿Por qué?

3. Para cada problema, ¿la suma tenía el mismo denominador que los denominadores del Grupo 1 y del Grupo 2? Explica tu respuesta.

324   Capítulo 6 • Suma y resta de fracciones

► MEETING INDIVIDUAL NEEDS

Resources

6-1 Practice
6-1 Reteaching
6-1 Problem Solving
6-1 Enrichment
6-1 Daily Transparency
   Problem of the Day
   Review
   Quick Quiz
Teaching Tool Transparency 19
Lesson Enhancement Transparency 25
Technology Master 26

Recursos

6-1 Práctica
6-1 Práctica adicional
6-1 Resolución de problemas
6-1 Actividad de enriquecimiento
Tecnología 26

Learning Modalities

Visual Having students draw models of the addition exercises in this lesson can greatly add to their understanding of the concepts.

Kinesthetic A variety of hands-on experiences can enhance the teaching of this lesson. Fraction Bars and play money can be used with this lesson.

Modos de aprendizaje

Visual La representación de las sumas por medio de dibujos permitirá a los estudiantes mejorar su comprensión de los conceptos.

Cinestésico Esta lección puede complementarse con una gran variedad de ejercicios de práctica. Las barras de fracciones y el dinero de juguete son dos ejemplos recomendables.

Inclusion

Some students may have poor memory skills. Presenting the material in small steps and providing constant reinforcement may be helpful for these students.

Have students add new vocabulary with examples to their reference books.

Inclusión

Algunos estudiantes no tienen buena capacidad de retención. Para ayudarlos, presénteles el material en pequeñas secciones y ofrézcales repasos constantes.

Pídales que incluyan el vocabulario nuevo y algunos ejemplos en sus cuadernos de referencias.

Dos fracciones con el mismo denominador tienen **igual denominador**.

$\frac{1}{4}$ y $\frac{3}{4}$ = 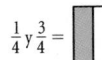 y

No te olvides

Los denominadores iguales también se conocen como denominadores comunes.

[Página 309]

Cuando sumas y restas fracciones con igual denominador, el denominador actúa como un rótulo: te dice qué tamaño o medida de pieza estás usando. En tanto los numeradores indican el número de piezas que debes sumar o restar.

Ejemplos

1 Suma $\frac{2}{7} + \frac{4}{7}$.

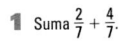 + =

$\frac{2}{7} + \frac{4}{7} = \frac{2+4}{7}$ Sólo suma los numeradores. Los denominadores no cambian.

$= \frac{6}{7}$

2 Cuando un hombre adulto dona sangre, dona alrededor de $\frac{1}{2}$ de un cuarto. El cuerpo de un hombre promedio contiene cerca de 5 ó $\frac{10}{2}$, cuartos de sangre. ¿Cuánta sangre queda en su cuerpo después de la donación?

$\frac{10}{2} - \frac{1}{2} = \frac{10-1}{2}$ Sólo resta los numeradores. Los denominadores no cambian.

$= \frac{9}{2}$

Quedan $\frac{9}{2}$ de un cuarto de sangre ó $4\frac{1}{2}$ cuartos en su cuerpo.

▶ **Enlace con Ciencias**

En 1940, Charles Drew revolucionó la forma en que los doctores trataban a los pacientes al diseñar un plan para crear un banco de sangre que la almacenara de manera adecuada.

Haz la prueba

Simplifica. **a.** $\frac{3}{10} + \frac{4}{10}$ $\frac{7}{10}$ **b.** $\frac{5}{7} - \frac{3}{7}$ $\frac{2}{7}$ **c.** $\frac{8}{2} + \frac{9}{2}$ $\frac{17}{2}$ **d.** $\frac{4}{9} - \frac{4}{9}$ 0

Comprobar Tu comprensión

1. Cuando sumas o restas fracciones con igual denominador, ¿por qué no cambia el denominador?

2. ¿Qué valores puede tener n para que la ecuación $\frac{3}{n} + \frac{5}{n} = \frac{8}{n}$ sea verdadera?

MATH EVERY DAY

▶ **Problema del día**

Adán tiene 8 veces más monedas de veinticinco centavos que de diez, la mitad de monedas de un centavo que de veinticinco, 6 monedas de cinco centavos y el doble de monedas de cincuenta centavos que de diez. Escribe una expresión algebraica que represente el número de monedas si d equivale al número de monedas de diez centavos.

$d + 8d + \frac{8d}{2} + 6 + 2d$

Problem of the Day

Adam has 8 times as many quarters as dimes, half as many pennies as quarters, 6 nickels, and twice as many half-dollars as dimes. Write an algebraic expression to represent the number of coins if d represents how many dimes.

$d + 8d + \frac{8d}{2} + 6 + 2d$

Available on Daily Transparency 6-1

An Extension is provided in the transparency package.

Dato del día

Un bebé recién nacido sólo tiene $\frac{1}{2}$ pinta de sangre en su cuerpo.

Fact of the Day

A newborn baby only has about $\frac{1}{2}$ pint of blood in its body.

Estimation

Estimate.

1. $12 + 19$ 30
2. $214 + 199$ 400
3. $58 - 28$ 30
4. $302 - 175$ 125

Cálculo aproximado

Haz un cálculo aproximado.

1. $12 + 19$ 30
2. $214 + 199$ 400
3. $58 - 28$ 30
4. $302 - 175$ 125

Respuestas de Investigar

1. Hilera 2: $\frac{1}{3} + \frac{2}{3}, \frac{3}{3} = 1$

   Hilera 3: $\frac{2}{3} + \frac{5}{3}, \frac{7}{3}$

   Hilera 4: $\frac{2}{3} + \frac{2}{3}, \frac{4}{3}$

   Hilera 5: $\frac{2}{2} + \frac{3}{2}, \frac{5}{2}$

2. Respuesta posible: Porque son partes del mismo entero.

3. Sí; Los denominadores no cambian.

2 Enseñanza

Aprender

Ejemplos adicionales

1. Suma $\frac{1}{5} + \frac{3}{5}$.

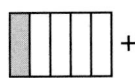

   $\frac{1}{5} + \frac{3}{5} = \frac{1+3}{5}$

   $= \frac{4}{5}$

2. En la composición de la sangre, $\frac{9}{20}$ corresponden a células, el resto lo forma un líquido llamado plasma. ¿Qué parte de la composición de la sangre es plasma? La cantidad completa de sangre es $\frac{20}{20}$.

   $\frac{20}{20} - \frac{9}{20} = \frac{20-9}{20}$

   $= \frac{11}{20}$

   En la composición de la sangre, $\frac{11}{20}$ son plasma.

3 Práctica y evaluación

Comprobar

En la pregunta 2, asegúrese de que los estudiantes saben que debe sustituirse el mismo valor en cada n. Recuérdeles que no es posible dividir entre cero.

Respuestas de Comprobar tu comprensión

1. Respuesta posible: El entero está dividido en el mismo número de partes.

2. Cualquier valor diferente de cero, siempre y cuando cada n tenga el mismo valor.

Answers for Explore

1. Row 2: $\frac{1}{3} + \frac{2}{3}, \frac{3}{3} = 1$

   Row 3: $\frac{2}{3} + \frac{5}{3}, \frac{7}{3}$

   Row 4: $\frac{2}{3} + \frac{2}{3}, \frac{4}{3}$

   Row 5: $\frac{2}{2} + \frac{3}{2}, \frac{5}{2}$

2. Possible answer: They are parts from the same whole.

3. Yes; The denominators do not change.

Teach

Learn

Alternate Examples

1. Add $\frac{1}{5} + \frac{3}{5}$.

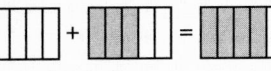

   $\frac{1}{5} + \frac{3}{5} = \frac{1+3}{5}$

   $= \frac{4}{5}$

2. Blood cells make up $\frac{9}{20}$ of blood, while the rest is a liquid called plasma. What part of the blood is plasma? The entire amount of blood is $\frac{20}{20}$.

   $\frac{20}{20} - \frac{9}{20} = \frac{20-9}{20}$

   $= \frac{11}{20}$

   $\frac{11}{20}$ of blood is plasma.

Practice and Assess

Check

In Question 2, be sure students know that the same value must be substituted for every n. Remind students that division by zero is not possible.

Answers for Check Your Understanding

1. Possible answer: The whole is still divided into the same number of pieces.

2. Any value other than zero as long as each n is the same.

Assignment Guide

- Basic 1–31 odds, 32, 35, 36, 39–43 odds
- Average 1, 2–42 evens
- Enriched 6–26 evens, 27–37, 40–43

Exercise Notes

Exercise 31

Science Plasma, the liquid portion of the blood, is $\frac{9}{10}$ water. The remaining $\frac{1}{10}$ includes proteins, hormones, enzymes, nutrients, and wastes.

Notas sobre los ejercicios

Ejercicio 31

Ciencias El plasma, la porción líquida de la sangre, está conformado por $\frac{9}{10}$ de agua. El resto, $\frac{1}{10}$, incluye proteínas, hormonas, enzimas, nutrientes y desechos.

Reteaching

Activity

Materials: Inch ruler

- Use a ruler to add and subtract fractions with denominators of 2, 4, 8, and 16.
- To add $\frac{3}{4}$ and $\frac{3}{4}$, draw a segment $\frac{3}{4}$ inch long on your paper. Without moving the ruler, extend the segment by $\frac{3}{4}$ inch. At what point did your second segment end? $1\frac{1}{2}$
- Use a ruler to find the following sums.

  1. $\frac{11}{16} + \frac{15}{16}$ $1\frac{5}{8}$
  2. $\frac{5}{8} + \frac{1}{8}$ $\frac{3}{4}$
  3. $\frac{2}{4} + \frac{3}{4}$ $1\frac{1}{4}$
- To find the difference $\frac{7}{8} - \frac{5}{8}$, draw a segment $\frac{7}{8}$ inch long. Without moving the ruler, draw a heavier segment $\frac{5}{8}$ in. back from $\frac{7}{8}$ inch. At what point did your second segment end? $\frac{1}{4}$
- Use a ruler to find the differences.

  4. $\frac{13}{16} - \frac{9}{16}$ $\frac{1}{4}$
  5. $\frac{7}{8} - \frac{3}{8}$ $\frac{1}{2}$
  6. $\frac{4}{4} - \frac{1}{4}$ $\frac{3}{4}$

Práctica adicional

Actividad

Materiales: Regla en pulgadas

- Usa una regla para sumar y restar fracciones con los denominadores 2, 4, 8 y 16.
- Para sumar $\frac{3}{4}$ más $\frac{3}{4}$, dibuja en una hoja un segmento de $\frac{3}{4}$ de pulgada. Sin mover la regla, alarga el segmento $\frac{3}{4}$ de pulgada. ¿En qué punto terminó tu segundo segmento? En $1\frac{1}{2}$
- Usa una regla para encontrar las siguientes sumas.

  1. $\frac{11}{16} + \frac{15}{16}$ $1\frac{5}{8}$
  2. $\frac{5}{8} + \frac{1}{8}$ $\frac{3}{4}$
  3. $\frac{2}{4} + \frac{3}{4}$ $1\frac{1}{4}$
- Para hallar la diferencia de $\frac{7}{8} - \frac{5}{8}$, dibuja un segmento de $\frac{7}{8}$ de pulgada. Sin mover la regla, remarca un segmento de $\frac{5}{8}$ de pulgada sobre el de $\frac{7}{8}$. ¿En qué punto terminó tu segundo segmento? En $\frac{1}{4}$
- Usa una regla para hallar las diferencias.

  4. $\frac{13}{16} - \frac{9}{16}$ $\frac{1}{4}$
  5. $\frac{7}{8} - \frac{3}{8}$ $\frac{1}{2}$
  6. $\frac{4}{4} - \frac{1}{4}$ $\frac{3}{4}$

6-1 Ejercicios y aplicaciones

Práctica y aplicación

1. **Para empezar** Indica si las fracciones tienen igual denominador o no.

   a. $\frac{6}{7}, \frac{4}{7}$ Sí   b. $\frac{9}{10}, \frac{13}{10}$ Sí   c. $\frac{1}{2}, \frac{1}{3}$ No   d. $\frac{22}{11}, \frac{11}{22}$ No   e. $\frac{8}{8}, \frac{8}{8}$ Sí

Simplifica cada expresión y escribe la respuesta en su mínima expresión.

2. $\frac{3}{5} + \frac{1}{5}$ $\frac{4}{5}$
3. $\frac{9}{10} - \frac{8}{10}$ $\frac{1}{10}$
4. $\frac{7}{8} + \frac{5}{8}$ $\frac{3}{2}$
5. $\frac{4}{3} + \frac{2}{3}$ 2
6. $\frac{23}{8} - \frac{13}{8}$ $\frac{5}{4}$

7. $\frac{4}{3} - \frac{3}{3}$ $\frac{1}{3}$
8. $\frac{98}{10} + \frac{2}{10}$ 10
9. $\frac{3}{4} - \frac{1}{4}$ $\frac{1}{2}$
10. $\frac{4}{11} + \frac{3}{11}$ $\frac{7}{11}$
11. $\frac{12}{18} - \frac{9}{18}$ $\frac{1}{6}$

12. $\frac{15}{19} + \frac{5}{19}$ $\frac{20}{19}$
13. $\frac{7}{9} - \frac{3}{9}$ $\frac{4}{9}$
14. $\frac{6}{8} - \frac{4}{8}$ $\frac{1}{4}$
15. $\frac{5}{13} + \frac{1}{13}$ $\frac{6}{13}$
16. $\frac{34}{12} - \frac{30}{12}$ $\frac{1}{3}$

Establece si la respuesta es mayor que, menor que o igual a 1.

17. $\frac{7}{9} + \frac{2}{9} =$
18. $\frac{1}{2} + \frac{3}{2} >$
19. $\frac{2}{7} + \frac{6}{7} >$
20. $\frac{3}{4} - \frac{2}{4} <$
21. $\frac{5}{6} - \frac{3}{6} <$

22. $\frac{9}{5} - \frac{4}{5} =$
23. $\frac{7}{12} + \frac{7}{12} >$
24. $\frac{1}{10} - \frac{1}{10} <$
25. $\frac{16}{13} + \frac{4}{13} >$
26. $\frac{5}{4} - \frac{1}{4} =$

El equipo de volibol de Tillie organizó un día de campo. Los miembros del equipo llevaron comida o juegos. La gráfica de barras representa a los jugadores que contribuyeron con comida; úsala para resolver los ejercicios 27–30.

27. ¿Qué fracción de los estudiantes que llevaron comida llevó fruta o bebidas? $\frac{7}{13}$

28. ¿Qué fracción de los estudiantes que llevaron comida llevó fruta, bebidas o ensalada? $\frac{11}{13}$

29. Si 17 estudiantes fueron al día de campo, ¿qué fracción llevó juegos? $\frac{4}{17}$

30. Si 17 estudiantes fueron al día de campo, ¿qué fracción llevó fruta o pan? $\frac{5}{17}$

31. **Ciencias** El plasma es la parte líquida de la sangre. Ésta tiene como $\frac{11}{20}$ de plasma. ¿Qué fracción representa los otros componentes de la sangre? $\frac{9}{20}$

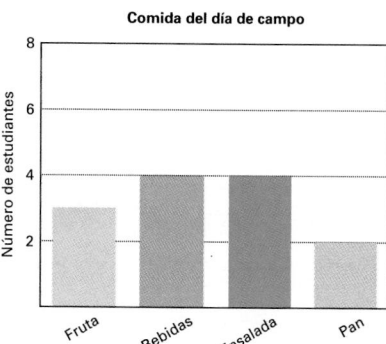

Comida del día de campo

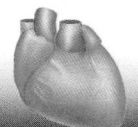

326 Capítulo 6 • Suma y resta de fracciones

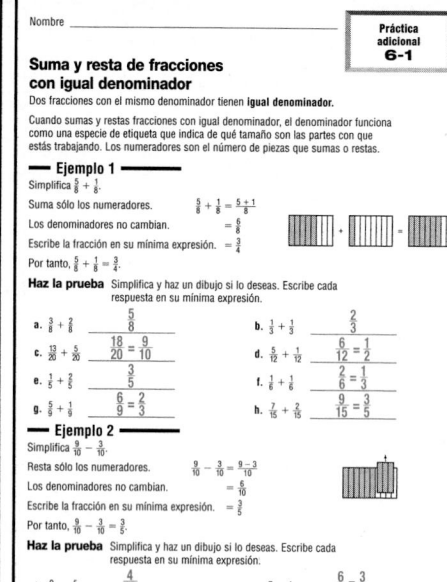

PRACTICE

Nombre _____

Práctica 6-1

Suma y resta de fracciones con igual denominador

Simplifica las operaciones y escribe cada respuesta en su mínima expresión.

1. $\frac{3}{20} - \frac{1}{20}$ $\frac{1}{10}$
2. $\frac{6}{15} + \frac{4}{15}$ $\frac{2}{3}$
3. $\frac{3}{4} - \frac{1}{4}$ $\frac{1}{2}$
4. $\frac{6}{8} + \frac{3}{8}$ $\frac{9}{8}$
5. $\frac{2}{13} + \frac{3}{13}$ $\frac{5}{13}$
6. $\frac{6}{8} - \frac{5}{8}$ $\frac{1}{8}$
7. $\frac{3}{15} + \frac{10}{15}$ $\frac{13}{15}$
8. $\frac{8}{10} - \frac{4}{10}$ $\frac{2}{5}$
9. $\frac{5}{14} - \frac{3}{14}$ $\frac{1}{7}$
10. $\frac{1}{4} + \frac{1}{4}$ $\frac{1}{2}$
11. $\frac{6}{7} - \frac{1}{7}$ $\frac{5}{7}$
12. $\frac{14}{19} + \frac{5}{19}$ 1
13. $\frac{5}{6} + \frac{5}{6}$ $\frac{5}{3}$
14. $\frac{2}{3} + \frac{1}{3}$ 1
15. $\frac{13}{18} + \frac{5}{18}$ 1
16. $\frac{10}{15} - \frac{4}{15}$ $\frac{2}{5}$

Indica si la respuesta es mayor que, menor que o igual a 1.

17. $\frac{7}{11} - \frac{3}{11}$ Menor que 1
18. $\frac{4}{10} + \frac{6}{10}$ Igual a 1
19. $\frac{2}{4} + \frac{3}{4}$ Mayor que 1
20. $\frac{1}{4} + \frac{1}{4}$ Menor que 1
21. $\frac{5}{6} - \frac{1}{6}$ Menor que 1
22. $\frac{4}{5} + \frac{3}{5}$ Mayor que 1

Cada invitado a la fiesta de los 8 años de Tony le llevó un regalo o una tarjeta. La gráfica de barras muestra los regalos que recibió Tony. Usa la gráfica para resolver los ejercicios 23–25.

Regalos de cumpleaños de Tony

23. ¿Qué fracción de los regalos fueron libros o juegos? $\frac{1}{2}$

24. ¿Qué fracción de los regalos fueron ropa, juegos o juguetes? $\frac{6}{7}$

25. ¿Qué fracción trajo sólo tarjetas? $\frac{2}{9}$

26. En 1990 aproximadamente $\frac{1}{8}$ de la población estadounidense tenía 65 años o más. ¿Qué fracción de la población era menor de 65? $\frac{7}{8}$

27. En 1993, $\frac{11}{20}$ de la electricidad de Estados Unidos provenía de la combustión del carbón y $\frac{5}{20}$ era de origen nuclear. ¿Qué fracción de la electricidad se producía por otros medios como gas natural o fuerza hidroeléctrica? $\frac{1}{4}$

RETEACHING

Nombre _____

Práctica adicional 6-1

Suma y resta de fracciones con igual denominador

Dos fracciones con el mismo denominador tienen **igual denominador**.

Cuando sumas y restas fracciones con igual denominador, el denominador funciona como una especie de etiqueta que indica de qué tamaño son las partes con que estás trabajando. Los numeradores son el número de piezas que sumas y restas.

Ejemplo 1

Simplifica $\frac{5}{8} + \frac{1}{8}$.

Suma sólo los numeradores. $\frac{5}{8} + \frac{1}{8} = \frac{6}{8}$

Los denominadores no cambian. $= \frac{6}{8}$

Escribe la fracción en su mínima expresión. $= \frac{3}{4}$

Por tanto, $\frac{5}{8} + \frac{1}{8} = \frac{3}{4}$

Haz la prueba Simplifica y haz un dibujo si lo deseas. Escribe cada respuesta en su mínima expresión.

a. $\frac{3}{8} + \frac{2}{8}$ $\frac{5}{8}$
b. $\frac{1}{3} + \frac{1}{3}$ $\frac{2}{3}$
c. $\frac{3}{20} + \frac{7}{20}$ $\frac{18}{20} = \frac{1}{10}$
d. $\frac{5}{12} + \frac{1}{12}$ $\frac{6}{12} = \frac{1}{2}$
e. $\frac{1}{6} + \frac{2}{6}$ $\frac{3}{6} = \frac{1}{2}$
f. $\frac{1}{8} + \frac{1}{8}$ $\frac{2}{8} = \frac{1}{4}$
g.
h. $\frac{7}{15} + \frac{2}{15}$ $\frac{9}{15} = \frac{3}{5}$

Ejemplo 2

Simplifica $\frac{9}{10} - \frac{3}{10}$.

Resta sólo los numeradores. $\frac{9}{10} - \frac{3}{10} = \frac{6}{10}$

Los denominadores no cambian. $= \frac{6}{10}$

Escribe la fracción en su mínima expresión. $= \frac{3}{5}$

Por tanto, $\frac{9}{10} - \frac{3}{10} = \frac{3}{5}$

Haz la prueba Simplifica y haz un dibujo si lo deseas. Escribe cada respuesta en su mínima expresión.

i. $\frac{9}{15} - \frac{5}{15}$ $\frac{4}{15}$
j. $\frac{9}{10} - \frac{1}{10}$ $\frac{4}{5}$
k. $\frac{4}{5} - \frac{3}{5}$ $\frac{1}{5}$
l. $\frac{3}{7} - \frac{2}{7}$ $\frac{4}{7}$
m. $\frac{3}{4} - \frac{1}{4}$ $\frac{2}{4} = \frac{1}{2}$
n. $\frac{7}{10} - \frac{3}{10}$ $\frac{4}{10} = \frac{2}{5}$
o. $\frac{9}{7} - \frac{2}{7}$ $\frac{3}{7}$
p. $\frac{9}{12} - \frac{3}{12}$ $\frac{6}{12} = \frac{1}{2}$

32. [Para la prueba] Escoge la respuesta correcta para $\frac{3}{10} + \frac{3}{10}$. **D**

Ⓐ $\frac{3}{20}$ Ⓑ $\frac{3}{10}$ Ⓒ $\frac{6}{20}$ Ⓓ $\frac{3}{5}$

33. Geografía Cerca de $\frac{3}{50}$ de la superficie de la Tierra son cultivables; $\frac{12}{50}$ son desierto, tundra, hielo o montañas; y $\frac{35}{50}$ son líquido. ¿Qué fracción de la superficie de la Tierra no está cubierta de agua? $\frac{3}{10}$

Resolución de problemas y razonamiento

34. Comunicación Galen sumó $\frac{3}{5}$ y $\frac{1}{5}$. Su respuesta fue $\frac{4}{10}$. Explica por qué la respuesta de Galen no tiene sentido. ¿Cuál es la respuesta correcta?

35. Explica por qué sumas los numeradores en un problema de suma de fracciones, pero no los denominadores.

36. Escoge una estrategia Sandra hace pulseras, collares y gargantillas con tiras de cuero. Una pulsera requiere $\frac{7}{12}$ ft de la tira y un collar necesita $\frac{22}{12}$ ft. Ella tiene $\frac{81}{12}$ ft, que es lo suficiente para hacer 3 pulseras, 2 collares y 1 gargantilla. ¿Qué cantidad de la tira se lleva cada gargantilla? Explica tu respuesta.

> **Resolución de problemas**
> ## ESTRATEGIAS
> • Busca un patrón
> • Organiza la información en una lista
> • Haz una tabla
> • Prueba y comprueba
> • Empieza por el final
> • Usa el razonamiento lógico
> • Haz un diagrama
> • Simplifica el problema

37. Comunicación Para la ecuación $\frac{3}{11} + \frac{x}{y} = \frac{10}{11}$, indica dos valores para x y y que hagan que la ecuación sea verdadera. Explica tu razonamiento.

Repaso mixto

Calcula el perímetro de cada figura. *[Lección 4-1]*

38. 28 ft

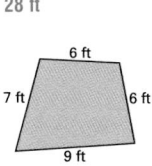

6 ft
7 ft   6 ft
9 ft

39. 16

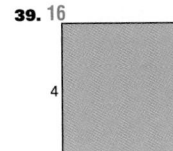

4
4

40. 17.5

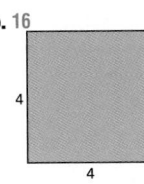

4   3
2.5   3
5

41. 31

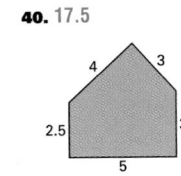

12   10
9

Halla los siguientes tres números en el patrón. *[Lección 2-9]*

42. 47, 51, 55, 59, 63,… **67, 71, 75**

43. 12, 13, 15, 18, 22, 27,… **33, 40, 48**

RESOLVER PROBLEMAS 6-1

Notas sobre los ejercicios

■ **Ejercicio 32**

Para la prueba Observe que en A sólo se sumaron los denominadores, mientras que en C se sumaron tanto los numeradores como los denominadores.

Respuestas de Ejercicios

34. Sumó los numeradores y los denominadores. La respuesta correcta es $\frac{4}{5}$.

35. Respuesta posible: El entero está dividido en partes. El denominador siempre representa el número de partes de un entero, y este número no cambia.

36. $\frac{16}{12}$ ó $\frac{4}{3}$ ft; $\frac{7}{12} + \frac{7}{12} + \frac{7}{12} + \frac{22}{12} + \frac{22}{12} + x = \frac{81}{12}$.

37. Respuesta posible: $x = 7$, $y = 11$; $x = 14$, $y = 22$; $\frac{3}{11} + \frac{7}{11} = \frac{10}{11}$, $\frac{3}{11} + \frac{14}{22} = \frac{10}{11}$.

Evaluación adicional

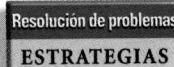 Tal vez desee utilizar el *Diario interactivo CD-ROM* con esta evaluación.

En tu diario Ejemplifica cómo sumaste o restaste fracciones con igual denominador.

Exercise Notes

■ **Exercise 32**

Test Prep Note that for A, only denominators were added, and for C, both numerators and denominators were added.

Exercise Answers

34. He added the numerators together and the denominators together. The correct answer is $\frac{4}{5}$.

35. Possible answer: The whole is divided into pieces. The denominator always represents the number of pieces in one whole, which does not change.

36. $\frac{16}{12}$ or $\frac{4}{3}$ ft; $\frac{7}{12} + \frac{7}{12} + \frac{7}{12} + \frac{22}{12} + \frac{22}{12} + x = \frac{81}{12}$.

37. Possible answer: $x = 7$, $y = 11$; $x = 14$, $y = 22$; $\frac{3}{11} + \frac{7}{11} = \frac{10}{11}$. $\frac{3}{11} + \frac{14}{22} = \frac{10}{11}$.

Alternate Assessment

You may want to use the *Interactive CD-ROM Journal* with this assessment.

Journal Write a paragraph in your journal explaining with an example how to add and subtract fractions with like denominators.

➤ **Prueba rápida**

Halla la suma o la diferencia.

1. $\frac{3}{8} + \frac{7}{8}$ $1\frac{1}{4}$

2. $\frac{5}{6} + \frac{5}{6}$ $1\frac{2}{3}$

3. $\frac{7}{12} + \frac{1}{12}$ $\frac{2}{3}$

4. $\frac{11}{12} - \frac{5}{12}$ $\frac{1}{2}$

5. $\frac{13}{20} - \frac{7}{20}$ $\frac{3}{10}$

Quick Quiz

Find each sum or difference.

1. $\frac{3}{8} + \frac{7}{8}$ $1\frac{1}{4}$

2. $\frac{5}{6} + \frac{5}{6}$ $1\frac{2}{3}$

3. $\frac{7}{12} + \frac{1}{12}$ $\frac{2}{3}$

4. $\frac{11}{12} - \frac{5}{12}$ $\frac{1}{2}$

5. $\frac{13}{20} - \frac{7}{20}$ $\frac{3}{10}$

Available on Daily Transparency 6-1

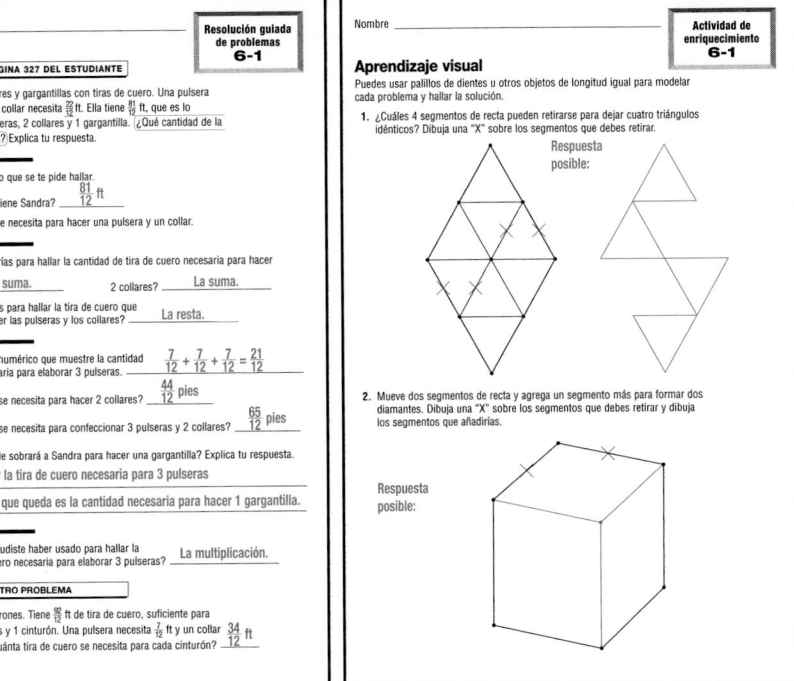

➤ **PROBLEM SOLVING**

Nombre _____

[RGP] **PROBLEMA 36, PÁGINA 327 DEL ESTUDIANTE**

Resolución guiada de problemas **6-1**

Sandra hace pulseras, collares y gargantillas con tiras de cuero. Una pulsera requiere $\frac{7}{12}$ ft de la tira y un collar necesita $\frac{22}{12}$ ft. Ella tiene $\frac{81}{12}$ ft, que es lo suficiente para hacer 3 pulseras, 2 collares y 1 gargantilla. ¿Qué cantidad de la tira se lleva cada gargantilla? Explica tu respuesta.

— Comprende —

1. Rodea con un círculo lo que se te pide hallar.

2. ¿Cuánta tira de cuero tiene Sandra? $\frac{81}{12}$ ft

3. Subraya la cantidad que necesita para hacer una pulsera y un collar.

— Plan —

4. ¿Qué operación utilizarías para hallar la cantidad de tira de cuero necesaria para hacer

3 pulseras? La suma.   2 collares? La suma.

5. ¿Qué operación usarías para hallar la tira de cuero que queda después de hacer las pulseras y los collares? La resta.

— Resuelve —

6. Escribe un enunciado numérico que muestre la cantidad de tira de cuero necesaria para elaborar 3 pulseras. $\frac{7}{12} + \frac{7}{12} + \frac{7}{12} = \frac{21}{12}$

7. ¿Cuánta tira de cuero se necesita para hacer 2 collares? $\frac{44}{12}$ pies

8. ¿Cuánta tira de cuero se necesita para confeccionar 3 pulseras y 2 collares? $\frac{65}{12}$ pies

9. ¿Cuánta tira de cuero le sobrará a Sandra para hacer una gargantilla? Explica tu respuesta. $\frac{16}{12}$ pies; Al calcular la tira de cuero necesaria para 3 pulseras y 2 collares. La tira que queda es la cantidad necesaria para hacer 1 gargantilla.

— Revisa —

10. ¿Qué otra operación pudiste haber usado para hallar la cantidad de tira de cuero necesaria para elaborar 3 pulseras? La multiplicación.

RESUELVE OTRO PROBLEMA

Sandra también hace cinturones. Tiene $\frac{98}{12}$ ft de tira de cuero, suficiente para hacer 2 pulseras, 2 collares y 1 cinturón. Una pulsera necesita $\frac{7}{12}$ ft y un collar requiere $\frac{34}{12}$ ft de cuero. ¿Cuánta tira de cuero se necesita para cada cinturón? $\frac{34}{12}$ ft

---

➤ **ENRICHMENT**

Nombre _____

Actividad de enriquecimiento **6-1**

Aprendizaje visual

Puedes usar palillos de dientes u otros objetos de longitud igual para modelar cada problema y hallar la solución.

1. ¿Cuáles 4 segmentos de recta pueden retirarse para dejar cuatro triángulos idénticos? Dibuja una "X" sobre los segmentos que debes retirar.

Respuesta posible:

2. Mueve dos segmentos de recta y agrega un segmento más para formar dos diamantes. Dibuja una "X" sobre los segmentos que debes retirar y dibuja los segmentos que añadirías.

Respuesta posible:

Lesson Organizer

Objective

- Add and subtract fractions with unlike denominators.

Vocabulary

- Unlike denominators, least common denominator (LCD)

Materials

- Explore: Fraction Bars

NCTM Standards

- 1–4, 6, 7

Review

Find the least common denominator for each pair of fractions.

1. $\frac{2}{3}, \frac{7}{8}$ 24

2. $\frac{5}{6}, \frac{8}{9}$ 18

3. $\frac{3}{4}, \frac{5}{16}$ 16

4. $\frac{3}{8}, \frac{7}{12}$ 24

5. $\frac{3}{5}, \frac{1}{4}$ 20

► Repaso

Halla el mínimo común denominador de cada par de fracciones.

1. $\frac{2}{3}, \frac{7}{8}$ 24

2. $\frac{5}{6}, \frac{8}{9}$ 18

3. $\frac{3}{4}, \frac{5}{16}$ 16

4. $\frac{3}{8}, \frac{7}{12}$ 24

5. $\frac{3}{5}, \frac{1}{4}$ 20

Available on Daily Transparency 6-2

Introduce

Explore

You may wish to use Teaching Tool Transparency 14: Fraction Bars and Lesson Enhancement Transparencies 26 and 27 with this lesson.

The Point

Students use Fraction Bars to model addition and subtraction of fractions with different denominators.

Ongoing Assessment

Circulate throughout the class and check that students are able to model the operations correctly.

For Groups That Finish Early

Use Fraction Bars to add or subtract these fractions.

$\frac{3}{4} + \frac{1}{2}$ $1\frac{1}{4}$ $\frac{3}{4} - \frac{1}{3}$ $\frac{5}{12}$

$\frac{5}{6} + \frac{1}{4}$ $1\frac{1}{12}$ $\frac{2}{3} - \frac{1}{6}$ $\frac{1}{2}$

---

1 Introducción

Investigar

Objetivo

Los estudiantes usan las Barras de fracciones para representar la suma y la resta de fracciones con distinto denominador.

Evaluación continua

Camine por el salón y asegúrese de que los estudiantes sean capaces de representar de manera correcta las operaciones.

Para los grupos que terminen antes

Usa las Barras de fracciones para sumar o restar estas fracciones.

$\frac{3}{4} + \frac{1}{2}$ $1\frac{1}{4}$ $\frac{3}{4} - \frac{1}{3}$ $\frac{5}{12}$

$\frac{5}{6} + \frac{1}{4}$ $1\frac{1}{12}$ $\frac{2}{3} - \frac{1}{6}$ $\frac{1}{2}$

6-2 Suma y resta de fracciones con distinto denominador

Vas a aprender...

- a sumar y restar fracciones con distinto denominador.

...cómo se usa

A menudo los compositores trabajan con cantidades fraccionarias que tienen diferentes denominadores.

Vocabulario

distinto denominador
mínimo común denominador (mcd)

► **Enlace con la lección** Luego de haber sumado y restado fracciones con el mismo denominador, es tiempo de trabajar con fracciones con diferentes denominadores. ◄

Investigar Fracciones con distinto denominador

La acción de la fracción

Materiales: Barras de fracciones®

$\frac{1}{2} + \frac{1}{3} = \frac{5}{6}$

Suma de fracciones con distinto denominador

- Dibuja y rotula un modelo de la primera fracción.

- Dibuja y rotula un modelo de la segunda fracción junto al de la primera fracción.

- Debajo de las dos primeras figuras, dibuja y rotula la figura de una fracción que tenga la misma medida que los dos primeros modelos combinados.

1. Haz un modelo de estos problemas.

a. $\frac{1}{3} + \frac{1}{4}$ b. $\frac{1}{4} + \frac{3}{6}$ c. $\frac{1}{2} + \frac{1}{6}$ d. $\frac{1}{3} + \frac{2}{6}$

Resta de fracciones con distinto denominador

- Dibuja y rotula un modelo de la primera fracción.

- Debajo del primer modelo, dibuja y rotula un modelo de la segunda fracción.

- Junto al segundo modelo, dibuja y rotula una fracción que sea igual a la diferencia entre el primer y segundo modelos.

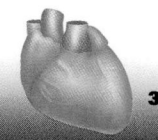

$\frac{1}{2} - \frac{1}{3} = \frac{1}{6}$

2. Haz un modelo de estos problemas.

a. $\frac{1}{2} - \frac{1}{6}$ b. $\frac{1}{3} - \frac{1}{4}$ c. $\frac{2}{3} - \frac{1}{4}$ d. $\frac{5}{6} - \frac{3}{4}$

3. ¿En qué se distingue sumar fracciones con diferente denominador de sumar fracciones con el mismo denominador?

328 Capítulo 6 • Suma y resta de fracciones

MEETING INDIVIDUAL NEEDS

Resources

6-2 Practice
6-2 Reteaching
6-2 Problem Solving
6-2 Enrichment
6-2 Daily Transparency
   Problem of the Day
   Review
   Quick Quiz
Teaching Tool Transparencies 2, 3, 14
Lesson Enhancement Transparencies 26, 27
Technology Master 27

Recursos

6-2 Práctica
6-2 Práctica adicional
6-2 Resolución de problemas
6-2 Actividad de enriquecimiento
Tecnología 27

Learning Modalities

Logical Use a yardstick and ask students whether the sum of 1 foot and 3 inches is 4 feet or 4 inches. Ask them to describe how they would find the correct sum, and relate the process to writing fractions with their common denominator in order to add them.

Verbal Having students say the fractions out loud may help them to distinguish the denominators.

Modos de aprendizaje

Lógico Muestre a los estudiantes una vara de una yarda y pregúnteles si la suma de 1 pie y 3 pulgadas equivale a 4 pies o 4 pulgadas. Pídales que expliquen cómo hallar la suma correcta y relacione el proceso con la escritura de fracciones con un denominador común que permita sumarlas.

Verbal Anime a los estudiantes a leer las fracciones en voz alta para ayudarlos a diferenciar los denominadores.

Inclusion

If students find it difficult to use the least common denominator, allow some latitude in their choices of common denominators and praise their efforts.

Have students add new vocabulary with examples to their reference books.

Inclusión

Si los estudiantes tienen dificultades para usar el mínimo común denominador, déles algunas opciones para elegir y elogie su esfuerzo.

Pídales que incluyan el vocabulario nuevo en sus cuadernos de referencias.

Aprender | Fracciones con distinto denominador

Las fracciones con igual denominador son muy fáciles de sumar y restar porque representan piezas del mismo tamaño o medida. No es tan fácil trabajar con las fracciones que tienen denominadores diferentes, o **distinto denominador**, porque representan piezas de tamaños o medidas diferentes.

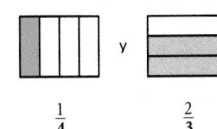

$$\frac{1}{4} \qquad \frac{2}{3}$$

Para sumar o restar fracciones con distinto denominador, necesitas cambiar estos denominadores a fracciones equivalentes que tengan el mismo denominador. Como viste antes, una manera de hacerlo es multiplicar el numerador y el denominador de cada fracción por el denominador de la otra fracción.

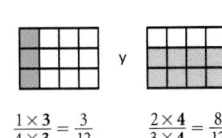

$$\frac{1 \times 3}{4 \times 3} = \frac{3}{12} \qquad \frac{2 \times 4}{3 \times 4} = \frac{8}{12}$$

Ejemplo 1

Dwayne representa al conde Drácula en la obra de teatro de la escuela. Todavía tiene que memorizar $\frac{3}{4}$ de su papel. Si memoriza $\frac{1}{3}$ de su papel hoy, ¿qué fracción le faltará memorizar?

$\frac{3}{4} - \frac{1}{3}$ Escribe una expresión para el problema.

$\frac{3}{4} = \frac{3 \times 3}{4 \times 3} = \frac{9}{12}$ Multiplica el numerador y el denominador por 3.

$\frac{1}{3} = \frac{1 \times 4}{3 \times 4} = \frac{4}{12}$ Multiplica el numerador y el denominador por 4.

$\frac{3}{4} - \frac{1}{3} = \frac{9}{12} - \frac{4}{12}$ Escribe la expresión usando fracciones equivalentes.

$= \frac{9 - 4}{12} = \frac{5}{12}$ Realiza la resta.

Tendrá que memorizar $\frac{5}{12}$ de su papel.

▶ Enlace con Literatura

En 1897, Bram Stoker escribió *Drácula*, la historia de un vampiro que bebía sangre humana para sobrevivir. Esta no fue la primera historia acerca de vampiros que se publicó, pero es una de las más famosas.

Haz la prueba

Simplifica las expresiones. **a.** $\frac{1}{2} + \frac{3}{6}$ **b.** $\frac{5}{6} - \frac{1}{2}$ **c.** $\frac{1}{4} + \frac{3}{5}$ **d.** $\frac{3}{5} - \frac{1}{2}$

6-2 • Suma y resta de fracciones con distinto denominador   **329**

MATH EVERY DAY

▶ Problema del día

En este bloque de estampillas, ¿de cuántas maneras puedes escoger dos estampillas juntas? ¿tres estampillas juntas? ¿cuatro estampillas juntas? ¿cinco estampillas juntas?

Dos estampillas: 6 maneras; tres estampillas: 7 maneras; cuatro estampillas: 6 maneras; cinco estampillas: 4 maneras. El paquete de transparencias incluye las respuestas adicionales.

An Extension is provided in the transparency package.

Problem of the Day

From this block of postage stamps, how many ways can you choose two connected stamps? Three connected stamps? Four connected stamps? Five connected stamps?

Two connected stamps, 6 ways; Three stamps, 7 ways; Four stamps, 6 ways; Five stamps, 4 ways Additional answers are provided in the transparency package.

Available on Daily Transparency 6-2

Dato del día

Si se refrigera, la sangre puede conservarse de 21 a 49 días, pero los glóbulos rojos o el plasma pueden almacenarse congelados durante varios años.

Fact of the Day

When refrigerated, whole blood can be stored for 21 to 49 days, but its components, such as red blood cells or plasma, can be frozen and stored for several years.

Mental Math

Do these mentally.
1. $\frac{1}{6} + \frac{3}{6}$ $\frac{4}{6}$, or $\frac{2}{3}$
2. $\frac{7}{12} + \frac{5}{12}$ $\frac{12}{12}$, or 1
3. $\frac{3}{4} - \frac{1}{4}$ $\frac{2}{4}$, or $\frac{1}{2}$
4. $\frac{7}{10} - \frac{3}{10}$ $\frac{4}{10}$, or $\frac{2}{5}$

Cálculo mental

Realiza estos cálculos en forma mental.
1. $\frac{1}{6} + \frac{3}{6}$ $\frac{4}{6}$ ó $\frac{2}{3}$
2. $\frac{7}{12} + \frac{5}{12}$ $\frac{12}{12}$ ó 1
3. $\frac{3}{4} - \frac{1}{4}$ $\frac{2}{4}$ ó $\frac{1}{2}$
4. $\frac{7}{10} - \frac{3}{10}$ $\frac{4}{10}$ ó $\frac{2}{5}$

Respuestas de Investigar

1. a.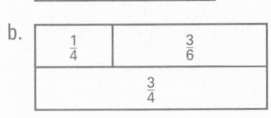

b.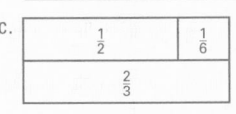

c.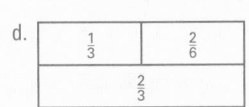

d.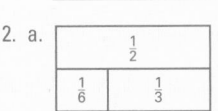

2. a.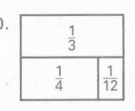

b.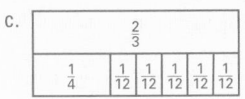

c.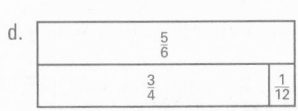

d.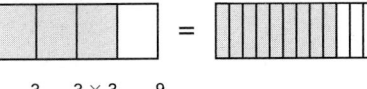

3. Antes de sumar o restar, las fracciones deben convertirse en fracciones equivalentes con igual denominador.

2 Enseñanza

Aprender

Ejemplos adicionales

1. Para hacer un pan, Pat necesita $\frac{2}{3}$ de taza de harina, más $\frac{3}{4}$ de taza de harina. ¿Cuánta harina necesita?

$$\frac{2}{3} = \frac{2 \times 4}{3 \times 4} = \frac{8}{12}$$

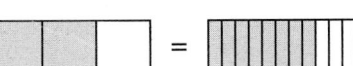

$$\frac{3}{4} = \frac{3 \times 3}{4 \times 3} = \frac{9}{12}$$

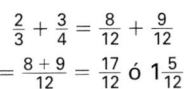

$$\frac{2}{3} + \frac{3}{4} = \frac{8}{12} + \frac{9}{12}$$
$$= \frac{8 + 9}{12} = \frac{17}{12} \text{ ó } 1\frac{5}{12}$$

Pat necesita $1\frac{5}{12}$ tazas de harina.

Answers for Explore

1. a.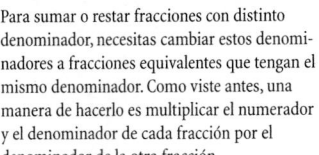

b.

c.

d.

2. a.

b.

c.

d.

3. The fractions must be changed to equivalent fractions with the same denominator before adding or subtracting.

Teach

Learn

Alternate Examples

1. For baking, Pat needs $\frac{2}{3}$ of a cup of flour and $\frac{3}{4}$ of a cup of flour. How much flour does Pat need?

$$\frac{2}{3} = \frac{2 \times 4}{3 \times 4} = \frac{8}{12}$$

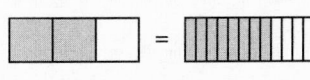

$$\frac{3}{4} = \frac{3 \times 3}{4 \times 3} = \frac{9}{12}$$

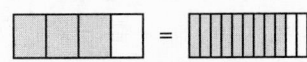

$$\frac{2}{3} + \frac{3}{4} = \frac{8}{12} + \frac{9}{12}$$
$$= \frac{8 + 9}{12} = \frac{17}{12} \text{ or } 1\frac{5}{12}$$

Pat needs $\frac{5}{12}$ cups of flour.

Alternate Examples

2. About $\frac{9}{100}$ of the population has B-positive blood and about $\frac{1}{50}$ of the population has B-negative blood. What fraction of the population has type B blood?

The least common denominator of 50 and 100 is 100. Only the first fraction needs to be changed to an equivalent fraction.

$$\frac{1}{50} = \frac{1 \times 2}{50 \times 2} = \frac{2}{100}$$
$$\frac{9}{100} + \frac{2}{100} = \frac{9+2}{100}$$
$$= \frac{11}{100}$$

$\frac{11}{100}$ of the population have type B blood.

3. What is $\frac{7}{12} - \frac{3}{8}$?

The least common multiple of 12 and 8 is 24.

$$\frac{7}{12} = \frac{7 \times 2}{12 \times 2} = \frac{14}{24}$$
$$\frac{3}{8} = \frac{3 \times 3}{8 \times 3} = \frac{9}{24}$$
$$\frac{14}{24} - \frac{9}{24} = \frac{14-9}{24}$$
$$= \frac{5}{24}$$

Practice and Assess

Check

Watch for students who are unable to find the least common denominator.

Answers for Check Your Understanding

1. Possible answer: You need to add or subtract groups of the same size.

2. Possible answer: When the denominators have no common factors.

Ejemplos adicionales

2. Del total de la población, aproximadamente $\frac{9}{100}$ tiene sangre B positiva y alrededor de $\frac{1}{50}$ tiene B negativa. ¿Qué fracción de la población tiene sangre tipo B?

El mínimo común denominador de 50 y 100 es 100. Por tanto, sólo la primera fracción necesita convertirse en una fracción equivalente.

$$\frac{1}{50} = \frac{1 \times 2}{50 \times 2} = \frac{2}{100}$$
$$\frac{9}{100} + \frac{2}{100} = \frac{9+2}{100}$$
$$= \frac{11}{100}$$

$\frac{11}{100}$ de la población tienen sangre tipo B.

3. ¿Cuánto es $\frac{7}{12} - \frac{3}{8}$?

El mínimo común múltiplo de 12 y 8 es 24.

$$\frac{7}{12} = \frac{7 \times 2}{12 \times 2} = \frac{14}{24}$$
$$\frac{3}{8} = \frac{3 \times 3}{8 \times 3} = \frac{9}{24}$$
$$\frac{14}{24} - \frac{9}{24} = \frac{14-9}{24}$$
$$= \frac{5}{24}$$

3 Práctica y evaluación

Comprobar

Observe con atención a los estudiantes que no son capaces de hallar el mínimo común denominador.

Respuestas de Comprobar tu comprensión

1. Respuesta posible: Se necesita sumar o restar grupos del mismo tamaño.

2. Respuesta posible: Cuando los denominadores no tienen factores comunes.

Algunas veces es más fácil hallar el mínimo común múltiplo de los dos denominadores y convertir ambas fracciones en fracciones que tengan ese denominador. En las fracciones, este número se conoce como el **mínimo común denominador**.

Ejemplos

> **Enlace con Ciencias**
>
> Los gatos pueden tener tres tipos de sangre: A, B y AB. Los humanos pueden tener ocho tipos de sangre: A+, A−, B+, B−, AB+, AB−, O+ y O−.

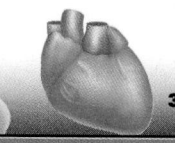

2 $\frac{73}{100}$ de todos los gatos tienen sangre de tipo A y $\frac{13}{50}$ tienen sangre de tipo B. ¿Qué fracción tiene o el tipo A o el tipo B?

El mínimo común denominador de 50 y 100 es 100. Sólo la segunda fracción se necesita cambiar a una fracción equivalente.

$\frac{13}{50} = \frac{13 \times 2}{50 \times 2} = \frac{26}{100}$ — Multiplica el numerador y el denominador por 2.

$\frac{73}{100} + \frac{26}{100} = \frac{73+26}{100}$ — Realiza la suma.

$= \frac{99}{100}$

$\frac{99}{100}$ de todos los gatos tienen sangre o de tipo A o de tipo B.

3 ¿Cuál es el resultado de $\frac{3}{10} - \frac{1}{4}$?

El mínimo común múltiplo de 10 y 4 es 20.

$\frac{3}{10} = \frac{3 \times 2}{10 \times 2} = \frac{6}{20}$ — Multiplica la parte superior e inferior por 2.

$\frac{1}{4} = \frac{1 \times 5}{4 \times 5} = \frac{5}{20}$ — Multiplica la parte superior e inferior por 5.

$\frac{6}{20} - \frac{5}{20} = \frac{6-5}{20} = \frac{1}{20}$ — Realiza la resta.

Haz la prueba

Simplifica las expresiones. **a.** $\frac{3}{4} - \frac{1}{2}\frac{1}{4}$ **b.** $\frac{1}{3} + \frac{2}{6}\frac{2}{3}$ **c.** $\frac{5}{6} - \frac{2}{15}\frac{7}{10}$ **d.** $\frac{5}{9} + \frac{1}{6}$

 $\frac{13}{18}$

Comprobar Tu comprensión

1. ¿Por qué es necesario que las fracciones tengan igual denominador antes de que las sumes o las restes?

2. ¿Cuándo es más fácil sumar fracciones mediante el mínimo común denominador en lugar de cualquier denominador común?

330 Capítulo 6 • Suma y resta de fracciones

MEETING MIDDLE SCHOOL CLASSROOM NEEDS

Tips from Middle School Teachers

I use egg cartons to illustrate addition and subtraction of fractions with both like and unlike denominators of 2, 3, 4, 6, and 12. We first discuss the equivalent fractions and then proceed to the computations.

Team Teaching

You might ask the language-arts teacher to discuss with their students stories and movies about Dracula and other vampires.

Literature Connection

Like Dracula, vampires in legends are ghosts that rise from their graves at night and suck the blood of living people. People bitten by vampires become vampires themselves. To keep a vampire from rising from its grave, someone must drive a stake through its heart.

Sugerencias de los maestros

Uso cartones de huevo para ilustrar la suma y resta de fracciones con los denominadores 2, 3, 4, 6 y 12, ya sean iguales o distintos. Primero analizamos las fracciones equivalentes y después hacemos las operaciones.

Enseñanza en equipo

Invite al maestro de áreas del lenguaje a comentar con los estudiantes algunas historias o películas acerca de Drácula y otros vampiros.

Asociación con Literatura

Al igual que Drácula, los vampiros de las leyendas son seres fantasmales que salen de sus tumbas por las noches para alimentarse con sangre humana. Quien es mordido por un vampiro, se convierte a su vez en un vampiro. La única forma de acabar con los vampiros es clavarles una estaca en el corazón.

6-2 Ejercicios y aplicaciones

Práctica y aplicación

1. **Para empezar** Menciona un denominador común para cada par de fracciones. **Respuestas posibles:**

a. $\frac{1}{2}, \frac{1}{3}$ 6   b. $\frac{2}{3}, \frac{3}{6}$ 18   c. $\frac{3}{4}, \frac{5}{8}$ 8   d. $\frac{6}{7}, \frac{9}{11}$ 77   e. $\frac{4}{6}, \frac{4}{8}$ 24

Simplifica cada expresión y escribe la respuesta en su mínima expresión.

2. $\frac{3}{5} + \frac{1}{4}$ $\frac{17}{20}$ 3. $\frac{5}{12} - \frac{1}{6}$ $\frac{1}{4}$ 4. $\frac{1}{2} + \frac{1}{3}$ $\frac{5}{6}$ 5. $\frac{3}{4} - \frac{7}{12}$ $\frac{1}{6}$ 6. $\frac{9}{10} - \frac{1}{2}$ $\frac{2}{5}$

7. $\frac{3}{4} + \frac{1}{2}$ $\frac{5}{4}$ 8. $\frac{7}{8} - \frac{5}{6}$ $\frac{1}{24}$ 9. $\frac{1}{4} + \frac{5}{7}$ $\frac{27}{28}$ 10. $\frac{4}{11} + \frac{4}{44}$ $\frac{5}{11}$ 11. $\frac{7}{6} - \frac{3}{5}$ $\frac{17}{30}$

12. $\frac{5}{8} + \frac{3}{4}$ $\frac{11}{8}$ 13. $\frac{3}{10} + \frac{3}{4}$ $\frac{21}{20}$ 14. $\frac{3}{9} + \frac{3}{2}$ $\frac{11}{6}$ 15. $\frac{19}{25} - \frac{3}{5}$ $\frac{4}{25}$ 16. $\frac{9}{13} - \frac{9}{26}$ $\frac{9}{26}$

Halla los numeradores que faltan.

17. $\frac{2}{5} + \frac{7}{10} = \frac{?}{10} + \frac{?}{10}$ 4, 7   18. $\frac{3}{4} + \frac{5}{6} = \frac{?}{12} + \frac{?}{12}$ 9, 10   19. $\frac{5}{8} - \frac{1}{6} = \frac{?}{24} - \frac{?}{24}$ 15, 4

20. $\frac{3}{8} + \frac{1}{2} = \frac{?}{8} + \frac{?}{8}$ 3, 4   21. $\frac{4}{9} - \frac{1}{3} = \frac{?}{9} - \frac{?}{9}$ 4, 3   22. $\frac{3}{4} - \frac{1}{3} = \frac{?}{36} - \frac{?}{36}$ 27, 12

23. **Ciencias** La mayoría de las células de tu sangre son glóbulos rojos, glóbulos blancos o plaquetas. Cuando te cortas, las plaquetas ayudan a que la sangre coagule para que no sangres hasta morir. Las plaquetas pueden sobrevivir por $\frac{10}{14}$ de una semana, en tanto que los glóbulos blancos sobreviven por más de $\frac{126}{21}$ semanas. ¿Cuánto tiempo más dura la vida de un glóbulo blanco? $\frac{37}{7}$ semanas

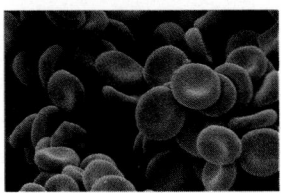

Glóbulos rojos

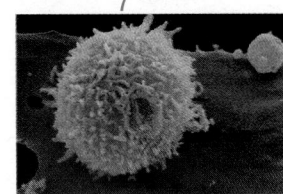

Glóbulos blancos

24. **Para la prueba** Sam tiene examen de ciencias el jueves. El lunes estudió $\frac{2}{9}$ del material y el martes estudió $\frac{1}{3}$. ¿Cuánto material ha estudiado? **B**

Ⓐ $\frac{3}{12}$ Ⓑ $\frac{5}{9}$ Ⓒ $\frac{7}{9}$ Ⓓ $\frac{3}{3}$

Assignment Guide

- Basic 1–21 odds, 24–27, 30–34 evens
- Average 1–23 odds, 24–27, 30–34 evens
- Enriched 2–34 evens

Notas sobre los ejercicios

■ **Ejercicios 2–16**

Prevención de errores Si las respuestas de los estudiantes no son iguales a las que se dan, recuérdeles que deben simplificarlas a su mínima expresión y convertir los números mixtos en fracciones impropias.

■ **Ejercicio 23**

Ciencias Las plaquetas son un tipo de células sanguíneas que no son ni glóbulos rojos ni glóbulos blancos.

Exercise Notes

■ **Exercises 2–16**

Error Prevention If students' answers do not agree with those given, remind them to reduce all answers to lowest terms, and to give mixed numbers as improper fractions.

■ **Exercise 23**

Science Platelets are a type of blood cell that are neither red nor white.

Práctica adicional

Actividad

Materiales: Dinero de juguete: monedas de cinco, diez, veinticinco y cincuenta centavos.

- ¿A qué fracción de un dólar corresponde una moneda de cinco centavos? $\frac{1}{20}$ ¿Una de diez centavos? $\frac{1}{10}$ ¿Una de veinticinco centavos? $\frac{1}{4}$ ¿Una de medio dólar? $\frac{1}{2}$

- Usa dinero de juguete para sumar o restar fracciones con denominadores de 2, 4, 10 y 20, aun cuando los denominadores no sean iguales.

- Para sumar $\frac{3}{10}$ más $\frac{1}{4}$, piensa que sumas 3 monedas de diez centavos más 1 de veinticinco centavos. La suma es 55¢, que es igual a 11 monedas de cinco centavos, es decir, $\frac{11}{20}$ de dólar.

- Usa dinero de juguete para hallar cada respuesta.

1. $\frac{3}{4} - \frac{3}{10}$ $\frac{9}{20}$
2. $\frac{7}{10} + \frac{1}{2}$ $1\frac{1}{5}$
3. $\frac{1}{4} + \frac{9}{10}$ $1\frac{3}{20}$
4. $\frac{9}{10} - \frac{3}{4}$ $\frac{3}{20}$

Reteaching

Activity

Materials: Play money: nickels, dimes, quarters, half-dollars

- What fraction of a dollar is a nickel? $\frac{1}{20}$ A dime? $\frac{1}{10}$ A quarter? $\frac{1}{4}$ A half-dollar? $\frac{1}{2}$

- Use play money to add or subtract fractions with denominators of 2, 4, 10, and 20, even if the denominators are not the same.

- To add $\frac{3}{10}$ and $\frac{1}{4}$, think of 3 dimes being added to 1 quarter. The sum is 55¢, which is 11 nickels, or $\frac{11}{20}$ of a dollar.

- Use play money to find each answer.

1. $\frac{3}{4} - \frac{3}{10}$ $\frac{9}{20}$
2. $\frac{7}{10} + \frac{1}{2}$ $1\frac{1}{5}$
3. $\frac{1}{4} + \frac{9}{10}$ $1\frac{3}{20}$
4. $\frac{9}{10} - \frac{3}{4}$ $\frac{3}{20}$

PRACTICE

RETEACHING

■ Exercise 27

Problem-Solving Tip You may wish to use Teaching Tool Transparencies 2 and 3: Guided Problem Solving, pages 1–2.

Exercise Answers

26. $2\frac{29}{40}$ quarts; $\frac{3}{8} + \frac{3}{2} + \frac{1}{10} + \frac{3}{4} = x$.

27. $\frac{11}{12}$ of the way; $\frac{1}{3} - \frac{1}{4} + x = 1$.

28. Least number of equal slices to cut is the LCD of 8, 4, 3, and 6, which is 24. $\frac{1}{8} + \frac{1}{4} + \frac{1}{3} + \frac{1}{6} = \frac{3}{24} + \frac{6}{24} + \frac{8}{24} + \frac{4}{24} = \frac{21}{24}$; There are 3 slices left over.

29. $\frac{1}{2}, \frac{7}{12}, \frac{2}{3}$; Add $\frac{1}{12}$ to each preceding number.

Alternate Assessment

Portfolio Select examples of your work which best exemplify the concepts of this lesson and add them to your portfolio.

Quick Quiz

Find each sum or difference.

1. $\frac{3}{8} + \frac{5}{6}$ $1\frac{5}{24}$

2. $\frac{3}{4} + \frac{7}{10}$ $1\frac{9}{20}$

3. $\frac{1}{5} + \frac{2}{3}$ $\frac{13}{15}$

4. $\frac{11}{12} - \frac{3}{4}$ $\frac{1}{6}$

5. $\frac{7}{8} - \frac{2}{3}$ $\frac{5}{24}$

Available on Daily Transparency 6-2

Respuestas de Ejercicios

26. $2\frac{29}{40}$ cuartos; $\frac{3}{8} + \frac{3}{2} + \frac{1}{10} + \frac{3}{4} = x$.

27. $\frac{11}{12}$ del camino; $\frac{1}{3} - \frac{1}{4} + x = 1$.

28. El número mínimo de rebanadas iguales que deben cortarse es el mcd de 8, 4, 3 y 6, que es 24. $\frac{1}{8} + \frac{1}{4} + \frac{1}{3} + \frac{1}{6} = \frac{3}{24} + \frac{6}{24} + \frac{8}{24} + \frac{4}{24} = \frac{21}{24}$, Quedan 3 rebanadas.

29. $\frac{1}{2}, \frac{7}{12}, \frac{2}{3}$; Se suma $\frac{1}{12}$ a cada número que sigue.

Evaluación adicional

Portafolio Escoge ejemplos de tus trabajos para mostrar los conceptos de esta lección y guárdalos en tu portafolio.

▶ Prueba rápida

Halla las sumas o diferencias.

1. $\frac{3}{8} + \frac{5}{6}$ $1\frac{5}{24}$

2. $\frac{3}{4} + \frac{7}{10}$ $1\frac{9}{20}$

3. $\frac{1}{5} + \frac{2}{3}$ $\frac{13}{15}$

4. $\frac{11}{12} - \frac{3}{4}$ $\frac{1}{6}$

5. $\frac{7}{8} - \frac{2}{3}$ $\frac{5}{24}$

---

25. **Ciencias** Mientras descansas, la fracción total de sangre que fluye a los músculos del esqueleto es alrededor de $\frac{1}{6}$. La fracción total de sangre que fluye a los músculos del esqueleto cuando haces ejercicio es de $\frac{5}{7}$. ¿Cuál es la diferencia entre las dos cantidades de sangre? $\frac{23}{42}$

Resolución de problemas y razonamiento

26. **Razonamiento crítico** Se necesita un recipiente para hacer ponche de fruta que pueda contener $\frac{3}{8}$ de un cuarto de limonada, $\frac{3}{2}$ de un cuarto de jugo de naranja, $\frac{1}{10}$ de un cuarto de jugo de arándano y $\frac{3}{4}$ de un cuarto de agua mineral. ¿Qué tan grande debe ser el recipiente para el ponche?

27. **Escoge una estrategia** Denzel había caminado $\frac{1}{3}$ del camino a la escuela cuando se dio cuenta de que se le había caído un libro. Regresó y recorrió $\frac{1}{4}$ de la distancia entre su casa y la escuela antes de encontrarlo. ¿Qué fracción de la distancia total entre su casa y la escuela tiene que recorrer ahora Denzel? Explica tu respuesta.

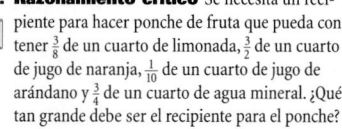

**Resolución de problemas
ESTRATEGIAS**
- Busca un patrón
- Organiza la información en una lista
- Haz una tabla
- Prueba y comprueba
- Empieza por el final
- Usa el razonamiento lógico
- Haz un diagrama
- Simplifica el problema

28. **Razonamiento crítico** Cuatro personas comparten una pizza. A Ana le gustaría comerse $\frac{1}{8}$, Jon quiere $\frac{1}{4}$, Yi desea $\frac{1}{3}$ y a Lisa le gustaría $\frac{1}{6}$. ¿Cuál es el número mínimo de rebanadas del mismo tamaño que deben cortarse para que cada persona obtenga lo que desea? ¿Qué porción de pizza sobra? Explica tu razonamiento.

29. **Razonamiento crítico** Halla los siguientes tres números del patrón: $\frac{1}{12}, \frac{1}{6}, \frac{1}{4}, \frac{1}{3}, \frac{5}{12}, \ldots$ y explica cómo los encontraste.

Repaso mixto

Calcula el área de cada figura. *[Lección 4-4]*

30. 70 — rectángulo, base 14, altura 5
31. 49 — cuadrado, lado 7
32. 6 — 12, 0.5

Escribe una expresión que describa cada situación. *[Lección 2-10]*

33. Henri tenía h gallinas. Si cada una puso 4 huevos, ¿cuántos huevos tenía Henri? $4h$

34. Julia leyó b libros la semana pasada y 2 libros esta semana. ¿Cuántos libros leyó Julia? $b + 2$

PROBLEM SOLVING

Nombre _____

Resolución guiada de problemas 6-2

RGP PROBLEMA 26, PÁGINA 332 DEL ESTUDIANTE

Se necesita un recipiente para hacer ponche de fruta que pueda contener $\frac{3}{8}$ de un cuarto de limonada, $\frac{3}{2}$ de un cuarto de jugo de naranja, $\frac{1}{10}$ de un cuarto de jugo de arándano y $\frac{3}{4}$ de un cuarto de agua mineral. ¿Qué tan grande debe ser el recipiente para el ponche?

Respuestas posibles: Puntos 7 y 8

— Comprende —

1. Subraya la cantidad de cada ingrediente en el ponche.

— Plan —

2. ¿Cuál es el mínimo común denominador para los ingredientes? __40__

3. Escribe una fracción equivalente; usa el mínimo común denominador.

a. $\frac{15}{40}$ b. $\frac{60}{40}$ c. $\frac{3}{40}$ d. $\frac{30}{40}$

4. ¿Qué operación usarías para hallar la cantidad total de ponche? __La suma.__

5. ¿Cuál de las siguientes es una respuesta razonable? __c__

a. menor que 1 qt   b. alrededor de 1 qt   c. mayor que 1 qt

— Resuelve —

6. ¿Cuánto ponche puede prepararse con la receta? $\frac{109}{40} = 2\frac{29}{40}$ qt

7. Piensa como cuánto líquido le cabe a la mayoría de las poncheras. ¿Cuál es una medida razonable para el recipiente? Explica por qué. 3 qt; $2\frac{1}{2}$ qt es muy pequeño. Las otras medidas serían demasiado grandes.

— Revisa —

8. ¿Qué debes hacer si la medida del recipiente que elegiste en el punto 7 *no* cae dentro del rango que escogiste en el punto 5? Revisar la aproximación y los cálculos para encontrar algún error.

RESUELVE OTRO PROBLEMA

Una receta de entremés requiere de $\frac{3}{8}$ de taza de cereal, $\frac{1}{4}$ de taza de cacahuates, $\frac{3}{8}$ de taza de pretzels y $\frac{3}{4}$ taza de galletas. ¿Cuántas tazas lleva el entremés? ¿De qué tamaño necesitas un platón? Explica por qué. Respuesta posible: $\frac{17}{8} = 2\frac{1}{8}$ tzas; $2\frac{1}{2}$ tzas de recipiente, porque 2 tzas es muy pequeño.

ENRICHMENT

Nombre _____

Actividad de enriquecimiento 6-2

Razonamiento crítico

¡Puedes usar la multiplicación para hallar las sumas y las diferencias de fracciones! Cada uno de los siguientes ejemplos muestra la misma forma para hallar $\frac{3}{4} - \frac{1}{2}$.

Halla los productos cruzados. Después escribe la adición (si sumas) o diferencia (si restas) sobre el producto de los denominadores.

$\frac{3}{4} - \frac{1}{2} = \frac{(3 \times 2) - (4 \times 1)}{4 \times 2}$
$= \frac{6 - 4}{8} = \frac{2}{8} = \frac{1}{4}$

Esto puede escribirse algebraicamente como:

$\frac{a}{b} - \frac{c}{d} = \frac{(a \times d) - (b \times c)}{b \times d}$

y

$\frac{a}{b} + \frac{c}{d} = \frac{(a \times d) + (b \times c)}{b \times d}$

Escribe las fracciones en los recuadros y multiplica el denominador de cada fracción por el numerador de la otra fracción.

$\begin{array}{c} 6-4 \\ 3 \times 2 \boxed{\begin{array}{c|c} 6 & 4 \\ \hline 3 & 1 \\ \hline 4 & 2 \end{array}} 4 \times 1 \end{array}$

Resta: 6 − 4   así, $\frac{3}{4} - \frac{1}{2} = \frac{2}{8} = \frac{1}{4}$
Multiplica: 4 × 2

Resta (o suma) los productos para hallar el numerador de la diferencia (o suma).

Multiplica los dos denominadores para hallar el denominador de la diferencia (o suma).

Usa los productos cruzados o recuadros para hallar la suma o la diferencia. Simplifica si es necesario.

1. $\frac{2}{8} + \frac{2}{3} = \frac{22}{24} = \frac{11}{12}$ 2. $\frac{5}{6} - \frac{3}{4} = \frac{2}{24} = \frac{1}{12}$

3. $\frac{1}{4} + \frac{3}{26} = \frac{89}{100}$ 4. $\frac{13}{15} - \frac{3}{4} = \frac{7}{60}$

Completa los recuadros y escribe la respuesta en el espacio en blanco. Simplifica si es necesario.

5. $\frac{2}{3} + \frac{1}{5} = \frac{13}{15}$

10	3
2	1	13
3	5	15

6. $\frac{9}{10} - \frac{5}{8} = \frac{22}{80} = \frac{11}{40}$

72	50
9	5	22
10	8	80

7. $\frac{5}{9} + \frac{3}{7} = \frac{62}{63}$

35	27
5	3	62
9	7	63

8. ¿En qué se parecen estos métodos? ¿Cuál prefieres? ¿Por qué? Respuesta posible: Usan el mismo procedimiento para hallar la respuesta; el procedimiento de las cajas es más fácil de recordar.

TECNOLOGÍA

Uso de la calculadora de fracciones • Encontrar sumas y restas de fracciones

Problema: ¿Cuál es la suma de $\frac{7}{17} + \frac{16}{29}$?

Algunas veces, las fracciones incluyen números grandes con los que no es fácil trabajar. Una calculadora de fracciones te puede ayudar a sumar o restar fracciones.

① Introduce el numerador de la primera fracción y después oprime la tecla $\boxed{/}$.

② Introduce el denominador de la primera fracción y después oprime la tecla $\boxed{+}$.

③ Introduce el numerador de la segunda fracción y después oprime la tecla $\boxed{/}$.

④ Introduce el denominador de la segunda fracción y después oprime la tecla $\boxed{=}$.

Solución: La respuesta es $\frac{475}{493}$.

INTÉNTALO

a. ¿Cuál es el resultado de $\frac{5}{23} + \frac{14}{37}$?

b. ¿Cuál es el resultado de $\frac{18}{21} - \frac{4}{41}$?

POR TU CUENTA

▶ ¿Qué muestra la pantalla de la calculadora si la suma de dos fracciones es mayor que 1?

▶ La suma de las fracciones $\frac{45}{51} + \frac{67}{91}$ tiene un denominador mayor que 1000. ¿Qué hace la calculadora cuando la respuesta tiene un denominador de cuatro dígitos?

▶ ¿Cómo encuentras la suma de dos fracciones con una calculadora que no es de fracciones?

333

Uso de la calculadora de fracciones • Encontrar sumas y restas de fracciones

Objetivo
Los estudiantes aprenden a usar una calculadora de fracciones para sumar y restar fracciones.

Materiales
Calculadora con teclas para calcular fracciones.

Acerca de esta página

- Algunas calculadoras tienen la tecla $\boxed{A^{b}\!/\!c}$, la cual realiza operaciones con fracciones.

- Las calculadoras más recientes realizan las operaciones como si se tratara de decimales y los convierten en fracciones, o bien, realizan las operaciones como fracciones y convierten los resultados en decimales.

Pregunte…

- ¿Qué proceso sigue la calculadora para sumar y restar fracciones? Halla un denominador común y luego crea fracciones equivalentes con el denominador común. Después suma o resta los numeradores y simplifica a la mínima expresión.

- ¿Cómo te permite tu calculadora trabajar con fracciones?

Respuestas de Inténtalo

a. $\frac{507}{851}$

b. $\frac{218}{287}$

Por tu cuenta
En la primera pregunta, las calculadoras con la tecla $\boxed{A^{b}\!/\!c}$ mostrarán una fracción impropia como un número mixto.

Respuestas de Por tu cuenta

- Muestra una fracción impropia.

- Convierte la respuesta en un decimal.

- Respuestas posibles: Se convierte a decimales; Se halla un denominador común.

Using a Fraction Calculator • Finding Fraction Sums and Differences

The Point

Students learn how to use a fraction calculator to add and subtract fractions.

Materials

Calculator with fractional capabilities.

Resources

Teaching Tool Transparency 24: Fraction Calculator.

About the Page

- Some calculators have the $\boxed{A^{b}\!/\!c}$ key that performs operations with fractions.

- Some of the newer calculators will perform operations as decimals and convert decimals to fractions, as well as perform operations as fractions and convert them to decimals.

Ask …

- What process does the calculator go through to add or subtract fractions? Finding a common denominator, creating equivalent fractions with the common denominator, then adding or subtracting the numerators, and reducing to lowest terms.

- How does your calculator enable you to work with fractions?

Answers for Try It

a. $\frac{507}{851}$

b. $\frac{218}{287}$

On Your Own

In the first question, calculators with the $\boxed{A^{b}\!/\!c}$ key will show an improper fraction as a mixed number.

Answers for On Your Own

- It shows an improper fraction.

- It converts the answer to a decimal.

- Possible answers: Convert to decimals; Find a common denominator.

Lesson Organizer

Objective
■ Solve equations by adding and subtracting fractions.

NCTM Standards
■ 1–4, 9

Review

Use mental math to solve each equation.

1. $x + 5 = 12$ $\quad x = 7$

2. $16 - y = 7$ $\quad y = 9$

3. $a - 5 = 8$ $\quad a = 13$

4. $9 + n = 18$ $\quad n = 9$

5. $c - 4 = 10$ $\quad c = 14$

Available on Daily Transparency 6-3

▶ Repaso

Usa el cálculo mental para resolver cada ecuación.

1. $x + 5 = 12$ $\quad x = 7$

2. $16 - y = 7$ $\quad y = 9$

3. $a - 5 = 8$ $\quad a = 13$

4. $9 + n = 18$ $\quad n = 9$

5. $c - 4 = 10$ $\quad c = 14$

Introduce

1 Introducción

Explore

You may wish to use Lesson Enhancement Transparency 28 with **Explore**.

The Point

Students use mental math and logical reasoning to solve missing-addend problems involving fractions with different denominators.

Ongoing Assessment

Check that students understand that they need to use the information in the first table in order to complete the second table.

For Groups That Finish Early

Find the sum of the amounts of blood in the heart, arteries, and veins. $\frac{17}{20}$ Find the sum of the amounts of blood in the arteries, veins, and capillaries. $\frac{16}{20}$, or $\frac{4}{5}$

Follow Up

If students experience difficulty with Step 3, encourage them to express the fractions using the least common denominator of 20 before trying to order the fractions.

Investigar

Objetivo

Los estudiantes usan el cálculo mental y el razonamiento lógico para resolver problemas en los que falta un sumando y en donde además se incluyen fracciones con distinto denominador.

Evaluación continua

Cerciórese de que los estudiantes comprendan que es necesario usar la información de la primera tabla para completar la segunda.

Para los grupos que terminen antes

Halla la suma de las cantidades de sangre en el corazón, arterias y venas. $\frac{17}{20}$
Encuentra la suma de las cantidades de sangre en las arterias, venas y capilares. $\frac{16}{20}$ ó $\frac{4}{5}$

Seguimiento

Si a los estudiantes se les dificulta el inciso 3, dígales que usen el 20 como mínimo común denominador para expresar las fracciones antes de tratar de ordenarlas.

Resolución de ecuaciones con fracciones: Suma y resta

Vas a aprender...

■ a resolver ecuaciones mediante la suma y resta de fracciones.

...cómo se usa

En la Antártida, los científicos utilizan ecuaciones con fracciones para convertir temperaturas en grados de Celsius y Fahrenheit.

▶ **Enlace con la lección** Has resuelto ecuaciones sencillas con números cabales y ya sabes sumar y restar fracciones. Ahora vas a combinar estas ideas a medida que aprendes a resolver ecuaciones mediante la suma y resta de fracciones. ◀

Investigar Ecuaciones con fracciones: Suma y resta

¿Dónde está la sangre?

Cuando el cuerpo descansa, la sangre se distribuye por todo el sistema circulatorio como se muestra.

Órgano	Fracción de sangre	Órgano	Fracción de sangre
Capilares	$\frac{1}{20}$	Arterias sistémicas	$\frac{1}{10}$
Corazón	$\frac{1}{10}$	Venas sistémicas	$\frac{13}{20}$
Pulmones	$\frac{1}{10}$		

Un cardiólogo preparó la siguiente tabla al sumar la sangre de dos partes diferentes del sistema circulatorio. Por desgracia, los datos de la segunda columna se borraron en forma accidental.

Órgano 1	Órgano 2	Suma	Órgano 1	Órgano 2	Suma
Corazón	???	$\frac{2}{10}$	Corazón	???	$\frac{15}{20}$
Pulmones	???	$\frac{3}{20}$	Venas	???	$\frac{14}{20}$
Arterias	???	$\frac{15}{20}$	Pulmones	???	$\frac{2}{10}$

1. Para cada hilera de la segunda tabla, encuentra la cantidad de sangre en el Órgano 2. Escribe cuál de los órganos de la primera tabla podría ser el Órgano 2. Si hay más de una posible respuesta, haz una lista de todas.

2. ¿Qué sería más fácil: que todas las fracciones tuvieran el mismo denominador o que todas las fracciones tuvieran diferente denominador? Explica tu respuesta.

3. ¿Cuál es el órgano de la primera tabla que tiene más sangre? ¿Y menos sangre? ¿Cómo lo sabes?

334 Capítulo 6 • Suma y resta de fracciones

MEETING INDIVIDUAL NEEDS

Resources

6-3 Practice
6-3 Reteaching
6-3 Problem Solving
6-3 Enrichment
6-3 Daily Transparency
    Problem of the Day
    Review
    Quick Quiz
Lesson Enhancement Transparency 28
Technology Master 28
Chapter 6 Project Master

Recursos

6-3 Práctica
6-3 Práctica adicional
6-3 Resolución de problemas
6-3 Actividad de enriquecimiento
Tecnología 28

Learning Modalities

Logical Review with the class the mental-math strategies for solving addition and subtraction equations. On the chalkboard, write a variety of simple equations involving whole numbers, such as $x + 7 = 12$ and $18 - y = 9$. Elicit phrasing of questions such as, "What number plus 7 equals 12?" and "18 minus what number equals 9?"

Social Have students work with a partner to complete **Explore**. Students should explain to their partners how they decided what Organ 2 could be.

Challenge

Have students work in groups of three or four to solve these equations.

1. $\frac{2}{7} + \frac{1}{7} + x = \frac{6}{7}$ $\quad x = \frac{3}{7}$
2. $\frac{4}{13} + x + \frac{2}{13} = \frac{10}{13}$ $\quad x = \frac{4}{13}$
3. $\frac{1}{9} + \frac{4}{9} + \frac{2}{9} + x = 1$ $\quad x = \frac{2}{9}$
4. $\frac{3}{10} + \frac{1}{10} + x = \frac{2}{5}$ $\quad x = 0$

Modos de aprendizaje

Lógico Repase las estrategias de cálculo mental para resolver ecuaciones de suma y resta. Escriba en la pizarra ecuaciones sencillas con números cabales como: $x + 7 = 12$ y $18 - y = 9$. Escoja frases apropiadas: "¿Qué número sumado a 7 es igual a 12?" o "¿18 menos qué número es igual a 9?"

Social Anime a los estudiantes a trabajar por parejas. En **Investigar**, cada quién deberá explicar a su compañero lo que significa Órgano 2.

Desafío

Pida a los estudiantes que trabajen grupos de tres o cuatro para resolver estas ecuaciones.

1. $\frac{2}{7} + \frac{1}{7} + x = \frac{6}{7}$ $\quad x = \frac{3}{7}$
2. $\frac{4}{13} + x + \frac{2}{13} = \frac{10}{13}$ $\quad x = \frac{4}{13}$
3. $\frac{1}{9} + \frac{4}{9} + \frac{2}{9} + x = 1$ $\quad x = \frac{2}{9}$
4. $\frac{3}{10} + \frac{1}{10} + x = \frac{2}{5}$ $\quad x = 0$

Aprender · Ecuaciones con fracciones: Suma y resta

Recuerda que puedes resolver ecuaciones de suma y resta con números cabales y decimales mediante el cálculo mental. El mismo método puede funcionar para resolver ecuaciones con fracciones.

Ejemplos

1 Resuelve $x - \frac{2}{8} = \frac{5}{8}$.

$x - \frac{2}{8} = \frac{5}{8}$ Se lee así: "¿Qué número menos $\frac{2}{8}$ es igual a $\frac{5}{8}$?"

$\frac{7}{8} - \frac{2}{8} = \frac{5}{8}$ Usa el cálculo mental.

$\frac{5}{8} = \frac{5}{8}$ ✓ Comprueba que la ecuación sea verdadera.

x es igual a $\frac{7}{8}$.

Resolución de problemas
TEN EN CUENTA

Como todos los denominadores son los mismos, puedes escribir este problema de una manera más simple:

$x - 2 = 5$.

2 Kevin tenía que escribir un informe acerca del ojo humano. Escribió $\frac{3}{11}$ el lunes y para el martes en la noche había escrito un total de $\frac{7}{11}$ del informe. ¿Qué proporción del informe escribió el martes?

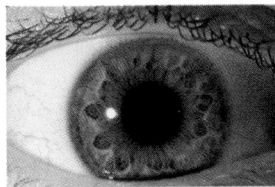

► Enlace con Ciencias

La luz del flash de una cámara puede reflejar los vasos sanguíneos de tu retina. Es por esto que en las fotografías algunas personas salen con los ojos rojos.

$\frac{3}{11} + x = \frac{7}{11}$ Se lee así: "$\frac{3}{11}$ más qué número es igual a $\frac{7}{11}$?"

$\frac{3}{11} + \frac{4}{11} = \frac{7}{11}$ Usa el cálculo mental.

$\frac{7}{11} = \frac{7}{11}$ ✓ Comprueba que la ecuación sea verdadera.

Escribió $\frac{4}{11}$ del informe el martes.

Haz la prueba

Resuelve cada ecuación.

a. $\frac{2}{9} + x = \frac{8}{9}$ $\frac{2}{3}$ **b.** $\frac{15}{3} - x = \frac{7}{3}$ $\frac{8}{3}$ **c.** $\frac{1}{4} + x = \frac{5}{4}$ 1

6-3 • Resolución de ecuaciones con fracciones: Suma y resta **335**

MATH EVERY DAY

► Problema del día

Jeremy y sus compañeros de clase votaron por su estilo favorito de música. La música clásica recibió 7 votos, la música country recibió 8 votos. El rock obtuvo 6 votos más que su contrincante más cercano. El rock recibió $\frac{7}{16}$ de la votación. El jazz obtuvo el resto de los votos. ¿Cuántos estudiantes hay en la clase? ¿Cuántos votos recibió cada categoría? Hay 32 estudiantes; música clásica: 7 votos; country: 8; rock: 14; jazz: 3.

Problem of the Day

Each member of Jeremy's class voted on their favorite type of music. Classical music received 7 votes, and country music received 8 votes. Rock music received 6 more votes than the runner-up. Rock music accounted for $\frac{7}{16}$ of all the votes cast. Jazz music received the rest of the votes. How large is the class? How many votes did each type of music get? 32 students; classical-7 votes; country-8 votes; rock, 14 votes; jazz, 3 votes

Available on Daily Transparency 6-3

An Extension is provided in the transparency package.

Dato del día

Hay alrededor de 10 mil millones de capilares en tu cuerpo. Cada capilar mide aproximadamente $\frac{1}{2500}$ de pulgada de anchura.

Fact of the Day

There are 10 billion capillaries in your body. Each capillary is only $\frac{1}{2500}$ inch across.

Mental Math

Solve each equation mentally.

1. $\frac{1}{6} + a = \frac{4}{6}$ $a = \frac{3}{6}$, or $\frac{1}{2}$
2. $\frac{7}{12} - n = \frac{5}{12}$ $n = \frac{2}{12}$, or $\frac{1}{6}$
3. $y - \frac{1}{4} = \frac{1}{4}$ $y = \frac{2}{4}$, or $\frac{1}{2}$
4. $\frac{3}{10} + c = \frac{7}{10}$ $c = \frac{4}{10}$, or $\frac{2}{5}$

Cálculo mental

Resuelve estas ecuaciones en forma mental.

1. $\frac{1}{6} + a = \frac{4}{6}$
   $a = \frac{3}{6}$ ó $\frac{1}{2}$
2. $\frac{7}{12} - n = \frac{5}{12}$
   $n = \frac{2}{12}$ ó $\frac{1}{6}$
3. $y - \frac{1}{4} = \frac{1}{4}$
   $y = \frac{2}{4}$ ó $\frac{1}{2}$
4. $\frac{3}{10} + c = \frac{7}{10}$
   $c = \frac{4}{10}$ ó $\frac{2}{5}$

Respuestas de Investigar

1. Hilera 1: $\frac{1}{10}$; Pulmones, sistema arterial

   Hilera 2: $\frac{1}{20}$; Capilares

   Hilera 3: $\frac{13}{20}$; Sistema venoso

   Hilera 4: $\frac{13}{20}$; Sistema venoso

   Hilera 5: $\frac{1}{20}$; Capilares

   Hilera 6: $\frac{1}{10}$; Corazón, sistema arterial

2. El mismo denominador; Es necesario tener el mismo denominador antes de sumar o restar fracciones.

3. El sistema venoso tiene la mayor parte; Los capilares la menor parte. Cada fracción se convierte en una fracción equivalente con un denominador de 20. Después se comparan los numeradores.

2 Enseñanza

Aprender

Ejemplos adicionales

1. Resuelve $x - \frac{6}{13} = \frac{5}{13}$.

   $x - \frac{6}{13} = \frac{5}{13}$

   $\frac{11}{13} - \frac{6}{13} = \frac{5}{13}$

   $\frac{5}{13} = \frac{5}{13}$ ✓

   x es igual a $\frac{11}{13}$.

2. Mónica tenía que leer un libro sobre el sistema circulatorio. El sábado leyó $\frac{1}{5}$ del libro. El domingo en la noche llegó a $\frac{4}{5}$ partes del libro. ¿Cuánto leyó el domingo en la noche?

   $\frac{1}{5} + b = \frac{4}{5}$

   $\frac{1}{5} + \frac{3}{5} = \frac{4}{5}$

   $\frac{4}{5} = \frac{4}{5}$ ✓

   El domingo leyó $\frac{3}{5}$ partes del libro.

Answers for Explore

1. Row 1: $\frac{1}{10}$; Lungs, systemic arteries

   Row 2: $\frac{1}{20}$; Capillaries

   Row 3: $\frac{13}{20}$; Systemic veins

   Row 4: $\frac{13}{20}$; Systemic veins

   Row 5: $\frac{1}{20}$; Capillaries

   Row 6: $\frac{1}{10}$; Heart, systemic arteries

2. Same denominator; It is necessary to have the same denominator before adding or subtracting fractions.

3. Systemic veins have the most; Capillaries the least. Convert each fraction to an equivalent fraction with a denominator of 20. Then compare numerators.

Teach

Learn

Alternate Examples

1. Solve $x - \frac{6}{13} = \frac{5}{13}$.

   $x - \frac{6}{13} = \frac{5}{13}$

   $\frac{11}{13} - \frac{6}{13} = \frac{5}{13}$

   $\frac{5}{13} = \frac{5}{13}$ ✓

   x is equal to $\frac{11}{13}$.

2. Monica had to read a book about the circulatory system. She read $\frac{1}{5}$ of the book on Saturday. By Sunday night she had read a total of $\frac{4}{5}$ of the book. How much of the book did she read on Sunday?

   $\frac{1}{5} + b = \frac{4}{5}$

   $\frac{1}{5} + \frac{3}{5} = \frac{4}{5}$

   $\frac{4}{5} = \frac{4}{5}$ ✓

   She read $\frac{3}{5}$ of the book on Sunday.

3. Together, water and proteins make up $\frac{3}{4}$ of total body weight. If water accounts for $\frac{3}{5}$ of total body weight, what fraction of body weight is proteins?

$$\frac{3}{5} + p = \frac{3}{4}$$
$$\frac{3}{5} = \frac{3 \times 4}{5 \times 4} = \frac{12}{20}$$
$$\frac{3}{4} = \frac{3 \times 5}{4 \times 5} = \frac{15}{20}$$
$$\frac{12}{20} + p = \frac{15}{20}$$
$$\frac{12}{20} + \frac{3}{20} = \frac{15}{20}$$

$\frac{3}{20}$ of body weight is proteins.

4. Solve $x - \frac{5}{6} = \frac{1}{3}$.

The least common denominator of 6 and 3 is 6.

$$\frac{1}{3} = \frac{1 \times 2}{3 \times 2} = \frac{2}{6}$$
$$x - \frac{5}{6} = \frac{2}{6}$$
$$\frac{7}{6} - \frac{5}{6} = \frac{2}{6}$$
$$x = \frac{7}{6}$$

Practice and Assess

Check

Be sure that students can solve these addition and subtraction equations mentally and that they can express the fractions with the least common denominator. Encourage them to give their solutions as statements including a variable.

Answers for Check Your Understanding

1. Possible answer: The denominator stays the same and the numerators are added or subtracted.

2. In the expression, x can be any value. In the equation, x must equal $\frac{1}{3}$.

3. Substitute the answer for the variable in the original equation and simplify. If the result is a true equation, the answer is correct.

Ejemplos adicionales

3. En conjunto, el agua y las proteínas suman $\frac{3}{4}$ partes del peso total de una persona. Si el agua constituye $\frac{3}{5}$ del peso corporal, ¿qué fracción del peso total de una persona corresponde a las proteínas?

$$\frac{3}{5} + p = \frac{3}{4}$$
$$\frac{3}{5} = \frac{3 \times 4}{5 \times 4} = \frac{12}{20}$$
$$\frac{3}{4} = \frac{3 \times 5}{4 \times 5} = \frac{15}{20}$$
$$\frac{12}{20} + p = \frac{15}{20}$$
$$\frac{12}{20} + \frac{3}{20} = \frac{15}{20}$$

Las proteínas constituyen $\frac{3}{20}$ del peso corporal.

4. Resuelve $x - \frac{5}{6} = \frac{1}{3}$.

El mínimo común denominador de 6 y 3 es 6.

$$\frac{1}{3} = \frac{1 \times 2}{3 \times 2} = \frac{2}{6}$$
$$x - \frac{5}{6} = \frac{2}{6}$$
$$\frac{7}{6} - \frac{5}{6} = \frac{2}{6}$$
$$x = \frac{7}{6}$$

3 Práctica y evaluación

Comprobar

Asegúrese de que los estudiantes puedan resolver en forma mental estas ecuaciones de suma y resta y de que, además, puedan expresar las fracciones con el mínimo común denominador. Anímelos a expresar las soluciones como enunciados que incluyan una variable.

Respuestas de Comprobar tu comprensión

1. Respuesta posible: El denominador queda igual y los numeradores se suman o se restan.

2. En la expresión, x puede tener cualquier valor. En la ecuación, x debe ser igual a $\frac{1}{3}$.

3. Se sustituye la respuesta por la variable en la ecuación original y se simplifica. Si el resultado es una ecuación verdadera, la respuesta es correcta.

Algunas ecuaciones incluyen fracciones con distinto denominador. Para resolver estas ecuaciones, necesitas cambiar las fracciones a fracciones equivalentes con igual denominador.

Ejemplos

> **▶ Enlace con Ciencias**
>
> Los glóbulos rojos son importantes porque llevan el oxígeno de los pulmones a otros órganos de tu cuerpo.

3 $\frac{43}{100}$ de tu sangre se compone sólo de glóbulos rojos. $\frac{9}{20}$ de tu sangre se compone de glóbulos rojos y blancos. ¿Qué fracción de tu sangre se compone únicamente de glóbulos blancos?

$$\frac{9}{20} = \frac{9 \times 5}{20 \times 5} = \frac{45}{100} \qquad \text{Cambia a una fracción equivalente.}$$

$$x + \frac{43}{100} = \frac{45}{100} \qquad \text{Se lee así: "¿Qué número más } \frac{43}{100} \text{ es igual a } \frac{45}{100}?"$$

$$\frac{2}{100} + \frac{43}{100} = \frac{45}{100} \qquad \text{Usa el cálculo mental.}$$

$\frac{2}{100}$ de tu sangre se compone sólo de glóbulos blancos.

4 Resuelve $x - \frac{5}{6} = \frac{1}{15}$.

El mínimo común denominador de 6 y 15 es 30.

$$\frac{5}{6} = \frac{5 \times 5}{6 \times 5} = \frac{25}{30}$$

$$\frac{1}{15} = \frac{1 \times 2}{15 \times 2} = \frac{2}{30} \qquad \text{Cambia a fracciones equivalentes.}$$

$$x - \frac{25}{30} = \frac{2}{30} \qquad \text{Se lee así: "¿Qué número menos } \frac{25}{30} \text{ es igual a } \frac{2}{30}?"$$

$$\frac{27}{30} - \frac{25}{30} = \frac{2}{30} \qquad \text{Usa el cálculo mental.}$$

$$x = \frac{27}{30}$$

> **CÁLCULO MENTAL**
>
> Algunas veces el mínimo común múltiplo de dos números es el producto de los dos números. Pero si los números comparten un factor primo, el mínimo común múltiplo será menor que el producto.

Comprobar | Tu comprensión

1. ¿Por qué es necesario volver a escribir las ecuaciones con fracciones que incluyen suma o resta de manera que ambas fracciones tengan el mismo denominador?

2. ¿En qué son diferentes la x en $\frac{2}{3} - x$ y en $\frac{2}{3} - x = \frac{1}{3}$?

3. Cuando resuelves ecuaciones, ¿cómo puedes comprobar que la respuesta que obtuviste es la correcta?

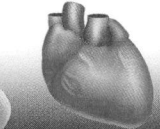

MEETING MIDDLE SCHOOL CLASSROOM NEEDS

Tips from Middle School Teachers

I find that students are often intimidated when they see fractions in equations. To help students, I tell them to think of solving the equation as playing a guess-and-check game. They choose a fraction, substitute it in place of the variable, and see if the equation is true. I remind them not to be discouraged if their first choice is not correct. When they think of solving the equation as a game, they are usually more successful.

Sugerencias de los maestros

He notado que las fracciones y ecuaciones suelen intimidar a los estudiantes. Para ayudarlos, comparo la resolución de problemas con un juego del tipo prueba y comprueba. Ellos eligen una fracción, sustituyen la variable y determinan si la ecuación es verdadera. Es importante explicarles que no deben desalentarse si su primera elección no es correcta. En general, quienes resuelven los problemas como si fueran un juego, obtienen mejores resultados.

Team Teaching

You might ask the science or health teachers to discuss with students the circulatory systems of mammals and other animals.

Enseñanza en equipo

Pida al maestro de ciencias o ciencias de la salud que explique el funcionamiento del sistema circulatorio en los mamíferos y otros animales.

Health Connection

Frequent participation in aerobic activities can reduce the risk of coronary artery diseases, obesity, and a loss of bone tissue. Aerobic power depends on healthy functioning of the lungs so that oxygen can be supplied to the blood. A strong heart is also necessary to pump blood to the muscles.

Asociación con Salud

Realizar ejercicios aeróbicos con frecuencia reduce el riesgo de sufrir padecimientos en las coronarias, la obesidad y la pérdida de tejido óseo. La capacidad aeróbica depende de un buen funcionamiento de los pulmones, ya que estos suministran el oxígeno requerido por la sangre. Sólo un corazón sano es capaz de bombear la sangre que necesitan los músculos.

6-3 Ejercicios y aplicaciones

Práctica y aplicación

1. **Para empezar** Resuelve cada ecuación.

   a. $\frac{2}{5} + p = \frac{7}{5}$ 1
   b. $\frac{3}{7} - k = \frac{1}{7}$ $\frac{2}{7}$
   c. $w + \frac{4}{9} = \frac{9}{9}$ $\frac{5}{9}$
   d. $r - \frac{9}{10} = \frac{3}{10}$ $\frac{6}{5}$

Resuelve cada ecuación y escribe la respuesta en su mínima expresión.

2. $\frac{1}{3} + j = \frac{5}{6}$ $\frac{1}{2}$
3. $r + \frac{2}{5} = \frac{7}{10}$ $\frac{3}{10}$
4. $t - \frac{4}{5} = \frac{1}{10}$ $\frac{9}{10}$
5. $v - \frac{1}{2} = \frac{3}{8}$ $\frac{7}{8}$

6. $d + \frac{7}{9} = \frac{8}{9}$ $\frac{1}{9}$
7. $\frac{80}{5} - x = 12$ 4
8. $q - \frac{1}{8} = \frac{3}{4}$ $\frac{7}{8}$
9. $4 - b = \frac{3}{7}$ $\frac{25}{7}$

10. $\frac{17}{100} + a = \frac{67}{100}$ $\frac{1}{2}$
11. $\frac{11}{12} - h = \frac{3}{4}$ $\frac{1}{6}$
12. $g + \frac{1}{8} = \frac{1}{6}$ $\frac{1}{24}$
13. $f - \frac{4}{9} = \frac{6}{9}$ $\frac{22}{9}$

14. $e + \frac{5}{28} = \frac{5}{14}$ $\frac{5}{28}$
15. $\frac{15}{22} - z = \frac{1}{2}$ $\frac{2}{11}$
16. $x - \frac{23}{4} = \frac{24}{3}$ $\frac{55}{4}$
17. $3 + y = \frac{10}{3}$ $\frac{1}{3}$

Escribe una ecuación verdadera mediante el uso de las fracciones dadas.

18. $\frac{1}{3}, \frac{2}{3}, 1$
19. $\frac{3}{4}, \frac{1}{2}, \frac{1}{4}$
20. $\frac{5}{6}, \frac{1}{3}, \frac{1}{2}$
21. $\frac{7}{12}, \frac{1}{6}, \frac{5}{12}$

22. $\frac{51}{36}, \frac{5}{6}, \frac{7}{12}$
23. $\frac{14}{18}, \frac{1}{3}, \frac{90}{81}$
24. $\frac{3}{11}, \frac{8}{11}, \frac{5}{11}$
25. $\frac{2}{12}, \frac{13}{15}, \frac{7}{10}$

Escribe y resuelve una ecuación para cada situación.

26. En la Blood Research Clinic, Peter y Jen hicieron una prueba de $\frac{11}{12}$ de las muestras de sangre. Si Peter hizo la prueba de $\frac{3}{5}$ de las muestras, ¿de qué fracción hizo pruebas Jen? $\frac{19}{60}$

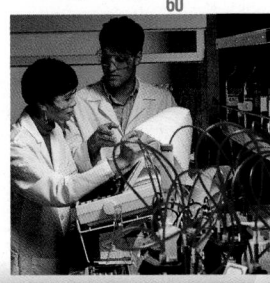

27. Antwon horneó galletas. Él y su familia comieron $\frac{1}{5}$ de las galletas el lunes y algunas más el martes. Después del martes, habían comido $\frac{2}{3}$ de las galletas. ¿Qué fracción de las galletas comieron el martes? $\frac{7}{15}$

28. **Comprensión de operaciones** Pam tenía $\frac{7}{9}$ de una yarda de hilo. Después de que cortó una parte, le quedaba $\frac{1}{3}$ de yarda. ¿Qué cantidad de hilo había cortado Pam? $\frac{4}{9}$ yd

29. Marilyn recolectó $\frac{3}{4}$ de libra de conchas de mar. Usó algunas para decorar un marco y le quedó $\frac{1}{6}$ de libra. ¿Cuántas libras de conchas utilizó para decorar el marco? $\frac{7}{12}$ lb

PRACTICAR 6-3

6-3 • Resolución de ecuaciones con fracciones: Suma y resta **337**

Assignment Guide

- Basic 1–41 odds
- Average 1, 2–28 evens, 29–41 odds
- Enriched 2–30 evens, 31–40

Notas sobre los ejercicios

■ Ejercicio 28

Prevención de errores Si los estudiantes no pueden escribir una ecuación que describa este problema, sugiérales que lo ilustren con un dibujo.

Respuestas de Ejercicios

Respuestas posibles de 18–25:

18. $\frac{1}{3} + \frac{2}{3} = 1$
19. $\frac{3}{4} - \frac{1}{4} = \frac{1}{2}$
20. $\frac{1}{3} + \frac{1}{2} = \frac{5}{6}$
21. $\frac{1}{6} + \frac{5}{12} = \frac{7}{12}$
22. $\frac{51}{36} - \frac{5}{6} = \frac{7}{12}$
23. $\frac{90}{81} - \frac{1}{3} = \frac{14}{18}$
24. $\frac{3}{11} + \frac{5}{11} = \frac{8}{11}$
25. $\frac{2}{12} + \frac{7}{10} = \frac{13}{15}$

Exercise Notes

■ Exercise 28

Error Prevention If students have trouble writing an equation to describe the situation, suggest that they draw a diagram of the problem.

Exercise Answers

Possible answers for 18–25:

18. $\frac{1}{3} + \frac{2}{3} = 1$
19. $\frac{3}{4} - \frac{1}{4} = \frac{1}{2}$
20. $\frac{1}{3} + \frac{1}{2} = \frac{5}{6}$
21. $\frac{1}{6} + \frac{5}{12} = \frac{7}{12}$
22. $\frac{51}{36} - \frac{5}{6} = \frac{7}{12}$
23. $\frac{90}{81} - \frac{1}{3} = \frac{14}{18}$
24. $\frac{3}{11} + \frac{5}{11} = \frac{8}{11}$
25. $\frac{2}{12} + \frac{7}{10} = \frac{13}{15}$

PRACTICE

Nombre _____ **Práctica 6-3**

Resolución de ecuaciones con fracciones: Suma y resta

Resuelve las ecuaciones. Escribe cada respuesta en su mínima expresión.

1. $\frac{5}{17} + a = \frac{8}{17}$
   $a = \frac{3}{17}$
2. $\frac{2}{7} + g = \frac{5}{7}$
   $g = \frac{3}{7}$
3. $u - \frac{1}{2} = \frac{1}{10}$
   $u = \frac{3}{5}$
4. $\frac{7}{8} - v = \frac{13}{16}$
   $v = \frac{1}{16}$

5. $\frac{4}{7} - w = \frac{6}{35}$
   $w = \frac{2}{5}$
6. $n - \frac{1}{5} = \frac{3}{10}$
   $n = \frac{1}{2}$
7. $f + \frac{7}{22} = \frac{13}{22}$
   $f = \frac{3}{11}$
8. $\frac{7}{9} - y = \frac{1}{36}$
   $y = \frac{1}{36}$

9. $z - \frac{1}{6} = \frac{1}{2}$
   $z = \frac{2}{3}$
10. $g + \frac{1}{4} = \frac{7}{16}$
    $g = \frac{3}{16}$
11. $\frac{5}{9} + w = \frac{17}{18}$
    $w = \frac{7}{18}$
12. $\frac{3}{7} - f = \frac{1}{24}$
    $f = \frac{1}{3}$

Usa las fracciones dadas para escribir una ecuación verdadera. **Respuestas posibles:**

13. $\frac{3}{5}, \frac{3}{15}, \frac{14}{15}$
    $\frac{3}{5} + \frac{1}{15} = \frac{14}{15}$
14. $\frac{12}{35}, \frac{1}{7}, \frac{1}{5}$
    $\frac{1}{5} + \frac{1}{7} = \frac{12}{35}$
15. $\frac{5}{8}, \frac{3}{4}, \frac{1}{8}$
    $\frac{5}{8} + \frac{1}{8} = \frac{3}{4}$
16. $\frac{3}{12}, \frac{1}{20}, \frac{15}{20}$
    $\frac{1}{12} + \frac{3}{15} = \frac{3}{20}$

17. $\frac{3}{16}, \frac{15}{16}, \frac{9}{16}$
    $\frac{15}{16} - \frac{9}{16} = \frac{3}{16}$
18. $\frac{6}{7}, \frac{5}{7}, \frac{1}{7}$
    $\frac{7}{7} + \frac{5}{7} = \frac{6}{7}$
19. $\frac{5}{7}, \frac{3}{7}, \frac{21}{21}$
    $\frac{7}{7} + \frac{3}{7} = \frac{21}{21}$
20. $\frac{5}{12}, \frac{1}{4}, \frac{2}{3}$
    $\frac{2}{3} - \frac{1}{4} = \frac{5}{12}$

21. $\frac{3}{5}, \frac{1}{2}, \frac{1}{10}$
    $\frac{1}{2} + \frac{1}{10} = \frac{3}{5}$
22. $\frac{13}{7}, \frac{4}{4}, \frac{28}{28}$
    $\frac{3}{4} + \frac{25}{28} = \frac{13}{7}$
23. $\frac{13}{15}, \frac{1}{5}, \frac{3}{3}$
    $\frac{2}{3} + \frac{1}{5} = \frac{13}{15}$
24. $\frac{7}{10}, \frac{19}{20}, \frac{1}{4}$
    $\frac{19}{20} - \frac{1}{4} = \frac{7}{10}$

Escribe y resuelve una ecuación para la situación dada.

25. Lori y Fraz se comieron $\frac{7}{12}$ de una pizza. Si Lori se comió $\frac{1}{3}$ de la pizza, ¿cuánto se comió Fraz?
    Respuesta posible: $\frac{1}{3} + x = \frac{7}{12}, \frac{1}{4}$

26. El tanque de gasolina de Irene tenía $\frac{9}{10}$ cuando salió de su casa y $\frac{7}{15}$ cuando llegó al lugar adonde iba a vacacionar. ¿Qué fracción del tanque de gasolina usó para llegar a su destino?
    Respuesta posible: $\frac{9}{10} - x = \frac{7}{15}, \frac{13}{30}$

RETEACHING

Nombre _____ **Práctica adicional 6-3**

Resolución de ecuaciones con fracciones: Suma y resta

Puedes usar el cálculo mental para resolver ecuaciones de suma y resta que incluyan fracciones con igual denominador. Para resolver ecuaciones que incluyan fracciones con distinto denominador, necesitas cambiar las fracciones por fracciones equivalentes con igual denominador.

— Ejemplo

Resuelve $x - \frac{3}{8} = \frac{5}{16}$.

Usa el 16 como el mcd (mínimo común denominador). $\frac{3}{8} = \frac{3 \times 2}{8 \times 2} = \frac{6}{16}$

Cambia $\frac{3}{8}$ por una fracción equivalente.

Se lee: "¿Qué número menos $\frac{6}{16}$ es igual a $\frac{5}{16}$?" $x - \frac{6}{16} = \frac{5}{16}$
$\frac{11}{16} - \frac{6}{16} = \frac{5}{16}$

Usa el cálculo mental.

Comprueba que la ecuación es verdadera. $\frac{5}{16} = \frac{5}{16}$ ✓

Por tanto, $x = \frac{11}{16}$.

Haz la prueba Resuelve cada ecuación. Escribe cada respuesta en su mínima expresión.

a. $a + \frac{1}{5} = \frac{4}{5}$
   ¿Qué número sumado a $\frac{1}{5}$ es igual a $\frac{4}{5}$? $\frac{3}{5}$ Por tanto, $a = \frac{3}{5}$.
   Muestra que la ecuación es verdadera. $\frac{3}{5} + \frac{1}{5} = \frac{4}{5} = \frac{4}{5}$ ✓

b. $k - \frac{1}{3} = \frac{2}{9}$
   ¿Cuál es el mínimo común múltiplo de 3 y 9? 9
   Reescribe la ecuación con denominadores iguales. $k - \frac{3}{9} = \frac{2}{9}$
   ¿Qué número menos $\frac{3}{9}$ es igual a $\frac{2}{9}$? $\frac{5}{9}$ Por tanto, $k = \frac{5}{9}$.
   Muestra que la ecuación es verdadera. $\frac{5}{9} - \frac{3}{9} = \frac{2}{9}$ ✓

c. $\frac{1}{4} + x = \frac{3}{4}$ $x = \frac{2}{4} = \frac{1}{2}$
d. $y - \frac{5}{8} = \frac{1}{8}$ $y = \frac{6}{8} = \frac{3}{4}$
e. $\frac{7}{10} - c = \frac{2}{5}$ $c = \frac{3}{10}$
f. $\frac{5}{12} + r = \frac{7}{3}$ $r = \frac{23}{12} = 1\frac{11}{12}$
g. $\frac{1}{12} + b = \frac{1}{4}$ $b = \frac{2}{12} = \frac{1}{6}$
h. $s - \frac{1}{12} = \frac{1}{2}$ $s = \frac{6}{12} = \frac{1}{2}$
i. $d + \frac{1}{3} = \frac{7}{12}$ $d = \frac{3}{12} = \frac{1}{4}$
j. $\frac{5}{6} - f = \frac{7}{12}$ $f = \frac{3}{12} = \frac{1}{4}$
k. $s + \frac{1}{8} = \frac{3}{4}$ $s = \frac{3}{8}$
l. $t - \frac{3}{10} = \frac{5}{8}$ $t = \frac{37}{40}$

Práctica adicional

Actividad

Materiales: Fichas

- Escribe en una hoja la siguiente ecuación: $x + \frac{3}{8} = \frac{7}{8}$

- Supónte que cada ficha representa $\frac{1}{8}$; coloca el número apropiado de fichas en cada fracción.

- ¿Cuántas fichas deben sumarse a las 3 que ya estaban para tener 7? **4 fichas**

- Si cada ficha representa $\frac{1}{8}$, ¿cuál es el valor de x?
  $x = \frac{4}{8}$ ó $\frac{1}{2}$

- Repite el procedimiento con las siguientes ecuaciones.

  1. $y - \frac{5}{12} = \frac{1}{12}$ $y = \frac{6}{12}$ ó $\frac{1}{2}$
  2. $\frac{5}{6} - a = \frac{1}{6}$ $a = \frac{4}{6}$ ó $\frac{2}{3}$
  3. $r + \frac{3}{10} = \frac{11}{10}$ $r = \frac{8}{10}$ ó $\frac{4}{5}$

Reteaching

Activity

Materials: Counters

- Write the equation $x + \frac{3}{8} = \frac{7}{8}$ on a sheet of paper.

- Let each counter represent $\frac{1}{8}$, and place the appropriate number of counters above each fraction.

- How many counters must be added to the 3 counters to equal 7 counters? **4 counters**

- If each counter represents $\frac{1}{8}$, what is the value of x?
  $x = \frac{4}{8}$, or $\frac{1}{2}$

- Repeat the process with the following equations.

  1. $y - \frac{5}{12} = \frac{1}{12}$ $y = \frac{6}{12}$, or $\frac{1}{2}$
  2. $\frac{5}{6} - a = \frac{1}{6}$ $a = \frac{4}{6}$, or $\frac{2}{3}$
  3. $r + \frac{3}{10} = \frac{11}{10}$ $r = \frac{8}{10}$, or $\frac{4}{5}$

Exercise Notes

■ Exercise 33

Problem-Solving Tip Students may solve this problem by first solving a simpler problem. Suggest they use 10 instead of $\frac{10}{4}$ and 3 instead of $\frac{3}{4}$.

Project Process

You may want to have students use Chapter 6 Project Master.

Exercise Answers

32. Possible answer: $\frac{1}{2} + p = \frac{3}{4}$;
$p = \frac{1}{4}$. $\frac{1}{4}$ of a whole plus $\frac{1}{2}$ of the same whole is $\frac{3}{4}$ of the whole.

33. $\frac{1}{2}$ yd; Solve the equation:
$\frac{10}{4} = \frac{3}{4} + \frac{3}{4} + x + x$.

34. Possible answer: A board $\frac{26}{20}$ ft long is cut in two pieces with one piece equal to $\frac{7}{10}$ ft. What is the length of the other piece?
$\frac{7}{10} + y = \frac{26}{20}, \frac{14}{20} + y = \frac{26}{20}$,
$y = \frac{12}{20}$, or $\frac{3}{5}$ ft.

35. x represents the whole fraction in the first equation; x represents the numerator of the fraction in the second equation.

Alternate Assessment

Interview Explain how you solve addition and subtraction equations involving fractions. Supply examples and detail the steps used.

Notas sobre los ejercicios

■ Ejercicio 33

Resolución de problemas Ten en cuenta Los estudiantes podrán resolver este problema si antes resuelven uno más sencillo. Sugiérales que usen el 10 en lugar de $\frac{10}{4}$, y el 3 en vez de $\frac{3}{4}$.

Respuestas de Ejercicios

32. Respuesta posible: $\frac{1}{2} + p = \frac{3}{4}$;
$p = \frac{1}{4}$. $\frac{1}{4}$ de un entero más $\frac{1}{2}$ del mismo entero es igual a $\frac{3}{4}$ del entero.

33. $\frac{1}{2}$ yd; Se resuelve la ecuación:
$\frac{10}{4} = \frac{3}{4} + \frac{3}{4} + x + x$.

34. Respuesta posible: Una tabla cuya longitud es de $\frac{26}{20}$ ft se cortó en dos partes. Si una mide $\frac{7}{10}$ ft, ¿cuánto mide la otra parte?
$\frac{7}{10} + y = \frac{26}{20}, \frac{14}{20} + y = \frac{26}{20}$,
$y = \frac{12}{20}$ ó $\frac{3}{5}$ ft.

35. La x representa la fracción completa de la primera ecuación; En la segunda ecuación la x representa el numerador de la fracción.

Evaluación adicional

Entrevista ¿Cómo resuelves ecuaciones de suma y resta que incluyan fracciones? Da ejemplos y explica los pasos que sigues.

---

30. **Ciencias** Un banco de sangre calcula que $\frac{3}{10}$ de la sangre disponible es de tipo O. Ha previsto la necesidad de $\frac{9}{20}$ de sangre tipo O. ¿Qué cantidad adicional de sangre tipo O necesitará? $\frac{3}{20}$

31. **Para la prueba** En el Sierra Road Inn, $\frac{7}{11}$ del estacionamiento estaba lleno. Escoge una ecuación que muestre qué parte del estacionamiento estaba vacío. **A**

Ⓐ $\frac{7}{11} + x = 1$ Ⓑ $\frac{7}{11} - x = 1$ Ⓒ $x - \frac{7}{11} = 1$

Resolución de problemas y razonamiento

32. Escribe una ecuación con distinto denominador que puedas resolver por medio del cálculo mental. Explica cómo usarías este cálculo.

33. **Razonamiento crítico** El perímetro de la tapa del joyero rectangular de Janice es de $\frac{10}{4}$ de yarda. Si los lados más largos tienen $\frac{3}{4}$ de yarda, ¿cuánto miden los lados más cortos? Explica tu razonamiento.

34. **Comunicación** Escribe un problema que pueda resolverse con la ecuación $\frac{7}{10} + y = \frac{26}{20}$. Explica cómo planteaste el problema y resuélvelo.

35. **Comunicación** Explica la diferencia en el uso de x en $\frac{1}{3} + x = \frac{4}{5}$ y en $\frac{1}{3} + \frac{x}{5} = \frac{4}{5}$.

Repaso mixto

Calcula el área de cada paralelogramo. *[Lección 4-5]*

36.  40
37. 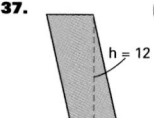 60
38. 287

Establece si la ecuación es verdadera para los valores dados de la variable. *[Lección 2-12]*

39. $x + 17 = 50; x = 43$ No
40. $5j = 60; j = 14$ No
41. $21 - k = 14; k = 7$ Sí

RESOLVER PROBLEMAS 6-3

El proyecto en marcha

Haz una tabla para cada una de tus recetas. En la primera columna, haz una lista del número de platillos y la cantidad de ingredientes de la receta original. En la segunda columna, anota la mitad de las cantidades mencionadas en la primera columna. En la tercera columna, indica el doble de las cantidades señaladas en la primera columna.

Resolución de problemas
Comprende
Planea
Resuelve
Revisa

338 *Capítulo 6 • Suma y resta de fracciones*

Quick Quiz

Solve each equation.

1. $a - \frac{3}{5} = \frac{7}{10}$ $a = \frac{13}{10}$, or $1\frac{3}{10}$

2. $x + \frac{1}{3} = \frac{11}{12}$ $x = \frac{7}{12}$

3. $\frac{2}{3} - y = \frac{1}{6}$ $y = \frac{1}{2}$

4. $\frac{3}{8} + n = \frac{1}{2}$ $n = \frac{1}{8}$

Available on Daily Transparency 6-3

► Prueba rápida

Resuelve las ecuaciones.

1. $a - \frac{3}{5} = \frac{7}{10}$ $a = \frac{13}{10}$ ó $1\frac{3}{10}$

2. $x + \frac{1}{3} = \frac{11}{12}$ $x = \frac{7}{12}$

3. $\frac{2}{3} - y = \frac{1}{6}$ $y = \frac{1}{2}$

4. $\frac{3}{8} + n = \frac{1}{2}$ $n = \frac{1}{8}$

► PROBLEM SOLVING

Nombre _____

Resolución guiada de problemas 6-3

RGP PROBLEMA 33, PÁGINA 338 DEL ESTUDIANTE

El perímetro de la tapa del joyero rectangular de Janice es de $\frac{10}{4}$ de yarda. Si los lados más largos tienen $\frac{3}{4}$ de yarda, ¿cuánto miden los lados más cortos? Explica tu razonamiento.

— Comprende —
1. Rodea con un círculo el perímetro y subraya la longitud de un lado de la tapa.
2. ¿Cómo se halla el perímetro? Al sumar la longitud de los cuatro lados.

— Plan —
3. Haz un dibujo del joyero y marca los lados más largos.

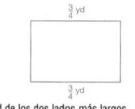

4. Escribe una ecuación para encontrar la longitud de los dos lados más largos. $\frac{3}{4} + \frac{3}{4} = \frac{6}{4}$
5. Usa la respuesta del punto 4 para escribir una ecuación que muestre la longitud de los dos lados más cortos. $\frac{10}{4} - \frac{6}{4} = \frac{4}{4}$

— Resuelve —
6. La suma de dos fracciones es igual a tu respuesta del punto 5. El denominador de cada una de las dos fracciones será ___4___

Usa Prueba y comprueba para hallar cada numerador. Cada numerador es ___2___

7. ¿Cuál es la longitud de cada uno de los lados más cortos? $\frac{2}{4} = \frac{1}{2}$ yd
8. Explica tu respuesta. La menor longitud del perímetro de los dos lados más largos es igual a la longitud de los lados más cortos. Al hallar la mitad de esa diferencia.

— Revisa —
9. ¿Cuál es otra manera de hallar la respuesta? Respuesta posible: Al dividir el perímetro entre 2 y restar la longitud del lado más largo.

RESUELVE OTRO PROBLEMA

El perímetro de la tapa de una caja rectangular es de $\frac{14}{6}$ de una yarda. Si los lados más largos miden $\frac{3}{6}$ de una yarda, ¿qué longitud tienen los lados más cortos? Explica tu respuesta.

$\frac{2}{3} = \frac{1}{2}$ yd; $\frac{3}{6} + \frac{3}{6} = \frac{6}{6}; \frac{14}{6} - \frac{6}{6} = \frac{8}{6}; \frac{4}{6} + \frac{4}{6} = \frac{8}{6}$

► ENRICHMENT

Nombre _____

Actividad de enriquecimiento 6-3

Razonamiento crítico

Usa el cálculo mental para resolver cada ecuación. Puede ser útil si reescribes cada ecuación con un denominador común antes de resolverla.

Resuelve $\frac{x}{5} + \frac{1}{2} = \frac{8}{5}$.

Sea $\frac{x}{5}$ igual a $\frac{1}{2}$? ? $\frac{x}{5} + \frac{1}{2} = \frac{8}{5}$

Escribe las fracciones con un denominador común. Un denominador común de 2, 3 y 6 es 6. ? $\frac{x}{5} + \frac{3}{6} = \frac{8}{5}$

Usa el cálculo mental para resolver la ecuación.

Reescribe tu respuesta como una fracción equivalente con 3 como denominador. $\frac{y}{6} = \frac{2}{3}$

Encuentra el valor de y. $y = 1$

Revisa tu ecuación. $\frac{y}{6} + \frac{1}{2} = \frac{5}{6}$

$\frac{1}{6} + \frac{1}{2} = \frac{5}{6}$

$\frac{2}{6} + \frac{3}{6} = \frac{5}{6}$ ✓

Resuelve y después revisa tu ecuación.

1. $\frac{1}{4} + \frac{g}{4} = \frac{3}{4}$ $g = ___1___$
   $\frac{1}{8} + \frac{2}{4} = \frac{1}{8} + \frac{4}{8} = \frac{5}{8}$

2. $\frac{h}{2} - \frac{1}{4} = \frac{1}{4}$ $h = ___1___$
   $\frac{1}{2} - \frac{1}{4} = \frac{2}{4} - \frac{1}{4} = \frac{1}{4}$

3. $\frac{2}{3} + \frac{a}{4} = \frac{8}{9}$ $a = ___8___$
   $\frac{2}{9} + \frac{1}{4} + \frac{1}{4} = \frac{2}{8} + \frac{1}{4} = 1$

4. $\frac{4}{5} - \frac{b}{5} = \frac{2}{3}$ $b = ___2___$
   $\frac{4}{5} - \frac{2}{15} = \frac{12}{15} - \frac{10}{15} = \frac{2}{15}$

5. $\frac{c}{16} + \frac{1}{2} = \frac{7}{8}$ $c = ___6___$
   $\frac{6}{16} + \frac{1}{2} = \frac{6}{16} + \frac{14}{16} = \frac{7}{8}$

6. $\frac{9}{10} - \frac{d}{5} = \frac{2}{5}$ $d = ___1___$
   $\frac{9}{10} - \frac{1}{5} = \frac{9}{10} - \frac{5}{10} = \frac{4}{10} = \frac{2}{5}$

7. $\frac{e}{6} + \frac{2}{3} = \frac{5}{6}$ $e = ___2___$
   $\frac{2}{6} + \frac{2}{3} = \frac{4}{6} = \frac{2}{3}$

8. $\frac{7}{12} - \frac{f}{3} = \frac{5}{6}$ $f = ___4___$
   $\frac{f}{3} = \frac{4}{3} = \frac{12}{12} - \frac{4}{12} = \frac{12}{12}$

9. $\frac{1}{m} + \frac{3}{4} = \frac{11}{12}$ $m = ___6___$
   $\frac{1}{6} + \frac{3}{4} = \frac{2}{12} + \frac{9}{12} = \frac{11}{12}$

10. $\frac{5}{n} - \frac{1}{4} = \frac{3}{8}$ $n = ___8___$
    $\frac{5}{8} - \frac{1}{4} = \frac{5}{8} - \frac{2}{8} = \frac{3}{8}$

338   **Capítulo 6**

En esta sección aprendiste a hacer sumas y restas de diferentes tipos de fracciones. Ahora usarás estos conocimientos para preparar información acerca de diferentes tipos de sangre.

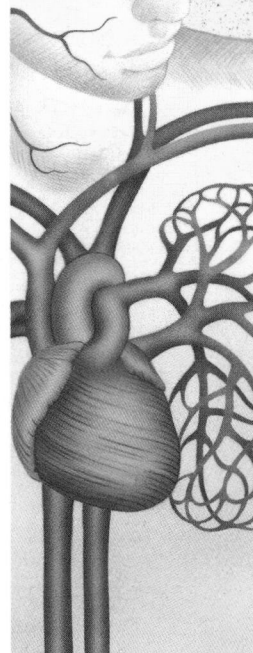

¿Cuál es tu tipo?

Cada persona tiene sólo un tipo de sangre. Alguien que necesita una transfusión de sangre no puede recibirla de cualquier persona. La sangre tiene que ser de cierto tipo, o pueden presentarse complicaciones y la persona puede llegar a morir. Los datos de la Cruz Roja estadounidense muestran qué fracción de la población tiene cada uno de los ocho tipos de sangre.

A+	A−	B+	B−	AB+	AB−	O+	O−
$\frac{17}{50}$	$\frac{3}{50}$	$\frac{2}{25}$	$\frac{3}{200}$	$\frac{1}{25}$	$\frac{1}{200}$	$\frac{39}{100}$	$\frac{7}{100}$

La siguiente tabla muestra una lista de los tipos de sangre que una persona puede recibir, según su propio tipo de sangre.

Tipo de sangre del paciente	Puede RECIBIR tipos…	Tipo de sangre del paciente	Puede RECIBIR tipos…
A+	A+, A−, O+, O−	AB+	A+, A−, B+, B−, AB+, AB−, O+, O−
A−	A−, O−	AB−	A−, B−, AB−, O−
B+	B+, B−, O+, O−	O+	O+, O−
B−	B−, O−	O−	O−

1. Determina la fracción de la población de la cual cada paciente puede recibir sangre, según su propio tipo de sangre.

2. Si una persona puede recibir sangre de una gran cantidad de tipos, ¿puede esta persona recibir sangre de una fracción mayor de la población? ¿Por qué?

3. Las personas con sangre O− se conocen como "donadores universales". ¿Por qué piensas que se les llama así?

4. Un "receptor universal" es alguien que puede recibir sangre de cualquier persona, sin importar el tipo de sangre. ¿Qué fracción de la población son receptores universales? Explica tu respuesta.

339

¿Cuál es tu tipo?

Objetivo

En *¿Cuál es tu tipo?*, de la página 323, los estudiantes comentaron sobre los tipos de sangre que existen. Ahora usarán la suma y la resta de fracciones para hacer una tabla de tipos de sangre.

Acerca de esta página

- Examine con los estudiantes la tabla de tipos de sangre. Si conocen su tipo de sangre, pregúnteles qué fracción de la población comparte su tipo de sangre.

- Recuérdeles que necesitan remitirse a las dos tablas para responder las preguntas.

- Explique a los estudiantes que los cuatro grupos principales tienen a su vez varios subgrupos. Por tanto, la sangre del donador y el receptor se analiza con sumo cuidado antes de transfundirla, con objeto de prevenir reacciones indeseadas.

Evaluación continua

Asegúrese de que los estudiantes comprendan que necesitan hacer una suma para determinar la fracción de la población de la cual cada tipo de paciente puede recibir sangre.

Ampliación

Los tipos de sangre se basan en la ausencia o presencia de dos factores en los glóbulos rojos. Pida a los estudiantes que determinen qué significan las siglas A, B, AB y O. El tipo A sólo contiene el factor A, el tipo B solamente contiene el factor B, el tipo AB contiene ambos factores, A y B; el tipo O no contiene ninguno de estos factores.

Respuestas de Asociación

1. A+: $\frac{43}{50}$; A−: $\frac{13}{100}$; B+: $\frac{111}{200}$; B−: $\frac{17}{200}$; AB+: 1; AB−: $\frac{3}{20}$; O+: $\frac{23}{50}$; O−: $\frac{7}{100}$.

2. No; A+, B+ y AB− pueden recibir los cuatro tipos de sangre, pero el tipo AB− sólo puede ser receptor de una pequeña fracción de la población.

3. Todos pueden recibir sangre tipo O−.

4. $\frac{1}{25}$; Son las personas que tienen tipo AB+.

What's Your Type?

The Point

In *What's Your Type?* on page 323, students discussed blood types. Now they will use addition and subtraction of fractions to build a chart of blood types.

About the Page

- Discuss the chart of blood types with the class. If students know their own blood type, ask them what fraction of the population shares their blood type.

- Remind students that they need to refer to both charts to answer the questions.

- Tell students that these four main blood groups have several subgroups. Therefore, the blood of both donor and recipient is carefully tested before a transfusion in an effort to prevent serious reactions.

Ongoing Assessment

Check that students understand that they need to add to determine the fraction of the population from which each patient type can receive blood.

Extension

The blood types are based on the absence or presence of two factors in the red cells. Have students determine what the designations A, B, AB, and O mean. Type A contains only Factor A, Type B contains only Factor B, Type AB contains both Factors A and B, Type O contains neither Factor A nor Factor B.

Answers for Connect

1. A+: $\frac{43}{50}$; A−: $\frac{13}{100}$; B+: $\frac{111}{200}$; B−: $\frac{17}{200}$; AB+: 1; AB−: $\frac{3}{20}$; O+: $\frac{23}{50}$; O−: $\frac{7}{100}$.

2. No; A+, B+, and AB− can all receive four types of blood, but AB− can only receive from a small fraction of the population.

3. Everybody can receive O− blood.

4. $\frac{1}{25}$; It's the people who are AB+.

Review Correlation

Item(s)	Lesson(s)
1–4	6-1
5–14	6-2
15–23	6-3
24	6-2

Test Prep

Test-Taking Tip

Tell students that they may need to reduce a fraction to lowest terms after completing the necessary computations. In this case, students may complete the subtraction correctly, but they will not find the correct difference as an answer choice unless they reduce the answer to lowest terms.

Correlación de repaso

Punto(s)	Lección(es)
1–4	6-1
5–14	6-2
15–23	6-3
24	6-2

Para la prueba

Sugerencia para la prueba

Diga a los estudiantes que después de efectuar los cálculos necesarios quizá necesiten simplificar una fracción a su mínima expresión. En este caso los estudiantes pueden hacer correctamente la resta, pero no hallarán la respuesta en las opciones si no la simplifican a su mínima expresión.

Sección 6A • Repaso

Simplifica y escribe la respuesta en su mínima expresión.

1. $\frac{3}{11} + \frac{5}{11}$ $\frac{8}{11}$

2. $\frac{3}{5} - \frac{1}{5}$ $\frac{2}{5}$

3. $\frac{1}{8} + \frac{3}{8}$ $\frac{1}{2}$

4. $\frac{9}{10} - \frac{6}{10}$ $\frac{3}{10}$

5. $\frac{3}{4} + \frac{3}{5}$ $\frac{27}{20}$

6. $\frac{5}{8} + \frac{2}{5}$ $\frac{41}{40}$

7. $\frac{1}{4} + \frac{1}{6}$ $\frac{5}{12}$

8. $\frac{4}{5} - \frac{1}{4}$ $\frac{11}{20}$

9. $\frac{5}{9} - \frac{1}{3}$ $\frac{2}{9}$

10. $\frac{1}{3} - \frac{1}{4}$ $\frac{1}{12}$

11. $\frac{7}{10} + \frac{1}{4}$ $\frac{19}{20}$

12. $\frac{5}{6} - \frac{3}{8}$ $\frac{11}{24}$

13. **Industria** Los anuncios de los periódicos están disponibles en tamaños que son la fracción de una página: $\frac{1}{8}, \frac{1}{4}, \frac{1}{2}$ y $\frac{3}{4}$. Encuentra una combinación de anuncios que ocupe la página entera. Explica tu razonamiento.

Respuesta posible: uno de $\frac{1}{4}$, uno de $\frac{1}{2}$, dos de $\frac{1}{8}$; las explicaciones pueden variar.

14. **Salud** Una taza de leche contiene $\frac{11}{100}$ de la cantidad de colesterol diaria permitida por el USDA. Una ración de pollo cocinado contiene $\frac{19}{75}$ de la cantidad permitida. Si comes una ración de pollo y bebes una taza de leche, ¿qué fracción de la cantidad permitida habrás consumido? $\frac{109}{300}$

15. Al registrar la cantidad de sangre en el banco del hospital, Christine determinó que alrededor de $\frac{2}{5}$ de la sangre era de tipo O y cerca de $\frac{1}{4}$ de la sangre era de tipo A. ¿Qué fracción de la sangre no es ni tipo O ni tipo A? $\frac{7}{20}$

Resuelve cada ecuación y escribe la respuesta en su mínima expresión.

16. $\frac{5}{9} - x = \frac{11}{36}$ $\frac{1}{4}$

17. $j + \frac{1}{3} = \frac{7}{12}$ $\frac{1}{4}$

18. $\frac{7}{10} + w = \frac{9}{10}$ $\frac{1}{5}$

19. $t - \frac{1}{2} = \frac{1}{4}$ $\frac{3}{4}$

20. $y + \frac{1}{10} = \frac{4}{5}$ $\frac{7}{10}$

21. $\frac{3}{4} - z = \frac{1}{12}$ $\frac{2}{3}$

22. $r - \frac{1}{3} = \frac{4}{15}$ $\frac{3}{5}$

23. $\frac{5}{6} + p = \frac{29}{24}$ $\frac{3}{8}$

Para la prueba

Después de simplificar una expresión, escribe la fracción en su mínima expresión.

24. Escoge la solución correcta para $\frac{5}{12} - \frac{1}{6}$. **A**

Ⓐ $\frac{1}{4}$ Ⓑ $\frac{1}{3}$ Ⓒ $\frac{2}{3}$ Ⓓ $\frac{5}{6}$

Resources

Practice Masters
   Section 6A Review

Assessment Sourcebook
   Quiz 6A

 TestWorks
   Test and Practice Software

PRACTICE

Nombre _____ | Práctica |

Sección 6A • Repaso

Simplifica las operaciones y escribe cada respuesta en su mínima expresión.

1. $\frac{12}{15} - \frac{11}{15}$ $\frac{1}{15}$

2. $\frac{11}{20} + \frac{7}{20}$ $\frac{9}{10}$

3. $\frac{2}{3} - \frac{1}{3}$ $\frac{1}{3}$

4. $\frac{4}{6} - \frac{2}{6}$ $\frac{1}{3}$

5. $\frac{6}{11} - \frac{1}{11}$ $\frac{4}{11}$

6. $\frac{4}{7} - \frac{3}{7}$ $\frac{1}{7}$

7. $\frac{12}{13} + \frac{6}{13}$ $\frac{18}{13}$

8. $\frac{18}{20} - \frac{3}{20}$ $\frac{3}{4}$

9. $\frac{1}{3} + \frac{3}{7}$ $\frac{16}{21}$

10. $\frac{1}{10} + \frac{1}{2}$ $\frac{3}{5}$

11. $\frac{1}{2} - \frac{1}{6}$ $\frac{1}{3}$

12. $\frac{21}{25} - \frac{1}{2}$ $\frac{17}{50}$

13. $\frac{6}{7} - \frac{3}{4}$ $\frac{3}{28}$

14. $\frac{5}{7} - \frac{1}{3}$ $\frac{8}{21}$

15. $\frac{2}{3} + \frac{1}{8}$ $\frac{7}{8}$

16. $\frac{3}{10} - \frac{1}{8}$ $\frac{7}{40}$

17. $\frac{2}{3} - \frac{1}{2}$ $\frac{1}{2}$

18. $\frac{3}{5} + \frac{1}{3}$ $\frac{14}{15}$

19. $\frac{1}{2} + \frac{1}{6}$ $\frac{2}{3}$

20. $\frac{2}{3} + \frac{3}{8}$ $\frac{19}{24}$

21. **Profesiones** El trabajo de Lorenzo consiste en archivar, escribir a máquina y contestar los teléfonos. Dedica $\frac{1}{6}$ de su tiempo al archivo y $\frac{5}{8}$ a escribir a máquina. ¿Qué fracción de su jornada la dedica a contestar los teléfonos? $\frac{5}{24}$

22. Alrededor de $\frac{1}{6}$ de la población de Rhode Island vive en Providence y $\frac{1}{12}$ vive en Warwick. ¿Qué fracción de la población del estado vive en estas dos ciudades juntas? $\frac{1}{4}$

Resuelve estas ecuaciones.

23. $k - \frac{5}{11} = \frac{1}{22}$ $k = \frac{1}{2}$

24. $\frac{7}{10} - s = \frac{1}{30}$ $s = \frac{2}{3}$

25. $f - \frac{3}{4} = \frac{1}{36}$ $f = \frac{7}{9}$

26. $c + \frac{2}{3} = \frac{23}{30}$ $c = \frac{1}{10}$

27. $\frac{5}{7} - d = \frac{13}{21}$ $d = \frac{2}{21}$

28. $\frac{1}{6} + p = \frac{13}{30}$ $p = \frac{4}{15}$

29. $\frac{1}{5} + c = \frac{2}{5}$ $c = \frac{1}{5}$

30. $w + \frac{17}{20} = \frac{14}{15}$ $w = \frac{1}{12}$

31. El laberinto más grande que se ha construido tenía la forma de un rectángulo con base de 500 ft y altura de 252 ft. Halla el área del laberinto. *[Lección 4-4]*   126,000 ft²

32. Beth y Carlos se subieron a dos diferentes ruedas de la fortuna en el parque. La rueda de la fortuna de Beth da una vuelta cada 90 segundos y la de Carlos tarda 75 segundos en dar una vuelta. Si Beth y Carlos están en la parte más baja de la rueda en este momento, ¿cuándo es la siguiente vez en que ambos estarán abajo?   En 450 segundos

Section 6B

Adding and Subtracting Mixed Numbers

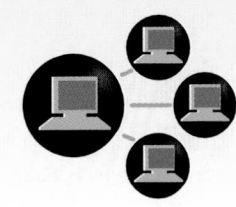

Visit **www.teacher.mathsurf.com** for links to lesson plans from teachers and other professionals, NCTM information, and other sites.

LESSON PLANNING GUIDE

▶ **Student Edition**

▶ **Ancillaries***

LESSON	MATERIALS	VOCABULARY	DAILY	OTHER
Section 6B Opener				
6-4 Estimation: Sums and Differences of Mixed Numbers			6-4	Teaching Tool Trans. 5 Lesson Enhancement Trans. 29
6-5 Adding Mixed Numbers	Fraction Bars®		6-5	Teaching Tool Trans. 14 Lesson Enhancement Trans. 30 Technology Master 29
6-6 Subtracting Mixed Numbers	Fraction Bars®		6-6	Teaching Tool Trans. 14 Lesson Enhancement Trans. 31 Technology Master 30 Ch. 6 Project Master *Interactive CD-ROM Lesson*
Connect				Lesson Enhancement Trans. 32 Interdisc. Team Teaching 6B
Review				Practice 6B; Quiz 6B; *TestWorks*
Extend Key Ideas				
Chapter 6 Summary and Review				
Chapter 6 Assessment				Ch. 6 Tests Forms A–F *TestWorks*; Ch. 6 Letter Home
Cumulative Review, Chapters 1–6				Cumulative Review Ch. 1–6 Quarterly Test Ch. 1–6

* Daily Ancillaries include Practice, Reteaching, Problem Solving, Enrichment, and Daily Transparency. Teaching Tool Transparencies are in *Teacher's Toolkits*. Lesson Enhancement Transparencies are in *Overhead Transparency Package*.

SKILLS TRACE

LESSON	SKILL	FIRST INTRODUCED			DEVELOP	PRACTICE/ APPLY	REVIEW
		GR. 4	GR. 5	GR. 6			
6-4	Estimating sums and differences of mixed numbers.			✗ p. 342	pp. 342–343	pp. 344–345	pp. 356, 359, 429
6-5	Adding mixed numbers.		✗		pp. 346–347	pp. 348–349	pp. 356, 359, 431
6-6	Subtracting mixed numbers.		✗		pp. 350–352	pp. 353–354	pp. 356, 359, 435

CONNECTED MATHEMATICS

Investigation 4 in the unit *Bits and Pieces II (Using Rational Numbers)*, from the **Connected Mathematics** series, can be used with Section 6B.

Math and Social Studies
(Worksheet pages 31–32: Teacher pages T31–T32)

In this lesson, students solve woodworking problems by adding and subtracting mixed numbers.

Nombre _____ *Ciencias sociales*

MIDE DOS VECES, CORTA UNA

Resolver problemas de carpintería al sumar y restar números mixtos.

Desde siempre, las personas han usado la madera para fabricar muchas cosas, armas, muebles y casas. Cierra los ojos y visualiza todas las cosas hechas de madera que tienes en tu casa. Piensa en las personas que fabricaron estos objetos. Necesitan tener destrezas y conocimientos especiales para trabajar la madera. Deben saber cómo leer planos, entender las características de los diferentes tipos de madera, usar una variedad de herramientas manuales y eléctricas, y aplicar sus destrezas matemáticas.

Casi cualquier proyecto en que se utiliza madera requiere que los carpinteros midan los materiales. Con frecuencia las mediciones incluyen números mixtos: por ejemplo, un pedazo de madera aserrada que mide $4\frac{1}{2}$ pies de largo, un bastón de madera que tiene un diámetro de $1\frac{1}{8}$ pulgadas o la puerta de una alacena que tiene $16\frac{3}{4}$ pulgadas de ancho. Hay dos clases de personas que trabajan con madera: los carpinteros y los fabricantes de muebles. La carpintería es el oficio más antiguo para trabajar la madera. Casi cualquier construcción dentro y fuera de las casas las hacen los carpinteros. Ellos construyen los esqueletos de las casas. También hacen los marcos de las puertas y ventanas, las puertas y acabados de madera. Los carpinteros que trabajan dentro de las casas instalan paneles, alacenas, escaleras y algunos acabados. Usan sus destrezas matemáticas para calcular las cantidades y dimensiones de la madera aserrada, los tamaños de las habitaciones y las dimensiones de la construcción.

Una de las tareas de los fabricantes de muebles es la ebanistería. Las técnicas de ebanistería utilizadas en la actualidad se perfeccionaron hace siglos. La ebanistería es el oficio de hacer juntas de madera. Una junta es una unión casi invisible de dos piezas de madera; esta unión tiene la mayor fuerza posible. Se requiere que las mediciones sean muy precisas para hacer juntas perfectas

Si una junta está bien hecha, durará muchos años. Los muebles antiguos finos tienen juntas de madera que son tan fuertes como lo eran cuando se fabricaron hace cien o más años. La ebanistería también es importante en la fabricación de instrumentos musicales, como pianos y violines.

Norm Abram, un maestro carpintero que es la estrella del programa de carpintería "New Yankee Workshop", afirma que las medidas de las cintas varían. Mientras más se usan, más se estiran. Para evitar errores desagradables, Abram sugiere que los carpinteros utilicen la misma cinta durante todo un trabajo. ¿Pero qué sucedería si dos carpinteros estuvieran trabajando en el mismo proyecto con dos diferentes medidas de cintas?

1. Dos carpinteros están construyendo una bodega. Cada uno usa su propia cinta para medir. Una pulgada en la cinta muy vieja del carpintero A en realidad mide $1\frac{1}{32}$ pulgadas. La pulgada en la cinta métrica del carpintero B en realidad mide de $1\frac{1}{64}$ pulgadas. El carpintero A mide un pedazo de madera y dice que tiene 15 pulgadas de largo, cuando en realidad mide $15\frac{15}{32}$ pulgadas. El carpintero B mide otro pedazo de madera y dice que tiene 15 pulgadas y en sí mide $15\frac{15}{64}$ pulgadas de largo. Si los dos carpinteros colocan los pedazos extremo con extremo, ¿qué tan errados de la longitud deseada de 30 pies estaría la longitud total de la madera?

$\frac{45}{64}$ pulgadas.

Nombre _____ *Ciencias sociales*

2. Un carpintero construye las escaleras en una casa nueva. Cada escalón deberá medir $7\frac{1}{8}$ pulgadas de ancho. El carpintero mide varios escalones y descubre que todos miden $8\frac{1}{16}$ pulgadas de ancho. Vuelve a colocar las tablas en sus embalajes para regresarlas al aserradero. ¿Cuántas pulgadas deberá reducirse cada una de las tablas?

$\frac{15}{16}$ pulgadas.

3. El propietario de una casa decide instalar pisos de madera. Se da cuenta de que un tipo de madera para piso viene en tiras que tienen un ancho de $1\frac{1}{2}$ a $3\frac{1}{4}$ pulgadas. El propietario escoge la anchura que está justo a la mitad de la más grande y la más pequeña. ¿Cuál tira escogió?

La de $2\frac{3}{8}$ pulgadas.

4. Una mujer decide fabricar un especiero. Hace un diseño de éste tomando en cuenta las dimensiones de los frascos de las especias y el número de ellos que piensa colocar en el especiero. Luego dibuja una vista lateral del especiero para ayudarse a decidir los puntos donde clavará los clavos para detener cada uno de los siete entrepaños del especiero.
El primer clavo lo pondrá a $\frac{1}{4}$ de pulgada de la parte superior del especiero. El segundo lo clavará a $5\frac{3}{4}$ pulgadas de la parte superior del especiero.

   a. ¿Cuánto espacio habrá entre el primero y el segundo clavo?

   $5\frac{1}{2}$ pulgadas.

   b. Si la mujer continúa poniendo los clavos a la misma distancia, ¿qué tan lejos estará el séptimo entrepaño del primero? Podría ayudar al hacer un diagrama.

   33 pulgadas.

5. ¿En qué le podría servir a un carpintero una calculadora de fracciones?

   Véase a continuación.

   _____

   _____

6. a. ¿Qué clases de mediciones has observado afuera de tu escuela?

   Véase a continuación.

   _____

   _____

   b. ¿Para qué han sido importantes las destrezas matemáticas en las mediciones que has observado o has hecho?

   Véase a continuación.

   _____

7. Trata de hacer tu propio modelo especial. A continuación se da una guía:
   - Utiliza cualquier material (madera, metal, cartón, etcétera) para construir un modelo de tres dimensiones de un objeto histórico.
   - El modelo puede ser de cualquier tamaño y servir para cualquier propósito práctico. Las ideas incluyen las pirámides egipcias o aztecas, templos griegos o romanos, etcétera.
   - Utiliza el mismo instrumento de medición para todo el proyecto.
   - Prepara un bosquejo de tu modelo con las dimensiones.
   - Proporciona una lista de tus referencias o describe cualquier ayuda recibida en la construcción del modelo.

   Escoge a un compañero e intercambien sus modelos y los bosquejos. Mide los modelos de tus compañeros con tu propio instrumento de medición. ¿Cómo se compararon estas medidas con las del bosquejo de tu compañero?

Respuestas adicionales

5. Las respuestas de los estudiantes pueden variar. Ellos pueden argumentar que haría el trabajo del carpintero más rápido y preciso.

6. a. Las respuestas de los estudiantes pueden variar. Pueden sugerir la construcción de proyectos en casa, la costura, la cocina y la medición de su estatura.

   b. Los estudiantes pueden decir que en sus mediciones emplean con frecuencia destrezas matemáticas como la suma, resta, multiplicación y división de números cabales, fracciones o números mixtos.

7. Las respuestas pueden variar. Los estudiantes deben tomar en cuenta que con diferentes objetos de medición pueden resultar mediciones distintas. Las medidas incongruentes pueden traer en consecuencia una estructura inconsistente o débil. Los maestros pueden calificar la estructura de un modelo basándose en los materiales escogidos, la firmeza, lo práctico y creativo, las proporciones, la claridad y lo completo que resulten los bosquejos y referencias.

BIBLIOGRAPHY

► FOR TEACHERS

Willoughby, Stephen. *Mathematics Education for a Changing World*. Alexandria, VA: ASCD, 1990.

Room, Adrian, ed. *Guinness Book of Numbers*. New York, NY: Sterling, 1990.

Spangler, David. *Math for Real Kids*. Glenview, IL: Good Year Books, 1997.

► FOR STUDENTS

Flint, David. *Weather and Climate: Experiments with Geography*. New York, NY: Watts, 1991.

Knapp, Brian J. *Flood*. Austin, TX: Steck-Vaughn Library, 1990.

SECCIÓN 6B

Suma y resta de números mixtos

▶ Enlace con Ciencias ▶ Enlace con Geografía ▶ www.mathsurf.com/6/ch6/floods

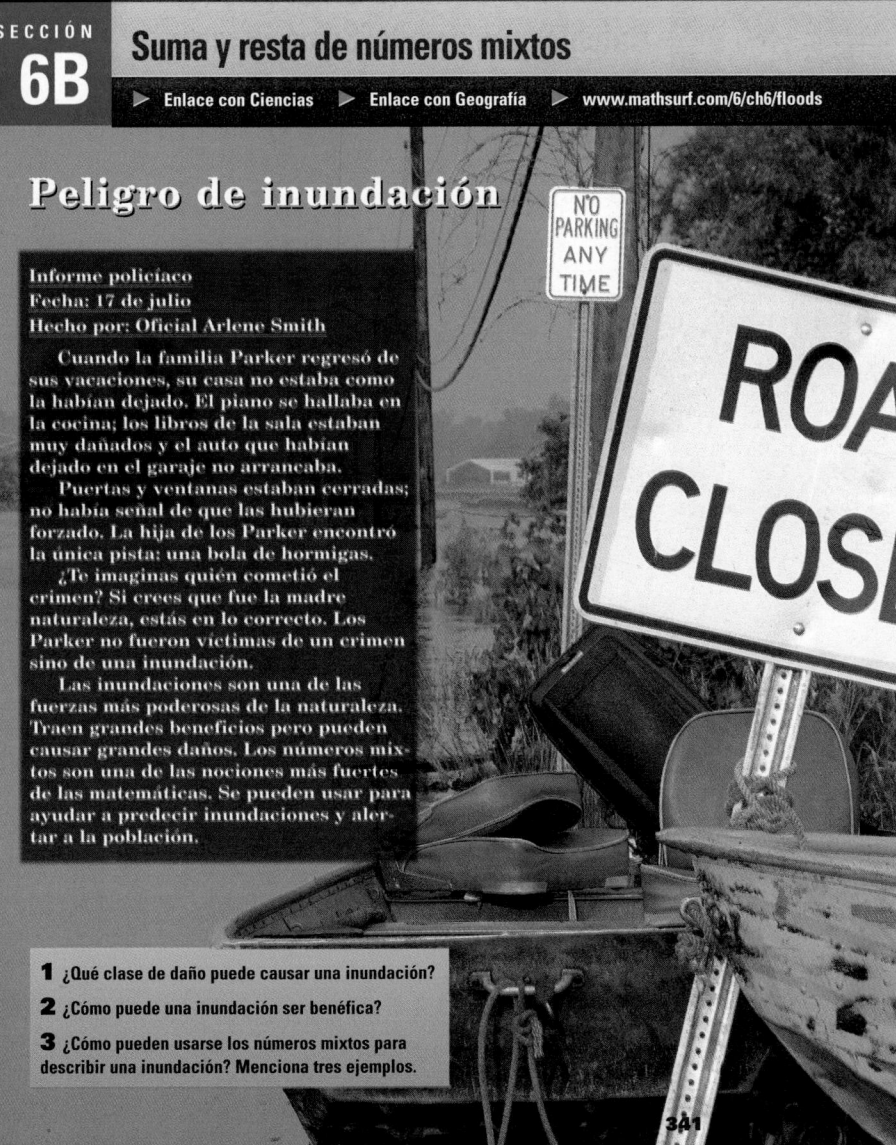

Peligro de inundación

Informe policíaco
Fecha: 17 de julio
Hecho por: Oficial Arlene Smith

Cuando la familia Parker regresó de sus vacaciones, su casa no estaba como la habían dejado. El piano se hallaba en la cocina; los libros de la sala estaban muy dañados y el auto que habían dejado en el garaje no arrancaba.

Puertas y ventanas estaban cerradas; no había señal de que las hubieran forzado. La hija de los Parker encontró la única pista: una bola de hormigas.

¿Te imaginas quién cometió el crimen? Si crees que fue la madre naturaleza, estás en lo correcto. Los Parker no fueron víctimas de un crimen sino de una inundación.

Las inundaciones son una de las fuerzas más poderosas de la naturaleza. Traen grandes beneficios pero pueden causar grandes daños. Los números mixtos son una de las nociones más fuertes de las matemáticas. Se pueden usar para ayudar a predecir inundaciones y alertar a la población.

1 ¿Qué clase de daño puede causar una inundación?

2 ¿Cómo puede una inundación ser benéfica?

3 ¿Cómo pueden usarse los números mixtos para describir una inundación? Menciona tres ejemplos.

341

Where are we now?

In Section 6A, students used addition and subtraction of fractions to solve equations.

They learned how to

- add and subtract fractions with like denominators.
- add and subtract fractions with unlike denominators.
- solve equations by adding and subtracting fractions.

Where are we going?

In Section 6B, students will

- use rounding to estimate sums and differences of mixed numbers.
- add mixed numbers.
- subtract mixed numbers.

Tema: Inundaciones

World Wide Web

Si su clase tiene acceso al World Wide Web, tal vez desee utilizar la información que se encuentra en las direcciones Web indicadas. Los enlaces interdisciplinarios relacionan los temas examinados en esta sección.

Acerca de esta página

Esta página presenta el tema de la sección, inundaciones, y comenta de qué manera las inundaciones son el resultado de las fuerzas de la naturaleza.

Pregunte…

- ¿Qué causa una inundación? La lluvia en abundancia o los deshielos en un lapso muy breve; El incremento en el nivel de los ríos o arroyos; Los maremotos.

- ¿En qué sentido puede ser benéfica una inundación? Arrastra tierra fértil; Aumentan la humedad de la tierra.

Ampliación

Las siguientes actividades no requieren de acceso al Web.

Ciencias

Durante una inundación, las hormigas se suben unas sobre otras tratando de que la colonia no se disgregue ni se destruya. Se apilan de tal manera que forman una especie de bola capaz de flotar en el agua. Investiga cualquier comportamiento poco usual de otros animales durante las inundaciones.

Geografía

En la historia de las civilizaciones ha habido grandes inundaciones. Busca información sobre las inundaciones más importantes. Localiza los sitios en un mapa.

Respuestas de Preguntas

1. Respuestas posibles: La cantidad de lluvia que cayó, la intensidad con la que cayó, los daños causados por la inundación.

2. Para medir los niveles de agua.

Asociación

En la página 355 los estudiantes analizan las principales causas de las inundaciones.

Theme: Floods

World Wide Web

If your class has access to the World Wide Web, you might want to use the information found at the Web site address given. The interdisciplinary links relate to topics discussed in this section.

About the Page

This page introduces the theme of the section, floods, and discusses floods as a powerful force of nature.

Ask …

- What causes a flood? Too much rain or snow melting in a short period of time; Rising rivers or creeks; Tidal waves.

- How could a flood be beneficial? By carrying top soil; By irrigating the land.

Extensions

The following activities do not require access to the World Wide Web.

Science

During a flood, ants will cling to one another in an attempt to save the colony from being separated and destroyed. As the ants cling to each other, they form the shape of a ball capable of floating in flood conditions. Research other unusual animal behavior during floods.

Geography

There have been many great floods throughout history in all parts of the world. Find out where and when some of the great floods occurred. Find their locations on the map.

Answers for Questions

1. Possible answers: How much rain fell, how fast the rain fell, how much damage was done in the flood.

2. To measure water levels.

Connect

On page 355, students analyze the principal causes of floods.

Lesson Organizer

Objective

- Estimate sums and differences of mixed numbers.

NCTM Standards

- 1–7

Review

Change each fraction to a decimal and tell whether the decimal is closer to 1 or to 0.

1. $\frac{3}{4}$ 0.75, 1

2. $\frac{5}{12}$ 0.41$\overline{6}$, 0

3. $\frac{7}{8}$ 0.875, 1

4. $\frac{5}{6}$ 0.8$\overline{3}$, 1

5. $\frac{3}{16}$ 0.1875, 0

Available on Daily Transparency 6-4

► Repaso

Convierte cada fracción en un número decimal e indica si está más cerca de 0 o de 1.

1. $\frac{3}{4}$ 0.75, 1

2. $\frac{5}{12}$ 0.41$\overline{6}$, 0

3. $\frac{7}{8}$ 0.875, 1

4. $\frac{5}{6}$ 0.8$\overline{3}$, 1

5. $\frac{3}{16}$ 0.1875, 0

Introduce

Explore

You may wish to use Teaching Tool Transparency 5: Number Lines and Lesson Enhancement Transparency 29 with this lesson.

The Point

Students read fractional data from a graph and develop intuitive methods of estimating the relationships between those fractions and given fractions.

Ongoing Assessment

Be sure that students can see the relationships among the numbers in the graph and the numbers listed in Step 2.

For Groups That Finish Early

Arrange the mixed numbers in Step 2 in order from least to greatest. $10\frac{6}{7}$, $12\frac{2}{3}$, $22\frac{3}{5}$, $30\frac{1}{11}$, $48\frac{1}{4}$, $50\frac{1}{2}$.

Answers for Explore

1. Knox Landing, Donaldsonville, Red River Landing = Chalmette, New Orleans, Baton Rouge

2. a. Knox Landing; b. New Orleans; c. Donaldsonville; d. Baton Rouge; e. New Orleans; f. Red River Landing.

1 Introducción

Investigar

Objetivo

Los estudiantes leen en una gráfica los datos en forma de fracciones y desarrollan métodos intuitivos para calcular las relaciones entre estas fracciones y las fracciones que se proporcionan.

Evaluación continua

Asegúrese de que los estudiantes puedan distinguir las relaciones entre los números de la gráfica y los números de la lista del inciso 2.

Para los grupos que terminen antes

Ordena de menor a mayor los números mixtos del inciso 2. $10\frac{6}{7}$, $12\frac{2}{3}$, $22\frac{3}{5}$, $30\frac{1}{11}$, $48\frac{1}{4}$, $50\frac{1}{2}$.

Respuestas de Investigar

1. Muelle Knox, Donaldsonville, Muelle del río Red = Chalmette, New Orleans, Baton Rouge

2. a. Muelle Knox; b. New Orleans; c. Donaldsonville; d. Baton Rouge; e. New Orleans; f. Muelle del río Red.

Cálculo aproximado: Sumas y restas de números mixtos

Vas a aprender...

■ a hacer cálculos aproximados de sumas y restas de números mixtos.

...cómo se usa

Las guarderías utilizan cálculos aproximados de números mixtos cuando solicitan provisiones.

► **Enlace con la lección** En lecciones anteriores usaste el redondeo para hacer cálculos aproximados con números cabales y fracciones. Ahora lo utilizarás para calcular sumas y restas aproximadas de números mixtos. ◄

Investigar Cálculo aproximado de números mixtos

Fuera de cauce

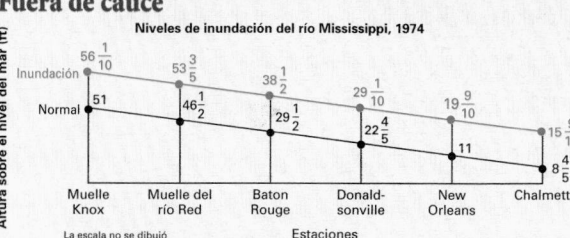

Niveles de inundación del río Mississippi, 1974

La línea negra del diagrama muestra una lista del nivel normal del río en 6 estaciones de registro del río Mississippi en Louisiana. La línea roja muestra el nivel más alto del río durante la inundación de 1974.

1. Ordena las estaciones según la cantidad de inundación de cada una. La primera estación debe ser aquella donde el nivel de inundación estuvo más cerca del nivel normal. La última estación debe ser aquella en la cual el nivel de inundación estuvo más alejado del nivel normal.

2. Cada número representa el nivel normal del río entre dos estaciones. ¿De qué estación está más cerca cada punto?

   a. $50\frac{1}{2}$ b. $12\frac{2}{3}$ c. $22\frac{3}{5}$ d. $30\frac{1}{11}$ e. $10\frac{6}{7}$ f. $48\frac{1}{4}$

► Enlace con Geografía

El río Mississippi se origina en el lago Itasca, en Minnesota, y desemboca en Louisiana, al sur de New Orleans.

Aprender Cálculo aproximado: Números mixtos

Recuerda que un *número mixto* contiene un número cabal y una fracción. Puedes calcular sumas y restas de números mixtos al redondear cada número al número cabal más cercano.

► MEETING INDIVIDUAL NEEDS

Resources

6-4 Practice
6-4 Reteaching
6-4 Problem Solving
6-4 Enrichment
6-4 Daily Transparency
  Problem of the Day
  Review
  Quick Quiz
Teaching Tool Transparency 5
Lesson Enhancement Transparency 29

Recursos

6-4 Práctica
6-4 Práctica adicional
6-4 Resolución de problemas
6-4 Actividad de enriquecimiento

Learning Modalities

Visual Using number lines marked in fractions will help students to identify fractions that are less than, equal to, or greater than $\frac{1}{2}$.

Verbal Have students name a fraction with a denominator of 5 that is greater than $\frac{1}{2}$. Then ask them to name a fraction with a denominator of 12 that is greater than $\frac{1}{2}$. Repeat the question using different denominators until students can verbalize the pattern they notice.

Modos de aprendizaje

Visual El uso de rectas numéricas divididas en fracciones ayudará a los estudiantes a identificar fracciones menores, iguales o mayores que $\frac{1}{2}$.

Verbal Pida a los estudiantes que nombren una fracción mayor que $\frac{1}{2}$, cuyo denominador sea 5. Después deberán nombrar una fracción mayor que $\frac{1}{2}$, cuyo denominador sea 12. Repita la pregunta con distintos denominadores hasta que los estudiantes puedan expresar en forma verbal el patrón establecido.

Inclusion

Materials: Graph paper

Have students use graph paper to draw a number line and represent fractions between 0 and 1. Include fractions like the following on the number line: $\frac{1}{12}$, $\frac{1}{6}$, $\frac{1}{4}$, $\frac{5}{12}$, $\frac{7}{12}$, $\frac{2}{3}$, $\frac{3}{4}$, $\frac{4}{5}$, $\frac{11}{12}$. Students may include other fractions too. Have students refer to this graph to help them determine when to round up or down.

Inclusión

Materiales: Papel cuadriculado

Anime a los estudiantes a usar papel cuadriculado para trazar una recta numérica y varias fracciones entre 0 y 1. Incluya fracciones como éstas: $\frac{1}{12}$, $\frac{1}{6}$, $\frac{1}{4}$, $\frac{1}{3}$, $\frac{5}{12}$, $\frac{7}{12}$, $\frac{2}{3}$, $\frac{3}{4}$, $\frac{4}{5}$, $\frac{11}{12}$. Permítales incluir otras fracciones si lo desean. Dígales que consulten esta gráfica cuando necesiten determinar si deben redondear hacia arriba o hacia abajo.

Para redondear un número mixto, observa la parte fraccionaria del número mixto.

Haz a un lado la fracción y deja el número cabal como está si la parte fraccionaria es menor que $\frac{1}{2}$.

Redondea al siguiente número cabal si la parte fraccionaria es $\frac{1}{2}$ o mayor.

No te olvides

Una fracción es menor que $\frac{1}{2}$ si el numerador es menor que la mitad del denominador.

[Curso anterior]

Ejemplos

Redondea las cantidades medias de lluvia anual a la pulgada más cercana.

1 Lagos, Nigeria: $72\frac{3}{8}$ in.

El numerador de la fracción, 3, es menor que la mitad del denominador, 8. Por tanto, $\frac{3}{8} < \frac{1}{2}$.

$72\frac{3}{8}$ se redondea hacia abajo a 72.

2 Atenas, Grecia: $17\frac{13}{16}$ in.

El numerador de la fracción, 13, es mayor que la mitad del denominador, 16. Por tanto, $\frac{13}{16} > \frac{1}{2}$.

$17\frac{13}{16}$ se redondea hacia arriba a 18.

3 Calcula la suma aproximada:

$4\frac{1}{3} + 6\frac{3}{4}$

Redondea: $4\frac{1}{3} \rightarrow 4$

$6\frac{3}{4} \rightarrow 7$

Aproxima: $4 + 7 = 11$

4 Calcula la resta aproximada:

$9\frac{1}{2} - 6\frac{9}{10}$

Redondea: $9\frac{1}{2} \rightarrow 10$

$6\frac{9}{10} \rightarrow 7$

Aproxima: $10 - 7 = 3$

▶ **Enlace con Geografía**

Lagos, Nigeria, es la segunda ciudad más poblada de África. El Cairo, Egipto, es la primera.

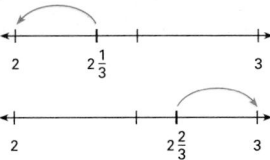

Haz la prueba

Redondea al número cabal más cercano. **a.** $6\frac{2}{7}$ 6 **b.** $1\frac{1}{2}$ 2 **c.** $3\frac{5}{8}$ 4

d. Aproxima la suma: $3\frac{1}{2} + 11\frac{7}{8}$ 16 **e.** Aproxima la resta: $8\frac{2}{3} - 1\frac{4}{9}$ 8

Comprobar | Tu comprensión

1. ¿En qué se parecen el redondeo de números mixtos y el redondeo de fracciones?

2. Describe los métodos que puedes usar para indicar si una fracción es mayor, igual o menor que $\frac{1}{2}$.

3. Describe una situación en la cual puede ser una buena idea redondear un número mixto hacia arriba al siguiente número cabal, aun cuando el número por lo general se redondea hacia abajo.

MATH EVERY DAY

▶ **Problema del día**

La familia Pappas tiene tres macetas con flores en su patio. A cada maceta le caben 20 libras de tierra. Ellos compraron tres sacos de 25 libras de tierra para llenar las macetas. ¿Cuántos sacos usarán? Escribe la cantidad como un número mixto. $2\frac{2}{5}$ sacos

Problem of the Day

The Pappas family have three flower boxes on their patio. Each box holds 20 pounds of soil. They bought three 25-lb bags of top soil to fill the boxes. How many bags did they actually use? Write as a mixed number.

$2\frac{2}{5}$ bags

Available on Daily Transparency 6-4

An Extension is provided in the transparency package.

Dato del día

La Gran Inundación de Chicago tuvo lugar el 13 de abril de 1992. El río Chicago se desbordó e inundó los túneles y sótanos de toda la ciudad.

Fact of the Day

April 13, 1992, is the anniversary of the Great Chicago Flood. Water from the Chicago River filled the freight tunnels and basements of downtown buildings.

Mental Math

Name a fraction that is

1. equal to $\frac{1}{2}$. $\frac{4}{8}$
2. greater than $\frac{1}{2}$. $\frac{7}{9}$
3. less than $\frac{1}{2}$. $\frac{3}{7}$

Possible answers are given.

Cálculo mental

Nombra una fracción que sea:

1. igual que $\frac{1}{2}$. $\frac{4}{8}$
2. mayor que $\frac{1}{2}$. $\frac{7}{9}$
3. menor que $\frac{1}{2}$. $\frac{3}{7}$

Se proporcionan respuestas posibles.

---

2 Enseñanza

Aprender

Ejemplos adicionales

Redondea, a la pulgada más cercana, el promedio de precipitación pluvial en un año.

1. Las Vegas, Nevada: $4\frac{1}{5}$ in.

$\frac{1}{5} < \frac{1}{2}$

$4\frac{1}{5}$ se redondea a 4.

2. Mount Washington, New Hampshire: $89\frac{9}{10}$ in.

$\frac{9}{10} > \frac{1}{2}$

$89\frac{9}{10}$ se redondea a 90.

3. Haz un cálculo aproximado de la suma: $5\frac{2}{3} + 8\frac{1}{4}$.

Redondea: $5\frac{2}{3} \rightarrow 6$

$8\frac{1}{4} \rightarrow 8$

Aproxima: $6 + 8 = 14$

4. Haz un cálculo aproximado de la diferencia: $7\frac{3}{8} - 4\frac{11}{12}$.

Redondea: $7\frac{3}{8} \rightarrow 7$

$4\frac{11}{12} \rightarrow 5$

Aproxima: $7 - 5 = 2$

3 Práctica y evaluación

Comprobar

Respuestas de Comprobar tu comprensión

1. Se redondea hacia arriba si la fracción es igual o mayor que $\frac{1}{2}$; se redondea hacia abajo si la fracción es menor que $\frac{1}{2}$.

2. Respuesta posible: Se determina si el numerador es menor, igual o mayor que la mitad del denominador.

3. Respuesta posible: ¿Cuántos billetes de un dólar debe tener una persona para comprar un artículo que cuesta $2\frac{3}{8}$ dólares? $3

Teach

Learn

Alternate Examples

Round the mean annual rainfall amount to the nearest inch.

1. Las Vegas, Nevada: $4\frac{1}{5}$ in.

$\frac{1}{5} < \frac{1}{2}$

$4\frac{1}{5}$ rounds down to 4.

2. Mount Washington, New Hampshire: $89\frac{9}{10}$ in.

$\frac{9}{10} > \frac{1}{2}$

$89\frac{9}{10}$ rounds up to 90.

3. Estimate the sum: $5\frac{2}{3} + 8\frac{1}{4}$.

Round: $5\frac{2}{3} \rightarrow 6$

$8\frac{1}{4} \rightarrow 8$

Estimate: $6 + 8 = 14$

4. Estimate the difference: $7\frac{3}{8} - 4\frac{11}{12}$.

Round: $7\frac{3}{8} \rightarrow 7$

$4\frac{11}{12} \rightarrow 5$

Estimate: $7 - 5 = 2$

Practice and Assess

Check

Answers for Check Your Understanding

1. Round up if fraction is $\frac{1}{2}$ or greater, round down if fraction is less than $\frac{1}{2}$.

2. Possible answer: Determine if the numerator is less than, equal to, or greater than half of the denominator.

3. Possible answer: How many dollar bills should you bring to the store for an item that costs $2\frac{3}{8}$ dollars? $3

Assignment Guide

- Basic 2–38 evens, 42, 43, 46–60 evens
- Average 2–42 evens, 43–46, 47–61 odds
- Enriched 2–20 evens, 30–46, 47–61 odds

Exercise Notes

■ Exercises 1–21

Extension Have students check some of their estimates by writing the fractions as decimals and then calculating. You may wish to have students use calculators.

Notas sobre los ejercicios

■ Ejercicios 1–21

Ampliación Para comprobar algunos de los cálculos aproximados, pida a los estudiantes que escriban las fracciones como decimales y luego las calculen. Quizá sea conveniente que usen sus calculadoras.

6-4 Ejercicios y aplicaciones

Práctica y aplicación

Para empezar Determina si cada fracción está más cerca del 0 o del 1.

1. $\frac{3}{7}$ 0 **2.** $\frac{9}{15}$ 1 **3.** $\frac{5}{8}$ 1 **4.** $\frac{7}{10}$ 1 **5.** $\frac{11}{16}$ 1 **6.** $\frac{2}{9}$ 0

Redondea al número cabal más cercano.

7. $4\frac{3}{8}$ 4 **8.** $3\frac{1}{9}$ 3 **9.** $4\frac{7}{10}$ 5 **10.** $12\frac{1}{5}$ 12 **11.** $25\frac{3}{5}$ 26

12. $1\frac{6}{12}$ 2 **13.** $33\frac{4}{8}$ 34 **14.** $11\frac{7}{9}$ 12 **15.** $8\frac{4}{9}$ 8 **16.** $65\frac{5}{10}$ 66

17. $6\frac{2}{3}$ 7 **18.** $5\frac{1}{5}$ 5 **19.** $2\frac{2}{7}$ 2 **20.** $7\frac{12}{96}$ 7 **21.** $18\frac{34}{101}$ 18

Haz un cálculo aproximado.

22. $10\frac{11}{20} - 3\frac{6}{25}$ 8 **23.** $1\frac{2}{9} + 8\frac{1}{4}$ 9 **24.** $7\frac{5}{6} - 5\frac{12}{13}$ 2 **25.** $4\frac{3}{7} + 3\frac{1}{7}$ 7

26. $4\frac{1}{3} + 7\frac{3}{4} + 2\frac{8}{9}$ 15 **27.** $11\frac{5}{8} - 4\frac{1}{6}$ 8 **28.** $3\frac{1}{9} + 4\frac{1}{8} + 7\frac{1}{5}$ 14 **29.** $7\frac{5}{8} - 2\frac{4}{5}$ 5

30. $9\frac{1}{9} - 3\frac{1}{3}$ 6 **31.** $12\frac{1}{2} + 7\frac{3}{7} + 5\frac{5}{8}$ 26 **32.** $8\frac{7}{10} - 1\frac{1}{7}$ 7 **33.** $3\frac{2}{5} + 12\frac{1}{6}$ 15

34. $10\frac{3}{5} + 5\frac{2}{3}$ 17 **35.** $22\frac{5}{12} - 2\frac{5}{3}$ 19 **36.** $13\frac{1}{10} + 8\frac{1}{8}$ 21 **37.** $\frac{1}{10} + 7\frac{2}{13}$ 7

38. Dimitri vive cerca del río Colorado. Debe abandonar su casa cuando el río llegue a los 28 pies. En este momento el río está en $21\frac{7}{10}$ pies y se predice que aumentará otros $6\frac{1}{2}$ pies esta noche. ¿Necesitará Dimitri abandonar su casa? Sí

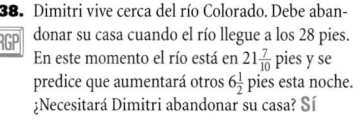

39. Por la tarde, el río Colorado tenía una profundidad de 26 pies. Hacia la media noche, ésta había disminuido en $5\frac{3}{8}$ pies. ¿Cerca de qué profundidad tenía el río a la media noche? $20\frac{5}{8}$ pies

40. Shannon y Kelly quieren $14\frac{1}{2}$ pies de cuerda para un juego que consiste en jalarla. Shannon tiene $8\frac{1}{4}$ pies de cuerda y Kelly tiene $5\frac{2}{3}$ pies. Si amarran las dos cuerdas, ¿serán suficientemente largas? No

PRACTICAR 6-4

Reteaching

Activity

Materials: Fraction Bars

- Use Fraction Bars for a variety of fractions to determine whether fractions are less than, equal to, or greater than $\frac{1}{2}$.
- Arrange the Fraction Bars in order, starting with halves, as shown.

$\frac{1}{2}$		$\frac{1}{2}$	
$\frac{1}{3}$	$\frac{1}{3}$		$\frac{1}{3}$
$\frac{1}{4}$	$\frac{1}{4}$	$\frac{1}{4}$	$\frac{1}{4}$
$\frac{1}{8}$ $\frac{1}{8}$	$\frac{1}{8}$ $\frac{1}{8}$	$\frac{1}{8}$ $\frac{1}{8}$	$\frac{1}{8}$ $\frac{1}{8}$
$\frac{1}{12}\frac{1}{12}\frac{1}{12}$	$\frac{1}{12}\frac{1}{12}\frac{1}{12}$	$\frac{1}{12}\frac{1}{12}\frac{1}{12}$	$\frac{1}{12}\frac{1}{12}\frac{1}{12}$

- Tell how each fraction compares with $\frac{1}{2}$.

1. $\frac{3}{4}$ > 2. $\frac{7}{8}$ > 3. $\frac{7}{12}$ >
4. $\frac{5}{12}$ < 5. $\frac{1}{3}$ < 6. $\frac{6}{12}$ =
7. $\frac{9}{12}$ > 8. $\frac{2}{3}$ > 9. $\frac{3}{8}$ <

Práctica adicional

Actividad

Materiales: Barras de fracciones

- Dadas algunas fracciones, utiliza las barras para determinar si las fracciones indicadas son menores, iguales o mayores que $\frac{1}{2}$.
- Como se muestra en seguida, empieza por los medios para acomodar las Barras de fracciones.

$\frac{1}{2}$		$\frac{1}{2}$	
$\frac{1}{3}$	$\frac{1}{3}$		$\frac{1}{3}$
$\frac{1}{4}$	$\frac{1}{4}$	$\frac{1}{4}$	$\frac{1}{4}$
$\frac{1}{8}$	$\frac{1}{8}$	$\frac{1}{8}$	$\frac{1}{8}$
$\frac{1}{12}\frac{1}{12}\frac{1}{12}$	$\frac{1}{12}\frac{1}{12}\frac{1}{12}$	$\frac{1}{12}\frac{1}{12}\frac{1}{12}$	$\frac{1}{12}\frac{1}{12}\frac{1}{12}$

- Indica si cada fracción es menor, igual o mayor que $\frac{1}{2}$.

1. $\frac{3}{4}$ > 2. $\frac{7}{8}$ > 3. $\frac{7}{12}$ >
4. $\frac{5}{12}$ < 5. $\frac{1}{3}$ < 6. $\frac{6}{12}$ =
7. $\frac{9}{12}$ > 8. $\frac{2}{3}$ > 9. $\frac{3}{8}$ <

PRACTICE

Nombre _____

Práctica **6-4**

Cálculo aproximado: Sumas y restas de números mixtos

Redondea al número cabal más cercano.

1. $2\frac{4}{5}$ 3 2. $11\frac{3}{24}$ 12 3. $19\frac{19}{36}$ 20 4. $9\frac{21}{34}$ 10
5. $2\frac{3}{12}$ 2 6. $4\frac{8}{11}$ 5 7. $15\frac{7}{12}$ 16 8. $17\frac{5}{21}$ 17
9. $9\frac{5}{9}$ 10 10. $4\frac{5}{6}$ 5 11. $5\frac{7}{10}$ 6 12. $2\frac{2}{9}$ 2
13. $6\frac{8}{23}$ 6 14. $3\frac{1}{7}$ 3 15. $6\frac{5}{20}$ 7 16. $13\frac{6}{7}$ 14

Haz un cálculo aproximado de estas expresiones.

17. $1\frac{1}{7} + 6\frac{5}{8}$ 8 18. $9\frac{7}{24} - 7\frac{1}{5}$ 1 19. $19\frac{4}{7} + 7\frac{3}{13}$ 27
20. $14\frac{4}{5} + 1\frac{3}{8}$ 16 21. $20\frac{1}{15} - 15\frac{2}{9}$ 5 22. $4\frac{1}{30} + 2\frac{5}{6} + 3\frac{9}{7}$ 11
23. $7\frac{1}{2} + 6\frac{1}{11}$ 15 24. $4\frac{8}{9} + 2\frac{1}{10}$ 7 25. $12\frac{17}{18} - 1\frac{1}{2}$ 11
26. $16\frac{5}{8} - 2\frac{1}{9}$ 14 27. $9\frac{5}{9} + 3\frac{7}{8} + 4\frac{1}{3}$ 18 28. $6\frac{5}{6} - 1\frac{2}{3}$ 6
29. $11\frac{7}{14} + 10\frac{1}{12}$ 21 30. $5\frac{3}{8} + \frac{11}{12}$ 6 31. $9\frac{1}{7} + 4\frac{4}{9} + 8\frac{7}{10}$ 23
32. $3\frac{1}{8} + 9\frac{10}{17}$ 14 33. $3\frac{23}{24} - 1\frac{1}{3}$ 3 34. $12\frac{22}{25} - 11\frac{4}{9}$ 1
35. $7\frac{3}{20} - 4\frac{9}{20}$ 3 36. $1\frac{1}{3} + 14\frac{4}{9}$ 16 37. $9\frac{8}{16} - 4\frac{1}{7}$ 4
38. $23\frac{23}{24} - 2\frac{1}{8}$ 22 39. $1\frac{7}{12} + 9\frac{1}{16}$ 11 40. $11\frac{5}{16} + 11\frac{1}{2}$ 23
41. $6\frac{8}{23} + 5\frac{2}{23}$ 11 42. $9\frac{1}{2} + 8\frac{17}{18}$ 19 43. $5\frac{9}{10} + 5\frac{1}{2}$ 12
44. $20\frac{23}{30} - 8\frac{3}{8}$ 13 45. $24\frac{8}{9} - 17\frac{17}{21}$ 7 46. $4\frac{1}{9} + 2\frac{3}{5} + \frac{12}{13}$ 19
47. $15\frac{7}{11} + 11\frac{5}{8}$ 28 48. $2\frac{2}{7} + 5\frac{4}{6}$ 7 49. $19\frac{2}{5} + 5\frac{7}{9}$ 25

50. A la ponchera de Bob le caben 9 tazas. Planea hacer ponche con $7\frac{1}{2}$ tazas de agua y $2\frac{1}{8}$ tazas de concentrado de jugo. ¿Necesita una ponchera más grande? Sí

51. El lunes, Stephanie compró acciones por \$36$\frac{5}{8}$ cada una. Sus acciones estuvieron a la alza 2 puntos el martes, $1\frac{1}{4}$ puntos el miércoles, $3\frac{3}{8}$ puntos el jueves y no cambiaron el viernes. Calcula el precio aproximado que tenían el viernes. Como \$44

RETEACHING

Nombre _____

Práctica adicional **6-4**

Cálculo aproximado: Sumas y restas de números mixtos

Un *número mixto* es un número como $6\frac{3}{8}$, que tiene un número cabal y una fracción. Puedes calcular sumas y diferencias de números mixtos si redondeas cada número mixto al número cabal más cercano.

Para redondear un número mixto, observa la parte fraccional del número mixto. Desecha la fracción y deja el número cabal si la parte fraccional es menor que $\frac{1}{2}$. Redondea al siguiente número cabal si la parte fraccional es mayor que o igual a $\frac{1}{2}$.

— Ejemplo 1 —

Redondea $4\frac{1}{9}$ al número cabal más cercano.

El numerador de la fracción, 1, es menor que la mitad del denominador. Por tanto, $\frac{1}{9}$ es menor que $\frac{1}{2}$. Desecha la fracción.

Al redondear $4\frac{1}{9}$ hacia abajo queda como 4.

Haz la prueba Redondea al número cabal más cercano.

a. $1\frac{3}{4}$ 3 es mayor que la mitad de 4, por tanto, $1\frac{3}{4}$ se redondea a ___ 2

b. $8\frac{1}{9}$ 8 **c.** $2\frac{3}{16}$ 2 **d.** $14\frac{5}{6}$ 15 **e.** $9\frac{4}{11}$ 10

— Ejemplo 2 —

Haz un cálculo aproximado de $1\frac{1}{4} + 3\frac{7}{9}$.

Para redondear cada número mixto al número cabal más cercano, compara el numerador con el denominador.

Puesto que 1 es menor que la mitad de 4, entonces desecha la fracción. $1\frac{1}{4} \rightarrow 1$
Como 7 es mayor que la mitad de 8, redondea al siguiente número cabal. $3\frac{7}{9} \rightarrow 4$

Suma los dos números cabales: $1 + 4 = 5$.
Un cálculo aproximado de la suma de $1\frac{1}{4} + 3\frac{7}{9}$ es como 5.

Haz la prueba Haz un cálculo aproximado.

f. $4\frac{3}{8} - 2\frac{1}{3}$ Redondea $4\frac{3}{8}$ ___ 5 Redondea $2\frac{1}{3}$ ___ 2 Calcula ___ 3
g. $9\frac{4}{5} - 3\frac{1}{7}$ 6 **h.** $11\frac{3}{8} + 4\frac{6}{11}$ 16
i. $7\frac{9}{11} - 4\frac{7}{10}$ 3 **j.** $6\frac{2}{9} + 5\frac{4}{12}$ 12
k. $8\frac{3}{8} - 7\frac{1}{5}$ 1 **l.** $17\frac{8}{9} - 10\frac{4}{8}$ 8

41. Comprensión numérica Calcula la mediana aproximada de $5\frac{3}{4}$, $5\frac{1}{3}$, $3\frac{1}{4}$, $1\frac{7}{8}$, $6\frac{1}{10}$, $1\frac{1}{5}$, $7\frac{1}{9}$, $3\frac{8}{9}$. $4\frac{1}{2}$

42. [Para la prueba] Calcula el tiempo aproximado de Eduardo en un triatlón si le toma $\frac{3}{4}$ de hora completar la fase de natación, $1\frac{1}{3}$ horas completar la fase de bicicleta y $1\frac{1}{12}$ horas la carrera. **C**

Ⓐ 1 hora   Ⓑ 2 horas   Ⓒ 3 horas   Ⓓ 4 horas

43. Usa la siguiente tabla para calcular de manera aproximada el total de lluvia de la semana. **7 pulgadas**

Día	Domingo	Lunes	Martes	Miércoles	Jueves	Viernes	Sábado
Lluvia (in.)	0	$1\frac{1}{2}$	$1\frac{9}{10}$	0	$2\frac{3}{10}$	$\frac{3}{11}$	$1\frac{3}{7}$

Resolución de problemas y razonamiento

44. Razonamiento crítico Calcula el valor aproximado de x y explica lo que hiciste.

a. $7\frac{1}{4} + x = 10\frac{1}{5}$ **b.** $9\frac{5}{8} - x = 3\frac{1}{2}$ **c.** $x + 7\frac{1}{10} = 15\frac{4}{5}$

45. Comunicación Compara el redondeo de números mixtos al redondear al número cabal más cercano con el redondeo de números mixtos al redondear siempre hacia arriba. ¿Cuál es más fácil? ¿Cuál es más preciso? Explica tu respuesta.

46. Razonamiento crítico En la feria del condado, Brian inscribió a su rana Horton en la competencia de salto de ranas. El primer salto de Horton fue de $10\frac{7}{8}$ pies. Su segundo salto fue de $11\frac{1}{5}$ pies y su tercer salto fue de $9\frac{4}{5}$ pies. Calcula la distancia promedio aproximada de los saltos de Horton. Explica tu razonamiento.

Repaso mixto

Encuentra el área. [Lección 4-6]

47.   5   **48.**   21   **49.**   16 in²

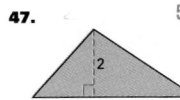
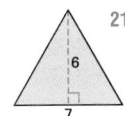
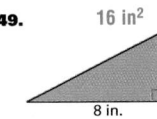

Resuelve cada ecuación. [Lección 2-13]

50. $m + 22 = 43$ **21**   **51.** $n - 11 = 10$ **21**   **52.** $15 + v = 27$ **12**   **53.** $44 - x = 12$ **32**

54. $12b = 36$ **3**   **55.** $\frac{x}{2} = 4$ **8**   **56.** $3c = 15$ **5**   **57.** $\frac{e}{11} = 2$ **22**

58. $5z = 35$ **7**   **59.** $j + 7 = 13$ **6**   **60.** $14 - f = 10$ **4**   **61.** $\frac{40}{x} = 8$ **5**

6-4 • Cálculo aproximado: Sumas y restas de números mixtos **345**

RESOLVER PROBLEMAS 6-4

Notas sobre los ejercicios

■ Ejercicio 41

[Prevención de errores] Asegúrese de que los estudiantes recuerden que dado un conjunto de datos la mediana es el número intermedio.

Respuestas de Ejercicios

44. a. 3; b. 6; c. 9; Los números mixtos se redondearon a números enteros y después se resolvió la ecuación.

45. Redondear siempre hacia arriba es más fácil porque no es necesario saber si la parte fraccional es mayor, igual o menor que $\frac{1}{2}$. Redondear al número cabal más cercano es más exacto porque, dependiendo de la fracción, se redondeará hacia arriba o hacia abajo.

46. Respuesta posible: Alrededor de 11 ft; Cálculo aproximado de las longitudes: 11, 11, 10. Se suman y el resultado se divide entre 3 para obtener el promedio.

Evaluación adicional

Progreso Escribe tres números mixtos que tengas que redondear hacia arriba y luego otros tres números mixtos que debas redondear hacia abajo. Después pida a algunos voluntarios que expliquen qué números mixtos escogieron y las razones de su elección.

Exercise Notes

■ Exercise 41

Error Prevention Be sure that students recall that for a set of data, the median is the middle number.

Exercise Answers

44. a. 3; b. 6; c. 9; Rounded the mixed numbers to whole numbers and then solved the equation.

45. Always rounding up is easier because it does not require determining if the fraction part is greater than, equal to, or less than $\frac{1}{2}$. Rounding to the nearest whole number is more accurate because you will round up or down depending on the fraction.

46. Possible answer: About 11 ft; Estimate the lengths: 11, 11, 10. Add and divide by 3 to get the average.

Alternate Assessment

Performance Write three mixed numbers you would round up and three mixed numbers you would round down. Then ask for volunteers to explain what mixed numbers they selected and why.

➤ Prueba rápida

Haz un cálculo aproximado de las sumas o diferencias.

1. $1\frac{1}{2} + \frac{3}{4}$ 3

2. $5\frac{1}{3} - 4\frac{7}{8}$ 0

3. $6\frac{1}{4} - 1\frac{2}{3}$ 4

4. $2\frac{11}{12} + 4\frac{9}{10}$ 8

5. $8\frac{6}{7} + 1\frac{1}{9}$ 10

Quick Quiz

Estimate each sum or difference.

1. $1\frac{1}{2} + \frac{3}{4}$ 3

2. $5\frac{1}{3} - 4\frac{7}{8}$ 0

3. $6\frac{1}{4} - 1\frac{2}{3}$ 4

4. $2\frac{11}{12} + 4\frac{9}{10}$ 8

5. $8\frac{6}{7} + 1\frac{1}{9}$ 10

Available on Daily Transparency 6-4

Lesson Organizer

Objective

- Add mixed numbers.

Materials

- Explore: Fraction Bars

NCTM Standards

- 1–2, 4, 6, 7

Review	► Repaso
Find each sum. Give improper fractions as mixed numbers.	Efectúa las sumas. Escribe las fracciones impropias como números mixtos.
1. $\frac{5}{6} + \frac{1}{3}$ $1\frac{1}{6}$	1. $\frac{5}{6} + \frac{1}{3}$ $1\frac{1}{6}$
2. $\frac{3}{8} + \frac{1}{4}$ $\frac{5}{8}$	2. $\frac{3}{8} + \frac{1}{4}$ $\frac{5}{8}$
3. $\frac{2}{5} + \frac{9}{10}$ $1\frac{3}{10}$	3. $\frac{2}{5} + \frac{9}{10}$ $1\frac{3}{10}$
4. $\frac{1}{6} + \frac{5}{8}$ $\frac{19}{24}$	4. $\frac{1}{6} + \frac{5}{8}$ $\frac{19}{24}$
5. $\frac{2}{5} + \frac{3}{4}$ $1\frac{3}{20}$	5. $\frac{2}{5} + \frac{3}{4}$ $1\frac{3}{20}$

Available on Daily Transparency 6-5

► Lesson Link

Ask students to describe situations in which they might need to find exact sums of mixed numbers.

► Enlace con la lección

Pida a los estudiantes que describan situaciones en las que quizá necesiten hallar las sumas exactas de números mixtos.

Introduce

Explore

You may wish to use Teaching Tool Transparency 14: Fraction Bars and Lesson Enhancement Transparency 30 with this lesson.

The Point

Students use Fraction Bars to model addition of mixed numbers with like and unlike denominators.

Ongoing Assessment

Check that students are using the Fraction Bars correctly to model the sums in Step 1. Ask them to give each sum as a mixed number.

a. $3\frac{3}{4}$; b. $3\frac{1}{6}$; c. $3\frac{1}{2}$; d. 4

For Groups That Finish Early

Use Fraction Bars to model the following.

$1\frac{2}{3} + 2\frac{2}{3}$ $4\frac{1}{3}$

$1\frac{1}{4} + 1\frac{5}{8}$ $2\frac{7}{8}$

1 Introducción

Investigar

Objetivo

Los estudiantes usan Barras de fracciones para representar sumas de números mixtos con denominadores iguales o distintos.

Evaluación continua

Cerciórese de que los estudiantes usen de manera correcta las Barras de fracciones para representar las sumas del inciso 1. Pídales que escriban cada suma como un número mixto.

a. $3\frac{3}{4}$; b. $3\frac{1}{6}$; c. $3\frac{1}{2}$; d. 4

Para los grupos que terminen antes

Usa las Barras de fracciones para representar los siguientes números.

$1\frac{2}{3} + 2\frac{2}{3}$ $4\frac{1}{3}$

$1\frac{1}{4} + 1\frac{5}{8}$ $2\frac{7}{8}$

6-5 Suma de números mixtos

Vas a aprender…

- a sumar números mixtos.

…cómo se usa

Los granjeros suman números mixtos cuando trabajan con información acerca de la cantidad de lluvia.

► **Enlace con la lección** En la lección anterior calculaste sumas aproximadas de números mixtos. En ésta aprenderás a encontrar sumas exactas de números mixtos. ◄

Investigar Suma de números mixtos

¡Otra buena mezcla!

Materiales: Barras de fracciones®

Suma de números mixtos

- Dibuja y marca el número cabal del primer número mixto.
- Después, dibuja y marca la fracción del primer número.
- Luego, dibuja y marca el número cabal del segundo número mixto.
- En seguida, dibuja y marca la fracción del segundo número.
- Describe el modelo con el uso de un número cabal y una fracción menor que 1.

$1\frac{3}{4} + 1\frac{1}{2} = 3\frac{1}{4}$

1	$\frac{1}{4}$	$\frac{1}{4}$	$\frac{1}{4}$	1	$\frac{1}{2}$
1			1	1	$\frac{1}{4}$

1. Haz un modelo de cada problema.

   a. $1\frac{1}{4} + 2\frac{1}{2}$ b. $1\frac{2}{3} + 1\frac{3}{6}$ c. $1\frac{3}{8} + 2\frac{1}{8}$ d. $1\frac{3}{6} + 2\frac{1}{2}$

2. ¿El número cabal de la respuesta es siempre igual a la suma de los dos números cabales en el problema? Explica tu razonamiento.

3. ¿La suma de los dos números mixtos es siempre un número mixto? Explica por qué.

Aprender Suma de números mixtos

Para sumar números mixtos:

$5\frac{2}{3} + 1\frac{1}{4}$

1. Suma los números cabales.

$5 + 1 = 6$

2. Suma las fracciones.

$\frac{2}{3} + \frac{1}{4} = \frac{8+3}{12} = \frac{11}{12}$

3. Suma las dos partes.

$= 6\frac{11}{12}$

► MEETING INDIVIDUAL NEEDS

Resources

6-5 Practice
6-5 Reteaching
6-5 Problem Solving
6-5 Enrichment
6-5 Daily Transparency
   Problem of the Day, Review
   Quick Quiz
Teaching Tool Transparency 14
Lesson Enhancement Transparency 30
Technology Master 29

Recursos

6-5 Práctica
6-5 Práctica adicional
6-5 Resolución de problemas
6-5 Actividad de enriquecimiento
Tecnología 29

Learning Modalities

Visual Encourage students to reproduce as carefully as possible the models they construct with the Fraction Bars in order to get the correct sums.

Kinesthetic Working with concrete models such as pattern blocks and Fraction Bars will add to students' understanding of renaming sums that contain improper fractions.

Modos de aprendizaje

Visual Anime a los estudiantes a reproducir con la mayor exactitud posible los modelos creados con las Barras de fracciones, a fin de obtener las sumas correctas.

Cinestésico Trabajar con modelos concretos como los bloques de patrones y las Barras de fracciones ayudará a los estudiantes a comprender mejor cómo se renombran las sumas que contienen fracciones impropias.

Inclusion

Many steps are involved when adding mixed numbers. Instead of asking students to do a computation and give an answer, ask students to do only one step of the process and give the result of that step. Then have students report the results of subsequent steps in the same manner. Working step-by-step will allow students to locate errors and clarify the procedure. When breaking down steps, be consistent in the way the steps are written. Allow enough space so that the steps do not become visually confusing. Also, extra space will help students with fine motor difficulties.

Inclusión

Las sumas de números mixtos implican varias etapas. En lugar de que los estudiantes hagan todos los cálculos y den la respuesta, deben resolver una etapa del proceso y presentar el resultado. Los resultados de las siguientes etapas deben presentarse de la misma manera. Trabajar paso por paso les permitirá detectar sus errores y aclarar el proceso. Sea consistente en la forma de mostrar las etapas y evite las confusiones. Presente problemas de coordinación motriz.

Si la suma de las fracciones es una fracción impropia, deberás volverla a escribir como un número mixto y sumar los números cabales resultantes.

Ejemplos

1 Suma: $1\frac{1}{3} + 2\frac{1}{2}$

$1\frac{1}{3} =$	$1\frac{2}{6}$
$+2\frac{1}{2} =$	$+2\frac{3}{6}$
	$3\frac{5}{6}$

$\boxed{\text{Aproxima: } 1 + 3 = 4}$

Escribe las fracciones con el mcd de 6.

Suma los números cabales y suma las fracciones.
Compara la suma con el cálculo aproximado.

También puedes hallar la suma mediante un modelo.

1	$\frac{1}{3}$	1	1	$\frac{1}{2}$
1		1	1	$\frac{1}{6}$ $\frac{1}{6}$ $\frac{1}{6}$

2 Durante la inundación de 1993, el río Mississippi creció a $27\frac{9}{10}$ pies. Después creció otros $3\frac{3}{5}$ pies. Halla la altura final del río.

$27\frac{9}{10} =$	$27\frac{9}{10}$
$+3\frac{3}{5} =$	$+3\frac{6}{10}$
	$30\frac{15}{10}$

$\boxed{\text{Aproxima: } 28 + 4 = 32}$

Escribe las fracciones con el mcd de 10.

Suma los números cabales y suma las fracciones.

$= 30 + 1\frac{5}{10}$ Escribe la fracción impropia como un número mixto.

$= 31\frac{5}{10}$, ó $31\frac{1}{2}$ Suma y escribe el resultado en su mínima expresión.

La altura final fue de $31\frac{1}{2}$ pies.

Haz la prueba

Suma. **a.** $6 + 2\frac{3}{4}$ **b.** $1\frac{1}{2} + 3\frac{1}{4}$ **c.** $3\frac{7}{8} + 2\frac{5}{8}$ **d.** $4\frac{7}{12} + 2\frac{5}{12}$

$8\frac{3}{4}$ $4\frac{3}{4}$ $6\frac{1}{2}$ $7\frac{5}{12}$

▶ Enlace con lenguaje

La palabra "Mississippi" proviene del dialecto algonquino de los nativos americanos. Significa "Padre del agua".

(detalle) Currier & Ives, n/ath. & James. "On The St. Lawrence Indian Encampment." Library of Congress, Washington, DC.

Comprobar Tu comprensión

1. ¿Podrías sumar números mixtos convirtiéndolos primero en decimales? Explica tu respuesta.

2. Cuando sumas las partes fraccionarias de números mixtos, ¿por qué algunas veces necesitas volver a escribir la suma de fracciones?

MATH EVERY DAY

▶ Problema del día

Vernon dobló su tarea de matemáticas tres veces en forma sucesiva. Si el área de la hoja es 58,800 mm², ¿cuál es el área visible después del tercer doblez?
7350 mm²

Problem of the Day

Vernon folded his math homework paper in half three successive times. If the area of the paper is 58,800 mm², what is the area showing after the third fold? 7350 mm²

Available on Daily Transparency 6-5

An Extension is provided in the transparency package.

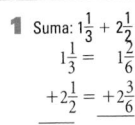

Dato del día

En 1993, las inundaciones arrasaron 8 millones de acres en el medio oeste de Estados Unidos. Alrededor de 70,000 personas perdieron sus hogares.

Fact of the Day

In 1993, floodwaters covered 8 million acres of land in the Midwest. Almost 70,000 people were left homeless.

Mental Math

Find each sum mentally.
1. 5.1 + 3.2 8.3
2. 8.6 + 9 17.6
3. 5 + 3.7 8.7
4. 2.4 + 5.3 7.7
5. 6 + 7.9 13.9

Cálculo mental

Halla estas sumas en forma mental.
1. 5.1 + 3.2 8.3
2. 8.6 + 9 17.6
3. 5 + 3.7 8.7
4. 2.4 + 5.3 7.7
5. 6 + 7.9 13.9

---

2 Enseñanza

Aprender

Relaciona la suma de números mixtos con la suma de decimales mayores que 1.

Ejemplos adicionales

1. Suma: $2\frac{1}{4} + 1\frac{2}{3}$

   Calcula: $2 + 2 = 4$

$2\frac{1}{4} =$	$2\frac{3}{12}$
$+1\frac{2}{3} =$	$+1\frac{8}{12}$
	$3\frac{11}{12}$

2. El nivel de la marea en Boston es, en pies, $3\frac{2}{3}$ mayor que el de la marea en San Francisco. En San Francisco el nivel de la marea es de $5\frac{5}{6}$ pies. Encuentra el nivel de la marea en Boston.

   Aproxima $4 + 6 = 10$

$3\frac{2}{3} =$	$3\frac{4}{6}$
$+5\frac{5}{6} =$	$+5\frac{5}{6}$
	$8\frac{9}{6}$

   $= 9\frac{3}{6}$ ó $9\frac{1}{2}$

   El nivel de la marea en Boston es de $9\frac{1}{2}$ pies.

3 Práctica y evaluación

Comprobar

Respuestas de Comprobar tu comprensión

1. Sí; El número cabal representa los dígitos a la izquierda del punto decimal, en tanto que la fracción representa los dígitos a la derecha del punto.

2. Respuesta posible: La suma de la fracción debe reescribirse porque es mayor que 1.

Teach

Learn

Relate the adding of mixed numbers to the addition of decimals greater than 1.

Alternate Examples

1. Add: $2\frac{1}{4} + 1\frac{2}{3}$
   Estimate: $2 + 2 = 4$

$2\frac{1}{4} =$	$2\frac{3}{12}$
$+1\frac{2}{3} =$	$+1\frac{8}{12}$
	$3\frac{11}{12}$

2. The tide in Boston has a range $3\frac{2}{3}$ feet greater than that of the tide in San Francisco. The range in San Francisco is $5\frac{5}{6}$ feet. Find the range of the tide in Boston.

   Estimate $4 + 6 = 10$

$3\frac{2}{3} =$	$3\frac{4}{6}$
$+5\frac{5}{6} =$	$+5\frac{5}{6}$
	$8\frac{9}{6}$

   $= 9\frac{3}{6}$, or $9\frac{1}{2}$

   The range of the tide in Boston is $9\frac{1}{2}$ feet.

Practice and Assess

Check

Answers for Check Your Understanding

1. Yes; The whole number represents the digits to the left of the decimal point, and the fraction represents the digits to the right.

2. Possible answer: The fraction sum may need to be rewritten because it is greater than 1.

Assignment Guide

- Basic 1–29 odds, 30–32, 35–45 odds
- Average 1–29 odds, 30–35, 38–44 evens
- Enriched 4–28 evens, 29–37, 38–44 evens

Exercise Notes

■ Exercises 5–28

Estimation Estimate the sums and compare them with your actual answers.

■ Exercise 30

Sports As of 1996, the world record for the women's 4 × 100-meter relay was 41.37 seconds, set by an East German team on October 6, 1985. The 4 × 100-meter relay record time for American women as of 1996 was 41.49 seconds.

Notas sobre los ejercicios

■ Ejercicios 5–28

Cálculo aproximado Haz un cálculo aproximado de las sumas y compáralos con tus respuestas.

■ Ejercicio 30

Deportes En 1996, la marca mundial en la prueba femenil de atletismo de 4 × 100 metros era de 41.37 segundos; este tiempo lo estableció el equipo de Alemania del Este el 6 de octubre de 1985. En 1996, el récord para esta misma prueba en Estados Unidos era de 41.49 segundos.

Reteaching

Activity

Materials: Play money

- You can use play money to add mixed numbers with different denominators.
- What fraction of a dollar is a nickel? $\frac{1}{20}$ A dime? $\frac{1}{10}$ A quarter? $\frac{1}{4}$ A half-dollar? $\frac{1}{2}$
- To add $2\frac{1}{4}$ and $3\frac{3}{10}$, think of adding 2 dollars and one quarter and 3 dollars and 3 dimes. The sum of the dollars is 5. The sum of the coins is 55¢, which is 11 nickels, or $\frac{11}{20}$ of a dollar. The sum is $5\frac{11}{20}$.
- You could also exchange the quarter and the dimes to nickels first. How many nickels are in 1 quarter? 5 nickels How many nickels are in 3 dimes? 6 nickels Is the sum still 11 nickels, or $\frac{11}{20}$? Yes
- Use play money to find the following sums.
  1. $1\frac{1}{4} + \frac{7}{10}$ $1\frac{19}{20}$
  2. $3\frac{1}{10} + 2\frac{1}{2}$ $5\frac{6}{10}$ or $5\frac{3}{5}$
  3. $3\frac{1}{4} + \frac{3}{10}$ $3\frac{11}{20}$

Práctica adicional

Actividad

Materiales: Dinero de juguete

- Puedes usar dinero de juguete para sumar números mixtos con distinto denominador.
- ¿A qué fracción de un dólar corresponde una moneda de cinco centavos? $\frac{1}{20}$ ¿Una de diez centavos? $\frac{1}{10}$ ¿Una de veinticinco centavos? $\frac{1}{4}$ ¿Una de cincuenta centavos? $\frac{1}{2}$
- Para sumar $2\frac{1}{4}$ más $3\frac{3}{10}$, supónte que sumas 2 dólares y una moneda de 25¢ más 3 dólares y 3 monedas de 10¢. La suma de los dólares es igual a 5. La suma de las monedas es igual 55¢, que es igual a 11 monedas de 5¢, es decir, $\frac{11}{20}$ de un dólar. La suma de dólares y monedas es igual a $5\frac{11}{20}$.
- Primero podrías intercambiar las monedas de 25¢ y 10¢ por monedas de 5¢. ¿Cuántas monedas de 5¢ hay en una de 25¢? 5 monedas de cinco centavos ¿Cuántas monedas de 5¢ hay en 3 monedas de 10¢? 6 monedas de cinco centavos ¿La suma sigue siendo de 11 monedas de 5¢, o sea $\frac{11}{20}$? Sí
- Usa dinero de juguete para hallar las siguientes sumas.
  1. $1\frac{1}{4} + \frac{7}{10}$ $1\frac{19}{20}$
  2. $3\frac{1}{10} + 2\frac{1}{2}$ $5\frac{6}{10}$ ó $5\frac{3}{5}$
  3. $3\frac{1}{4} + \frac{3}{10}$ $3\frac{11}{20}$

Práctica y aplicación

| Para empezar | Realiza las siguientes sumas.

1. $6 + 5\frac{2}{3}$ $11\frac{2}{3}$
2. $8 + 7\frac{3}{8}$ $15\frac{3}{8}$
3. $4\frac{1}{2} + 2$ $6\frac{1}{2}$
4. $3\frac{6}{7} + 9$ $12\frac{6}{7}$

Suma y escribe cada respuesta como un número cabal o un número mixto en su mínima expresión.

5. $5\frac{1}{3} + 4\frac{2}{6}$ $9\frac{2}{3}$
6. $6\frac{1}{2} + 2\frac{5}{6}$ $9\frac{1}{3}$
7. $35 + 27\frac{3}{4}$ $62\frac{3}{4}$
8. $47\frac{1}{2} + 49\frac{3}{7}$ $96\frac{13}{14}$

9. $8\frac{2}{4} + 2\frac{1}{2}$ 11
10. $12\frac{3}{5} + 3\frac{4}{5}$ $16\frac{2}{5}$
11. $1\frac{7}{8} + 3\frac{5}{6}$ $5\frac{17}{24}$
12. $9\frac{3}{7} + 1\frac{2}{7}$ $10\frac{5}{7}$

13. $1\frac{3}{5} + 5\frac{1}{5}$ $6\frac{4}{5}$
14. $3\frac{4}{5} + 15$ $18\frac{4}{5}$
15. $8\frac{2}{9} + 7\frac{3}{9}$ $15\frac{8}{9}$
16. $22\frac{3}{4} + 19\frac{5}{20}$ $42\frac{3}{20}$

17. $7\frac{4}{9} + 5\frac{2}{3}$ $13\frac{1}{9}$
18. $45\frac{3}{4} + 21\frac{7}{8}$ $67\frac{5}{8}$
19. $1\frac{3}{10} + 12\frac{4}{5}$ $14\frac{1}{10}$
20. $2\frac{4}{5} + 3\frac{1}{2}$ $6\frac{3}{10}$

21. $9\frac{3}{7} + 12\frac{1}{3}$ $21\frac{16}{21}$
22. $12\frac{2}{3} + 7\frac{5}{8}$ $20\frac{7}{24}$
23. $3\frac{3}{8} + 4\frac{5}{8}$ 8
24. $8\frac{2}{3} + 8\frac{3}{4}$ $17\frac{5}{12}$

25. $9\frac{7}{9} + 32$ $41\frac{7}{9}$
26. $7\frac{1}{3} + 2\frac{2}{3}$ 10
27. $42\frac{1}{6} + 9\frac{11}{12}$ $52\frac{1}{12}$
28. $93\frac{1}{12} + 7$ $100\frac{1}{12}$

29. **Profesiones** La oficina de Geological Survey de Estados Unidos midió la profundidad del canal del río Grande durante una inundación. La diferencia entre la profundidad mayor y la menor era de $9\frac{3}{4}$ pies. Si la lectura más baja fue de $28\frac{1}{2}$ pies, ¿cuál fue la lectura más alta? $38\frac{1}{4}$

30. | Para la prueba | Samantha corrió su parte de una carrera de relevos de 400 metros en $1\frac{1}{2}$ minutos. Juana corrió en $1\frac{1}{3}$ minutos, Anna en $1\frac{3}{8}$ y Adrienne en $1\frac{1}{4}$. ¿Cuánto tiempo se tardó el equipo en completar la carrera? B

Ⓐ $4\frac{11}{24}$ min.
Ⓑ $5\frac{11}{24}$ min.
Ⓒ $13\frac{1}{24}$ min.
Ⓓ 4 min.

348 *Capítulo 6 • Suma y resta de fracciones*

PRACTICAR 6-5

PRACTICE

Nombre _____

Práctica
6-5

Suma de números mixtos

Haz las sumas y escribe la respuesta como un número cabal o mixto en su mínima expresión.

1. $13\frac{1}{5} + 5\frac{3}{5}$ $18\frac{4}{5}$
2. $7\frac{4}{5} + 1\frac{5}{10}$ $9\frac{1}{10}$
3. $9\frac{20}{23} + 14$ $23\frac{20}{23}$
4. $8 + 14\frac{1}{2}$ $20\frac{1}{2}$
5. $4 + 9\frac{5}{17}$ $13\frac{5}{17}$
6. $6\frac{16}{19} + 7$ $10\frac{16}{19}$
7. $10\frac{13}{15} + 4\frac{13}{15}$ $15\frac{11}{15}$
8. $2 + 16\frac{5}{19}$ $18\frac{5}{19}$
9. $6\frac{1}{7} + 19\frac{5}{9}$ $25\frac{19}{35}$
10. $15\frac{1}{2} + 17\frac{5}{7}$ $32\frac{9}{14}$
11. $22\frac{5}{6} + 4\frac{1}{2}$ $32\frac{20}{9}$
12. $10\frac{1}{4} + 7\frac{3}{4}$ 18
13. $1\frac{4}{5} + 3\frac{5}{6}$ $5\frac{19}{30}$
14. $11\frac{10}{11} + 5$ $16\frac{10}{11}$
15. $11\frac{3}{8} + 16\frac{3}{4}$ $28\frac{1}{8}$
16. $11\frac{4}{5} + 2\frac{13}{15}$ $14\frac{2}{3}$
17. $16\frac{4}{15} + 8\frac{13}{15}$ $25\frac{2}{15}$
18. $3\frac{7}{12} + 6\frac{17}{24}$ $10\frac{7}{24}$
19. $3\frac{1}{15} + 4\frac{4}{5}$ $7\frac{7}{3}$
20. $4\frac{1}{3} + 7\frac{5}{13}$ $11\frac{28}{39}$
21. $3\frac{1}{8} + 10$ $11\frac{1}{8}$
22. $12\frac{5}{8} + 1\frac{1}{3}$ $13\frac{11}{24}$
23. $8\frac{4}{15} + 4\frac{5}{9}$ $12\frac{4}{45}$
24. $2\frac{21}{22} + 5\frac{1}{2}$ $8\frac{5}{11}$
25. $5\frac{7}{12} + 10\frac{11}{24}$ $15\frac{7}{8}$
26. $8 + 18\frac{1}{13}$ $26\frac{1}{13}$
27. $3\frac{3}{7} + 1\frac{1}{2}$ $4\frac{13}{14}$

Usa la tabla para resolver los ejercicios 28–30.

Inmigrantes de Estados Unidos, 1820–1993 (millones)				
Europa	Asia	América del Norte, América Central	América del Sur	África, Oceanía, otros
$37\frac{11}{20}$	$7\frac{1}{20}$	$13\frac{11}{20}$	$1\frac{4}{10}$	$1\frac{1}{50}$

28. ¿Cuántas personas inmigraron de Europa? 37,550,000

29. ¿Cuántas personas inmigraron de Asia y América del Sur juntas? 8,450,000

30. ¿Cuál fue el número total de inmigrantes? 60,570,000

31. Una receta de pastel requiere de $2\frac{1}{3}$ tazas de leche más el agua suficiente para hacer $3\frac{1}{4}$ tazas de líquido. ¿Cuánta agua lleva la receta? $\frac{11}{12}$ de taza

---

RETEACHING

Nombre _____

Práctica
adicional
6-5

Suma de números mixtos

Así como puedes sumar números cabales y fracciones, también puedes sumar números mixtos. Para sumar números mixtos:

1. Suma los números cabales.
2. Suma las fracciones.
3. Suma las dos partes.

Si la suma de las fracciones es una fracción impropia, necesitas reescribirla como un número mixto y sumar las partes del número cabal.

—— **Ejemplo** ——

Suma $1\frac{1}{2} + 3\frac{2}{3}$. Escribe la suma como un número cabal o mixto en su mínima expresión.

Para reescribir las fracciones usa su mcd, 6.
$\begin{matrix} 1\frac{1}{2} \\ +3\frac{2}{3} \end{matrix} \rightarrow \begin{matrix} 1\frac{3}{6} \\ +3\frac{4}{6} \\ \hline 4\frac{7}{6} \end{matrix}$

Suma los números cabales; luego suma las fracciones.

Escribe de nuevo la fracción impropia como un número mixto. $4 + 1\frac{1}{6}$

Suma las partes de números cabales. Escribe la suma en su mínima expresión. $5\frac{1}{6} = 5\frac{1}{6}$

Por tanto, $1\frac{1}{2} + 3\frac{2}{3} = 5\frac{1}{6}$.

Haz la prueba Suma y escribe el resultado como un número cabal o mixto en su mínima expresión.

a. $8\frac{1}{5} + 12\frac{3}{5}$ Las fracciones tienen denominadores iguales.

Suma los números cabales. $8 + 12 = 20$ Suma las fracciones. $\frac{1}{5} + \frac{3}{5} = \frac{4}{5}$

Suma las dos partes. $20 + \frac{4}{5} = 20\frac{4}{5}$

b. $12\frac{3}{4} + 3\frac{1}{2}$ Reescribe la expresión; usa el mcd. $12\frac{3}{4} + 3\frac{2}{4}$

Suma los números cabales. $12 + 3 = 15$ Suma las fracciones. $\frac{3}{4} + \frac{2}{4} = \frac{5}{4}$

Escribe de nuevo la expresión como un número mixto. $1\frac{1}{4}$

Suma las partes de los números cabales y escribe la suma en su mínima expresión. $16\frac{1}{4}$

c. $4\frac{7}{8} + 2\frac{3}{4}$ $7\frac{5}{8}$
d. $5\frac{3}{8} + 7\frac{1}{12}$ $12\frac{3}{4}$
e. $1\frac{1}{2} + 1\frac{1}{2}$ 3
f. $2\frac{3}{8} + 3\frac{5}{8}$ $5\frac{4}{5}$
g. $4\frac{1}{8} + 2\frac{3}{4}$ $6\frac{5}{8}$
h. $3\frac{5}{8} + 5\frac{1}{4}$ $9\frac{3}{4}$
i. $6\frac{1}{4} + 7\frac{5}{6}$ $14\frac{1}{12}$
j. $9\frac{5}{8} + 7\frac{1}{3}$ $16\frac{8}{9}$

Usa la siguiente tabla para resolver los ejercicios 31–33.

Daños de la inundación de 1984 del Bajo Mississippi (millones de dólares)

Asentamientos urbanos	Asentamientos rurales	Cosechas	Gobierno y servicios	Diversos
$5\frac{1}{4}$	$5\frac{1}{2}$	$1\frac{2}{3}$	$2\frac{4}{5}$	$\frac{2}{3}$

31. ¿Cuánto daño sufrieron los asentamientos urbanos y rurales?

32. ¿Cuánto daño sufrieron el gobierno y los servicios, y el apartado de diversos? $3\frac{7}{15}$ millones de dólares

33. ¿Cuáles fueron los daños totales? $15\frac{53}{60}$ millones de dólares

31. $10\frac{3}{4}$ millones de dólares

Resolución de problemas y razonamiento

34. **Comunicación** Describe una situación en que uses la suma y te gustaría utilizar tanto $7\frac{5}{3}$ como $8\frac{2}{3}$. Explica tu razonamiento.

36. **En tu diario** Describe semejanzas y diferencias entre la suma de números cabales y la suma de números mixtos.

35. **Escoge una estrategia** El área combinada de las figuras A y B es de $4\frac{2}{3}$ m². El área de la figura B es de $1\frac{1}{3}$ m² mayor que el área de la figura A. Halla el área de ambas figuras.

Resolución de problemas
ESTRATEGIAS

• Busca un patrón
• Organiza la información en una lista
• Haz una tabla
• Prueba y comprueba
• Empieza por el final
• Usa el razonamiento lógico
• Haz un diagrama
• Simplifica el problema

Repaso mixto

Halla la circunferencia de cada objeto. *[Lección 4-7]*

37.

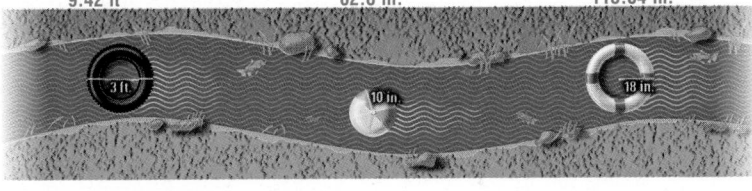

9.42 ft   62.8 in.   113.04 in.

Escribe las siguientes expresiones en forma usual. *[Lección 3-6]*

38. 3.1×10^3 3100
39. 4.27×10^5 427,000
40. 5.45×10^7 54,500,000
41. 1.124×10^6 1,124,000
42. 7.11×10^4 71,100
43. 9.0×10^9 9,000,000,000
44. 2.22×10^3 2220
45. 6.663×10^{11} 666,300,000,000

6-5 • Suma de números mixtos **349**

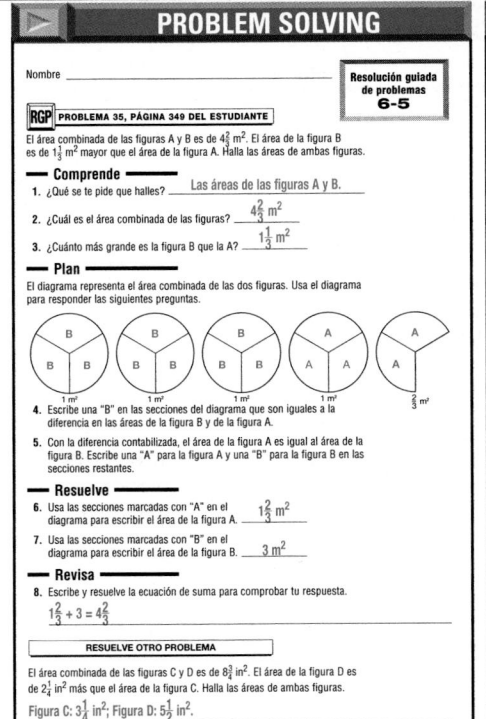

Notas sobre los ejercicios

■ Ejercicio 35

Resolución de problemas Ten en cuenta Empezar por el final, probar y comprobar y hacer un diagrama son estrategias que pueden usarse para resolver este problema.

■ Ejercicio 37

Prevención de errores Tal vez necesite recordar a los estudiantes que la fórmula de la circunferencia de un círculo es $C = 2\pi r$.

Respuestas de Ejercicios

34. Respuesta posible: Jen tiene los siguientes frascos de cuentas de colores: $5\frac{2}{3}$ de verdes, $2\frac{1}{3}$ de rojas y $\frac{2}{3}$ de amarillas. Cuando los junte, ¿cuántos frascos completos tendrá? Si la respuesta se deja como $7\frac{5}{3}$, podría pensarse que tiene 7 frascos llenos pero en realidad tiene 8.

35. A: $1\frac{2}{3}$m²; B: 3m²

36. Respuesta posible: Semejanzas: Las dos incluyen números cabales; Cuando se suman los números cabales, se agrupan de la misma manera. Diferencias: La suma de números mixtos incluye fracciones; Los números mixtos pueden reescribirse en su mínima expresión.

Evaluación adicional

 Tal vez desee usar el *Diario interactivo CD-ROM* con esta evaluación.

En tu diario Explica cómo sumarías dos números mixtos y escribe un ejemplo.

Exercise Notes

■ Exercise 35

Problem-Solving Tip Working backward, guessing and checking, and drawing a diagram are all strategies that could be used to solve this problem.

■ Exercise 37

Error Prevention You may need to remind students that the formula for the circumference of a circle is $C = 2\pi r$.

Exercise Answers

34. Possible answer: Jen has $5\frac{2}{3}$ buckets of green beads, $2\frac{1}{3}$ red, and $\frac{2}{3}$ yellow. When she combines the beads, how many full buckets will she have? If the answer is left as $7\frac{5}{3}$, it would seem as if she has 7 full buckets, but she really has 8.

35. A: $1\frac{2}{3}$m²; B: 3m²

36. Possible answer: Similarities: Both involve whole numbers; When adding the whole numbers, grouping is used the same way. Differences: Adding mixed numbers involves fractions; Mixed numbers can be written in lowest terms.

Alternate Assessment

You may want to use the *Interactive CD-ROM Journal* with this assessment.

Journal Write an example and explain how you would add two mixed numbers.

► Prueba rápida

Halla las sumas.

1. $1\frac{1}{2} + \frac{3}{4}$ $2\frac{1}{4}$
2. $5\frac{1}{3} + 4\frac{7}{8}$ $10\frac{5}{24}$
3. $6\frac{1}{4} + 1\frac{2}{3}$ $7\frac{11}{12}$
4. $2\frac{11}{12} + 4\frac{5}{6}$ $7\frac{3}{4}$
5. $8\frac{3}{4} + 1\frac{5}{6}$ $10\frac{7}{12}$

► Quick Quiz

Find each sum.

1. $1\frac{1}{2} + \frac{3}{4}$ $2\frac{1}{4}$
2. $5\frac{1}{3} + 4\frac{7}{8}$ $10\frac{5}{24}$
3. $6\frac{1}{4} + 1\frac{2}{3}$ $7\frac{11}{12}$
4. $2\frac{11}{12} + 4\frac{5}{6}$ $7\frac{3}{4}$
5. $8\frac{3}{4} + 1\frac{5}{6}$ $10\frac{7}{12}$

Available on Daily Transparency 6-5

Lesson Organizer

Objective
- **Subtract mixed numbers.**

Materials
- **Explore: Fraction Bars**

NCTM Standards
- **1–4, 6, 7, 9**

Review

Find each difference.

1. $\frac{5}{6} - \frac{1}{3}$ $\frac{1}{2}$

2. $\frac{3}{8} - \frac{1}{4}$ $\frac{1}{8}$

3. $\frac{7}{10} - \frac{2}{5}$ $\frac{3}{10}$

4. $\frac{5}{8} - \frac{1}{6}$ $\frac{11}{24}$

5. $\frac{4}{5} - \frac{3}{4}$ $\frac{1}{20}$

➤ Repaso

Efectúa las restas.

1. $\frac{5}{6} - \frac{1}{3}$ $\frac{1}{2}$

2. $\frac{3}{8} - \frac{1}{4}$ $\frac{1}{8}$

3. $\frac{7}{10} - \frac{2}{5}$ $\frac{3}{10}$

4. $\frac{5}{8} - \frac{1}{6}$ $\frac{11}{24}$

5. $\frac{4}{5} - \frac{3}{4}$ $\frac{1}{20}$

Available on Daily Transparency 6-6

Introduce

Explore

You may wish to use Teaching Tool Transparency 14: Fraction Bars and Lesson Enhancement Transparency 31 with this lesson.

The Point

Students use Fraction Bars to model subtraction of mixed numbers with like and unlike denominators.

Ongoing Assessment

Check that students are using the Fraction Bars correctly to model the differences in Step 1.

For Groups That Finish Early

Have each person in your pair write a subtraction problem. Use Fraction Bars to model each difference.

1 Introducción

Investigar

Objetivo

Los estudiantes usan las Barras de fracciones para representar la resta de números mixtos con igual y con distinto denominador.

Evaluación continua

Revise que los estudiantes usen en forma correcta las Barras de fracciones para representar las restas del inciso 1.

Para los grupos que terminen antes

Forme parejas de estudiantes y pida a uno de ellos que escriba un problema de resta. Su compañero deberá usar las Barras de fracciones para representar cada resta.

6-6 Resta de números mixtos

Vas a aprender...

- a restar números mixtos.

...cómo se usa

Los carpinteros restan números mixtos cuando determinan la cantidad de madera que se necesita para terminar un proyecto.

▶ **Enlace con la lección** Ya has visto que puede ser necesario reagrupar cuando sumas números mixtos. También necesitarás reagrupar para restar números mixtos. ◀

Investigar Resta de números mixtos

¿Qué diferencia hay?

Materiales: Barras de fracciones®

Resta de números mixtos

$$2\frac{1}{4} - 1\frac{1}{2} = \frac{3}{4}$$

1	1	$\frac{1}{4}$
1	$\frac{1}{2}$ $\frac{1}{4}$ $\frac{1}{4}$ $\frac{1}{4}$	

- Dibuja y marca el número cabal del primer número mixto.
- Después, dibuja y marca la fracción del primer número.
- Debajo del primer número cabal, dibuja y marca el número cabal del segundo número mixto.
- Luego, dibuja y marca la fracción del segundo número.
- Junto al segundo modelo del número mixto, dibuja y marca un modelo que sea igual a la resta entre el primero y el segundo modelos.

1. Haz un modelo de estos problemas.

   a. $2\frac{3}{4} - 1\frac{1}{4}$ b. $3\frac{2}{3} - 1\frac{1}{6}$ c. $2 - \frac{3}{4}$ d. $4\frac{1}{4} - 1\frac{1}{2}$ e. $4\frac{3}{8} - 3\frac{3}{4}$

2. ¿Puedes restar dos números mixtos si la fracción del segundo número mixto es mayor que la fracción del primer número mixto? Explica por qué.

3. Si un número mixto se resta de otro número mixto, ¿el resultado es siempre un número mixto? Explica tu respuesta.

Aprender Resta de números mixtos

Cuando restas números cabales, algunas veces tienes un dígito en el segundo número que es mayor que el dígito que tiene el mismo valor posicional en el primer número. Para poder restar, necesitas "pedir prestado", usando el dígito de la izquierda.

$$
\begin{array}{r}
\overset{6\ 1}{7\,2} \\
-\ 1\,8 \\
\hline
5\,4
\end{array}
$$

350 Capítulo 6 • Suma y resta de fracciones

▶ MEETING INDIVIDUAL NEEDS

Resources

6-6 Practice
6-6 Reteaching
6-6 Problem Solving
6-6 Enrichment
6-6 Daily Transparency
Problem of the Day, Review
Quick Quiz
Teaching Tool Transparency 14
Lesson Enhancement Transparency 31
Technology Master 30
Chapter 6 Project Master
Interactive CD-ROM Lesson

Learning Modalities

Logical Relate the subtraction of mixed numbers to the subtraction of decimals greater than 1. Some- times the fraction being subtracted is larger than the fraction being subtracted from. Explain that this corresponds to regrouping, or "borrowing," which is used when subtracting decimals.

Kinesthetic Use pattern blocks and Fraction Bars to help students understand the process of borrowing when the fractional part of the mixed number to be subtracted is greater than the fractional part to be subtracted from.

English Language Development

Pair students with limited English ability with English speakers to work on the exercises in this lesson. Have students take turns explaining to each other how they answered the questions. Students will increase their ability to describe their mathematical thinking through the modeling of the English speakers and by verbalizing mathematical explanations.

Recursos

6-6 Práctica
6-6 Práctica adicional
6-6 Resolución de problemas
6-6 Actividad de enriquecimiento
Tecnología 30

Lección en el CD-ROM interactivo

Modos de aprendizaje

Lógico Relacione la resta de números mixtos y de decimales mayores que 1. A veces, la fracción restada es mayor que de la cual se resta. Esto corresponde a la reagrupación (o "pedir prestado"), una acción común en las restas de decimales.

Cinestésico Use bloques de patrones y Barras de fracciones para ayudar a los estudiantes a comprender cómo se pide prestado cuando la parte restada es mayor que la parte de la cual se resta.

Desarrollo del lenguaje

Los estudiantes con limitaciones de lenguaje deberán formar parejas con aquellos que dominan el español para resolver los ejercicios de esta lección. Deben turnarse para explicar cómo respondieron las preguntas. Anímelos a desarrollar su capacidad de expresión y su razonamiento matemático.

Puedes utilizar un proceso similar cuando restas números mixtos.

$$9\frac{1}{5} - 4\frac{4}{5} = ? \qquad 7 - 2\frac{1}{3} = ?$$

1. Pide prestado 1 del número cabal.

$8 + 1 + \frac{1}{5}$ $6 + 1$

2. Escribe el 1 como una fracción con el mismo numerador y denominador.

$8 + \frac{5}{5} + \frac{1}{5}$ $6 + \frac{3}{3}$

3. Si pides prestado con un número mixto, suma las fracciones.

$8\frac{6}{5} - 4\frac{4}{5} = 4\frac{2}{5}$ $6\frac{3}{3} - 2\frac{1}{3} = 4\frac{2}{3}$

Ejemplos

1 Resta $7\frac{2}{9} - 3\frac{2}{3}$.

$7\frac{2}{9} = 6\frac{2}{9} + 1 = 6\frac{2}{9} + \frac{9}{9} = 6\frac{11}{9} = 6\frac{11}{9}$ Pide prestado del número cabal.

$-3\frac{2}{3} = -3\frac{6}{9}$ Escribe la fracción con un denominador común.

$= 3\frac{5}{9}$ Haz la resta.

2 Antes de la construcción de la presa de Aswan, el río Nilo de Egipto inundaba sus márgenes cada verano, regando todos los campos cercanos. Si el río se elevaba 3 pies arriba de su nivel de inundación y después caía $1\frac{5}{12}$ pies, encuentra la altura final del río.

> **Enlace con Historia**
>
> Las presas se construyen con frecuencia para controlar las inundaciones. La presa más antigua conocida se construyó en el río Nilo en Kosheish, Egipto, en el año 2900 a.C.

$3 \rightarrow 2\frac{12}{12}$ Reagrupa, toma 1, ó $\frac{12}{12}$, de 3.

$-1\frac{5}{12} \rightarrow 1\frac{5}{12}$

$1\frac{7}{12}$ Resta las fracciones. Resta los números cabales.

También puedes hallar la respuesta mediante un modelo.

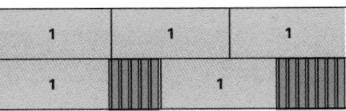

La altura del río era de $1\frac{7}{12}$ pies arriba del nivel de inundación.

Haz la prueba

Resta.   **a.** $6\frac{1}{5} - 2\frac{4}{5}$ $3\frac{2}{5}$ **b.** $8\frac{1}{2} - 3\frac{2}{3}$ $4\frac{5}{6}$ **c.** $12 - 9\frac{5}{9}$ $2\frac{4}{9}$

6-6 • Resta de números mixtos   **351**

MATH EVERY DAY

▶ Problema del día

Los montículos localizados cerca de Epps, Louisiana, marcan el lugar donde se estableciera uno de los grupos nativos más antiguos en América del Norte. Ellos necesitaron alrededor de 3 millones de horas para construir los montículos. ¿Cuántas personas se necesitarían para construir una réplica en un año si cada quien trabajara cuarenta horas a la semana durante cincuenta semanas? *1500 personas*

Problem of the Day

The earthen mounds located near Epps, Louisiana, are one of the earliest known Native American settlements in North America. It took about 3 million hours to construct the mounds. How many people would it take to build a replica in one year if each worker works a forty-hour week for fifty weeks? *1500 people*

Available on Daily Transparency 6-6

An Extension is provided in the transparency package.

Dato del día

El Nilo, localizado en África, es el río más largo del mundo. Mide más de 4145 millas en total.

Fact of the Day

The Nile River in Africa is the longest river in the world. It measures more than 4145 miles in length.

Mental Math

Find each difference mentally.
1. $5.8 - 3.2$ 2.6
2. $8.6 - 5$ 3.6
3. $4.8 - 0.7$ 4.1
4. $2.4 - 1.3$ 1.1
5. $7.9 - 6$ 1.9

Cálculo mental

Haz estas restas en forma mental.
1. $5.8 - 3.2$ 2.6
2. $8.6 - 5$ 3.6
3. $4.8 - 0.7$ 4.1
4. $2.4 - 1.3$ 1.1
5. $7.9 - 6$ 1.9

Respuestas de Investigar

1. a.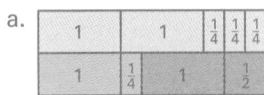

b.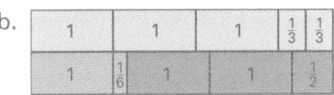

c.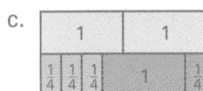

d.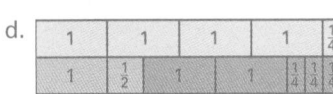

e.

2. Sí; Al primer número mixto se le "pide prestado" un número y se suma a la fracción para convertirla en una fracción impropia.

3. No; Si las fracciones son iguales, la respuesta será un número cabal. Si la respuesta es menor que 1, será una fracción propia.

2 Enseñanza

Aprender

Ejemplos adicionales

1. Resta $2\frac{1}{4} - 1\frac{2}{3}$.

$2\frac{1}{4} = 2\frac{3}{12} = 1 + 1\frac{3}{12} = 1 + \frac{15}{12} = 1\frac{15}{12}$

$-1\frac{2}{3} = -1\frac{8}{12}$

$\frac{7}{12}$

2. El nivel de la marea en Portland, Maine, es de 9 pies, mientras que en Sandy Hook, New Jersey, es de $4\frac{2}{3}$ pies. Con relación al nivel de la marea en Sandy Hook, ¿por cuántos pies es mayor el de Portland?

$9 \rightarrow 8\frac{3}{3}$

$-4\frac{2}{3} \rightarrow 4\frac{2}{3}$

$4\frac{1}{3}$

El nivel de la marea en Portland es $4\frac{1}{3}$ pies mayor que el nivel en Sandy Hook.

Answers for Explore

1. a.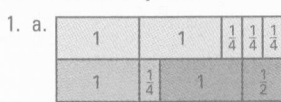

b.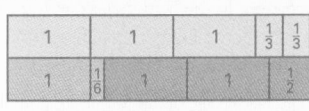

c.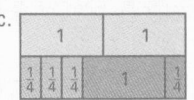

d.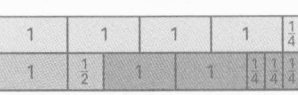

e.

2. Yes; "Borrow" one whole from the first mixed number and add it to the fraction to make it an improper fraction.

3. No; If the fractions are the same, the answer will be a whole number. If the answer is less than 1, it will be a proper fraction.

Teach

Learn

Alternate Examples

1. Subtract $2\frac{1}{4} - 1\frac{2}{3}$.

$2\frac{1}{4} = 2\frac{3}{12} = 1 + 1\frac{3}{12} = 1 + \frac{15}{12} = 1\frac{15}{12}$

$-1\frac{2}{3} = -1\frac{8}{12}$

$\frac{7}{12}$

2. The tide in Portland, Maine, has a range of 9 feet, while the tide in Sandy Hook, New Jersey, has a range of $4\frac{2}{3}$ feet.

How much greater is the range in Portland than that in Sandy Hook?

$9 \rightarrow 8\frac{3}{3}$

$-4\frac{2}{3} \rightarrow 4\frac{2}{3}$

$4\frac{1}{3}$

The range of the tide in Portland is $4\frac{1}{3}$ feet greater than that in Sandy Hook.

What Do You Think?

Students see two methods for subtracting mixed numbers with borrowing. In one case, the numbers are subtracted using regrouping. In the other case, the mixed numbers are changed to improper fractions and the difference is calculated with these fractions.

Answers for What Do You Think?

1. Fractions must have the same denominator before they can be subtracted; The least common denominator is easier to work with than other common denominators.

2. Zack's method would be faster; He would only have to subtract.

Practice and Assess

Check

Answers for Check Your Understanding

1. Possible answer: Use the $\boxed{A^b/_c}$ key.

2. Possible answer: The method is the same except when subtracting mixed numbers there is a fraction part to consider.

3. Possible answer: When you need to subtract a fraction from it.

Los estudiantes observan dos métodos para restar números mixtos; en ambos procedimientos hay que pedir prestado. En un caso los números se reagrupan para restarlos. En el otro, los números mixtos se convierten en fracciones impropias y la resta se realiza con estas fracciones.

Respuestas de ¿Qué crees tú?

1. Antes de restar, las fracciones deben tener el mismo denominador; Es más fácil trabajar con el mínimo común denominador que con otros denominadores comunes.

2. El método de Zack sería más rápido; Sólo tiene que restar.

3 Práctica y evaluación

Comprobar

Respuestas de Comprobar tu comprensión

1. Respuesta posible: Se usa la tecla $\boxed{A^b/_c}$.

2. Respuesta posible: El método es el mismo excepto que cuando se restan números mixtos hay una parte fraccional que debe considerarse.

3. Respuesta posible: Cuando se le necesita restar una fracción.

Las presas se usan para controlar las inundaciones, al almacenar agua durante la época de lluvias. Durante una temporada de lluvias, la altura del agua detrás de una presa se elevó de $14\frac{5}{6}$ ft a $19\frac{2}{3}$ ft.

Zack y Tyreka querían saber cuánto había ascendido el agua.

Zack piensa...

Voy a restar una fracción de otra fracción y un número cabal de otro número cabal.

$19\frac{2}{3} = 19\frac{4}{6}$ Escribe la fracción con el mcd.

$= 18\frac{10}{6}$ Reagrupa.

$19\frac{2}{3} = 18\frac{10}{6}$

$-14\frac{5}{6} = 14\frac{5}{6}$

$\overline{\phantom{-14\frac{5}{6} = }4\frac{5}{6}}$

El agua se elevó $4\frac{5}{6}$ pies.

Tyreka piensa...

Voy a restar al escribir otra vez los números mixtos como fracciones impropias.

$19\frac{2}{3} = \frac{59}{3} = \frac{118}{6}$ Escribe la fracción con el mcd.

$-14\frac{5}{6} = \frac{89}{6}$

$\overline{\phantom{-14\frac{5}{6} = }\frac{29}{6}}$

$\frac{29}{6} = 4\frac{5}{6}$ Escribe la fracción como un número mixto.

El agua se elevó $4\frac{5}{6}$ pies.

¿Qué crees tú?

1. ¿Por qué tanto Zack como Tyreka usaron el mínimo común denominador?

2. Si los números mixtos no requirieran pedir prestado, ¿un método sería más rápido que el otro? Explica tu respuesta.

Comprobar Tu comprensión

1. ¿Cómo podrías usar una calculadora para restar números mixtos?

2. ¿En qué se parece la resta de números mixtos a la resta de números cabales?

3. En un problema de resta, ¿cuándo necesitarás convertir un número cabal en un número mixto?

352   *Capítulo 6 • Suma y resta de fracciones*

MEETING MIDDLE SCHOOL CLASSROOM NEEDS

Tips from Middle School Teachers

Throughout the teaching of fraction concepts and fraction computation, I allow students to use their calculators, not only to check their work but also to reinforce their understanding.

Sugerencias de los maestros

Al enseñar el concepto y el cálculo de fracciones, animo a los estudiantes a usar sus calculadoras, no sólo para comprobar sus respuestas, sino también para reforzar su comprensión.

Team Teaching

Ask the science teacher to discuss the uses of dams for the production of hydroelectric power and the provision of flood control.

Enseñanza en equipo

Pida al maestro de ciencias que comente cómo se usan las presas para generar energía eléctrica y evitar inundaciones.

Geography Connection

One of the largest dams in the world is the Tarbela Dam in Pakistan. Completed in 1976, its volume is 121,720 cubic meters. The largest dam in the United States is the New Cornelia Tailings Dam in Arizona, completed in 1973, with a volume of 209,500 cubic meters.

Asociación con Geografía

Una de las presas más grandes del mundo es Tarbela, localizada en Pakistán. Su construcción concluyó en 1976 y su volumen alcanza 121,720 metros cúbicos. La presa más grande en Estados Unidos es New Cornelia Tailings, en Arizona, terminada en 1973 y con un volumen de 209,500 metros cúbicos.

6-6 Ejercicios y aplicaciones

Práctica y aplicación

Para empezar Realiza las siguientes restas.

1. $6\frac{3}{4} - 4\,2\frac{3}{4}$

2. $7\frac{7}{8} - 2\,5\frac{7}{8}$

3. $12\frac{1}{2} - 10\,2\frac{1}{2}$

4. $3\frac{4}{5} - 2\,1\frac{4}{5}$

Resta y escribe cada respuesta como un número cabal o un número mixto en su mínima expresión.

5. $7\frac{1}{2} - 6\frac{1}{4}\,1\frac{1}{4}$

6. $7\frac{5}{9} - 6\frac{1}{3}\,1\frac{2}{9}$

7. $2\frac{1}{4} - 1\frac{3}{4}\,\frac{1}{2}$

8. $9\frac{1}{6} - 4\frac{2}{3}\,4\frac{1}{2}$

9. $1\frac{1}{3} - \frac{2}{3}\,\frac{2}{3}$

10. $4\frac{5}{6} - 2\frac{1}{6}\,2\frac{2}{3}$

11. $2\frac{1}{6} - 1\frac{1}{8}\,1\frac{1}{24}$

12. $5\frac{1}{5} - 3\frac{2}{3}\,1\frac{8}{15}$

13. $9\frac{7}{8} - 1\frac{6}{8}\,8\frac{1}{8}$

14. $4\frac{1}{3} - 3\frac{1}{4}\,1\frac{1}{12}$

15. $7\frac{3}{5} - 4\frac{2}{5}\,3\frac{1}{5}$

16. $10\frac{7}{10} - 4\frac{4}{5}\,5\frac{9}{10}$

17. $6\frac{3}{4} - 2\frac{1}{5}\,4\frac{11}{20}$

18. $3\frac{2}{3} - \frac{2}{3}\,3$

19. $1\frac{1}{4} - 1\frac{3}{4}\,\frac{1}{2}$

20. $2\frac{1}{6} - 1\frac{1}{3}\,\frac{2}{3}$

21. $6\frac{4}{5} - 3\frac{1}{5}\,3\frac{3}{5}$

22. $7\frac{1}{2} - 1\frac{3}{4}\,5\frac{3}{4}$

23. $8\frac{5}{7} - 2\frac{1}{4}\,6\frac{13}{28}$

24. $4\frac{1}{8} - 1\frac{5}{9}\,2\frac{41}{72}$

25. Helen y Joe esperaban que el arroyo que está cerca de su casa creciera 9 pies cuando se derritiera la nieve. Sólo creció $7\frac{4}{5}$ pies. ¿Por qué cantidad estuvo equivocada su predicción? $1\frac{1}{5}$ ft

26. **Álgebra** Una gran institución financiera que cotizaba en la bolsa de valores de New York registró su precio de venta más alto del último año en $80\frac{3}{8}$ puntos. La diferencia entre su precio más alto y el más bajo fue de $26\frac{1}{2}$ puntos. Escribe y resuelve una ecuación para hallar el precio de venta más bajo. $80\frac{3}{8} - x = 26\frac{1}{2}$; $53\frac{7}{8}$

27. **Para la prueba** Resta $15\frac{3}{8} - 11\frac{1}{5}$. C

ⓐ $1\frac{67}{40}$

ⓑ $3\frac{7}{10}$

ⓒ $4\frac{7}{40}$

ⓓ $4\frac{2}{3}$

28. Wahn tiene una caja de macarrón con queso que contiene 6 raciones. Piensa comer $3\frac{1}{3}$ raciones. ¿Cuántas raciones le sobrarán? $2\frac{2}{3}$

6-6 • Resta de números mixtos **353**

Assignment Guide

- Basic 1–25 odds, 26, 27, 33–41 odds
- Average 2–26 evens, 27–41 odds
- Enriched 2–26 evens, 27–33, 34–40 evens

Notas sobre los ejercicios

■ **Ejercicios 1–4**

Prevención de errores Los estudiantes deben darse cuenta de que en todos los ejercicios a un número mixto se le resta un número entero. Por tanto, para restar no es necesario reagrupar.

Exercise Notes

■ **Exercises 1–4**

Error Prevention Have students note that each exercise involves subtracting a whole number from a mixed number. Therefore, they do not need to regroup before they subtract.

Práctica adicional

Actividad

Materiales: Dinero de juguete

- Has aprendido a usar dinero de juguete para sumar números mixtos, ahora lo usarás para restar números mixtos.

- Para efectuar la resta de $3\frac{3}{10} - 2\frac{1}{4}$, piensa en $2\frac{1}{4}$ como 2 dólares más 1 moneda de veinticinco centavos y en $3\frac{3}{10}$ como 3 dólares más 3 monedas de diez centavos.

- Cuando a 3 monedas de diez centavos se le resta 1 moneda de veinticinco, la diferencia es una moneda de cinco centavos, lo que equivale a $\frac{1}{20}$ de un dólar.

- Cuando a 3 dólares se le restan 2 dólares, la diferencia es 1 dólar. Por tanto, la diferencia es $1.05 ó $1\frac{1}{20}$.

- Usa dinero de juguete para hallar cada resta. Quizá debas cambiar dólares por monedas para poder restar.

1. $3\frac{3}{4} - \frac{9}{10}\,2\frac{17}{20}$

2. $2\frac{1}{4} - 1\frac{7}{10}\,\frac{11}{20}$

3. $3 - 1\frac{3}{4}\,1\frac{1}{4}$

Reteaching

Activity

Materials: Play money

- You learned how to use play money to add mixed numbers, now you will use play money to subtract mixed numbers.

- To subtract $2\frac{1}{4}$ from $3\frac{3}{10}$, think of $2\frac{1}{4}$ as 2 dollars and 1 quarter and $3\frac{3}{10}$ as 3 dollars and 3 dimes.

- When 1 quarter is subtracted from 3 dimes, the difference is 1 nickel, which is $\frac{1}{20}$ of a dollar.

- When 2 dollars is subtracted from 3 dollars, the difference is 1 dollar. So the difference is $1.05, or $1\frac{1}{20}$.

- Use play money to find each difference. You might have to exchange dollars for coins in order to subtract.

1. $3\frac{3}{4} - \frac{9}{10}\,2\frac{17}{20}$

2. $2\frac{1}{4} - 1\frac{7}{10}\,\frac{11}{20}$

3. $3 - 1\frac{3}{4}\,1\frac{1}{4}$

PRACTICE

Nombre _____

Práctica 6-6

Resta de números mixtos

Haz las restas y escribe la respuesta como número cabal o mixto en su mínima expresión.

1. $5\frac{5}{7} - 4\frac{2}{25}$ $\frac{13}{21}$

2. $15\frac{7}{10} - 12\frac{5}{10}$ $3\frac{3}{10}$

3. $7\frac{1}{3} - 4\frac{1}{18}$ $3\frac{1}{16}$

4. $2\frac{8}{9} - 2\frac{5}{16}$ $\frac{1}{16}$

5. $8\frac{5}{8} - 4\frac{7}{24}$ $4\frac{1}{3}$

6. $3\frac{1}{3} - 4\frac{5}{9}$ $5\frac{1}{2}$

7. $9\frac{2}{3} - 1\frac{1}{11}$ $8\frac{17}{30}$

8. $12\frac{3}{8} - 8\frac{5}{11}$ $3\frac{9}{11}$

9. $5\frac{1}{6} - 2\frac{5}{9}$ $2\frac{1}{5}$

10. $9\frac{4}{5} - 7\frac{2}{9}$ $2\frac{5}{9}$

11. $6 - 1\frac{3}{9}$ $4\frac{17}{19}$

12. $3\frac{3}{8} - 1\frac{5}{9}$ $2\frac{1}{5}$

13. $10\frac{4}{5} - 1\frac{14}{25}$ $9\frac{6}{25}$

14. $8\frac{4}{7} - 1\frac{1}{2}$ $7\frac{1}{14}$

15. $2\frac{1}{2} - 5\frac{7}{9}$ $\frac{23}{42}$

16. $12\frac{3}{4} - 5\frac{7}{8}$ $7\frac{17}{24}$

17. $7\frac{4}{5} - 2\frac{8}{9}$ $5\frac{4}{40}$

18. $10\frac{17}{21} - 1\frac{5}{7}$ $9\frac{2}{21}$

19. $10\frac{7}{18} - 4\frac{1}{3}$ $6\frac{1}{18}$

20. $15\frac{11}{14} - 14\frac{7}{9}$ $1\frac{1}{14}$

21. $3\frac{5}{8} - \frac{9}{10}$ $2\frac{29}{40}$

22. $7\frac{5}{6} - 6\frac{6}{7}$ $\frac{41}{42}$

23. $5\frac{5}{9} - 1\frac{4}{9}$ $4\frac{1}{9}$

24. $8\frac{5}{8} - 4\frac{13}{24}$ $2\frac{2}{3}$

Usa la gráfica circular para resolver los ejercicios 25-27.

25. ¿Qué fracción de las escuelas públicas de Estados Unidos son elementales? $\frac{25}{36}$

26. ¿Qué fracción de las escuelas de Estados Unidos son colegios, universidades o están en la categoría de "otros"? $\frac{2}{27}$

27. ¿Qué fracción de las escuelas de Estados Unidos son intermedias? $\frac{25}{108}$

Escuelas públicas de EE UU

Elementales $\frac{25}{36}$
Colegios y Universidades $\frac{1}{54}$
Otros $\frac{1}{18}$
Intermedias

28. Jessie horneó $6\frac{1}{2}$ docenas de galletas para una venta y se vendieron $4\frac{2}{3}$ docenas de galletas. ¿Cuántas docenas de galletas le quedaron? $1\frac{5}{6}$ docenas

RETEACHING

Nombre _____

Práctica adicional 6-6

Resta de números mixtos

Del mismo modo que puedes restar números y fracciones, también puedes restar números mixtos. Si la fracción que se va a restar es mayor que la otra fracción, debes cambiar parte del número cabal por una fracción. Recuerda que 1 es igual a una fracción con el mismo número en el numerador y en el denominador.

— **Ejemplo 1**

Cambia $4\frac{2}{3}$ por $3\frac{?}{?}$.

Cambia 4 por 3 + $\frac{3}{3}$ y suma $3 + \frac{3}{3} + \frac{2}{3} = 3\frac{5}{3}$.

Por tanto, $4\frac{2}{3} = 3\frac{5}{3}$.

Haz la prueba Cambia cada número.

a. $2\frac{4}{9} = 1\frac{?}{?}$ $1\frac{9}{9}$

b. $10\frac{1}{2} = 9\frac{?}{?}$ $9\frac{3}{2}$

c. $16\frac{8}{9} = 15\frac{?}{?}$ $15\frac{13}{8}$

— **Ejemplo 2**

Resta $8\frac{1}{6} - 2\frac{5}{8}$. Escribe la respuesta como un número cabal o mixto en su mínima expresión.

Para reescribir las fracciones usa el mcd: 6.

$8\frac{1}{6} \rightarrow 8\frac{2}{6}$
$-2\frac{5}{6} \rightarrow -2\frac{5}{6}$

Cambia $8\frac{2}{6}$ por $7 + \frac{6}{6} + \frac{2}{6}$, ó $7\frac{8}{6}$.

$7\frac{8}{6}$
$-2\frac{5}{6}$

Resta los números cabales.

$7\frac{8}{6}$
$-2\frac{5}{6}$
5

Resta las fracciones.

$7\frac{8}{6}$
$-2\frac{5}{6}$
$5\frac{3}{6}$

Escribe la diferencia como un número mixto en su mínima expresión. $5\frac{3}{6} = 5\frac{1}{2}$

Por tanto, $8\frac{1}{6} - 2\frac{5}{6} = 5\frac{1}{2}$.

Haz la prueba Resta. Escribe cada diferencia como un número cabal o mixto en su mínima expresión.

d. $7\frac{1}{5} - 2\frac{3}{5}$

Cambia $7\frac{1}{5}$: $7\frac{1}{5} = 6\frac{6}{5}$ $6\frac{6}{5}$

Resta las fracciones. $\frac{3}{5}$

Resta los números cabales. 4

Escribe la diferencia. $4\frac{3}{5}$

e. $14\frac{3}{5} - 7\frac{9}{10}$ $7\frac{3}{10}$

f. $6\frac{1}{4} - 2\frac{7}{8}$ $3\frac{3}{8}$

g. $9\frac{5}{6} - 5\frac{3}{4}$ $3\frac{11}{12}$

h. $10 - 3\frac{5}{6}$ $6\frac{1}{6}$

i. $5\frac{7}{8} - 2\frac{1}{4}$ $3\frac{5}{8}$

j. $8\frac{1}{2} - 7\frac{3}{4}$ $\frac{17}{20}$

k. $10\frac{5}{6} - 6\frac{2}{3}$ $3\frac{3}{8}$

l. $12 - 5\frac{5}{6}$ $6\frac{1}{6}$

m. $15\frac{5}{8} - 15\frac{1}{8}$ $\frac{1}{2}$

n. $20\frac{5}{8} - \frac{3}{4}$ $19\frac{7}{8}$

Exercise Notes

■ Exercises 34–36

Error Prevention You may need to review the area formulas for rectangles, triangles, and circles with the students.

Project Progress

You may want to have students use Chapter 6 Project Master.

Exercise Answers

31. Possible answer: $x = y = 1$; $x = y = 2$; $x = y = 3$; Any values where $x = y$. If x and y are equal, the fraction part becomes 0.

33. Possible answer: The method is similar. You subtract the whole numbers from each other. However, when subtracting mixed numbers, there is a fraction part to consider.

Alternate Assessment

Self Assessment Describe what you find most difficult about subtracting mixed numbers.

Notas sobre los ejercicios

■ Ejercicios 34–36

Prevención de errores Tal vez necesite repasar con los estudiantes las fórmulas del área de rectángulos, triángulos y círculos.

Respuestas de Ejercicios

31. Respuesta posible: $x = y = 1$; $x = y = 2$; $x = y = 3$; Cualesquier valores si $x = y$. Si x y y son iguales, la parte fraccional se hace 0.

33. Respuesta posible: El método es semejante. Los números cabales se restan entre sí. Sin embargo, cuando se restan números mixtos hay una parte fraccional que debe considerarse.

Evaluación adicional

Autoevaluación Describe lo que te parece más difícil al restar números mixtos.

Salud La gráfica circular muestra el número de horas durante las cuales Kente practica deporte. Usa la gráfica para resolver los ejercicios 29 y 30.

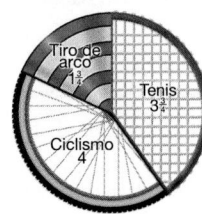

Deportes semanales (h)

29. ¿Cuántas horas más pasó Kente en la bicicleta que practicando tiro de arco? $2\frac{1}{4}$ h

30. Kente predijo que jugaría tenis 7 horas a la semana. ¿Por cuántas horas se equivocó en su predicción? $3\frac{1}{4}$ h

Resolución de problemas y razonamiento

31. **Razonamiento crítico** $5\frac{x}{11} - 2\frac{y}{11} =$ un número cabal. Haz una lista de tres posibles valores para x y y. Explica tu respuesta.

32. **Razonamiento crítico** Si cambias uno de los dígitos en $3\frac{1}{4} + 2\frac{5}{8}$ por un 9, y quieres obtener la respuesta más pequeña posible, ¿qué dígito debes cambiar? 4

33. [En tu diario] Describe semejanzas y diferencias entre la resta con números cabales y la resta con números mixtos.

Repaso mixto

Calcula el área de las siguientes figuras. *[Lección 4-9]*

34. 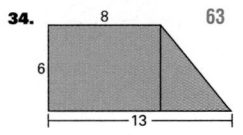 63

35. 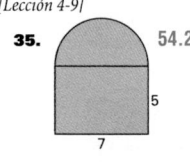 54.2325

36. 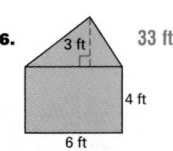 33 ft²

Escribe cada número en notación científica. *[Lección 3-4]*

37. 340,000 3.4×10^5
38. 47,500 4.75×10^4
39. 5,000,000 5×10^6
40. 4000 4×10^3
41. 6,200,000 6.2×10^6

El proyecto en marcha

Completa las columnas de tus tablas de recetas. Organiza las tablas en un libro de cocina e ilústralo con dibujos de las comidas o los animales para los que están hechas las recetas.

Resolución de problemas
Comprende
Planea
Resuelve
Revisa

RESOLVER PROBLEMAS 6-6

354 Capítulo 6 • Suma y resta de fracciones

En esta sección has aprendido cómo sumar y restar números mixtos. En la siguiente investigación utilizarás los números mixtos mientras conoces dos de las principales causas de inundaciones.

Peligro de inundación

Cada invierno cae nieve en las montañas Sunset. Cada primavera, la nieve se derrite y escurre al río Wolverine. El río Wolverine se desbordará en julio si se presentan las *dos* siguientes condiciones:

a. Que la cantidad total de precipitación (lluvia o nieve) durante diciembre, enero, febrero y marzo sea mayor de 30 pulgadas.

b. Que la cantidad total de tiempo durante abril, mayo y junio cuando las temperaturas del aire exceden los 90°F sea mayor de $11\frac{1}{2}$ días.

La siguiente tabla proporciona datos de noviembre de 1994 a junio de 1995.

	Nov	Dic	Ene	Feb	Mar	Abr	May	Jun
Precipitación (in.)	$3\frac{3}{4}$	$6\frac{1}{12}$	$8\frac{3}{4}$	$9\frac{5}{6}$	$6\frac{2}{3}$	$1\frac{1}{2}$	$1\frac{5}{12}$	$\frac{5}{8}$
Días arriba de 90°	0	0	0	0	$1\frac{3}{5}$	$2\frac{4}{5}$	$3\frac{3}{10}$	$4\frac{1}{2}$

1. Calcula la cantidad aproximada de precipitación de diciembre a marzo.

2. Calcula el número aproximado de días arriba de 90°F de abril a junio.

3. ¿Indican tus cálculos que el río se desbordará en julio? Explica tu respuesta.

4. Halla la cantidad exacta de precipitación de diciembre a marzo.

5. Halla el número exacto de días arriba de 90°F de abril a junio.

6. ¿Indican tus cifras exactas que el río se desbordará en julio? Explica tu respuesta.

7. ¿Por qué la temperatura afecta la posibilidad de que se desborde el río? ¿Qué otros factores pueden afectar esta posibilidad?

355

Peligro de inundación

Objetivo

En *Peligro de inundación*, de la página 341, los estudiantes examinaron las inundaciones como resultado de las fuerzas de la naturaleza. Ahora usarán los números mixtos para analizar dos de las principales causas de las inundaciones.

Acerca de esta página

- Comente con los estudiantes por qué deben combinarse la precipitación pluvial y las altas temperaturas para que un río se desborde.

- Pregúnteles por qué creen que las temperaturas altas de la primavera aumentan la probabilidad de una inundación. Respuesta posible: Las temperaturas altas aumentan la rapidez del deshielo.

- Repase la tabla con los estudiantes para asegurarse de que comprendan la información que se muestra.

Evaluación continua

Cerciórese de que los estudiantes hayan sumado correctamente las fracciones para determinar la cantidad exacta de precipitación pluvial y el número exacto de días con temperaturas por arriba de 90°F.

Ampliación

En 1995 hubo suficiente precipitación pluvial en invierno, pero no hubo suficientes días con temperaturas altas en primavera para causar una inundación. ¿Cuántos días más con temperaturas arriba de 90°F hubieran causado una inundación ese año?

Cuando menos $\frac{9}{10}$ de día.

Deep Waters Still Run

The Point

In *Deep Waters Still Run* on page 341, students discussed floods as a powerful force of nature. Now they will use mixed numbers to analyze two principal causes of floods.

Resources

Lesson Enhancement Transparency 32

About the Page

- Discuss with your students why both precipitation and high temperatures must occur to cause a river to flood.

- Ask students why they think high spring temperatures increase the likelihood of a flood. Possible answer: Higher temperatures increase the rapidity of the snow melt.

- Review the chart with students to ensure that students understand the information shown.

Ongoing Assessment

Check that students have added the fractions correctly to determine the exact amount of precipitation and the exact number of days of temperatures over 90°F.

Extension

There was enough precipitation in the winter but there were not enough days of high temperatures in the spring to cause a flood in 1995. How many more days of temperatures over 90°F would have caused flooding that year?

At least $\frac{9}{10}$ of a day more.

Respuestas de Asociación

1. 32 in.

2. 11 días

3. No; El cálculo aproximado de días que la temperatura del aire excedió los 90°F es menor que $11\frac{1}{2}$.

4. $31\frac{1}{3}$ in.

5. $10\frac{3}{5}$ días

6. No; La temperatura del aire excedió los 90°F durante menos de $11\frac{1}{2}$ días.

7. Respuesta posible: Mientras más alta es la temperatura, más nieve se derrite. Otros factores: Tamaño de las presas; Obstrucciones en los ríos; Rapidez del deshielo.

Answers for Connect

1. 32 in.

2. 11 days

3. No; The estimate of days that the air temperature exceeded 90°F is less than $11\frac{1}{2}$.

4. $31\frac{1}{3}$ in.

5. $10\frac{3}{5}$ days

6. No; The air temperature exceeded 90°F for less than $11\frac{1}{2}$ days.

7. Possible answer: The higher the temperature, the more snow that melts. Other factors: Size of dams; Blockages in rivers; How fast the snow melts.

Review Correlation

Item(s)	Lesson(s)
1	6-6
2	6-5
3	6-2
4, 5	6-6
6	6-1
7	6-5
8	6-2
9	6-5
10–13	6-6
14	6-5
15	6-6
16	6-5
17	6-3
18	6-5, 6-6
19	6-4
20–22	6-5

Test Prep

Test-Taking Tip

Tell students to watch for two answers that are really the same. For example, in Question 21, $\frac{8}{3} = 2\frac{2}{3}$, so the choice can be narrowed down to C or D.

Answers for Review

1. $1\frac{3}{5}$
2. $22\frac{4}{7}$
3. $\frac{17}{45}$
4. $4\frac{1}{2}$
5. $3\frac{5}{9}$
6. $1\frac{4}{11}$
7. $111\frac{11}{24}$
8. $\frac{27}{40}$
9. 7
10. $2\frac{1}{6}$
11. $4\frac{2}{3}$
12. $3\frac{1}{4}$
13. $\frac{1}{18}$
14. $14\frac{3}{10}$
15. $3\frac{1}{4}$
16. $3\frac{11}{12}$
17. $\frac{1}{21}$
18. Selecas; $\frac{7}{60}$ gallon
19. 6 hours
20. $5\frac{11}{12}$
21. D
22. D

Correlación de repaso

Punto(s)	Lección(es)
1	6-6
2	6-5
3	6-2
4, 5	6-6
6	6-1
7	6-5
8	6-2
9	6-5
10–13	6-6
14	6-5
15	6-6
16	6-5
17	6-3
18	6-5, 6-6
19	6-4
20–22	6-5

Para la prueba

Sugerencia para la prueba

Diga a los estudiantes que tengan cuidado con dos respuestas que pueden ser iguales. En la pregunta 21, por ejemplo, $\frac{8}{3} = 2\frac{2}{3}$, por lo que las opciones se reducen a C o D.

Respuestas de Repaso

1. $1\frac{3}{5}$
2. $22\frac{4}{7}$
3. $\frac{17}{45}$
4. $4\frac{1}{2}$
5. $3\frac{5}{9}$
6. $1\frac{4}{11}$
7. $111\frac{11}{24}$
8. $\frac{27}{40}$
9. 7
10. $2\frac{1}{6}$
11. $4\frac{2}{3}$
12. $3\frac{1}{4}$
13. $\frac{1}{18}$
14. $14\frac{3}{10}$
15. $3\frac{1}{4}$
16. $3\frac{11}{12}$
17. $\frac{1}{21}$
18. Las hermanas Seleca; $\frac{7}{60}$ de galón
19. 6 horas
20. $5\frac{11}{12}$
21. D
22. D

Simplifica y escribe la respuesta en su mínima expresión.

1. $4\frac{1}{5} - 2\frac{2}{5}$
2. $15 + 7\frac{4}{7}$
3. $\frac{7}{9} - \frac{2}{5}$
4. $12\frac{7}{8} - 8\frac{3}{8}$

5. $6\frac{1}{3} - 2\frac{7}{9}$
6. $\frac{9}{11} + \frac{6}{11}$
7. $33\frac{1}{3} + 78\frac{1}{8}$
8. $\frac{4}{5} - \frac{1}{8}$

9. $2\frac{1}{3} + 3\frac{5}{3}$
10. $6\frac{5}{6} - 4\frac{2}{3}$
11. $20 - 15\frac{1}{3}$
12. $11\frac{7}{8} - 8\frac{5}{8}$

13. $2\frac{4}{18} - 2\frac{3}{18}$
14. $3\frac{4}{5} + 10\frac{1}{2}$
15. $6\frac{3}{4} - 3\frac{1}{2}$
16. $1\frac{5}{8} + 2\frac{7}{24}$

17. Durante la inundación del río Mississippi en 1973, el Fifth Army Corps of Engineers usó varios vehículos para ayudar en el desastre. $\frac{5}{7}$ eran Jeeps y $\frac{5}{21}$ eran camiones tanque. ¿Qué fracción no era ni Jeeps ni camiones tanque?

18. Una tarde, Rob y Thomas Lin y Helen y Sarah Seleca pintaron una casa. Rob usó $3\frac{1}{3}$ galones de pintura, Sarah utilizó $4\frac{1}{4}$. Thomas empleó $5\frac{3}{4}$ y Helen usó $4\frac{4}{5}$. ¿Quiénes utilizaron más pintura, los Lin o los Seleca? ¿Qué cantidad más de pintura?

19. **Cálculo aproximado** Steve piensa realizar el quehacer durante $1\frac{1}{3}$ horas, la tarea durante $2\frac{1}{4}$ horas, y quiere jugar baloncesto durante $2\frac{3}{4}$ horas. Calcula la cantidad aproximada de tiempo que esto le tomará.

20. Robyn corrió $2\frac{2}{3}$ millas en la mañana y $3\frac{1}{4}$ millas después de clases. ¿Cuántas millas corrió en total?

> **Para la prueba**

Para eliminar respuestas, primero determina si la respuesta es un número mixto o un número cabal.

21. Escoge la respuesta correcta. $5\frac{2}{6} + 2\frac{2}{3}$

  Ⓐ $\frac{8}{3}$ Ⓑ $2\frac{2}{3}$ Ⓒ 7   Ⓓ 8

22. Escoge la respuesta correcta. $5\frac{3}{4} + 3\frac{3}{4}$

  Ⓐ 2   Ⓑ $8\frac{1}{2}$ Ⓒ 9   Ⓓ $9\frac{1}{2}$

REPASO 6B

Resources

Practice Masters
  Section 6B Review

Assessment Sourcebook
  Quiz 6B

 TestWorks
  Test and Practice Software

PRACTICE

Nombre _____   Práctica

Sección 6B • Repaso

Simplifica las operaciones y escribe cada respuesta en su mínima expresión.

1. $6 - 1\frac{3}{14}$ $4\frac{11}{14}$
2. $3\frac{1}{6} - 1\frac{7}{9}$ $1\frac{7}{18}$
3. $3 + 5\frac{7}{16}$ $8\frac{7}{16}$
4. $10\frac{1}{4} + 17\frac{1}{4}$ $27\frac{1}{2}$

5. $7 + 4\frac{2}{5}$ $11\frac{2}{5}$
6. $8\frac{5}{17} + 1\frac{2}{17}$ $9\frac{7}{17}$
7. $23\frac{3}{5} - 13\frac{2}{7}$ $10\frac{11}{35}$
8. $10 - 7\frac{13}{16}$ $2\frac{3}{16}$

9. $12\frac{3}{7} + 3\frac{4}{3}$ $16\frac{5}{21}$
10. $9\frac{1}{2} - 6\frac{3}{4}$ $2\frac{3}{4}$
11. $2\frac{3}{5} + 5\frac{1}{12}$ $7\frac{3}{4}$
12. $3\frac{1}{5} + \frac{7}{8}$ $4\frac{3}{40}$

13. $2\frac{7}{9} + 10$ $12\frac{7}{9}$
14. $2\frac{4}{5} + 4\frac{4}{7}$ $7\frac{13}{35}$
15. $6\frac{11}{20} - 4\frac{9}{10}$ $1\frac{13}{20}$
16. $20\frac{5}{6} + 6\frac{2}{7}$ $27\frac{5}{42}$

17. En el Palacio de las Mascotas de Paul, $\frac{5}{16}$ de los animales son perros y $\frac{5}{8}$ son gatos. ¿Qué fracción de los animales no son ni perros ni gatos? $\frac{19}{48}$

18. En el festival de música de la escuela, Judy tocó el saxofón $2\frac{2}{3}$ horas, Carol cantó $1\frac{1}{4}$ horas, Bob tocó el saxofón $1\frac{1}{4}$ horas y Ross cantó $2\frac{3}{8}$ horas.

  a. ¿Quiénes tuvieron más tiempo: los que tocaron el saxofón o los que cantaron?   Los cantantes; $\frac{5}{24}$ horas (ó $12\frac{1}{2}$ minutos)

  b. ¿Cuánto tiempo más?

19. Steve compró $2\frac{1}{4}$ lb de brócoli, $1\frac{1}{3}$ lb de zanahorias y $\frac{7}{8}$ lb de coliflor. Calcula la cantidad aproximada total de vegetales.   Como 5 lb

20. El promedio de tiempo de traslado al trabajo de los empleados en New York es de 30.6 minutos. Esto es 4.2 minutos mayor que el promedio de Los Angeles. Establece una ecuación y resuélvela para hallar el promedio de tiempo en Los Angeles. *[Lección 3-12]*

  Respuesta posible: 30.6 = x + 4.2; 26.4 minutos

21. Un portavasos normal mide alrededor de 0.045 pulgadas de grosor. Escribe esta cantidad como una fracción en su mínima expresión. *[Lección 5-7]* $\frac{9}{200}$ in.

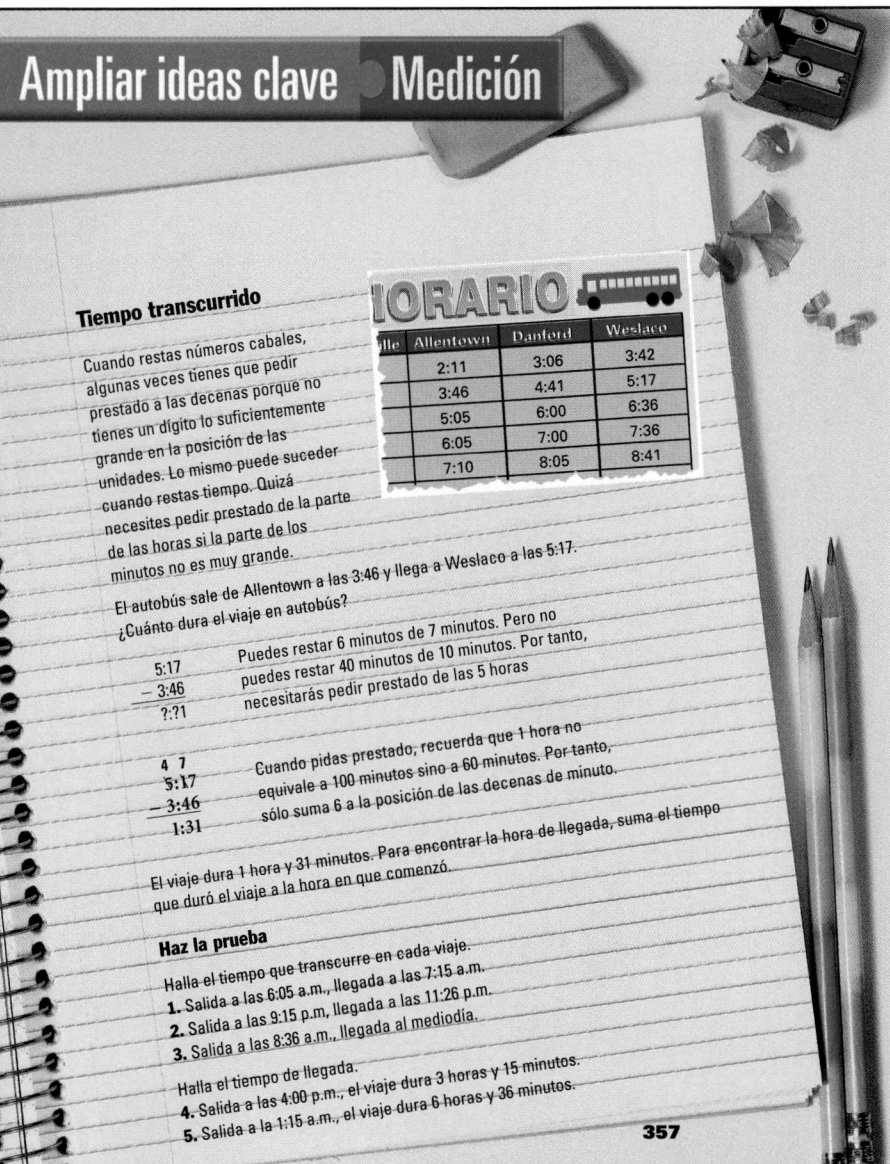

Student Page (reproduced)

Tiempo transcurrido

Cuando restas números cabales, algunas veces tienes que pedir prestado a las decenas porque no tienes un dígito lo suficientemente grande en la posición de las unidades. Lo mismo puede suceder cuando restas tiempo. Quizá necesites pedir prestado de la parte de las horas si la parte de los minutos no es muy grande.

El autobús sale de Allentown a las 3:46 y llega a Weslaco a las 5:17. ¿Cuánto dura el viaje en autobús?

```
  5:17      Puedes restar 6 minutos de 7 minutos. Pero no
- 3:46      puedes restar 40 minutos de 10 minutos. Por tanto,
  ?:?1      necesitarás pedir prestado de las 5 horas
```

```
  4 7
  5:17      Cuando pidas prestado, recuerda que 1 hora no
- 3:46      equivale a 100 minutos sino a 60 minutos. Por tanto,
  1:31      sólo suma 6 a la posición de las decenas de minuto.
```

El viaje dura 1 hora y 31 minutos. Para encontrar la hora de llegada, suma el tiempo que duró el viaje a la hora en que comenzó.

Haz la prueba

Halla el tiempo que transcurre en cada viaje.

1. Salida a las 6:05 a.m., llegada a las 7:15 a.m.
2. Salida a las 9:15 p.m., llegada a las 11:26 p.m.
3. Salida a las 8:36 a.m., llegada al mediodía.

Halla el tiempo de llegada.

4. Salida a las 4:00 p.m., el viaje dura 3 horas y 15 minutos.
5. Salida a la 1:15 a.m., el viaje dura 6 horas y 36 minutos.

357

HORARIO

...lle	Allentown	Danford	Weslaco
	2:11	3:06	3:42
	3:46	4:41	5:17
	5:05	6:00	6:36
	6:05	7:00	7:36
	7:10	8:05	8:41

Teacher Edition

Tiempo transcurrido

Objetivo
Los estudiantes calculan el tiempo transcurrido mediante la resta de horas y minutos.

Acerca de esta página

- Los estudiantes querrán pedir prestado, con sólo sumar un 1 frente al dígito de la columna de pedir prestado. Señale que esto funciona según el valor posicional y lo que se pide prestado. Así, 1 hora puede convertirse en 60 minutos.

- Quizá a los estudiantes se les facilite calcular el tiempo transcurrido por medio del método de "conteo". Empiece con el tiempo que representa la hora más temprana y cuente hasta llegar al tiempo que representa la hora más tardía.

Pregunte…

- Explica cómo pide prestado para restar 8:21 p.m. − 5:34 p.m. Se pide prestado al 2 y se deja como 1. Se suma 10 al 1, para que se convierta en 11, pues el préstamo es de 10 minutos. Se pide prestada 1 hora de 8 y ésta se deja como 7. Se suma 6 al 1 que quedaba, volviéndolo 7, pues 1 hora representa 6 unidades de 10 minutos. La diferencia es 2 horas y 47 minutos.

- ¿Cómo podrías comprobar tu respuesta? Al sumar el tiempo transcurrido calculado al tiempo de la hora de llegada. El resultado debe ser el tiempo de la hora de salida original.

Ampliación

Halla el tiempo transcurrido en cada viaje.

1. Hora de partida 10:30 a.m., tiempo de llegada 4:38 p.m. 6 horas, 8 minutos

2. Tiempo de partida 11:16 p.m., tiempo de llegada 8:43 a.m. 9 horas, 27 minutos

Halla el tiempo de llegada.

1. Tiempo de partida 5:15 p.m., el viaje toma 10 horas, 13 minutos. 3:28 a.m.

2. Tiempo de partida 6:15 a.m., el viaje toma 2 horas, 45 minutos. 9:00 a.m.

Respuestas de Haz la prueba

1. 1 hora, 10 minutos

2. 2 horas, 11 minutos

3. 3 horas, 24 minutos

4. 7:15 p.m.

5. 7:51 a.m.

Elapsed Time

The Point
Students calculate elapsed time by subtracting hours and minutes.

About the Page

- Students may want to borrow by just adding a 1 in front of the digit in the borrowing column. Point out that this works only because of the place value and what is being borrowed. Thus, 1 hour may be traded for 60 minutes.

- Students may find it easier to figure elapsed time using the "counting on" method. Start with the earlier time and count on until the later time is reached.

Ask …

- Explain the borrowing for 8:21 PM − 5:34 PM Borrow from the 2, leaving 1. Add 10 to the 1, making 11, since the borrow is 10 minutes. Borrow 1 hour from 8, leaving 7. Add 6 to the remaining 1, making 7, since 1 hour is 6 10-minute units. The difference is 2 hours and 47 minutes.

- How could you check your answer? Add the calculated elapsed time to the arrival time. The result should be the original departure time.

Extension

Find the elapsed time for each trip.

1. Leaves 10:30 AM, arrives 4:38 PM 6 hours, 8 minutes

2. Leaves 11:16 PM, arrives 8:43 AM 9 hours, 27 minutes.

Find each arrival time.

1. Leaves 5:15 PM, trip takes 10 hours, 13 minutes. 3:28 AM

2. Leaves 6:15 A.M., trip takes 2 hours, 45 minutes. 9:00 AM

Answers for Try It

1. 1 hour, 10 minutes

2. 2 hours, 11 minutes

3. 3 hours, 24 minutes

4. 7:15 PM

5. 7:51 AM

Review Correlation

Item(s)	Lesson(s)
1	6-1
2–5	6-2
6–10	6-1
11–17	6-2
18–20	6-3
21–30	6-4
31	6-6
32, 33	6-5
34–36	6-6
37	6-5
38, 39	6-6
40	6-5
41, 42	6-6
43–45	6-5

For additional review, see page 667.

Correlación de repaso

Punto(s)	Lección(es)
1	6-1
2–5	6-2
6–10	6-1
11–17	6-2
18–20	6-3
21–30	6-4
31	6-6
32, 33	6-5
34–36	6-6
37	6-5
38, 39	6-6
40	6-5
41, 42	6-6
43–45	6-5

Para un repaso adicional, véase la página 667.

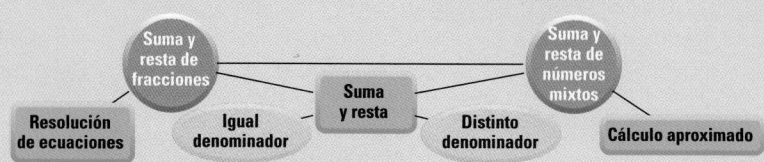

Capítulo 6 • Resumen y Repaso

Organizador gráfico

Suma y resta de fracciones — Resolución de ecuaciones — Igual denominador — Suma y resta — Distinto denominador — Suma y resta de números mixtos — Cálculo aproximado

Sección 6A Suma y resta de fracciones

Resumen

■ Puedes sumar y restar fracciones con **igual denominador** si sumas y restas sus numeradores. El denominador se queda igual porque sumas o restas piezas del mismo tamaño.

■ Si las fracciones tienen **distinto denominador**, debes cambiar las fracciones a fracciones equivalentes con igual denominador. En ocasiones es más rápido cambiar a fracciones equivalentes mediante el uso del **mínimo común denominador**.

■ Puedes sumar o restar fracciones para resolver ecuaciones con fracciones.

Repaso

$$\frac{1}{5} + \frac{3}{5} = \frac{4}{5}$$

1. Escribe el problema que representa este modelo.

Menciona el mínimo común denominador para cada par de números.

2. $\frac{1}{3}, \frac{1}{12}$ 12

3. $\frac{1}{4}, \frac{1}{7}$ 28

4. $\frac{1}{6}, \frac{1}{10}$ 30

5. $\frac{1}{9}, \frac{1}{21}$ 63

Haz las siguientes sumas o restas y escribe cada respuesta en su mínima expresión.

6. $\frac{5}{7} - \frac{3}{7}$ $\frac{2}{7}$

7. $\frac{3}{15} + \frac{8}{15}$ $\frac{11}{15}$

8. $\frac{5}{12} + \frac{7}{12}$ 1

9. $\frac{3}{5} - \frac{2}{5}$ $\frac{1}{5}$

10. $\frac{7}{8} + \frac{3}{8}$ $1\frac{1}{4}$

11. $\frac{11}{14} - \frac{5}{7}$ $\frac{1}{14}$

12. $\frac{2}{3} + \frac{1}{2}$ $1\frac{1}{6}$

13. $\frac{1}{3} - \frac{1}{5}$ $\frac{2}{15}$

14. $\frac{2}{11} + \frac{1}{2}$ $\frac{15}{22}$

15. $\frac{5}{6} + \frac{1}{7}$ $\frac{41}{42}$

16. $\frac{7}{8} - \frac{2}{3}$ $\frac{5}{24}$

17. $\frac{7}{8} - \frac{7}{9}$ $\frac{7}{72}$

Resuelve cada ecuación.

18. $\frac{3}{13} + x = \frac{12}{13}$ $\frac{9}{13}$

19. $y - \frac{1}{4} = \frac{1}{2}$ $\frac{3}{4}$

20. $z + \frac{1}{5} = \frac{9}{10}$ $\frac{7}{10}$

358 *Capítulo 6 • Suma y resta de fracciones*

Resources

Practice Masters
 Cumulative Review
 Chapters 1–6

Assessment Sourcebook
 Quarterly Test Chapters 1–6

PRACTICE

Nombre _____

Práctica

Capítulos 1–6 • Repaso acumulativo

Evalúa cada expresión. *[Lección 2-8]*

1. $7 - 12 \div 3$ 3
2. $7 \times 4 + 8$ 36
3. $16 \div 2 \times 4$ 32
4. $5 \times (3 - 1)$ 10
5. $18 - (5 - 2)$ 15
6. $(7 - 4)^2$ 9
7. $6 + 4 \times 5$ 26
8. $10 - 2^2$ 6
9. $21 \div 3 + 4$ 11
10. $8 - 2 \times 3$ 2
11. $(7 + 2) \times 5$ 45
12. $2 \times (6 - 1)^2$ 50

Escribe cada número en notación científica. *[Lección 3-4]*

13. 38,600 3.86×10^4
14. 1,420 1.42×10^3
15. 3,800,000 3.8×10^6
16. 41,500,000 4.15×10^7
17. 6,700,000,000 6.7×10^9
18. 17 millones 1.7×10^7
19. 128 mil 1.28×10^5
20. 7 mil millones 7×10^9

Halla el perímetro de las siguientes figuras. *[Lección 4-1]*

21. 28 ft
22. 43 cm
23. 23.2 m
24. 116 in.

Encuentra el MCM de cada par de números. *[Lección 5-3]*

25. 5, 12 60
26. 40, 30 120
27. 8, 7 56
28. 18, 30 90
29. 10, 8 40
30. 6, 3 6
31. 18, 21 126
32. 36, 18 36

Simplifica cada expresión. *[Lección 6-2]*

33. $\frac{2}{3} + \frac{1}{8}$ $\frac{19}{24}$
34. $\frac{1}{6} + \frac{1}{5}$ $\frac{11}{30}$
35. $\frac{4}{5} - \frac{4}{7}$ $\frac{8}{35}$
36. $\frac{7}{13} + \frac{1}{3}$ $\frac{34}{39}$
37. $\frac{5}{8} + \frac{1}{12}$ $\frac{17}{24}$
38. $\frac{2}{3} - \frac{1}{5}$ $\frac{7}{15}$
39. $\frac{13}{20} + \frac{1}{10}$ $\frac{3}{4}$
40. $\frac{7}{9} - \frac{5}{7}$ $\frac{4}{63}$
41. $\frac{1}{2} - \frac{1}{16}$ $\frac{7}{16}$

Sección 6B Suma y resta de números mixtos

Resumen

■ Puedes calcular sumas y restas aproximadas de números mixtos si redondeas cada número mixto al número cabal más cercano. Para encontrar el número cabal más próximo, debes decidir si la parte fraccionaria del número mixto es mayor o menor que un medio.

■ Se suman los números mixtos al sumar las fracciones y los números cabales por separado. Si hay una fracción impropia en la suma, necesitarás reagrupar el número mixto.

■ Se restan los números mixtos al restar las fracciones y los números mixtos por separado. Quizá necesites pedir prestado del número cabal y aumentar la parte fraccionaria del primer número mixto para poder realizar la resta.

Repaso

Redondea los números mixtos al número cabal más cercano.

21. $3\frac{3}{8}$ 3
22. $4\frac{4}{7}$ 5
23. $1\frac{1}{2}$ 2

24. $78\frac{11}{16}$ 79
25. $\frac{5}{9}$ 1
26. $13\frac{8}{11}$ 14

Calcula de manera aproximada cada suma o resta.

27. $7\frac{1}{2} + 11\frac{5}{8}$ 20
28. $5\frac{1}{3} - 2\frac{5}{7}$ 2
29. $3\frac{7}{16} - 1\frac{4}{9}$ 2
30. $4\frac{2}{3} - 1\frac{4}{9}$ 4

31. Un fabricante de banderas quiere poner una borla de $15\frac{3}{4}$ de pulgada en un lado de la bandera. Tiene una borla de $18\frac{1}{2}$ pulgadas. ¿Cuánto tiene que recortar a la borla para usarla en la bandera? $2\frac{3}{4}$ in.

Simplifica cada expresión.

32. $3\frac{3}{5} + 2\frac{1}{5}$ $5\frac{4}{5}$
33. $5\frac{1}{6} + 8\frac{1}{2}$ $13\frac{2}{3}$
34. $7\frac{7}{8} - 3\frac{1}{8}$ $4\frac{3}{4}$
35. $6\frac{12}{17} - 6\frac{5}{17}$ $\frac{7}{17}$

36. $11\frac{5}{11} - 2\frac{5}{8}$ $8\frac{73}{88}$
37. $2\frac{3}{7} + 11$ $13\frac{3}{7}$
38. $3\frac{2}{3} - 1\frac{1}{2}$ $2\frac{1}{6}$
39. $24 - 7\frac{2}{9}$ $16\frac{7}{9}$

40. $6 + 3\frac{2}{3}$ $9\frac{2}{3}$
41. $7\frac{1}{4} - 4\frac{5}{12}$ $2\frac{5}{6}$
42. $31\frac{4}{7} - 2\frac{5}{7}$ $28\frac{6}{7}$
43. $11\frac{5}{11} + 2\frac{6}{11}$ 14

Halla el perímetro de las siguientes figuras.

44. 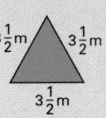 $10\frac{1}{2}$ m

45. 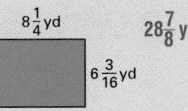 $28\frac{7}{8}$ yd

$3\frac{1}{2}$ m $3\frac{1}{2}$ m

$3\frac{1}{2}$ m

$8\frac{1}{4}$ yd

$6\frac{3}{16}$ yd

Assessment Correlation

Item(s)	Lesson(s)
1–4	6-2
5–9	6-1
10–16	6-2
17–20	6-3
21–24	6-4
25	6-5
26	6-6
27, 28	6-5
29–31	6-6
32	6-5
33, 34	6-6
35	6-5
36, 37	6-6
38	6-5

Answers for Performance Task

a. Possible answers: $4\frac{1}{3}$, $3\frac{4}{3}$, $2\frac{7}{3}$.

b. Possible answers: $5\frac{2}{5}$, $4\frac{7}{5}$, $3\frac{12}{5}$.

c. Possible answers: $7\frac{3}{10}$, $6\frac{13}{10}$, $5\frac{23}{10}$.

Correlación de evaluación

Punto(s)	Lección(es)
1–4	6-2
5–9	6-1
10–16	6-2
17–20	6-3
21–24	6-4
25	6-5
26	6-6
27, 28	6-5
29–31	6-6
32	6-5
33, 34	6-6
35	6-5
36, 37	6-6
38	6-5

Respuestas de Tarea para evaluar el progreso

a. Respuestas posibles: $4\frac{1}{3}$, $3\frac{4}{3}$, $2\frac{7}{3}$.

b. Respuestas posibles: $5\frac{2}{5}$, $4\frac{7}{5}$, $3\frac{12}{5}$.

c. Respuestas posibles: $7\frac{3}{10}$, $6\frac{13}{10}$, $5\frac{23}{10}$.

Capítulo 6 • Evaluación

Halla el mínimo común múltiplo de cada par de números.

1. 5, 6 30 **2.** 12, 15 60 **3.** 5, 20 20 **4.** 30, 35 210

Haz las sumas o restas y escribe cada respuesta en su mínima expresión.

5. $\frac{8}{9} - \frac{2}{9}$ $\frac{2}{3}$ **6.** $\frac{4}{17} + \frac{7}{17}$ $\frac{11}{17}$ **7.** $\frac{6}{11} + \frac{8}{11}$ $\frac{14}{11}$ **8.** $\frac{3}{8} - \frac{1}{8}$ $\frac{1}{4}$

9. $\frac{5}{6} + \frac{5}{6}$ $\frac{5}{3}$ **10.** $\frac{10}{12} - \frac{3}{12}$ $\frac{1}{3}$ **11.** $\frac{1}{3} + \frac{1}{2}$ $\frac{5}{6}$ **12.** $\frac{1}{2} - \frac{1}{7}$ $\frac{5}{14}$

13. $\frac{4}{15} + \frac{1}{2}$ $\frac{23}{30}$ **14.** $\frac{3}{4} + \frac{9}{10}$ $\frac{33}{20}$ **15.** $\frac{3}{5} - \frac{3}{8}$ $\frac{9}{40}$ **16.** $\frac{3}{4} - \frac{2}{9}$ $\frac{19}{36}$

Resuelve cada ecuación.

17. $\frac{7}{15} + w = \frac{9}{15}$ $\frac{2}{15}$ **18.** $k - \frac{1}{5} = \frac{3}{10}$ $\frac{1}{2}$ **19.** $x + \frac{1}{4} = \frac{5}{7}$ $\frac{13}{28}$

20. María y John se ofrecieron como voluntarios para llenar costales de arena para reforzar un dique durante la inundación. John llenó $8\frac{1}{2}$ costales y entre los dos llenaron un total de 25. Escribe una ecuación que exprese cuántos costales llenó María y resuélvela. $8\frac{1}{2} + x = 25$; $16\frac{1}{2}$

Calcula de manera aproximada cada suma o diferencia.

21. $3\frac{1}{3} + 6\frac{7}{11}$ 10 **22.** $11\frac{1}{2} - 7\frac{3}{5}$ 4 **23.** $8\frac{10}{21} - 2\frac{1}{19}$ 6 **24.** $5\frac{4}{5} - 5\frac{4}{10}$ 1

25. Halla la suma de $9\frac{3}{5}$ y $4\frac{4}{5}$. $14\frac{2}{5}$

26. Calcula la diferencia entre $11\frac{8}{11}$ y $7\frac{5}{11}$. $4\frac{3}{11}$

Simplifica cada expresión.

27. $2\frac{1}{5} + 5\frac{3}{5}$ $7\frac{4}{5}$ **28.** $8\frac{1}{8} + 7\frac{1}{10}$ $15\frac{9}{40}$ **29.** $6\frac{6}{8} - 3\frac{5}{8}$ $3\frac{1}{8}$ **30.** $11\frac{10}{13} - 6\frac{4}{13}$ $5\frac{6}{13}$

31. $2\frac{9}{10} - 2\frac{2}{5}$ $\frac{1}{2}$ **32.** $11\frac{4}{9} + 3$ $14\frac{4}{9}$ **33.** $12\frac{2}{3} - 1\frac{1}{2}$ $11\frac{1}{6}$ **34.** $17 - 9\frac{5}{7}$ $7\frac{2}{7}$

35. $3 + 9\frac{1}{4}$ $12\frac{1}{4}$ **36.** $13\frac{1}{3} - 10\frac{7}{8}$ $2\frac{11}{24}$ **37.** $50\frac{1}{8} - 16\frac{7}{9}$ $33\frac{25}{72}$ **38.** $10\frac{5}{10} + 13\frac{5}{10}$ 24

Tarea para evaluar el progreso

Observa que $5\frac{3}{7}$, $4\frac{10}{7}$ y $3\frac{17}{7}$ son equivalentes a $\frac{38}{7}$. Para cada fracción impropia, halla tres números mixtos equivalentes que tengan los mismos denominadores.

a. $\frac{13}{3}$ **b.** $\frac{27}{5}$ **c.** $\frac{73}{10}$

360 Capítulo 6 • Suma y resta de fracciones

Resources

Assessment Sourcebook

Chapter 6 Tests
    Forms A and B (free response)
    Form C (multiple choice)
    Form D (performance assessment)
    Form E (mixed response)
    Form F (cumulative chapter test)

 TestWorks
Test and Practice Software

Home and Community Connections
    Letter Home for Chapter 6 in English and Spanish

Capítulos 1–6 • Repaso acumulativo | Para la prueba

Elección múltiple

Escoge la mejor respuesta.

1. ¿Qué edad y estatura representa el punto *B*? *[Lección 1-3]* **A**

Edad y estatura

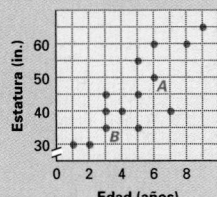

Edad (años)

Ⓐ 3 años, 35 in.   Ⓑ 3 años, 40 in.

Ⓒ 4 años, 40 in.   Ⓓ Ninguna de éstas

2. Halla la mediana de la siguiente tabla arborescente. *[Lección 1-7]* **C**

Tallo	Hoja
2	2 3 6
3	4 4 8 9 9
4	1 1 1 3 7

Ⓐ 1 Ⓑ 36 Ⓒ 39 Ⓓ Ninguna de éstas

3. Simplifica 1025×4. *[Lección 2-5]* **C**

Ⓐ 500   Ⓑ 1100

Ⓒ 4100   Ⓓ Ninguna de las anteriores

4. ¿Cuál de los siguientes números representarías con una variable? *[Lección 2-10]* **D**

Ⓐ número de pies en una milla

Ⓑ número de monedas de diez centavos en un dólar

Ⓒ número de letras en tu nombre

Ⓓ número de chamarras vendidas cada día

5. ¿Qué expresión representa a 4,500,000 en notación científica? *[Lección 3-4]* **B**

Ⓐ 4.5×10^5 Ⓑ 4.5×10^6

Ⓒ 45×10^5 Ⓓ 45×10^6

6. Joyce cortó un pedazo de 1.75 pulgadas de una cuerda de 8.5 pulgadas de largo. ¿Qué longitud tiene la cuerda que sobró? *[Lección 3-6]* **A**

Ⓐ 6.75 in.   Ⓑ 7.75 in.

Ⓒ 7.85 in.   Ⓓ 10.25 in.

7. Simplifica $67.5 \div 0.25$. *[Lección 3-11]* **D**

Ⓐ 23   Ⓑ 27   Ⓒ 230   Ⓓ 270

8. ¿Cuál es el área de un rectángulo que mide 3 pies de largo y 7 pies de ancho? *[Lección 4-4]* **D**

Ⓐ 10 ft   Ⓑ 10 ft² Ⓒ 21 ft   Ⓓ 21 ft²

9. Calcula el área de la figura. *[Lección 4-9]* **C**

Ⓐ 20 ft²

Ⓑ 24 ft

Ⓒ 24 ft²

Ⓓ Ninguna de las anteriores

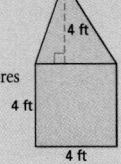

4 ft

4 ft

4 ft

10. Halla la descomposición factorial de 78. *[Lección 5-2]* **C**

Ⓐ 2×34 Ⓑ $70 + 8$

Ⓒ $2 \times 3 \times 13$ Ⓓ 2×39

11. Escribe $\frac{63}{252}$ en su mínima expresión. *[Lección 5-5]* **B**

Ⓐ $\frac{7}{28}$ Ⓑ $\frac{1}{4}$ Ⓒ $\frac{9}{84}$ Ⓓ Ninguna de éstas

12. Escribe $10\frac{3}{5}$ como un decimal. *[Lección 5-7]* **C**

Ⓐ 106   Ⓑ 50.3   Ⓒ 10.6   Ⓓ 10.06

Capítulos 1–6 • Repaso acumulativo **361**

Acerca de las pruebas de elección múltiple

El Repaso acumulativo que está al final de los capítulos 2, 4, 6, 8, 10 y 12 puede usarse como preparación para las pruebas estandarizadas.

A veces los estudiantes no logran resultados tan buenos en las pruebas estandarizadas como los que obtienen en otro tipo de exámenes. Puede haber varias razones para ello, relacionadas tal vez con el formato y el contenido de las pruebas.

• Formato
Los estudiantes suelen tener una experiencia limitada en las pruebas de elección múltiple. Algunas preguntas son más difíciles porque las opciones confunden al estudiante.

• Contenido
Una prueba estandarizada abarca un rango más amplio de contenido que el que normalmente se cubre en un examen, y el relativo énfasis que se pone en varias áreas puede ser diferente del que se ha dado en clase. Algunas preguntas pueden evaluar las aptitudes generales o la destreza mental, y no incluir preguntas específicas de contenido matemático.

Es importante no permitir que las diferencias entre las pruebas estandarizadas y otro tipo de exámenes influyan de manera negativa en los estudiantes haciéndoles perder la confianza en sí mismos.

About Multiple-Choice Tests

The Cumulative Review found at the end of Chapters 2, 4, 6, 8, 10, and 12 can be used to prepare students for standardized tests.

Students sometimes do not perform as well on standardized tests as they do on other tests. There may be several reasons for this related to the format and content of the test.

• Format

Students may have limited experience with multiple-choice tests. For some students, such tests are harder because having options may be confusing.

• Content

A standardized test may cover a broader range of content than normally covered on a test, and the relative emphasis given to various strands may be different than given in class. Also, some questions may assess general aptitude or thinking skills and not include specific pieces of mathematical content.

It is important to not let the differences between standardized tests and other tests shake your students' confidence.

CONTENTS

Answers

1. $40

2. June

3. No, because the points do not lie near any straight line.

4. $11\frac{1}{2}$

5.
Score	Tally	Frequency
Under 70	II	2
70–79	TH II	7
80–89	TH I	6
90–100	TH	5

6.
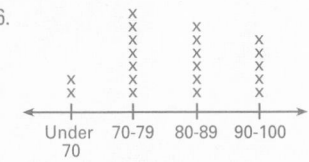

7.
Supreme Court Appointments
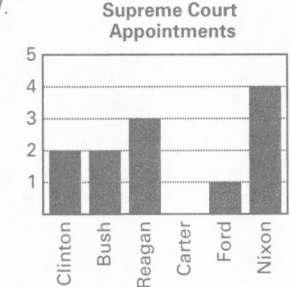

8.
Stem	Leaf
3	7 9
4	0 1 2 2 2 3 3 4 5 7 8
5	1 4 6

9. Median: 740.5; Mode: none; Mean: 790.7

10. The mean, because one outlier can dramatically change the total of the data, which will dramatically change the mean.

Capítulo 1 • Repaso

Respuestas

1. $40

2. Junio

3. No, porque los puntos no se hallan cerca de ninguna línea recta.

4. $11\frac{1}{2}$

5.
Calificación	Marca	Frecuencia
Menos de 70	II	2
70–79	TH II	7
80–89	TH I	6
90–100	TH	5

6.
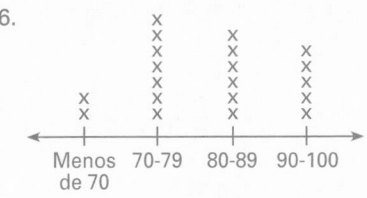

7.
Jueces de la Suprema Corte
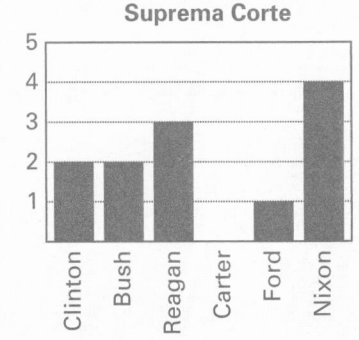

8.
Tallo	Hoja
3	7 9
4	0 1 2 2 2 3 3 4 5 7 8
5	1 4 6

9. Mediana: 740.5; Moda: ninguna; Media: 790.7

10. La media, porque un valor extremo puede cambiar en forma drástica el total de los datos, lo cual cambiaría de manera radical la media.

Todos los capítulos • Repaso

Capítulo 1 • Repaso

1. ¿Cuánto se gastó en ropa y entretenimiento?

Presupuesto de Tara

2. ¿En qué mes se elevaron más las ventas de hot dogs comparadas con el mes anterior?

Hot dogs vendidos
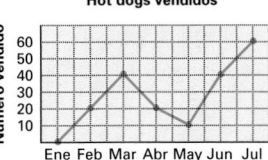

3. ¿Exhibe alguna tendencia el diagrama de dispersión? Explica tu respuesta.

Precio del auto y ventas

4. Una clave pictográfica muestra que un símbolo es igual a 10 bicicletas. ¿Cuántos símbolos se necesitarían para representar 115 bicicletas?

Usa los datos de las calificaciones de la prueba de ciencias para contestar los ejercicios 5 y 6.

5. Usa las marcas de conteo para hacer una tabla de frecuencia de las calificaciones de las pruebas en estos grupos: menos de 70; 70–79; 80–89; 90–100.

6. Utiliza los grupos del ejercicio 5 para hacer un diagrama de puntos.

7. Haz una gráfica de barras con el número de los jueces de la Suprema Corte elegidos por estos presidentes: Clinton, 2; Bush, 2; Reagan, 3; Carter, 0; Ford, 1 y Nixon, 4.

8. Haz una tabla arborescente para los siguientes datos: 43, 41, 56, 37, 42, 48, 45, 43, 51, 54, 39, 44, 42, 47, 42, 40.

9. Halla la mediana, media y moda para estos récords de bases robadas: Henderson, 1117; Brock, 938; Cobb, 892; Raines, 777; Collins, 743; Carey, 738; Wagner, 703; Morgan, 689; Wilson, 661; y Campaneris, 649.

10. Para cualquier conjunto de datos, ¿cuál de las tres medidas (media, mediana o moda) es más probable que se vea afectada por un valor extremo? Explica por qué.

Calificaciones de la prueba de ciencias									
86	72	98	79	84	63	72	86	89	72
98	92	75	81	76	93	94	88	64	77

662 *Capítulo 1 • Repaso*

Capítulo 2 • Repaso

1. Indica el valor posicional de 4 en 2,549,013.

2. Escribe 81,294,537 en forma verbal.

3. Redondea 81,294,537 al valor posicional dado: **a.** Millares   **b.** Millones

4. Usa $>$ o $<$ para comparar 593,293 y 593,392.

5. Ordena de mayor a menor: 3,192,536; 31,925,006; 3,492,426

6. Indica la base y el exponente de 13^6.   **7.** Escribe 6^5 en notación multiplicativa.

8. Escribe 3 elevado al cuadrado en notación exponencial.

9. Escribe cada una en forma usual:
  a. 7^2 **b.** 8 elevado al cubo   **c.** 12^1 **d.** 5 elevado a la cuarta potencia

Resuelve cada problema mediante el cálculo mental.

10. $170 + 30 + 64 + 36$ **11.** 8×303 **12.** 40×700 **13.** $54,000 \div 60$

Usa el cálculo aproximado para resolver cada problema.

14. $592 - 128$ **15.** $4518 + 3179$ **16.** 47×712 **17.** $152 \times 9 \times 12$

Resuelve cada problema mediante el uso del orden de las operaciones.

18. $7 \times 8 \div 2 + 3$ **19.** $(11 - 5)^2 \div 3 \times 7$

Halla los siguientes tres números de cada patrón.

20. $53, 49, 45, 41, 37, \ldots$ **21.** $24, 36, 35, 47, 46, \ldots$

22. Indica si cada enunciado describe una constante o una variable.
  a. El número de monedas de veinticinco centavos en un dólar.
  b. El número de monedas de veinticinco centavos en tu bolsillo.

Evalúa cada expresión cuando $x = 3, 5$ y 7.

23. $3x$ **24.** $x + 9$

25. Julio compró un rollo de cámara con n fotografías y tomó 18. Escribe una expresión para el número de fotografías que le quedaron en el rollo.

26. ¿Es la ecuación $24 - x = 15$ verdadera si $x = 9$? ¿Y cuando $x = 11$?

27. Encuentra el valor de x: **a.** $x + 6 = 27$ **b.** $\frac{x}{3} = 6$

Capítulo 2 • Repaso   **663**

Capítulo 2 • Repaso

Respuestas

1. Decenas de millar

2. Ochenta y un millones, doscientos noventa y cuatro mil, quinientos treinta y siete.

3. a. 81,295,000
   b. 81,000,000

4. Respuesta posible: $593,293 < 593,392$

5. 3,192,536; 3,492,426; 31,925,006

6. Base: 13; Exponente: 6

7. $6 \times 6 \times 6 \times 6 \times 6$

8. 3^2

9. a. 49   b. 512
   c. 12   d. 625

10. 300

11. 2424

12. 28,000

13. 900

14. 460

15. 7600

16. 35,000

17. 15,200

18. 31

19. 84

20. 33, 29, 25

21. 58, 57, 69

22. a. Constante
    b. Variable

23. 9, 15, 21

24. 12, 14, 16

25. $n - 18$

26. Sí; No

27. a. 21
    b. 18

Chapter 2 Review

Answers

1. Ten thousands

2. Eighty-one million, two hundred ninety-four thousand, five hundred thirty-seven

3. a. 81,295,000
   b. 81,000,000

4. Possible answer: $593,293 < 593,392$

5. 3,192,536; 3,492,426; 31,925,006

6. Base: 13; Exponent: 6

7. $6 \times 6 \times 6 \times 6 \times 6$

8. 3^2

9. a. 49   b. 512
   c. 12   d. 625

10. 300

11. 2424

12. 28,000

13. 900

14. 460

15. 7600

16. 35,000

17. 15,200

18. 31

19. 84

20. 33, 29, 25

21. 58, 57, 69

22. a. Constant
    b. Variable

23. 9, 15, 21

24. 12, 14, 16

25. $n - 18$

26. Yes; no

27. a. 21
    b. 18

Chapter 3 Review

Answers

1. a. 0.041

   b. 0.4

2. 1 cm; 1.4 cm

3. 0.693

4. 3.3, because 3.34 is 0.04 away from 3.3 and 3.4 is 0.1 away from 3.3.

5. $4.179 > 4.0182 > 4.018$

6. 1.799×10^7

7. 100

8. 350

9. 120

10. 3

11. 430.33

12. 8.743

13. 29.93

14. 4

15. About 2.8

16. a. $h = 19.5$

    b. $x = 13.3$

17. 0.0368

18. 49,100

19. 0.83

20. 638,000

21. $k = 0.7$

22. $n = 4.5$

Capítulo 3 Repaso

Respuestas

1. a. 0.041

   b. 0.4

2. 1 cm; 1.4 cm

3. 0.693

4. 3.4, porque 3.34 está 0.04 de 3.3 y 3.4 está a 0.1 de 3.3.

5. $4.179 > 4.0182 > 4.018$

6. 1.799×10^7

7. 100

8. 350

9. 120

10. 3

11. 430.33

12. 8.743

13. 29.93

14. 4

15. Alrededor de 2.8 años luz.

16. a. $h = 19.5$

    b. $x = 13.3$

17. 0.0368

18. 49,100

19. 0.83

20. 638,000

21. $k = 0.7$

22. $n = 4.5$

Capítulo 3 • Repaso

1. Escribe cada número en forma decimal.

   a. 41 milésimos

   b.

2. Indica cuál es la longitud de la mosca al centímetro y al décimo de centímetro más cercanos.

   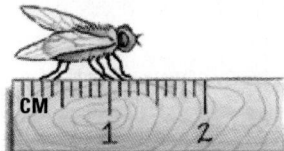

3. Redondea 0.6927 al milésimo más cercano.

4. En una regla, ¿cuál está más cerca de 3.3: 3.34 ó 3.4? Explica por qué.

5. Usa el símbolo > para ordenar los decimales de mayor a menor: 4.018; 4.179 y 4.0182.

6. El estado de New York tiene una población aproximada de 17,990,000. Escribe este número en notación científica.

Haz un cálculo aproximado.

7. $29.21 + 72.4$ 8. $451.8 - 93.507$ 9. 15.9×6 10. $46.4 \div 15$

Simplifica las siguientes expresiones.

11. $8.4 + 421.93$ 12. $11.03 - 2.287$ 13. 7.3×4.1 14. $10.8 \div 2.7$

15. La estrella Arturo está como a 10.3 años luz de la Tierra. La estrella Vega está, aproximadamente, a 7.5 años luz de la Tierra. ¿A cuántos más años luz de la Tierra se encuentra Arturo?

16. Resuelve las ecuaciones.

    a. $h - 7.2 = 12.3$ b. $x + 6 = 19.3$

Simplifica las siguientes expresiones.

17. 3.68×0.01 18. $4.91 \times 10,000$ 19. $83 \div 100$ 20. $638 \div 0.001$

Resuelve las ecuaciones.

21. $0.5k = 0.35$ 22. $\frac{n}{0.9} = 5$

Capítulo 4 • Repaso

Halla el perímetro de cada figura.

1.

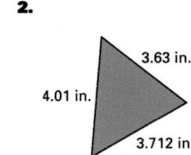

3.1 cm

4.7 cm

2.

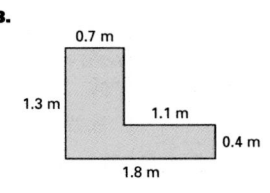

3.63 in.

4.01 in.

3.712 in.

3.

0.7 m

1.3 m

1.1 m

0.4 m

1.8 m

Usa potencias de 10 o factores de conversión para encontrar cada medida.

4. 174 g = ☐ kg

5. 60 in. = ☐ ft

6. 6.5 lb = ☐ oz

7. 5 gal = ☐ qt

8. 24.913 km = ☐ m

9. 2.8 kg = ☐ g

10. Una alberca rectangular mide 25 por 50 m. ¿Cuál es, en metros, el perímetro de la alberca?, ¿y en centímetros?

Calcula el área de cada figura.

11.

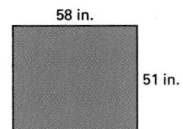

58 in.

51 in.

12.

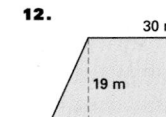

30 m

19 m

13.

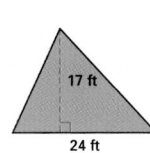

17 ft

24 ft

14. ¿Cuál es el área de un cuadrado cuyo lado es de 12.5 m?

15. ¿Cuál es el área de la parte superior de un escritorio rectangular que mide 2.5 ft de largo y 3 ft de ancho?

16. Halla la base de un triángulo cuya altura es de 8.4 in. y el área es de 126 in^2.

17. El diámetro de un círculo es de 12 mm.

    a. Halla la circunferencia; usa 3.14 como valor de π.

    b. Calcula su área.

18. Encuentra el área de esta figura irregular.

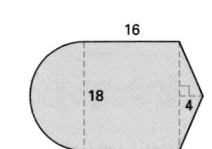

16

18

4

Capítulo 4 • Repaso **665**

Capítulo 4 • Repaso

Respuestas

1. 15.6 cm
2. 11.352 in.
3. 6.2 m
4. 0.174
5. 5
6. 104
7. 20
8. 24,913
9. 2800
10. 150 m; 15,000 cm
11. 2958 in^2
12. 570 m^2
13. 204 ft^2
14. 156.25 m^2
15. 7.5 ft^2
16. 30 in.
17. a. 37.68 mm

    b. 113.04 mm^2

18. 451.17 unidades^2

Chapter 4 Review

Answers

1. 15.6 cm
2. 11.352 in.
3. 6.2 m
4. 0.174
5. 5
6. 104
7. 20
8. 24,913
9. 2800
10. 150 m; 15,000 cm
11. 2958 in^2
12. 570 m^2
13. 204 ft^2
14. 156.25 m^2
15. 7.5 ft^2
16. 30 in.
17. a. 37.68 mm

    b. 113.04 mm^2

18. 451.17 units^2

Chapter 5 Review

Answers

1. Divisible by 2 only
2. Divisible by 2, 3, 5, 6, and 10
3. Divisible by 2, 3, 5, 6, 9, and 10
4. Divisible by 2, 3, 5, 6, and 10
5. Composite: $2 \times 2 \times 19$
6. Prime
7. Composite: $3 \times 3 \times 3 \times 3 \times 3$
8. Composite: 5×17
9. 168
10. 105
11. $\frac{3}{7}$
12. $\frac{11}{24}$
13. 7 is the numerator; 12 is the denominator.
14. $\frac{3}{4}$
15. $\frac{3}{8}$
16. $\frac{2}{7}$
17. $\frac{7}{8}$
18. $8\frac{3}{5}$
19. $\frac{23}{6}$
20. $6\frac{1}{4}$
21. $\frac{51}{7}$
22.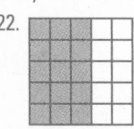

Possible answer: $\frac{15}{25}$
23. $\frac{15}{4}$ in., $6\frac{1}{3}$ in., $\frac{15}{2}$ in., $7\frac{3}{4}$ in.
24. 0.875
25. $0.1\overline{6}$
26. 3.25
27. 2.8

Capítulo 5 • Repaso

Respuestas

1. Divisible sólo entre 2
2. Divisible entre 2, 3, 5, 6 y 10
3. Divisible entre 2, 3, 5, 6, 9 y 10
4. Divisible entre 2, 3, 5, 6 y 10
5. Compuesto: $2 \times 2 \times 19$
6. Primo
7. Compuesto: $3 \times 3 \times 3 \times 3 \times 3$
8. Compuesto: 5×17
9. 168
10. 105
11. $\frac{3}{7}$
12. $\frac{11}{24}$
13. 7 es el numerador; 12 es el denominador
14. $\frac{3}{4}$
15. $\frac{3}{8}$
16. $\frac{2}{7}$
17. $\frac{7}{8}$
18. $8\frac{3}{5}$
19. $\frac{23}{6}$
20. $6\frac{1}{4}$
21. $\frac{51}{7}$
22.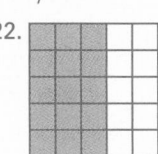

Respuesta posible: $\frac{15}{25}$
23. $\frac{15}{4}$ in., $6\frac{1}{3}$ in., $\frac{15}{2}$ in., $7\frac{3}{4}$ in.
24. 0.875
25. $0.1\overline{6}$
26. 3.25
27. 2.8

Capítulo 5 • Repaso

Prueba cada número para comprobar su divisibilidad entre 2, 3, 5, 6, 9 y 10.

1. 104   **2.** 660   **3.** 450   **4.** 1200

Indica para cada número si es primo o compuesto. Si es compuesto, halla su descomposición factorial.

5. 76   **6.** 101   **7.** 243   **8.** 85

Encuentra el mínimo común múltiplo de cada par de números.

9. 14, 24   **10.** 21, 35

¿A qué fracción representa cada parte sombreada de cada modelo?

11.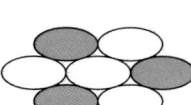

12.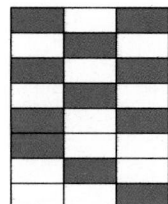

13. Identifica el numerador y el denominador en la fracción $\frac{7}{12}$.

Escribe cada fracción en su mínima expresión.

14. $\frac{45}{60}$ **15.** $\frac{48}{128}$ **16.** $\frac{18}{63}$ **17.** $\frac{420}{480}$

Escribe las fracciones como un número mixto o como una fracción impropia.

18. $\frac{43}{5}$ **19.** $3\frac{5}{6}$ **20.** $\frac{25}{4}$ **21.** $7\frac{2}{7}$

22. Dibuja un modelo de la fracción $\frac{3}{5}$ y da una fracción equivalente.

23. Cuatro dibujos tienen alturas de $6\frac{1}{3}$, $\frac{15}{2}$, $7\frac{3}{4}$ y $\frac{15}{4}$ pulgadas. Ordena las alturas de menor a mayor.

Escribe cada fracción como un número decimal.

24. $\frac{7}{8}$ **25.** $\frac{1}{6}$ **26.** $\frac{13}{4}$ **27.** $\frac{14}{5}$

666   *Capítulo 5 • Repaso*

Capítulo 6 • Repaso

1. Escribe la ecuación que representa este modelo.

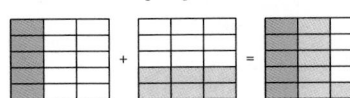

Halla el mínimo común múltiplo de cada par de números.

2. $5, 8$ **3.** $6, 24$ **4.** $10, 14$ **5.** $12, 27$

Suma o resta; escribe cada respuesta en su mínima expresión.

6. $\frac{8}{9} - \frac{5}{9}$ **7.** $\frac{3}{8} + \frac{9}{8}$ **8.** $\frac{2}{11} + \frac{7}{11}$ **9.** $\frac{5}{6} - \frac{1}{6}$

10. $\frac{3}{19} + \frac{14}{19}$ **11.** $\frac{7}{16} - \frac{1}{4}$ **12.** $\frac{7}{8} + \frac{1}{3}$ **13.** $\frac{4}{7} - \frac{1}{2}$

14. $\frac{7}{9} + \frac{3}{4}$ **15.** $\frac{1}{6} + \frac{9}{10}$ **16.** $\frac{6}{7} - \frac{4}{5}$ **17.** $\frac{3}{4} - \frac{3}{5}$

Resuelve cada ecuación.

18. $\frac{4}{15} + y = \frac{13}{15}$ **19.** $x - \frac{3}{10} = \frac{1}{5}$ **20.** $t + \frac{1}{4} = \frac{7}{8}$

Redondea cada número mixto al número cabal más cercano.

21. $7\frac{4}{5}$ **22.** $12\frac{1}{2}$ **23.** $23\frac{9}{19}$ **24.** $\frac{6}{11}$

Haz un cálculo aproximado de cada suma o diferencia.

25. $6\frac{3}{4} + 3\frac{1}{8}$ **26.** $11\frac{1}{5} - 5\frac{2}{7}$ **27.** $4\frac{7}{15} + 1\frac{2}{5}$ **28.** $8\frac{4}{5} - 2\frac{5}{11}$

29. Suma $2\frac{7}{9}$ más $5\frac{1}{9}$. **30.** Halla la diferencia entre $12\frac{10}{13}$ y $4\frac{2}{13}$.

31. Elena quería ponerle un listón de $37\frac{1}{2}$ in. a un regalo. Tenía un listón de $42\frac{1}{4}$ in. ¿Cuánto necesitaría cortar del listón para usarlo en el regalo?

Simplifica cada expresión.

32. $2\frac{3}{4} + 5\frac{1}{4}$ **33.** $7\frac{1}{8} + 4\frac{1}{3}$ **34.** $10\frac{7}{9} - 3\frac{2}{9}$ **35.** $5\frac{11}{16} - 4\frac{3}{16}$

36. $7\frac{4}{15} - 5\frac{1}{9}$ **37.** $8\frac{2}{5} + 7$ **38.** $6\frac{4}{5} - 2\frac{1}{3}$ **39.** $19 - 4\frac{7}{12}$

Capítulo 6 • Repaso **667**

Capítulo 6 • Repaso

Respuestas

1. $\frac{1}{3} + \frac{2}{5} = \frac{11}{15}$
2. 40
3. 24
4. 70
5. 108
6. $\frac{1}{3}$
7. $\frac{3}{2}$
8. $\frac{9}{11}$
9. $\frac{2}{3}$
10. $\frac{17}{19}$
11. $\frac{3}{16}$
12. $\frac{29}{24}$
13. $\frac{1}{14}$
14. $\frac{55}{36}$
15. $\frac{16}{15}$
16. $\frac{2}{35}$
17. $\frac{3}{20}$
18. $y = \frac{3}{5}$
19. $x = \frac{1}{2}$
20. $t = \frac{5}{8}$
21. 8
22. 13
23. 23
24. 1
25. 10
26. 6
27. 5
28. 7
29. $7\frac{8}{9}$
30. $8\frac{8}{13}$
31. $4\frac{3}{4}$ in.
32. 8
33. $11\frac{11}{24}$
34. $7\frac{5}{9}$
35. $1\frac{1}{2}$
36. $2\frac{7}{45}$
37. $15\frac{2}{5}$
38. $4\frac{7}{15}$
39. $14\frac{5}{12}$

Chapter 6 Review

Answers

1. $\frac{1}{3} + \frac{2}{5} = \frac{11}{15}$
2. 40
3. 24
4. 70
5. 108
6. $\frac{1}{3}$
7. $\frac{3}{2}$
8. $\frac{9}{11}$
9. $\frac{2}{3}$
10. $\frac{17}{19}$
11. $\frac{3}{16}$
12. $\frac{29}{24}$
13. $\frac{1}{14}$
14. $\frac{55}{36}$
15. $\frac{16}{15}$
16. $\frac{2}{35}$
17. $\frac{3}{20}$
18. $y = \frac{3}{5}$
19. $x = \frac{1}{2}$
20. $t = \frac{5}{8}$
21. 8
22. 13
23. 23
24. 1
25. 10
26. 6
27. 5
28. 7
29. $7\frac{8}{9}$
30. $8\frac{8}{13}$
31. $4\frac{3}{4}$ in.
32. 8
33. $11\frac{11}{24}$
34. $7\frac{5}{9}$
35. $1\frac{1}{2}$
36. $2\frac{7}{45}$
37. $15\frac{2}{5}$
38. $4\frac{7}{15}$
39. $14\frac{5}{12}$

Capítulo 7 • Repaso

Answers

1. $3 \times \frac{3}{5} = 1\frac{4}{5}$
2. 28
3. 4
4. $\frac{12}{5}$
5. $\frac{9}{56}$
6. $\frac{4}{9}$
7. $\frac{3}{40}$
8. $\frac{5}{36}$
9. $\frac{184}{65}$
10. $\frac{75}{32}$
11. 9
12. $\frac{5}{12}$ mi
13. Yes, because a mixed number is always greater than 1.
14. $4 \div \frac{4}{5} = 5$
15. $\frac{11}{4}$
16. $\frac{1}{5}$
17. $\frac{16}{3}$
18. $\frac{5}{18}$
19. $\frac{25}{42}$
20. $\frac{5}{2}$
21. $\frac{5}{36}$
22. $\frac{1}{32}$
23. $\frac{1}{24}$
24. $\frac{5}{21}$
25. No
26. No
27. Yes
28. $x = \frac{5}{4}$
29. $t = 1$
30. $j = \frac{2}{7}$
31. $h = \frac{7}{8}$

Respuestas

1. $3 \times \frac{3}{5} = 1\frac{4}{5}$
2. 28
3. 4
4. $\frac{12}{5}$
5. $\frac{9}{56}$
6. $\frac{4}{9}$
7. $\frac{3}{40}$
8. $\frac{5}{36}$
9. $\frac{184}{65}$
10. $\frac{75}{32}$
11. 9
12. $\frac{5}{12}$ mi
13. Sí, porque un número mixto es siempre mayor que 1
14. $4 \div \frac{4}{5} = 5$
15. $\frac{11}{4}$
16. $\frac{1}{5}$
17. $\frac{16}{3}$
18. $\frac{5}{18}$
19. $\frac{25}{42}$
20. $\frac{5}{2}$
21. $\frac{5}{36}$
22. $\frac{1}{32}$
23. $\frac{1}{24}$
24. $\frac{5}{21}$
25. No
26. No
27. Sí
28. $x = \frac{5}{4}$
29. $t = 1$
30. $j = \frac{2}{7}$
31. $h = \frac{7}{8}$

Capítulo 7 • Repaso

1. Escribe el problema que representa el modelo.

Haz un cálculo aproximado.

2. $3\frac{1}{2} \times 7\frac{1}{8}$

3. $15\frac{5}{7} \div 3\frac{3}{4}$

Simplifica las expresiones.

4. $\frac{2}{5} \times 6$ **5.** $\frac{3}{7} \times \frac{3}{8}$ **6.** $\frac{2}{3} \times \frac{2}{3}$ **7.** $\frac{3}{10} \times \frac{1}{4}$

8. $\frac{1}{6} \times \frac{5}{6}$ **9.** $4\frac{3}{5} \times \frac{8}{13}$ **10.** $1\frac{1}{4} \times 1\frac{7}{8}$ **11.** $2\frac{7}{10} \times 3\frac{1}{3}$

12. La distancia entre la casa de Joaquín y la tienda es de $1\frac{1}{4}$ millas. Si camina $\frac{1}{3}$ del camino a la tienda, ¿qué tan lejos ha caminado?

13. ¿El producto de dos números mixtos es siempre mayor que cualquiera de los números? Explica por qué.

14. Escribe la ecuación que representa el modelo.

Da el recíproco de cada número.

15. $\frac{4}{11}$ **16.** 5

Simplifica las siguientes expresiones.

17. $4 \div \frac{3}{4}$ **18.** $\frac{1}{3} \div \frac{6}{5}$ **19.** $\frac{10}{7} \div \frac{12}{5}$ **20.** $\frac{5}{8} \div \frac{1}{4}$

21. $\frac{5}{9} \div 4$ **22.** $\frac{1}{4} \div 8$ **23.** $\frac{3}{12} \div 6$ **24.** $\frac{5}{6} \div 3\frac{1}{2}$

Indica si el valor dado hará que la ecuación sea verdadera.

25. $\frac{3}{4}u = \frac{3}{10}; u = \frac{3}{5}$ **26.** $t \div \frac{1}{4} = \frac{5}{3}; t = \frac{20}{3}$ **27.** $\frac{5}{6}r = \frac{25}{36}; r = \frac{5}{6}$

Resuelve las ecuaciones.

28. $\frac{2}{3}x = \frac{5}{6}$ **29.** $\frac{3}{4}t = \frac{15}{20}$ **30.** $\frac{4}{5}j = \frac{8}{35}$ **31.** $\frac{3}{10}h = \frac{21}{80}$

1. Dibuja y marca un segmento con extremos *C* y *D*.

2. Dibuja y marca un ángulo agudo que pase por los puntos *A*, *B* y *C* con *B* como el vértice.

3. ¿Cuál suma de ángulos tiene los mismos grados que un ángulo recto, dos ángulos complementarios o dos ángulos suplementarios?

4. Dibuja y marca:

  a. Dos rayos que sean perpendiculares
  b. $\overleftrightarrow{AB}$

5. Clasifica el triángulo cuyos ángulos miden 73°, 24° y 83°.

6. ¿Qué clase de triángulo tiene dos lados con longitudes de 4 cm y un lado con longitud de 5 cm?

7. ¿Cuáles cuadriláteros tienen dos pares de lados paralelos?

8. Explica por qué todos los cuadrados son rectángulos, pero no todos los rectángulos son cuadrados.

Indica si cada transformación es una reflexión, traslación o rotación.

9.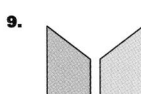

10.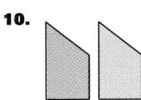

11.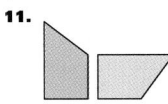

12. ¿Son las figuras de los ejercicios 9–11 congruentes? Explica por qué.

13. Traza la figura y dibuja su reflexión sobre la recta.

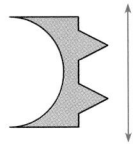

14. Indica si la figura tiene simetría axial. Si es así, dibuja su(s) eje(s) de simetría.

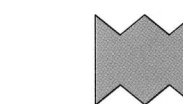

15. Indica el número de grados y la dirección en que se ha rotado la figura.

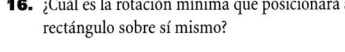

16. ¿Cuál es la rotación mínima que posicionará al rectángulo sobre sí mismo?

17. Si una figura tiene simetría rotacional, ¿puede tener también simetría axial? Explica por qué.

18. ¿Todos los paralelogramos forman teselado? Si no es así, ¿qué tipo de paralelogramos forman teselados?

Capítulo 8 • Repaso

Respuestas

1. Respuesta posible:

2. Respuesta posible:

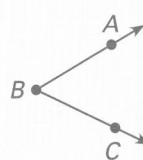

3. Dos ángulos complementarios

4. Respuestas posibles:

a.

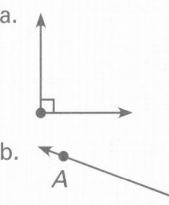

b.

5. Triángulo acutángulo

6. Triángulo isósceles

7. Paralelogramos

8. Todos los cuadrados tienen 4 ángulos rectos y 4 lados congruentes, pero no todos los rectángulos tienen 4 lados congruentes.

9. Reflexión

10. Traslación

11. Rotación

12. Sí, porque el tamaño y la forma del polígono permanece igual en cada caso.

13.

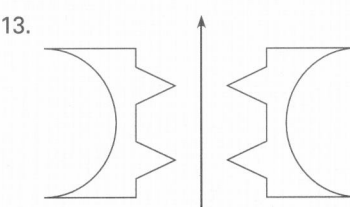

14. Sí

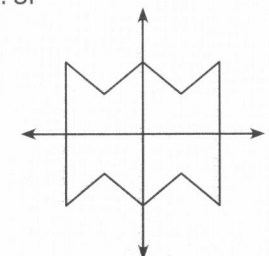

15. 90° en el sentido de las manecillas del reloj

16. 180°

17. Sí; Ejemplo: Un cuadrado

18. Sí

Chapter 8 Review

Answers

1. Possible answer:

2. Possible answer:

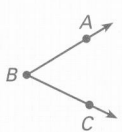

3. Two complementary angles

4. Possible answers:

a.

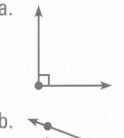

b.

5. Acute triangle

6. Isosceles triangle

7. Parallelograms

8. All squares have 4 right angles and 4 congruent sides, but not all rectangles have 4 congruent sides.

9. Reflection

10. Translation

11. Rotation

12. Yes, since the size and shape of the polygon remains unchanged in each case.

13.

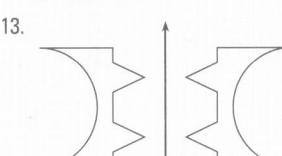

14. Yes

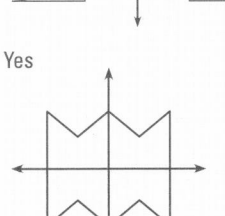

15. 90° clockwise

16. 180°

17. Yes; Example: A square

18. Yes

Chapter 9 Review

Answers

1.

2. -5

3. Negative

4. Positive

5. $3 - 4 = 21$

6. $2 - 7 = 25$

7. -12

8. -4

9. 7

10. -15

11. 7

12. -5

13. 0

14. -40

15. 36

16. -21

17. -6

18. 5

19. $(2, -7)$

20. III

21. a. $(3, 0)$ or $(-3, 0)$

    b. $(0, -3)$

22.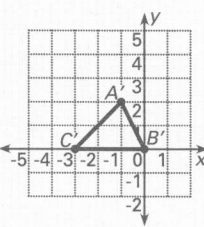

$A(-1, 2)$, $B(0, 0)$, $C(-3, 0)$

23. $Q'(5, 1)$, $R'(5, 3)$, $S'(1, 3)$, $T'(1, 1)$

24. a.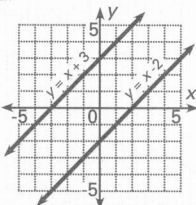

b. Because the lines are parallel, if one line is moved up or down and right or left it will coincide with the other line.

Capítulo 9 • Repaso

Respuestas

1.

2. -5

3. Negativo

4. Positivo

5. $3 - 4 = 21$

6. $2 - 7 = 25$

7. -12

8. -4

9. 7

10. -15

11. 7

12. -5

13. 0

14. -40

15. 36

16. -21

17. -6

18. 5

19. $(2, -7)$

20. III

21. a. $(3, 0)$ ó $(-3, 0)$

    b. $(0, -3)$

22.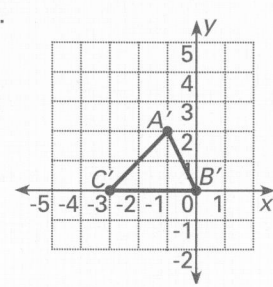

$A(-1, 2)$, $B(0, 0)$, $C(-3, 0)$

23. $Q'(5, 1)$, $R'(5, 3)$, $S'(1, 3)$, $T'(1, 1)$

24. a.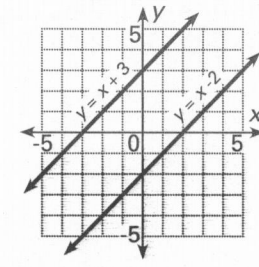

b. Porque las rectas son paralelas, si una rectas se mueve hacia arriba o hacia abajo y hacia la derecha o izquierda coincidirá con la otra recta.

Capítulo 9 • Repaso

1. Localiza los números enteros $-3, 2, -5, 6, 1$ y -1 en una recta numérica.

2. En una recta numérica, ¿cuál es el número entero más cercano a la derecha de $-5\frac{2}{3}$?

3. ¿Cómo es el producto de un número positivo por uno negativo: positivo o negativo?

4. ¿Cómo es el cociente de dos números negativos: positivo o negativo?

Escribe la ecuación que se muestra en cada modelo.

5.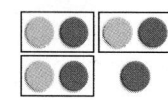

6.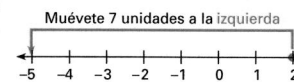
    Muévete 7 unidades a la izquierda

Simplifica las siguientes expresiones.

7. $-3 + (-9)$ 8. $2 + (-6)$ 9. $-4 + 11$

10. $-7 - 8$ 11. $5 - (-2)$ 12. $-6 - (-1)$

13. $-7 - (-7)$ 14. $8 \times (-5)$ 15. $-4 \times (-9)$

16. -7×3 17. $-24 \div 4$ 18. $-45 \div (-9)$

19. Señala el par ordenado para el punto que se halla 2 unidades a la derecha del origen y 7 unidades hacia abajo.

20. Indica en qué cuadrante se localiza el punto $(-1, -4)$.

21. Señala un punto que se halle a la misma *distancia* del origen que el punto $(0, 3)$ y que se localice:

    a. En el eje de las x b. En el eje de las y

22. Construye $A'B'C'$ por medio de una traslación del triángulo ABC 3 unidades a la izquierda y 2 unidades hacia abajo. Indica las coordenadas de A', B' y C'.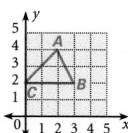

23. El rectángulo $QRST$ tiene como coordenadas $Q(-5, 1)$, $R(-5, 3)$, $S(-1, 3)$ y $T(-1, 1)$. Si $QRST$ se refleja en el eje de las y, da las coordenadas de Q', R', S' y T'.

24. a. Traza las ecuaciones $y = x - 2$ y $y = x + 3$ en la misma gráfica de coordenadas.

    b. Explica por qué una de las gráficas es una traslación de la otra.

1. Indica tres formas de escribir la razón de cuatro limones a siete limas.

2. Escribe la razón $\frac{35}{60}$ en su mínima expresión.

3. Cada bolsa contiene 8 canicas rojas y 11 azules. Si hay 4 bolsas, ¿cuál es la razón en su mínima expresión:

   a. De canicas rojas a canicas azules?

   c. De canicas rojas al total de canicas?

   b. De canicas azules a canicas rojas?

   d. De bolsas a canicas?

4. De acuerdo con la gráfica, ¿cuál es la razón de libros de ciencia ficción a libros de otros temas? ¿Y de libros de ciencia ficción al total de libros?

Libros en la biblioteca

Ficción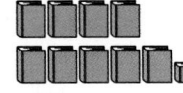

Otros temas

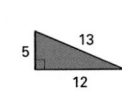 = 200 libros

5. ¿Cuál de las siguientes razones *no* es equivalente a la razón 8 a 24?

  Ⓐ $\frac{5}{15}$ Ⓑ $\frac{30}{10}$ Ⓒ 7:21   Ⓓ $\frac{1}{3}$

6. ¿Cuál de las siguientes no es una tasa?

  Ⓐ $\frac{5\,ft}{4\,s}$ Ⓑ $\frac{4\,ft}{1\,s}$ Ⓒ $\frac{4\,s}{5\,ft}$ Ⓓ $\frac{4\,s}{5\,s}$

7. Usa una tabla para hallar cuatro tasas equivalentes que describan la ebullición de 2 galones de agua en 4 minutos.

8. ¿Cuál es la tasa unitaria del tiempo de un viaje en automóvil si el auto viaja 240 millas en 5 horas?

9. ¿Pueden formar una proporción las razones $\frac{5\,mi}{8\,s}$ y $\frac{35\,s}{56\,mi}$? Explica por qué.

10. Resuelve para hallar el valor de a: $\frac{6}{15} = \frac{4}{a}$.

11. Las manzanas cuestan $1.20 por libra. ¿Cuánto cuestan 40 onzas de manzanas?

12. Explica por qué los dos triángulos son similares.

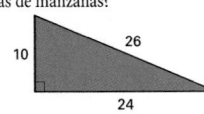

Escribe cada porcentaje como una razón de un número a 100, como una fracción en su mínima expresión y como un número decimal.

13. 60%   **14.** 12%   **15.** 45%   **16.** 52%

17. En 1990 en Denver, Colorado, el 23% de la población era de origen hispano. Si el total de la población era de 467,610, ¿aproximadamente cuántas personas de origen hispano vivían en Denver?

Capítulo 10 • Repaso

Respuestas

1. 4 a 7, 4:7, $\frac{4}{7}$

2. $\frac{7}{12}$

3. a. $\frac{8}{11}$ b. $\frac{11}{8}$

    c. $\frac{8}{19}$ d. $\frac{1}{19}$

4. $\frac{8}{11}$, $\frac{8}{19}$

5. B

6. D

7. Respuesta posible:

$$\frac{0.5\ gal}{1\ min} = \frac{1\ gal}{2\ min} =$$
$$\frac{3\ gal}{6\ min} = \frac{4\ gal}{8\ min}$$

8. 48 mi/h

9. No, porque las unidades están invertidas.

10. $a = 10$

11. $3.00

12. Cada lado del triángulo mayor tiene el doble de longitud que el lado correspondiente del triángulo menor.

13. 60:100, $\frac{3}{5}$, 0.6

14. $\frac{12}{100}$, $\frac{3}{25}$, 0.12

15. $\frac{45}{100}$, $\frac{9}{20}$, 0.45

16. $\frac{52}{100}$, $\frac{13}{25}$, 0.52

17. 107,550

Chapter 10 Review

Answers

1. 4 to 7, 4:7, $\frac{4}{7}$

2. $\frac{7}{12}$

3. a. $\frac{8}{11}$ b. $\frac{11}{8}$

    c. $\frac{8}{19}$ d. $\frac{1}{19}$

4. $\frac{8}{11}$, $\frac{8}{19}$

5. B

6. D

7. Possible answer:

$$\frac{0.5\ gal}{1\ min} = \frac{1\ gal}{2\ min} =$$
$$\frac{3\ gal}{6\ min} = \frac{4\ gal}{8\ min}$$

8. 48 mi/hr

9. No, because the units are reversed.

10. $a = 10$

11. $3.00

12. Each side on the larger one is twice as long as the corresponding side on the smaller one.

13. 60:100, $\frac{3}{5}$, 0.6

14. $\frac{12}{100}$, $\frac{3}{25}$, 0.12

15. $\frac{45}{100}$, $\frac{9}{20}$, 0.45

16. $\frac{52}{100}$, $\frac{13}{25}$, 0.52

17. 107,550

Chapter 11 Review

Answers

1. Sphere
2. Triangular prism; 5 faces, 9 edges, 6 vertices
3. Cone
4. 192 m^2
5. 326.56 ft^2
6. 214 cm^2
7.

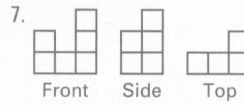

Front   Side   Top

8.

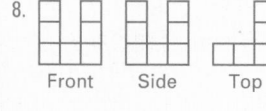

Front   Side   Top

9.

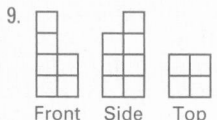

Front   Side   Top

10. 280 units^3
11. 1232 ft^3
12. 216 cm^3
13. 87.92 in.^{2}

Capítulo 11 • Repaso

Respuestas

1. Esfera
2. Prisma triangular; 5 caras, 9 aristas, 6 vértices
3. Cono
4. 192 m^2
5. 326.56 ft^2
6. 214 cm^2
7.

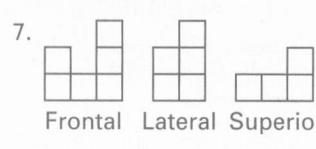

Frontal   Lateral   Superior

8.

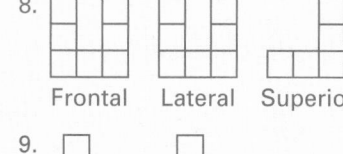

Frontal   Lateral   Superior

9.

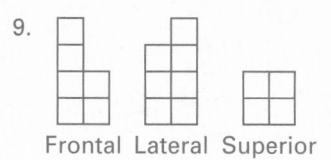

Frontal   Lateral   Superior

10. 280 unidades^3
11. 1232 ft^3
12. 216 cm^3
13. 87.92 in.^{2}

Capítulo 11 • Repaso

Clasifica cada sólido. Si es un poliedro, indica el número de caras, aristas y vértices.

1.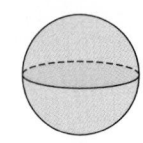

2.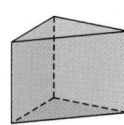

3.

Halla el área total de cada figura; usa 3.14 como valor de π.

4.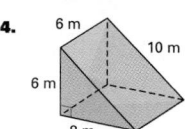
6 m, 10 m, 6 m, 8 m

5.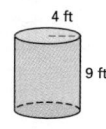
4 ft, 9 ft

6.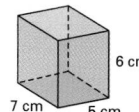
6 cm, 7 cm, 5 cm

Para cada sólido dibuja las vistas frontal, lateral y superior.

7.

8.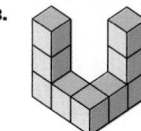

9.

Halla el volumen de las siguientes figuras.

10.

11.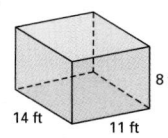
8 ft, 14 ft, 11 ft

12.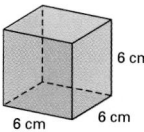
6 cm, 6 cm, 6 cm

13. La compañía Sopa Vegetariana vende su sopa en latas como la de la ilustración. Encuentra el área total de la lata. Usa 3.14 como valor de π.

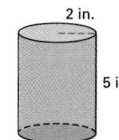
2 in., 5 in.

1. Haz un cálculo aproximado de la probabilidad de escoger al azar a una persona cuyo cumpleaños caiga en un lunes del próximo año.

2. Si $P(\text{suceso}) = \frac{2}{3}$, ¿cuál es la probabilidad de que el suceso no ocurra?

3. Michiko compró 12 huevos. Tres eran cafés, uno era pinto y el resto eran blancos. Si escoge un huevo al azar, ¿cuál es la probabilidad de que escoja un huevo blanco o café?

4. En un vecindario, 30 de las 45 personas encuestadas dijeron que leyeron cuando menos un libro cada semana. Predice cuántas de las 600 personas del vecindario leyeron al menos un libro cada semana.

5. Una ruleta tiene 6 secciones iguales marcadas como A, B, C, D, E y F.

a. ¿Cuál es la probabilidad de caer en la sección "B"?

b. ¿Cuál es la probabilidad de *no* caer en la sección "B"?

6. Haz un cálculo aproximado de la probabilidad de atinarle a la parte sombreada con un dardo.

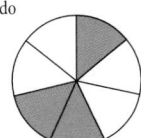

7. Haz un diagrama de árbol que muestre cuántas combinaciones diferentes de comidas se pueden hacer si hay 4 clases de sandwiches (atún, crema de cacahuate, pavo y queso), 2 clases de bocadillos (patatas fritas y fruta) y 3 clases de bebidas (leche, jugo y refresco).

8. Usa la multiplicación para hallar el número posible de aparatos estereofónicos que pueden ensamblarse con 3 pares de bocinas, 5 reproductores de discos compactos, 4 reproductores de casetes y 3 amplificadores.

9. Si das vuelta a ambas ruletas, ¿cuántos posibles resultados obtendrás?

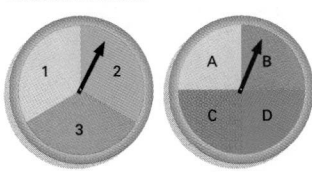

10. ¿Cuál es la probabilidad de caer en A o en B en la ruleta 1 y en un número impar en la ruleta 2?

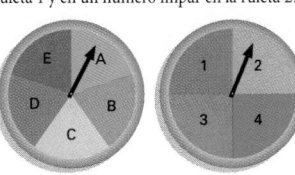

11. Emily lanza un dado dos veces. ¿Cuál es la probabilidad de que caiga un número par y después un 5?

12. ¿Cuál es la probabilidad de lanzar tres monedas y obtener tres caras?

13. Los jugadores A y B lanzan cada uno un dado. Si la suma de los dos números es mayor que 5, gana el jugador A. Si no es así, gana el jugador B. ¿El juego es justo? Explica por qué.

1. $\frac{1}{7}$

2. $\frac{1}{3}$

3. $\frac{11}{12}$

4. 400

5. a. $\frac{1}{6}$

   b. $\frac{5}{6}$

6. $\frac{3}{7}$

7. Véase el diagrama de árbol en la parte inferior izquierda de esta página.

8. 180

9. 12

10. $\frac{1}{5}$

11. $\frac{1}{12}$

12. $\frac{1}{8}$

13. No. La probabilidad de ganar del jugador A es de $\frac{13}{18}$ y la del jugador B es de $\frac{5}{18}$

1. $\frac{1}{7}$

2. $\frac{1}{3}$

3. $\frac{11}{12}$

4. 400

5. a. $\frac{1}{6}$

   b. $\frac{5}{6}$

6. $\frac{3}{7}$

7. See below left for tree diagram.

8. 180

9. 12

10. $\frac{1}{5}$

11. $\frac{1}{12}$

12. $\frac{1}{8}$

13. No. Player A's chance of winning is $\frac{13}{18}$, and Player B's chance is $\frac{5}{18}$.

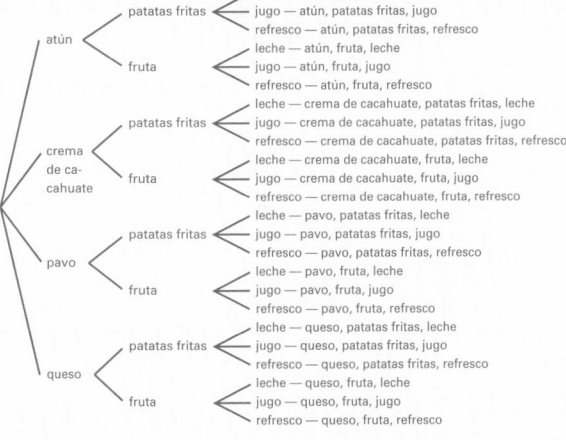

24 tipos diferentes de comidas

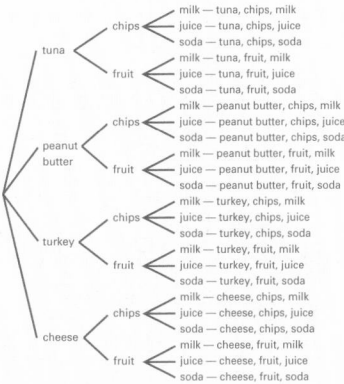

24 different kinds of lunches

Fórmulas geométricas

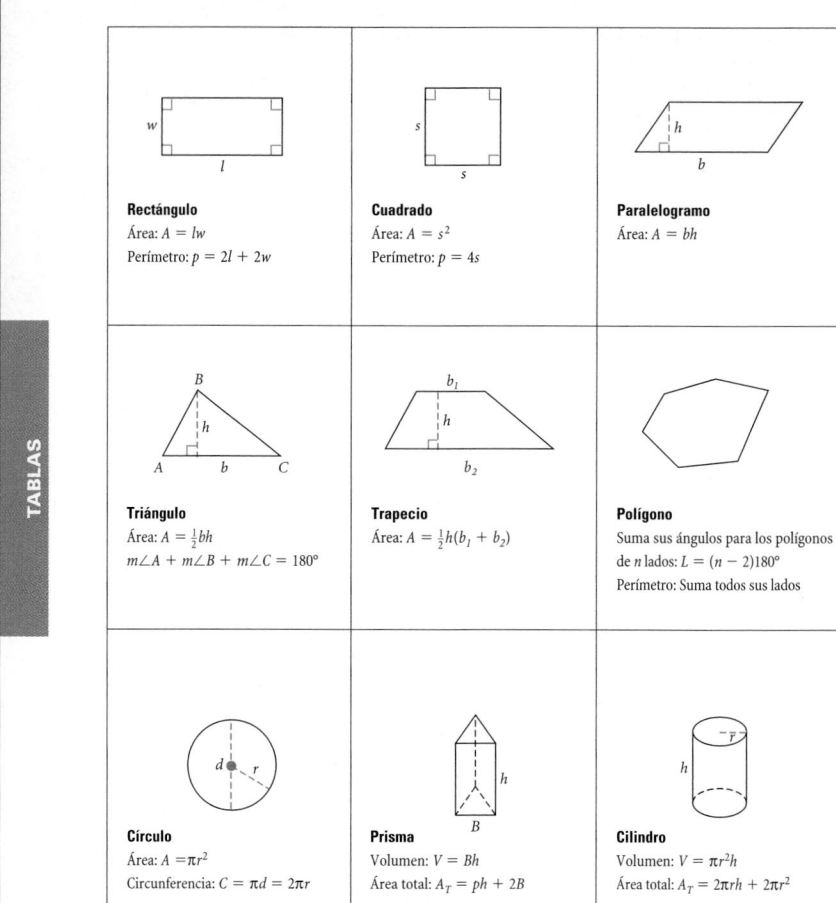

Rectángulo
Área: $A = lw$
Perímetro: $p = 2l + 2w$

Cuadrado
Área: $A = s^2$
Perímetro: $p = 4s$

Paralelogramo
Área: $A = bh$

Triángulo
Área: $A = \frac{1}{2}bh$
$m\angle A + m\angle B + m\angle C = 180°$

Trapecio
Área: $A = \frac{1}{2}h(b_1 + b_2)$

Polígono
Suma sus ángulos para los polígonos de n lados: $L = (n - 2)180°$
Perímetro: Suma todos sus lados

Círculo
Área: $A = \pi r^2$
Circunferencia: $C = \pi d = 2\pi r$

Prisma
Volumen: $V = Bh$
Área total: $A_T = ph + 2B$

Cilindro
Volumen: $V = \pi r^2 h$
Área total: $A_T = 2\pi rh + 2\pi r^2$

Tabla de equivalencias

Medidas métricas de longitud
1000 metros (m) = 1 kilómetro (km)
100 centímetros (cm) = 1 m
10 decímetros (dm) = 1 m
1000 milímetros (mm) = 1 m
10 cm = 1 decímetro (dm)
10 mm = 1 cm

Área
100 milímetros cuadrados = 1 centímetro cuadrado
(mm^2) (cm^2)
$10,000 \ cm^2$ = 1 metro cuadrado (m^2)
$10,000 \ m^2$ = 1 hectárea (ha)

Volumen
1000 milímetros cúbicos = 1 centímetro cúbico
(mm^3) (cm^3)
$1000 \ cm^3$ = 1 decímetro cúbico (dm^3)
$1,000,000 \ cm^3$ = 1 metro cúbico (m^3)

Capacidad
1000 mililitros (mL) = 1 litro (L)
1000 L = 1 kilolitro (kL)

Masa
1000 kilogramos (kg) = 1 tonelada métrica (T)
1000 gramos (g) = 1 kg
1000 miligramos (mg) = 1 g

Temperaturas en grados de Celsius (°C)
0°C = punto de congelación del agua
37°C = temperatura normal del cuerpo
100°C = punto de ebullición del agua

Tiempo
60 segundos (s) = 1 minuto (min)
60 min = 1 hora (h)
24 h = 1 día

Medidas usuales de longitud
12 pulgadas (in.) = 1 pie (ft)
3 ft = 1 yarda (yd)
36 in. = 1 yd
5280 ft = 1 milla (mi)
1760 yd = 1 mi
6076 ft = 1 milla náutica

Área
144 pulgadas cuadradas = 1 pie cuadrado
(in^2) (ft^2)
$9 \ ft^2$ = 1 yarda cuadrada (yd^2)
$43,560 \ ft^2$ = 1 acre (A)

Volumen
1728 pulgadas cúbicas = 1 pie cúbico
$(in.^3)$ (ft^3)
$27 \ ft^3$ = 1 yarda cúbica (yd^3)

Capacidad
8 onzas fluidas (fl oz) = 1 taza (c)
2 c = 1 pinta (pt)
2 pt = 1 cuarto (qt)
4 qt = 1 galón (gal)

Peso
16 onzas (oz) = 1 libra (lb)
2000 lb = 1 tonelada (T)

Temperaturas en grados Fahrenheit (°F)
32°F = punto de congelación del agua
98.6°F = temperatura normal del cuerpo
212°F = punto de ebullición del agua

TABLAS

TABLES

Símbolos

$+$	más o positivo		$\llcorner$	ángulo recto
$-$	menos o negativo		$\perp$	es perpendicular a
$\cdot$	por		$\parallel$	es paralelo a
$\times$	por		AB	longitud de $\overline{AB}$; distancia entre A y B
$\div$	dividido entre			
$\pm$	positivo o negativo		$\triangle ABC$	triángulo con vértices A, B y C
$=$	es igual a		$\angle ABC$	ángulo con lados $\overrightarrow{BA}$ y $\overrightarrow{BC}$
$\neq$	no es igual a		$\angle B$	ángulo con vértice B
$<$	es menor que		$m\angle ABC$	medida del ángulo ABC
$>$	es mayor que		$'$	primo
$\leq$	es menor que o igual a		a^n	la *enésima* potencia de a
$\geq$	es mayor que o igual a		$|x|$	valor absoluto de x
$\approx$	es aproximadamente igual a		$\sqrt{x}$	raíz cuadrada principal de x
$\%$	porcentaje		π	pi (aproximadamente 3.1416)
$a{:}b$	la razón de a a b o $\frac{a}{b}$		(a, b)	par ordenado con la abscisa a y la ordenada b
$\cong$	es congruente con		$P(A)$	la probabilidad del suceso A
$\sim$	es similar a		$n!$	factorial n
$\circ$	grado(s)			
$\overleftrightarrow{AB}$	recta que contiene los puntos A y B			
$\overline{AB}$	segmento de recta con extremos A y B			
$\overrightarrow{AB}$	rayo con origen A y que contiene a B			

abscisa Primer número de un par ordenado, que localiza un punto en el eje de las *x* de un plano de coordenadas. [p. 489]

adición Resultado de sumar números. [p. 114]

agrupación Método de cálculo aproximado donde los números que son más o menos iguales se tratan como si fueran iguales. Ejemplo: $26 + 24 + 23$ es cercano a $25 + 25 + 25$ ó 3×25. [p. 91]

álgebra Rama de las matemáticas en la que las relaciones aritméticas se investigan por medio de símbolos (letras) para representar números.

altura Distancia a lo largo de una figura que es perpendicular a la base. [p. 230]

ángulo Dos rayos con el mismo origen. [p. 412]

ángulo agudo Ángulo menor que un ángulo recto. [p. 413]

ángulo llano Ángulo formado por dos rayos que apuntan en direcciones opuestas. [p. 413]

ángulo obtuso Ángulo mayor que un ángulo recto pero menor que un ángulo llano. [p. 413]

ángulo recto Ángulo que se parece a la esquina de una tarjeta. Mide 90°. [pp. 230, 413]

ángulos complementarios Dos ángulos cuyas medidas suman 90°. [p. 417]

ángulos suplementarios Dos ángulos que sumados miden 180°. [p. 417]

árbol de factores Diagrama que muestra cómo se descompone un número compuesto en factores primos. [p. 276]

área Cantidad de superficie que cubre una figura. [p. 229]

área total (A_T) La suma de las áreas de cada cara de un poliedro. [p. 584]

arista Recta donde dos caras de un sólido se unen. [p. 580]

base [de un exponente] Número multiplicado por sí mismo tantas veces como indica el exponente. Ejemplo: $6^2 = 6 \times 6$, donde 6 es la base. [p. 78]; **[de una figura]** En una figura de dos dimensiones, la distancia de la parte inferior. [p. 230]. En un prisma, una de las dos caras paralelas y congruentes. [p. 580]

bisecar División de una figura geométrica en dos partes iguales. [p. 459]

cálculo aproximado Aproximación del resultado de un cálculo.

cálculo aproximado por los primeros dígitos Método para calcular donde sólo el primer dígito de cada número se usa para el cómputo; el resultado se ajusta con base en los dígitos restantes. [p. 91]

cálculo mental Realizar cálculos en la mente, sin usar lápiz y papel o una calculadora.

capacidad Volumen de una figura, expresado en términos de unidades líquidas.

cara Superficie plana de un sólido. [p. 580]

centi- Prefijo que significa $\frac{1}{100}$. [p. 216]

centímetro cuadrado Área de un cuadrado con lados de 1 centímetro. [p. 229]

centro Punto que se halla exactamente a la mitad de un círculo.

cilindro Véase la siguiente figura. [p. 581]

círculo Véanse los ejemplos a continuación. [p. 246]

circunferencia Perímetro de un círculo. [p. 246]

cociente El resultado de dividir un número entre otro. [p. 114]

compensación Escoger números cercanos a los números del problema y después ajustar la respuesta para compensar por los números escogidos. [p. 87]

congruente Figuras que tienen la misma medida y forma. [p. 444]

cono Véase la siguiente figura. [p. 581]

constante Cantidad que no cambia. [p. 111]

coordenada Uno de los números en un par ordenado [p. 489]

cuadrado Cuadrilátero con todos los lados de igual longitud y en el que todos los ángulos miden 90°. [p. 437]

cuadrantes Las cuatro regiones en las que los dos ejes de una cuadrícula de coordenadas dividen un plano. [p. 489]

cuadrilátero Polígono de 4 lados. [p. 433]

cuarto Unidad de volumen en el sistema usual. [p. 221]

cubo Prisma cuyas caras son todas cuadrados de la misma medida. [p. 581]

deca- Prefijo que significa 10. Ejemplo: 1 decámetro = 10 metros. [p. 217]

decágono Polígono de 10 lados. [p. 433]

deci- Prefijo que significa $\frac{1}{10}$. Ejemplo: 1 decímetro = 0.1 metros. [p. 217]

decimal finito Número decimal que termina a la derecha. [p. 304]

decimal periódico Un número decimal que repite un patrón continuo de dígitos hacia la derecha. Ejemplo: 6.141414… [p. 304]

denominador Número de abajo de una fracción, que indica en cuántas partes se divide el entero. [p. 289]

denominador común Denominador que es el mismo en dos fracciones. [p. 309]

desarrollo Patrón plano que puede doblarse para formar un sólido. [p. 581]

descomposición factorial Conjunto de números primos cuyo producto es un número dado. Ejemplo: $70 = 2 \times 5 \times 7$. [p. 276]

desigualdad Enunciado que muestra que dos expresiones no son iguales. Ejemplo: $7 > 5$.

diagrama de árbol Diagrama que se parece a un árbol con ramas y que muestra todos los posibles resultados para una situación. [p. 642]

diagrama de dispersión Gráfica que muestra los valores de parejas de datos. [p. 17]

diagrama de puntos Gráfica que muestra la apariencia de un conjunto de datos mediante cruces (x) sobre cada valor en una recta numérica. [p. 26]

diagrama de Venn Diagrama que usa regiones para mostrar relaciones entre conjuntos de cosas. [p. 315]

diámetro Recta que une dos puntos de un círculo y pasa por el centro del círculo. [p. 246]

diferencia Resultado de restar un número de otro. [p. 114]

dígito Símbolos usados para escribir los numerales 0, 1, 2, 3, 4, 5, 6, 7, 8 y 9.

distinto denominador Denominadores que son diferentes en dos fracciones. [p. 329]

dividendo Número que se divide entre otro número. Ejemplo: En $5 \div 3$, 5 es el dividendo. [p. 185]

divisible Que puede ser dividido entre otro número sin que quede un residuo. Ejemplo: 18 es divisible entre 6. [p. 271]

división Operación que dice cuántos conjuntos iguales o cuántos de cada conjunto igual existen.

divisor Número entre el cual se divide otro número. Ejemplo: En $4 \div 9$, 9 es el divisor. [p. 185]

dodecágono Polígono de 12 lados. [p. 433]

ecuación Enunciado matemático que establece que dos expresiones son iguales. Ejemplo: $14 = 2x$. [p. 119]

eje de las *x* Eje horizontal de un plano de coordenadas. [p. 489]

eje de las *y* Eje vertical de un plano de coordenadas. [p. 489]

eje de simetría "Espejo" imaginario en la simetría axial.

eje horizontal La recta horizontal de las dos rectas sobre las cuales se construye una gráfica. [p. 29]

eje vertical La recta vertical de las dos rectas sobre las que se construye una gráfica. [p. 29]

ejes Véanse *eje de las x* y *eje de las y*.

elevar al cuadrado Elevar a una potencia de 2. Ejemplo: 3 elevado al cuadrado = $3^2 = 9$. [p. 79]

elevar al cubo Elevar a la potencia de 3. Ejemplo: 2 elevado al cubo = $2^3 = 8$. [p. 79]

en el sentido de las manecillas del reloj Dirección de rotación cuando la parte superior de una figura gira hacia la derecha. [p. 448]

en sentido contrario a las manecillas del reloj Dirección de rotación cuando la parte superior de una figura gira hacia la izquierda. [p. 448]

escala "Regla" que mide las alturas de las barras en una gráfica de barras. [p. 29]

esfera Véase el siguiente ejemplo. [p. 582]

evaluar Hallar el número al que se refiere una expresión algebraica.

experimento Situación que puede tener uno o más resultados. [p. 626]

exponente Número que muestra cuántas veces otro número —la base— debe multiplicarse por sí mismo. Ejemplo: $9^3 = 9 \times 9 \times 9$, donde 3 es el exponente y 9 la base. [p. 78]

expresión Enunciado matemático que contiene variables, constantes y/o símbolos operacionales. Ejemplo: $12 - x$. [p. 111]

expresión algebraica Expresión que contiene cuando menos una variable. Ejemplo: $n - 7$.

extremo Punto al final de un segmento. [p. 409]

factor Número que divide a otro número sin residuo. Ejemplo: 6 es un factor de 42. [p. 78]

factor común Número que es un factor de dos números diferentes. Ejemplo: 4 es un factor común de 8 y 12.

factor de conversión Número de unidades de medida a la que es igual otra unidad. Ejemplo: Para convertir pulgadas a pies, se divide entre el factor de conversión 12 (12 pulgadas = 1 pie). [p. 222]

forma numérica-verbal Manera de escribir un número por medio de dígitos y palabras. Ejemplo: 45 billones. [p. 67]

forma usual Forma de escribir un número por medio de dígitos. Ejemplo: 45,000,000,000,000. [p. 67]

forma verbal Manera de escribir un número sólo con palabras. Ejemplo: Cuarenta y cinco billones. [p. 67]

fórmula Regla que muestra la relación entre cantidades. Ejemplo: $A = bh$.

fórmula de Euler Fórmula para determinar las aristas, caras y vértices de los poliedros, la cual establece que $E = F + V - 2$. [p. 617]

fracción Número que describe la parte de un entero cuando el entero se divide en partes iguales. [p. 288]

fracción impropia Fracción cuyo numerador es mayor o igual que su denominador. Ejemplo: $\frac{22}{7}$. [p. 298]

fracción unitaria Fracción cuyo numerador es 1.

fracciones equivalentes Dos fracciones que expresan la misma cantidad. [p. 289]

galón Unidad del sistema usual que es igual a 4 cuartos. [p. 221]

geometría Rama de las matemáticas en la cual se investigan las relaciones entre puntos, rectas, figuras y sólidos.

girar Véase *rotación*.

grado Unidad de medida de ángulos, $\frac{1}{360}$ de un círculo completo. [p. 417]

gráfica Diagrama que muestra información en forma organizada.

gráfica circular Gráfica redonda que usa fracciones de diferentes medidas para mostrar cómo se comparan las porciones de un conjunto de datos con la totalidad. [p. 8]

gráfica de barras Gráfica que usa barras verticales u horizontales para presentar información numérica. [p. 7]

gráfica de línea quebrada Gráfica en donde una línea muestra cambios en los datos, a menudo en un espacio de tiempo. [p. 8]

gráfica de mediana y rango Gráfica que muestra la apariencia de un conjunto de datos. [p. 57]

gramo Unidad básica de masa del sistema métrico. [p. 215]

hecto- Prefijo que significa 100. Ejemplo: 1 hectómetro = 100 metros. [p. 217]

heptágono Polígono de 7 lados. [p. 433]

hexágono Polígono de 6 lados. [p. 433]

igual denominador Denominadores que son iguales en dos fracciones. [p. 325]

igualdad Relación matemática que indica que son exactamente iguales.

intersecar Cruzar por el mismo punto. [p. 409]

intervalo El espacio entre los valores en la escala de una gráfica de barras. [p. 29]

inversión Véase *reflexión*.

juego injusto Juego en el cual no todos los jugadores tienen la misma probabilidad de ganar. [p. 651]

juego justo Juego en el cual cada participante tiene la misma probabilidad de ganar. [p. 651]

kilo- Prefijo que significa 1000. [p. 216]

lado Cada uno de los rayos que forman un ángulo. [p. 412]

libra Unidad del sistema usual que es igual a 16 onzas. [p. 221]

litro Unidad básica de volumen en el sistema métrico. [p. 215]

marcas de conteo Marcas que se usan para organizar un conjunto grande de datos. Cada marca indica una aparición del valor en el conjunto de datos. [p. 25]

masa Cantidad de materia que contiene algo.

máximo común divisor (MCD) Número cabal mayor que divide a dos números cabales. Ejemplo: 16 es el MCD de 32 y 48. [p. 295]

media Suma de valores en un conjunto de datos dividida entre el número de datos. [p. 47]

mediana Valor medio en un conjunto de datos cuando los valores se ordenan en una lista de menor a mayor. [p. 42]

metro Unidad básica de longitud en el sistema métrico. [p. 215]

mili- Prefijo que significa $\frac{1}{1000}$. [p. 216]

milla Unidad del sistema usual que es igual a 5280 pies. [p. 221]

mínima expresión Fracción donde el numerador y el denominador tienen un máximo común divisor de 1. [p. 294]

mínimo común denominador (mcd) El mínimo común múltiplo (MCM) de dos denominadores. Ejemplo: 30 es el mcd de $\frac{1}{6}$ y $\frac{1}{15}$. [p. 330]

mínimo común múltiplo (MCM) El número menor diferente de cero que es múltiplo de dos números. Ejemplo: 60 es el MCM de 10 y 12. [p. 281]

moda Uno de los valores que aparece con más frecuencia en un conjunto de datos. [p. 42]

muestra Conjunto de datos usados para predecir cómo puede ocurrir una situación particular. [p. 631]

multiplicación Operación que combina dos números, llamados factores, para dar un número llamado producto.

múltiplo Producto de un número dado y cualquier número cabal. [p. 281]

múltiplo común Número que es un múltiplo de dos números dados. Ejemplo: 44 es múltiplo común de 2 y 11. [p. 281]

nonágono Polígono con 9 lados. [p. 433]

notación científica Escritura de un número como el producto de un número mayor que o igual a 1 pero menor que 10 y una potencia de 10. Ejemplo: $350 = 3.5 \times 10^2$. [p. 153]

notación exponencial Manera de escribir la multiplicación repetida de un número por medio de exponentes. Ejemplo: 9^3. [p. 78]

notación multiplicativa Forma de escribir un número exponencial que muestra todos los factores de manera individual. Ejemplo: $9 \times 9 \times 9$. [p. 79]

numerador El número de arriba de una fracción, que indica cuántas partes del entero se están nombrando. [p. 289]

numeral Símbolo para un número.

número cabal Cualquier número del conjunto {0, 1, 2, 3, 4,...}.

número compuesto Número cabal mayor que 1 que no es primo. [p. 276]

número impar Número cabal que tiene 1, 3, 5, 7 ó 9 en la posición de las unidades.

número mixto Número que combina un número cabal con una fracción. Ejemplo: $2\frac{7}{8}$. [p. 289]

número par Número cabal que tiene 0, 2, 4, 6 u 8 en la posición de las unidades.

número primo Número cabal mayor que 1 con sólo dos factores cabales positivos: 1 y el propio número. Ejemplos: 2, 3, 5, 7, 11,... [p. 276]

números compatibles Pares de números que pueden calcularse fácilmente. Ejemplo: 30 + 70. [p. 86]

números enteros Conjunto de los números positivos cabales, sus opuestos y el 0: ... −3, −2, −1, 0, 1, 2, 3,... [p. 469]

números negativos Números menores que 0. [p. 469]

números positivos Números mayores que 0. [p. 469]

octágono Un polígono de 8 lados. [p. 433]

onza Unidad de peso en el sistema usual. [p. 221]

operación Procedimiento matemático. Ejemplos: Suma, resta, multiplicación, división.

opuesto Número entero que está del lado opuesto del cero de un número dado, y que se encuentra a la misma distancia del cero. Ejemplo: 7 y −7 son opuestos uno del otro. [p. 472]

orden de las operaciones Las reglas que indican en qué orden realizar las operaciones: 1) simplificar dentro de los paréntesis, 2) simplificar exponentes, 3) multiplicar y dividir de izquierda a derecha, y 4) sumar y restar de izquierda a derecha. [p. 99]

ordenada Segundo número de un par ordenado, que localiza un punto en el eje de las y de un plano de coordenadas. [p. 489]

origen Punto (0, 0), donde los ejes de las x y de las y de un plano de coordenadas se intersecan. [p. 489]

par ordenado Par de números, por ejemplo (3, −7), usado para localizar un punto en un plano de coordenadas. [p. 489]

paralelo Dos rectas, segmentos o rayos que no se cruzan, no importa cuán lejos se extiendan. [p. 409]

paralelogramo Figura de cuatro lados cuyos lados opuestos son paralelos y de la misma longitud. [p. 234]

pares de cero Un número y su opuesto. Ejemplo: 7 y (−7).

pentágono Polígono de 5 lados. [p. 433]

perímetro Longitud que rodea a una figura. [p. 210]

perpendicular Dos rectas son perpendiculares si al cruzarse forman ángulos rectos. [p. 409]

peso Medida de la fuerza que ejerce la gravedad en un cuerpo.

pi (π) Para un círculo, la razón de la circunferencia al diámetro. π es igual a 3.14159265... [p. 247]

pictografía Gráfica que usa símbolos para representar la información. [p. 7]

pie Unidad del sistema usual que es igual a 12 pulgadas. [p. 221]

pirámide Sólido con una base y cuyos lados son triángulos. Véanse los siguientes ejemplos. [p. 581]

plano de coordenadas Conjunto de rectas que se usan para localizar puntos en un plano. [p. 489]

poliedro Sólido formado por caras planas. [p. 580]

polígono Figura cerrada formada por segmentos de recta. [p. 432]

polígono regular Polígono cuyos lados y ángulos tienen todos las mismas medidas. [p. 433]

porcentaje Razón que compara una parte de un entero con el número 100. El porcentaje es el número de centésimos al que es igual esta parte. [p. 550]

potencia Un exponente. [p. 79]

prisma Poliedro que tiene dos caras congruentes y paralelas. Véanse los siguientes ejemplos. [p. 580]

probabilidad Razón del número de formas en que puede ocurrir un suceso entre el número total de resultados posibles. [p. 627]

producto Resultado de la multiplicación de varios números. [p. 114]

producto cruzado Para dos razones, el producto del valor de arriba de una por el valor de abajo de la otra. [p. 530]

promedio Véase *media*.

Propiedad asociativa El hecho de que al cambiar la agrupación de los sumandos o factores no cambia la suma o el producto. Ejemplo: $(5 + 3) + 7 = 15$ y $5 + (3 + 7) = 15$. [p. 87]

Propiedad conmutativa El hecho de que al cambiar el orden de los sumandos o factores no cambia la suma o el producto. Ejemplo : $4 \times 7 = 28$ y $7 \times 4 = 28$. [p. 87]

Propiedad distributiva El hecho de que los números puedan dividirse en números más pequeños para hacer una operación. Ejemplo: $(32 \times 5) = (30 + 2) \times 5 = (30 \times 5) + (2 \times 5) = 160$. [p. 87]

proporción Par de razones equivalentes. [p. 531]

pulgada Unidad de longitud del sistema usual. [p. 221]

pulgada cuadrada Área de un cuadrado que tiene lados de 1 pulgada. [p. 229]

radio Recta que parte del centro de un círculo a cualquier punto del círculo. [p. 246]

raíz cuadrada Longitud de un lado de un cuadrado con un área igual a un número dado. [p. 261]

rango Diferencia entre los valores mayor y menor en un conjunto de datos. [p. 30]

rayo Parte de una recta que tiene un extremo y se extiende al infinito en la otra dirección (también llamada semirrecta). [p. 409]

razón Comparación de dos cantidades, con frecuencia escrita como una fracción. [p. 515]

recíproco Fracción cuyo numerador y denominador se han intercambiado entre sí. [p. 383]

recta Figura de una dimensión que se extiende hasta el infinito en ambas direcciones. [p. 409]

recta numérica Recta que muestra los números en orden.

rectángulo Paralelogramo con lados opuestos de la misma longitud y en el que todos los ángulos miden 90°. [p. 437]

redondear Ajustar un número para hacerlo más conveniente para su uso, de acuerdo con un valor posicional dado. Ejemplo: 2571 redondeado a la centena más cercana es 2600. [p. 71]

reflexión Imagen espejo de una figura que se ha "rotado" sobre una recta. [p. 444]

residuo Número menor que el divisor, que sobra después de que se completa el proceso de división.

resultado Una de las formas en que puede ocurrir un experimento. [p. 626]

rombo Paralelogramo con todos los lados de igual longitud. [p. 437]

rotación Imagen de una figura que ha sido "girada", como si se hubiera rodado. [p. 448]

segmento Parte de una recta, con dos extremos. [p. 409]

simetría Véanse *simetría axial* y *simetría rotacional*.

simetría axial Capacidad de una figura para doblarse en mitades congruentes. [p. 444]

simetría rotacional Capacidad de una figura para rotarse menos de un círculo entero y quedar posicionada sobre su imagen original. [p. 449]

similares Figuras que tienen la misma forma pero quizá tamaños diferentes. [p. 543]

sistema binario de numeración Sistema de valor posicional cuya base es 2. [p. 201]

sistema decimal Sistema de valor posicional cuya base es 10.

sistema métrico (de medición) Sistema de medición usado para describir la longitud, el peso o el tamaño de algo. [p. 215]

sistema usual (de medidas) Sistema de medidas que se usa con más frecuencia en Estados Unidos; emplea pulgadas, pies, millas, onzas, libras, cuartos, galones, etcétera.

sólido Figura de tres dimensiones. [p. 580]

suceso Resultado particular generado de un experimento de probabilidad. [p. 627]

suceso compuesto Combinación de dos o más sucesos individuales. Ejemplo: Obtener cara en una moneda que se lanza y después obtener un 4 en un dado. [p. 647]

suma Operación que da el número total cuando dos o más números se unen.

sumando Número que se suma a otro o a otros.

sustracción o resta Operación que indica la diferencia entre dos números o cuánto sobra cuando se le quita una parte.

tabla arborescente Gráfica que muestra la forma de un conjunto de datos; en esta gráfica cada valor tiene una parte que corresponde al "tallo" y otra a la "hoja". [p. 35]

tabla de frecuencia Tabla que muestra una lista de los valores que pertenecen a un conjunto de datos seguida por el número de veces que aparece dicho valor. [p. 25]

tabla de valores Tabla que indica los valores correspondientes de *x* y de *y* para una ecuación. [p. 499]

tasa Razón en la que dos cantidades con diferentes unidades de medida se comparan. Ejemplo: 18 dólares por 2 horas. [p. 523]

tasa unitaria Tasa en la cual el segundo número en una comparación es una unidad. Ejemplo: 25 galones por minuto. [p. 524]

tendencia Relación entre dos conjuntos de datos que muestra un patrón en un diagrama de dispersión. [p. 18]

teselado Patrón de figuras congruentes que cubren una superficie sin dejar huecos ni traslapes. [p. 454]

transportador Herramienta para medir ángulos. [p. 417]

trapecio Cuadrilátero con sólo dos lados paralelos. [p. 437]

traslación Imagen de una figura que se ha trasladado a una posición nueva sin reflejarla ni rotarla. [p. 453]

trasladar Véase *traslación.*

triángulo Figura cerrada formada por tres segmentos de recta. [p. 424]

triángulo acutángulo Triángulo con tres ángulos agudos. [p. 424]

triángulo equilátero Triángulo con tres lados de la misma medida. [p. 428]

triángulo escaleno Triángulo que no tiene ningún lado de igual longitud. [p. 428]

triángulo isósceles Triángulo con al menos dos lados de igual longitud. [p. 428]

triángulo obtusángulo Triángulo con un ángulo obtuso. [p 424]

triángulo rectángulo Triángulo con un ángulo recto. [p. 424]

unidad Cantidad que se toma como medida de comparación.

unidad cúbica Unidad que mide el volumen, consistente en un cubo con aristas de una unidad de longitud. [p. 606]

valor extremo Un número muy diferente de los otros en un conjunto de datos. [p. 51]

valor posicional Múltiplo de diez que dice cuánto representa cada dígito. Ejemplo: En 374, el 7 ocupa la posición de las decenas. [p. 66]

variable Cantidad que puede cambiar o variar, a menudo representada con una letra. [p. 111]

vértice Extremo común de dos rayos que forman un ángulo. [p. 412]

volumen Número de unidades cúbicas que contiene un objeto. [p. 606]

yarda Unidad en el sistema usual igual a 3 pies. [p. 221]

Capítulo 1

1-1 Haz la prueba (Ejemplo 2)

a. 200 m   **b.** 800

1-1 Haz la prueba (Ejemplo 4)

a. 1993   **b.** TV interactiva

1-1 Ejercicios y aplicaciones

1. Pictografía   **3.** Gráfica circular
5. 11–50 m; 51–100 m   **7.** 3
9. $37   **11.** Gastos médicos y ropa; otros y transporte; renta
13. 64,000,000 mi²   **17.** 6 millones
21. 5106   **23.** 8022   **25.** 90
27. 806   **29.** 694   **31.** 630
33. 433   **35.** 790   **37.** 1000
39. 1586   **41.** 600   **43.** 1056

1-2 Haz la prueba

a. Respuesta posible: Parece que Crispies vende casi tanto cereal como Crunchies, pero hay una diferencia de $9 millones.
b. Respuesta posible: Parece que Pizza Pete paga el doble que Pizza Prize, pero sólo paga 50 centavos más.

1-2 Ejercicios y aplicaciones

3. 30 años; 70 años   **5.** B
7. El doble; $1\frac{1}{2}$ **9.** Ratón: 300; petirrojo: 600   **11.** 2 millones
15. Doscientos cuatro
17. Novecientos trece   **19.** Ocho mil novecientos doce   **21.** Mil cuarenta y cinco   **23.** 614   **25.** 772   **27.** 71
29. 306

1-3 Haz la prueba

a. (80, 40)   **b.** (100, 45)   **c.** (125, 32)
d. (160, 22)   **e.** (200, 20)

1-3 Ejercicios y aplicaciones

1. a. 15 a la derecha, 600 hacia arriba
b. 600 lb, 15 ft   **3. a.** 20 a la derecha, 3000 hacia arriba   **b.** 3000 lb, 20 ft
5. No hay tendencia   **7.** A   **11.** 24; 14
15. 6606   **17.** 8900   **19.** 4329
21. 1888

Sección 1A • Repaso

3. 3 millones   **5.** Sí   **7.** La basura diaria por persona aumenta.

1-4 Haz la prueba (Ejemplo 1)

a.

Calificación	Frecuencia
Menor que 60	1
60–69	3
70–79	4
80–89	7
90–100	5

b. 7; 4

1-4 Haz la prueba (Ejemplo 2)

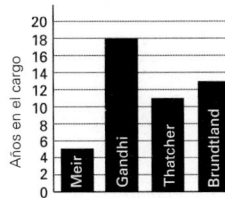

El diagrama de puntos muestra que 3 es el número más común de llamadas telefónicas, 0 es el menos común, y 1 y 4 aparecen con la misma frecuencia.

1-4 Ejercicios y aplicaciones

1.

a.		**b.**		**c.**	
1	IIII	13	I	1500	I
2	I	17	I	2000	II
3	III	18	I	2500	I
4	III	19	II	3500	I
5	I	20	IIII	4000	II
6	I	21	II	5000	I
7	I	22	II	6000	I
10	I	23	I	6500	I

3.

Zapatos en tu clóset

Zapatos	Frecuencia
2	5
4	6
6	9
8	13
10	16
12	18

11. Doscientos diecisiete
13. Seiscientos dieciséis   **23.** 25

25. 21   **27.** 11   **29.** 19
31. 24 R2 ó 24.7

1-5 Haz la prueba

Primeras ministras

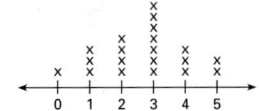

1-5 Ejercicios y aplicaciones

1. a. Rango 13, intervalo 2
b. Rango 90, intervalo 25
3.

Calorías quemadas por hora

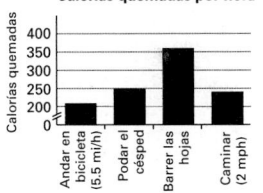

5. a. La primera gráfica tiene rango de 40 e intervalo de 20. La segunda tiene rango de 40 e intervalo de 10.   **7.** 8587
9. 718,530   **11.** 32,717   **13.** 3594
15. 153,885   **17.** 13,991

1-6 Haz la prueba

Tallo	Hoja
9	0 3 3 5 7
10	0 1 5 8 8
11	3 4 5 8
12	4 6 8 8
13	0 0 3 3 6
14	1 1 2 3 4 6 8

1-6 Ejercicios y aplicaciones

1. a.

Tallo	Hoja
1	8 9 0 9
2	7 9
3	8 2 6
4	2 0 7 2

b.

Tallo	Hoja
1	0 8 9 9
2	7 9
3	2 6 8
4	0 2 2 7

5. 52 **7.** A **11.** Habrá más hojas en el tallo 5. **13.** 1152 **15.** 1360 **17.** 193 **19.** 158

Sección 1B • Repaso

1.

Elecciones perdidas	Frecuencia
1	13
2	2
3	1
5	1
6	1

3.

Tallo	Hoja
1	5 5 7 8 9
2	2 3 3 3 3 4
3	2 2

1-7 Haz la prueba

a. 108 **b.** No hay moda

1-7 Ejercicios y aplicaciones

1. a. Mediana $4, moda $10 **b.** Mediana 19, modas 12 y 54 **c.** Mediana 86, moda 82 **d.** Mediana 306, no hay moda **3.** 36 **5.** Mediana 12, moda 10 **7.** Mediana 11, moda 13 **9.** Mediana 21, modas 13 y 31 **11.** Mediana 10, no hay moda **13.** Mediana 25, moda 28 **21.** 2204 **23.** 8918 **25.** 5436 **27.** 32,760 **29.** 48,256 **31.** 517,176 **33.** 95,207 **35.** Baloncesto **37.** 15 pares

1-8 Haz la prueba

a. $14.39 **b.** 1.5

1-8 Ejercicios y aplicaciones

1. $5 **3.** 5 **5.** 11.8125 segundos **7.** 3.625 **9.** D **13.** No hay cambio en la media **15.** 51 R4 ó ≈ 51.57 **17.** 88 R5 u 88.625 **19.** 40 R2 ó ≈ 40.15 **21.** 49 **23.** 11 **25.** 23 **27.** 3

1-9 Haz la prueba

Con el valor extremo: Mediana 21, no hay moda, media 28; Sin el valor extremo: Mediana 19, no hay moda, media 18.29

1-9 Ejercicios y aplicaciones

1. 56 **3.** 0 **5.** 3 **7.** 70 **9. a.** Con el valor extremo: Media 287.4, mediana 287, moda 287; Sin el valor extremo: Media 286.25, mediana 286.5, moda 287. **11. a.** Media 75.45, mediana 82, moda 82 **b.** Media 70.6, mediana 82, moda 82 **13.** 1687 **15.** 34 R1 ó 34.11 **17.** 83,210 **19.** 30 R14 ó 30.47 **21.** 5

Sección 1C • Repaso

1. Media ≈ 4.81, mediana 5, modas 5 y 1 **3.** Media ≈ 15.07, mediana 12, modas 10 y 25 **5.** La media **7.** C

Capítulo 1 • Resumen y Repaso

1. 80 chamarras azules **2.** 270 mi
3.

Recuerdos	Marcas de conteo	Frecuencia
Banderas	ЖЛ	5
Modelos de la Casa Blanca	III	3
Carteles	IIII	4
Sombreros del Tío Sam	I	1

4.

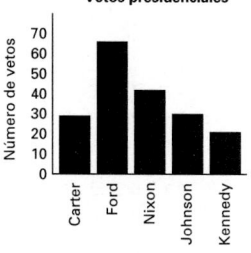

Vetos presidenciales

5. Los tallos serán de 0 a 9. Las hojas serán 2, 4, 6 y 8 para la hilera opuesta al tallo cero, y hojas de 0, 2, 4, 6 y 8 para cada hilera opuesta a los tallos del 1 al 9.

6. Mediana, 563; Moda, 521; Media, ≈ 591.91 ó ≈ 592 **7.** La media

Capítulo 2

2-1 Haz la prueba

a. 1 decena de millón **b.** Diecinueve millones, ochocientos ochenta y ocho mil, ochocientos **c.** 5,020,000,000,300

2-1 Ejercicios y aplicaciones

1. Unidades **3.** Decenas de millar **5.** Millones **7.** Millares **9.** Treinta millones ochenta mil setecientos cinco **11.** Ocho mil doscientos treinta y cinco **13.** Siete mil noventa y ocho **15.** Cincuenta y seis millones, cincuenta y seis mil quinientos sesenta **17.** 93 millones **19.** 888 millones **21.** 2 mil, 791 millones **23.** 52,000,000 **25.** 560,000,000 **27.** 9000 **29.** 321,000 **31.** 42,006,000 **33.** 9,020,000,000,030 **35.** 81,500 **37.** Mil **39.** Mil millones **45.** D **47.** 3,666,200,000 **49.** 14 **51.** ≈ 1.9

2-2 Haz la prueba

a. 70,000 **b.** 74,000 **c.** 74,000

2-2 Ejercicios y aplicaciones

1. a. 4 **b.** Menor que 5 **c.** Dejarlo así porque el siguiente dígito es menor que 5. **d.** 1,370,000 **3.** 90,000 **5.** 740 **7.** 3,900,000 **9.** 23,000 **11.** Dos mil setecientos cincuenta y ocho millones, quinientos treinta mil novecientos veintiocho **13.** B **17.** 9 autobuses

2-3 Haz la prueba

a. 98,419; 138,417; 146,416 **b.** 190,000 < 198,000

2-3 Ejercicios y aplicaciones

1. > **3.** < **5.** < **7.** < **9.** 5678; 5687; 5768 **11.** 20,002; 20,200; 22,000 **13.** 10 cientos; 10 millones; 1 billón **15.** 6 cientos; 62 mil; 29 mil millones **17.** D **19.** El diámetro en el ecuador es mayor **21.** Calcuta, Río de Janeiro, Buenos Aires **23.** 268,356,000 > 261,931,000 **29.** 29,297

2-4 Haz la prueba

a. 12^4 **b.** $5 \times 5 \times 5 \times 5 \times 5$
c. 81 **d.** 161,051

2-4 Ejercicios y aplicaciones

1. a. 4 **b.** 7 **c.** 4; 7 **d.** 4^7 **3.** 9^5
5. 79^2 **7.** $7^2 \times 3^2$ **9.** 36^1
11. 25×25 **13.** $200 \times 200 \times 200 \times$
200 **15.** $7 \times 7 \times 7 \times 7 \times 7 \times 7 \times 7$
17. $3 \times 3 \times 3 \times 3$ **19.** $5 \times 5 \times 5 \times 5$
$\times 5 \times 5 \times 5 \times 5$ **21.** $9 \times 9 \times$
$9 \times 9 \times 9 \times 9 \times 9$ **23.** 125
25. 243 **27.** 1 **29.** 256 **31.** 729
33. 8^6: base 8, exponente 6, 262,144; 3^5:
base 3, exponente 5, 243. **35.** >
37. < **39. b.** 2^{50} células **41.** 6

Sección 2A • Repaso

1. 16; 20 **3.** 100,000; 100,000
5. 81; 100 **7. a.** 864°F **9.** 7,000;
17,000; 19,000; 19,000; 20,000; 23,000; 29,000
11. = **13.** < **15.** > **19.** C

2-5 Haz la prueba

a. 1,200,000 **b.** 300 **c.** 183
d. 347 **e.** 1300 **f.** 351 **g.** 174
h. 714

2-5 Ejercicios y aplicaciones

1. a. 240 **b.** 24,000 **c.** 2,400,000
d. 24,000,000 **e.** 70 **f.** 70 **g.** 7
h. 7 **3.** 565 **5.** 1100 **7.** 40
9. 147 **11.** 50 **13.** 900 **15.** 124
17. 693 **19.** 534 **21.** 3500
23. 35,000 **25.** 7,200,000 **27.** 290
29. 2858 **31.** 166 **33.** 200
35. 336 **37.** 525 **39.** 50 **41.** 174
43. 777 **45.** $105 **47.** 50 yardas
51. $2.20; No **53.** 335,728,642
57. Tres millones, noventa y tres mil, dos
59. 73,259 **61.** 2,674,445 **63.** 61,236
65. 2,146,337

2-6 Haz la prueba

a. ≈ 1620 **b.** ≈ 2140 **c.** ≈ 900

2-6 Ejercicios y aplicaciones

1. a. $\approx 730; \approx 732$ **b.** $\approx 1200;$
≈ 1195 **c.** $\approx 72,000; \approx 72,300$
d. $\approx 990; \approx 990$ **3–21.** Respuestas
posibles: **3.** ≈ 3000 **5.** ≈ 500
7. ≈ 325 **9.** $\approx 3,300,000$ **11.** ≈ 1000

13. ≈ 600 **15.** $\approx 18,000$
17. ≈ 70 **19.** $\approx 8,500,000$
21. ≈ 250 **23.** ≈ 10 in.
25. $\approx 99,000,000; \approx 98,400,000$
27. D **31.** 7,000,000
33. 400,000,000 **35.** $695.86
37. $16,402.44

2-7 Haz la prueba (Ejemplos 1–2)

a. $\approx 24,000$ **b.** ≈ 200

2-7 Haz la prueba (Ejemplos 3–4)

a. ≈ 600 **b.** ≈ 7

2-7 Ejercicios y aplicaciones

Respuestas posibles: **1. a.** ≈ 2400
b. ≈ 400 **c.** $\approx 35,000$ **d.** ≈ 30
e. ≈ 7 **f.** ≈ 300 **g.** ≈ 1000
h. $\approx 120,000$ **3.** $\approx 56,000,000$
5. $\approx 25,000$ **7.** ≈ 1700 **9.** ≈ 20
11. $\approx 15,000$ **13.** ≈ 4000 **15.** ≈ 100
17. $\approx 350,000$ **19.** ≈ 6
21. $\approx 14,000$ **23.** ≈ 40 **25.** ≈ 560
27. ≈ 50 **29.** ≈ 300 **31.** ≈ 2
33. $\approx 100,000$ **35.** Subcargado
37. 60,000 **39.** C **43.** < **45.** <
47. < **49.** 10; 356; 383; 1009; 1023
51. 12,140 **53.** 18,240 **55.** 252
57. 3120 **59.** 144 **61.** 2142

2-8 Haz la prueba

a. 25 **b.** 1 **c.** 3 **d.** 48

2-8 Ejercicios y aplicaciones

1. a. Multiplicación **b.** Suma
c. División **d.** Simplificación de
exponentes **e.** Resta
f. Multiplicación **g.** Resta **h.** Resta
3. 56 **5.** 8 **7.** 48 **9.** 27 **11.** 0
13. 120 **15.** 27 **17.** 300 **19.** 10
21. 0 **23.** 5 **25.** 20 **27.** 33
29. 1 **31.** 66 **33.** 8200
35. 190 **37.** $20 \times (15 - 2) = 260$
39. $2 \times (6^2 - 8) = 56$ **41.** $(12 + 10) \div$
$11 = 2$ **43.** $(5 + 4) \div 3 = 3$
45. B **47.** $(4 \times 7 - 2 + 1.96) \div 2 =$
13.98 **51.** 100,000 **53.** 4096
55. 38,416 **57.** $2^7 = 128$ **59.** 62,103
61. 1,921,899,992

2-9 Haz la prueba

a. 30 **b.** 10

2-9 Ejercicios y aplicaciones

1. a. Sumar **b.** Sumar **c.** Restar
d. Restar **e.** Restar **f.** Restar
g. Restar **h.** Sumar **3.** Sumar 3
5. Sumar 13 **7.** Restar 1
9. Sumar 11 **11.** Restar 29
13. Restar 8 **15.** Sumar 15
17. Sumar 58 **19.** 271, 266, 260
21. 76, 70, 64 **23.** 1010, 1028, 1049
25. 10, 9, 11 **27.** 125, 180, 245
29. 1131, 1135, 1139 **31.** 332, 348, 301
33. $22 **35.** 550 **41.** 166
43. 1661 **45.** 205 **47.** 6
49. $121.68 **51.** $185,295.50
53. $23.80 **55.** $1453.32

Sección 2B • Repaso

1. 60,000 **3.** 879 **5.** 4000
7–17. Respuestas posibles:
7. 30,000 **9.** 300 **11.** 17,000 **13.** 30
15. 23,000 **17.** 1600 **19.** C **21.** D
23. E **25.** B

2-10 Haz la prueba

a. 21, 28, 35 **b.** 12, 11, 10 **c.** 20, 15, 12
d. 26, 27, 28

2-10 Ejercicios y aplicaciones

1. a. Constante **b.** Variable
c. Variable **d.** Constante
e. Variable **f.** Variable **3.** 9, 10, 11
5. 12, 18, 24 **7.** 14, 15, 16
9. 16, 24, 32 **11.** 17, 18, 19
13. 18, 12, 9 **15.** 17, 15, 11
17. 15, 9, 5 **19.** 6, 8, 12 **21.** 3, 5, 9
23. 6, 10, 18 **25.** 9, 25, 81
27. 28, 14, 8 **29.** 6, 12, 21
31. 10, 20, 35 **33.** 8, 16, 28
35. 29, 31, 34 **37.** 14, 16, 19
39. Número de estrellas: 13, 26, 39, 52,
$13w$ **41.** A **43. a.** ii **b.** i **c.** iii
Respuestas posibles:
45. 7000 **47.** 35,000 **49.** 6400
51. 64, 8, 384 **53.** 24, 30

2-11 Haz la prueba

a. $c + 8$ **b.** $\frac{n}{9}$ ó $\frac{9}{n}$ **c.** $r + 5$ **d.** $7x$

2-11 Ejercicios y aplicaciones

1. A **3.** E **5.** $10q$ **7.** $6d$
9. $s - 3$ **11.** $20v$ **13.** $y - 3$
15. $n - 5$ **17.** $n - 4$ ó $4 - n$
19. $\frac{x}{8}$ **21.** $4 + s$ **23.** $t - 146$ grados
25. $22,278 - m$ millas cuadradas
29. a. $x + x + x + x$ ó $4x$

685

b. $x + 2 + x + 2 + x + 2 + x + 2$ ó $4x + 8$ **c.** $x + 3 + x + 3 + x + 3 + x + 3$ ó $4x + 12$ **31.** ≈ 800
33. $\approx 250,000$ **35.** ≈ 2 **37.** ≈ 3
39. 122 **41.** 319 **43.** 78
45. 4332

2-12 Haz la prueba

a. No **b.** No **c.** Sí

2-12 Ejercicios y aplicaciones

1. a. Verdadero **b.** Falso **c.** Falso
d. Verdadero **e.** Falso **f.** Falso
g. Verdadero **h.** Falso **i.** Verdadero
j. Verdadero **3.** No **5.** Sí **7.** Sí
9. No **11.** Sí **13.** No **15.** No
17. Sí **19.** Sí **21.** $\frac{12}{p} = 3$
23. $1600 + x = 3212$
25. $84 + d = 88$ **27.** $75 - b = 26$
29. No **33.** $555 \div 111 = 5$ **35.**
$1536 \div 48 = 32$ **37.** $546 \div 13 = 42$
39. $1978 \div 86 = 23$ **41.** $8 \times 8 = 64$
43. $4 \times 8 = 32$ **45.** $63 \times 56 = 3528$
47. $87 \times 12 = 1044$ **49.** 13; 14; 15
51. 36; 18; 12 **53.** 6; 12; 18
55. 30; 15; 10 **57.** 8; 9; 10

2-13 Haz la prueba

a. $a = 15$ **b.** $b = 63$ **c.** $c = 22$
d. $d = 48$

2-13 Ejercicios y aplicaciones

1. Menor **3.** Menor **5.** Menor
7. Mayor **9.** Mayor **11.** 2
13. 8 **15.** 8 **17.** 10 **19.** 22; 26;
31; 43 **21.** $j = 6$ **23.** $k = 6$
25. $v = 6$ **27.** $n = 8$ **29.** $z = 80$
31. $g = 5$ **33.** $k = 9$ **35.** $r = 168$
37. B **39.** 1000 ft/h **41.** 1038 m
43. Debe disminuirse en 2.
45. $200 - 151 = 49$ **47.** $43 + 10 = 53$
49. $159,000 + 21,000 = 180,000$

Sección 2C • Repaso

1. Constante **3.** $\frac{d}{4}$ **5.** $16m$ **7.** $\frac{d}{17}$
Respuesta posible:
9. ≈ 9000 **11.** ≈ 60 **13.** 17
15. 220 **17.** 4 **19.** 12 **21.** No
23. $x = 22$ **25.** $x = 5$ **27.** 5000 ft
29. D

Capítulo 2 • Resumen y Repaso

1. Millares **2.** Veintinueve millones, ciento cincuenta y ocho mil, seiscientos cuarenta y siete **3. a.** 29,160,000
b. 29,000,000 **4.** $129,058,647 < 129,186,000$ **5.** 4,067,338; 4,567,238; 40,098,001 **6.** Base 5, exponente 9
7. $7 \times 7 \times 7$ **8.** 8^2 **9. a.** 16
b. 8 **c.** 10,000 **d.** 9 **e.** 121 **10.** 400
11. 1224 **12.** 900,000 **13.** 700
14. a. 320 **b.** 11,000 **15. a.** 5
b. 750 **16.** 9 **17.** 351 **18.** 29, 22, 15
19. 126, 141, 156 **20.** 12, 18, 24
21. 4, 3, 2 **22.** $\frac{m}{11}$ ó $\frac{11}{m}$ **23.** Sí; No
24. a. $x = 61$ **b.** $x = 116$

Capítulos 1–2 • Repaso acumulativo

1. C **2.** B **3.** D **4.** B **5.** A
6. B **7.** D **8.** A **9.** D **10.** C
11. A **12.** C **13.** B **14.** D
15. C

Capítulo 3

3-1 Haz la prueba

a. 0.81 **b.** 0.4
c. 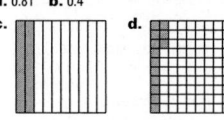 **d.**

e. Tres y cincuenta y un milésimos
f. Ciento setenta y un milésimos
g. Cuarenta y siete centésimos
h. Ocho y un décimos **i.** 0.09 **j.** 2.101

3-1 Ejercicios y aplicaciones

1. a. 0.6 **b.** 0.43 **c.** 0.312 **d.** 0.9
e. 0.097 **f.** 0.08 **3.** 0.78 **5.** 2.45
7. 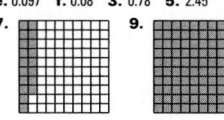 **9.**

13. 1.067 **15.** 0.08 **17.** 0.2
19. 0.015 **21.** Sesenta y siete centésimos **23.** Ocho y seiscientos once milésimos **25.** Doce y seis milésimos
27. Diez y cuarenta y nueve centésimos
29. B **31.** Respuesta posible: 3.608
33. Un número infinito **37.** 11; 8; 5

39. 1; 8; 11 **41.** 17; 15; 1 **43.** 416
45. 3 **47.** 356 **49.** 2

3-2 Haz la prueba (Ejemplos 1–2)

a. 0.8 **b.** 7.05 **c.** 3.462 **d.** 1.9 cm

3-2 Haz la prueba (Ejemplo 3)

a. 3 cm; 2.7 cm **b.** 13 cm

3-2 Ejercicios y aplicaciones

1. a. 1 **b.** 3 **c.** 3 **d.** 0 **e.** 1 **f.** 2
3. 5.8 **5.** 0.472 **7.** 4.3 **9.** 0.100
11. 33.5 **13.** 16.13 **15.** 7.30
17. 88 **19.** 7.3 **21.** 8.2
23. 0.7893 **25.** 60 **27.** 1000 cm
29. 2 cm; 2.3 cm **31.** 5 cm; 5.4 cm
33. 2 cm; 2.5 cm **35.** 6 cm; 58 mm
43. $12 + k$

3-3 Haz la prueba (Ejemplos 1–2)

a. > **b.** > **c.** > **d.** <

3-3 Haz la prueba (Ejemplo 3)

1.009, 1.08, 1.6, 1.725, 1.74

3-3 Ejercicios y aplicaciones

1. a. 0.280 **b.** 1.4500 **c.** 1.670
d. 0.3000 **3.** = **5.** > **7.** = **9.** <
11. < **13.** < **15.** < **17.** <
19. 0.675 in. **21.** 27.939, 27.946, 27.948
23. 1.23, 1.5, 2.64 **25.** 2.84, 2.96, 3.02
27. 3.107, 30.17, 31.07, 31.7, 310.7
29. A **31.** Ángela y Temeca
33. Respuesta posible: 8.743
37. Verdadero **39.** Falso

3-4 Haz la prueba

a. 30,000 **b.** 90,620,000,000
c. 5.2×10^4 **d.** 1.74×10^9

3-4 Ejercicios y aplicaciones

1. a. 4 **b.** 5 **c.** 3 **3.** 75,000
5. 200,000 **7.** 8,890,000
9. 2,459,000,000,000
11. 445,600,000,000
13. 6,900,000,000 **15.** 370,000
17. 57,000,000 **19.** 35,000
21. 5×10^3 **23.** 1.6×10^5 **25.** 7.9×10^9
27. 5.1×10^7 **29.** 6×10^{12}
31. 5×10^2 **33.** 1.2×10^7 **35.** D
39. 3.65 **41.** Mediana: 7; modas: 5, 7, 8
43. 10 **45.** 12

Sección 3A • Repaso

1. 0.7 **3.** 26.5 **5.** 1.7 cm **7.** 0.1
9. 2.42 **11.** 7.0 **13. a.** KB: 1000; MB:
1,000,000; GB: 1,000,000,000 **b.** 2.4×10^9
15. 120,000,000 **17.** 560,000
19. 4.5×10^{10} **21.** 6.78×10^6
23. 6×10^7 **25.** 5.69×10^4 **27.** A

3-5 Haz la prueba

a. $\approx$ \$34 **b.** $\approx$ 35 **c.** $\approx$ 630 **d.** $\approx$ 8

3-5 Ejercicios y aplicaciones

1. a. 40 ó 50 **b.** 25 **c.** 10 **d.** 5
3–33. Se dan las respuestas posibles.
3. $\approx$ \$2 **5.** $\approx$ 5 **7.** $\approx$ 9 **9.** $\approx$ 300
11. $\approx$ \$240 **13.** $\approx$ 6 **15.** $\approx$ 43
17. $\approx$ 73 **19.** $\approx$ 164 **21.** $\approx$ 1800
23. $\approx$ \$2 **25.** $\approx$ 6 **27.** $\approx$ 8100
29. $\approx$ 900 **31.** $\approx$ 10 **33.** $\approx$ 5
35. Cerca de \$700 **37.** Sí
39. Cerca de 3 km **45.** 65.625 **47.** 0.32
49. 0.789 **51.** 0.05

3-6 Haz la prueba

a. 8.617 **b.** 3.957 **c.** 7.573
d. 2.85

3-6 Ejercicios y aplicaciones

1. a. i **b.** ii **c.** i **3.** 46.906
5. 8.4 **7.** \$11.25 **9.** 25.904
11. 66.2284 **13.** 0.061 **15.** \$10.01
17. 14.38 **19.** 442.1822 **21.** 41.69
23. 4.947 **25.** 15.678 **27.** 42.63
29. \$76.57 **31.** 104.67 **33.** D
43. 5.998 **45.** 35 **47.** 0.2

3-7 Haz la prueba

a. $x = 10.1$ **b.** $n = 10.6$ **c.** $j = 5.1$
d. $p = 2.2$

3-7 Ejercicios y aplicaciones

1. a. Verdadero **b.** Falso **c.** Verdadero
d. Falso **3.** $d = 0.4$ **5.** $x = 8.1$
7. $u = \$2.37$ **9.** $w = 28.2$
11. $a = 1.22$ **13.** $c = 0.02$
15. $f = \$3.25$ **17.** $i = 87.7$
19. $m = 0.088$ **21.** $w = 2.32$
23. $z = 60$ **25.** $t = 0.67$
27. $g = 12.1$ cm **29.** A **31.** \$26.49 +
\$18.50 = s; s = \$44.99 **37.** 0.123, 0.672,
1.784

Sección 3B • Repaso

1. 2.7 cm **3.** 3.3 cm **5.** 2.5
7. 0.88 **9.** 0.03 **11.** 28.4
13. 5.161 **15.** 13.776 cm
17. $x = 24.05$ **19.** $n = 17.5$

3-8 Haz la prueba

a. 4.8 **b.** 4.2 **c.** 117.756 **d.** 62

3-8 Ejercicios y aplicaciones

1. a. i **b.** ii **c.** i **3.** 34.12
5. 24.032 **7.** 872.83 **9.** 357.8
11. 52.2 **13.** 872.3 **15.** \$603.05
17. 12.865 **19.** 80.7 **21.** 3850
23. \$2539 **25.** \$6 **27.** C **29.** Sí
33. 34,790,001; 34,890,000; 34,891,000
35. 5540 **37.** 14,200 **39.** 928,000
41. 1,932,000

3-9 Haz la prueba

a. 9.44 **b.** 146.72 **c.** 0.0369
d. 56.77 **e.** 0.21 **f.** 0.6

3-9 Ejercicios y aplicaciones

1. a. i **b.** i **c.** ii **3.** 0.9591
5. 8.19541 **7.** 4238.01 **9.** 0.068
11. 0.0065 **13.** 0.00425 **15.** 38.86
17. 23.22 **19.** 0.546 **21.** 54.288
23. 0.7496 **25.** 0.775 **27.** 4.232
29. $\approx$ \$2; \$2.12 **31.** $<$ **33.** $=$
35. C **41.** 7 **43.** 29 **45.** 2 **47.** 143
49. $\approx$ 3 **51.** $\approx$ 3 **53.** $\approx$ 10 **55.** $\approx$ 40

3-10 Haz la prueba

a. 19.3 **b.** 0.89 **c.** 0.1085
d. 0.262 **e.** 0.003012 **f.** 4.5

3-10 Ejercicios y aplicaciones

1. a. i **b.** i **c.** i **3.** 5.87 **5.** 0.994
7. 0.0258 **9.** 1.548 **11.** 3.254
13. 0.013 **15.** 0.084 **17.** 1.24
19. 49.75 **21.** 22.476 **23.** 18.96
25. 0.407 **27.** 0.67 **29.** 9.4
31. 137.667 mi **37.** 73, 78, 79
39. 23, 17, 10 **41.** 33, 30, 27
43. 52.07 **45.** 0.007 **47.** 3.53
49. 6.999

3-11 Ejercicios y aplicaciones

1. a. ii **b.** ii **c.** i **3.** 2.8 **5.** 0.4
7. 4.79 **9.** 1.09 **11.** 8 **13.** 0.07
15. 6.1 **17.** 9.87 **19.** 1.94 **21.** 42
23. 3.7 **25.** 0.6 **27.** 500

29. $\approx$ 14.74 millas por día **31.** A
33. 21,900 **37.** $15 \times 15 \times 15$
49. $e = 8.1$ **51.** $g = 1.2$
53. $j = 1.3$

3-12 Haz la prueba

a. $j = 0.7$ **b.** $w = 6$ **c.** $t = 5.5$
d. $f = 0.49$

3-12 Ejercicios y aplicaciones

1. a. 1000 **b.** 100 **c.** 0.1 **d.** 0.1
3. $e = 0.21$ **5.** $r = 50$ **7.** $w = 0.02$
9. $s = 1071$ **11.** $u = 45$ **13.** $q = 2.5$
15. $h = 6$ **17.** $n = 0.07$
19. $v = 1.8$ **21.** $k = 0.08$
23. $j = 0.14$ **25.** $u = 0.02$
27. $8.3d = 83$; 10 días **29.** $\frac{t}{9} = 0.08$;
0.72 kg **31.** $465 - x = 165.3$; 299.7 kg
33. 36 **37.** Ensalada de pasta griega
39. 8.7 **41.** 21.8 **43.** 54.06

Sección 3C • Repaso

1. 5,600,000 **3.** 400,000,000
5. 122,000 **7.** 16,000,000,000
9. 23.5 **11.** 250 **13.** 20.6
15. 60.02 **17.** 2.04 **19.** 310.75
21. 3.6 **23.** 2.793 **25.** 10.78 km
27. $u = 4.2$ **29.** $n = 50$
31. $s = 24.31$ **33.** $v = 830$
35. \$0.36 **37.** B

Capítulo 3 • Resumen y Repaso

1. a. 0.25 **b.** 0.7 **2. a.** 5.6 **b.** 0.8
3. a. $>$ **b.** $<$ **4. a.** 71,600
b. 395,000 **5.** $\approx$ 700; 729.36
6. $\approx$ 270; 262.277 **7.** 65.92
8. $(7.2 - 2.8) < 4.876$ **9.** 6.4 mm
10. a. $t = 4.6$ **b.** $k = 13.5$
11. $\approx$ 120; 128.8 **12.** $\approx$ 13; 13.25
13. $\approx$ 1; 0.893 **14.** $\approx$ 2; 2.2
15. 0.04533 **16.** 751 **17.** 0.367
18. $m = 3.1$

Capítulo 4

4-1 Haz la prueba

a. 27 **b.** 46

4-1 Ejercicios y aplicaciones

1. 180 cm **3.** 100 in. **5.** 8 cm
7. 16 in. **9.** $a = 9$ in.; $b = 3$ in.
11. $f = 12$ mm; $g = 26$ mm **13.** A

19. 90 m/s **21.** 5.6×10^4
23. 2×10^{12} **25.** 1.6×10^3
27. 9.456×10^7

4-2 Haz la prueba (Ejemplo 1)

a. km **b.** cm **c.** kg **d.** L

4-2 Haz la prueba (Ejemplos 2–3)

a. 7360 **b.** 8 **c.** 0.325

4-2 Ejercicios y aplicaciones

1. 1 kilómetro **3.** 1 metro
5. 1 centímetro **7.** Kilogramo
9. Kilómetro **11.** Gramo **13.** 0.09
15. 100 **17.** 0.00788 **19.** 4.2
21. 0.005 **23.** 131 **25.** 267,000
27. 42,900 **31.** B **33.** 480 mm; 48 cm;
0.48 m **35.** 562 cm **37.** 103
39. 45,000,000,000 **41.** 45,612 **43.** 0.55
45. 0.067 **47.** 0.4
49. 0.02 **51.** 0.008

4-3 Haz la prueba (Ejemplo 1)

a. Millas **b.** Libras **c.** Cuartos

4-3 Haz la prueba (Ejemplos 2–3)

a. 28 **b.** 4 **c.** 10,560

4-3 Ejercicios y aplicaciones

1. 3 ft **3.** 8 ft **5.** 5 ft **7.** 21 **9.** 12
11. 32 **13.** 36 **15.** 384
17. 21,120 **19.** 7040 **21.** 72 in.;
6 ft **23.** 24 oz **25.** D **31.** 60 puntos;
A y D **33.** B y C **35.** 1.06, 1.34, 1.36,
1.66 **37.** 0.0349, 0.56, 0.678, 0.982
39. 66.3, 67.1, 67.4, 67.5, 68.3

Sección 4A • Repaso

1. 35.6 cm **3.** 3120 cm **5.** 32,000 cm
7. 42,240 ft **9.** 60 ft **11.** 8000
13. 38,000,000 **15.** 29 **17.** A

4-4 Haz la prueba (Ejemplo 2)

a. 14 in^2 **b.** 12 cm^2 **c.** 28 ft^2

4-4 Haz la prueba (Ejemplos 3–4)

a. 20 in^2 **b.** 54 cm^2 **c.** 28 yd^2

4-4 Ejercicios y aplicaciones

1. 25 **3.** 24 **5.** 24 cm **7.** 27 ft^2
9. 1.2 km^2 **11.** 132 mm^2 **13.** C
15. 4 cm^2 **17.** 1 cm^2 **19.** 720 in^2
21. C **23. a.** 12,800 ft^2
25. $60,000 **27.** La media
29. 70 **31.** 28 **33.** 5 **35.** 143

4-5 Haz la prueba

a. 18 **b.** 198 mm^2

4-5 Ejercicios y aplicaciones

1. 35 **3.** 24 **5.** 44 cm^2 **7.** 5.52 km^2
9. 0.07 in^2 **11.** 7500 m^2 **13.** 84 yd^2
15. 266.07 cm^2 **17.** 1,000,000 km^2
19. $\approx$ 50,830 mi^2 **21.** 14.57 m^2
25. a. 2.36 m^2 **b.** 384 in^2
c. 132 mm^2 **d.** 456 mm^2 **27.** 81
29. 144 **31.** 64 **33.** 1
35. 2,097,152 **37.** 5,764,801
39. 1.913 **41.** 232.47 **43.** 6.8

4-6 Haz la prueba

a. 6 **b.** 4.75 yd^2 **c.** 1.75 in^2

4-6 Ejercicios y aplicaciones

1. 15 **3.** 6 **5.** 45 cm^2
7. 2,466,000 km^2 **9.** 1581 yd^2
11. 260 **13.** 18 in^2 **15.** 18 in^2
17. 1440 **21.** 52 **23.** 6^5 **25.** 7^4
27. 10^4 **29.** $3^4 \times 8$

Sección 4B • Repaso

1. 48 in^2 **3.** 0.935 yd^2 **5.** Sí **7.** 96
9. 3.2 **11.** 48 in. **13.** 110 mm

4-7 Haz la prueba

a. 37.68 cm **b.** $\approx$ 23.9 ft **c.** 18.84 ft
d. $\approx$ 25.16 cm

4-7 Ejercicios y aplicaciones

1. Verdadero **3.** Falso **5.** 43.96 cm
7. 37.68 mm **9.** 9 **11.** 7.5 yd; 15 yd
13. 5.5 m; 34.54 m **15.** 9.3
17. 6.28 cm **19.** 0.83 m **23.** 42
25. 11,658 **27.** $3 \times 3 \times 3 \times 3$
29. $9 \times 9 \times 9 \times 9 \times 9 \times 9$ **31.** $12 \times 12 \times 12 \times 12 \times 12$ **33.** $6 \times 6 \times 6$
35. $13 \times 13 \times 13 \times 13 \times 13 \times 13 \times 13 \times 13 \times 13 \times 13 \times 13$
Respuestas posibles:
37. 900 **39.** 10 **41.** 200 **43.** $6

4-8 Haz la prueba

a. 1133.54 cm^2 **b.** 3.14 in^2

4-8 Ejercicios y aplicaciones

1. Verdadero **3.** Falso **5.** 803.84 yd^2
7. 12.56 ft^2 **9.** 128.6144 ft^2
11. 907.46 ft^2 **13.** 7850 mm^2
15. 1.1304 mi^2 **17.** 1.3 km; 5.3 km^2
19. 0.5 mm; 0.8 mm^2 **21.** 0.2 mi; 0.1 mi^2
23. 2.9 m; 26.4 m^2 **25.** 1.32665 yd^2
27. C **29.** A **31.** 144 ft^2
33. a. C, B, D, A **35.** No **37.** 75
39. 240 **41.** 1600 **43.** 800,000

4-9 Ejercicios y aplicaciones

1. Rectángulo, semicírculo
3. Semicírculo, rectángulo **5.** 34.8125
7. 450 ft^2 **9.** $\approx$ 31.8 cm^2
11. $\approx$ 445,000 mi^2 **15.** 289.56 ft^2
17. 21 **19.** 134 **21.** 24 **23.** 6 **25.** 7
27. 8.02 **29.** 162.5 **31.** 5.3

Sección 4C • Repaso

1. 12,000 **3.** 9.2 **5.** A: 43.2 mm^2;
P: 28 mm **7.** A: 0.5024 km^2; C: 2.512 km
9. A: 153.86 in^2; C: 43.96 in.
11. A: 119.065 unidades^2; P: 42.71 unidades
13. El perímetro del cuadrado

Capítulo 4 • Resumen y Repaso

1. 33.6 **2.** 4.14 **3.** 2.407
4. 5300 **5.** 73 **6.** 48 **7.** 14
8. 11,726 **9.** 0.432 **10.** 18.3 ft
11. 19,200 ft^2 **12.** 1200 cm^2
13. 75 ft^2 **14.** 56.25 mm^2
15. 21 ft^2 **16.** 30 ft **17. a.** 9.42 yd
b. 7.065 yd^2 **18.** 167.13 unidades
cuadradas

Capítulos 1–4 • Repaso
acumulativo

1. B **2.** A **3.** C **4.** B **5.** D **6.** B
7. C **8.** A **9.** B **10.** D **11.** A
12. A

Capítulo 5

5-1 Haz la prueba

a. 3 **b.** 5 **c.** 2, 3, 6, 9 **d.** 3, 5
e. 2, 3, 5, 6, 9, 10

5-1 Ejercicios y aplicaciones

1. a. 2 **b.** 2 **c.** 5 **d.** 2, 5, 10 **e.** 5
f. 2, 5, 10 **3.** 5 **5.** 3, 9 **7.** 2, 5, 10
9. 2, 3, 6 **11.** 2, 3, 5, 6, 9, 10
13. 2, 3, 5, 6, 9, 10 **15.** 2 **17.** 3, 5, 9
19. 2 **21.** 2, 3, 6 **23.** 2, 3, 5, 6, 10
25. 2, 3, 6 **27.** 3, 5 **29.** 5 **31.** 2, 3, 6
33. Sí **35.** No **37.** No **39.** Sí
41. Sí **43.** Sí **45.** No **47.** Sí
49. No **51.** No **53.** Sí **55.** Sí
57. a. No **b.** No **c.** No **d.** Sí **e.** Sí
59. No **61. a.** 2, 5, 10 **b.** 2, 5, 10
c. 2, 5, 10 **73.** 16 **75.** 4.86 **77.** 6.8
79. 13.6

5-2 Haz la prueba

a. $2^2 \times 3$ **b.** $2^2 \times 5$ **c.** $2^2 \times 3^2$
d. $3^2 \times 5$ **e.** $2 \times 3 \times 5 \times 7$

5-2 Ejercicios y aplicaciones

1. a. 3×5 **b.** 3×11 **c.** 2×7
d. 3×7 **e.** 2×3 **f.** 5×7
3. Primo **5.** Compuesto
7. Compuesto **9.** 5^2 **11.** 5×19
13. 5^3 **15.** 2×3 **17.** $2^3 \times 11$
19. $2^3 \times 3^2$ **21.** $2^2 \times 3^2 \times 19$
23. $2^2 \times 3 \times 5$ **25.** $3 \times 5 \times 7$
27. $2^4 \times 3$ **29.** 5×17 **31.** 2×3^4
33. $3 \times 5 \times 11$ **35.** $2^2 \times 3^2 \times 13$
37. $2 \times 3 \times 7$ **39.** Compuesto
41. 101, 103, 107, 109 **43.** 41, 43, 47, 53,
59, 61, 67, 71, 73, 79 **49.** 5,700,000
51. 5,890,000,000 **53.** 1.2 **55.** 0.25
57. 0.25 **59.** 0.5

5-3 Haz la prueba (Ejemplos 1–2)

a. 35 **b.** 30 **c.** 20 **d.** 45

5-3 Haz la prueba (Ejemplo 3)

a. 18 **b.** 8 **c.** 100 **d.** 60 **e.** 55
f. 30 **g.** 54 **h.** 1297

5-3 Ejercicios y aplicaciones

1. a. 3, 6, 9, 12, 15 **b.** 10, 20, 30, 40, 50
c. 11, 22, 33, 44, 55 **d.** 8, 16, 24, 32, 40
e. 4, 8, 12, 16, 20 **f.** 5, 10, 15, 20, 25
3. 5, 10, 15 **5.** 60, 120, 180 **7.** 42, 84, 126
9. 8, 16, 24 **11.** 16, 32, 48 **13.** 28, 56, 84
15. 33 **17.** 65 **19.** 10 **21.** 12
23. 42 **25.** 42 **27.** 20 **29.** 14
31. 15 **33.** Cada 60 minutos **35.** D
37. Cada 12 días **39.** 2 de marzo
41. 150 **43.** > **45.** > **47.** 2000

Sección 5A • Repaso

1. No **3.** Sí **5.** No **7.** Sí
9. Sí **11.** Sí **13.** $2^2 \times 19$
15. 2×11 **17.** $2^2 \times 3$ **19.** $2 \times 3 \times 19$ **21.** 73 es primo **23.** 3^4
25. 2, 4, 6, 8, 10, 12, 14 **27.** 7, 14, 21, 28, 35, 42, 49 **29.** 0, 0, 0, 0, 0, 0
31. 6 **33.** 18 **35.** 20
37. 1998, 2000, 2002, 2004 **39.** 585

5-4 Haz la prueba

a. $\frac{6}{11}$ son rojos; $\frac{5}{11}$ no lo son. **b.** $\frac{7}{8}$, $\frac{14}{16}$

5-4 Ejercicios y aplicaciones

1. a. $\frac{1}{2}$ **b.** $\frac{1}{4}$ **c.** $\frac{5}{8}$ **d.** $\frac{3}{4}$ **3–19.**
Fracciones equivalentes posibles: **3.** $\frac{14}{18}$
5. $\frac{24}{34}$ **7.** $\frac{4}{6}$ **9.** $\frac{1}{2}$ **11.** $\frac{2}{5}$ **13.** $\frac{6}{16}$
15. $\frac{12}{16}$ **17.** $\frac{4}{8}$ **19.** $\frac{18}{20}$ **21.** $\frac{2}{9}$
23. B **25.** $\frac{6}{7}$ **27.** $\frac{8}{28}$ ó $\frac{2}{7}$ **29.** $\frac{10}{16}$ in. ó
$\frac{5}{8}$ in. **31.** a, b **33.** 101.9
35. 48.3 **37.** 9 **39.** $n = 100$
41. $h = 2$

5-5 Haz la prueba

Respuestas posibles para a–c: **a.** $\frac{3}{5}$, $\frac{12}{20}$
b. $\frac{4}{5}$, $\frac{24}{30}$ **c.** $\frac{1}{3}$, $\frac{14}{42}$ **d.** 5 **e.** 2 **f.** 9 **g.** $\frac{4}{5}$
h. $\frac{3}{4}$ **i.** $\frac{2}{3}$

5-5 Ejercicios y aplicaciones

1. a. Sí **b.** No **c.** Sí **d.** Sí **e.** No
f. Sí **3–13.** Respuestas posibles:
3. $\frac{2}{6}$, $\frac{1}{3}$ **5.** $\frac{2}{12}$, $\frac{3}{18}$ **7.** $\frac{3}{7}$, $\frac{18}{42}$ **9.** $\frac{2}{5}$, $\frac{20}{50}$
11. $\frac{1}{3}$, $\frac{22}{66}$ **13.** $\frac{8}{18}$, $\frac{20}{45}$ **15.** $\frac{1}{5}$ **17.** $\frac{1}{3}$
19. $\frac{6}{5}$ **21.** $\frac{3}{5}$ **23.** $\frac{1}{6}$ **25.** $\frac{3}{2}$ **27.** $\frac{1}{4}$
29. $\frac{1}{6}$ **31.** $\frac{1}{6}$ **33.** 5 **35.** 2 **37.** 1
39. 8 **41.** 10 **43.** 4 **45.** 9 **47.** 4
49. 3 **51.** C **59.** 25 kg
61. Peso mosca y peso crucero; 40 kg

5-6 Haz la prueba

a. $4\frac{2}{3}$ **b.** $2\frac{8}{9}$ **c.** $8\frac{3}{4}$ **d.** $\frac{11}{2}$ **e.** $\frac{33}{8}$
f. $\frac{13}{5}$

5-6 Ejercicios y aplicaciones

1. a. Propia **b.** Impropia
c. Impropia **d.** Propia
e. Impropia **f.** Impropia **3.** $\frac{14}{5}$
5. $\frac{10}{3}$ **7.** $\frac{14}{4}$ **9.** $\frac{14}{5}$ **11.** $\frac{31}{10}$ **13.** $\frac{33}{12}$
15. $2\frac{4}{5}$ **17.** $5\frac{1}{2}$ **19.** $2\frac{7}{8}$ **21.** $9\frac{9}{10}$
23. $100\frac{5}{8}$ **25.** $2\frac{7}{11}$ **27.** $\frac{31}{8}$ **29.** Sí
31. 12 **39.** 10,560 **41.** 9
43. 26,400 **45.** 30

5-7 Haz la prueba

a. $\frac{4}{5}$ **b.** $\frac{6}{25}$ **c.** $\frac{3}{8}$ **d.** 0.2; Finito
e. 0.65; Finito **f.** $0.\overline{36}$; Periódico

5-7 Ejercicios y aplicaciones

1. a. $\frac{3}{10}$ **b.** $\frac{7}{10}$ **c.** $\frac{11}{100}$ **d.** $\frac{37}{100}$
e. $\frac{121}{1000}$ **f.** $\frac{333}{1000}$ **3.** $0.\overline{14}$ **5.** $1.\overline{345}$
7. $0.\overline{18}$; Periódico **9.** 0.45; Finito
11. $0.\overline{28}$; Periódico **13.** $0.\overline{6}$; Periódico
15. 2.5; Finito **17.** 1.25; Finito **19.** 0.72;
Finito **21.** 0.75; Finito **23.** 0.5; Finito
25. $\frac{2}{5}$ **27.** $\frac{11}{25}$ **29.** $\frac{67}{100}$ **31.** $\frac{7}{20}$
33. $\frac{13}{25}$ **35.** $\frac{24}{125}$ **37.** $\frac{7}{10}$ **39.** $\frac{16}{125}$
41. $\frac{22}{25}$ **43.** $\frac{1}{8}$ in., $\frac{1}{4}$ in., $\frac{3}{8}$ in., $\frac{1}{2}$ in., $\frac{5}{8}$ in.,
$\frac{3}{4}$ in., $\frac{7}{8}$ in. **45.** D **47.** $0.\overline{02}$; $0.\overline{37}$
51. 600 **53.** 2040 **55.** 15,000 **57.** 102

5-8 Haz la prueba

a. $\frac{7}{16}$ **b.** $\frac{5}{6}$ **c.** $\frac{8}{11}$

5-8 Ejercicios y aplicaciones

1. a. < **b.** > **c.** < **d.** > **e.** <
f. < **3.** 24; > **5.** 18; < **7.** 4; =
9. 132; < **11.** 33; < **13.** 2; =
15. $\frac{4}{8} < \frac{7}{9} < \frac{5}{6}$ **17.** $\frac{3}{11} < \frac{11}{11} < \frac{11}{11}$
19. $\frac{4}{9} < \frac{4}{4} < \frac{4}{3}$ **21.** $\frac{2}{7} < \frac{3}{7} < \frac{3}{5}$
23. $\frac{2}{33} < \frac{3}{22} < \frac{10}{11}$ **25.** $\frac{1}{36} < \frac{7}{4} < \frac{7}{4}$
27. $\frac{7}{8}, \frac{10}{8}, \frac{3}{32}, \frac{10}{2}, \frac{1}{4}, \frac{2}{16}$ **29.** Renaldo
35. 0; 4; 6 **37.** 198; 110; 90
39. 35; 63; 77 **41.** 8; 4; 2

689

Sección 5B • Repaso

1. Sí; 3^3 3. No; 2^5 5. Sí; $2^4 \times 3$
7. $\frac{1}{2}$; numerador 1; denominador 2
9. $\frac{3}{8}$; numerador 3; denominador 8
11. $\frac{3}{4}$; 0.75 13. $\frac{1}{3}$; $0.\overline{3}$ 15. $\frac{1}{2}$; 0.5
17. $3\frac{2}{10} = 3\frac{1}{5}$ 19. $\frac{39}{5}$ 21. $8\frac{2}{5}$
23. Beverly; Tom y Maye

Capítulo 5 • Resumen y Repaso

1. 2, 3, 6 y 9 2. 2 3. 2, 3, 5, 6 y 10
4. 3 y 5 5. Compuesto 6. Primo
7. Compuesto 8. Compuesto
9. 108 10. 126 11. $\frac{5}{8}$ 12. $\frac{4}{6}$ ó $\frac{2}{3}$
13. El numerador es 11 y el denominador es 3. 14. $\frac{2}{3}$ 15. $\frac{1}{8}$ 16. $\frac{1}{6}$ 17. $\frac{4}{5}$
18. $4\frac{1}{4}$ 19. $\frac{43}{5}$ 20. $6\frac{5}{7}$ 21. $\frac{26}{9}$
22. $\frac{7}{8}$ in., $1\frac{1}{4}$ in., $2\frac{3}{4}$ in., $\frac{7}{2}$ in. 23. $0.\overline{6}$
24. 5.5 25. 0.375 26. 1.4 27. $\frac{1}{20}$
28. $3\frac{4}{5}$ 29. $\frac{5}{8}$ 30. $2\frac{23}{1000}$

Capítulo 6

6-1 Haz la prueba

a. $\frac{7}{10}$ b. $\frac{2}{7}$ c. $\frac{17}{2}$ d. 0

6-1 Ejercicios y aplicaciones

1. a. Sí b. Sí c. No d. No e. Sí
3. $\frac{1}{10}$ 5. 2 7. $\frac{1}{3}$ 9. $\frac{1}{2}$
11. $\frac{1}{6}$ 13. $\frac{4}{9}$ 15. $\frac{6}{13}$ 17. =
19. > 21. < 23. > 25. >
27. $\frac{7}{13}$ 29. $\frac{4}{17}$ 31. $\frac{9}{20}$ 33. $\frac{3}{10}$
39. 16 41. 31 43. 33, 40, 48

6-2 Haz la prueba (Ejemplo 1)

a. $\frac{5}{6}$ b. $\frac{1}{2}$ c. $\frac{17}{20}$ d. $\frac{1}{10}$

6-2 Haz la prueba (Ejemplos 2–3)

a. $\frac{1}{4}$ b. $\frac{2}{3}$ c. $\frac{7}{10}$ d. $\frac{13}{18}$

6-2 Ejercicios y aplicaciones

1. Respuestas posibles: a. 6 b. 18
c. 8 d. 77 e. 24 3. $\frac{1}{4}$ 5. $\frac{1}{6}$ 7. $\frac{5}{4}$
9. $\frac{27}{28}$ 11. $\frac{17}{30}$ 13. $\frac{21}{20}$ 15. $\frac{4}{25}$
17. 4, 7 19. 15, 4 21. 4, 3
23. $\frac{37}{7}$ semanas 25. $\frac{23}{42}$ 27. $\frac{11}{12}$
29. $\frac{1}{2}, \frac{7}{12}, \frac{2}{3}$ 31. 49 33. $4h$

6-3 Haz la prueba

a. $\frac{2}{3}$ b. $\frac{8}{3}$ c. 1

6-3 Ejercicios y aplicaciones

1. a. 1 b. $\frac{2}{7}$ c. $\frac{5}{9}$ d. $\frac{6}{5}$ 3. $\frac{3}{10}$
5. $\frac{7}{7}$ 7. 4 9. $\frac{25}{7}$ 11. $\frac{1}{6}$ 13. $\frac{22}{7}$
15. $\frac{2}{11}$ 17. $\frac{1}{3}$ 19–25. Respuestas posibles: 19. $\frac{3}{4} - \frac{1}{4} = \frac{1}{2}$
21. $\frac{1}{6} + \frac{5}{12} = \frac{7}{12}$ 23. $\frac{90}{81} - \frac{1}{3} = \frac{5}{18}$
25. $\frac{2}{12} + \frac{7}{10} = \frac{13}{15}$ 27. $\frac{7}{15}$ 29. $\frac{7}{12}$ lb
31. A 33. $\frac{1}{2}$ yarda 37. 60
39. No 41. Sí

Sección 6A • Repaso

1. $\frac{8}{11}$ 3. $\frac{1}{2}$ 5. $\frac{27}{20}$ 7. $\frac{5}{12}$ 9. $\frac{2}{3}$
11. $\frac{19}{20}$ 15. $\frac{7}{20}$ 17. $\frac{1}{4}$ 19. $\frac{3}{4}$ 21. $\frac{2}{3}$
23. $\frac{3}{8}$

6-4 Haz la prueba

a. 6 b. 2 c. 4 d. 16 e. 8

6-4 Ejercicios y aplicaciones

1. 0 3. 1 5. 1 7. 4 9. 5 11. 26
13. 34 15. 8 17. 7 19. 2
21. 18 23. 9 25. 7 27. 8 29. 5
31. 26 33. 15 35. 19 37. 7
39. Como 21 ft 41. $4\frac{1}{2}$ 43. 7 pulgadas
47. 5 49. 16 in² 51. 21 53. 32
55. 8 57. 22 59. 6 61. 5

6-5 Haz la prueba

a. $8\frac{3}{4}$ b. $4\frac{3}{4}$ c. $6\frac{1}{2}$ d. $7\frac{5}{12}$

6-5 Ejercicios y aplicaciones

1. $11\frac{2}{3}$ 3. $6\frac{1}{2}$ 5. $9\frac{2}{3}$ 7. $62\frac{3}{4}$
9. 11 11. $5\frac{17}{24}$ 13. $6\frac{4}{5}$ 15. $15\frac{8}{9}$

17. $13\frac{1}{9}$ 19. $14\frac{1}{10}$ 21. $21\frac{16}{21}$
23. 8 25. $41\frac{7}{9}$ 27. $52\frac{1}{12}$
29. $38\frac{1}{4}$ ft 31. $10\frac{3}{4}$ millones de dólares
33. $15\frac{53}{60}$ millones de dólares
35. A: $1\frac{2}{3}$ m²; B: 3 m² 37. 9.42 ft; 62.8 in.; 113.04 in. 39. 427,000 41. 1,124,000
43. 9,000,000,000 45. 666,300,000,000

6-6 Haz la prueba

a. $3\frac{2}{3}$ b. $4\frac{5}{6}$ c. $2\frac{4}{9}$

6-6 Ejercicios y aplicaciones

1. $2\frac{3}{4}$ 3. $2\frac{1}{2}$ 5. $1\frac{1}{4}$ 7. $\frac{1}{2}$ 9. $\frac{2}{3}$
11. $1\frac{1}{24}$ 13. $8\frac{1}{8}$ 15. $3\frac{1}{5}$ 17. $4\frac{11}{20}$
19. $\frac{3}{4}$ 21. $3\frac{3}{5}$ 23. $6\frac{13}{28}$ 25. $1\frac{1}{5}$ ft
27. C 29. $2\frac{1}{4}$ h 35. 54.2325
37. 3.4×10^5 39. 5×10^6
41. 6.2×10^6

Sección 6B • Repaso

1. $1\frac{3}{5}$ 3. $\frac{17}{45}$ 5. $3\frac{5}{9}$ 7. $111\frac{11}{24}$
9. 7 11. $4\frac{2}{3}$ 13. $\frac{1}{18}$ 15. $3\frac{1}{4}$
17. $\frac{1}{21}$ 19. 6 horas 21. D

Capítulo 6 • Resumen y Repaso

1. $\frac{1}{5} + \frac{3}{5} = \frac{4}{5}$ 2. 12 3. 28
4. 30 5. 63 6. $\frac{2}{7}$ 7. $\frac{11}{15}$ 8. 1
9. $\frac{1}{5}$ 10. $1\frac{1}{4}$ 11. $\frac{1}{14}$ 12. $1\frac{1}{6}$
13. $\frac{2}{15}$ 14. $\frac{15}{22}$ 15. $\frac{41}{42}$ 16. $\frac{5}{24}$
17. $\frac{7}{72}$ 18. $\frac{9}{13}$ 19. $\frac{3}{4}$ 20. $\frac{7}{10}$
21. 3 22. 5 23. 2 24. 79 25. 1
26. 14 27. 20 28. 2 29. 2
30. 4 31. $2\frac{3}{4}$ in. 32. $5\frac{4}{5}$
33. $13\frac{2}{3}$ 34. $4\frac{3}{4}$ 35. $\frac{7}{17}$ 36. $8\frac{73}{88}$
37. $13\frac{3}{7}$ 38. $2\frac{1}{6}$ 39. $16\frac{7}{9}$
40. $9\frac{2}{3}$ 41. $2\frac{5}{6}$ 42. $28\frac{6}{7}$
43. 14 44. $10\frac{1}{2}$ m 45. $28\frac{7}{8}$ yd

Capítulos 1–6 • Repaso acumulativo

1. A **2.** C **3.** C **4.** D **5.** B **6.** A
7. D **8.** D **9.** C **10.** C **11.** B
12. C

Capítulo 7

7-1 Haz la prueba

a. 15 **b.** 3 **c.** 3 **d.** 1

7-1 Ejercicios y aplicaciones

1. 5 **3.** 6 **5.** 9 **7.** 15 **9.** 50
11. 12 **13.** 72 **15.** 60 **17.** 35
19. 28 **21.** 12 **23.** 40 **25.** 30
27. 20 **29.** 6 **31.** A **33.** No
35. 3 **39.** 800 **41.** 97.6 **43.** 0.453
45. No **47.** No **49.** Sí **51.** Sí
53. No **55.** Sí

7-2 Haz la prueba

a. $2\frac{2}{3}$ **b.** $5\frac{1}{4}$ **c.** 8 **d.** 25

7-2 Ejercicios y aplicaciones

1. $3 \times \frac{3}{5}$ **3.** $4 \times \frac{2}{3}$ **5.** $\frac{2}{3}$ **7.** $\frac{3}{5}$
9. $6\frac{2}{3}$ **11.** 2 **13.** $1\frac{1}{2}$ **15.** $6\frac{3}{5}$
17. $2\frac{2}{9}$ **19.** $5\frac{2}{5}$ **21.** $4\frac{3}{4}$ **23.** $12\frac{5}{6}$
25. $9\frac{3}{5}$ **27.** 27 **31.** $2\frac{1}{4}$ lb de arroz
y $1\frac{1}{2}$ lb de azúcar **33.** 28 años **37.** 98
39. 8 **41.** 17 **43.** $3^2 \times 7$ **45.** 17
47. 3×19

7-3 Haz la prueba

a. $\frac{12}{35}$ **b.** $1\frac{1}{3}$ **c.** $2\frac{8}{21}$ **d.** $\frac{2}{45}$

7-3 Ejercicios y aplicaciones

1. $\frac{2}{3} \times \frac{2}{4} = \frac{4}{12}$ **3.** $\frac{5}{6} \times \frac{3}{10} = \frac{15}{60}$ **5.** $\frac{3}{7}$
7. $\frac{21}{40}$ **9.** $3\frac{59}{105}$ **11.** $\frac{78}{187}$ **13.** $8\frac{3}{10}$
15. $\frac{13}{60}$ **17.** $1\frac{146}{169}$ **19.** $1\frac{5}{14}$ **21.** $\frac{11}{42}$
23. $\frac{3}{64}$ **25.** $\frac{36}{121}$ **27.** $2\frac{32}{49}$ **29.** $6\frac{1}{4}$ ft
31. $\frac{1}{8}$ de taza de azúcar, $\frac{1}{8}$ de taza de
harina y $\frac{7}{8}$ de taza de agua **37.** 126,720
39. 190,080 **41.** 63,360 **43.** 6 **45.** 8
47. 35 **49.** 72 **51.** 29 **53.** 9

Sección 7A • Repaso

1. 3 **3.** 30 **5.** 2 **7.** 11 **9.** 3 oz de
cera; $19\frac{1}{2}$ tbsp de aceite; 9 tbsp de agua; $\frac{3}{4}$
cucharadita de bórax **11.** Sí **13.** $1\frac{2}{3}$
15. D

7-4 Haz la prueba

a. $6\frac{2}{3}$ **b.** $1\frac{3}{4}$ **c.** $2\frac{6}{17}$ **d.** 5

7-4 Ejercicios y aplicaciones

1. $\frac{7}{5}$ **3.** $\frac{9}{2}$ **5.** 4 **7.** 9 **9.** $3\frac{1}{2}$
11. $11\frac{1}{4}$ **13.** $1\frac{3}{29}$ **15.** $1\frac{7}{23}$ **17.** $3\frac{3}{10}$
19. 40 **21.** $3\frac{3}{13}$ **23.** $\frac{9}{32}$ **25.** $10\frac{1}{2}$
27. $1\frac{9}{13}$ **29.** $\frac{9}{34}$ **31.** B **33.** 30
35. a. Cerca de $3\frac{1}{2}$ **b.** 2 **c.** Cerca de 11
37. No **39.** 896 **41.** 400 **43.** 160

7-5 Haz la prueba

a. $1\frac{7}{25}$ **b.** $1\frac{1}{2}$ **c.** $\frac{1}{10}$ **d.** $\frac{1}{25}$

7-5 Ejercicios y aplicaciones

1. $\frac{2}{3} \div \frac{1}{6} = 4$ **3.** $\frac{1}{3} \div \frac{2}{12} = 2$ **5.** $\frac{2}{5}$ **7.** 7
9. $1\frac{1}{4}$ **11.** $\frac{20}{189}$ **13.** $\frac{2}{31}$ **15.** $\frac{5}{16}$ **17.** 10
19. 8 **21.** $\frac{4}{25}$ **23.** $\frac{19}{41}$ **25.** 7 **27.** B
29. a. 9 **b.** 108 **35.** $r = 8$ cm;
$d = 16$ cm **37.** $r = 4$ mm; $d = 8$ mm
39. $\frac{6}{10}$ **41.** $\frac{2}{8}$

7-6 Haz la prueba (Ejemplo 2)

a. 6 **b.** $\frac{5}{4}$ **c.** 12

7-6 Haz la prueba (Ejemplo 4)

a. 2 **b.** $\frac{7}{2}$ **c.** $1\frac{1}{2}$

7-6 Ejercicios y aplicaciones

1. Sí **3.** No **5.** $\frac{2}{7}$ **7.** 15 **9.** $\frac{3}{4}$
11. 2 **13.** 4 **15.** $1\frac{2}{3}$ **17.** $\frac{35}{2}$
19. $1\frac{1}{3}$ **21.** $1\frac{1}{4}$ **23.** $6\frac{6}{7}$ **33. a.** 256
b. 7000 **c.** 240 **d.** 5760 Respuestas
posibles para 35–39: **35.** $\frac{9}{24}, \frac{6}{16}$
37. $\frac{1}{2}, \frac{2}{4}$ **39.** $\frac{22}{28}, \frac{33}{42}$ **41.** 3 **43.** 1

Sección 7B • Repaso

1. 8 **3.** $7\frac{1}{2}$ **5.** $2\frac{4}{7}$ **7.** $4\frac{17}{22}$ **9.** 50
11. 13 **13.** 4 **15.** $v = 32$
17. $x = 2$ **19.** $p = \frac{2}{5}$ **21.** $u = 1\frac{3}{5}$
25. 3 galones **27.** A

Capítulo 7 • Resumen y Repaso

1. $2 \times \frac{5}{7} = \frac{10}{7}$ **2.** ≈ 14 **3.** ≈ 5
4. $\frac{3}{32}$ **5.** $\frac{1}{81}$ **6.** $\frac{4}{15}$ **7.** $\frac{12}{49}$ **8.** 25 **9.** 2
10. $11\frac{1}{4}$ **11.** $10\frac{5}{9}$ **12.** $1\frac{1}{4}$ tazas
13. No **14.** $4 \div \frac{2}{3} = 6$
15. $\frac{8}{5}$ **16.** $\frac{1}{3}$ **17.** $4\frac{1}{2}$ **18.** $\frac{5}{6}$
19. $\frac{9}{35}$ **20.** $\frac{8}{35}$ **21.** $3\frac{3}{28}$ **22.** $\frac{4}{63}$
23. $\frac{1}{40}$ **24.** $\frac{7}{22}$ **25.** Sí **26.** Sí
27. No **28.** No **29.** $x = \frac{3}{2}$
30. $m = \frac{3}{4}$ **31.** $w = \frac{7}{30}$ **32.** $q = \frac{7}{3}$
33. 10 tramos

Capítulo 8

8-1 Ejercicios y aplicaciones

1. Rayo **3.** Rayo **5.** Recta
13. Paralelas **15.** Paralelas
17. Secantes **19.** Perpendiculares
31. $1\frac{2}{3}$ **33.** $2\frac{1}{3}$ **35.** $3\frac{1}{2}$ **37.** $1\frac{4}{5}$
39. $1\frac{1}{2}$ **41.** $2\frac{2}{5}$ **43.** 1 **45.** $1\frac{3}{5}$
47. $1\frac{1}{4}$ **49.** $1\frac{2}{3}$ **51.** 1

8-2 Haz la prueba

a. Llano **b.** Recto **c.** Obtuso
d. Agudo

8-2 Ejercicios y aplicaciones

1. / **3.** B **5.** Obtuso **7.** Agudo
9. Agudo **11.** Recto **13.** $\angle ABC$,
$\angle CBA$, $\angle B$ **15.** $\angle GHI$, $\angle IHG$, $\angle H$
21. Obtuso **23.** Llano **25.** Agudo
29. 6 **31.** Agudo **33.** $\frac{33}{5}$ **35.** $\frac{7}{2}$
37. $\frac{119}{11}$ **39.** $\frac{39}{4}$ **41.** $\frac{13}{6}$ **43.** $\frac{27}{7}$
45. $1\frac{19}{36}$ **47.** $1\frac{1}{3}$ **49.** $\frac{3}{8}$ **51.** $\frac{1}{2}$
53. $\frac{9}{11}$

8-3 Ejercicios y aplicaciones

1. Mayor que **3.** Menor que
5. 72° **7.** 135° **9.** 180° **11.** 55°
15. Obtuso **17.** Obtuso **19.** 11°
21. 87° **23.** 128° **25.** 90° **29.** B
33. $0.\overline{5}$ **35.** 0.25 **37.** $0.\overline{3}$ **39.** $0.\overline{4}$
41. $0.\overline{54}$ **43.** 1.0 **45.** $\frac{1}{24}$ **47.** $1\frac{25}{66}$
49. $\frac{5}{72}$ **51.** $\frac{9}{10}$

Sección 8A • Repaso

1. Paralelas **3.** No secantes
5. Recto **7.** Obtuso **9.** 37°; C = 53°;
S = 143° **11.** 75°; C = 15°;
S = 105° **13.** A

8-4 Haz la prueba

a. 39°; rectángulo **b.** 122°; obtusángulo

8-4 Ejercicios y aplicaciones

1. 40° **3.** 80° **5.** 100° **7.** Acutángulo
9. Obtusángulo **11.** Rectángulo
13. Obtusángulo **15.** Acutángulo
17. Rectángulo **19.** 66°, 56°, 58°
21. 43°, 112°, 25° **23.** 77°, 45°, 58°
25. 79°, 60°, 41° **27.** 31° **29.** 5°
31. 90° **33.** Sí; Acutángulo **35.** Sí;
Obtusángulo **37.** 28°, 45°, 107°
41. 28° **43.** $\frac{39}{50}$ **45.** $\frac{9}{10}$ **47.** $\frac{18}{25}$
49. $\frac{69}{500}$ **51.** $3\frac{3}{8}$ **53.** $\frac{999}{1000}$ **55.** 5
57. 16 **59.** 5 **61.** 5

8-5 Haz la prueba

a. Sí **b.** No **c.** No

8-5 Ejercicios y aplicaciones

1. 4 m **3.** 20 ft **5.** 9 yd **7.** Escaleno
9. Isósceles **11.** Equilátero
13. Escaleno **15.** Escaleno
17. Equilátero **19.** Sí **21.** Sí **23.** No
25. Sí **27.** Escaleno **29.** No
31. Escaleno rectángulo **33.** Escaleno
obtusángulo **35.** Sí **37.** Triángulos
escalenos rectángulos
39. > **41.** = **43.** $11\frac{4}{15}$ **45.** $23\frac{1}{2}$
47. $11\frac{17}{35}$ **49.** $7\frac{23}{35}$

8-6 Haz la prueba

a. Cuadrilátero regular **b.** Triángulo
irregular **c.** Pentágono irregular

8-6 Ejercicios y aplicaciones

1. No está cerrada **3.** No está cerrada
5. Pentágono regular **7.** Hexágono
irregular **9.** Cuadrilátero regular
11. Octágono regular **19.** Octágono
21. Pentágono **23.** Triángulo
25. Cuadrilátero **27.** 8 **29.** 40 in.
33. $\frac{4}{5}, \frac{7}{8}, \frac{8}{9}$ **35.** $\frac{6}{9}, \frac{6}{6}, \frac{9}{6}$ **37.** $\frac{1}{4}, \frac{1}{3}, \frac{1}{2}$
39. $\frac{6}{7}, \frac{9}{8}, \frac{7}{6}$ **41.** $1\frac{27}{35}$ **43.** $\frac{1}{8}$ **45.** $3\frac{11}{56}$
47. $6\frac{4}{9}$ **49.** $4\frac{9}{28}$

8-7 Haz la prueba

a. Falso **b.** Verdadero **c.** Trapecio y
cuadrilátero

8-7 Ejercicios y aplicaciones

1. 2 **3.** 2 **5.** Falso **7.** Verdadero
23. A **25.** Sí **31.** > **33.** > **35.** =
37. < **39.** = **41.** > **43.** 29.4
45. 226.8 **47.** 48.23 **49.** 0.4

Sección 8B • Repaso

1. ∠JAH, ∠HAJ, ∠A **3.** ∠IPK, ∠KPI,
∠P **5.** 24° **7.** 135° **9.** 128°
11. Acutángulo; 57° **13.** Acutángulo; 18°
19. Rombo, paralelogramo, cuadrilátero
irregular, polígono **21.** Trapecio,
cuadrilátero irregular, polígono

8-8 Haz la prueba

a. No **b.** Sí **c.** Sí

8-8 Ejercicios y aplicaciones

1. **3.**

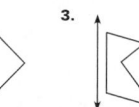

5. Asimétrica **7.** Asimétrica
9. Sí **11.** Sí **13.** Sí
17. 2 **19.** Octágono **23.** $\frac{2}{3}$, 0.75, $\frac{7}{9}$
25. 1.1, $\frac{7}{6}$, 1.167 **27.** $\frac{1}{3}$, 1.3, $\frac{3}{1}$
29. 0.25, $\frac{2}{5}$, 2.5 **31.** 30.528
33. 4.3792 **35.** 17.29 **37.** 3.96

8-9 Haz la prueba

a. 90° en sentido contrario a las manecillas
del reloj **b.** 270° en el sentido de las
manecillas del reloj **c.** 2

8-9 Ejercicios y aplicaciones

1. **3.**

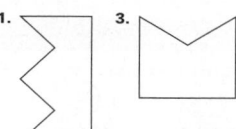

5. 360° **7.** 180° **13.** 360° **15.** 180°
17. 90° **19.** 72° **25.** 3.55
27. 0.13 **29.** 0.06 **31.** 2.37
33. 18.2 **35.** 2.69 **37.** 14.2 **39.** 7

8-10 Haz la prueba

Sí

8-10 Ejercicios y aplicaciones

1. No **3.** Sí **7.** Sí **9.** Sí
11. No **13.** Sí **15.** Hexágono **17.** Sí
21. 28 cm **23.** 26 mm **25.** 3100
27. 56 **29.** 0.106

Sección 8C • Repaso

7. Obtusángulo, 110°, 40°, 30° **9.** Acutángulo, 65°, 65°, 50° **11.** Octágono
regular; Sí; 8 **13.** Triángulo irregular; No
15. Sí **17.** Sí **19.** 104° **21.** 81°
23. 90° **25.** C

Capítulo 8 • Resumen y Repaso

1.

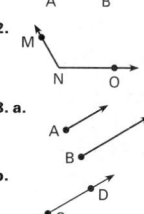

4. Triángulo acutángulo **5.** Todos los
rectángulos son paralelogramos porque
sus lados opuestos tienen las mismas

longitudes y son paralelas. Pero algunos paralelogramos no tienen todos los ángulos de 90°, que deben tener los rectángulos
6. Traslación **7.** Reflexión o rotación
8. Rotación **9.** Sí, porque tienen el mismo tamaño y forma.
10.

11. Sí

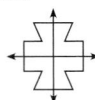

12. 90° en el sentido de las manecillas del reloj

Capítulos 1–8 • Repaso acumulativo

1. B **2.** A **3.** B **4.** C **5.** A **6.** A
7. D **8.** C **9.** A **10.** B **11.** C
12. B **13.** C **14.** D **15.** A

Capítulo 9

9-1 Haz la prueba
a. 4° **b.** −6° **c.** −10, −3, 0, 1, 7, 10

9-1 Ejercicios y aplicaciones
1. Sí **3.** Sí **5.** Sí
7–11.

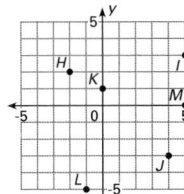

13. > **15.** < **17.** > **19.** >
21. > **23.** 3, 2, −4, −5 **25.** 13, −16, −56, −78 **27.** 16, 12, 0, −10
29. 19, 17, 16, −18 **31.** −114
33. 62 **35.** −7 **37.** −213, −211, −107, −76, −52 **39.** −12, 22
41. −20, −15, −5, −4, −3, −2, −1
47. 14 **49.** 3 **51.** 44 **53.** 180
55. Secantes **57.** Perpendiculares
59. Perpendiculares **61.** Secantes

9-2 Haz la prueba
a. 10 **b.** −8 **c.** 1 **d.** 0 **e.** 7 **f.** 6
g. 3 **h.** −3

9-2 Ejercicios y aplicaciones
1. $8 + (−5) = 3$ **3.** $3 + (−1) = 2$
5. −12 **7.** 40 **9.** 1589
11. Negativa **13.** Positiva
15. Cero **17.** Negativa
19. Negativa **21.** −12 **23.** −2
25. 6 **27.** −12 **29.** −17 **31.** 1
33. 2 **35.** −6 **37.** 13 **39.** −14
41. 9 **43.** −1 **45.** −31 **47.** −14
49. 0 **51.** El opuesto de 211 **55.** B
57. Sí **59.** $34\frac{1}{2}$ **61.** 1 **63.** $6\frac{2}{3}$
65. 50 **67.** Recto **69.** Agudo

9-3 Haz la prueba (Ejemplos 1–2)
a. −2 **b.** −8 **c.** 4 **d.** −1

9-3 Haz la prueba (Ejemplo 3)
a. 17 **b.** 5 **c.** 26 **d.** −11

9-3 Ejercicios y aplicaciones
1. $−2 − 4 = −6$ **3.** $−4 − 2 = −6$
5. $−5 − (−2) = −3$ **7.** −9 **9.** 9
11. 12 **13.** 2 **15.** −11 **17.** 19
19. −20 **21.** −11 **23.** −8 **25.** 13
27. −5 **29.** 20 **31.** −13 **33.** 22
35. 11 **37.** 30,300 ft **39.** 16 pies
41. 65° **43. b.** 33 y 26 **45.** 116°
47. 87° **49.** $4\frac{3}{5}$ **51.** $2\frac{3}{40}$

9-4 Haz la prueba
a. −36 **b.** 90 **c.** 60 **d.** −10
e. −4 **f.** 3 **g.** −5 **h.** 3

9-4 Ejercicios y aplicaciones
1. Negativo **3.** Negativo
5. Negativo **7.** 9 **9.** 100 **11.** −12
13. 18 **15.** −20 **17.** −48
19. −32 **21.** −2 **23.** −4 **25.** −7
27. −20 **29.** −2 **31.** −7 **33.** −8
35. 3 **37.** −12; 2; 0; −4; −2; −4, −3, 12
39. −2; −3; 0; 3, 3; 3, 2; 9, 3, 3 **43.** Su verdadero promedio es de −3.
45. $4\frac{2}{3}$ **47.** $9\frac{1}{3}$ **49.** 28 **51.** $2\frac{1}{22}$
53. 73 **55.** 11

Sección 9A • Repaso
1. −63 **3.** −1 **5.** −4 **7.** 2 **9.** −9
11. −42 **13.** −1 **15.** −2 **17.** −6
19. 10 **21.** −40 **23.** 24 **25.** −23
27. −$4.00 **29.** −4°C **31.** D

9-5 Haz la prueba
a. $A(2, 1)$; $B(3, −4)$; $C(0, 5)$; $D(−1, 2)$; $E(4, 0)$; $F(1, −3)$; $G(−2, −3)$
b.

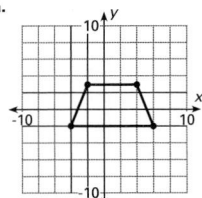

9-5 Ejercicios y aplicaciones
1. I **3.** III **5.** (−5, 4) **7.** (−3, −2)
9. I **11.** IV **13.** IV **25.** Comienza en el origen. Desplázate a la izquierda 35 unidades y hacia abajo 18 unidades.
27. Empieza en el origen. Desplázate a la derecha 4 unidades y hacia arriba 10 unidades. **29.** Comienza en el origen. Ve a la derecha 88 unidades y hacia abajo 23 unidades **31. a.** 1 (300, 100); 2 (400, 300); 3 (0, 400) **b.** 2 **c.** 400 unidades
33. a.

b. Trapecio, cuadrilátero, polígono irregular **35.** (10, 8) **37.** $\frac{147}{256}$
39. $2\frac{13}{144}$ **41.** Sí **43.** Sí

9-6 Haz la prueba (Ejemplo 1)
$L'(1, −2)$; $M'(2, 0)$; $N'(6, −3)$

9-6 Haz la prueba (Ejemplo 2)
$X'(−1, −1)$; $Y'(−3, 4)$; $Z'(−5, 1)$

9-6 Ejercicios y aplicaciones
1. (4, 6) **3.** (7, 4) **5.** (−3, 6)
7. $P'(5, 3)$ **9.** $P'(3, 5)$ **11.** $P'(2, 2)$

693

13.

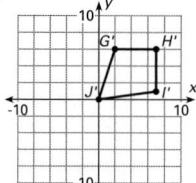

17. c. $R'(2, 3)$, $S'(4, 5)$, $T'(7, 1)$
19. c. $X'(-4, -2)$, $Y'(4, -3)$, $Z'(2, -1)$
21. $A'(2, 3)$, $B'(-1, 3)$, $C'(-1, -3)$,
$D'(2, -3)$ **25.** $p = 4\frac{2}{5}$ **27.** $e = \frac{9}{8}$
29. Octágono irregular   **31.** Cuadrilátero
irregular

9-7 Haz la prueba

a.

b.

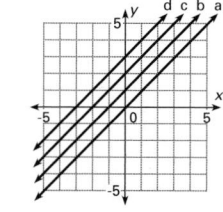

c.

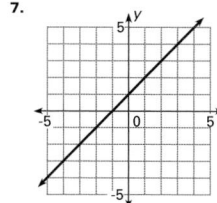

d.

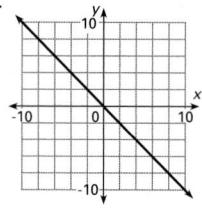

9-7 Ejercicios y aplicaciones

1. a–d.

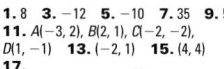

Las rectas son paralelas.
Respuestas posibles para 3–5:

3.

x	y
-2	25
-1	26
0	27
1	28
2	29

5.

x	y
-2	100
-1	50
0	0
1	-50
2	-100

7.

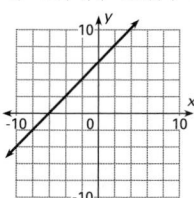

19.

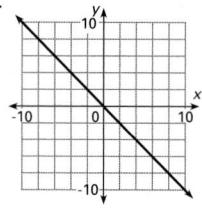

27. 43   **29.** -7 **31.** -2
39. 864   **41.** 36   **43.** 9

Sección 9B • Repaso

1. 8   **3.** -12 **5.** -10 **7.** 35   **9.** 5
11. $A(-3, 2)$, $B(2, 1)$, $C(-2, -2)$,
$D(1, -1)$ **13.** $(-2, 1)$ **15.** $(4, 4)$
17.

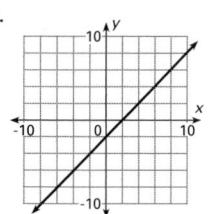

19.

21. $(2, 2)$, $(2, 4)$, $(4, 2)$, $(4, 4)$ **23.** A

Capítulo 9 • Resumen y Repaso

1.

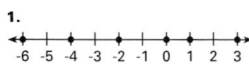

2. -3 **3.** Negativa   **4.** Positivo
5. $4 + (-5) = -1$ ó $4 - 5 = -1$
6. $2 + (-4) = -2$ ó $2 - 4 = -2$
7. 4   **8.** -6 **9.** 2   **10.** 0   **11.** -6
12. -10 **13.** 0   **14.** 28   **15.** -21

16. 36 **17.** -8 **18.** 3 **19.** $(-6, -5)$
20. Cuadrante II **21. a.** (5, 0)
b. (0, 5) ó (0, −5) **22.** $R'(-4, -2)$,
$S'(-3, -4)$, $T'(-2, -2)$ **23.** $A'(0, 2)$;
$B'(3, 2)$; $C'(3, 0)$; $D'(0, 0)$

24. a.

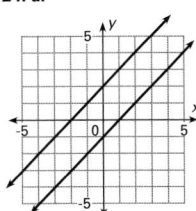

b. Cada punto de la recta superior se ha trasladado hacia abajo 3 unidades para crear la recta inferior.

Capítulo 10

10-1 Haz la prueba

a. 2:5 **b.** 1:2

10-1 Ejercicios y aplicaciones

1. Sí **3.** Sí **5.** No **7.** 3:2
9. 2:3 **11. a.** 20:9 **b.** 9:23
13. 3:8; $\frac{3}{8}$; 3 a 8 **15.** 1:7; $\frac{1}{7}$; 1 a 7
17. 24:49 **19.** Tortugas **21.** Tortugas a perros **23.** No se puede decir **25.** Sí
27. No **29.** 9 in. **31.** 2 km

10-2 Haz la prueba

Respuestas posibles: **a.** 10:18; 15:27
b. $\frac{6}{16}$; $\frac{9}{24}$ **c.** 3 a 5; 6 a 10 **d.** 2:26; 3:39
e. 24:8; 3:1

10-2 Ejercicios y aplicaciones

1. Sí **3.** Sí **5.** No Respuestas posibles para 7–17: **7.** 8 a 10; 12 a 15
9. 6:4; 3:2 **11.** $\frac{2}{3}$, $\frac{16}{24}$ **13.** $\frac{1}{2}$, $\frac{2}{4}$
15. $\frac{2}{16}$, $\frac{3}{24}$ **17.** $\frac{6}{8}$, $\frac{12}{16}$ **19.** Sí
21. Sí **25.** A Respuestas posibles para 27: **27.** 14:20; 28:40; 21:30
29. Hombres: 8, 12; Mujeres: 5; 20
31. 5, 10, 15, 20 **35.** 90° **37.** 90°
39. 18 in^2 **41.** 880 ft^2

10-3 Haz la prueba

Respuestas posibles: más o menos 0.44 mi en 1 min; 18 millas en 41 min; como 7 millas en 16 min; 72 millas en 164 min

10-3 Ejercicios y aplicaciones

1. Sí **3.** No **5.** Sí **7.** No Respuestas posibles para 9–11:
9. 7 mi/h, 21 mi/3 h **11.** $\frac{15 \text{ j.j.}}{20 \text{ s}}$,
$\frac{3 \text{ j.j.}}{4 \text{ s}}$ Respuestas posibles para 13:
13. Un avestruz corre 5 millas en 10 minutos **15.** Cerca de 25 mi
17. Anaranjado **19.** D **21.** $2\frac{1}{2}$ horas
25. Sí **27.** No **29.** 2.4 m^2
31. 0.12 cm^2 **33.** 120,000 mi^2

Sección 10A • Repaso

1. 23:30 **3.** Respuesta posible: $\frac{3 \text{ rojas}}{5 \text{ azules}}$,
$\frac{3 \text{ rojas}}{4 \text{ verdes}}$, $\frac{3 \text{ rojas}}{7 \text{ rojas o verdes}}$, $\frac{1 \text{ roja}}{3 \text{ azules o verdes}}$,
$\frac{1 \text{ roja}}{4 \text{ total}}$ **5.** Respuestas posibles: 3:8, 12:32,
18:48 **7.** 1:3 **9.** Respuesta posible:
$\frac{5 \text{ piedras azules}}{28 \text{ piedras}}$ **11.** D

10-4 Haz la prueba

a. Sí **b.** No **c.** No **d.** Sí

10-4 Ejercicios y aplicaciones

1. a. II **b.** III **c.** I **d.** IV **3.** No
5. No **7.** No **9.** No **11.** No
13. Sí **15.** b **17.** 254.8 ft **19.** A
21. Sr. Lee y Sra. Nieto
23. No **25.** Phillip y Janice
27. $0.25 \times 0.75 \neq 3 \times 1$
29. 55, 31, −13, −55 **31.** −9, −17, −31, −53 **33.** 44, 41, −14, −41
35. 133, 0, −100, −178
37. 4.2 **39.** $r = 4.4$ yd; $d = 8.8$ yd

10-5 Haz la prueba

a. 9 **b.** 10 **c.** 1.5 **d.** 7.2

10-5 Ejercicios y aplicaciones

1. $9x = 36$ **3.** $44j = 275$ **5.** $16s = 56$
7. 12 **9.** 25 **11.** 16.5 **13.** 0.96 **15.** 6
17. 3 **19.** $2.\overline{6}$ **21.** 3.6
23. 154 **25.** $23.\overline{3}$ **27.** 12 **29.** $5\frac{1}{3}$
31. A **33.** 6 ó −6 **35.** Mayor que
37. −18 **39.** −6 **41.** 12.56 cm^2
43. 153.86 cm^2

10-6 Haz la prueba

a. 3600 ft/min **b.** $2.80

10-6 Ejercicios y aplicaciones

1. 3 **3.** 7 **5.** 8 **7.** 2 casas/mi **9.** $5\frac{1}{6}$
orificios/in^2 **11.** 0.6 ondas/s **13.** 3
rebanadas/persona **15.** $\frac{1}{3}$ m/h **17.** 0.5
tazas/ración **19.** 1.5 tortugas/mi^2
21. 7.5 m/s **23.** 252 mi **25.** 2.2 puntos
27. 9 gotas **29.** 1.2 manzanas
31. $\frac{70 \text{ manzanas}}{6 \text{ canastas}} = \frac{x}{3 \text{ canastas}}$, $x = 35$ manzanas **33.** 3 libras por 72¢ **35.** $0.58\overline{3}$ ft,
ó $\frac{7}{12}$ ft **41.** 33.25 in^2 **43.** 154 mm^2
45. −17 **47.** 14 **49.** −3 **51.** 6

10-7 Haz la prueba

6

10-7 Ejercicios y aplicaciones

1. Congruente **3.** Ninguno **5.** $A = B = C = 1$ mm **7.** $A = C = 0.625$ yd, $B = 0.5$ yd **9.** 12.5 m **11. a.** 385 mi; 495 mi; 610 mi **b.** Sí **13.** 25 ft ó 64 ft
15. No; Sí **17.** −21 **19.** 16
21. −70 **23.** 26 **25.** 12 **27.** Sí
29. No **31.** Sí **33.** Sí **35.** Sí
37. Sí

Sección 10B • Repaso

1. Respuestas posibles: $\frac{5 \text{ cm}}{2 \text{ s}}$, $\frac{2.5 \text{ cm}}{1 \text{ s}}$, $\frac{10 \text{ cm}}{4 \text{ s}}$
3. $0.65/min **5.** 0.6 comerciales/min
7. 50.4 **9.** $0.30 **11.** 5 **13.** $A = 4.\overline{6}$,
$B = 3$, $C = 7$ **15.** B

10-8 Haz la prueba

a. 25% **b.** 75%

10-8 Ejercicios y aplicaciones

1. Mayor **3.** Menor **5.** Menor
7. 50% **9.** 25% **11.** 50%
13. 74% **15.** Cerca del 12%; Como el 88% **17.** India, Myanmar, otros
19. 25% **21. a.** 89% **b.** No **23.** Sí
25. Sí **33.** 5^2 **35.** 5×19 **37.** 5^3
39. 2×3 **41.** $2^3 \times 11$ **43.** $2^3 \times 3^2$

695

10-9 Haz la prueba

a. 20%   **b.** 70%

10-9 Ejercicios y aplicaciones

1. 50%   **3.** 40%   **5.** 25%   **7.** 70%
9. 33%   **11.** 25%   **13.** 10%
15. 50%   **17.** 75%   **19.** 60%
21. 1%   **23.** 7%   **25.** C   **27.** 33%
29. $\frac{7}{200}$ **31.** 67% no lo son   **37.** 6
39. 12   **41.** 10   **43.** 30   **45.** 42   **47.** 6

10-10 Haz la prueba

a. $\frac{83}{100}$; 0.83   **b.** $\frac{7}{100}$; 0.07   **c.** 37.5%

10-10 Ejercicios y aplicaciones

1. 0.37   **3.** 1.0   **5.** 0.1   **7.** 2.34
9. 0.673   **11.** 0.8887   **13.** $\frac{14}{25}$ **15.** $\frac{3}{4}$
17. $1\frac{1}{2}$ **19.** $\frac{89}{100}$ **21.** $\frac{9}{10}$ **23.** $2\frac{17}{50}$
25. 84%   **27.** 4%   **29.** 110%
31. 85%   **33.** 53%   **35.** 30%
37. 56%   **39.** 48%   **41.** 75%
43. 67.5%   **45.** 33.3%   **47.** 38%
49. 40%, $\frac{2}{5}$, 0.4   **51.** 50%, $\frac{4}{8}$, 0.5
53. 66.6%   **55.** C   **57.** $\frac{27}{200}$

10-11 Haz la prueba (Ejemplo 2)

a. 611   **b.** 133

10-11 Haz la prueba (Ejemplo 3)

a. 70   **b.** 50,000

10-11 Ejercicios y aplicaciones

1. 50   **3.** 2   **5.** 22.10   **7.** 18.48
9. 104.94   **11.** 54.30   **13.** 22.44
15. 0.38   **17.** 15.20   **19.** ≈ $2.75
21. 6.12   **23.** 8.51   **25.** 250
27. 200   **29.** 88   **31.** 176   **33.** 20 o
más   **35.** $36,720   **37.** 249
39. En 1,656,000   **41.** Sí
43. Ambos   **45.** $\frac{1}{2}$ **47.** $\frac{2}{3}$ **49.** $\frac{1}{3}$
51. $\frac{3}{4}$ **53.** $\frac{1}{7}$ **55.** $\frac{3}{5}$ **57.** $\frac{34}{5}$ **59.** $\frac{26}{9}$
61. $\frac{36}{7}$ **63.** $10\frac{1}{2}$ **65.** $\frac{7}{2}$ **67.** $2\frac{4}{5}$

Sección 10C • Repaso

1. a. 3:4   **b.** $\frac{3}{4}$; 0.75 lechuga/zanahoria
c. ≈ 57.14%   **3.** Sí   **5.** Sí   **7.** 4   **9.** 10
11. 1200   **13.** A y C = 0.2 in.; B = 0.3 in.
15. 28.86   **17.** 17.52
19. Respuestas posibles:
a. 80%   **b.** 60%   **21.** 95%; 60%

Capítulo 10 • Resumen y Repaso

1. 6:11, 6 a 11, $\frac{6}{11}$ **2.** $\frac{3}{4}$ **3. a.** 10 a 1
b. 1 a 10   **c.** 5 a 1   **d.** 2 a 1   **4.** 3
a 4; 3 a 7   **5.** A   **6.** B   **7.** No   **8.** 15
9. $4.32   **10.** Respuesta posible: Las
razones de todos los lados relacionados
son equivalentes. Las medidas de los
sngulos son iguales.   **11.** $\frac{35}{100}$, $\frac{7}{20}$, 0.35
2. $\frac{20}{100}$, $\frac{1}{5}$, 0.2   **13.** $\frac{8}{100}$, $\frac{2}{25}$, 0.08
14. $\frac{75}{100}$, $\frac{3}{4}$, 0.75   **15.** ≈ 4,680,998 personas
16. Respuesta posible: $\frac{6}{4}$, $\frac{12}{8}$, $\frac{18}{12}$, $\frac{24}{16}$
17. $\frac{1.5\,min}{1\,mi}$

Capítulos 1–10 • Repaso acumulativo

1. D   **2.** B   **3.** A   **4.** C   **5.** C   **6.** B
7. D   **8.** A   **9.** B   **10.** C   **11.** A
12. D   **13.** C   **14.** A

Capítulo 11

11-1 Ejercicios y aplicaciones

1. Triángulos y cuadrados o rectángulos
3. Cuadrados o rectángulos
5. Esfera   **7.** Prisma triangular;
6 vértices, 9 aristas, 5 caras
9. Cilindro   **11.** Cono   **17.** Prismas
rectangulares   **19.** Esferas
25. No; No; No   **27.** 100 a 10   **29.** 2.5
31. 0.75   **33.** 0.83

11-2 Haz la prueba

a. 6 caras: Todas son rectángulos
b. 272 unidades²

11-2 Ejercicios y aplicaciones

1. 12 unidades²   **3.** 18 unidades²
5. 24 cm²; Cubo o prisma rectangular
7. 60 unidades²; Prisma triangular
9. 6 caras: Todas son rectángulos; 310 ft²

13. $0.93   **15.** 35.119 in²   Respuestas
posibles para ejercicios 19–23:
19. 6:8, 9:12   **21.** 2:5, 12:30
23. 22:24, 33:36   **25.** 0.23, $\frac{1}{2}$, 1.23
27. 8.2, $8\frac{1}{4}$, 8.75

11-3 Haz la prueba

a. 358 unidades²   **b.** 96 unidades²
c. 380 unidades²

11-3 Ejercicios y aplicaciones

1. 6 cm²   **3.** 96 m²   **5.** 48 ft²
7. 268 unidades²   **9.** 279 cm²
11. 109.8 cm²   **13.** 13.5 cm²
15. C   **17.** 1128 in²   **19.** Sí
21. No   **23.** $\frac{1}{6}$ **25.** $\frac{13}{28}$ **27.** $\frac{10}{63}$

11-4 Ejercicios y aplicaciones

1. 15.7 cm   **3.** 6.28 ft   **5.** 61.23 m²
7. 17.27 in²   **9.** 150.72 ft²   **11.** 138.16
unidades²   **13.** 2110.08 unidades²
15. a. $1.81   **b.** $2.07   **17.** Respuesta
posible: h = 1 cm, d = 4 cm   **19.** 173.825
in²   **21.** Sí   **23.** No   **25.** No   **27.** No
29. No   **31.** 17.4   **33.** 0.24

Sección 11A • Repaso

1. Esfera   **3.** Prisma triangular; 6 vértices,
9 aristas, 5 caras   **5.** Cubo o prisma rectangular; 8 vértices, 12 aristas, 6 caras.
9. 54 ft²   **11.** 8800 cm²

11-5 Haz la prueba

Frontal   Lateral   Superior

11-5 Ejercicios y aplicaciones

1. 5   **3.** 12   **13.** 36   **15. a.** 7
b. 5.1 cm   **c.** 6.8 cm   **17. a.** No
b. No   **21.** f = 48   **23.** r = 3
25. 156%   **27.** 55%   **29.** 28%
31. $\frac{67}{100}$ **33.** $2\frac{1}{2}$ **35.** $\frac{1}{100}$

11-6 Haz la prueba

a. 8 unidades³   **b.** 48 unidades³
c. 12 unidades³   **d.** 225 unidades³

11-6 Ejercicios y aplicaciones

1. 10 unidades^3 **3.** 21 unidades^3
5. 360 unidades^3 **7.** 64 unidades^3
9. 60 unidades^3 **11.** 126   **13.** Sí
15. 4 formas   **17.** 3 mi por min
19. 5 bananas por dólar
21. 0.316 m por s
23. 4.5 gusanos por in^2
25. Cerca de 20%   **27.** Cerca de 20%

11-7 Haz la prueba

a. 105 in^3 **b.** 18 in.

11-7 Ejercicios y aplicaciones

1. 125 in^3 **3.** 343 ft^3 **5.** 72 yd^3
7. 910 m^3 **9.** 480 unidades^3
11. 74.088 in^3 **13.** 2907 m^3 **15.** B
17. Cerca de 12 pulgadas de profundidad
19. A = 32 ft, B = 80 ft   **21.** 33.3%
23. 40%

Sección 11B • Repaso

1. Prisma rectangular; 8 vértices,
12 aristas, 6 caras   **3.** Prisma triangular;
6 vértices, 9 aristas, 5 caras
5. C
7.

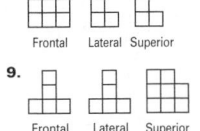

Frontal   Lateral   Superior

9.

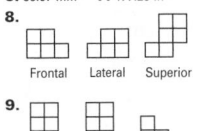

Frontal   Lateral   Superior

Capítulo 11 • Resumen y Repaso

1. Prisma triangular; 5 caras, 9 aristas,
6 vértices.   **2.** Esfera   **3.** Pirámide
rectangular; 5 caras, 8 aristas, 5 vértices
4. 310 in^2 **5.** 340 unidades^2
6. 80.07 mm^2 **7.** 477.28 in^2
8.

Frontal   Lateral   Superior

9.

Frontal   Lateral   Superior

10. 80 unidades^3 **11.** 240 cm^3
12. 0.36 unidades^3

Capítulo 12

12-1 Haz la prueba

a. i. $\frac{3}{8}$ **ii.** 0   **b. i.** $\frac{1}{2}$ **ii.** $\frac{3}{5}$

12-1 Ejercicios y aplicaciones

1. 2   **3.** 6   **5.** $\frac{1}{10}$ **7.** $\frac{1}{10}$ **9.** 0
11. $\frac{1}{2}$ **13.** $\frac{1}{6}$ **15.** $\frac{5}{6}$ **17.** $\frac{1}{6}$ **19.** $\frac{1}{3}$
21. Ambas son de $\frac{1}{8}$ **23.** $\frac{1}{5}$ **25.** De que
ocurra   **27.** $\frac{9}{32}$ **29.** No; No
33. Prisma rectangular
35. Cilindro   **37.** 31.74 cm^2
39. 708 ft^2

12-2 Haz la prueba

a. $\frac{13}{61}$ **b.** $\frac{51}{61}$

12-2 Ejercicios y aplicaciones

1. Sí   **3.** No   **5.** 3   **7.** $\frac{17}{20}$ **9.** 67
11. 16   **13.** Mayo; $\frac{181}{826} \approx 0.22$
15. Sí   **17.** Los números están
por arriba del promedio.
19. La primera figura   **21.** 482.8064 in^2

12-3 Haz la prueba

50%

12-3 Ejercicios y aplicaciones

1. 9 unidades cuadradas   **3.** 30%
5. 37.5%   **7.** 50%   **9.** A   **11.** 84
19. 18 unidades^3 **21.** 16 unidades^3

Sección 12A • Repaso

1. $\frac{1}{6}$ **3.** 0   **5.** $\frac{5}{6}$ **7.** $\frac{5}{8}$ **9.** 1   **11.** C
13. 1000   **15.** B

12-4 Haz la prueba

a. Las posibilidades son: chocolate,
chocolate derretido; chocolate, jarabe de
dulce con mantequilla; vainilla, chocolate
caliente; vainilla, jarabe de dulce con mantequilla; menta, chocolate caliente; menta,
jarabe de dulce con mantequilla.   **b.** 16

12-4 Ejercicios y aplicaciones

1. d. 12 resultados   **5.** D   **7. a.** 6   **b.** $\frac{1}{3}$
9. 45,697,600   **13.** 12; 12   **15.** 24 in^3
17. $\frac{3}{10}$ **19.** $\frac{1}{5}$ **21.** $\frac{2}{5}$

12-5 Haz la prueba

$\frac{1}{3}$

12-5 Ejercicios y aplicaciones

1. a. 6   **b.** 216   **c.** 1   **d.** 1   **e.** $\frac{1}{216}$
3. $\frac{1}{9}$ **5.** $\frac{4}{27}$ **7.** $\frac{1}{27}$ **9.** Cerca de $\frac{1}{32}$
11. $\frac{1}{8}$ **13.** P(mismo) = $\frac{1}{6}$; P(diferente) =
$\frac{5}{6}$ **15.** Ganan ambas: la carrera de 50
yardas y la de obstáculos.
17. $\frac{5}{51}$ **21.** #2

12-6 Haz la prueba

a. No.   **b.** Sí

12-6 Ejercicios y aplicaciones

1. b. $\frac{13}{18}$ **c.** $\frac{5}{18}$ **d.** No   **3.** Justo
5. Injusto; Edna   **7.** Sí; Obtuvo cada
número casi la misma cantidad de veces
9. Injusto; De cualquier manera siempre
pierdes.

Sección 12B • Repaso

1. a. 8   **b.** $\frac{1}{8}$ **3.** $\frac{1}{64}$ **5. a.** 42,875
b. $\frac{1}{42,875}$ **7.** No; P(A gana) = $\frac{3}{8}$
P(B gana) = $\frac{5}{8}$

Capítulo 12 • Resumen y Repaso

1. Cerca de $\frac{1}{4}$ **2.** Es probable que ocurra.
3. $\frac{3}{7}$ **4.** Cerca de $\frac{1}{4}$ **5.** 16   **6.** 24 conjuntos   **7.** 180   **8.** 8   **9.** $\frac{1}{3}$ **10.** $\frac{1}{36}$
11. $\frac{1}{16}$ **12.** Sí; Cada jugador tiene 50%
de posibilidad de ganar.   **13.** No; El
jugador A tiene mayor posibilidad de ganar.

Capítulos 1–12 • Repaso acumulativo

1. C   **2.** B   **3.** D   **4.** A   **5.** A   **6.** D
7. C   **8.** D   **9.** B   **10.** B   **11.** C
12. B   **13.** A   **14.** A

Fotografías

Portada/Lomo: Uniphoto Picture Agency, Inc.

Preliminares **iii** GHP Studio*
iii (fondo) John Banagan/The Image Bank
v-xvi T GHP Studio* **xviii L** Cheryl Fenton*
xviii R George Hunter/Tony Stone Images
xix T Parker/Boon Productions and Dorey Sparre
Photography* **xix B** Ken Karp,* Dennis Geaney* &
Parker/Boon Productions and Dorey Sparre
Photography* **xxii** Jean-Marc Giboux/Liaison
International **xxiii** Pictor/Uniphoto Picture
Agency **xxiv** Ken Karp* **xxv** Fridmar Damm/Leo de
Wys Inc. **xxvi** John Lund/Tony Stone Images
xxvii Robie Price* **xxviii** Mark C. Burnett/Stock, Boston

Capítulo 1 **2–3 (fondo)** Ralph Mercer/Tony
Stone Images **2 TR (cuadro)** John Michael/International
Stock Photo **2 TR (inserción)** Christopher Liu/China
Stock **2 BR** NASA/Stock, Boston **2 BL** Robie Price*
3 ZEFA/The Stock Market **4 B** Soames
Summerhays/Photo Researchers **4 T** Ed R.
Degginger/Photo Researchers **5** Robie Price*
6 Douglas Faulkner/Photo Researchers **8** Blake/Reuters/
Corbis-Bettmann **10** Damien Lovegrove/SPL/
Photo Researchers **11 L** Marc Chamberlain/
Tony Stone Images **11 R** Geoffrey Nilsen
Photography* **12** Jeff Rotman **14** W. Gregory
Brown/Animals, Animals **15** Bob Daemmrich/
Stock, Boston **16** Pete Saloutos/The Stock Market
17 David Hall/Photo Researchers **18 T** David
Madison/Bruce Coleman Inc. **18 B** Dr. Nigel Smith/Earth
Scenes **19 T** Paul Humann/Jeff Rotman
Photography **19 B** Geoffrey Nilsen Photography*
20 Lee F. Snyder/Photo Researchers **21** Robie Price*
23 L Joseph Nettis/Stock, Boston **23 R** Jon Feingersh/The
Stock Market **24** Ron Chapple/FPG International **26 R**
UPI/Corbis-Bettmann **26 L** Retratp de Ellis Sawyer/FPG
International **28** de HERBLOCK: A CARTOONIST'S LIFE
(Macmillan Publishing, 1993) **29** Owen Franken/Stock,
Boston **31 BLC** Popperfoto/Archive Photos
31 BR Ron Thomas/Reuters/Corbis-Bettmann
31 BRC Mark Reinstein/FPG International
31 T Worldsat International Inc./SPL/Photo Researchers
31 BL FPG International **32** Robert Frerck/Tony Stone
Images **33** Geoffrey Nilsen Photography*
34 R Win McNamee/Reuters/Corbis-Bettmann
34 L Jeffrey Sylvester/FPG International
35 AFP/Archive Photos **36 L** Dennis Geaney*
36 R Parker/Boon Productions and Dorey Sparre
Photography* **38** Archive Photos **39** Jon Feingersh/The
Stock Market **40 B** © 89 Mug Shots/The Stock
Market **40 T** Geoffrey Nilsen Photography*
41 T Geoffrey Nilsen Photography* **41 B** Geoffrey Nilsen
Photography* **41 (inserción)** Mississippi Valley State
University **42** Shelley Gazin/The Image Works
43 Bill Reitzel **45** Kevin Lamarque/Reuters/Corbis-
Bettmann **46 TL** Berenguier & Jerrican/ Photo
Researchers **46 TR** Robie Price* **46 B** Geoffrey Nilsen
Photography* **47** Paul Souders/Allsport

48 T Dennis Geaney* **48 B** Al Bello/Allsport
49 Gail Shumway/FPG International **51** Tim
DeFrisco/Allsport **52** Otto Rogge/The Stock Market
53 Robie Price* **54** Brad Mangin/Duomo **55 BL**
Cortesía de Hank Aaron y Hank Aaron Chasing the Dream
Foundation/National Baseball Hall of Fame © Topps
55 TL TM/© 1996 Family of Babe Ruth and the Babe
Ruth Baseball League, Inc. bajo licencia autorizada por
CMG Worldwide Inc., Indianapolis, Indiana, 46202 USA
http://www.cmgww.com. Fotografía de Geoffrey Nilsen
Photography* **55 TR** Geoffrey Nilsen Photography* **55
BR** Geoffrey Nilsen Photography* **56** Popperfoto/Archive
Photos **57** Geoffrey Nilsen Photography* **61 T** Stewart
L. Craig, Jr./Bruce Coleman Inc. **61 C** Robie Price*
61 B Geoffrey Nilsen Photography*

Capítulo 2 **62-63 (fondo)** Comstock
62 TL Erich Lessing/Art Resource, NY
62 TR David Frazier/Science Source/Photo
Researchers **62 B** Cheryl Fenton* **63 T** Robert
Fried/Stock, Boston **63 B** Cheryl Fenton*
64 T Mark Gamba/The Stock Market **64 B** John Terence
Turner/FPG International **65 T** Rob Lewine/The Stock
Market **65 B** NASA **66 T** Alan Carey/The Image
Works **68** Frank Rossotto/The Stock Market
69 L NASA/Science Source/Photo Researchers
69 R NASA/Lunar & Planetary Inst. **70** Robert
Houser/Comstock **72 L** Lunar & Planetary Inst.
72 R NASA/ESA/Tom Stack & Associates
73 Robie Price* **74** Tim Flach/Tony Stone Images
75 Lunar & Planetary Institute **77** Sovfoto/Eastfoto
78 Gabe Palmer/Mugshots/The Stock Market
79 T NASA/JPL/TSADO/Tom Stack & Associates
79 B NASA **80 L** Parker/Boon Productions and Dorey
Sparre Photography* **80 R** Dennis Geaney*
81 NASA/JPL/TSADO/Tom Stack & Associates
82 NIBSC/SPL/Photo Researchers
82 (inserción) CNRI/SPL/Photo Researchers
83 T Rob Lewine/The Stock Market **83 B** NASA
84 NASA/Mark Marten/Photo Researchers **86 L** Mike
Malyszko/FPG International **87** Underwood
Collection/Corbis-Bettmann **88** Geoffrey Nilsen
Photography* **89** Carl Yarbrough/Uniphoto Picture
Agency **90 L** Billy Hustace/Tony Stone Images
90 R Geoffrey Nilsen Photography* **93** Geoffrey Nilsen
Photography* **94 L** John Coletti/Tony
Stone Images **94 R** Geoffrey Nilsen Photography*
95 Bob Daemmrich/The Image Works
96 R Fujifotos **97 T** Geoffrey Nilsen Photography*
97 C Robie Price* **98 L** Lawrence Migdale/Stock,
Boston **98 R** Hewlett Packard **100** Robie Price*
101 Geoffrey Nilsen Photography* **102 TL** Stephen
Frisch/Stock, Boston **102 TR** Robie Price*
102 B Gregory Sams/SPL/Photo Researchers
104 L Ken Karp* **104 R** Parker/Boon Productions and
Dorey Sparre Photography* **105** Anne Dowie*
106 IFA-Bildesteam/Uniphoto Picture Agency
107 L Geoffrey Nilsen Photography* **108** Anne
Dowie* **109** Barry E. Parker/Bruce Coleman Inc.
110 L Jon Feingersh/Stock, Boston **110 R** Steve
Starr/Stock, Boston **113** Martin Rogers/Stock,
Boston **114 L** Anne Dowie* **114 R** Robie

Price* **115** Topham/The Image Works
116 Eric A. Wessman/Stock, Boston **117** ©1986 Carmen
Lomas Garza, fotografía de Wolfgang Dietze
118 Jeff Lepore/Photo Researchers **119** Mark Gamba/The
Stock Market **120** Navaswan/FPG International
122 Lawrence Migdale/Photo Researchers **123** Brian
Parker/Tom Stack & Associates **125** Monteath
C./Hedgehog House N. Zeal./Explorer/Photo
Researchers **127** Barry E. Parker/Bruce Coleman
Inc. **127 TL** Peter David/
Photo Researchers **127 BL** Richard Pasley/Stock,
Boston **128** Thomas Kitchin/Tom Stack &
Associates **129** Geoffrey Nilsen Photography*

Capítulo 3 **134-135 (fondo)** Superstock
134 L Steven E. Sutton/Duomo **134 TR** J. P. Courau/DDB
Stock Photo **134 BR** Stuart Cohen/Comstock
135 T Cheryl Fenton* **135 B** Kimimasa
Mayama/UPI/Corbis-Bettmann **136 T** Anne
Dowie* **136 B** Jane Burton/Bruce Coleman Inc.
137 Robie Price* **137 (inserciones)** Stephen
Cooper/Tony Stone Images **138** Doug Wechsler/Earth
Scenes **139** G. C. Kelley/Photo Researchers **140** Andrew
Syred/SPL/Photo Researchers **141** Popperfoto/Archive
Photos **142 L** Gabe Palmer/Mugshots//The Stock
Market **142 R** Robie Price* **143 L** Ray Coleman/Photo
Researchers **143 R** John Fennell/Bruce Coleman
Inc. **144 T** Geoffrey Nilsen Photography*
144 C Geoffrey Nilsen Photography* **144 B** Rod
Planck/Tony Stone Images **145 L** Geoffrey Nilsen
Photography* **145 R** Parker/Boon Productions
and Dorey Sparre Photography* **146 L** Gilbert S.
Grant/Photo Researchers **146 R** John Gerlach/
Animals, Animals **148** David Madison **149** Jan
C. Taylor/Bruce Coleman Inc. **150 L** Ken Karp*
150 R Dennis Geaney* **151 L** James H. Carmichael, Jr.
/Photo Researchers **151 R** L. West/
National Audubon Society/Photo Researchers
152 Bob Llewellyn/Uniphoto Picture Agency
153 ATC Productions 1993/The Stock Market
155 T Astrid & Hanns-Frieder Michler/SPL/Photo
Researchers **155 B** Kim Taylor/Bruce Coleman
Inc. **156** Geoffrey Nilsen Photography*
157 L James Carmichael/Bruce Coleman Inc.
157 R Robie Price* **158 TL** Buddy Mays/FPG
International **158 TR** Buddy Mays/FPG
International **158 B** David Parker/SPL/Photo
Researchers **159** Robie Price* **160** Martin Rogers/Tony
Stone Images **161** Geoffrey Nilsen Photography*
162 Geoffrey Nilsen Photography* **163** Robie
Price* **164** Jeff Albertson/Stock, Boston **165** Anne
Dowie* **166 L** Ken Karp* **166 R** Dennis Geaney*
167 Jeff Greenberg/The Image Works **168 T** Anne
Dowie* **169** Robie Price* **170** Robie Price*
171 Robie Price* **172 T** Geoffrey Nilsen
Photography* **172 B** Robie Price* **173** Robie
Price* **174** Geoffrey Nilsen Photography*
175 Western History Department/Denver Public
Library **176** Terry Qing/FPG International
177 Antman Archive/The Image Works
178 Corbis-Bettmann **180** Ron Cronin **181** Bill
Stormont/The Stock Market **184 T** Geoffrey Nilsen
Photography* **184 B** Robie Price* **185** Geoffrey

SCOPE AND SEQUENCE

CONTENTS

Whole Number Concepts and Operations

Blue Text: Topic introduced for the first time.

Legend: ■ Teach and Apply (dark) ▪ Reinforce and Apply (light)

Numeration

Topic	K	1	2	3	4	5	MS 1	MS 2	MS 3
Meaning of numbers	■	■	▪	▪					
Reading and writing numbers	■	■	■	■	■	▪	▪		
Place value		■	■	■	■	▪	▪		
Ordinal numbers	■	■	■	▪					
Comparing and ordering	■	■	■	■	■	▪	▪		
Rounding			■	■	■	▪	▪		
Powers and exponents						■	■	■	▪
Square numbers and square roots				■	■	■	■	▪	■
Scientific notation							■	■	▪

Number Theory

Topic	K	1	2	3	4	5	MS 1	MS 2	MS 3
Even and odd numbers		■	■	■	▪	▪			
Prime and composite numbers						■	■	■	▪
Prime factorization							■	■	▪
Divisibility					■	■	■	■	▪
Factors and greatest common factors					■	■	■	■	▪
Multiples and least common multiples				■	■	■	▪	▪	▪

Addition

Topic	K	1	2	3	4	5	MS 1	MS 2	MS 3
Meaning of addition	■	■	■	▪					
Related to subtraction		■	■	▪					
Basic facts and fact strategies	■	■	■	▪	▪				
Properties		■	■	■	▪				
Three or more addends		■	■	■	■	▪			
Adding 2-digit numbers		■	■	■	▪				
Adding 3-digit numbers			■	■	▪				
Adding with 4 or more digits				■	■	▪	▪		
Choosing a computation tool			■	■	■				
Addition expressions/sentences/equations		■	■	■	■	■	■	▪	▪
Estimation and mental math		■	■	■	■		▪		
Problem solving	■	■	■	■	■	■	▪		

Numeration

Reading and writing numbers, 66–69

Place value, 66–69

Comparing and ordering, 74–77

Rounding, 70–73

Powers and exponents, 78–82, 102, 505

Square numbers and square roots, 261

Scientific notation, 153–156

Number Theory

Prime and composite numbers, 275–279

Prime factorization, 275–279

Divisibility, 270–274

Factors and greatest common factors, 275–279

Multiples and least common multiples, 280–284

Addition

Adding whole numbers, 33, 73, 77, 82, 90–93

Addition expressions/sentences/equations, 114–117, 118–125

Estimation and mental math, 86–93

Problem solving, 93

Whole Number Concepts and Operations (cont'd)

Legend: ■ = Teach and Apply □ = Reinforce and Apply

Blue Text: Topic introduced for the first time.

Subtraction	K	1	2	3	4	5	MS 1	MS 2	MS 3
Meaning of subtraction	■	■	■	□					
Related to addition		■	■	□					
Basic facts and fact strategies	■	■	■	□	□	□			
Properties		■	■	■	□	□			
Subtracting 2-digit numbers		■	■	■	□				
Subtracting 3-digit numbers			■	■	□				
Subtracting with 4 or more digits				■	■	□	□		
Choosing a computation tool				■	■	■			
Subtraction expressions/sentences/equations	■	■	■	■	■	■	■	□	□
Estimation and mental math		■	■	■	■	■	□		
Problem solving	■	■	■	■	■	■	□		

Multiplication	K	1	2	3	4	5	MS 1	MS 2	MS 3
Meaning of multiplication			■	■	□				
Related to addition/division			■	■	□				
Basic facts and fact strategies			■	■	■	□			
Properties			■	■	■	■			
By a 1-digit number				■	■	■			
By multiples of 10 and 100				■	■	■			
By a multi-digit number				■	■	■	□		
Choosing a computation tool					■	■			
Multiplication expressions/sentences/equations				■	■	■	■	□	□
Estimation and mental math				■	■	■	■		
Problem solving			■	■	■	■	■		

Division	K	1	2	3	4	5	MS 1	MS 2	MS 3
Meaning of division			■	■	■	□			
Related to subtraction/multiplication				■	■	□			
Basic facts and fact strategies				■	■	□			
Properties				■	■				
By a 1-digit divisor				■	■	■	□		
By multiples of 10 and 100				■	■	■	□		
By a multi-digit divisor					■	■	■		
Division expressions/sentences/equations				■	■	■	■	□	□
Estimation and mental math				■	■	■	■		
Problem solving				■	■	■	■		

Legend: ■ Teach and Apply   □ Reinforce and Apply

Subtraction

Subtracting with 4 or more digits, 33, 90–93

Subtraction expressions/sentences/equations, 114–117, 118–125

Estimation and mental math, 86–93

Problem solving, 93

Multiplication

By a multi-digit number, 20, 38, 45, 94–97

Multiplication expressions/sentences/equations, 114–117, 118–125

Estimation and mental math, 86–89, 94–97

Problem solving, 97

Division

By a multi-digit divisor, 38, 49, 94–97

Division expressions/sentences/equations, 114–117, 118–125

Estimation and mental math, 86–89, 94–97

Problem solving, 97

SCOPE AND SEQUENCE

Fraction Concepts and Operations

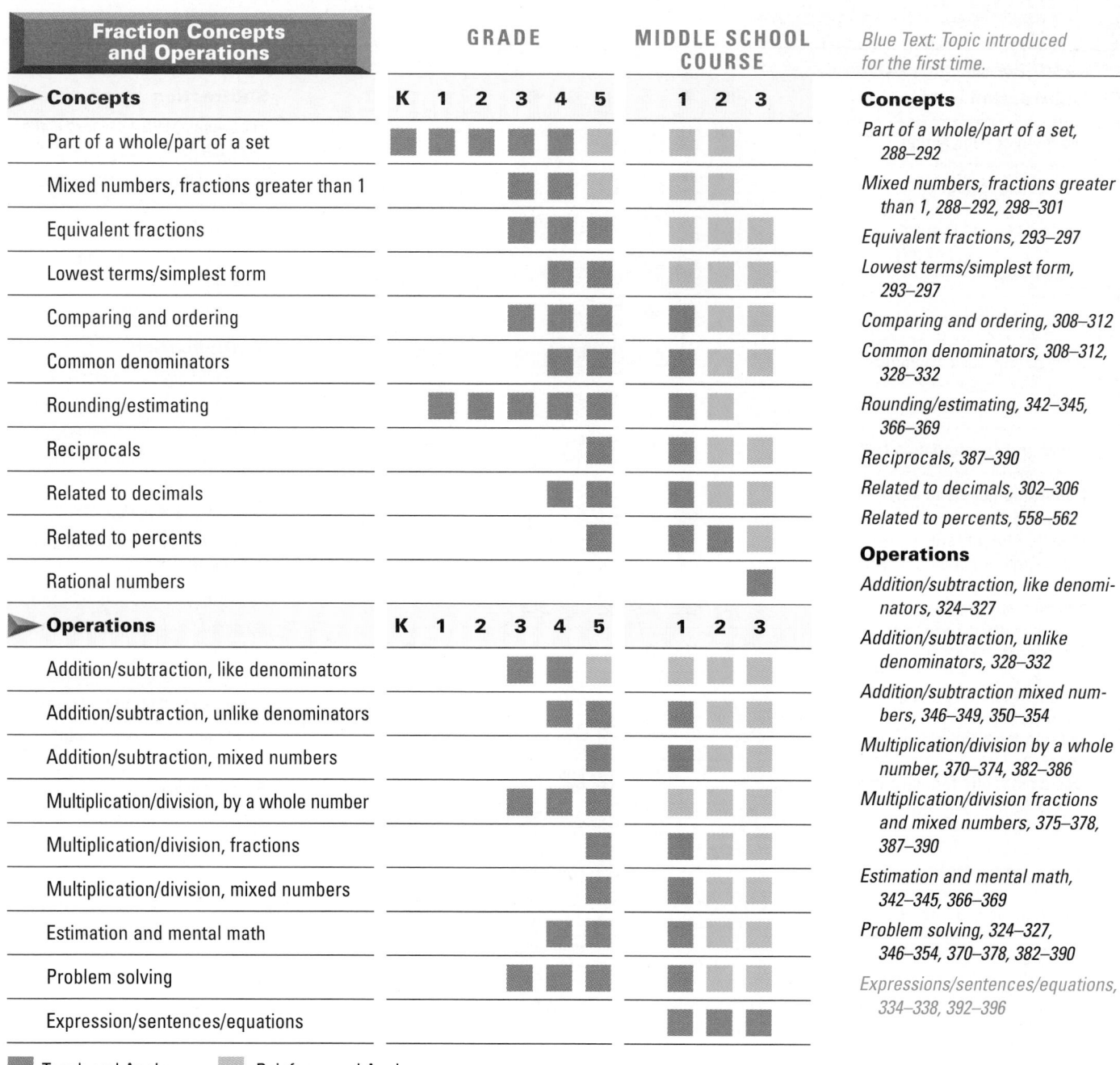

Legend: ■ Teach and Apply (T) ▪ Reinforce and Apply (R)

Concepts

Concepts	K	1	2	3	4	5	MS 1	MS 2	MS 3
Part of a whole/part of a set	T	T	T	T	T	R	R	R	
Mixed numbers, fractions greater than 1				T	T	R	R	R	
Equivalent fractions				T	T	T	R	R	R
Lowest terms/simplest form					T	T	R	R	R
Comparing and ordering				T	T	T	T	R	R
Common denominators					T	T	T	R	R
Rounding/estimating	T	T	T	T	T	T	T	R	
Reciprocals						T	T	R	R
Related to decimals					T	T	T	T	R
Related to percents						T	T	T	R
Rational numbers									T

Operations

Operations	K	1	2	3	4	5	MS 1	MS 2	MS 3
Addition/subtraction, like denominators				T	T	R	R	R	R
Addition/subtraction, unlike denominators					T	T	T	R	R
Addition/subtraction, mixed numbers						T	T	R	R
Multiplication/division, by a whole number				T	T	T	R		
Multiplication/division, fractions						T	T	R	R
Multiplication/division, mixed numbers						T	T	R	R
Estimation and mental math					T	T	T	R	R
Problem solving				T	T	T	T	R	R
Expression/sentences/equations							T	T	T

Blue Text: Topic introduced for the first time.

Concepts

Part of a whole/part of a set, 288–292

Mixed numbers, fractions greater than 1, 288–292, 298–301

Equivalent fractions, 293–297

Lowest terms/simplest form, 293–297

Comparing and ordering, 308–312

Common denominators, 308–312, 328–332

Rounding/estimating, 342–345, 366–369

Reciprocals, 387–390

Related to decimals, 302–306

Related to percents, 558–562

Operations

Addition/subtraction, like denominators, 324–327

Addition/subtraction, unlike denominators, 328–332

Addition/subtraction mixed numbers, 346–349, 350–354

Multiplication/division by a whole number, 370–374, 382–386

Multiplication/division fractions and mixed numbers, 375–378, 387–390

Estimation and mental math, 342–345, 366–369

Problem solving, 324–327, 346–354, 370–378, 382–390

Expressions/sentences/equations, 334–338, 392–396

■ Teach and Apply   ▪ Reinforce and Apply

Decimal Concepts and Operations

Blue Text: Topic introduced for the first time.

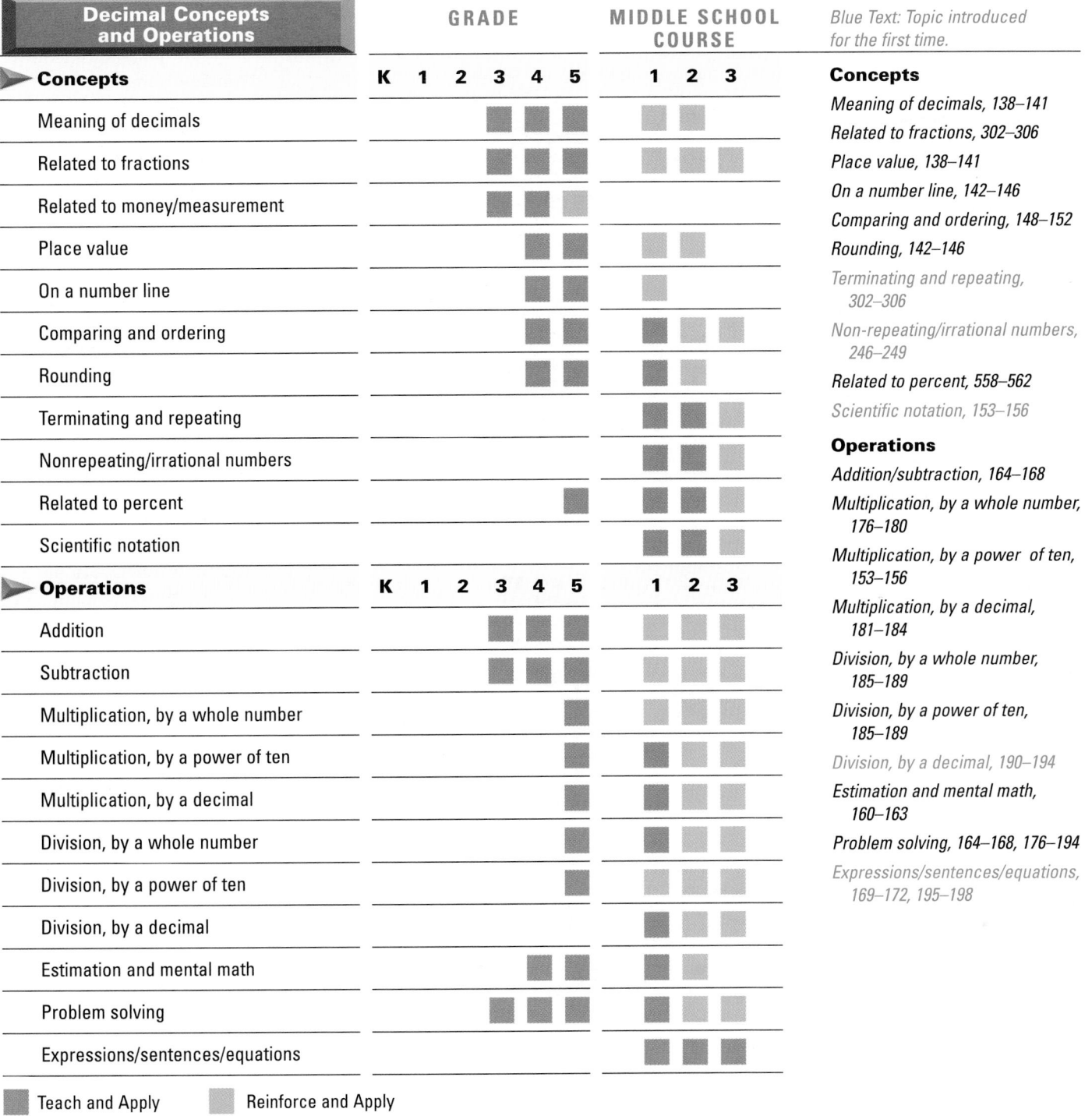

Concepts	K	1	2	3	4	5		MS 1	MS 2	MS 3
Meaning of decimals				■	■	■		□	□	
Related to fractions				■	■	■		□	□	□
Related to money/measurement				■	■	□				
Place value					■	■		□	□	
On a number line					■	■		□		
Comparing and ordering					■	■		■	□	□
Rounding					■	■		■	□	
Terminating and repeating								■	■	□
Nonrepeating/irrational numbers								■	■	□
Related to percent						■		■	■	□
Scientific notation								■	■	□

Operations	K	1	2	3	4	5		MS 1	MS 2	MS 3
Addition				■	■	■		□	□	□
Subtraction				■	■	■		□	□	□
Multiplication, by a whole number						■		□	□	□
Multiplication, by a power of ten						■		■	□	□
Multiplication, by a decimal						■		■	□	□
Division, by a whole number						■		■	□	□
Division, by a power of ten						■		□	□	□
Division, by a decimal								■	■	□
Estimation and mental math					■	■		■	□	
Problem solving				■	■	■		■	□	□
Expressions/sentences/equations								■	■	■

■ Teach and Apply   □ Reinforce and Apply

Concepts

Meaning of decimals, 138–141
Related to fractions, 302–306
Place value, 138–141
On a number line, 142–146
Comparing and ordering, 148–152
Rounding, 142–146
Terminating and repeating, 302–306
Non-repeating/irrational numbers, 246–249
Related to percent, 558–562
Scientific notation, 153–156

Operations

Addition/subtraction, 164–168
Multiplication, by a whole number, 176–180
Multiplication, by a power of ten, 153–156
Multiplication, by a decimal, 181–184
Division, by a whole number, 185–189
Division, by a power of ten, 185–189
Division, by a decimal, 190–194
Estimation and mental math, 160–163
Problem solving, 164–168, 176–194
Expressions/sentences/equations, 169–172, 195–198

SCOPE AND SEQUENCE

A5

Number Sense, Estimation, and Mental Math

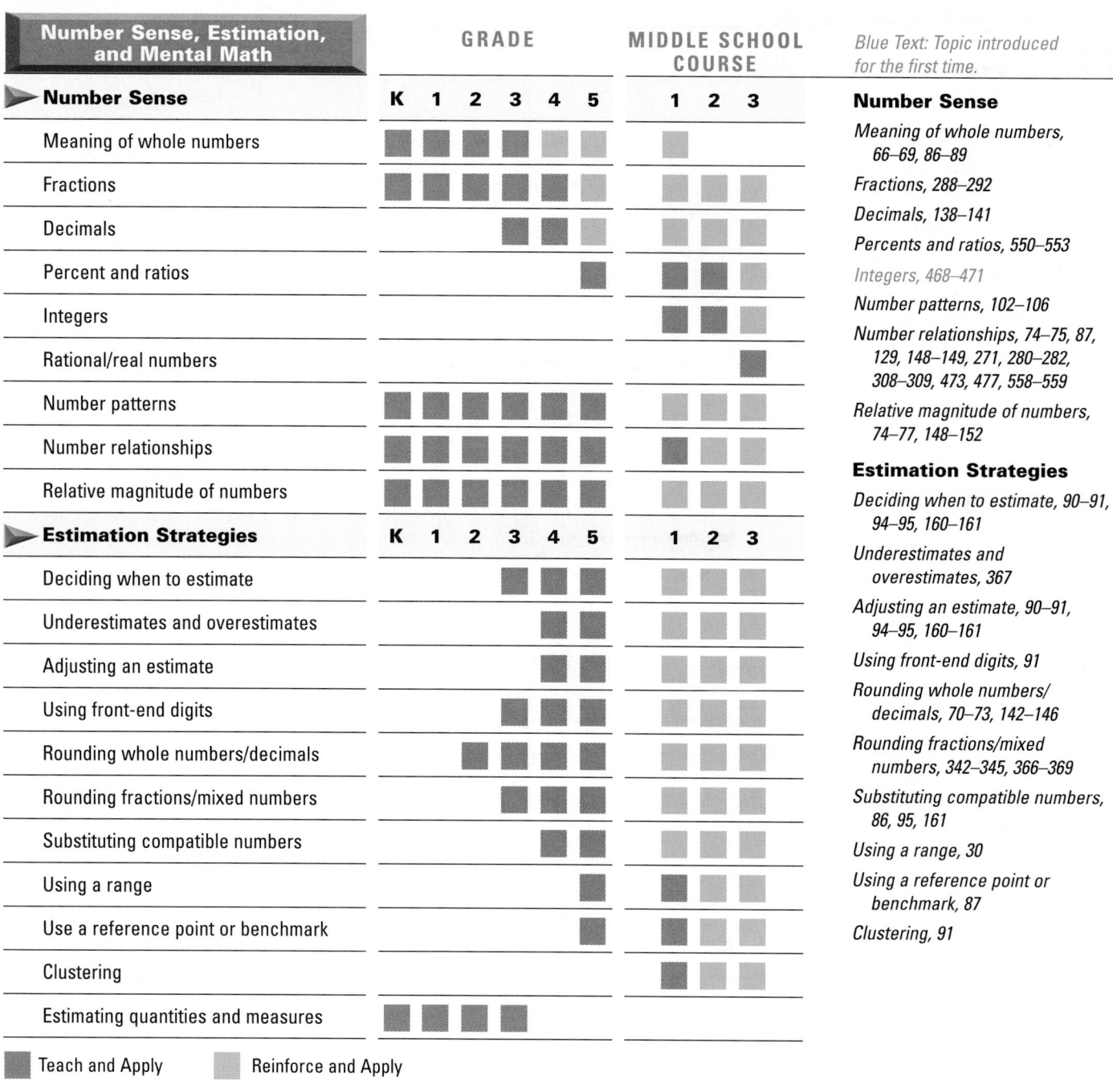

Number Sense

Number Sense	K	1	2	3	4	5	MS 1	MS 2	MS 3
Meaning of whole numbers	■	■	■	■	□	□	□		
Fractions	■	■	■	■	□	□	□	□	□
Decimals				■	■	□	□	□	□
Percent and ratios						■	■	■	□
Integers							■	■	□
Rational/real numbers									■
Number patterns	■	■	■	■	■	■	□	□	□
Number relationships	■	■	■	■	■	■	□	□	
Relative magnitude of numbers	■	■	■	■	■	■	□	□	□

Estimation Strategies	K	1	2	3	4	5	MS 1	MS 2	MS 3
Deciding when to estimate				■	■	■	□	□	□
Underestimates and overestimates					■	■	□	□	□
Adjusting an estimate					■	■	□	□	□
Using front-end digits				■	■	■	□	□	□
Rounding whole numbers/decimals			■	■	■	■	□	□	□
Rounding fractions/mixed numbers				■	■	■	□	□	□
Substituting compatible numbers					■	■	□	□	□
Using a range						■	■	□	□
Use a reference point or benchmark						■	■	□	□
Clustering							■	□	□
Estimating quantities and measures	■	■	■	■					

■ Teach and Apply □ Reinforce and Apply

Blue Text: Topic introduced for the first time.

Number Sense

Meaning of whole numbers, 66–69, 86–89

Fractions, 288–292

Decimals, 138–141

Percents and ratios, 550–553

Integers, 468–471

Number patterns, 102–106

Number relationships, 74–75, 87, 129, 148–149, 271, 280–282, 308–309, 473, 477, 558–559

Relative magnitude of numbers, 74–77, 148–152

Estimation Strategies

Deciding when to estimate, 90–91, 94–95, 160–161

Underestimates and overestimates, 367

Adjusting an estimate, 90–91, 94–95, 160–161

Using front-end digits, 91

Rounding whole numbers/ decimals, 70–73, 142–146

Rounding fractions/mixed numbers, 342–345, 366–369

Substituting compatible numbers, 86, 95, 161

Using a range, 30

Using a reference point or benchmark, 87

Clustering, 91

Blue Text: *Topic introduced for the first time.*

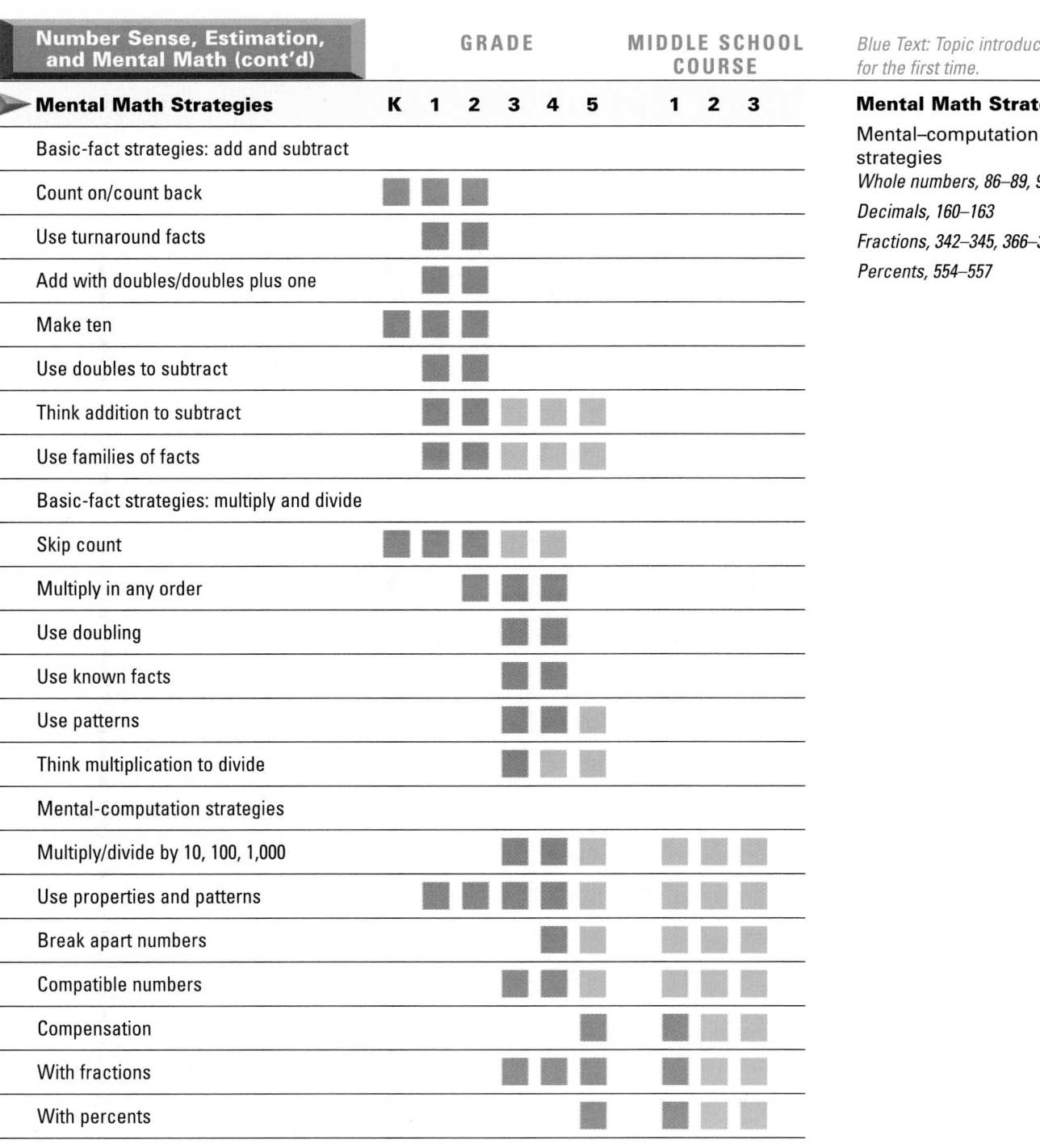

Mental Math Strategies	K	1	2	3	4	5	Course 1	Course 2	Course 3
Basic-fact strategies: add and subtract									
Count on/count back	T	T	T						
Use turnaround facts		T	T						
Add with doubles/doubles plus one		T	T						
Make ten	T	T	T						
Use doubles to subtract		T	T						
Think addition to subtract			T	T	R	R			
Use families of facts			T	T	R	R			
Basic-fact strategies: multiply and divide									
Skip count	T	T	T	R	R				
Multiply in any order			T	T	T				
Use doubling				T	T				
Use known facts				T	T				
Use patterns				T	T	R			
Think multiplication to divide				T	R	R			
Mental-computation strategies									
Multiply/divide by 10, 100, 1,000				T	T	R	R	R	R
Use properties and patterns	T	T	T	T	R		R	R	R
Break apart numbers				T	R		R	R	R
Compatible numbers				T	T		R	R	R
Compensation						T	T	R	R
With fractions				T	T	T	T	R	R
With percents						T	T	T	R

Legend: ■ Teach and Apply   ▢ Reinforce and Apply

Mental Math Strategies

Mental–computation strategies
Whole numbers, 86–89, 90–97
Decimals, 160–163
Fractions, 342–345, 366–369
Percents, 554–557

Mathematical Processes

Blue Text: Topic introduced for the first time.

Problem Solving	K	1	2	3	4	5	MS 1	MS 2	MS 3
Analyze Word Problems									
Choose an operation	T	T	T	T	T	T	R	R	R
Too much or too little information		T	T	T	T	T	R	R	R
Multiple-step problems			T	T	T	T	R	R	R
Choose an exact answer or an estimate				T	T	T	R	R	R
Estimating					T	T	R	R	R
Interpreting remainders				T	T	R			
Analyze Strategies									
Use objects/act it out	T	T	T	T	T	R			
Draw or use a picture/diagram	T	T	T	T	T	T	R	R	R
Guess and check	T	T	T	T	T	T	R	R	R
Look for a pattern	T	T	T	T	T	T	R	R	R
Make an organized list	T	T	T	T	T	T	R	R	R
Make a table		T	T	T	T	T	R	R	R
Use logical reasoning	T	T	T	T	T	T	R	R	R
Solve a simpler problem				T	T	T	R	R	R
Work backward				T	T	T	R	R	R
Choose/compare strategies		T	T	T	T	T	R	R	R
Decision Making									
Plan an event, make a choice, etc.	T	T	T	T	T	T	R	R	R

Legend: ■ Teach and Apply (T)   ■ Reinforce and Apply (R)

Problem Solving

Analyze Word Problems
Choose an operation, 114–125

Too much or too little information, 64, 208, 268, 364

Multiple-step problems, 189, 205, 241, 258, 396, 475, 521, 587, 621

Choose an exact answer or an estimate, 367, 512, 624

Estimating, 92–93, 96–97, 162–163, 344–345, 368–369, 556–557

Analyze Strategies
Draw or use a picture/diagram, xxviii, 465–466

Guess and check, xxv, 126, 126A, 144

Look for a pattern, xxii, 25, 26, 102–106, 519

Make an organized list, xxiii, 35

Make a table, xxiv, 35

Use logical reasoning, xxvii, 371, 544, 555, 589, 629

Solve a simpler problem, xxix, 274, 294, 335, 367

Work backward, xxvi

Choose/compare strategies, 49, 82, 97, 121, 156, 172, 180, 194, 198, 236, 258, 284, 297, 312, 327, 332, 349, 378, 396, 415, 427, 456, 480, 497, 522, 533, 537, 546, 567, 597, 609, 638, 646

Decision Making
Plan an event, make a choice, etc., 15, 21, 28, 39, 54–55, 82–83, 101, 125, 127, 152, 157, 163, 173, 189, 199, 214, 225, 241, 243, 249, 259, 285, 313, 338–339, 354–355, 378–379, 386, 431, 484–485, 502, 526–527, 546–547, 562, 569, 587, 599, 614–615, 638–639, 654–655

Mathematical Processes (cont'd)

Legend: ■ Teach and Apply □ Reinforce and Apply

Blue Text: Topic introduced for the first time.

Problem Solving (cont'd)

	K	1	2	3	4	5	MS 1	MS 2	MS 3
Problem-Solving Guide/Checklist									
Understand									
Determine what you know			■	■	■	□	□	□	□
Use data from pictures, graphs, …			■	■	□		□	□	□
Tell what you need to find out					■	□	□	□	□
Plan									
Choose an operation/strategy			■	■	■	□	□	□	□
Choose a computation method			■	■	■	□	□	□	□
Estimate the answer				■	■	■	□	□	□
Solve									
Carry out the plan			■	■	■	□	□	□	□
Try another strategy if needed			■	■	■	□	□	□	□
Give the answer			■	■	■	□	□	□	
Look Back									
Check your answer			■	■	■	□	□	□	□
Check reasonableness of answer				■	■	■	□	□	□
Be sure the question is answered			■	■	■	□	□	□	□

Reasoning

	K	1	2	3	4	5	MS 1	MS 2	MS 3
Critical Thinking, Logical Reasoning									
Classifying/sorting	■	■	■	■	■	■	□	□	□
Comparing/contrasting	■	■	■	□	■	■	□	□	□
Finding/extending/using patterns	■	■	■	■	■	■	□	□	□
Making generalizations	■	■	■	■	■	■	□	□	□
Drawing conclusions	■	■	■	■	■	■	□	□	□
Making/testing conjectures		■	■	■	■	■	□	□	□
Explaining/justifying answers					■	■	□	□	□
Visual and Creative Thinking									
Visual patterns	■	■	■	■	■	■	□	□	□
Spatial reasoning	■	■	■	■	■	■	□	□	□
Solve nonroutine problems				■	■	■	□	□	□
Generate problems				■	■	■	□	□	
Develop alternative ways to solve problems						■	□	□	□

Problem Solving (cont'd)

Problem-Solving Guide/Checklist
Use problem-solving guidelines, xx–xxi, 4, 15, 28, 54, 64, 82, 101, 125, 136, 152, 163, 189, 208, 214, 241, 249, 268, 279, 301, 322, 338, 354, 364, 378, 386, 406, 420, 431, 456, 466, 484, 502, 512, 526, 546, 562, 578, 587, 614, 624, 638, 654

Reasoning

Critical Thinking, Logical Reasoning
Classifying/sorting, 408–415, 424–427, 430, 434, 580–583, 586

Comparing/contrasting, 74–77, 148–151, 308–312, 470

Finding/extending/using patterns, 20, 87, 102–106, 129, 201, 236, 483, 604

Making generalizations, 102–106, 141, 201, 237, 328, 346, 350, 424, 478, 502, 532, 546, 562

Drawing conclusions, 49, 93, 185, 189, 346, 350, 369, 432, 472, 606

Making/testing conjectures, 78, 98, 153, 308, 481, 630–633, 647

Explaining/justifying answers, 6, 20–21, 31, 42–43, 46–47, 52, 60–61, 74–75, 80, 94–95, 122–123, 148, 157, 169–170, 178, 182, 185–186, 199, 201, 218, 225, 233–234, 254, 256–257, 275, 282, 288, 290, 302, 324, 346, 350, 372, 382, 409, 416, 451, 469, 472–473, 481, 490, 498, 500, 514, 521, 530, 535, 543–544, 555, 582, 588, 591, 603, 606–607, 612, 631, 642, 660

Visual and Creative Thinking
Visual patterns, 129, 210, 275, 453–457

Spatial reasoning, 444–457

Solve non-routine problems, 3, 61, 63, 135, 205, 207, 267, 319, 321, 363, 403, 405, 465, 509, 511, 577, 621, 623

Generate problems, 45, 107, 170, 184, 192, 195–196, 198, 338

Develop alternative ways to solve problems, 379, 391, 440

Mathematical Processes (cont'd)

	K	1	2	3	4	5		1	2	3
GRADE / MIDDLE SCHOOL COURSE										

Blue Text: Topic introduced for the first time.

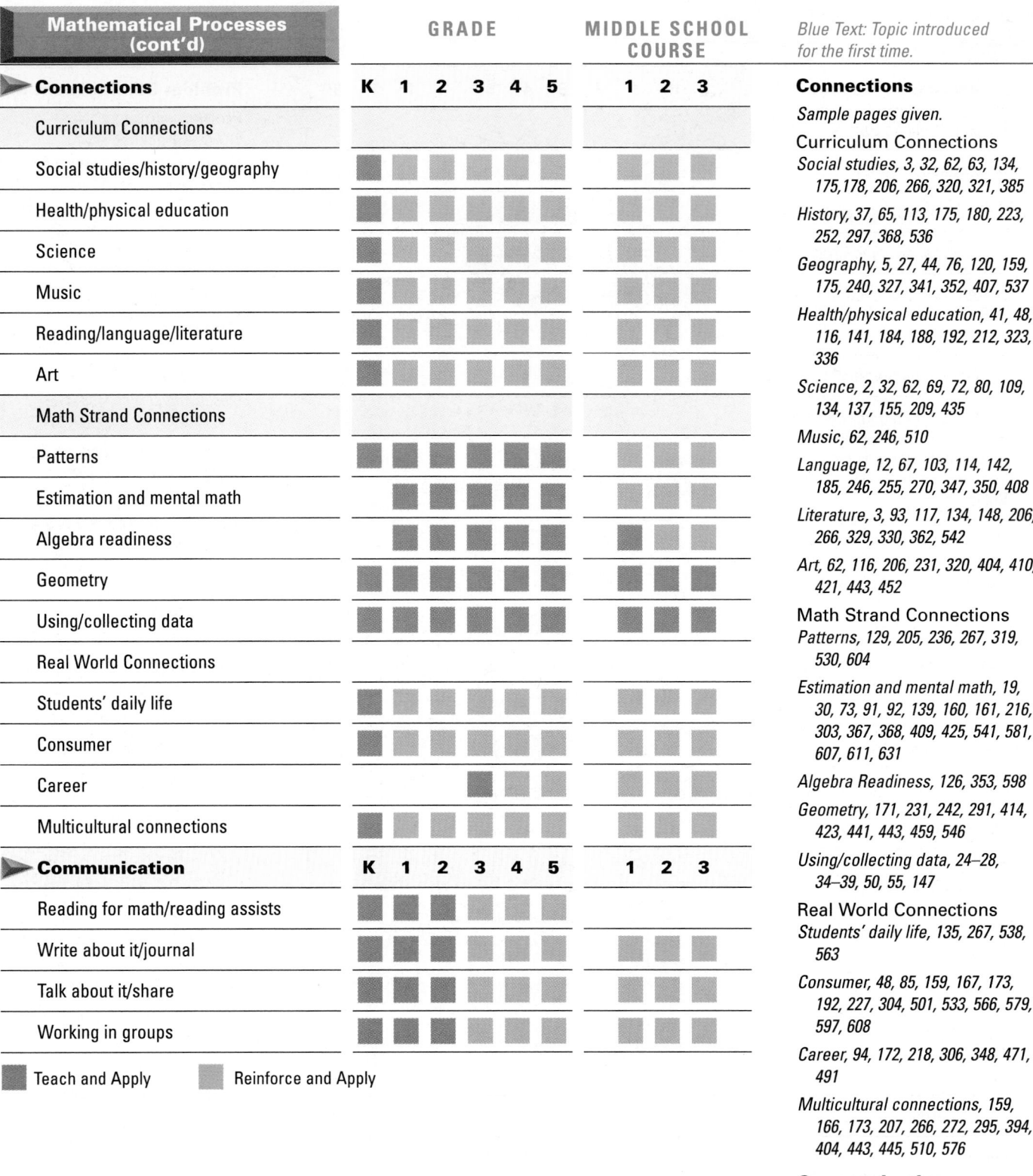

Connections

Curriculum Connections
- Social studies/history/geography
- Health/physical education
- Science
- Music
- Reading/language/literature
- Art

Math Strand Connections
- Patterns
- Estimation and mental math
- Algebra readiness
- Geometry
- Using/collecting data

Real World Connections
- Students' daily life
- Consumer
- Career
- Multicultural connections

Communication
- Reading for math/reading assists
- Write about it/journal
- Talk about it/share
- Working in groups

■ Teach and Apply ▪ Reinforce and Apply

Connections

Sample pages given.

Curriculum Connections

Social studies, 3, 32, 62, 63, 134, 175,178, 206, 266, 320, 321, 385

History, 37, 65, 113, 175, 180, 223, 252, 297, 368, 536

Geography, 5, 27, 44, 76, 120, 159, 175, 240, 327, 341, 352, 407, 537

Health/physical education, 41, 48, 116, 141, 184, 188, 192, 212, 323, 336

Science, 2, 32, 62, 69, 72, 80, 109, 134, 137, 155, 209, 435

Music, 62, 246, 510

Language, 12, 67, 103, 114, 142, 185, 246, 255, 270, 347, 350, 408

Literature, 3, 93, 117, 134, 148, 206, 266, 329, 330, 362, 542

Art, 62, 116, 206, 231, 320, 404, 410, 421, 443, 452

Math Strand Connections

Patterns, 129, 205, 236, 267, 319, 530, 604

Estimation and mental math, 19, 30, 73, 91, 92, 139, 160, 161, 216, 303, 367, 368, 409, 425, 541, 581, 607, 611, 631

Algebra Readiness, 126, 353, 598

Geometry, 171, 231, 242, 291, 414, 423, 441, 443, 459, 546

Using/collecting data, 24–28, 34–39, 50, 55, 147

Real World Connections

Students' daily life, 135, 267, 538, 563

Consumer, 48, 85, 159, 167, 173, 192, 227, 304, 501, 533, 566, 579, 597, 608

Career, 94, 172, 218, 306, 348, 471, 491

Multicultural connections, 159, 166, 173, 207, 266, 272, 295, 394, 404, 443, 445, 510, 576

Communication

Write about it/journal, 20, 73, 84, 89, 146, 189, 268, 284, 364, 369, 406, 420, 427, 466, 512, 569, 578, 624

Talk about it/share, 150, 277, 352, 372, 396, 560, 583, 605

Working in groups, 34, 46, 74, 142, 233, 250, 280, 375, 432

Geometry	GRADE						MIDDLE SCHOOL COURSE		

Blue Text: Topic introduced for the first time.

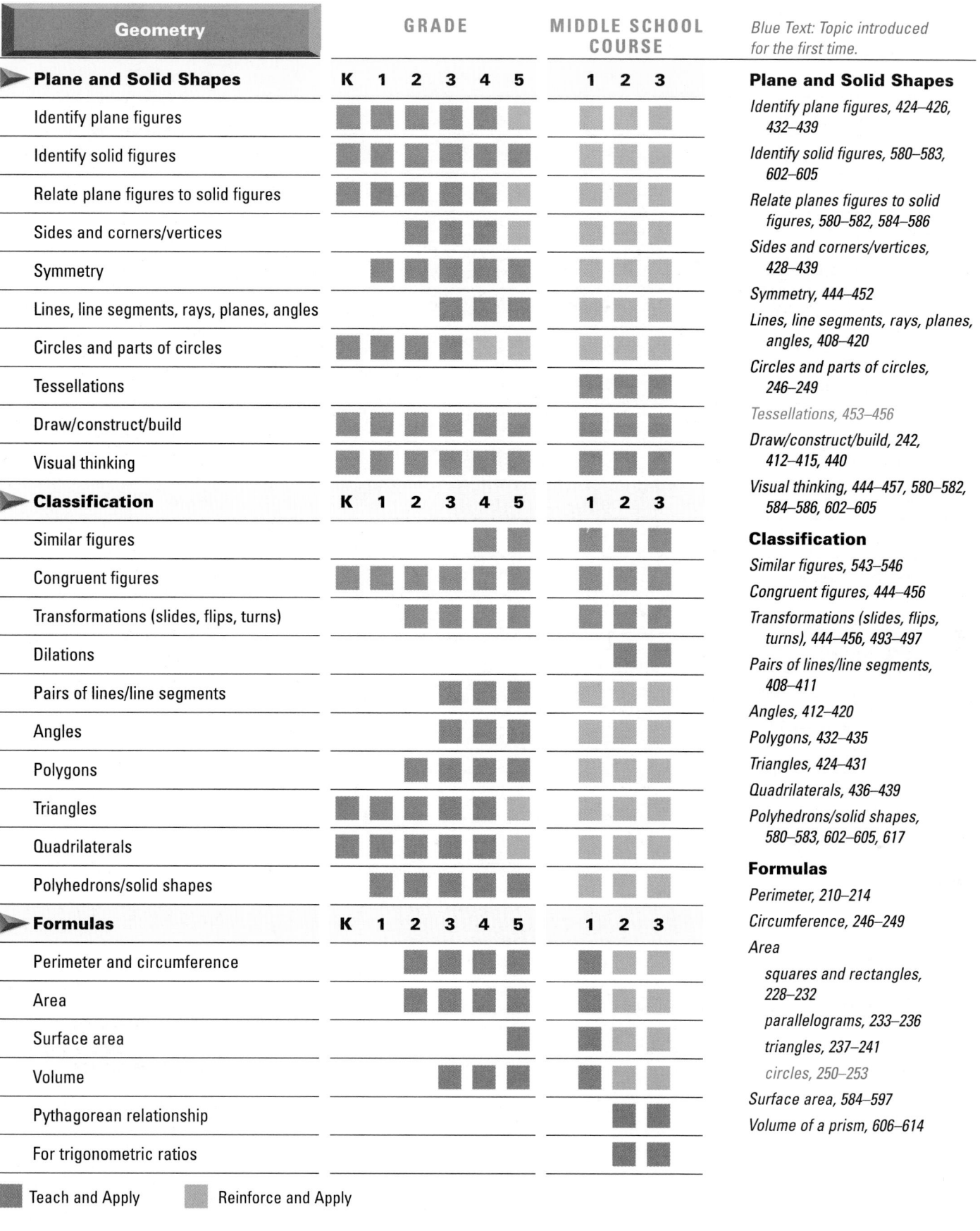

Plane and Solid Shapes

	K	1	2	3	4	5	1	2	3
Identify plane figures	■	■	■	■	■	□	□	□	□
Identify solid figures	■	■	■	■	■	■	□	□	□
Relate plane figures to solid figures	■	■	■	■	■	□	□	□	□
Sides and corners/vertices			■	■	■	□	□	□	□
Symmetry		■	■	■	■	■	□	□	□
Lines, line segments, rays, planes, angles				■	■	■	□	□	□
Circles and parts of circles	■	■	■	■	□		□	□	□
Tessellations				■	■	■	■	■	■
Draw/construct/build	■	■	■	■	■	■	■	■	■
Visual thinking	■	■	■	■	■	■	■	■	■

Classification

	K	1	2	3	4	5	1	2	3
Similar figures					■	■	□	■	■
Congruent figures	■	■	■	■	■	■	■	■	■
Transformations (slides, flips, turns)			■	■	■	■	■	■	■
Dilations								■	■
Pairs of lines/line segments				■	■	■	□	□	□
Angles				■	■	■	□	□	□
Polygons				■	■	■	□	□	□
Triangles	■	■	■	■	■	□	□	□	□
Quadrilaterals	■	■	■	■	■	■	□	□	□
Polyhedrons/solid shapes		■	■	■	■	■	□	□	□

Formulas

	K	1	2	3	4	5	1	2	3
Perimeter and circumference			■	■	■	■	■	□	□
Area			■	■	■	■	■	□	□
Surface area						■	■	□	□
Volume				■	■	■	■	□	□
Pythagorean relationship								■	■
For trigonometric ratios								■	■

■ Teach and Apply   □ Reinforce and Apply

Plane and Solid Shapes

Identify plane figures, 424–426, 432–439

Identify solid figures, 580–583, 602–605

Relate planes figures to solid figures, 580–582, 584–586

Sides and corners/vertices, 428–439

Symmetry, 444–452

Lines, line segments, rays, planes, angles, 408–420

Circles and parts of circles, 246–249

Tessellations, 453–456

Draw/construct/build, 242, 412–415, 440

Visual thinking, 444–457, 580–582, 584–586, 602–605

Classification

Similar figures, 543–546

Congruent figures, 444–456

Transformations (slides, flips, turns), 444–456, 493–497

Pairs of lines/line segments, 408–411

Angles, 412–420

Polygons, 432–435

Triangles, 424–431

Quadrilaterals, 436–439

Polyhedrons/solid shapes, 580–583, 602–605, 617

Formulas

Perimeter, 210–214

Circumference, 246–249

Area

squares and rectangles, 228–232

parallelograms, 233–236

triangles, 237–241

circles, 250–253

Surface area, 584–597

Volume of a prism, 606–614

Patterns, Relationships, and Algebraic Thinking

	GRADE						MIDDLE SCHOOL COURSE		
Patterns	K	1	2	3	4	5	1	2	3

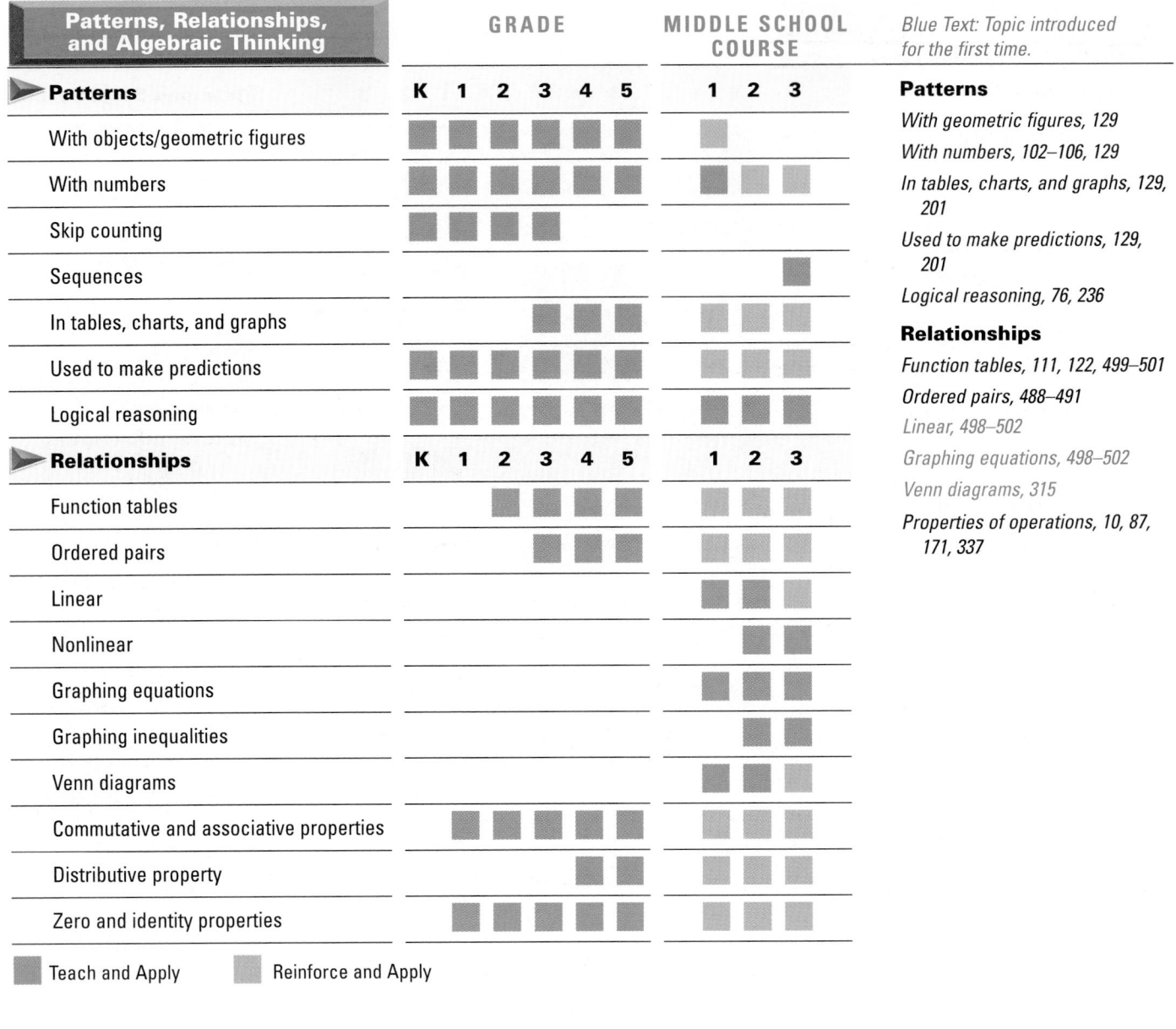

Patterns — K 1 2 3 4 5 | 1 2 3
- With objects/geometric figures
- With numbers
- Skip counting
- Sequences
- In tables, charts, and graphs
- Used to make predictions
- Logical reasoning

Relationships — K 1 2 3 4 5 | 1 2 3
- Function tables
- Ordered pairs
- Linear
- Nonlinear
- Graphing equations
- Graphing inequalities
- Venn diagrams
- Commutative and associative properties
- Distributive property
- Zero and identity properties

■ Teach and Apply   ■ Reinforce and Apply

Blue Text: Topic introduced for the first time.

Patterns

With geometric figures, 129

With numbers, 102–106, 129

In tables, charts, and graphs, 129, 201

Used to make predictions, 129, 201

Logical reasoning, 76, 236

Relationships

Function tables, 111, 122, 499–501

Ordered pairs, 488–491

Linear, 498–502

Graphing equations, 498–502

Venn diagrams, 315

Properties of operations, 10, 87, 171, 337

Algebraic Thinking

Blue Text: Topic introduced for the first time.

Legend: ■ Teach and Apply   ▨ Reinforce and Apply

Patterns, Relationships, and Algebraic Thinking	K	1	2	3	4	5	MS 1	MS 2	MS 3
Expressions, Equations, Inequalities									
Missing numbers and number sentences			■	■	■	■			
Variables						■	■	■	▨
Writing/evaluating expressions						■	■	■	▨
Writing/simplifying polynomials									■
Order of operations						■	■	▨	▨
Solving/writing for addition/subtraction							■	■	▨
Solving/writing for multiplication/division							■	■	▨
Solving/writing two-step equations							■	■	
Solving/writing inequalities							■	■	
Graphing equations							■	■	
Graphing inequalities							■	■	
Systems of equations/inequalities									■
Related to formulas						■	■	▨	▨
Integers									
Writing and reading							■	▨	▨
On a number line							■	▨	▨
Comparing and ordering							■	■	▨
Opposites							■	■	▨
Absolute value							■	▨	
Adding and subtracting							■	■	■
Multiplying and dividing							■	■	■
Graphing in four quadrants							■	■	■
Solving equations							■	■	
Rational and Real Numbers									
Computing with rational numbers									■
Repeating and nonrepeating decimals							■	▨	▨
Exponents and powers							■	▨	▨
Squares and square roots							■	■	▨
Irrational and real numbers							■	■	■

■ Teach and Apply   ▨ Reinforce and Apply

Algebraic Thinking

Expressions, Equations, Inequalities
Variables, 110–113

Writing/evaluating expressions, 114–117

Order of operations, 98–101

Solving/writing for addition/subtraction, 118–125, 169–172, 334–338

Solving/writing for multiplication/division, 118–125, 195–198, 392–396

Graphing equations, 498–502

Related to formulas, 228–241, 250–253, 588–592, 610–614

Integers

Writing and reading, 468–471

On a number line, 468–471

Comparing and ordering, 468–471

Opposites, 468–471

Adding and subtracting, 472–475, 476–480

Multiplying and dividing, 481–484

Graphing in four quadrants, 488–491

Rational and Real Numbers

Repeating and nonrepeating decimals, 302–306

Exponents and powers, 78–82, 505

Squares and square roots, 261

Irrational and real numbers, 246–249

Measurement, Time, and Money

Blue Text: Topic introduced for the first time.

▶ Measurement

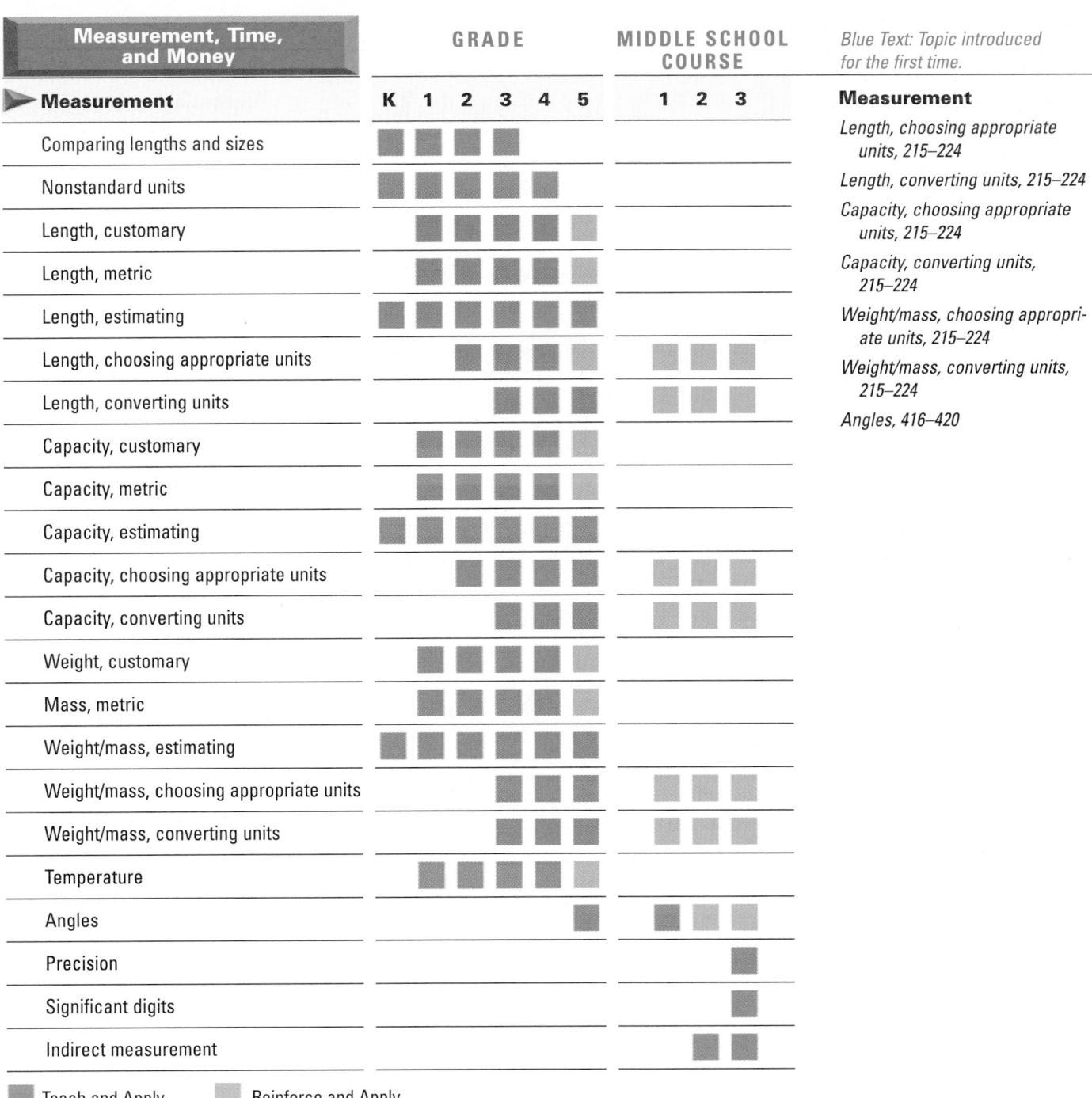

	\K	\1	\2	\3	\4	\5	MS 1	MS 2	MS 3
Comparing lengths and sizes	T	T	T	T					
Nonstandard units	T	T	T	T	T				
Length, customary		T	T	T	T	R			
Length, metric		T	T	T	T	R			
Length, estimating	T	T	T	T	T	T			
Length, choosing appropriate units			T	T	T	R	R	R	R
Length, converting units				T	T	T	R	R	R
Capacity, customary		T	T	T	T	R			
Capacity, metric		T	T	T	T	R			
Capacity, estimating	T	T	T	T	T	T			
Capacity, choosing appropriate units			T	T	T	R	R	R	R
Capacity, converting units				T	T	T	R	R	R
Weight, customary		T	T	T	T	R			
Mass, metric		T	T	T	T	R			
Weight/mass, estimating	T	T	T	T	T	T			
Weight/mass, choosing appropriate units				T	T	T	R	R	R
Weight/mass, converting units				T	T	T	R	R	R
Temperature		T	T	T	T	R			
Angles						T	T	R	R
Precision								T	
Significant digits								T	
Indirect measurement								T	T

■ Teach and Apply   ▨ Reinforce and Apply

Measurement

Length, choosing appropriate units, 215–224

Length, converting units, 215–224

Capacity, choosing appropriate units, 215–224

Capacity, converting units, 215–224

Weight/mass, choosing appropriate units, 215–224

Weight/mass, converting units, 215–224

Angles, 416–420

Measurement, Time, and Money (cont'd)	K	1	2	3	4	5	MS 1	MS 2	MS 3
▶ Perimeter, Area, Volume									
Estimating			■	■	■	■	■	▫	▫
Perimeter and circumference			■	■	■	■	■	▫	▫
Area			■	■	■	■	■	■	
Surface area						■	■	■	
Volume				■	■	■	■	■	■
Perimeter/area/volume relationships			■	■	■	■	■	■	■
Irregular figures						■	■	■	▫
▶ Time									
Nearest hour/half-hour	■	■	■	■	▫				
Minutes before/after the hour			■	■	▫				
Estimating time		■	■	■					
Elapsed time		■	■	■	■	■	▫		
A.M. and P.M.				■	▫				
Calendar	■	■	■	■	■				
Time zones and time tables					■	▫			
▶ Money									
Identify coins and bills	■	■	■	▫					
Count and show amounts	■	■	■	▫					
Making change				■	▫				
Comparing	■	■	■	▫					
Adding/subtracting			■	■	▫				
Multiplying/dividing				■	■	▫			

■ Teach and Apply ▫ Reinforce and Apply

Blue Text: Topic introduced for the first time.

SCOPE AND SEQUENCE

Data, Statistics, and Probability

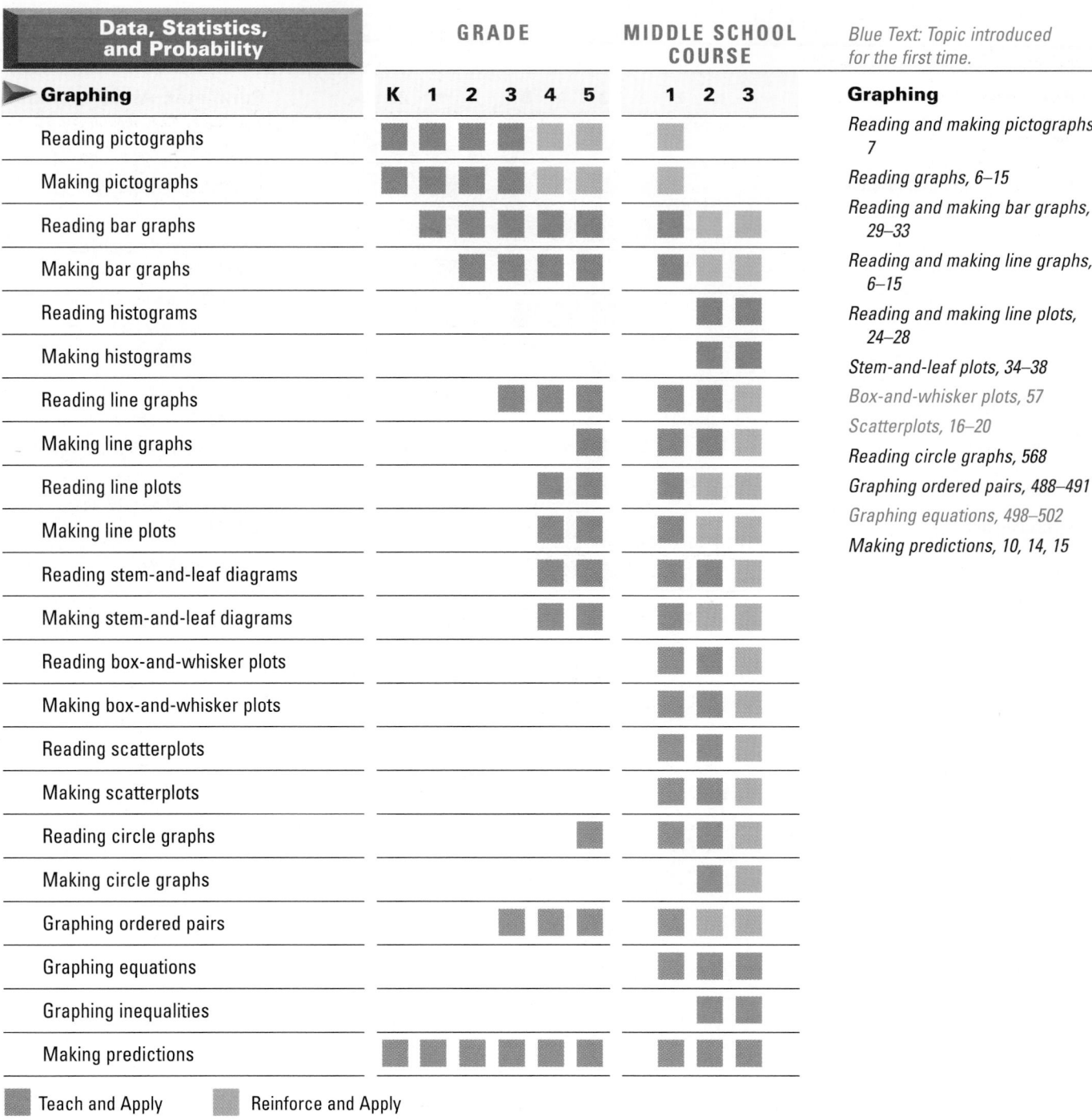

▶ **Graphing**

	K	1	2	3	4	5	MS 1	MS 2	MS 3
Reading pictographs	■	■	■	■	▨	▨	▨		
Making pictographs	■	■	■	■	▨	▨	▨		
Reading bar graphs		■	■	■	■	■	■	▨	▨
Making bar graphs			■	■	■	■	■	▨	
Reading histograms							■	■	
Making histograms							■	■	
Reading line graphs				■	■	■	■	■	▨
Making line graphs						■	■	■	▨
Reading line plots					■	■	■	■	▨
Making line plots					■	■	■	▨	▨
Reading stem-and-leaf diagrams					■	■	■	■	▨
Making stem-and-leaf diagrams					■	■	■	■	▨
Reading box-and-whisker plots							■	■	▨
Making box-and-whisker plots							■	■	▨
Reading scatterplots							■	■	▨
Making scatterplots							■	■	▨
Reading circle graphs						■	■	■	▨
Making circle graphs							■	▨	
Graphing ordered pairs				■	■	■	■	■	▨
Graphing equations							■	■	▨
Graphing inequalities								■	▨
Making predictions	■	■	■	■	■	■	■	■	▨

■ Teach and Apply   ▨ Reinforce and Apply

Blue Text: Topic introduced for the first time.

Graphing

Reading and making pictographs, 7

Reading graphs, 6–15

Reading and making bar graphs, 29–33

Reading and making line graphs, 6–15

Reading and making line plots, 24–28

Stem-and-leaf plots, 34–38

Box-and-whisker plots, 57

Scatterplots, 16–20

Reading circle graphs, 568

Graphing ordered pairs, 488–491

Graphing equations, 498–502

Making predictions, 10, 14, 15

Data, Statistics, and Probability (cont'd)	GRADE						MIDDLE SCHOOL COURSE		

Data, Statistics, and Probability (cont'd)

Data and Statistics

Topic	K	1	2	3	4	5	MS 1	MS 2	MS 3
Collecting and organizing data	■	■	■	■	■	■	■	■	■
Reading/making charts and tables	■	■	■	■	■	■	□		□
Tally charts	■	■	■	■	□	□	□		
Survey/census								■	■
Frequency distribution							■	■	■
Range, mode, median, mean					■	■	□	□	□
Sampling						■	■	■	■
Correlation/dispersed points							■	■	■
Using data in problem solving	■	■	■	■	■	■	■	■	■
Interpreting data					■	■	■	■	■
Making predictions				■	■	■	■	■	■
Misleading statistics								■	■

Probability

Topic	K	1	2	3	4	5	MS 1	MS 2	MS 3
Outcomes			■	■	■	■	□	□	
Tree diagrams					■	■	■	■	
Writing probabilities		■	■	■	■	■	□	□	
Certain/possible/impossible events				■	■	■	■	■	
Independent/dependent events								■	■
Compound events									■
Experimental/theoretical probability						■	■	■	□
Simulation					■	■	■	■	□
Fair and unfair games				■	■	■	■	■	
Making predictions	■	■	■	■	■	■	■	■	□
Fundamental counting principle								■	■
Permutations and combinations								■	■

■ Teach and Apply   □ Reinforce and Apply

SCOPE AND SEQUENCE

Ratio, Proportion, and Percent

Blue Text: Topic introduced for the first time.

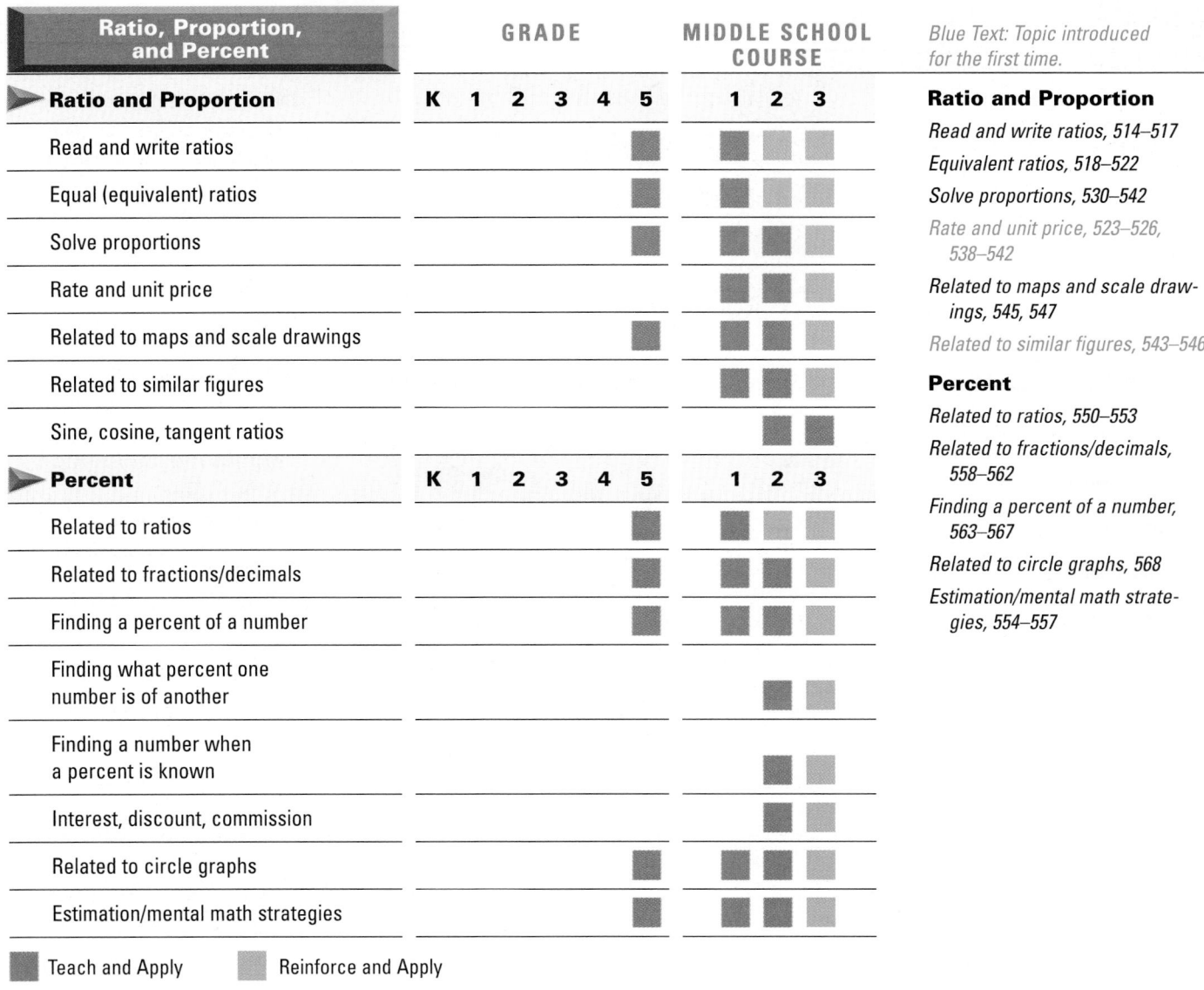

Ratio and Proportion	K	1	2	3	4	5		1	2	3
Read and write ratios						■		■	□	□
Equal (equivalent) ratios						■		■	□	□
Solve proportions						■		■	■	□
Rate and unit price								■	■	□
Related to maps and scale drawings						■		■	■	
Related to similar figures								■	■	□
Sine, cosine, tangent ratios									■	■
Percent	K	1	2	3	4	5		1	2	3
Related to ratios						■		■	□	□
Related to fractions/decimals						■		■	■	□
Finding a percent of a number						■		■	■	□
Finding what percent one number is of another									■	□
Finding a number when a percent is known									■	□
Interest, discount, commission									■	□
Related to circle graphs						■		■	■	□
Estimation/mental math strategies						■		■	■	□

■ Teach and Apply   □ Reinforce and Apply

Ratio and Proportion

Read and write ratios, 514–517

Equivalent ratios, 518–522

Solve proportions, 530–542

Rate and unit price, 523–526, 538–542

Related to maps and scale drawings, 545, 547

Related to similar figures, 543–546

Percent

Related to ratios, 550–553

Related to fractions/decimals, 558–562

Finding a percent of a number, 563–567

Related to circle graphs, 568

Estimation/mental math strategies, 554–557

Technology	K	1	2	3	4	5	Middle School Course 1	2	3
Calculators									
In problem solving		■	■	■	■	■	▨		
As a tool for computing		■	■	■	■	■	▨		
Counting and skip counting		■	■						
Reading a display		■	■	■	■	■			
Number/operation keys		■	■	■	■	■			
Scientific calculators							■	■	■
Fraction calculators					■	■	■		
Graphing calculators								■	■
Computers									
Spreadsheet tool					■	■	■	■	■
Graphing tool				■	■	■	■	■	■
Geometry tool	■	■	■	■	■	■	■	■	■
Internet access	■	■	■	■	■	■	■	■	■

■ Teach and Apply ▨ Reinforce and Apply

Blue Text: Topic introduced for the first time.

Calculators

In problem solving, 111, 304

As a tool for computing, 78, 98, 138, 153, 215, 391

Scientific, 78, 153

Fraction, 333, 391

Computers

Spreadsheet tool, 29, 50, 126, 147, 307, 481, 568, 598, 634

Graphing tool, 568

Geometry tool, 242, 440

Internet access, 2–3, 5, 23, 41, 62–63, 65, 85, 109, 134–135, 137, 159, 175, 206–207, 209, 227, 245, 226–267, 269, 287, 320–321, 323, 341, 362–363, 365, 381, 404–405, 407, 423, 443, 464–465, 467, 487, 510–511, 513, 529, 549, 576–577, 579, 601, 622–623, 625, 641

CONTENTS

Building a Foundation for Number Sense

➤ TAKE A MOMENT

What does "number sense" mean? Is it important? Does your class have it? How can it be taught? Some people say number sense is a way of thinking that unfolds as students explore the skills and concepts shown at the right. Stress these topics to build number sense—working with numbers, operations, basic facts, and computation in ways that make sense.

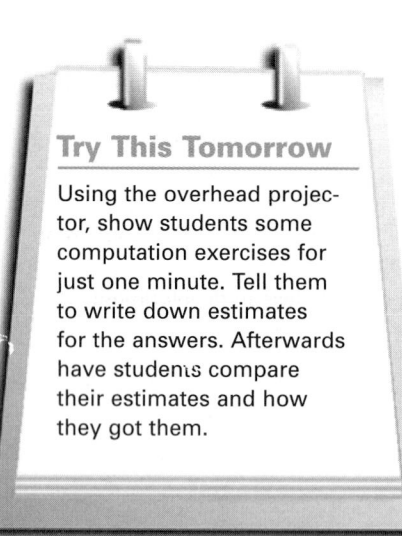

Try This Tomorrow

Using the overhead projector, show students some computation exercises for just one minute. Tell them to write down estimates for the answers. Afterwards have students compare their estimates and how they got them.

NUMBERS

Number Meanings and Uses

- *Concrete and Pictorial Models:* Models for fractions, decimals, integers.
- *Number Uses:* Quantity (5 girls), measurement (5 feet), order (the fifth day)

Number Relationships

- *Breaking Apart Numbers:* 87 = 80 + 7
- *Relative Size of Numbers:* 248 is 2 less than 250, is large compared to 4, and is small compared to 8,000,000.
- *Benchmark Numbers:* 98 is about 100.
- *Number Patterns:* Sequences, figurate numbers, divisibility, etc.

Estimation in Measurement

- *Estimates:* About 200 people, 10 to 20 feet long, about 1/2 eaten
- *Common-Object Benchmarks:* The end of your thumb is about 1 inch.
- *Checking for Sensible Answers:* A person isn't 4 meters tall.

OPERATIONS

Operation Meanings

- *Knowing When to Add or Subtract:* Joining, separating, comparing
- *Knowing When to Multiply or Divide:* Joining or forming equal groups, comparing with "times as many" or "fraction of"

Operation Relationships; Properties

- *Relationships Between Operations:* Multiplication as repeated addition and as the inverse of division
- *Properties:* Commutative, associative, distributive, identity

Effects of Operations

- Ask students if adding and multiplying always result in a larger number.
- Have students multiply two numbers, then explore the effect of doubling one factor, the other factor, both factors.
- Have students add 2 to a number ten times. Then have them multiply the same number by 2 ten times.

How would you estimate the number of seats in an auditorium?

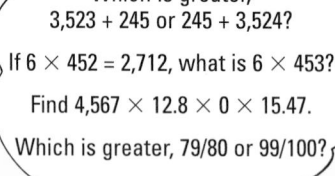

Which is greater, 3,523 + 245 or 245 + 3,524?

If $6 \times 452 = 2,712$, what is 6×453?

Find $4,567 \times 12.8 \times 0 \times 15.47$.

Which is greater, 79/80 or 99/100?

How many different ways can find 5 x 124 in your head?

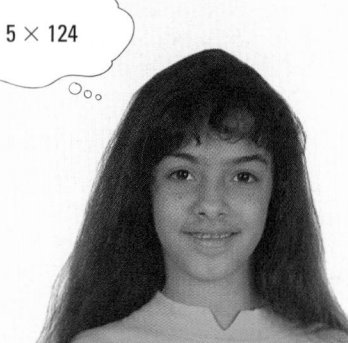

5×124

BASIC FACTS AND COMPUTATION

Basic Facts

Rapid recall of basic facts is important for estimation, mental math, and computation. Use flash cards, software, fact strategies, etc. as needed to ensure all students know their facts.

Estimation and Mental Computation

Remind students to estimate before calculating an exact answer or when an exact answer isn't needed. Remind them of various estimation and mental-computation strategies.

Estimation Strategies in Computation
Front End $173 + 421 + 348 \longrightarrow 100 + 400 + 300 = 800$. Then add 150 because $73 + 21 + 48$ is about 150. $800 + 150 = 950$.
Rounding $28.4 - 3.9 \longrightarrow 28 - 4 = 24$. $425 \times 28 \longrightarrow 400 \times 30 = 1{,}200$.
Compatible Numbers $1/3 \times 187 \longrightarrow 1/3 \times 180 = 60$.
Clustering $627 + 658 + 589 + 613 \longrightarrow 4 \times 600 = 2{,}400$.
Benchmark $46 + 38 \longrightarrow 46 < 50$ and $38 < 50$. $46 + 38 < 100$.

Mental-Computation Strategies
Compensation $57 + 29 \longrightarrow 57 + 30 = 87$. $87 - 1 = 86$.
Breaking Apart Numbers $54 + 23 \longrightarrow 54 + 20 = 74$. $74 + 3 = 77$. $92 \times 6 = (90 \times 6) + (2 \times 6) = 540 + 12 = 552$.
Special Numbers Look for numbers like 1, 10, 100 or 3, 30, 300. $400 \times 20 = 8{,}000$. $45 + 30 = 75$. $3 + 79 + 7 = 3 + 7 + 79 = 10 + 79 = 89$.

Paper-Pencil Computation

If some students have still not mastered paper-pencil computation that you consider important, provide remediation but don't deny them access to other math in the meantime. Let students use calculators as needed to solve problems and learn concepts.

Choosing a Computation Tool

Remind students to try mental math first and don't use calculators instead of mental math. Discuss the choice of calculators or paper and pencil. In real life, the choice may depend on how tedious the computation is, how many computations are needed, etc.

Scott Foresman - Addison Wesley Math

Number sense is a foundation of the program.

Student Book

- Lessons that focus on the many aspects of number sense including Mental Math, Estimating Sums and Differences, Estimating Products and Quotients, Numerical Patterns, Estimating with Decimals, Estimation: Sums and Differences of Mixed Numbers, Estimating: Products and Quotients of Fractions, Estimating Percents
- Exercises identified as number sense, operation sense, estimation
- Mental math notes in lesson development

Teacher's Edition

- Support for number sense in notes and activities plus special Mental Math or Estimation exercises for every lesson

Ancillaries

- Support for number sense in the program components including the Interactive CD-ROM with a Place-Value Blocks tool and a Fraction Tool.

Keys to Success in Teaching Problem Solving

► TAKE A MOMENT

TAKE A MOMENT

Many teachers ask "What can I do to help my students do better in problem solving?" There's no one simple answer. There may be a variety of reasons why students are struggling. One reason could be that students are simply having difficulty reading the problem and gaining the kind of information they need in order to understand and solve the problem. One of the keys to success in teaching problem solving is helping students learn to "read for math."

Try This Tomorrow

Give students some word problems and tell them you want to check on how effectively they read the problems. Ask questions to check their understanding of the problems. Then give some more problems and have the students ask such questions.

PROVIDE TOOLS FOR LEARNING THE PROBLEM-SOLVING PROCESS

Problem-Solving Guidelines

Introduce general problem-solving guidelines and use them to provide guided problem solving as needed.

Understand the Problem
• What do you know?
• What do you need to find out?

Develop a Plan
• Have you ever solved a similar problem?
• What strategies can you use?
• What is an estimate for the answer?

Solve the Problem
• Do you need to try another strategy?
• What is the solution?

Look Back
• Did you answer the right question?
• Does your answer make sense?

Problem-Solving Strategies

Introduce problem-solving strategies and show students examples of problems solved using the strategies.

• Look for a Pattern
• Make an Organized List
• Make a Table
• Guess and Check
• Work Backward
• Use Logical Reasoning
• Draw a Diagram
• Solve a Simpler Problem

Within daily lessons at middle school, integrate instruction of problem-solving strategies by:

• Using problems-solving strategies in lesson examples.
• Providing problem-solving tips as a regular part of instruction.

INTEGRATE PROBLEM SOLVING INTO DAILY INSTRUCTION

Teach Through Problem Solving Use real-world contexts. Introduce content with opportunities for students to explore, letting the math emerge during the problem-solving process.

Integrate Problem Solving Into Practice There's no substitute for solving lots of problems. Give routine, nonroutine, and open-ended problems. Do a problem of the day and multi-day projects.

Use Technology to Enhance Problem Solving Use calculators so students can access problems involving real data and can solve more problems in a given period of time.

▶ PROBLEM-SOLVING TEACHING TIPS

Model Good Problem Solving
Model the problem solving skills, strategies, and habits you'd like students to have.

Facilitate Class Discussions
Make students responsible for thinking. Listen to them. Ask them to explain what they did. Ask who did it a different way.

Introduce Ideas As Needed
Present math terms, symbols, content, and alternative solutions as needed within an overall role of problem-solving coach.

Assess Problem Solving Holistically
Look at the total work (the process) and not just the answer. Use scoring rubrics.

Reading for Math

Focus on ways that reading problems with math in mind can help students at various phases of the problem-solving process: doing an initial reading to understand the problem, reading to organize information and make a plan, reading to look back and compare the answer to the original problem.

Reading for Math	Is a Key to Success
To Help You Understand	
• Read the problem and then ask yourself questions.	• What is the problem about? What is it asking for?
• Read the problem looking for unnecessary information.	• Read all the data in the problem? Is some not needed?
To Help You Plan	
• As you read, interpret math phrases.	• Look for phrases like 3 more than, twice as long as, half of.
• After you read, identify any missing information.	• Is there data you need that is not stated in the problem?
To Help You Look Back	
• After you get an answer, reread for reasonableness.	• Ask if your answer is too low or too high or close enough.
• Reread to check the rules of the problem.	• Verify that your solution agrees with all the facts.

Scott Foresman - Addison Wesley Math

Problem solving is a foundation of the program.

Teaching the Problem-Solving Process

- A Problem-Solving Handbook in front of the book presents problem-solving guidelines and strategies.
- Problem-Solving Focus pages look at reading the problem, finding unnecessary information, etc.
- Problem-Solving Tips are in lesson development.

Integrating Problem Solving in Instruction

- "Explore" teaches through problem solving.
- Problem-solving exercises are one-step, multiple-step, nonroutine, and include Choose a Strategy.
- Chapter Projects are introduced and revisited.
- Problem of the Day is in the Teacher's Edition and on the Daily Transparencies.
- A Guided Problem Solving blackline master for each lesson provides a step-by-step approach to solving a problem selected from an exercise in the book.
- Calculators are assumed. An Interactive CD-ROM, Wide World of Mathematics for Middle School, and the New Adventures of Jasper Woodbury videodisc provide technology-enhanced problem solving.

Encouraging Helpful Habits and Beliefs

- "What Do You Think" in lessons throughout shows how 2 students solved the same problem and then asks questions about comparing their methods.

ENCOURAGE HELPFUL HABITS AND BELIEFS

Promote Good Problem-Solving Habits
- Perseverance
- Flexibility
- Confidence, risk taking
- Willingness to reflect on one's thinking

Foster Important Beliefs About Problem Solving
- There's more than one way to solve a problem.
- Some problems have more than one solution.

Technology in Math Class: What Are Your Goals?

➤ TAKE A MOMENT

What technology is available to you as you teach math? How do you use it? Whether you have a little or a lot and use it rarely or often, take a moment to think through your technology goals. Start by thinking about your students.

- Write down the year they will turn 21 and the year they'll be 65.
- Think about the math and the technology they will use as adults.
- Now set some goals. What math content will you emphasize and how would you like to use technology in your math class? Use the information at the right to help.

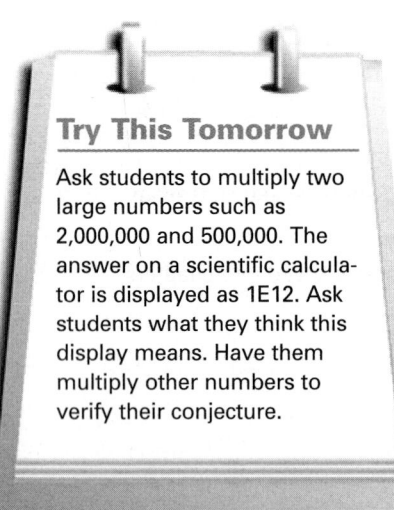

Try This Tomorrow

Ask students to multiply two large numbers such as 2,000,000 and 500,000. The answer on a scientific calculator is displayed as 1E12. Ask students what they think this display means. Have them multiply other numbers to verify their conjecture.

LEARNING WITH TECHNOLOGY

| 4-Function Calculator | Fraction Calculator | Scientific Calculator | Graphing Calculator | Computer Software | Interactive CD-ROM | Internet Connections |

www.mathsurf.com

Learning with Calculators

Calculators as Problem-Solving Tools Calculators save time when students solve problems involving data analysis, areas, number patterns, numerical conjectures, or any tedious computation. Calculators let students spend their time focusing on the problem-solving process.

Calculators as Concept Development Tools While students should not use calculators to do basic facts, mental computation, or simple paper-pencil computation, calculators can help develop other number skills and concepts as shown in the Estimation Target Game below.

Graphing Calculators Graphing calculators can assist learning in statistics and algebra.

ESTIMATION TARGET GAME

One student enters a number and operation and says a target range: enter 8 ⨯ and say 2000–3000. Another student enters a number and presses =. If the answer is within the target range, it's a bull's-eye.

Learning with Computers

Tool Software and Practice Games Computers help students explore and practice math concepts by providing:

- Graphing tools for bar graphs, line graphs, line plots, etc.
- Geometry tools for 2D, 3D work
- Number tools such as a place-value blocks tool and a fraction tool
- Probability tools for simulations
- Spreadsheet tools to explore patterns, relationships, pre-algebra
- Writing tools for journal work
- Practice games for motivation and instant feedback

Interactive, Multimedia CD-ROM For interactive teaching, math tools, sound, movies, and animation.

Internet Connections For worldwide gathering and sharing of data.

Learning with Video

You can bring real-world math into the classroom with:

- Videotape
- Video on CD-ROMs
- Videodisc, digital videodisc
- Other digital video sources

LEARNING ABOUT TECHNOLOGY

Learning About Calculators

Use key sequences like these to help students learn about their calculators.

- Automatic constant: 4 $+$ 3 $=$ $=$ $=$ [7, 10, 13]
- Order of operations: 4 $+$ 5 $\times$ 3 [19]
- Memory: 5 $M+$ 3 $+$ MR $=$ [8]
- Integer division: 26 $INT \div$ 3 $=$ [8 R2]

Learning About Computers

Here are some basic computer skills students should learn.

- Starting up; using a floppy disk, CD-ROM, or network
- Finding, opening, and operating a document or program
- Changing, saving, and printing a document; shutdown

Learning About the Internet

Here are some Internet basics.

- Getting on the Internet: you need a computer, a modem to get information, and a browser to display information.
- Getting around the Internet: type a URL to find a "page" (like using an address to find a house); click on hyperlinks (underlined words) to go somewhere else (to "surf"); use a search engine or directory to find information sources.

LEARNING WHEN TO USE TECHNOLOGY

- Teach students that it's not appropriate to use technology as a substitute for thinking or doing basic facts, mental computation, and simple paper-pencil computation. To convince students, have a race between students doing these problems mentally and others using a calculator.

  3 x 5   200 + 500   2 x 800   30 + 10 + 20   100 + 78
- Teach students that it's appropriate to use technology when solving problems and exploring new ideas.
- Stress that technology makes estimation more important, not less, because it's easy to push a wrong button.

TECHNOLOGY FOR TEACHERS

To Plan Use an interactive CD-ROM lesson planner.

To Assess Use test and practice software.

To Present a Lesson Use an overhead display panel or large monitor to show computer screens during presentations.

To Help You Grow Gather and share ideas on the Internet.

▶ TECHNOLOGY TIPS

Managing Calculators
Number the calculators and storage slots for easy distribution and retrieval.

Using Technology Helpers
Ask 3–4 students to volunteer as technology helpers for the class.

Communicating with Others
Find out what technology is available at school and request more that you need. Keep parents informed about how you're using technology and why.

Math/Calculator Discoveries
Students using calculators continue to discover new things about math and about calculators. Have students add their discoveries to a class collection.

Scott Foresman - Addison Wesley Math

The program offers many opportunities to use technology.

Student Book

- Calculators: Scientific calculator assumed, with options for using a fraction calculator; Calculator Hint and Technology Link in examples.
- Computers: Tool software used in Technology pages; Mathsurf Internet site references; opportunities for using spreadsheets in lessons.

Teacher's Edition

- Technology options keyed into chapters and lessons

Ancillaries

- Calculator and computer activities in Technology Masters
- Interactive, multimedia CD-ROM with lessons and tools
- The New Adventures of Jasper Woodbury for problem solving on videodiscs
- Wide World of Mathematics for Middle School on videotape, videodisc, or multimedia CD-ROM
- For teachers: Teacher's Resource Planner CD-ROM to preview ancillaries and plan lessons, *TestWorks:* Test and Practice Software, Mathsurf Internet site for teachers. Also a Mathsurf Internet site for parents.

Working Together to Make Connections in Middle School

► TAKE A MOMENT
What are some of the differences between math in school and math in real life? In real life, math problems don't appear in paragraphs on pages next to other pages that focus primarily on math. One way to get closer to real-life math in school is to do interdisciplinary team teaching. It helps students see knowledge as part of an integrated system. It helps them see the "big picture" and the relevance of math to their lives.

Try This Tomorrow

Ask students to name some math topics. Write them on the board. Form small groups. Have each group take a topic and brainstorm uses of that math in other school subjects. Have groups share results and display the results on the wall.

A RANGE OF WAYS TO DO INTERDISCIPLINARY TEAM TEACHING

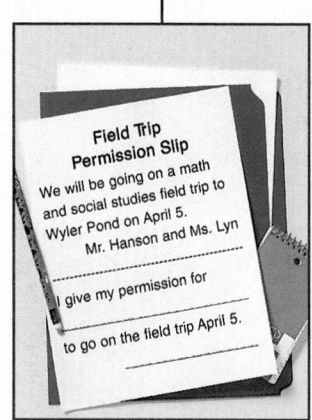

KEEPING IN TOUCH

Two teachers talk during the year and do some activities jointly.

Mr. Hanson teaches math. Ms. Lyn teaches science. At different times during the year, they talk about what they're doing. Once when students were using ratios in sampling in math, the teachers did a field trip to a local pond.

Talking to Colleagues

* Share information. Talk about topics in math that tie into other areas, like measurement in science or symmetry in art.

* Ask what students know about an application you plan to use in math.

CO-PLANNING

Two teachers plan their courses so that some topics will coincide.

At the beginning of the year, Ms. Lopez, the math teacher, and Miss Kennedy, the social studies teacher, sequence topics in each course. Last year they planned for statistics to be done at the same time that elections were studied.

Planning Courses Together

* Share your course outline and time line with colleagues early.

* Help them see that the sequence of topics in math might not be as flexible as in other subjects.

THEMATIC TEACHING

A team of 3 teachers uses themes at specific times during the year.

At Washington Middle School, the math, science, and social studies teachers plan one or more themes they will follow in their courses and when. The team might have a theme run for one week, a few weeks, or longer.

Selecting Themes

* Begin by brainstorming connections between the disciplines. Look for math-rich topics.

* When deciding how long a theme will last, consider students' interest in that topic.

► TEAM TEACHING TIPS

Worthwhile Mathematics
Be sure the math involved in an interdisciplinary theme or unit is worthwhile, not just an occasional use of measurement or graphing.

Maximize Student Involvement
One of the biggest benefits of interdisciplinary units is the excitement they generate when students get really involved.

Communication with Other Math Teachers
Coordinate with other math teachers. It's difficult for a science teacher to plan with you if that teacher's students have three other math teachers.

Covering the Math Content
A math topic can be taught before or during its use in a thematic unit. Plan the year so that you feel units enhance, not interrupt, your instruction.

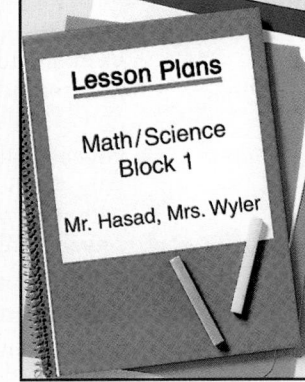

THEMATIC UNITS

A team of 4 teachers use themes ending with investigations/units.

At Ames School, four teachers (math, science, language arts, and social studies) use a theme each quarter and finish with a 1-week investigation/unit. Last year, one unit was on recycling; another was on proportional reasoning.

Planning Thematic Units
- Take advantage of local opportunities: the need for a new parking lot.
- Have each teacher plan one of the units.
- Rotate classes so each teacher sees all students.
- Do portfolio assessment.

CO-TEACHING

Two teachers co-teach a two-subject course to one large class.

Mr. Hasad teaches math. Mrs. Wyler teaches science. They have a first and second period block for combining two classes of students in a large room. They plan one course that covers both math and science content.

Teaching Together
- Plan the course to maximize opportunities for interdisciplinary work.
- Be flexible so you can take advantage of the freedom to adjust content coverage or sequence along the way.

Scott Foresman - Addison Wesley Math

The program provides support for interdisciplinary connections and for team teaching.

Student Book
- Problems related to other disciplines, such as science, social studies, health, are identified.
- Chapter Projects at the beginning of chapters may involve several disciplines.
- Section themes are often interdisciplinary.

Teacher's Edition
- Lesson-specific Team Teaching suggestions are in Meeting Middle School Classroom Needs.
- Block scheduling for an interdisciplinary course is given at the front of each chapter.
- An Interdisciplinary Bulletin Board is shown for each chapter.
- Units in the Connected Mathematics series are keyed to chapters.

Ancillaries
- For each section, a 2-page Interdisciplinary Team Teaching worksheet is provided. It connects math with science/technology, social studies, language arts, or fine arts and typically includes an open-ended activity encouraging further exploration.
- The Home and School Connections booklet includes a Community Project for each chapter.
- The Wide World of Mathematics videodisc, videotape, or CD-ROM is often interdisciplinary.

Fostering a Community of Learners in the Math Classroom

► TAKE A MOMENT

Think back to when your students entered your class. Did they have diverse learning styles, cultural backgrounds, socioeconomic backgrounds, levels of English proficiency, and perhaps physical, emotional, or mental challenges? Which of your students are the hardest to reach in math? In our information society, it is a priority for all students to succeed in math. The best way to achieve this is to build a community of learners in the classroom that support each other on the road to achieving math power.

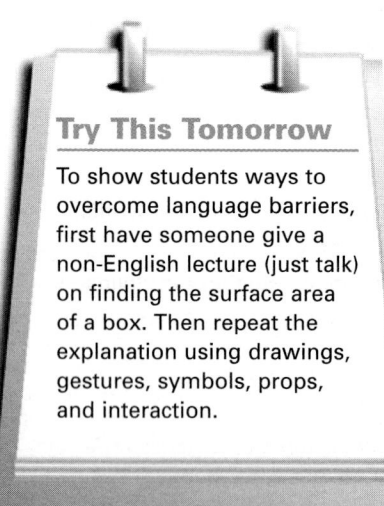

Try This Tomorrow

To show students ways to overcome language barriers, first have someone give a non-English lecture (just talk) on finding the surface area of a box. Then repeat the explanation using drawings, gestures, symbols, props, and interaction.

ESL STUDENTS

"Show me what you mean."

Overcome Language Barriers When You Communicate

- Use real objects, manipulatives, and pictures, especially ones relating to the students' world.
- Use gestures and highlighting.
- Speak slowly in short, simple sentences and enunciate clearly.
- Provide ample repetition; check comprehension frequently.
- When you model, show what to do; don't just say what to do.
- Use tables and diagrams.
- Use "scaffolding;" rephrase what students say to help them be clear.

Vary How Students Communicate

- Have them demonstrate, write, speak, draw, play math games, use computers, and work with parents.
- Pair students with same-language or English-language speakers.

INCLUSION STUDENTS

"Give me more time."

Identify Student Needs

- Learning disabled (LD) students have normal intelligence but have problems with memory, perception, distractibility, and reasoning.
- Low achievers and the educable mentally handicapped (EMH) have problems with memory, attention span, learning rate, and reasoning.
- Students with attention deficit disorder, ADD, are easily distracted.
- Physical and emotional challenges vary: visual, auditory, speech, orthopedic, hyperactive, etc.

Modify Instruction

- Present lessons in a structured manner with regular checkpoints.
- Collaborate with specialized resource teachers about ways to customize instruction.
- Check activities for too many materials, memory skills, or steps.
- Don't deny students opportunities to learn important content; just modify how it's presented based on students' needs.
- Use graphic organizers, a file of math words, real-world links, group and pair work; have one student read to another when needed.
- Assign less; allow more time.
- Vary assessment methods; use students' writing, speaking, and hands-on work to gain insights into their understanding.

DIVERSE LEARNING STYLES

"Let me try it my way."

Use Activities That Support Diverse Learning Styles

Learning Style	Learns Through
Verbal	Reading, writing, talking, listening.
Logical	Exploring, questioning, reasoning.
Visual	Drawing, building, designing, creating.
Kinesthetic	Movement, hands-on activities.
Musical	Rhythm, melody, tapping, rapping.
Social	Grouping, team participation, and sharing.
Individual	Thinking, reflecting, goal setting.

GIFTED AND TALENTED STUDENTS

"Give me a challenge."

Provide challenging, interesting problems. Have gifted students work others; then everyone benefits.

AT-RISK STUDENTS

"Give me a chance."

Provide extra encouragement and excitement in school with emphasis on problem solving and critical thinking.

GENDER ISSUES

"Treat me the same way."

Some teachers pay more attention to boys, give them more praise, let them talk more, give them more help, and ask them higher-level questions. Be aware of this issue.

CULTURAL DIVERSITY

"Respect my heritage."

Clarify misconceptions, negative beliefs, and stereotypes. Provide relevant, motivating contexts. Encourage all students to share and celebrate their cultures.

▶ A COMMUNITY OF LEARNERS

An Accepting, Supportive Learning Environment
Create an atmosphere that honors students' unique ideas. Encourage peer coaching as a normal part of the classroom culture.

Observing Students
Provide opportunities for interactions, and then observe to assess students' needs.

Promoting Self Confidence
Many students have been told they aren't good at math. Praise small positive steps that will lead to larger ones.

Teaching Strategies for All
Use a variety of teaching and assessment strategies that are age, gender, and culturally appropriate for all learners.

Scott Foresman - Addison Wesley Math

The program is designed to reach all learners.

Overcoming Language Barriers
- Pictures in the Student book that show what to do
- Vocabulary called out; Language Link for help with non-math words; Study Tips as students read the text
- Activities with manipulatives, technology—not just words
- Varied forms of assessment—not just written
- Mathematics Dictionary
- Multilingual Handbook including a multilingual glossary

Accommodating Varied Abilities, Learning Styles, Backgrounds
- Assignment Guide; daily blackline masters for Practice, Reteaching, Enrichment, Guided Problem Solving
- Inclusion tips and Reteaching activities in lesson notes
- Extend Key Ideas pages; For Groups that Finish Early in lesson notes
- Communicate and Journal exercises, Chapter Project, Work Together in Explore, Your Choice (learning styles), multicultural and gender-sensitive contexts
- Learning Modalities and Diversity ideas in lesson notes

A Teacher's Guide to Assessment: What, How, Why, and When

► TAKE A MOMENT

Think about the students in your class. Write down the names of any students for whom you'd like more information about what they know and don't know about mathematics. Then write down two ways you might be able to get that information. Perhaps a different form of assessment would help.

Try This Tomorrow

If you haven't tried all the methods of assessment listed at the right, pick one and try it tomorrow. Then use it at least once more in the next week. The suggestions given in the Assessment Sourcebook can help you get started.

WHAT TO ASSESS

Assess Full Math Power

- Concepts
- Facts
- Skills, procedures
- Problem solving: routine problems, nonroutine problems, open-ended problems, decision making
- Mathematical reasoning and critical thinking

Assess Math Habits and Disposition

- Perseverance
- Flexibility
- Confidence, risk-taking
- Motivation
- Participation
- Cooperation
- Reflection on one's own work and learning

Assess content and approaches that are valuable in the real world; don't just assess what is easy to test.

HOW TO ASSESS

Use a Mix of Student Work

- Oral work: explanations, questions
- Written work: skills, drawings, graphs, explanations of student thinking, written reports
- Work with tools: manipulatives, calculators, computers
- Work with others: partners, small groups, and the whole class

Vary Assessment Methods

- Observation, interview
- Journal of student writing
- Performance tasks scored using assessment rubrics
- Free-response or multiple-choice tests
- Warm-ups; quick checks
- Self assessment, peer assessment
- Portfolio of selected student work

Use a variety of student work and assessment methods that reflect how students learn and how you teach.

PDAS Correlation and Support

Domain

| III | Evaluation and Feedback on Student Progress |
| VIII | Improvement of Academic Performance for All Students on the Campus |

WHY AND WHEN TO ASSESS

Assessment Purposes

- Monitor progress against criteria and give students feedback.
- Adjust instruction as needed.
- Do long-term planning.
- Send progress reports or grades home to parents.
- Compare an individual student or a group of students to other students in the district, state, or nation.

Assessment Times

- Ongoing assessment integrated with daily instruction
- End-of-section quizzes
- End-of-chapter tests
- End-of-quarter or semester tests
- Annual district, state, or national tests

Assess primarily to help students grow and to help you plan. Assess on an ongoing basis during instruction.

► ASSESSMENT TIPS

Ongoing Assessment
Carry a clipboard and checklist. Write on self-stick labels to transfer notes. Be a good listener; be nonjudgmental.

Using Assessment Rubrics
Score papers with a colleague at first.

Portfolios
Have students move papers from their work folder to an assessment portfolio at various times.

Changing How You Assess
Don't change everything all at once. Show students criteria and sample work.

Scott Foresman - Addison Wesley Math

Here are some of the many built-in assessment options.

Student Book

- Check Your Understanding, Journal, Test Prep exercises (multiple-choice), Test Prep notes, Project Progress
- Chapter Assessment including Performance Assessment
- Cumulative Review (half in multiple-choice format)

Teacher's Edition

- Ongoing Assessment: Error Intervention, Portfolio, Interview, Observation, Journal, Self-Assessment, Performance Assessment in lessons
- Quick Quiz, Project Assessment, Scoring Rubrics
- Standardized Test Correlation in front of each chapter

Ancillaries

- Assessment Sourcebook: Inventory Test, Quizzes, Chapter Tests (free-response, multiple-choice, mixed formats), Cumulative Tests, record forms, assessment tips, . . .
- TestWorks: Test and Practice Software with ready-made and customized tests, free response or multiple choice
- Interactive CD-ROM with a Journal feature

INSERVICE WORKSHOPS FROM SCOTT FORESMAN-ADDISON WESLEY

At Scott Foresman-Addison Wesley, we offer more than program materials. We also offer our commitment to service with inservice workshops for professional staff development as well as support for implementation of program materials. As part of our ongoing partnership between teacher and publisher, we are at your service. Contact your sales representative to hear how our educational consultants can customize inservice programs to meet your needs.

Northeast 1-800-521-0011
Southeast 1-800-241-3532
Midwest 1-800-535-4391
West 1-800-548-4885
Southwest 1-800-527-2701
In Texas 1-800-441-1438

Web Site http://www.sf.aw.com

ADDITIONAL RESOURCES

Number Sense

McIntosh, A., B. Reys, R. Reys, and J. Hope. *Number Sense: Simple Effective Number Sense Experiences.* Palo Alto, CA: Dale Seymour Publications, 1996.

Reys, Barbara, et al. *Developing Number Sense in the Middle Grades: Addenda Series, Grades 5–8.* Reston, VA: NCTM, 1991.

Ritchhart, Ron. *Making Numbers Make Sense.* Palo Alto, CA: Dale Seymour Publications, 1993.

Schoen, H. L., and M. J. Zweng, eds. *Estimation and Mental Computation.* Reston, VA: NCTM, 1986.

Sowder, Judith. "Estimation and Number Sense." Grouws, Douglas A. ed. *Handbook of Research on Mathematics Teaching and Learning.* Reston, VA: NCTM, 1992.

Van de Walle, John A. *Elementary and Middle School Mathematics: Teaching Developmentally,* 3rd ed. Reading, MA: Addison Wesley Longman, 1998.

Problem Solving

Charles, Randall, and Frank Lester. *Teaching Problem Solving: What, Why, & How.* Palo Alto, CA: Dale Seymour Publications, 1982.

Charles, Randall, Frank Lester, and Phares O'Daffer. *How to Evaluate Progress in Problem Solving.* Reston, VA: NCTM, 1987.

Charles, Randall, and Edward Silver, eds. *The Teaching and Assessing of Mathematical Problem Solving.* Hillsdale, NJ: Lawrence Erlbaum, 1989.

Dolan, Daniel T., and James Williamson. *Teaching Problem-Solving Strategies.* Palo Alto, CA: Dale Seymour Publications, 1983.

Gibney, T., S. Miering, L. Pikaart, and M. Suydam, eds. *Problem Solving: A Basic Mathematics Goal.* Palo Alto, CA: Dale Seymour Publications, 1980.

Polya, G. *Mathematical Discovery: On Understanding Learning, Teaching Problem Solving.* New York, NY: Wiley, 1962.

Technology

Fey, James T., and Christian R. Hirsch, eds. *Calculators in Mathematics Education.* Reston, VA: NCTM, 1992.

Mathematical Sciences Education Board of the National Research Council. *Reshaping School Mathematics: a Philosophy and Framework for Curriculum.* Washington, DC: National Academy Press, 1990.

Virginia Grant Consortium. *The Educator's Guide to the Internet.* Palo Alto, CA: Dale Seymour Publications, 1997.

Interdisciplinary Team Teaching

Cook, Nancy, and Christine Johnson. *The MESA Series.* Palo Alto, CA: Dale Seymour Publications, 1994–1998.

Lappan, Glenda, James T. Fey, William M. Fitzgerald, Susan N. Friel, and Elizabeth Difanis Phillips. *Connected Mathematics.* Palo Alto, CA: Dale Seymour Publications, 1996.

Diversity

Cech, Maureen. *Global Sense: A Leader's Guide to Games for Change.* Palo Alto, CA: Dale Seymour Publications, 1995.

Perl, Teri. *Math Equals.* Palo Alto, CA: Dale Seymour Publications, 1978.

Reimer, Luetta, and Wilbert Reimer. *Mathematicians Are People, Too.* Palo Alto, CA: Dale Seymour Publications, 1990, 1995.

Skolnick, J, C. Langbort, and L. Day. *How to Encourage Girls in Math and Science.* Palo Alto, CA: Dale Seymour Publications, 1982.

Thornton, Carol A. *Teaching Mathematics to Children with Special Needs.* Palo Alto, CA: Dale Seymour Publications, 1983.

Assessment

Ainsworth, Larry and Jan Christinson. *Student-Generated Rubrics,* Palo Alto, CA: Dale Seymour Publications, 1998.

Barton, James. *Portfolio Assessment* Palo Alto, CA: Dale Seymour Publications, 1996.

Freedman, Robin Lee Harris, *Open-Ended Questioning.* Palo Alto, CA: Dale Seymour Publications, 1993.

Hart, Diane. *Authentic Assessment* Palo Alto, CA: Dale Seymour Publications, 1993.

Stenmark, Jean Kerr, ed. *Mathematics Assessment: Myths, Models, Good Questions, and Practical Suggestions.* Palo Alto, CA: Dale Seymour Publications, 1991.

Other

Burns, Marilyn. *Writing in Math Class.* White Plains, NY: Cuisenaire Company of America, 1995.

Burns, Marilyn. *About Teaching Mathematics.* White Plains, NY: Cuisenaire Company of America, 1992.

Mathematics: for Middle School. Videotapes and discussion guide. White Plains, NY: Cuisenaire Company of America, 1989.

Chapter 1

Páginas 27–28
1-4 Respuestas de Ejercicios

3.
No. de zapatos en el clóset	Frecuencia
2	5
4	6
6	9
8	13
10	16
12	18

4.
Largo del cabello (in.)	Frecuencia
1	1
2	8
3	10
4	5
5	3
6	2
7	1

5.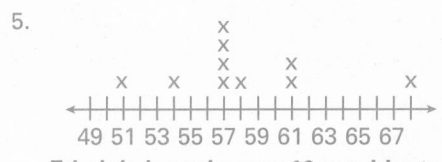

Edad de los primeros 10 presidentes

6.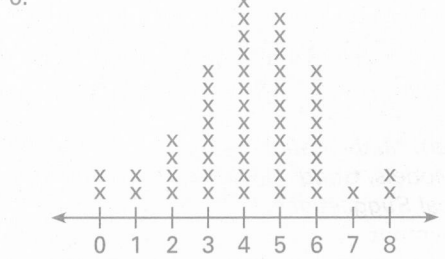

17. Dos mil ciento cuarenta y tres
18. Tres mil setecientos ochenta y uno
19. Nueve mil seiscientos once
20. Cinco mil quinientos cinco
21. Cuatro mil trescientos dos
22. Nueve mil novecientos treinta y tres

Página 40
Respuestas de 1B • Repaso

3.
Tallo	Hoja
1	5 5 7 8 9
2	2 3 3 3 3 4
3	2 2

Pages 27–28
1-4 Exercise Answers

3.
No. of Shoes in closet	Frequency
2	5
4	6
6	9
8	13
10	16
12	18

4.
Hair length (in.)	Frequency
1	1
2	8
3	10
4	5
5	3
6	2
7	1

5.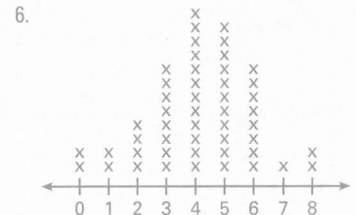

Age of First 10 Presidents

6.

17. Two thousand one hundred forty-three
18. Three thousand seven hundred eighty-one
19. Nine thousand six hundred eleven
20. Five thousand five hundred five
21. Four thousand three hundred two
22. Nine thousand nine hundred thirty-three

Page 40
Answers for 1B Review

3.
Stem	Leaf
1	5 5 7 8 9
2	2 3 3 3 3 4
3	2 2

Respuestas posibles: La longitud más común es de 23 pulgadas; los pájaros más largos miden 32 pulgadas, y los más cortos miden 15; la mayoría de los pájaros miden entre 15 y 25 pulgadas de largo.

4. A

Página 61

Suggested Scoring Rubric

It's My Party

4 • Provide realistic cost of order.
• Logical and precise explanation.

3 • Provides good estimate of cost.
• Provides adequate explanation.

2 • Provides rough estimate of cost.
• Gives little explanation.

1 • Projected cost is very unrealistic.
• Gives no explanation.

Chapter 2

Páginas 68–69
2-1 Respuestas de Ejercicios

11. Ocho mil, doscientos treinta y cinco
12. Nueve millones, trescientos tres mil, novecientos cuarenta y seis
13. Siete mil, noventa y ocho
14. Doscientos veintidós
15. Cincuenta y seis millones, cincuenta y seis mil, quinientos sesenta
16. Ocho billones, novecientos sesenta y nueve millones, ciento cincuenta y dos mil, uno
17. 93 millones de millas
18. 141 millones, 500 mil millas
19. 888 millones de millas
20. 1 mil 779 millones, 500 mil millas
21. 2 mil 791 millones de millas
22. 3 mil 653 millones, 500 mil millas
48. Respuestas posibles:

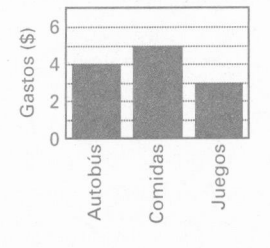 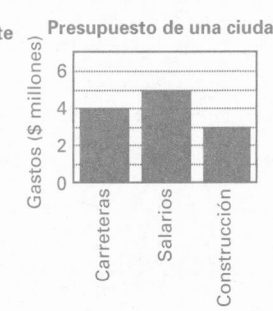

La respuestas continúan en la siguiente página.

Possible answers: The most common length is 23 inches; the longest birds are 32 inches and the shortest are 15; most birds are between 15 and 25 inches long.

4. A

Page 61

Suggested Scoring Rubric

It's My Party

4 • Provide realistic cost of order.
• Logical and precise explanation.

3 • Provides good estimate of cost.
• Provides adequate explanation.

2 • Provides rough estimate of cost.
• Gives little explanation.

1 • Projected cost is very unrealistic.
• Gives no explanation.

Pages 68–69
2-1 Exercise Answers

11. Eight thousand, two hundred thirty-five
12. Nine million, three hundred three thousand, nine hundred forty-six
13. Seven thousand, ninety-eight
14. Two hundred twenty-two
15. Fifty-six million, fifty-six thousand, five hundred sixty
16. Eight trillion, nine hundred sixty-nine million, one hundred fifty-two thousand, one
17. 93 million miles
18. 141 million, 500 thousand miles
19. 888 million miles
20. 1 billion, 779 million, 500 thousand miles
21. 2 billion, 791 million miles
22. 3 billion, 653 million, 500 thousand miles
48. Possible answers:

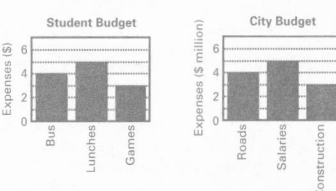

Answer continues on next page.

48. The graphs are similar because the bars have the same relative height. The graphs are different because one has numbers less than 10 and the other has numbers in the millions.

Page 110

2-10 Answers for Explore

1.

Number of Volumes	Value of Gold	Processing Cost	Profit
1	$ 400	$ 250	$150
2	800	500	300
3	1,200	750	450
4	1,600	1,000	600
5	2,000	1,250	750
10	4,000	2,500	1,500
20	8,000	5,000	3,000
50	20,000	12,500	7,500
100	40,000	25,000	15,000

48. Las gráficas son semejantes porque las barras tienen la misma altura relativa. Las gráficas son diferentes porque una muestra números menores de 10 y la otra expresa los números en millones.

Página 110

2-10 Respuestas de Investigar

1.

Número de volúmenes	Valor del oro	Costo de procesamiento	Ganancia
1	$ 400	$ 250	$ 150
2	800	500	300
3	1,200	750	450
4	1,600	1,000	600
5	2,000	1,250	750
10	4,000	2,500	1,500
20	8,000	5,000	3,000
50	20,000	12,500	7,500
100	40,000	25,000	15,000

Chapter 3

Page 141

3-1 Exercise Answers

34.

Number	Frequency
3	4
4	2
5	2
6	2
7	2
8	1
9	1
10	2
12	1

35.

Number	Frequency
10	1
20	2
30	2
40	1
50	3
60	1
70	4
80	2
100	1

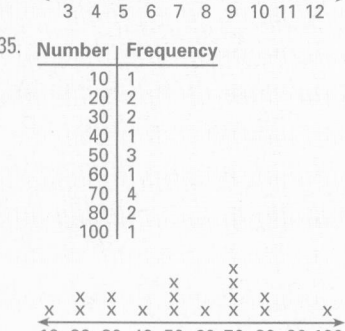

Página 141

3-1 Respuestas de Ejercicios

34.

Número	Frecuencia
3	4
4	2
5	2
6	2
7	2
8	1
9	1
10	2
12	1

35.

Número	Frecuencia
10	1
20	2
30	2
40	1
50	3
60	1
70	4
80	2
100	1

Page 146

3-2 Exercise Answers

41.

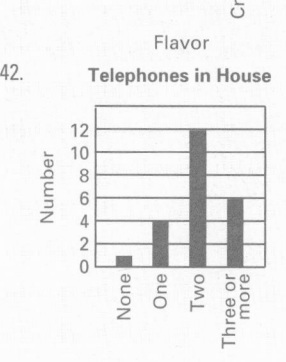

Juice Cans Sold

42.

Telephones in House

Page 191

3-11 Answers for Explore

1. a. $3.0 \div 0.3 = 10$
   b. $4.5 \div 0.9 = 5$
   c. $4.2 \div 0.7 = 6$
   d. $3.6 \div 0.6 = 6$
   e. $2.4 \div 0.8 = 3$
   f. $2.5 \div 0.5 = 5$

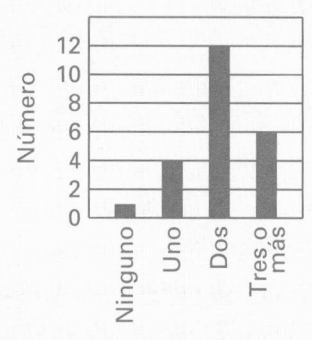

Answer continues on next page.

Página 146

3-2 Respuestas de Ejercicios

41.

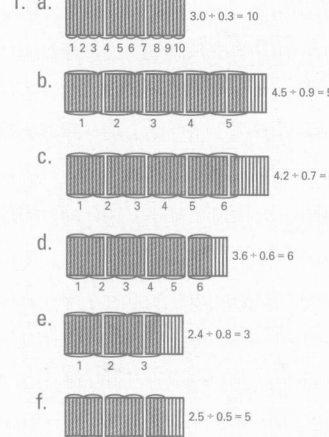

Latas de jugo vendidas

42.

Teléfonos en casa

Página 191

3-11 Respuestas de Investigar

1. a. $3.0 \div 0.3 = 10$
   b. $4.5 \div 0.9 = 5$
   c. $4.2 \div 0.7 = 6$
   d. $3.6 \div 0.6 = 6$
   e. $2.4 \div 0.8 = 3$
   f. $2.5 \div 0.5 = 5$

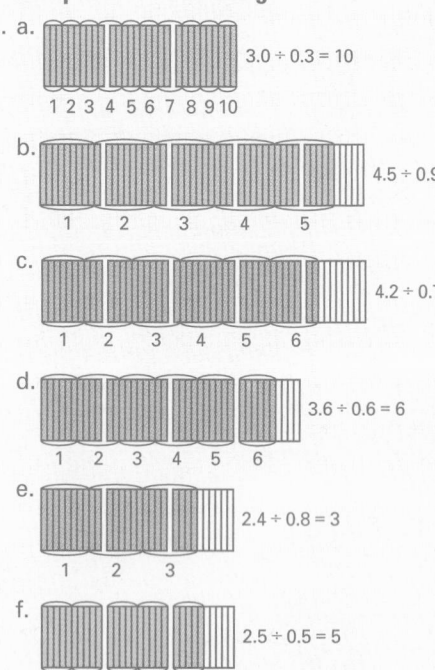

Las respuestas continúan en la siguiente página.

g. 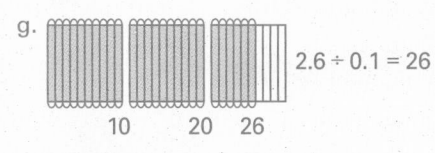 $2.6 \div 0.1 = 26$

    10   20   26

h. 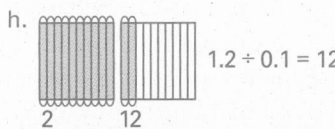 $1.2 \div 0.1 = 12$

  2   12

Chapter 5

Página 276

5-2 Respuestas de Investigar

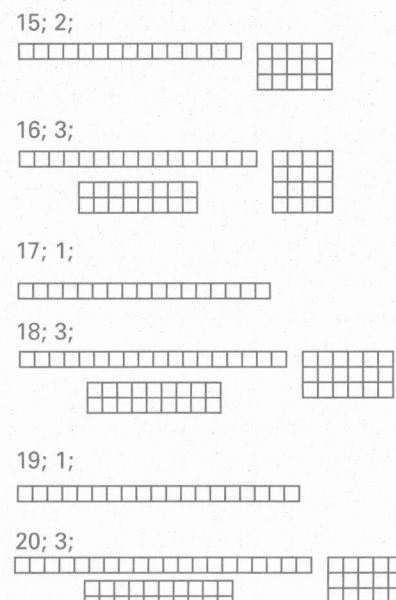

15; 2;

16; 3;

17; 1;

18; 3;

19; 1;

20; 3;

Página 291

5-4 Respuestas de Ejercicios

Respuestas posibles:

7. $\frac{4}{6}$;

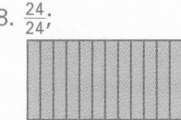

8. $\frac{24}{24}$;

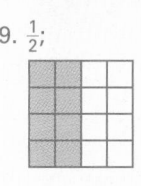

9. $\frac{1}{2}$;

10. $\frac{22}{22}$;

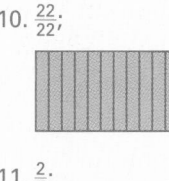

11. $\frac{2}{5}$;

Page 276

5-2 Answers for Explore

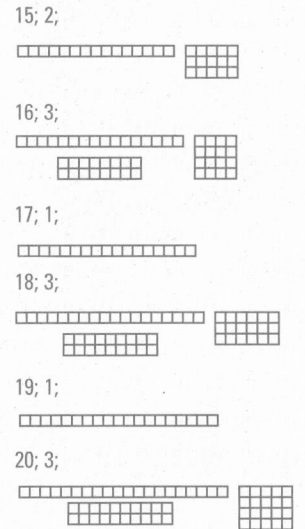

15; 2;

16; 3;

17; 1;

18; 3;

19; 1;

20; 3;

Page 291

5-4 Exercise Answers

Possible answers:

7. $\frac{4}{6}$;

8. $\frac{24}{24}$;

9. $\frac{1}{2}$;

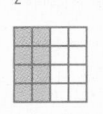

10. $\frac{22}{22}$;

11. $\frac{2}{5}$;

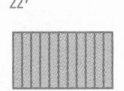

12. $\frac{12}{14}$;

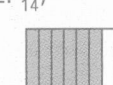

13. $\frac{6}{16}$;

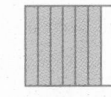

14. $\frac{2}{18}$;

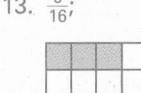

15. $\frac{12}{16}$;

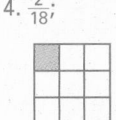

16. $\frac{4}{14}$;

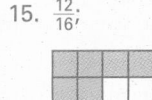

17. $\frac{4}{8}$;

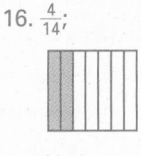

18. $\frac{16}{22}$;

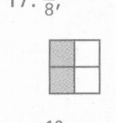

19. $\frac{18}{20}$;

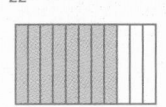

Página 306

5-7 Respuestas de Ejercicios

59.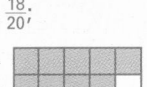

60.

61.

62.

63.

64.

12. $\frac{12}{14}$;

13. $\frac{6}{16}$;

14. $\frac{2}{18}$;

15. $\frac{12}{16}$;

16. $\frac{4}{14}$;

17. $\frac{4}{8}$;

18. $\frac{16}{22}$;

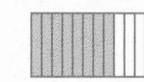

19. $\frac{18}{20}$;

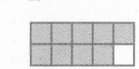

Page 306

5-7 Exercise Answers

59.

60.

61.

62.

63.

64.

Chapter 6

Page 309

5-8 Answers for Explore

3.

Material R–Values

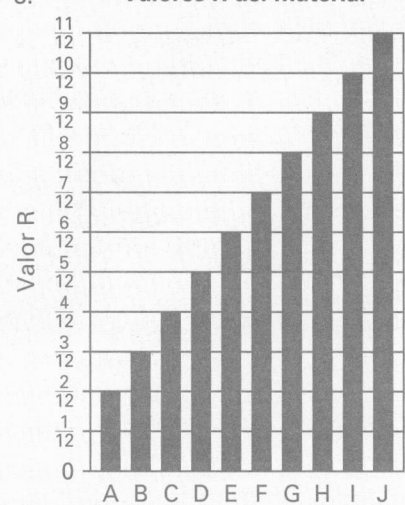

A: stucco
B: common brick
C: lightweight gypsum plaster
D: asphalt roof shingles
E: three-eighths-inch plywood
F: half-inch gypsum board
G: hardwood finish flooring
H: wood bevel siding
I: wood siding shingles
J: wood roof shingles

Page 318

Answer for Performance Task

Coin	No.	Fractions of a Dollar	Value
Nickel	1	1/20	$0.05
	2	2/20 or 1/10	$0.10
	3	3/20	$0.15
	4	4/20 or 1/5	$0.20
	5	5/20 or 1/4	$0.25
	6	6/20 or 3/10	$0.30
	7	7/20	$0.35
	8	8/20 or 2/5	$0.40
	9	9/20	$0.45
	10	10/20 or 1/2	$0.50
	11	11/20	$0.55
	12	12/20 or 3/5	$0.60
	13	13/20	$0.65
	14	14/20 or 7/10	$0.70
	15	15/20 or 3/4	$0.75
	16	16/20 or 4/5	$0.80
	17	17/20	$0.85
	18	18/20 or 9/10	$0.90
	19	19/20	$0.95
	20	20/20 or 1	$1.00
Dime	1	1/10	$0.10
	2	2/10 or 1/5	$0.20
	3	3/10	$0.30
	4	4/10 or 2/5	$0.40
	5	5/10 or 1/2	$0.50
	6	6/10 or 3/5	$0.60
	7	7/10	$0.70
	8	8/10 or 4/5	$0.80
	9	9/10	$0.90
	10	10/10 or 1	$1.00
Quarter	1	1/4	$0.25
	2	2/4 or 1/2	$0.50
	3	3/4	$0.75
	4	4/4 or 1	$1.00
Half-Dollar	1	1/2	$0.50
	2	2/2 or 1	$1.00

Página 309

5-8 Respuestas de Investigar

3.

Valores R del material

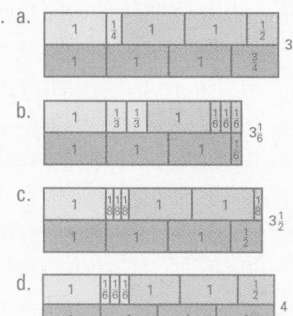

A: estuco
B: ladrillo común
C: plaste de yeso ligero
D: láminas de asfalto
E: madera terciada de 3/8 de pulgada
F: tablaroca de media pulgada
G: terminación para pisos en madera dura
H: bisel lateral de madera
I: tejas laterales de madera
J: tejas de madera para techo

Página 318

Respuestas de Tarea para evaluar el progreso

Moneda	No.	Fracciones de un dólar	Valor
5¢	1	1/20	$0.05
	2	2/20 ó 1/10	$0.10
	3	3/20	$0.15
	4	4/20 ó 1/5	$0.20
	5	5/20 ó 1/4	$0.25
	6	6/20 ó 3/10	$0.30
	7	7/20	$0.35
	8	8/20 ó 2/5	$0.40
	9	9/20	$0.45
	10	10/20 ó 1/2	$0.50
	11	11/20	$0.55
	12	12/20 ó 3/5	$0.60
	13	13/20	$0.65
	14	14/20 ó 7/10	$0.70
	15	15/20 ó 3/4	$0.75
	16	16/20 ó 4/5	$0.80
	17	17/20	$0.85
	18	18/20 ó 9/10	$0.90
	19	19/20	$0.95
	20	20/20 ó 1	$1.00
10¢	1	1/10	$0.10
	2	2/10 ó 1/5	$0.20
	3	3/10	$0.30
	4	4/10 ó 2/5	$0.40
	5	5/10 ó 1/2	$0.50
	6	6/10 ó 3/5	$0.60
	7	7/10	$0.70
	8	8/10 ó 4/5	$0.80
	9	9/10	$0.90
	10	10/10 ó 1	$1.00
25¢	1	1/4	$0.25
	2	2/4 ó 1/2	$0.50
	3	3/4	$0.75
	4	4/4 ó 1	$1.00
Medio dólar	1	1/2	$0.50
	2	2/2 ó 1	$1.00

Page 347

6-5 Answers for Explore

1. a.
b.
c.
d.

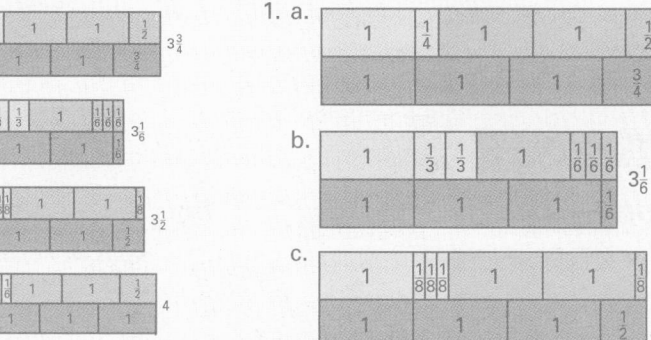

Página 347

6-5 Respuestas de Investigar

1. a.
b.
c.
d.

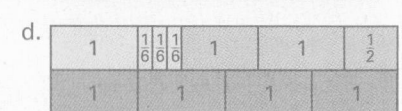

INDEX

INDEX